Les microrégions d
(voir la carte à l'intérieur de la couverture ci-contre)

Midi Toulousain
Des pyrénées à l'Aubrac

Collection Le Guide Vert sous la responsabilité d'Anne Teffo

Édition
Béatrice Brillion, Laurence Michel

Rédaction
Sophie Fréret, Emmanuelle Maisonneuve, Laurence Michel

Cartographie
Véronique Aissani, Stéphane Anton, Cristina Bragaru, Michèle Cana, Aura Nicolae, Mirela Spita, Claudiu Spiridon

Relecture
Sophie Jilet

Remerciements
Didier Broussard

Conception graphique
Christelle Le Déan

Régie publicitaire et partenariats
michelin-cartesetguides-btob@fr.michelin.com
Le contenu des pages de publicité insérées dans ce guide n'engage que la responsabilité des annonceurs.

Contacts
Michelin Cartes et Guides
Le Guide Vert
46 avenue de Breteuil - 75324 Paris - Cedex 07
℘ 01 45 66 12 34 - Fax 01 45 66 13 75
cartesetguides.michelin.fr

Parution 2010

Le Guide Vert, mode d'emploi

Le Guide Vert, un guide en 3 parties

◖ **Organiser son voyage** : les informations pratiques pour préparer et profiter de son séjour sur place

◖ **Comprendre la destination** : les thématiques pour enrichir son voyage

◖ **Découvrir la destination** : un découpage en **microrégions** *(voir carte générale dans le 1er rabat de couverture et sommaire p. 1)*

En ouverture de chaque **microrégion**, retrouvez un **sommaire** et une **carte** qui indiquent :
- les villes et sites traités dans le chapitre
- les itinéraires conseillés

Pour chaque chapitre, consultez « ⊛ **Nos adresses…** » :
- des informations pratiques
- des établissements classés par catégories de prix
- des lieux où boire un verre
- des activités à faire en journée ou en soirée
- un agenda des grands événements de l'année

En fin de guide

◖ un **index général** des lieux et thèmes traités
◖ un **sommaire** des cartes et plans du guide
◖ la légende des symboles du guide
◖ la liste de nos publications

Et en complément de notre guide

◖ Créez votre voyage sur **Voyage.ViaMichelin.fr**

Votre avis nous intéresse
Rendez-vous sur votreaviscartesetguides.michelin.fr

VENIR EN MIDI TOULOUSAIN

Sommaire

1/ ORGANISER SON VOYAGE

3/ DÉCOUVRIR LE MIDI TOULOUSAIN

▐1▐ TOULOUSE ET SES ENVIRONS

▐2▐ L'ALBIGEOIS ET LA MONTAGNE NOIRE

▐3▐ L'ARIÈGE

▐4▐ AUTOUR DE SAINT-GAUDENS

▐5▐ LA BIGORRE

▐6▐ LA RÉGION DU GERS

▐7▐ LA RÉGION DE MONTAUBAN

▐8▐ L'AVEYRON ET LA VALLÉE DU LOT

▐9▐ LA PRINCIPAUTÉ D'ANDORRE

1/
ORGANISER SON VOYAGE

Venir en Midi Toulousain

Par la route

LES GRANDS AXES

On atteint **Toulouse** depuis Paris en suivant les autoroutes A 10, A 71, A 20, A 62 ; depuis Bordeaux ou Narbonne par les autoroutes A 62 et A 61 ; depuis Biarritz ou Pau par l'autoroute A 64 ; depuis Albi par l'autoroute A 68. L'autoroute A 75, (axe Clermont-Ferrand-Montpellier) permet de rejoindre **Rodez**.
Informations autoroutières
℘ 0 892 681 077 (0,34 €/mn) - www.autoroutes.fr -Radio Trafic FM 107.7.

LES CARTES MICHELIN

Cartes Départements 336 (Gers, Lot-et-Garonne), **337** (Lot, Tarn-et-Garonne), **338** (Aveyron, Tarn), **342** (Hautes-Pyrénées, Pyrénées-Atlantiques) et **343** (Ariège, Haute-Garonne).
Carte Région 525 (Midi-Pyrénées).
Carte de France 721.
En ligne : calcul d'itinéraires sur **www.ViaMichelin.fr**.

En train

LES GRANDES LIGNES

Avec le **TGV**, Toulouse est à 3h30 de Marseille, 4h de Lyon, 5h de Paris et 7h30 de Lille. Le TGV s'arrête aussi à Montauban. Il existe également des trains **corail**.
Informations et réservation - ℘ 36 35 (0,34 €/mn) - www. voyages-sncf.com.

LES TRAINS EXPRESS RÉGIONAUX

Les TER desservent de nombreuses villes de la région depuis Toulouse.
Informations et réservation – TER Midi-Pyrénées - ℘ 36 35 - www.ter-sncf.com.

En avion

LES COMPAGNIES AÉRIENNES

Air France et ses filiales CCM Airlines, Régional ou Brit'Air desservent Toulouse au départ de Paris, Rennes, Nantes, Tarbes-Lourdes, Clermont-Ferrand, Lille, Lyon, Strasbourg, Marseille et Nice.
Renseignements et réservations : ℘ 36 54 - www.airfrance.fr.
Easy Jet – Liaisons quotidiennes Paris Orly-Toulouse.
Renseignements et réservations : www.easyjet.com.
Hex'Air – Liaisons Lyon/Rodez et Lyon/Castres.
Renseignements et réservations sur www.hexair.com.

LES AÉROPORTS DE LA RÉGION

Aéroport de Toulouse – BP 90103 - 31703 Blagnac - ℘ 0 825 380 000 - www.toulouse. aeroport.fr - au nord-ouest de Toulouse.
Aéroport international Tarbes-Lourdes-Pyrénées – BP 3 - 65290 Juillan - ℘ 05 62 32 92 22 - www. tarbes-lourdes.aeroport.fr.
Aéroport Rodez-Marcillac – Rte de Decazeville - 12330 Salles-la-Source - ℘ 05 65 42 20 30.

Avant de partir

Météo

Été : sec et chaud, orages violents et soudains (consulter la météo avant de partir en montagne).
Automne : climat doux, pluies abondantes, parfois vent d'autan.
Hiver : doux, enneigement des Pyrénées variable, souvent tardif.
Printemps : soleil, températures douces et parfois neige en altitude.

Adresses utiles

LES INSTITUTIONS

Comités régionaux du tourisme
Midi-Pyrénées – 54 bd de l'Embouchure - BP 2166 - 31022 Toulouse Cedex 2 - ℘ 05 61 13 55 55 - www.tourisme-midi-pyrenees.org.
Maison Midi-Pyrénées – 1 r. de Rémusat - 31000 Toulouse - ℘ 05 34 44 18 18.

Comités départementaux du tourisme
Ariège – 31 bis av. du Gén.-de-Gaulle - BP 143 - 09004 Foix Cedex - ℘ 05 61 02 30 70 - www.ariegepyrenees.com.
Aveyron – 17 r. Aristide-Briand - BP 831 - 12008 Rodez - ℘ 05 65 75 55 75 - www.tourisme-aveyron.com.
Haute-Garonne – 14 r. Bayard - BP 845 - 31015 Toulouse Cedex 6 - ℘ 05 61 99 44 00 - www.tourisme-haute-garonne.com.
Gers – 3 bd Roquelaure - BP 106 - 32002 Auch Cedex - ℘ 05 62 05 95 95 - www.tourisme-gers.com.
Hautes-Pyrénées – 11 r. Gaston-Manent - BP 9502 - 65950 Tarbes Cedex 9 - ℘ 05 62 56 70 65 - www.tourisme-hautes-pyrenees.com.
Tarn – 41 r. Porta - BP 225 - 81006 Albi Cedex - ℘ 05 63 77 32 10 - www.tourisme-tarn.com.
Tarn-et-Garonne – 15 bd Midi-Pyrénées - 82000 Montauban - ℘ 05 63 21 79 65 - www.tourisme82.com.

Maisons de pays
Maison de l'Aveyron – 46 r. Berger - 75001 Paris - ℘ 01 42 36 84 63 -www.maison-aveyron.org.
Maison des Pyrénées – 15 r. Saint-Augustin - 75002 Paris - ℘ 01 42 86 51 86.

Offices de tourisme
Leurs adresses sont dans la rubrique « S'informer » des sites, dans la partie « Découvrir le Midi Toulousain ».
En ligne : **www.franceguide.com**

TOURISME
DES PERSONNES HANDICAPÉES

Le symbole ♿ signale les sites accessibles aux personnes à **mobilité réduite**.

Accessibilité des infrastructures touristiques
Association Tourisme et Handicaps – 43 r. Max-Dormoy - 75018 Paris - ℘ 01 44 11 10 41 - www.tourisme-handicaps.org.

DISTANCES EN KM	Toulouse	Rodez	Tarbes	Foix
Bordeaux	245	343	217	229
Lille	896	877	1047	948
Lyon	540	336	688	537
Marseille	408	365	555	404
Paris	678	660	830	767
Strasbourg	956	841	1 107	1 027

Accessibilité des transports

Train – Le *Mémento du voyageur handicapé* (gratuit) est disponible dans les gares et boutiques SNCF.
SNCF Accessibilité Service : ☎ 0 800 15 47 53 (N° Vert 24h/24 7j/7) - **www.voyages-sncf.com**
Avion – Air France propose aux personnes handicapées le service d'**assistance Saphir** : ☎ 0 820 01 24 24 - **www.airfrance.fr**.

Se loger

Retrouvez notre sélection dans « Nos adresses à… » situées en fin de description des principaux sites de la partie « Découvrir le Midi Toulousain »
Les prix que nous indiquons correspondent au tarif minimum et maximum d'une chambre double.

NOTRE SÉLECTION

Nos hébergements vous sont proposés avec différents types de confort. À consulter :
Le Guide Michelin France et le **Guide Camping Michelin France.**

LES SERVICES DE RÉSERVATION

Les services de réservation
Fédération nationale des services de réservation Loisirs-Accueil – 74/76 r. de Bercy - 75012 Paris - ☎ 01 44 11 10 44 - www.resinfrance. com ou www.loisirs-accueil.fr. Elle propose un large choix d'hébergements et d'activités de qualité.

Fédération nationale Clévacances France – 54 bd de l'Embouchure – BP 52166 - 31022 Toulouse Cedex - ☎ 05 61 13 55 66 - www.clevacances.com. Propose près de 29 000 adresses d'hébergement (appartements, chalets, villas, gîtes, chambres d'hôte) en France et outre-mer. Catalogue par département.

L'HÉBERGEMENT RURAL

Hébergement rural
Fédération des Stations vertes de vacances et villages de neige – BP 71 698 - 21016 Dijon Cedex - ☎ 03 80 54 10 50 - www. stationverte.com.
Situées à la campagne et à la montagne, les 600 Stations vertes sont des destinations de vacances familiales reconnues pour leur qualité de vie (produits du terroir, loisirs variés, cadre agréable) et pour la qualité de leurs structures d'accueil et d'hébergement.
Bienvenue à la ferme – Le guide *Bienvenue à la ferme*, édité par l'Assemblée permanente des chambres d'agriculture (service Agriculture et Tourisme - 9 av. George-V - 75008 Paris - ☎ 01 53 57 11 44), est aussi en vente en librairie ou sur **www. bienvenue-a-la-ferme.com**. Il propose par région et par département des fermes-auberges, campings à la ferme, fermes de séjour, et de nombreux loisirs.

NOS CATÉGORIES DE PRIX				
	Hébergement		Restauration	
	Province	Grandes villes	Province	Grandes villes
Premier prix	jusqu'à 45 €	jusqu'à 65 €	jusqu'à 14 €	jusqu'à 16 €
Budget moyen	plus de 45 € à 65 €	plus de 65 € à 100 €	plus de 14 € à 25 €	plus de 16 € à 30 €
Pour se faire plaisir	plus de 65 € à 100 €	plus de 100 € à 160 €	plus de 25 € à 40 €	plus de 30 € à 50 €
Une folie	plus de 100 €	plus de 160 €	plus de 40 €	plus de 50 €

Hébergement pour randonneurs

Guide Gîtes d'étape et refuges – Les randonneurs peuvent consulter www.gites-refuges.com et le guide *Gîtes d'étape et refuges* (téléchargeable à partir du site) de A. et S. Mouraret (✆ 01 34 65 11 89). Avec 4 000 hébergements, en France et aux frontières, ce site et cet ouvrage s'adressent aussi aux amateurs d'alpinisme, d'escalade, de ski, de cyclotourisme et de canoë-kayak.

AUBERGES DE JEUNESSE

Les auberges de jeunesse

Ligue française pour les auberges de la jeunesse – 67 r. Vergniaud - bâtiment K - 75013 Paris - ✆ 01 44 16 78 78 - www.auberges-de-jeunesse.com.
Carte LFAJ : cotisation annuelle de 11 € pour les moins de 26 ans et de 16 € au-delà de cet âge.
Fédération unie des auberges de jeunesse (FUAJ) – Centre national - 27 r. Pajol - 75018 Paris - ✆ 01 44 89 87 27 - www.fuaj.org.
Carte FUAJ : cotisation annuelle de 11 € pour les moins de 26 ans, de 16 € au-delà de cet âge et de 23 € pour les familles.

POUR DÉPANNER

B & B – ✆ 0 892 782 929 - www.hotel-bb.com.
Etap Hôtel – ✆ 0 892 688 900 - www.etaphotel.com.
Campanile – ✆ 0 825 003 003 - www.campanile.fr.
Kyriad – ✆ 0 825 003 003 - www.kyriad.fr.
Ibis – ✆ 0 892 686 686 - www.ibishotel.com.

Se restaurer

Retrouvez notre sélection dans « Nos adresses à… » situées en fin de description des principaux sites de la partie « Découvrir le Midi Toulousain ».

NOTRE SÉLECTION

À consulter : **Le Guide Michelin France** ainsi que le guide édité par l'association départementale « **Produits de la Ferme** », sur demande auprès de la chambre d'agriculture – 22 pl. du Foirail - 65000 Tarbes - ✆ 05 62 34 66 74.

LABEL

Afin de valoriser le patrimoine gastronomique, les **restaurateurs tarnais** membres de l'association « **Cuisineries gourmandes des provinces françaises** » remettent à l'honneur des spécialités régionales. Chaque cuisinier choisit une recette composée de produits du terroir, et l'inscrit à sa carte sous l'intitulé « l'assiette de mon village ». ✆ 05 63 56 06 58, www.cuisineries-gourmandes.com.

LES SITES REMARQUABLES DU GOÛT

C'est un label décerné aux sites dont la richesse gastronomique s'appuie sur des produits de qualité, et un environnement culturel et touristique intéressant. En Midi-Pyrénées bénéficient de ce label les burons de l'Aubrac (Aveyron) pour le fromage de Laguiole et l'aligot, la ville de Moissac (Tarn-et-Garonne) pour son chasselas, la fête de la Saint-Barthélemy à Najac (Aveyron) pour sa fouace, la Fête de l'ail rose de Lautrec (Tarn), la Foire aux côtelettes de Luz-Saint-Sauveur (Hautes-Pyrénées) pour son mouton.
♿ www.sitesremarquablesdugout.com.

Sur place de A à Z

Pour obtenir de la documentation, s'adresser aux **comités départementaux** et **comités régionaux** de tourisme *(voir p. 10)*.

BAIGNADE

Le Midi Toulousain n'a pas d'accès à l'Atlantique ni à la Méditerranée mais il possède de nombreux lacs, rivières, bases de loisirs, cascades… Pour le **Gers** : **www.gascogne.fr**.

CANOË-KAYAK

Vous pouvez descendre la Dordogne, l'Aveyron ou le Tarn. **Comité départemental de canoë-kayak de l'Ariège** – Av. du Stade - 09000 Foix - ☎ 05 61 65 20 65 - www.ck-ariege.com. **Fédération française de canoë-kayak** – 87 quai de la Marne - 94344 Joinville-le-Pont - ☎ 01 45 11 08 50 - www.ffck.org. La fédération édite un livre *France canoë-kayak et sports d'eaux vives* et une carte avec tous les cours d'eau praticables.

CANYONING

Les eaux vives des Pyrénées sont idéales pour le canyoning, le rafting et l'hydrospeed. Un moniteur connaissant les cours d'eau et les particularités de la météo locale est absolument indispensable : **Fédération communautaire des accompagnateurs en montagne Pyrénées** – Pl. de la Mairie - 65150 Saint-Laurent-de-Neste - ☎ 05 62 39 76 44 - www.passeurs-pyrenees.com. **Compagnie des guides des Pyrénées** – Bernard Pez - lot Trébéssot - 64290 Bosdarros - ☎ 05 59 21 79 81 - www.guides-montagne-pyrenees.com.

CYCLOTOURISME

Pour les routes de cols, des panneaux indiquent, au départ, les kilomètres et pourcentages de pente des itinéraires. De nombreux sentiers de grande randonnée ou de randonnée de pays sont accessibles aux amateurs de VTT. Moins exténuants, plusieurs parcours longent les fleuves et les canaux comme le parcours cyclable de la Garonne. Les clubs cyclotouristes organisent des sorties avec guides : **Fédération française de cyclotourisme** – 12 r. Louis-Bertrand - 94200 Ivry-sur-Seine - ☎ 01 56 20 88 88 - www.ffct.org. **Fédération française de cyclisme** - Bât. Jean-Monnet - 5 r. de Rome - 93561 Rosny-sous-Bois - ☎ 01 49 35 69 24 - www.ffc. fr. Elle édite un guide annuel gratuit des 46 000 km de sentiers balisés. Pour les cyclistes de haute montagne, sportifs ou amateurs, Rando Éditions publie le guide de *La Haute Route des Pyrénées à vélo* (Hendaye-Banyuls en 14 étapes).

ESCALADE

Le relief des Pyrénées constitue un véritable paradis pour les amateurs d'escalade qui se feront accompagner par un guide de montagne ou un moniteur d'escalade breveté d'État. **Fédération française de la montagne et de l'escalade** – 8-10 quai de la Marne - 75019 Paris - ☎ 01 40 18 75 50 - www.ffme.fr. Consulter également le *Guide des sites naturels d'escalade en France*, par D. Taupin (Éd. Cosiroc/FFME). **Comité départemental de montagne et d'escalade** – Chemin

de l'Alette - 65000 Tarbes -
℘ 05 62 44 11 87 - ffmecd65@
wanadoo.fr.

GASTRONOMIE

Stages culinaires
Pour découvrir la gastronomie
locale et les vignobles.
**Service Loisirs-Accueil du
Gers** – Maison de l'agriculture - rte
de Tarbes - BP 178 - 32003 Auch
Cedex - ℘ 05 62 61 79 00 - www.
gers-tourisme.com.
**Service Loisirs-Accueil de
l'Aveyron** – 17 r. Aristide-Briand -
BP 831 - 12008 Rodez Cedex -
℘ 05 65 75 55 50.

Marchés
Outre les traditionnels marchés au
gras abondamment pourvus de
canards, oies, foies crus ou cuisinés,
les marchés hebdomadaires
proposent de nombreux produits
du cru :

Rallye
Les « Traces du fromage » à
Laguiole (mars) consistent en une
randonnée gastronomique en ski
de fond ou à pied dont les étapes
s'accompagnent de dégustations
de spécialités de l'Aubrac : aligot,
viande, fromage.
Fromagerie Jeune Montagne –
12210 Laguiole - ℘ 05 65 44 35 54.

HYDROSPEED (NAGE EN EAU VIVE)

Voir la rubrique « Canyoning ».

NAVIGATION DE PLAISANCE

On peut parcourir le canal du Midi
en bateau de croisière à louer (sans
permis), en bateau-promenade ou
en péniche-hôtel. Les rivières Baïse,
Tarn et Lot *(voir pour cette dernière
Le Guide Vert Périgord)* offrent de
nombreuses possibilités.

Les croisières organisées
**Promenades en coche d'eau à
Castres** – *Voir nos adresses dans
Castres.*

Navigation Plaisance –
Promenades sur le canal des Deux-
Mers et sur le Tarn : *voir nos adresses
dans Moissac.*
**Péniche « Baladine » et bateau-
mouche « Le Capitole »** –
Croisières sur la Garonne ou le canal
du Midi : *voir nos adresses dans
Toulouse.*
Bateau « Lucie » – En barge : *voir
nos adresses dans Canal du Midi.*
Gascogne-Navigation –
Promenades sur la Baïse : *voir nos
adresses dans Condom.*
Bateau « Emmanuel III » – Tour du
lac de Pareloup : *voir nos adresses
dans Rodez.*

Location de bateaux habitables
Bateaux aménagés pour
6/8 personnes. Navigation sur le
canal du Midi, le canal latéral à la
Garonne, et sur la Baïse.
Société Crown Blue Line –
Le Grand Bassin - BP 1201 - 11492
Castelnaudary Cedex - ℘ 04 68 94
52 73 - www.crownblueline.fr. ou
Écluse 44 - 47430 Le Mas-d'Agenais -
℘ 05 53 89 50 80.
Gascogne Navigation –
Capitainerie de Condom - quai de
la Bouquerie - 32100 Condom -
℘ 05 62 28 46 46   www.gascogne-
navigation.com.
Nicols – Rte du Puy-St-Bonnet -
49300 Cholet - ℘ 02 41 56 46 56 -
www.nicols.com.
Pour les cartes :
Éditions Grafocarte-Navicarte –
125 r. Jean-Jacques-Rousseau -
BP 40 - 92132 Issy-les-Moulineaux
Cedex - ℘ 01 41 09 19 00.
Éditions du Plaisancier – 43 porte
du Grand-Lyon - 01700 Neyron -
℘ 04 72 01 58 68 - www.vagnon.fr.

PÊCHE

La région pyrénéenne est le
paradis des pêcheurs. Pour tout
renseignement :
Conseil supérieur de la pêche –
Immeuble Le Péricentre - 16 av.

Louison-Bobet - 94132 Fontenay-sous-Bois Cedex - ✆ 01 45 14 36 00.
Union nationale pour la pêche en France – 17 r. Bergère - 75009 Paris - ✆ 01 48 24 96 00 - www.unpf.fr.
Fédérations pour la pêche et la protection du milieu aquatique :
Ariège – Pl. du 59e-R.I. - BP 18 - 09001 Foix Cedex - ✆ 05 34 09 31 09 - www.peche-ariege.com.
Aveyron – Moulin de la Gascarie - 12000 Rodez - ✆ 05 65 68 41 52.
Hautes-Pyrénées – 20 bd du 8-Mai-1945 - 65000 Tarbes - ✆ 05 62 34 00 36.

RAFTING

Voir la rubrique « Canyoning ».

RANDONNÉE ÉQUESTRE

Les comités départementaux du tourisme équestre (CDTE) peuvent vous fournir cartes et itinéraires :
Haute-Garonne – 37 chemin Roudou - 31450 - 31450 Belberaud - ✆ 05 61 87 50 00 ou 06 86 55 78 08 (Roger Bacou) - www.cdte31.fr.
Tarn – Voyage à cheval - 81220 Damiatte - ✆ 05 63 42 06 00 - www.terre-equestre.com/1voyageacheval.
Comité national du tourisme équestre – 9 bd Macdonald - 75019 Paris - ✆ 01 53 26 15 50 - www.ffe.com.
Ligue Midi-Pyrénées tourisme équestre (ARTEMIP) – 31 chemin des Canalets - 31400 Toulouse - ✆ 05 61 14 04 58.
Sherpa - Centre national du Mérens – 09240 La Bastide-de-Sérou - ✆ 05 61 64 59 05 - www.chevaldemerens.com.
Mérens du pays d'Olmes – Centre équestre domaine de Tony - 09300 Péreille - ✆ 05 61 03 07 08 -www.domaine-tony-ariege-equitation.com.

RANDONNÉE PÉDESTRE

Les GR (grande randonnée) et les GRP (grande randonnée de pays) s'adressent aux marcheurs avertis. Les GR : le sentier de Saint-Jacques (GR 65, GR 653) ; sur la route de Toulouse (GR 623) ; la Transpyrénéenne (GR 10) ; de Castelnaudary à l'Andorre (GR 7) ; le chemin des Bonshommes (GR 107) ; Toulouse-Luchon (GR 86). Les GRP : tours dans l'Ariège, Pyrénées ariégeoises… La Haute Route des Pyrénées (HRP) traverse les Pyrénées d'est en ouest.
À propos des **chemins de Saint-Jacques** : consultez le site www.chemins-compostelle.com (et pour l'aspect historique, *voir p. 55*).
Comité régional de la randonnée pédestre en Midi-Pyrénées – Maison des sports - r. Buissonnière - BP 81908 - 31319 Labège Cedex - ✆ 05 62 24 18 77 - www.randonnees-midi-pyrenees.com.
Fédération française de randonnée pédestre – 64 r. du Dessous-des-Berges - 75013 Paris - ✆ 01 44 89 93 93 - www.ffrandonnee.fr.
Voir notre bibliographie p. 25.
Les comités départementaux de tourisme et les offices de tourisme éditent leurs propres parcours.
Aveyron – Maison du tourisme - 17 r. A.-Briand - BP 831 - 12008 Rodez Cedex - ✆ 05 65 75 54 61 - www.aveyronsport.com/cdrp12.
Hautes-Pyrénées – Maisons des associations - 6 quai de l'Adour - 65000 Tarbes - ✆ 05 62 34 44 13 - www.hautes-pyrenees-rando.com.
Tarn – 6 r. Saint Clair - 81000 Albi - ✆ 05 63 47 33 70 - www.ffrandonnee-tarn.org. Guide *Traversées du Tarn*.
Ariège – www.randonnees-ariege.com.
La Balaguère – 65400 Arrens-Marsous - ✆ 0 820 022 021 - www.balaguere.com.
Chamina Voyages – Naussac - BP 5 - 48300 Langogne - ✆ 04 66 69 00 44 - www.chamina-voyages.com.

Fédération nationale ânes et randonnées – 13 montée Saint-Lazare - 04000 Digne-les-Bains - ✆ 04 92 34 23 11 - www.ane-et-rando.com.

ROUTES HISTORIQUES

Il existe 20 itinéraires à thème disponibles auprès des offices de tourisme ou de M. Tranié - 1 r. du Château - 60112 Troissereux - ✆ 03 44 79 00 00 - www.routes-historiques.com.
Route historique du pastel en pays de cocagne – Château de Magrin - 81220 Magrin - ✆ 05 63 70 63 82, s'adresser à M. Rufino - www.route-historique-du-pastel.com.

ROUTES THÉMATIQUES

Route des cadets de Gascogne – Renseignements auprès du Comité départemental du tourisme et des loisirs du Gers *(voir p. 10)*.
Route des comtes de Toulouse – S'adresser à M. Lyonel de Lastic-Saint-Jal - 43 r. du Parc de-Clagny - 78000 Versailles - ✆ 01 39 54 79 85.
Sur les pas de Saint-Jacques-de-Compostelle – De Toulouse à Saint-Bertrand-de-Comminges (137 km).
Route des vins – Entre Garonne et Tarn, à travers le vignoble frontonnais.
Route des grottes – Sites souterrains et grottes en Ariège.
Route des seigneurs du Rouergue – Dans l'Aveyron.

RUGBY

Rencontres d'octobre à mai.
😊 Pour en savoir plus, *voir p. 35*.
Fédération française de rugby – 9 r. de Liège - 75431 Paris Cedex 09 - ✆ 01 53 21 15 39 - www.ffr.fr.

SKI

Les **Pyrénées** offrent de vastes champs enneigés bien équipés, pour tous les sports de neige : ski de fond, de randonnée, de piste, mais aussi ski-parapente, motoneige…
L'**Aubrac** se prête bien au ski de fond. Renseignements à l'Office du tourisme de Laguiole - ✆ 05 65 44 35 94 ou sur www.montagnemassifcentral.com.
Pour skier en **Andorre**, consultez : www.ski.andorra.com.

SOUVENIRS

Les produits du terroir : préparations salées (foies gras et confits), charcuterie (jambon de porc noir, saucisson), fromages (fourme de laguiole, bethmale, tomme), douceurs (gâteau à la broche, violettes cristallisées, fouaces) et bien sûr vin et liqueur *(voir Vins et alcools p.40)*. En artisanat : poteries de Giroussens, faïence de Martres-Tolosane, couteaux de Laguiole, laines, tissus et sabots de Bethmale.

SPÉLÉOLOGIE

Les plateaux et les vallées sont riches en grottes et en cavités. Seul un accompagnateur breveté, connaissant parfaitement le réseau hydrographique, assure la garantie d'une découverte au risque minimal.
Comité régional de spéléologie Midi-Pyrénées – 7 r. A.-Citroën - 31130 Balma - ✆ 05 61 11 71 60 - www.comite-speleo-midipy.com.
École française de spéléologie – 28 r. Delandine - 69002 Lyon - ✆ 04 72 56 35 76 - www.efs.ffspeleo.fr.
Fédération française de spéléologie – 28 r. Delandine - 69002 Lyon - ✆ 04 72 56 09 63 - www.ffspeleo.fr.

SPORTS DE MONTAGNE

Les compagnies de guides de montagne proposent une large gamme d'activités accompagnées :

Montagne Passion – Gare Aval du Téléporté - BP 24 - 09110 Ax-les-Thermes - ☎ 05 61 64 31 51 ou 06 79 46 02 27 - www. montagnepassion.com.
Bureau des guides de Luchon – 66 allées d'Étigny - 31110 Luchon - ☎ 05 61 79 69 38 - www. bureau-guides-luchon.com.
Bureau des guides de Saint-Savin – 4 pl. du Trey - 65400 St-Savin - ☎ 05 62 97 91 03.
Bureau des guides de la vallée de Cauterets – BP 43 - 65110 Cauterets - ☎ 05 62 92 62 02 - www. guides-cauterets.com.
Bureau des guides de la vallée de Luz – BP 6 - 1 pl. du 8-Mai-1945 - 65120 Luz-St-Sauveur - ☎ 05 62 92 87 28.
Bureau des guides de la vallée d'Aure – 3 allée du Corps-Franc-Pommiès - 65170 St- Lary - ☎ 05 62 40 02 58 - www.bureau-des-guides-de-saint-lary.com.
Les **Bulletins neige et avalanche** (BNA), affichés dans chaque lieu de randonnée, doivent être consultés avant toute sortie. Consultez également le répondeur de Météo France ☎ 3250 ou 08 92 68 02 suivi du n° du département ou www. meteorage.fr.

THERMALISME

La région Midi-Pyrénées est la 4e région thermale française. Les eaux pyrénéennes appartiennent à deux catégories, les sources sulfurées et les sources salées. Cransac-les-Thermes (voir Decazeville) propose une thérapie aux gaz secs et chauds.
Conseil national des exploitants thermaux (CNETh) – 1 r. Cels - 75014 Paris - ☎ 01 53 91 05 77 - www.thalasso-thermale.com.
Chaîne thermale du soleil – 32 av. de l'Opéra - 75002 Paris - ☎ 0 800 050 532 (appel gratuit) - www.chainethermale.fr.

VISITES GUIDÉES

Elles sont organisées toute l'année dans les grandes villes ou seulement en saison dans les plus petites. Informez-vous à l'office de tourisme et pensez à réserver.
Ⓖ Voir aussi Nos adresses pour les différents sites traités dans la partie « Découvrir le Midi Toulousain ».

Villes et Pays d'art et d'histoire
Sous ce label décerné par le ministère de la Culture et de la Communication sont regroupés quelque 117 villes et pays qui œuvrent activement à la mise en valeur et à l'animation de leur architecture et de leur patrimoine. Pour les visites, renseignements auprès des offices de tourisme ou sur le site www.vpah.culture.fr.
Ⓖ Voir « En famille » p. 20.

VUE DU CIEL

Plusieurs clubs et écoles de pilotage proposent des baptêmes de l'air (biplaces, planeur, vol à voile, ULM…).
Fédération française de planeur ultra-léger motorisé – 96 bis r. Marc-Sangnier - 94704 Maisons-Alfort Cedex - ☎ 01 49 81 74 43 - www.ffplum.com.
Aéro-club de Luchon – 31110 Bagnères-de-Luchon - ☎ 05 61 79 00 48.
Fédération française de vol libre (deltaplane et parapente) – 4 r. de Suisse - 06000 Nice - ☎ 04 97 03 82 82 - www.ffvl.fr.
Pyrénées Montgolfières – Aérodrome Auch-Lamotte - 32000 Auch - ☎ 05 62 63 66 11 - www. pyrenees-montgolfieres.com.
Le Relais Templier – Rue Principale - 81140 Vaour - ☎ 05 63 56 11 78 - www.relais-templier.abcsalles.com.

En famille

Le tableau récapitulatif présente les sites que nous avons sélectionnés pour vous et vos enfants. Repérez-les dans la partie « Découvrir le Midi Toulousain » grâce au pictogramme 👥.

SITES OU ACTIVITÉS À FAIRE EN FAMILLE			
Chapitre du guide	**Nature**	**Musée**	**Loisirs**
Principauté d'Andorre	Forge Rossel	Musée de la Microminiature ; Casa Cristo ; Casa Rull	
Argelès-Gazost	Parc animalier des Pyrénées ; lamas du val d'Azon (Estaing) ; donjon des Aigles (Beaucens) ; aquarium tropical du Haut Lavedan (Pierrefitte-Nestalas)		
Arreau	Les aigles d'Aure ; Grottes de Labastide	Musée de la Vallée d'Aure et musée de la Cidrerie d'Ancizan	Lac de Génos-Loudenvielle
Aubrac		Grenier de Capou (Soulages-Bonneval)	
Auch	Jardin carnivore (Peyrusse-Massas)		
Ax-les-Thermes	Maison des loups (Orlu)		
Bagnères-de-Bigorre	Grottes de Médous ; Gouffre d'Esparros		
Barèges	Jardin botanique du Tourmalet		
Beaumont-de-Lomagne		Moulin à vent de Brignemont	
Bozouls		Terra Memoria	
Carmaux		Parc des Titans ; Musée de la Mine (Cagnac-les-Mines)	Cap'Découverte
Castres	Zoo de Montredon		Planétarium-observatoire (Montredon-Labessonnié)
Cordes-sur-Ciel	Jardin des Paradis ; dolmen Peyro-Lebado	Historama ; Musée de l'Art du sucre	
Entraygues-sur-Truyère		Visites contées au château de Valon	
Espalion		Château de Calmont-d'Olt	
Foix	Ferme des reptiles (Brouzenac) ; Rivière souterraine de Labouiche	Château de Foix ; Forges de Pyrène (Montgaillard)	
Gaillac		Archéosite de Montans	
Cirque de Gavarnie	Balade à cheval vers le cirque de Gavarnie		
Laguiole		Grenier de Capou (Soulages-Bonneval)	
Lautrec		Moulin à vent de la Salette	
Lavaur	Les jardins de Martel (Giroussens)		Chemin de fer touristique (St-Lieux-lès-Lavaur)
Lectoure	Ferme des étoiles (Fleurance)		
Lourdes	Aquarium de Lourdes	Musée du Petit Lourdes	

Luz-Saint-Sauveur	Jardin botanique du Tourmalet		
Mas-d'Azil		Affabuloscope	
Mazamet		Maison du bois et du jouet (Hautpoul)	
La Montagne Noire		Sylvea (Revel) ; Explorarôme (Montégut-Lauragais)	Bassin de Saint-Ferréol
Montauban	Bamboo Parc		
Mur-de-Barrez			Sentiers de l'imaginaire
Nogaro			Base de loisirs de Lupiac
Rieux		Village gaulois de	
Rodez	Haras	Musée Fenailles ; Château du Colombier (Mondalazac)	Lac de Pareloup ; Lacs du Lévézou
Saint-Bertrand-de-Comminges	Grottes de Gargas	Maison des sources (Mauléon-Barousse)	
Saint-Girons			Au pays des Traces (St-Lizier)
Saint-Lary-Soulan		Maison de l'ours	
Sauveterre-de-Rouergue	Parc animalier de Pradinas		
Le Sidobre	Rocher des 7 faux ; Chaos de St-Dominique ; Peuro Clabado ; Roc de l'Oie		Lac du Merle
Tarascon-sur-Ariège	Grotte de Niaux ; Grotte de Lombrives	Parc de la préhistoire	
Tarbes	Haras, Maison du cheval		Promenades en calèche
Toulouse	African Safari (Plaisance-du-Touch)	Muséum d'histoire naturelle, Cité de l'espace	Labyrinthe des merveilles (château de Merville)
Villefranche-de-Rouergue	Grottes de Foissac (Villeneuve)		

LES LABELS

Villes et Pays d'art et d'histoire
Ce réseau propose des visites-découverte et ateliers du patrimoine aux enfants.

Stations Kid
Une station gratifiée du label « Kid » remplit une série de conditions qui la rend adaptée à l'**accueil des familles** (hébergement, équipements, animations spécifiques pour chaque âge). **Association nationale des Stations Kid** – BP 139 - 59027 Lille Cedex - ✆ 03 20 14 97 87 - www.stationskid.com.

Stations vertes
Elles ont une destination touristique de loisir. La Fédération des Stations vertes a décerné les prix de l'accueil des enfants à Pont-de-Salars et Mur-de-Barrez (Aveyron), Masseube et Condom (Gers). www.stationverte.com.

Famille Plus
Ce label récompense les stations les plus performantes dans le domaine de l'accueil des familles.

Accueil Toboggan
Ce label décerné par les Gîtes de France est propre à la région Midi-Pyrénées. Il signale les gîtes ruraux, chambres d'hôte ou chalets loisir offrant des prestations spécifiques pour les enfants.

Mémo

Agenda

La brochure *Festivals en Midi-Pyrénées* éditée par le conseil régional complète utilement la liste ci-dessous. Vous la trouverez dans les offices de tourisme et de nombreux lieux publics de la région. Le programme est également disponible sur www.festivals.midipyrenees.fr. Vous trouverez d'autres événements plus locaux dans Nos adresses de la partie « Découvrir ».

FÉVRIER

Toulouse – Journées de la violette (début du mois). 05 62 16 31 31.
Albi – Carnaval (fin fév.-déb. mars).

MARS

Gavarnie – Derby 3000 : épreuve de ski de randonnée. 05 62 92 49 10 - http://derby3000.free.fr.

MARS – AVRIL

Toulouse – Printemps du rire. 05 62 21 23 24 - www.printempsdurire.com.
Lourdes – Festival de musique sacrée. 05 62 42 77 40.

DIMANCHE ET LUNDI DE PÂQUES

Saint-Félix-Lauragais – Fête historique de la cocagne : concerts, spectacles de cirque, jongleurs, défilés historiques. 05 61 83 01 71 (office de tourisme).

DERNIER WEEK-END D'AVRIL

Giroussens – Marché des potiers. 05 63 41 61 90 (mairie).

MAI

Rieux-Volvestre – Fête du papogay : tournoi d'archerie du 14e s. (1er w.-end). 05 61 87 63 33 (office de tourisme).
Condom – Festival européen de bandas y penas (2e w.-end du mois). 05 62 68 31 38 - www.festival-de-bandas.com.
Saint-Chély-d'Aubrac, Aubrac et Saint-Geniez-d'Olt – Fête de la transhumance et de la vache Aubrac (le w.-end le plus proche du 25). 05 65 44 21 15 (office de tourisme) -www.traditionsenaubrac.com.
Lavaur – « Mai de Dame Guiraude » : fête médiévale (3e dim.). 05 63 58 02 00 (office de tourisme).

ASCENSION

Montauban – Alors chante : festival de la chanson française. 05 63 63 02 36 - www.alorschante.com.

WEEK-END DE LA PENTECÔTE

Vic-Fezensac – Feria du toro ; grandes corridas. 05 62 64 45 99.

1ER WEEK-END APRÈS LA PENTECÔTE

Martres-Tolosane – Fête de la Saint-Vidian : fête religieuse et reconstitution historique. 05 61 98 66 41.

JUIN

Toulouse – Festival Le Marathon des mots (dernier w.-end du mois). 05 61 99 64 01 - www.lemarathondesmots.com.
Auch – Éclats de voix : musique classique et contemporaine.

📞 05 62 05 20 82 - www.eclatsdevoix.com.

Lac d'Estaing – Transhumance (1er sam. du mois) ; Eolo Tempo : festival de cerfs-volants et rapaces (mi-juin, tous les 2 ans). 📞 05 62 97 45 68 - www.eolotempo.fr.

Toulouse – Festival Rio Loco : concerts rock, jazz, pop, bal tango, arts visuels (fin du mois). 📞 05 61 32 77 28 - www.rio-loco.org.

JUIN-SEPTEMBRE

Saint-Félix-Lauragais – Festival Déodat de Séverac : musique de chambre, opéra, musiques occitanes et catalanes. 📞 05 61 83 01 71 (office de tourisme).

Lectoure – Été photographique (juil.-août) 📞 05 62 68 83 72.

JUILLET

Eauze – Grand Prix de la ville d'Eauze (le 3) : courses de chevaux. 📞 05 62 09 85 62.

Monestiés – Festival Pause Guitare. 📞 05 65 60 55 90.

Sorèze – Festival Musique des Lumières (1re quinzaine de juillet). Concerts de musique baroque 📞 05 63 50 86 38.

Estaing – Procession de la Saint-Fleuret (1er dim. du mois). 📞 05 65 44 03 22.

Toulouse – Festival Les Siestes électroniques (1re quinz.). www.les-siestes-electroniques.com.

Castres – Festival Les Extravadanses (1re quinz.). 📞 05 63 71 56 58/59 95.

Mirande – Festival de Country Music (1re quinz.). Concerts de country, cours de danse, rassemblements de montgolfières, motos, 4X4… 📞 0892 68 30 32 - www.country-musique.com.

Gavarnie – Terre de festival, tous les soirs représentation théâtrale dans le cirque de Gavarnie. 📞 05 62 56 71 20 (de mars à juil.)

Nogaro – Concours de la Corne d'or

le 14 Juillet dans les arènes.

Luz-Saint-Sauveur – Jazz à Luz (2e ou 3e w.-end du mois). 📞 05 62 92 38 30 - www.jazzaluz.com.

Eauze – Fêtes d'Eauze : courses landaises et corrida (1er dim. juil.).

Pamiers – Fiesta, festival de musiques latines (w.-end du 14). 📞 05 61 67 52 52 - www.pamierstourisme.com/fiesta.

Cordes-sur-Ciel – Fête médiévale du Grand Fauconnier : défilés en costumes, bateleurs, jongleurs, troubadours, marché médiéval (autour du 14). 📞 05 63 56 34 63.

Moissac – Festival Les Vibrations de Moissac (mi-juil.), polyphonies, animations de rue, soirées grand public. 📞 05 63 04 63 85.

Albi – Scènes estivales, festival de théâtre (mi-juil.). 📞 05 63 54 18 63 - www.croixblanche.net.

Foix – Résistances : festival de cinéma (10 jours comprenant la 2e sem. du mois). 📞 05 61 05 13 30 - www.cine-resistances.fr.

Montauban – Festival de jazz (2e quinz.). 📞 05 63 63 56 56 - www.jazzmontauban.com.

Cordes – Musique sur Ciel : festival de musique classique (2e quinz.). 📞 05 63 56 00 75 - www.festivalmusiquesurciel.com.

Mirepoix – Fête médiévale (3e w.-end). 📞 05 61 68 83 76.

Tarbes – Equestria (fin du mois) : festival de création équestre. 📞 05 62 51 30 31 - www.festivalequestria.com.

Vic-Fezensac – Festival Tempo Latino : musiques latino-américaines (fin du mois). 📞 05 62 06 56 66 - www.tempo-latino.com.

JUILLET-AOÛT

Conques – Festival de musique (de fin juil. à mi-août). 📞 05 65 71 24 00 - www.festival-conques.com.

Saint-Bertrand-de-Comminges, Saint-Just de Valcabrère, Saint-Gaudens, Martres-Tolosane –

Festival du Comminges (musique classique, musique sacrée et musique de chambre). ☎ 05 61 88 32 00 - www.festival-du-comminges.com.
Moissac – Soirées musicales. ☎ 05 63 04 06 81.
Flagnac – « Hier un village », grande fresque vivante sur le pays rouergat (fin juil.-déb. août). ☎ 05 65 64 09 92.
Foix – « Le trésor des cathares » : son et lumière (fin juil.-mi-août, mar., jeu. et vend.). ☎ 05 61 02 88 26 - http://foixterredhistoire.free.fr.
Lauzerte – Festival du Quercy blanc. Concerts de musique classique.

AOÛT

Saint-Antonin-Noble-Val – Fête des battages.
Fleurance – Festival d'astronomie. 1 sem. déb. août. ☎ 05 62 06 62 76. www.fermedesetoiles.com.
Saint-Lizier – Festival de musique (1re quinz.). ☎ 05 61 66 67 89 - http://austriart.chez.tiscali.fr.
Marciac – Jazz in Marciac (1re quinz.). ☎ 0 892 690 277 (0,34 €/mn) - www.jazzinmarciac.com.
Villefranche de Rouergue, Najac et Villeneuve – Festival en bastides (1re sem. du mois) : théâtre et animations de rue - ☎ 05 65 45 76 74.
Lautrec – Fête de l'ail : concours, sculptures (sur ail !), dégustation (1er vend. du mois).
Mirepoix – Festival international de la marionnette (1er w.-end du mois). ☎ 05 61 68 83 76.
Gaillac – Fête des vins (1er w.-end du mois). ☎ 05 63 57 15 40 -www.civso.com.
Saint-Geniez d'Olt – Fête de la race aubrac (le sam. le plus proche du 15 août).
Pont-de-Salars et plusieurs villes du Rouergue – Festival folklorique international du Rouergue (2e sem.

du mois). ☎ 05 65 46 80 67 - www.festival-rouergue.com.
Sauveterre-de-Rouergue – Fête de la lumière (2e sam. du mois). ☎ 05 65 72 02 52.
Madiran – Fête du vin (les 14 et 15). ☎ 05 62 31 90 67.
Saint-Geniez-d'Olt – Fête de la race Aubrac (sam. le plus proche du 15).
Tarbes – Festival de tango argentin (3e semaine d'août). ☎ 05 62 51 30 31 - www.tarbes.com.
Mirepoix – Marché des potiers (mar. et merc. de la 1re ou 2e sem. du mois).
Bouan – Concours national du cheval de Mérens (mi-août). ☎ 05 61 64 59 05/01 58 03.
Sorèze – Grande foire (3e w.-end du mois) : vide-grenier, concours de peintres, marché au livre, animations nocturnes… ☎ 05 63 74 16 28 (office de tourisme).
Bagnères-de-Luchon – Fête des fleurs (avant-dernier dim. du mois) : danses du monde. ☎ 05 61 94 68 86.

SEPTEMBRE

Montauban – « Les 400 Coups » : défilé de chars. ☎ 05 63 63 06 08 (mairie).
Toulouse – Festival international Piano aux Jacobins. ☎ 05 61 22 40 05 - www.pianojacobins.com.
Albi – Grand Prix automobile (1er w.-end du mois). ☎ 05 63 43 23 00 - www.circuit-albi.com.
Meritxell (principauté d'Andorre) – Fête nationale de la principauté d'Andorre (le 8).
Tarbes – Terro'art, fête des labels (1 sam. mi-sept.). ☎ 05 62 51 30 31.
Estaing – « Les Médiévales » : plongée dans l'Aveyron du 13e s. Spectacles, animations et barbecues géants (2e w.-end du mois). ☎ 05 65 44 03 22.
Moissac – Fête du chasselas (3e w.-end du mois). ☎ 05 63 04 01 85.

Saint-Félix-Lauragais – Marché des potiers (3ᵉ w.-end du mois). ℘ 05 62 18 96 99.

Nogaro – Grand Prix automobile (1 w.-end fin du mois). ℘ 05 62 09 02 49.

SEPTEMBRE-OCTOBRE

Andorre – Fête nationale le 8 sept.

Toulouse – Festival Toulouse Les Orgues (fin sept.–mi-oct.). ℘ 05 61 33 76 80 - www.toulouse-les-orgues.org.

Toulouse – Le Printemps de septembre : photo et arts visuels (3 sem. à partir de l'avant-dernier w.-end de sept.). ℘ 01 43 38 00 11 - www.printempsdeseptembre.com.

OCTOBRE

Gimont – Festival aéronautique de Gimont. ℘ 05 62 67 70 02.

Toulouse – Jazz sur son 31. ℘ 05 34 45 05 92 - www.jazz31.com.

Val d'Azun – Fête du cheval de trait (2ᵉ w.-end du mois à Aucun). ℘ 05 62 97 49 49.

Sauveterre-de-Rouergue – Fête de la châtaigne et du cidre doux (dernier dim. du mois). ℘ 05 65 72 02 52.

NOVEMBRE

Eauze – Flamme de l'armagnac. ℘ 05 62 08 11 00 - www.armagnac.fr.

Bibliographie

Rien de tel pour préparer un voyage, comme pour se rappeler avec plaisir des vacances réussies, que quelques livres qui vous aideront à élucider des points d'histoire ou qui sauront restituer une atmosphère… et vous donner envie de revenir !

OUVRAGES GÉNÉRAUX-GÉOGRAPHIE-ÉCONOMIE

Le Grand Guide des Pyrénées (France, Espagne, Andorre), Milan, Toulouse, 1995. Une mine d'informations : architecture, paysages, hommes, faune, flore, vie quotidienne…

Le Dictionnaire des Pyrénées (encyclopédie illustrée. France-Espagne), sous la direction d'André Lévy, Privat, Toulouse, 2000.

Toulouse, X. Boisselet, G. Bouquillon (photographie), éd. Déclics, 2002. *Toulouse vue par un Toulousain*. Texte accompagné de 120 photos.

Tarn, pays de contrastes (texte bilingue français/anglais), J.-P. Hiver-Bérenguier, Privat, Toulouse, 2000.

Lauragais, pays des cathares et du pastel, J. Odol, G. Jungblut (photographie), Privat, Toulouse, 2004.

Le Canal du Midi, Michel Cotte, Belin, 2003. L'histoire du plus vaste chantier de génie civil du 17ᵉ s.

HISTOIRE-ART

Histoire de l'Occitanie, sous la dir. de A. Armengaud et R. Laffont, Hachette, 1979.

Histoire du Languedoc, P. Wolff, coll. « Univers de la France, histoire des provinces », Privat, Toulouse, 2000.

Histoire de la Guyenne et de la Gascogne, J. Castarède, France-Empire, 1997.

Histoire d'Albi, de Castres-Mazamet-la Montagne Noire, de Lourdes, de Montauban, de Toulouse, coll. « Univers de la France, histoire des villes », Privat, Toulouse, 1960-1980.

Histoire générale du protestantisme, É.-G. Léonard, coll. « Quadrige », PUF, 1994.

L'Épopée cathare (4 volumes), M. Roquebert, Privat, Toulouse, 1970-1994.

Montaillou, village occitan, E. Le Roy Ladurie, Gallimard, 1985.

Les Comtes de Toulouse, 1050-1250, J.-L. Dejean, Fayard, 1988.

Le Capitole de Toulouse, D. Baudis et J. Darreux, coll. « Pays et villes de France », Privat, Toulouse, 2000.

Lumières sur la brique en Midi toulousain : du rural à l'urbain, H. Fondevilla et D. Pawlowski, Privat, Toulouse, 1992.
Pyrénées romanes, Zodiaque, 1978.
Rouergue roman, Zodiaque, 1990.
L'Art gothique en pays catalan, J. Raynal et M. Castillo, Privat, Toulouse, 2005.
Toulouse, 2000 ans d'art et d'histoire, C. Cau, éd. Daniel Briand, 1999.
Les Pyrénées, les ascensions et la philosophie de l'exercice, P.-M. Leroy, Monhélios, 2005.

RANDONNÉES

En pays villefranchois, topoguide disponible auprès de l'Office du tourisme de Villefranche-de-Rouergue.
Les Sentiers d'Émilie dans les Hautes-Pyrénées (2006), *autour de Toulouse* (2005), Rando Éditions, Ibos.
Le Chemin du Puy vers Saint-Jacques-de-Compostelle (2004), *d'Arles vers Saint-Jacques-de-Compostelle* (2005), J.-P. Siréjol et L. Laborde-Balen, Rando Éditions, Ibos.
Les Plus Belles Randonnées des Pyrénées ariégeoises, E. Delaperrière, Glénat, 2004.

VIE PRATIQUE

Animaux sauvages des Pyrénées, C. Dendaletche, Milan, Toulouse, 1990.
Cuisine paysanne en Rouergue, P. Auger-Holderbach, Éd. du Rouergue, 1999.
Foie gras et confits, A. Prébois, Dormonval, 1998.
Bras, Laguiole Aubrac France, M. Bras, Éd. du Rouergue, 2002.

CIVILISATION ET LANGUE

Petit précis de pyrénéisme, Joseph Ribas, Loubatières, Carcassonne, 1998.
L'Aventure des bastides, G. Bernard, Privat, Toulouse, 1998.
Les Bastides du Sud-Ouest, Diagram éditeur, Toulouse, 1993.
L'Occitan sans peine (1 livre et 3 CD), « Collections Langues régionales », Assimil. Pour ceux qui ont décidé d'apprendre la langue, 2003.
Aubrac impressions, M. Subervie et J. Villefranque, éd. Subervie, 1996.

LITTÉRATURE

Chez nous en Gascogne, Joseph de Pesquidoux, coll. « Terres », éd. C. de Bartillat, 1991.
L'Énigme de Ravejouls, A. Gandy, éd. Jeannine Balland, Presses de la Cité, 1998.
Les Enfants de la liberté, Marc Lévy, éd. Robert Laffont, 2007.
Le Pain blanc, D. Crozes, Éd. du Rouergue, 1994.
Contes traditionnels de Gascogne, *Contes traditionnels des Pyrénées*, Michel Cosem, Milan, Toulouse, 1993.

MÉDIAS

Quotidiens – *L'Éclair des Pyrénées*, *La République des Pyrénées*, *Sud-Ouest*, *Midi Libre* et *La Dépêche du Midi* (Toulouse).
Revues – *Pyrénées Magazine* (Milan Presse), *L'Esprit du Sud-Ouest* (Milan Presse), *Pays cathare magazine*, *Massif central magazine*.
Radios – Sud Radio : FM 88.5 (Saint-Girons), 89.2 (Tarascon-sur-Ariège), 90.3 (Pamiers), 91.2 (Foix), 98.1 (Castres), 99.3 (Lourdes, Tarbes), 101.2 (Albi), 101.4 (Toulouse), 102.0 (Montauban, Argelès-Gazost, Bagnères-de-Bigorre), 102.3 (Font-Romeu), 103.0 (Ax-les-Thermes), 104.0 (Luchon, Villefranche-de-Rouergue), 104.1 (Mazamet), 104.4 (Rodez).
Radio Païs : FM 89.4 (St-Gaudens), 90.8 (Auch), 98.0 (Mirande), 101.5 (Tarbes).

Profitez au Printemps d'offres exclusives
dans 1000 restaurants*

Prix mitonnés

Ateliers découverte

Menus spéciaux

et bien d'autres surprises...

France

MICHELIN

France

HOTELS & RESTAURANTS

PASS PRIVILÈGE

Le Printemps du guide MICHELIN

*Offres proposées dans les restaurants partenaires du Printemps du guide MICHELIN sur présentation du pass Privilège inséré dans le guide France.

MICHELIN
Une meilleure façon d'avancer

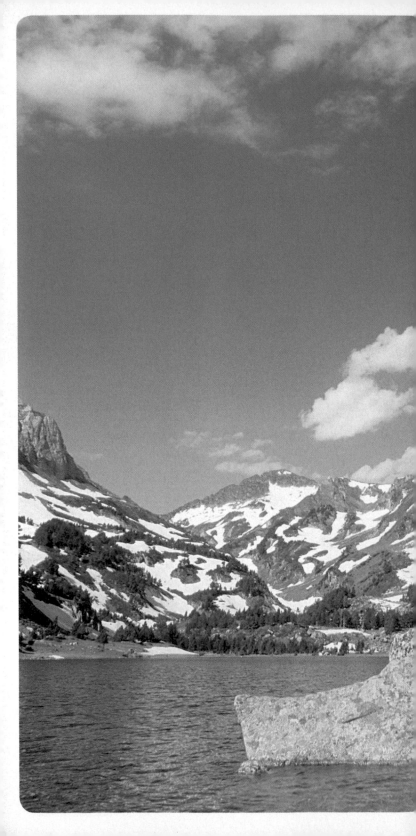

2/
COMPRENDRE LE MIDI TOULOUSAIN

L'Etang du Laurenti en Ariège.
M.-H. Carcanague / MICHELIN

Le Midi Toulousain aujourd'hui – Arts de vivre

Le Midi Toulousain est une région où il fait bon vivre. Attaché à ses traditions et à ses coutumes ancestrales, il est fier de sa gastronomie, de son folklore animé, de son identité portée vers l'hospitalité, de la beauté de ses paysages, de sa nature préservée, de son passé historique. Espace dynamique qui ne cesse d'aller de l'avant, il s'ouvre à l'innovation, avec un remarquable sens du bien-être, diversifiant son économie stimulée par une industrie de pointe internationalement reconnue, particulièrement dans le secteur de l'aéronautique.

Carte d'identité

SUPERFICIE ET POPULATION

Ce guide traite d'un territoire recouvrant en grande partie la région Midi-Pyrénées et les départements de l'Ariège, de l'Aveyron, de la Haute-Garonne, du Gers, des Hautes-Pyrénées, du Tarn et du Tarn-et-Garonne, dont les appellations traduisent le relief, entre fleuves et montagnes.

Cette région compte entre 2,5 et 3 millions d'habitants répartis de façon très inégale d'un département à l'autre.

Quatrième ville de France, Toulouse a drainé vers elle plus de 435 000 habitants (plus de 761 000 pour l'agglomération). Cela signifie donc qu'un tiers des habitants de la région vit dans l'agglomération toulousaine. L'ensemble des pôles urbains, représentant seulement 18 % de l'espace, rassemblent au total les deux tiers de la population. On comprend mieux le saisissant contraste entre la densité de population de la Haute-Garonne (166 habitants au km^2) et celle des départements de l'Ariège, de l'Aveyron et du Gers, oscillant entre 28 et 32 habitants au km^2, parmi les plus faibles densités de France.

ÉCONOMIE

La région possède une palette d'activités aux facettes différentes, au diapason de sa géographie. D'une façon générale, tournée plutôt vers le secteur tertiaire, elle est faiblement industrialisée. Légèrement en dessous de la moyenne nationale (17 %), l'industrie représente (en 2008) 17 % du secteur d'activité.

TOULOUSE À LA POINTE

La métropole toulousaine concentre industries de pointe, services, centres de recherche

Piste d'atterrissage de Blagnac.
Nougaro / fotolia.com

et petites entreprises qui lui permettent de rayonner en Midi-Pyrénées, et bien au-delà. Si le secteur **aéronautique** et **spatial** est le fer de lance économique actuel, il le doit, en partie, à son histoire. Loin des zones de combat de la Première Guerre mondiale, la région fut en effet choisie pour l'implantation d'usines d'armement et d'aviation entre 1914 et 1918. Dans l'entre-deux-guerres, Latécoère, Bréguet et Dewoitine développèrent l'industrie aéronautique et, à partir des années 1960, depuis les vastes halls de montage toulousains s'envolaient de fameux avions : Caravelle, Concorde et nombre d'Airbus. Aujourd'hui, c'est toujours à Toulouse que sont assemblés les satellites et le plus gros avion du monde, l'A380.

Pour cela, comme pour les secteurs de l'informatique, de la robotique, ceux des nanotechnologies et biotechnologies, ou encore celui de la santé (en témoigne le Canceropôle), Toulouse peut compter sur ses étudiants (97 000 environ) et ses 10 500 chercheurs.

UN RÉSERVOIR DE PENSÉE

L'agglomération toulousaine attire à elle seule 86 % des étudiants de la région et le poids de l'enseignement supérieur est particulièrement conséquent. Derrière l'académie de Lyon, le taux d'inscription en études supérieures est le plus élevé des régions françaises (19,4 %). Trois étudiants sur quatre optent pour l'université, tandis que 8 % d'entre eux (près de 9 000) sont étudiants ingénieurs (le double de la moyenne nationale !). Des chiffres qui témoignent du dynamisme du réservoir toulousain.

RECONVERSION DES RÉGIONS MINIÈRES ET TEXTILES

Ce dynamisme propre aux temps modernes a succédé à l'industrie lourde, longtemps présente dans le Rouergue. Née autour de l'extraction de la houille, de la production de zinc, d'acier et de fonte, elle s'est peu à peu essoufflée après avoir laissé sa marque sur le paysage.

C'est l'architecture audacieuse des viaducs métalliques jetés

LA MÉGISSERIE, UNE TRADITION TARNAISE

Le Tarn était connu jadis pour ses mégisseries qui apportèrent à la région la prospérité tout comme le pastel ou le textile. Mais pour diverses raisons économiques, la mégisserie a petit à petit déserté le Midi. Dotée de près de 300 mégisseries, la ville de Graulhet aujourd'hui n'en possède plus que quelques-unes en activité.

au-dessus des collines (Viaur ou, plus récemment, Millau) ; c'est le site d'extraction à ciel ouvert de Carmaux reconverti en circuit touristique. Les mineurs que l'on croise ne sont plus que des statues posées sur la place d'une bourgade reconnaissante. Les bassins sidérurgiques de Decazeville ont trouvé leur reconversion dans le bois, le plastique, la mécanique et les matériaux pour l'aéronautique, tandis que l'Aveyron a développé aussi son secteur de construction automobile…

Reste tout de même une industrie qui ne manque pas de prestige : l'exploitation du marbre à Saint-Béat, à Campan, à Sarrancolin ou en Sidobre, l'extraction du talc de Luzenac (premier producteur mondial, avec 1,5 million de tonnes par an), toujours d'actualité. L'industrie du textile (laine, cuir et vêtement), si forte il y a vingt-cinq ans, a doucement décliné, représentant aujourd'hui à peine 5 % des emplois. Mazamet et Graulhet, très actifs dans le délainage et la mégisserie, sont aujourd'hui contraints d'exploiter d'autres filières devant la rude concurrence des pays asiatiques. Ainsi, Mazamet revit entre autres grâce à l'industrie agroalimentaire avec l'implantation de l'usine Menguy's.

FIDÈLES À LA TERRE

Enfin, la région la plus étendue de France se veut toujours rurale, avec plus de 50 000 exploitations. En Aubrac, les grands troupeaux de moutons de naguère ont été remplacés par les vaches qui occupent les herbages de fin mai à mi-octobre. Avec leur lait, des fromagers (les *cantalès*) fabriquent encore la fourme de Laguiole, à l'abri de quelque buron. Les foires à bestiaux de Laissac offrent, elles, des spectacles hauts en couleur. Dans les Pyrénées, en revanche, la vie rurale traditionnelle ne tient plus qu'une faible place : elle se maintient grâce à la pluri- activité (l'hiver certains deviennent moniteurs de ski ou pisteurs) et à l'agrotourisme.

En Gascogne, le vert tendre des blés au printemps contraste avec les sols fauves en attente de maïs. L'été venu, les blés balancent leurs épis d'or, tandis que le maïs s'élève dans sa robe verte. Ce jeu de couleurs alternées est enrichi par la vigne, le sorgho, le tournesol, les melons et le colza au printemps. Dans la région de Lectoure, l'irrigation de la polyculture est assurée par de petites retenues d'eau et de longues chenilles de plastique, sortes de serres rampantes.

Dans le Gers, ovins, bovins et porcs animent les marchés, où la volaille est aussi à l'honneur : poule pour le pot, poularde engraissée, pigeon à farcir et surtout oie et canard dont la graisse et le foie font l'objet de tous les soins (la production de canards gras atteint le nombre impressionnant de quatre millions de têtes !). La vieille technique du gavage consiste à nourrir les palmipèdes de semoule et de maïs jusqu'à ce qu'ils soient trop lourds pour se mouvoir. Leurs foies sont ensuite négociés sur les marchés au gras, où on les cuisine selon une recette de pâté inaugurée par l'aubergiste Taverne en 1769 ! Comme une suite logique, l'industrie **agroalimentaire** est très représentée dans le Gers. Elle emploie 17 % des actifs sur l'ensemble du territoire régional.

ARTISANAT

Au reste, il n'est guère de lieu en Midi-Pyrénées où l'on n'est pas peu fier de ses productions artisanales : la pierre à faux à Saurat, les sabots dans la vallée de Bethmale, les peignes en corne de bovin à Lavelanet, les chaudrons et les casseroles de cuivre à Durfort, ou encore le fameux couteau à Laguiole, avec son manche légèrement courbé pour épouser la forme de la main, créé en 1829.

TOURISME

Se déclinant entre vallées, forêts et montagnes, cités historiques, chemins de randonnées, lacs et stations de vacances, déployant mille et un sites majestueux, la région possède nombre d'attraits touristiques dynamisant son économie. La ville de **Lourdes** pour ses pèlerinages (son parc hôtelier se hisse au second rang national, derrière Paris), les **chemins de Saint-Jacques-de-Compostelle**, le cirque de Gavarnie et le canal du Midi, trois lieux inscrits au Patrimoine mondial de l'Unesco, le Parc national des Pyrénées, la multitude de grottes ou encore la réserve naturelle de Néouvielle et une gastronomie réputée participent amplement à cet attrait. De même, les prestigieux musées Ingres à Montauban, Goya à Castres ou Toulouse-Lautrec à Albi, les stations de ski (entre autres Guzet-Neige en Ariège, Luchon-Superbagnères en Haute-Garonne, Saint-Lary-Soulan dans les Hautes-Pyrénées, sans compter les stations andorranes, aux portes de la région), le tourisme thermal (revivifié par le thermoludisme), ou la route des cols chère au Tour de France (Aspin, Tourmalet, Peyresourde, Portillon) sont autant d'invitations au voyage.

Rayonnement de la région

Forte de ses personnalités et de sa culture, la région Midi-Pyrénées ne manque jamais de faire parler d'elle sur tout le territoire national et bien au-delà.

Claude Nougaro a ainsi porté haut les accents de la Garonne, comme Juliette aujourd'hui ; l'Orchestre du Capitole se produit sur les grandes scènes internationales ; les Maisons des Pyrénées et de l'Aveyron distillent en capitale les parfums de la région tandis que nombre de cafetiers, de restaurateurs aveyronnais ont élu domicile à Paris, avec leurs couleurs

TERRE D'ACCUEIL

La région s'est depuis toujours voulue terre hospitalière. Italienne, espagnole, portugaise ou africaine, nombreuses ont été les vagues d'immigration. Aujourd'hui, Britanniques, Hollandais ou Asiatiques, attirés par les opportunités qu'offre la technologie de pointe, se sont ajoutés à la population.

Côté hexagonal, derrière le Languedoc-Roussillon, Midi-Pyrénées demeure la deuxième région la plus attractive. Le taux annuel de migration atteint en effet le nombre de 68 pour 10 000 habitants (contre 107 en Languedoc-Roussillon et 64 en Aquitaine). La qualité de la vie sur place n'est évidemment pas étrangère à ces choix.

L'OCCITAN AUJOURD'HUI
Si la chanson traditionnelle est représentée par la Tabiera ou Los Sonaires d'Oc, Jordi Blanc, Léopold Durand, Gui Viala, Arlette Oms ou encore Andrée Labit sont autant d'écrivains qui s'expriment en occitan. Les éditions Vent Terral (installées à Valdériès) publient des livres en occitan, tandis que Radio Albigès émet dans cette langue. Promotion de la culture, enseignement, collecte des traditions orales… Nombreuses sont les associations (parmi lesquelles l'Institut d'Estudis Occitans, fort de plusieurs sections locales, dont Lo Grifo à Albi), les manifestations et les démarches qui favorisent la pérennité du sentiment occitan *(voir le chapitre « Arts et culture »)*.

et leurs traditions gourmandes… Présentes sur les rayons des libraires dans toute la France, les Éditions du Rouergue, installées à Rodez, comptent parmi les éditeurs importants depuis plusieurs années. Au catalogue, se côtoient livres pour la jeunesse, romans, essais et ouvrages gastronomiques (dont quelques-uns signés Michel Bras, figure emblématique de l'Aubrac). Le foie gras de canard régale jusqu'au Japon, côtes-de-saint-mont, madiran et gaillac se dégustent plaisamment à l'étranger.

Traditions et folklore

Riche d'un passé aussi mouvementé, habitée de figures extraordinaires, nourrie de mythes et de contes, la région tient à son âme. Elle se veut un creuset de traditions, le vivier d'un folklore qui perdure, sans jamais perdre sa proverbiale bonne humeur.

LE SENS DE LA FÊTE…

Bienvenue au pays des « festaires ». Profanes ou sacrées, musicales ou historiques, les célébrations et les manifestations sont légion en Midi Toulousain. Le sens de la fête n'est plus à démontrer dans ce grand Sud-Ouest et se décline avec autant de ferveur dans les grandes villes que dans les petits villages des vallées pyrénéennes.

Les traditions sont ici très fortes et témoignent d'une histoire parfois tumultueuse : on ne compte plus les **fêtes médiévales**, à Cordes-sur-Ciel, Mirepoix, Lavaur ou Estaing par exemple, tandis qu'à Rieux-Volvestre une compagnie d'archers assure toujours le succès de la Fête du papogay (tir au perroquet). Foix, qui n'a pas oublié les assauts de Simon de Montfort, met en scène la vie des cathares, tandis que Saint-Félix-Lauragais s'attache à faire revivre les grandes heures du pays de cocagne… Dans ces pays, les montagnes ne sont jamais loin, et avec elles leurs cortèges de **traditions pastorales** et musicales. Comment ne pas évoquer les transhumances (Espalion, Aubrac, Saint-Geniez-d'Olt, val d'Azun… qui témoignent de longues pratiques ancestrales. Mais que seraient toutes ces fêtes sans les **chants et les danses** ? Comme dans le Pays basque, les chœurs d'hommes sont ici célèbres, avec les Chanteurs montagnards d'Alfred Roland à Bagnères-de-Bigorre, ou les Chanteurs du Comminges à Saint-Gaudens. Dans certaines vallées, comme celle du Couserans, des groupes folkloriques maintiennent depuis des générations les costumes, chants et danses locales ; c'est ainsi le cas des Bethmalais à Saint-Girons. Omniprésente, la musique rythme la vie des villes et villages grâce à un calendrier aussi riche que varié. Fière de son passé, la région est également ouverte aux innovations et aux autres cultures. De la musique classique à la musique expérimentale (Toulouse) en passant par le jazz (Marciac), les bandas (Condom) ou les musiques latino (Vic-Fezensac), tous les styles sont ici à l'honneur.

☺ Pour toutes les précisions pratiques, reportez-vous à l'agenda p. 22.

... ET CELUI DU JEU

Sans doute le climat est-il un facteur favorable pour cela : la région est un parterre de jeux et de sports. En témoignent les corridas dans les arènes gersoises, pleinement inscrites dans la culture gasconne. Aignan, Eauze, Gimont et Vic-Fezensac drainent ainsi une foule d'aficionados qui encouragent les matadors. Pareille ferveur anime les courses landaises, à Nogaro comme à Gimont – il est vrai que les Landes sont toutes proches. Inaugurées par un défilé des « écarteurs », communément appelé le *paseo*, accompagnées d'une marche musicale, les courses constituent un spectacle haut en couleur, entre les troupeaux et les *cuadrillas*, équipes masculines constituées de sept écarteurs, d'un cordier, d'un sauteur et de deux entraîneurs.

Il y a d'autres jeux plus pacifiques bien que tout aussi passionnants. La pétanque est bien sûr incontournable, mais doit partager son succès avec les nombreuses variantes de jeux de quilles dont les quilles au maillet et le fameux palet gascon (Gers).

LE RUGBY

Vigoureusement installé dans le Midi, le rugby est la marque de distinction des Occitans. Il a aussi modelé un nouveau type de Gascon, successeur étoffé des nobles mousquetaires, à la stature imposante, à la tenue soignée et au verbe haut.

Naissance d'un sport

En 1823, au collège de Rugby, en Angleterre, William Webb Ellis enfreint les règles du football en s'emparant à deux mains du ballon. Le rugby vient de naître, non sans rappeler un jeu pratiqué dès le Moyen Âge en France, la soule. Quelques décennies plus tard, le rugby s'implante avec succès dans le Midi où il devient un véritable sport régional. On dit de lui qu'il est un « sport de voyous pratiqué par des gentlemen » !

Les Occitans peuvent y déployer leur spontanéité et leur joie de vivre coutumières. Né dans les villages et les petites villes dont chaque équipe défendait avec ferveur les couleurs, le rugby sollicite le sens de la solidarité. Le plaisir d'être ensemble se manifeste joyeusement durant les plantureux repas qui suivent le match : c'est la célèbre troisième mi-temps. Les qualités propres au Sud, le goût du contact, de l'exagération et de la franche castagne y sont copieusement exaltés.

Règles du jeu

Dans le **rugby à XV** (15 joueurs), l'équipe doit marquer le plus de points possible en portant ou bottant le ballon ovale. Le match se déroule en deux mi-temps de 40 minutes, séparées par une pause de 10 minutes maximum. Un « essai » (5 points) est marqué lorsqu'un joueur porte le ballon au-delà de la ligne de l'« en-but » adverse ; un « but » (3 points) quand il le « botte » au-dessus de la barre de l'en-but (à 3 mètres du sol). L'essai transformé en but (« transformation ») donne 2 points en plus. Un joueur qui commet la faute de passer le ballon en avant à la main (« en-avant ») entraîne une « mêlée », moment de grande émotion : les avants de chaque équipe s'arc-boutent les uns contre les autres pour gagner le ballon au sol. Une « touche » sur les limites du terrain conduit les joueurs à s'aligner en deux rangs perpendiculaires jusqu'à ce que le ballon franchisse leur ligne.

Au **rugby à XIII** (13 joueurs), la mêlée a lieu lorsque le ballon sort des limites latérales du terrain. Un joueur « tenu » par un adversaire doit botter le ballon à l'endroit où il a été arrêté. Cette variante du rugby s'est développée en France dès 1934, suite à l'exclusion de Jean Galia de l'équipe de France. On le surnomme, non sans humour, le « rugby hérétique » ou « sport des cathares ».

Les grandes équipes

Le classement des meilleures équipes françaises, le **Top 14**, regroupe pas moins de 4 équipes de la région : Albi, Castres, Montauban et Toulouse. Elles se disputent la renommée, notamment dans le cadre du très attendu Championnat de France, dont l'enjeu n'est autre que le célèbre bouclier de Brennus. Dernière-née dans la catégorie des grandes compétitions, la Coupe d'Europe a été lancée en 1996, et remportée déjà trois fois par le Stade Toulousain.

Star dans le monde du rugby le **Stade Toulousain**, aux couleurs rouge et noir, a obtenu dix-sept fois le titre de champion de France dont quatre fois d'affilée entre 1994 et 1997. Le célèbre *Midi olympique*, l'hebdomadaire de référence, a pieusement relaté les exploits de Robert Barran, Yves Bergougnan, Jean-Pierre Rives ou Christian Califano. Aujourd'hui encore, l'équipe fournit des joueurs internationaux au XV de France.

L'**US Carmausine** (Carmaux) a été championne de France une fois, en 1951, et l'**Union sportive montalbanaise** (Montauban) une fois aussi en 1967. Dans toute la région, des équipes s'entraînent en **Pro-D2** pour rejoindre les meilleurs ; il s'agit du **FC Auch**, de l'**UA gaillacoise**, du **Tarbes Pyrénées Rugby** et de la fameuse équipe de **Colomiers** dont est issu Fabien Galthier, capitaine de l'équipe de France lors de la Coupe du monde de 2003.

La Gascogne réserve de bonnes surprises : elle a été pionnière avec ses équipes féminines jouant à la « barette », telles les « Lionnes » d'Auch. Ce jeu est aussi appelé « rugby du toucher », car la joueuse en possession du ballon doit faire une passe dès qu'elle a été touchée par une adversaire. À l'origine, le plaquage avait été supprimé, mais aujourd'hui le rugby féminin se développe selon les mêmes règles que le jeu masculin et occitan.

Une généreuse cuisine

Ici, foin des régimes, on se pourlèche les babines ! Dans ces foyers d'art culinaire développés en Toulousain, en Gascogne et au pied des montagnes, il s'agit de mettre autant de générosité à manger que les cuisiniers à préparer les repas !

À TOULOUSE

Le roi **cassoulet**, fleuron de la cuisine occitane, mijotait autrefois dans une *cassole* en argile d'Issel, idéale pour l'estouffade. Haricots tarbais (qui doivent représenter, selon la tradition, 70 % du plat), graisse d'oie, ail et couennes sont accompagnés de confit d'oie et de canard ; à Castelnaudary et à Carcassonne, villes qui disputent la paternité de ce plat à Toulouse, le confit est remplacé par du mouton, du porc frais ou de la perdrix braisée. Foix et Pamiers proposent aussi leur variante.

La saucisse fraîche s'impose par son excellence et on trouve de la charcuterie en abondance dans toute la région. L'oie et le canard se savourent en foie gras et en confit.

Le pays des oies et du foie gras.
Fredric / fotolia.com

Une bonne recette de poularde à la toulousaine (farcie de saucisses et d'olives vertes) fait le bonheur des amateurs. On sert aussi à table le canard à l'albigeoise (aux lardons, légumes verts et piment), le pigeon du Lauragais et les asperges du Tarnais. Enfin, la galette de **millas**, à base de maïs frit, sucrée ou nappée de confiture, se croque au goûter.

CHEZ LES MOUSQUETAIRES

Dans les casseroles de l'hospitalière Gascogne se préparent quelques mets rares à ne pas manquer, souvent rehaussés par l'ail blanc de Lomagne.
Toutes les volailles et le porc peuvent être confits, c'est-à-dire conservés dans la graisse de leur cuisson. La **garbure** est un potage de campagne typique (que l'on retrouve également en montagne avec ses variantes), accommodé de légumes de saison et de confits.
En guise d'entrée froide, le melon de Lectoure possède une belle réputation.
Sur du pain chaud, c'est de **foie gras d'oie** et de **canard** que l'on se régale. Le Gers occupe le 1er rang national pour l'élevage de chapons et de dindes de qualité supérieure et tient la 2e position pour l'élevage de palmipèdes gras.
Les **salmis** sont préparés avec du volatile rôti dont les morceaux sont détachés, et la carcasse, les chairs et les abats, hachés menu. Les **magrets** se mangent frais et grillés comme la viande rouge, ou fumés sur un lit de salade.
Après le nadaou, fromage rustique fabriqué dans une feuille de châtaignier, un bon repas se termine par une croustade du Gers (feuilleté aux pruneaux ou aux pommes), un pastis gascon à la pâte parfumée de rhum ou des pruneaux à l'armagnac.

À LA MONTAGNE

Les terres aveyronnaises et pyrénéennes offrent elles aussi une gastronomie de caractère : l'excellent jambon noir de Bigorre, le mouton Barèges-Gavarnie, les belles truites des eaux fraîches des rivières et, plus rarement, les écrevisses. Les poissons de « longue conservation » (morue séchée, anchois au sel et stockfisch)

LE GARGOUILLOU

Cette spécialité de l'Aveyron est faite à base de pommes de terre. Elle est mouillée d'eau et accompagnée d'une tranche de jambon de montagne. Le plat est devenu un classique de la cuisine de Michel Bras, grand officier de bouche à Laguiole : un mélange croquant et fondant garni de graines germées, de fleurs et d'herbes champêtres, de jeunes légumes (asperge verte, artichaut, cardon, chou pommé, blette, crosne) revenus avec le jambon. Un méli-mélo savoureux, renouvelé au gré des saisons.

s'apprécient chauds dans l'**estofinado**, plat de résistance typique de Villefranche-de-Rouergue.

Côté charcuterie, Rodez a fait du pâté de grives sa spécialité. L'Aveyron s'enorgueillit également d'une viande prestigieuse, l'agneau Allaiton Triple A, élevé sous la mère, et régulièrement présent sur les grandes tables.

La cuisine paysanne mijote toutes sortes de plats à base de mouton et de cochon, comme la charcuterie d'Entraygues ou l'**alicuit**. Avec les abats de veau, on confectionne les tripoux de Naucelles (vin blanc, jambon et ail). La châtaigne est trempée dans la soupe *(lou bajanac)* ou grillée et accompagnée de cidre. Dans le Tarn, à côté du fricandeau et du foie sec, la charcuterie est particulièrement réputée à Castres pour les **bougnettes** (crépinettes de porc), à Mazamet pour le **coudenou** et à Lacaune pour les jambons et saucissons. Le département est aussi producteur du fameux ail rose de Lautrec, parfumant nombre de plats.

Pour les fromages, outre le cabécou du Rouergue, l'Aubrac fournit l'inégalée **fourme de Laguiole** à l'épaisse croûte brune, ou laguiole. C'est elle que l'on incorpore à la purée de pommes de terre à l'ail pour faire l'**aligot**. Quant aux Pyrénées, elles donnent des pâtes savoureuses (comme la tomme) faites de lait de brebis et de vaches estivant sur les pâturages. En Ariège, par exemple, bethmale et

orrys sont des produits succulents. En fin de repas, le palais s'adoucit des **berlingots** de Cauterets, de l'arôme de fleur d'oranger des **soleils** de Rodez (gâteaux aux amandes sèches), des saveurs du **gâteau à la broche** et du bon goût d'angélique des **fouaces** de Najac (brioches).

LES GRANDS CHEFS

Nous avons sélectionné ici quelques grandes figures régionales.

Laguiole

Jusqu'alors, du village de l'Aveyron, on connaissait la fabrique de couteaux. On n'ignore rien désormais du restaurant d'un chef dont le Guide Michelin estime depuis 2000 qu'il « vaut le voyage ». L'histoire de **Michel Bras** est unique dans un paysage gastronomique où l'on se fait un chemin à coup de CV et d'expériences chez les grands. Rien de tout cela chez le fils d'Angèle, natif de Laguiole, qui a appris la cuisine aux côtés de sa mère, toujours active au restaurant pour tourner l'aligot. Depuis 1962, avec son épouse Ginette, comme elle « fou amoureux » de la nature, Michel Bras a poursuivi sa route jusqu'aux sommets étoilés. Et il passe le relais en douceur à son fils **Sébastien** qu'épaule sa femme Véronique.

☺ *Michel Bras*, 📞 05 65 51 18 20.

Toujours à Laguiole, digne représentante de la troisième génération d'une famille d'hôteliers-restaurateurs, **Isabelle Muylaert-Auguy** pouvait-elle échapper à son destin ? Dans les années 1920, sa grand-mère Éléonore montre la voie en créant un hôtel, référencé dans le Guide Michelin dès 1931. Jean, fils d'Éléonore, décroche en 1953 une étoile conservée jusqu'en 1966. Le parcours incite Isabelle, à la sortie de l'école hôtelière de Toulouse, à revenir au pays. Elle n'arrive pas seule : son mari Jean-Marc Muylaert s'implique à son tour dans l'affaire familiale. Cuisinière de cœur, cette femme étoilée, la deuxième dans son département natal, dit volontiers qu'elle livre davantage une « cuisine de sentiment que de technique ». Ce dont nul client ne songe à se plaindre.

Grand Hôtel Auguy, 05 65 44 31 11.

Toulouse

Michel Sarran, « électron libre » de la cuisine, est né dans le Gers où Pierrette, sa mère, tient une auberge rurale. À vingt ans, il choisit d'abandonner ses études de médecine pour le piano de cuisine. Et trois ans plus tard, grâce à l'audace de sa maman qui parle de lui à Alain Ducasse, le voilà commis chez le grand cuisinier, dans la brigade du Juana à Juan-les-Pins. De la Côte d'Azur, il file dans les Alpes (Courchevel), passe chez Michel Guérard à Eugénie-les-Bains, grimpe en Bourgogne chez les Lorain à Joigny. Il se nourrit du talent des grands chefs pour mieux entreprendre sa propre ascension. En 1995, il ouvre à Toulouse l'établissement qui porte son nom, voit une étoile arriver un an plus tard, une deuxième sept ans après.

Michel Sarran, 21 bd A.-Duportal, 05 61 12 32 32.

Cordes-sur-Ciel

Tombé sous le charme des lieux, **Yves Thuriès** y installe son « Hôtel du Grand Écuyer » en 1980. Double

« Meilleur Ouvrier de France », créateur d'un magazine qui porte son nom, l'homme est un épicurien authentique. Il n'aime rien tant que faire partager son savoir et ses connaissances. Et le voilà qui confie à son neveu Damien les cuisines de son restaurant étoilé. Yves planche sur l'histoire de la cuisine, découvrant avec ravissement que l'on peut faire du neuf avec de l'ancien. Et le concept de trilogie s'impose de lui-même. Le duo propose une carte basée sur une sélection d'assiettes où les plats vont par trois. « Trois petits plats, trois recettes, trois produits et trois saveurs dans une même assiette et en un même service » indique son concepteur qui offre ainsi à ses clients 21 dégustations. Une façon moderne de décliner les services au plat et les longs menus dégustation des siècles derniers.

Le Grand Écuyer, 05 63 53 79 50.

Belcastel

Bruno Rouquier et **Nicole Fagegaltier**, mari et épouse, tous deux cuisiniers, travaillent à quatre mains. Ils vivent leur histoire au quotidien en Aveyron, à Belcastel, près d'un pont antique d'où le restaurant a tiré son nom. Nicole Fagegaltier a fait le choix en 1983 de reprendre un restaurant de famille réputé pour ses fritures de goujons, pêchés ici même, et son poulet sauté aux oignons venant de la ferme voisine. « La maison était remplie de saveurs et d'odeurs. Et nos jeunes années nous ont appris l'art du bien-manger et du bien-vivre », dit-elle simplement. En s'appuyant sur le savoir-faire maternel, elle a dépoussiéré la carte pour la faire vivre avec son temps. Entre mari et femme, on ne parle pas de second, mais c'est elle qui donne le ton. « Je goûte, je saupoudre, je travaille à l'instinct. Lui a ses recettes et travaille mathématiquement », dit-elle, attestant ainsi que la créativité n'a

pas de sexe. La fidèle clientèle de l'établissement peut en témoigner.
🍴 *Le Vieux Pont*, 📞 *05 65 64 52 29.*

Saint-Félix-Lauragais

« J'ai toujours vu ma grand-mère passer ses journées à cuisiner au coin de la cheminée pour toute la famille. Je l'appelais d'ailleurs la grand-mère du feu », s'amuse **Claude Taffarello**. Issu d'un milieu rural, désormais propriétaire de l'Auberge du Poids Public où il fit, jadis, son apprentissage, ce grand chef aime à retranscrire en cuisine une authenticité locale. Gamin, il tourne le dos au chemin de l'école et découvre l'apprentissage. Son père pense qu'il va craquer, mais il serre les dents et s'accroche. Il obtient le CAP, voyage au Luxembourg, en Allemagne et aux Pays-Bas. Il revient en France, travaille à Marseille avec Jean-Paul Passédat au Petit Nice puis à Mougins, au Moulin de Roger Vergé, l'idole de son enfance. Il reste sur la Côte quelques années, de Biot à Juan-les-Pins, en passant par Mougins (encore) et Ramatuelle. Et le voilà qui rêve d'un retour au pays. Une opportunité se présente : Bernard Ougé, son maître d'apprentissage, veut passer la main. En 1990, avec son épouse Denise, il rachète l'Auberge du Poids Public où tout à commencé, dix-huit ans avant.
🍴 *Auberge du Poids Public*, 📞 *05 62 18 85 00.*

VINS ET ALCOOLS

🍴 Pour les adresses des différentes Maisons du vin et coopératives de la région, voir ci-dessous p. 41.

Le vignoble aveyronnais

Défriché par les moines de Conques, ce vignoble s'étend singulièrement sur des coteaux abrupts quasi montagnards. Il donne les vins rouges de **Marcillac** (AOC), au goût de framboise charpenté, et ceux d'**Entraygues** et de **Fel** (VDQS), charnus et fruités. Dans la vallée du Lot, le raisin d'**Estaing** (VDQS) produit des rouges bouquetés et des blancs secs et plaisants.

Les vins de Gaillac et du Frontonnais

Le vignoble de Gaillac (AOC) s'étend sur les coteaux à l'ouest d'Albi. Les cépages blancs, le mauzac, le len de l'el et l'ondec donnent des vins secs pleins d'arômes. Ce sont des blancs moelleux, perlés ou mousseux.
Le gaillac rouge est produit avec les traditionnels gamay, syrah, merlot et cabernet et les plus typiques braucol, duras et négrette. Bien fruités, les rouges méritent un patient vieillissement.
Du côté de Toulouse, le cépage très ancien de la négrette est mêlé aux cabernets, à la syrah, au fer servadou et au côt pour donner les vins souples et fruités du Frontonnais, qui se boivent très jeunes.

Les vins gascons

Les vignes du **Vic-Bilh** « vieux villages » sont le domaine du **pacherenc**, vin blanc original, sec ou moelleux. Les vins rouges de **Madiran**, à la vigueur tannique, sont réputés pour s'accommoder merveilleusement avec le confit d'oie. Le **tursan** est un VDQS corsé blanc, rouge ou rosé, tout comme le **côtes-de-saint-mont**, un vin fruité.

L'armagnac

Avant même de porter le verre aux lèvres, c'est la couleur de la robe de l'armagnac, eau-de-vie de raisin, que l'on déguste. La région d'appellation « armagnac » couvre la plus grande partie du département du Gers et empiète sur le Lot-et-Garonne et les Landes (35 000 ha). On distingue à l'est le **haut Armagnac** (région d'Auch), au centre la **Ténarèze** (région de Condom), à l'ouest le **bas**

DÉGUSTATION EN CAVE

Les caves sont généralement ouvertes à la visite et proposent la plupart du temps une dégustation (à pratiquer avec modération !). Vous trouverez leurs coordonnées dans les offices de tourisme et les Maisons du vin, dont nous donnons ci-dessous quelques adresses. Les syndicats viticoles éditent des brochures de présentation de leurs crus, parfois avec un tracé des Routes des vins.

Maison des vins de Madiran et Pacherenc du Vic-Bilh – Le Prieuré - pl. de l'Église - 65700 Madiran - ℘ 05 62 31 90 67.

Bureau national interprofessionnel de l'armagnac AOC – 11 pl. de la Liberté - BP 3 - 32800 Eauze - ℘ 05 62 08 11 00 - www.armagnac.fr.

Maison du floc de Gascogne – R. des Vignerons - BP 49 - 32800 Eauze - ℘ 05 62 09 85 41 - www.floc-de-gascogne.fr.

Maison des vins de Gaillac – Abbaye Saint-Michel - 81600 Gaillac - ℘ 05 63 57 15 40 - www.vins-gaillac.com.

Syndicat des vignerons AOC Fronton – 51 av. Adrien-Escudier - BP 15 - 31620 Fronton - ℘ 05 61 82 46 33.

Syndicat des vins AOVDQS Estaing – L'Escalière - 3 r. Flandres-Dunkerque - 12190 Estaing - ℘ 05 65 44 75 38.

Syndicat des vins VDQS Entraygues-le-Fel – Les Buis - 12140 Entraygues-sur-Truyère - ℘ 05 65 44 50 45.

Armagnac (région d'Eauze). Seuls les vins blancs issus des dix cépages réglementaires peuvent être distillés.

Les plus appréciés sont principalement l'ugni blanc et la folle blanche (le gros plant du pays nantais). La vinification requiert une grande minutie, le vin devant demeurer sur « lie » jusqu'à son passage à l'alambic. Le bouilleur de cru dompte alors véritablement le combustible, accélérant ou ralentissant la course du vin : au sortir, l'eau-de-vie incolore (52°-72°) est recueillie dans un gros fût de chêne, « la pièce », où il commence à prendre sa robe ambrée.

Au bout de deux ans, l'eau est soutirée dans un autre fût et dort une dizaine d'années avant d'atteindre ses 42° et d'être mise en bouteilles. Au maître de chai revient le soin des « coupes », le dosage des produits du bas Armagnac, suaves et fruités, et des eaux-de-vie plus étoffées de la Ténarèze.

L'armagnac se savoure à température ambiante, après avoir été tourné dans un verre à fond large pour l'oxygéner.

Produits dérivés

Les connaisseurs savent que le **floc** (« fleur », en gascon) est un vin de liqueur (16°-18°) qui se boit frais en apéritif, rouge ou blanc. Il résulte du mélange de moût de raisin et d'armagnac supérieur à 52°. Le **pousse-rapière** est également une liqueur, faite d'armagnac, de fruits macérés et de vin effervescent brut (méthode champenoise). Cette création de Blaise de Monluc donne un savoureux cocktail.

Paysages et nature

La plus vaste région de France s'étend de l'Aubrac aux Pyrénées et s'étire de la Gascogne jusqu'en Ariège. C'est dire si les climats et les paysages sont variés, de plaines en vallées, de collines en bocages, de cimes élevées en forêts sauvages, traversés par la Garonne, le Tarn, l'Aveyron et de nombreuses rivières. Contrairement au pourtour méditerranéen, la région ne souffre que rarement des sécheresses estivales et sa végétation n'en est que plus diversifiée : aux chênes, chataigniers, peupliers et saules s'ajoutent palmiers et plantes grasses. Le Midi Toulousain, c'est une gerbe de tons chauds et lumineux, éclairant des merveilles naturelles. Riche d'une nature généreuse, c'est une région préservée où le tourisme vert a de l'avenir.

Paysages

Sous l'influence croisée de la Méditerranée et de l'Atlantique, la région Midi Toulousain présente une palette complète de paysages de montagne et de plaine, façonnés par les mouvements géologiques et par l'érosion. Au sud, les Pyrénées ont, à leur naissance, entraîné le soulèvement du socle ancien du Massif central, au nord-est de la région ; entre les deux massifs, l'érosion a fait son œuvre, en créant des plaines et coteaux sillonnés de rivières montagnardes.

LES PYRÉNÉES

Frontière naturelle avec l'Espagne, la chaîne pyrénéenne semble une barrière infranchissable tronçonnée de vallées transversales qui l'apparentent, sur les atlas hyperréalistes, à une arête de poisson. Si l'on sait que les sommets pyrénéens ne dépassent jamais 3 500 m – le point culminant étant le pic d'Aneto (3 404 m), du côté espagnol, au sud de Bagnères-de-Luchon, on sera déconcerté d'apprendre que l'altitude moyenne des Pyrénées est presque égale à celle des Alpes : en effet, les cols pyrénéens ne s'abaissent pas autant que les cols alpins, donnant à la chaîne son aspect massif et finement échancré.

Tout a commencé il y a environ 50 millions d'années, lorsque le bloc ibérique se faufila sous la plaque européenne. Les matériaux très différents soulevés par ce glissement ont réagi diversement aux intempéries et à l'érosion glaciaire, composant des paysages étonnamment variés, d'un bout à l'autre de la chaîne. Le regard est en effet surpris par le visage changeant de la montagne : Andorre et la haute Ariège règnent sur un relief rude d'éboulis et de rocailles alors que les petits « pays » (Toy, les Quatre Vallées) abritent des percées hospitalières au climat presque aquitain. Les

Paysage gersois près de Condom.
B. Brillion / MICHELIN

Petites Pyrénées et le Plantaurel, dits aussi les Prépyrénées, sont coupés de « cluses » (défilés de Boussens sur la Garonne, de Labarre sur l'Ariège) ouvertes sur la plaine ; les contreforts forment des crêtes disséquées tandis que la zone axiale tend une échine ciselée (massif des Pyrénées luchonnaises, de la Maladetta…) où les glaciers du Quaternaire ont creusé de très nombreux lacs d'altitude.

La Bigorre
Né à l'époque de Charlemagne, elle appartenait jadis au duché de Gascogne. La Bigorre se confond avec les Pyrénées centrales. Elle s'étend de la frontière espagnole au sud, au gave de Pau et à l'Adour au nord. C'est la zone la plus attirante de la chaîne pyrénéenne, tant par l'altitude des sommets (Vignemale : 3 298 m, Balaïtous : 3 146 m, l'un et l'autre sur la crête frontière, pic Long : 3 192 m) que par l'apparition de quelques lambeaux glaciaires. Ses nombreuses vallées et ses plateaux forment aujourd'hui un pays de culture et d'élevage. Le **Lavedan** fait partie de la Bigorre. Il correspond au bassin du gave de Pau et comprend les vallées de Gavarnie, de Cauterets et d'Azun. Il donne accès à d'autres vallées par l'intermédiaire de cols.

Les Pyrénées luchonnaises
Elles sont enrobées de quelques glaciers qui se dressent en barrière, suivant une ligne de crête jalonnée d'ouest en est par les sommets granitiques, tous d'altitude supérieure à 3 000 m, fermant la vallée d'Oô (Spijoles, Gourgs Blancs, Perdiguère) et la vallée du Lys (Crabioules, Maupas). L'échancrure la plus marquée, le port de Vénasque, s'élève encore à 2 448 m. Les avant-monts calcaires, au nord du bassin de Marignac et sur la rive droite de la Garonne, culminent au pic de Cagire (alt. 1 912 m), masse sombre dressant, vue de l'avant-pays, un repère très remarquable devant les hautes crêtes luchonnaises. La forêt, principalement des hêtres, se poursuit plus à l'est dans le massif d'Arbas (pic de Paloumère – alt. 1 608 m) criblé de cavités souterraines, véritable terrain d'exercice pour les spéléologues.

HERCULE ET PYRÈNE

Les étymologistes distingués font venir le nom des Pyrénées du grec *pyros*, désignant le « feu »… D'autres, non moins sérieux, mentionnent le basque *buru*, la « montagne ». Quant aux poètes, ils préfèrent la légende de la princesse Pyrène que séduisit Hercule *(voir « grotte de Lombrives »)*. Chose curieuse, le mot Pyrénées, largement utilisé dans l'Antiquité, a ensuite longuement disparu de l'usage, car les habitants du Moyen Âge ne nommaient que les vallées et non l'ensemble de la chaîne. Il fallut attendre le 15e s. pour voir attestée l'expression curieuse d'« Alpes pyrénéennes », qui fut par la suite raccourcie.

CONTREFORTS DU MASSIF CENTRAL

Monts de Lacaune, Sidobre, Montagne Noire et Aubrac

Dans le sud du Massif central, les failles ont formé des escarpements et détaché des blocs dissymétriques auxquels l'altitude donne un profil montagnard : ce sont les **monts de Lacaune** et le **Sidobre**.

Les hauteurs froides de Lacaune (1 267 m au Montgrand) sont célèbres pour l'élevage et la qualité des eaux minérales et thermales. Le Sidobre, massif peu élevé, regorge de merveilles naturelles insolites : rochers tremblants, cascades et lacs. C'est le pays de l'extraction de magnifiques blocs de granit. À l'extrémité sud du Massif central, la **Montagne Noire** culmine au pic de Nore, à 1 210 m. Son abrupt versant nord est riche en forêts et en lacs.

Entre les vallées de la Truyère et du Lot, les plateaux volcaniques de l'**Aubrac** déroulent un immense pâturage où les narcisses et les jonquilles fleurissent généreusement au printemps. En hiver, un lourd manteau de neige enveloppe le relief pour le bonheur des skieurs de Brameloup, Laguiole, Nasbinals ou St-Urcize. Cette région de très faible densité de population vit essentiellement de l'élevage. Le promeneur remarque ainsi les « drailles » – pistes parfois délimitées de petits murs de pierres sèches – suivies par les bovins lors de la transhumance.

Le Lévézou

Entre Millau et Rodez, ce petit massif cristallin grimpe jusqu'au Puech del Pal (1 155 m). En haut, autour de Vezins, un espace désertique de sous-bois et de bruyère reçoit la visite des troupeaux. Le bas pays présente un visage plus souriant de bocages et de grands lacs aménagés pour le tourisme (à Pont-de-Salars, Bage, Pareloup, Villefranche-de-Panat…).

Les ségalas du Rouergue

Les terres froides du Rouergue ont l'allure de lents plateaux inclinés vers le Bassin aquitain sur lesquels s'accrochent la châtaigneraie de toujours et de récents bocages épanouis au milieu de lacs immobiles.

Le ségala du Rouergue, entre Lévézou et Aveyron, et le ségala du Tarn étaient jadis couverts de seigle ; si les cultures se sont aujourd'hui diversifiées, le nom est resté.

Des prés verdoyants enclos d'aubépines font aujourd'hui oublier la tristesse qui régnait dans cette région, longtemps concurrencée par le blé blond d'Aquitaine (le fromental), jusqu'à ce qu'elle s'éveille sous l'effet conjugué de l'exploitation de la chaux et de l'arrivée du chemin de fer (Carmaux-Rodez, Capdenac-

Rodez), au 19e s. Un bouquet touffu de trèfle, de blé, de maïs et d'orge remplace ainsi la lande et le seigle d'antan. Cette petite révolution agricole s'est accompagnée d'un vrai développement des élevages bovins, ovins et porcins qui contribuent aux bonnes tablées de la région Midi Toulousain.

Les plateaux légèrement ondulés en collines (les puechs) portent, ici ou là, une chapelle. Le promeneur traverse, près de Camarès ou de Marcillac, des terres rouges fertiles, les **rougiers**, parsemées de vergers. Au loin, on devine les avancées des causses de Sévérac et du Comtal, la Châtaigneraie au nom évocateur, et le ségala du Quercy.

LES PLAINES ET LES COTEAUX

Issus de l'érosion de la chaîne pyrénéenne et du Massif central, plaines et coteaux séparent les zones de montagne. Les eaux des deux massifs s'y rassemblent et entretiennent la richesse de vastes plaines alluviales propices au développement agricole.

Le Comminges
Il comprend la haute Gascogne, l'Ariège et le Gers. Le haut Comminges ou Comminges gascon occupe le sud, entre la Bigorre et la partie occidentale de l'Ariège (le Couserans). Le bas Comminges ou Comminges languedocien se situe au nord-est.

Les coteaux gascons
À la sortie des grandes vallées pyrénéennes, une bande de lande sèche serpente entre le haut plateau de Lannemezan et le plateau de Ger, à l'ouest de Tarbes. Les rivières affluentes de la Garonne s'écartent ensuite en éventail vers le nord, où elles découpent les collines de l'Armagnac en fines lanières. Le modelé labyrinthique est l'œuvre d'anciens cours d'eau puissants dont le souvenir est parfois ravivé lors de crues dévastatrices. Par temps calme, seuls de minces filets coulent le long du ruban d'une prairie, d'un rideau d'arbres. Les croupes portent le dessin géométrique des haies et des parcelles cultivées, tandis que les vallées s'organisent autour de bourgs joyeusement gascons.

Des collines aux plaines de Garonne
La Garonne draine dans son sillage une gerbe de tons chauds et lumineux : jaune céréalier, verte prairie, rouge brique et bleu pastel s'y mélangent joyeusement.
Puissant fleuve aux crues capricieuses, la Garonne trace, avec ses affluents, un large couloir entre Aquitaine et Languedoc dans lequel aime à s'engouffrer l'autan. Des terrasses en gradins, séparées de talus boisés, assurent la transition avec les collines vigoureuses taillées dans la **molasse**.
En Albigeois, le relief se redresse en petits causses (Cordes, Blaye) et en pitons calcaires (« puechs ») que couronne souvent un village solitaire.
À la périphérie, la terre semble avoir tremblé : plateaux et petits monts s'interpénètrent étroitement

---

QUELQUES TERMES PYRÉNÉENS

Arrieu, arriu : ruisseau
Casse, cassagne : chêne, chênaie
Clot : cuvette, cirque (sans eau)
Jer, germ : herbage d'altitude
Pla : plateau, petite plaine
Soum : sommet arrondi

Bielle, vielle : village
Castanet : châtaigneraie
Coume : combe, cirque
Pène : crête rocheuse abrupte
Port, portet : col
Vic : communauté de vallée

UNE OU DES GARONNES ?

La Garonne (*Garona*) est, dans le val d'Aran, un nom commun à plusieurs torrents. Ce qui est tout à fait logique puisque le mot signifie « rivière qui charrie des pierres » ! Le plus important, le río Garona de Ruda, prend sa source à proximité du mont Saboredo (2 830 m) au sud du col de la Bonaigua. Ce torrent reçoit plusieurs affluents dont le plus connu est le río Garona de Jèu. Celui-ci naît en pleine forêt au güell du Jèu, résurgence des eaux de fonte glaciaire du versant nord de la Maladetta, étudiée par Norbert Casteret en 1931.

La Garonne pénètre en France au pont du Roi ; c'est encore un torrent de haute montagne par la pente et par le régime (basses eaux en hiver, hautes eaux en mai-juin). En Comminges, elle se grossit de la Pique, de l'Ourse et de la Neste d'Aure. À Montréjeau, débouchant dans une véritable gouttière qui s'allonge au pied de la chaîne, de la Barthe-de-Neste à Boussens, elle oblique vers l'est et traverse la « rivière » de Saint-Gaudens. La cluse de Boussens marque la sortie définitive des Pyrénées.

dans le pays tarnais ; des graviers viennent soutenir de petites côtes au pied des Pyrénées.

Dans le Lauragais enfin, à l'est de Toulouse, les **terreforts** argileux et fertiles se couvrent de la culture rafraîchissante des céréales : des collines basses se plissent entre des vallées en berceau, ouvertes dans les **boulbènes**.

Ce Midi de transition sait valoriser les atouts d'un climat déjà méridional mais à l'abri des pénuries d'eau des étés méditerranéens. Le paysage de plaines et de coteaux pactise avec les violences qui grondent du ciel ou du lit des rivières. Les vergers, délicatement en fleurs, se découvrent au matin derrière des voiles de brume, le chasselas doré éclaire longtemps de ses feux les vignes d'automne tandis que les villes elles-mêmes, Albi ou Moissac, dans leur habit de brique, battent au rythme des campagnes, au fil de la Garonne.

Le grenier toulousain

Véritable grange céréalière, la Garonne étend à perte de vue ses prairies et ses champs balancés par les vents. Dans les vallées, quand l'irrigation est aisée, le maïs pousse avec plus de densité. Le blé l'emporte sur les coteaux. C'est dans le Toulousain et le Lauragais que s'est bâti ce « grenier » du Midi, domaine de la culture intensive. Dans l'Albigeois, les parcelles se resserrent face aux vergers et aux cultures maraîchères. Sur les bords de la Garonne et du Tarn, des fruits goûteux mûrissent (pommes, poires, pêches, cerises, fraises…), qui occupent, avec les autres récoltes, une bonne place sur le marché national. La polyculture traditionnelle (blé, maïs, vigne), quant à elle, se simplifie peu à peu autour d'une ou deux productions, parfois réservées à la seule consommation familiale.

Sur ces riches terres agricoles, des pigeonniers impassibles ou délabrés, fantaisistes ou austères, témoignent d'une vie rurale révolue, où les volatiles étaient messagers ou producteurs d'engrais. Ils forment dans le paysage d'aujourd'hui des silhouettes familières.

Faune et flore pyrénéennes

Une des caractéristiques de la faune et de la flore pyrénéennes est leur fort taux d'endémisme :

Lys des Pyrénées.
Hopkins / Colorise

nombreuses sont les espèces, surtout parmi les plus petites, qu'on ne trouve nulle part ailleurs, ou presque. D'où les mesures de protection mises en place pour sauver les derniers individus appartenant aux espèces menacées, après la disparition du loup, du lynx et du bouquetin des Pyrénées (en 2000).

FAUNE SAUVAGE DES PYRÉNÉES

Peuplant les zones de haute montagne, grâce à ses sabots adaptés à l'escalade des rochers, l'**isard**, homologue pyrénéen du chamois, s'est bien remis de la menace d'extinction qui planait sur lui dans les années 1960 : on en compte aujourd'hui plus de 20 000 sur le versant français de la chaîne, dont 5 000 environ sur le territoire du Parc national des Pyrénées. Vous aurez peut-être la chance d'en apercevoir lors de vos randonnées en vallée de Cauterets, pourvu que vous restiez discret et que vous vous munissiez de bonnes jumelles, car les isards possèdent une vue, une ouïe et un odorat excellents et leur pelage se confond avec les rochers.

Au petit matin, les **marmottes** sortent de leur terrier pour leurs séances de guet. À la moindre alerte, leurs sifflements stridents font rentrer toute la colonie aux abris, où elles passent 85 % de leur temps. Leur implantation dans les Pyrénées ne date en fait que de 1948. Elles avaient, semble-t-il, disparu de la chaîne depuis la fin du Pléistocène (– 12 000).

Les berges hautes des torrents abritent un rongeur, le **desman**. Ce petit mammifère de la famille des taupes se nourrit d'insectes aquatiques qu'il capture avec sa trompe en marchant au fond de l'eau. On ne le trouve pratiquement que dans les Pyrénées et dans le sud de la Russie.

Les lacs et les rivières abondent en **saumons** et en **truites** nouvellement introduits ; dans les galets se cache l'**euprocte des Pyrénées**, un genre de salamandre. Le **crapaud accoucheur** possède la particularité de porter ses œufs sur lui pendant plusieurs années et de mourir peu après leur éclosion.

Dans les airs, on voit planer l'aigle royal et solitaire, des groupes de **vautours fauves** ou, plus rare, le grand **gypaète barbu**. Ce dernier, d'une envergure de 3 m, passe derrière les vautours et les corbeaux pour se nourrir d'os qu'il fracasse sur les rochers. 25 couples de ce rapace trouvent encore refuge dans les Pyrénées, sur 135 pour l'ensemble de l'Europe. Également protégé et très présent dans les Pyrénées (3 000 à 5 000 individus, soit plus de 80 % de la population française), le **grand tétras** ou coq de bruyère est, du poids de ses 3 à 5 kg, le plus gros des gallinacés européens. Se nourrissant d'aiguilles de résineux en hiver, de bourgeons et de feuilles le reste de l'année, il est surtout présent dans les forêts de montagne. Très discret, il est difficile à apercevoir ; on peut cependant entendre son chant nuptial au printemps.

D'autres rencontres surprenantes sont possibles : cerfs, sangliers, renards roux, chats sauvages, loutres, faucons, chauves-souris, hermines et lagopèdes (perdrix des neiges), dont le plumage blanchit en hiver pour se confondre avec les pentes enneigées.

La délicate question de l'ours

On ne peut aborder de question faunistique dans les Pyrénées sans évoquer les passions que déchaîne la réintroduction de l'ours dans le massif.

L'ours brun européen ou *Ursus arctos* est un plantigrade qui, autrefois carnivore, est devenu omnivore, se nourrissant, selon les saisons, de tubercules, de baies, d'insectes, de glands, mais aussi de petits mammifères et parfois même de brebis… L'aménagement du réseau routier, l'exploitation forestière, le braconnage et l'engouement touristique joints à un cycle de reproduction très

lent (la femelle met bas un ourson tous les deux ans) ont entraîné la régression de l'espèce, tombée, dans les années 1980, à six ou sept individus, contre 150 au début du 20e s. Pour pallier la menace d'extinction, une charte signée en janvier 1994 prévoit d'intégrer la protection de l'ours dans un programme global de sauvegarde de la nature. Ainsi, 7 000 ha sont interdits à la chasse en automne, lorsque l'ours constitue ses réserves avant l'hibernation. En même temps, un programme de réintégration des ours est lancé : en mai et juin 1996, deux ourses slovènes, Melba et Ziva, sont lâchées dans les Pyrénées centrales, suivies en 1997 de Pyros, un mâle, lui aussi d'origine slovène. En 1997, Melba met au monde trois oursons, mais elle est abattue par un chasseur au début de l'année 1998. À la suite de la mort de Cannelle, la dernière ourse de souche pyrénéenne, le 1er novembre 2004 sous les balles d'un chasseur, le Gouvernement décide une nouvelle réintroduction de cinq femelles slovènes. Cette mesure fait alors l'objet de polémiques féroces entre partisans et détracteurs de l'ours. D'un côté, le Gouvernement et des associations écologiques défendent la préservation d'une espèce en voie de disparition, quoique présente encore dans d'autres pays d'Europe, et tiennent à sauver le mythe pyrénéen de l'ours ; de l'autre, des éleveurs dénoncent le coût démesuré de l'opération et la mort de leurs brebis. Si le Gouvernement reconnaît ces dégâts causés par l'ours et indemnise les propriétaires des bêtes tuées, il n'a de cesse de rappeler que l'ours n'est qu'une cause de mortalité ovine parmi d'autres et qu'il est possible de s'en défendre par une garde permanente des troupeaux. Dans un contexte très tendu et sur- médiatisé, quatre lâchers sont finalement effectués d'avril à juin 2006, souvent de nuit pour éviter toute manifestation de violence. L'une des ourses relâchées, Palouma, meurt accidentellement en août à proximité de Loudenvielle (vallée du Louron). En 2006, on estime que la population d'ours dans les Pyrénées est composée d'une vingtaine d'individus.

Pour en savoir plus, consultez le site officiel de l'État : www.ours.ecologie.gouv.fr ou rendez-vous à la **Maison de l'ours** de Saint-Lary-Soulan.

VÉGÉTATION MONTAGNARDE

À l'ombrée (versant nord), le bas des montagnes est couvert de chênes, puis de hêtres et de sapins. Les **pins à crochets** se mêlent aux bouleaux et aux sorbiers des oiseleurs entre 1 700 et 2 400 m. Au-dessus, des forêts claires avoisinent les pelouses piquées de rhododendrons et de fleurs délicates. Plus haut encore, à l'étage alpin, le saule nain subsiste seul au milieu d'une végétation bariolée et basse, qui se raréfie en mousses et lichens.

La flore pyrénéenne est un enchantement, avec ses espèces endémiques, telle la **ramonde**, petite plante aux fleurs d'un violet profond et aux feuilles veloutées. À cueillir des yeux seulement : **lys des Pyrénées**, saxifrage à feuilles longues, chardon bleu, silène acaule, vélar, pavot du pays de Galles, iris xiphoïde, delphinium de la montagne, potentille arborescente.

Environnement

PROTECTION DES MILIEUX

La prise de conscience d'une nécessité de protéger les milieux fragiles a été suivie d'actions concrètes en France dès le début du 20e s. Les premiers parcs nationaux, dont le Parc national des Pyrénées, voient le jour dans les années 1960. La réserve naturelle de Néouvielle, gérée par le Parc depuis sa création en 1968, s'est constituée sur un territoire déjà protégé depuis 1936. La région Midi-Pyrénées possède en outre 11 réserves naturelles régionales et 3 parcs naturels régionaux (Grandes Causses, Haut-Languedoc et Causses du Quercy). Un quatrième parc naturel est en cours de création en Ariège. Autre outil de préservation, le classement de sites naturels au Patrimoine mondial de l'Unesco (cirque de Gavarnie, canal du Midi).

INITIATIVES ÉCOLOGIQUES

La région Midi-Pyrénées a choisi de s'impliquer sérieusement dans le domaine du développement durable. Parmi les dispositions prises en faveur de la préservation de l'environnement, on peut citer le fleurissement des associations pour le maintien d'une agriculture paysanne (Amap) ; l'installation d'une « mission eau » à l'échelle régionale ; le Centre de Terre à Lavalette (31) ; l'expérimentation du gaz naturel dans le pays de Couserans ; le parc éolien du Lauragais ; l'engouement que connaissent, sur l'ensemble de la chaîne, les maisons « bio », à faible consommation d'énergie.

Histoire

Il n'existe pas une histoire du Midi Toulousain mais des histoires, qui s'entrecoupent, se cognent, se mêlent. Vaste terre habitée par l'homme de Cro-Magnon, occupée par les Celtes et les Romains, ensanglantée par la croisade des albigeois et ses terribles bûchers, où se dressent encore quelques châteaux cathares... Une terre de légendes, de mythes, où s'affrontent, se côtoient Gaston Fébus, les Albret, le bon roi Henri IV, de preux chevaliers et des mousquetaires illustres, des Jacquets anonymes et Bernadette Soubirous, avant que le pyrénéisme ne soulève d'autres vocations et passions. C'est la patrie des inventeurs de l'aviation et des pilotes de l'Aéropostale, c'est aussi celle des hommes politiques passionnés, tel Jean Jaurès, qui ont écrit l'histoire de France.

Des origines à nos jours

LA PRÉHISTOIRE

Les traces des plus anciens ancêtres de l'homme invitent à un saisissant voyage dans le temps et à la découverte des prestigieux sites dont est truffée la région (*voir l'encadré ci-après*).

Paléolithique inférieur (avant – 150 000) – C'est par leur station verticale et leur maîtrise du feu (il y a 800 000 ans) que l'on distingue les hommes de cette période. Les fouilles attestent qu'ils avaient la faculté de tailler (bifaces) des noyaux de roche dure (silex).

Paléolithique moyen (de – 150 000 à – 35 000) – L'homme de Neandertal est riche d'un outillage de pierre qu'il perfectionne à loisir. Il façonne le silex pour obtenir des pointes triangulaires, des racloirs ou des massues. Il inhume ses morts et élabore des rites (il y a 80 000 ans).

Paléolithique supérieur (de – 35 000 à – 10 000) – L'*Homo sapiens* (homme sage, intelligent) est caractérisé par le fort volume de son crâne et son langage articulé. Il se réfugie dans les cavités rocheuses creusées à flanc de montagne par le ruissellement des eaux. Cet homme de Cro-Magnon se consacre avec brio à l'art rupestre, aux peintures pariétales de la grotte de Gargas et de celle de Niaux, ou aux représentations humaines sculptées, tels les os gravés de la grotte de la Vache et la Vénus de Lespugue.

Mésolithique (de – 10 000 à – 7 500) – La disparition du climat glaciaire fixe le paysage historique des Pyrénées. Des périodes fraîches ou tempérées engendrent la migration du renne vers le nord et le développement d'une faune sylvestre identique à la nôtre. L'art prend la forme d'énigmatiques galets à signes peints.

La moyenne montagne est alors la plus densément peuplée. On y pratique l'élevage tandis que l'armement accomplit des progrès décisifs (flèches, haches et couteaux) et que se répandent les parures et les poteries.

Grotte de Niaux : le cheval et le bouquetin.
Grotte de Niaux

Néolithique (de – 7 500 à – 1 500) – Les mégalithes, dolmens et cromlechs parsèment les terres. C'est le signe d'une occupation dense de la moyenne montagne par des pasteurs. Les plus importants dolmens, érigés dans les zones de peuplement stable, contiennent les restes de centaines d'individus. Sur les hauts pâturages, ils sont plus petits et ont été remplacés par des **cistes** (coffres de pierre), sépultures individuelles de bergers décédés l'été.

Le milieu pyrénéen au Paléolithique – Durant un million d'années, les Pyrénées ont été marquées par les avancées et les reculs des glaciers. En périodes froides, l'avant-pays offrait à l'homme des cavités et des falaises, refuges précaires mais situés à proximité des terrains de chasse de la plaine.

Indépendamment du climat, les espèces végétales méditerranéennes (pins, chênes, platanes) sont parvenues à se maintenir. De grands herbivores parcouraient la région : rennes, thars (chèvres de montagne), rhinocéros de prairie, bisons,

---

SITES PRÉHISTORIQUES

Si vous vous intéressez à la préhistoire, profitez de votre passage dans la région pour visiter la grotte de **Niaux** *(voir Niaux)*, ornée de peintures rupestres ; la grotte du **Mas-d'Azil** *(voir Mas-d'Azil)*, aux nombreux outils ; **Bédeilhac** et ses dessins au trait *(voir Tarascon-sur-Ariège)* ; la **Vache** et ses nombreux ossements *(voir Tarascon-sur-Ariège)* ; **Gargas** et ses mains au pochoir *(voir Saint-Bertrand-de-Comminges)* ; **Foissac** et ses sépultures *(voir Villeneuve)*.

Parmi les musées, citons le Parc de la préhistoire à **Tarascon-sur-Ariège**, le musée de la Préhistoire au **Mas-d'Azil**, le musée de **Montmaurin**, où l'on peut voir un moulage de la Vénus de Lespugue. À **Aurignac**, un projet de musée est en cours pour remettre en valeur les produits des fouilles aurignaciennes.

L'ÂGE DE LA PIERRE

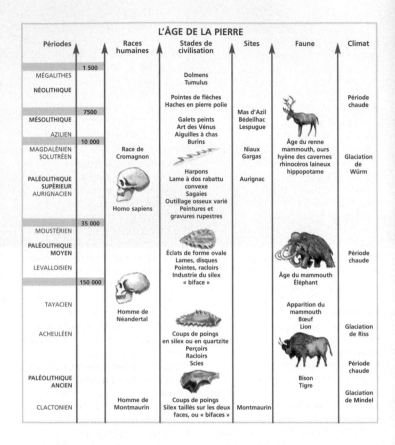

Périodes		Races humaines	Stades de civilisation	Sites	Faune	Climat
	1 500		Dolmens / Tumulus			
MÉGALITHES						
NÉOLITHIQUE			Pointes de flèches / Haches en pierre polie			Période chaude
	7500		Galets peints / Art des Vénus	Mas d'Azil / Bédeilhac / Lespugue		
MÉSOLITHIQUE			Aiguilles à chas / Burins			
AZILIEN	10 000					
MAGDALÉNIEN / SOLUTRÉEN		Race de Cromagnon		Niaux / Gargas	Âge du renne / mammouth, ours / hyène des cavernes / rhinocéros laineux / hippopotame	Glaciation de Würm
			Harpons / Lame à dos rabattu convexe			
PALÉOLITHIQUE SUPÉRIEUR / AURIGNACIEN			Sagaies / Outillage osseux varié	Aurignac		
		Homo sapiens	Peintures et gravures rupestres			
	35 000					
MOUSTÉRIEN						
PALÉOLITHIQUE MOYEN			Éclats de forme ovale / Lames, disques			Période chaude
LEVALLOISIEN			Pointes, racloirs / Industrie du silex « biface »		Âge du mammouth / Éléphant	
	150 000					
TAYACIEN		Homme de Néandertal			Apparition du mammouth / Bœuf / Lion	
ACHEULÉEN			Coups de poings en silex ou en quartzite / Perçoirs / Racloirs / Scies			Glaciation de Riss
						Période chaude
PALÉOLITHIQUE ANCIEN					Bison / Tigre	
						Glaciation de Mindel
CLACTONIEN		Homme de Montmaurin	Coups de poings / Silex taillés sur les deux faces, ou « bifaces »	Montmaurin		

bœufs musqués, cerfs élaphes et mouflons antiques. Les carnivores (ours, loups, renards polaires, lions des cavernes) étaient déjà recherchés pour leur fourrure. Certains rongeurs (lièvres, castors, mulots) et oiseaux (aigles royaux, gypaètes barbus, chocards à bec rouge) ont peu évolué jusqu'à nos jours.

Les Pyrénées restent un des sites les plus riches du globe pour l'étude des premiers âges de l'humanité. Ainsi, les chercheurs ont-ils trouvé une précieuse mâchoire humaine remontant à 300 000 ou à 400 000 ans et les restes d'un homme « de Tautavel » qui chassait dans la steppe il y a quelque 450 000 ans.

ANTIQUITÉ ET HAUT MOYEN ÂGE

● **De 1800 à 50 av. J.-C.** – De grands mouvements de peuples fixent la physionomie ethnique de l'Occident.

● **600-50 av. J.-C.** – Influence celtique (les Volques tectosages) et développement de la métallurgie (forges catalanes).

● **2e s. av. J.-C.** – Conquête romaine. Rome incorpore le Béarn, la Bigorre et la Gascogne dans la *Novempopulania*, le « territoire des neuf peuples ».

● **76 av. J.-C.** – Pompée, partant faire campagne en Espagne, annexe la haute vallée de la Garonne et l'intègre à la province romaine de Gaule transalpine.

● **72 av. J.-C.** – Fondation par Pompée de *Lugdunum Convenarum*, aujourd'hui Saint-Bertrand-de-Comminges (peuplée d'aventuriers, de montagnards et de bergers). La cité deviendra la capitale religieuse du sud de la Garonne.

● **Vers 250 apr. J.-C.** – Martyre de saint Sernin à Toulouse.

● **3ᵉ et 4ᵉ s. apr. J.-C.** – Décadence de Narbonne et de Toulouse.

● **5ᵉ s.** – Arrivée des Vandales, puis des Wisigoths, qui établissent leur capitale à Toulouse.

● **Fin du 6ᵉ s.** – Les Vascons s'installent en Gascogne.

● **614** – Premier monastère bénédictin établi en Gaule, à Altaripa (Hauterive, près de Castres).

● **801** – Charlemagne organise la Marche d'Espagne, de Nîmes à Barcelone et Toulouse.

● **843** – Le traité de Verdun divise l'Empire : Charles le Chauve reçoit la région du Rhône à l'Océan.

● **877** – À la mort de Charles, fondation des grandes maisons princières du Midi.

● **1059** – Union des duchés d'Aquitaine et de Gascogne.

● **1097** – Bernard II édicte les « fors de Bigorre » qui confirment les coutumes réglant les rapports du peuple et du seigneur.

● **11ᵉ s.** – Renouveau démographique et économique en Occident. Vague de constructions religieuses. Domination des comtes de Toulouse.

LE RATTACHEMENT AU ROYAUME DE FRANCE

● **12ᵉ-13ᵉ s.** – Épanouissement de l'art des troubadours. Apparition des bastides.

● **1137** – Le futur Louis VII, fils du roi de France, épouse Aliénor d'Aquitaine qui lui apporte en dot la Gascogne et le comté de Toulouse.

● **1209** – Début de la première croisade contre les albigeois.

● **1229** – Le traité de Paris clôt la guerre albigeoise et intègre l'Albigeois et le Languedoc au royaume de France. Le frère de Saint Louis, Alphonse de Poitiers, épouse l'héritière du comté toulousain. Fondation de l'université de Toulouse pour juguler la pensée cathare.

● **1250-1320** – L'Inquisition réduit les derniers foyers cathares.

● **1256-1283** – Guerres de succession en Bigorre entre les héritiers de la comtesse Pétronille qui épousa cinq maris et eut des filles avec chacun d'eux.

● **1258** – Le traité de Corbeil, signé entre Saint Louis et Jacques Iᵉʳ, reconnaît les droits de l'Aragon sur le val d'Aran. La vallée d'expression occitane fait aujourd'hui toujours partie de la Catalogne espagnole.

● **1292** – Philippe le Bel place le comté de Bigorre sous séquestre.

● **1331-1391** – Vie de Gaston Fébus, comte de Foix.

● **1350-1450** – Période de troubles, de famines et d'épidémies en Pyrénées.

● **1360** – Fin de la première partie de la guerre de Cent Ans (traité de Brétigny) : entre autres, la Bigorre, la Gascogne et le Rouergue passent au roi d'Angleterre ; le Languedoc est divisé en sénéchaussées (Toulouse, Carcassonne, Beaucaire).

● **1406-1407** – Les Anglais sont chassés de la Bigorre, qui passe entre les mains de Jean de Foix avant d'être intégrée au Béarn en 1429.

● **1444** – Création du parlement de Toulouse à qui appartient les pouvoirs judiciaire et administratif ainsi que la répartition de l'impôt.

● **1450-1500** – Fin de la Gascogne « anglaise » et rattachement en 1454 à la France de l'Armagnac et du Comminges.

● **1484** – Après le mariage de Catherine de Foix et de Jean d'Albret, les Albret, « rois de

Navarre », règnent en Pyrénées gasconnes (Foix, Béarn, Bigorre).

- **1512** – Ferdinand le Catholique annexe le sud de la Navarre.
- **1548** – Mariage de Jeanne d'Albret et d'Antoine de Bourbon, de fait roi de Navarre. Leur fils, Henri III de Navarre, né en 1553, n'est autre que le futur roi Henri IV.
- **1560-1561** – Jeanne d'Albret se convertit au protestantisme et impose le calvinisme dans son royaume.

GUERRES DE RELIGION

- **17 mai 1562** – Expulsion des protestants de Toulouse ; guerre cruelle entre protestants et catholiques jusqu'en 1598.
- **1593** – Henri IV abjure le protestantisme à Saint-Denis ; il est sacré à Chartres le 27 février 1594.
- **1598** – L'édit de Nantes accorde aux protestants des places de sûreté (Montauban) et la liberté de culte.
- **1607** – Henri IV réunit à la France la Basse-Navarre, Foix et le Béarn.
- **1629** – La paix d'Alès dépossède les protestants de leurs places de sûreté.
- **1643** – Révolte des croquants du Rouergue contre l'augmentation de l'impôt.
- **1680** – Construction du canal du Midi *(voir p. 124)*.

- **1685** – Révocation de l'édit de Nantes.
- **1762** – Affaire Calas *(voir Toulouse)*.
- **1787** – L'édit de tolérance met fin aux persécutions.

RÉVOLUTION, EMPIRE ET INDUSTRIE

- **1751-1767** – Administration exemplaire de la généralité d'Auch par d'Étigny.
- **1789** – La Révolution ne fut pas dans la région aussi violente et mouvementée qu'à Paris, Lyon ou en Vendée.
- **Juin 1793** – Les autorités de Montauban et de Toulouse soutiennent la Convention montagnarde, mettant en échec les girondins.
- **1799** – Des royalistes en marche vers Toulouse sont arrêtés près de Montréjeau.
- **1808** – Lors de son passage dans la région, Napoléon crée le département du Tarn-et-Garonne, à la demande des Montalbanais.
- **19e s.** – La région reste en marge de la révolution industrielle et urbaine.
- **1857** – Ouverture du canal latéral à la Garonne (Toulouse-Bordeaux).
- **1858** – Apparitions de la Vierge à Bernadette Soubirous. Développement de Lourdes.

SOURCES DE PROSPÉRITÉ

La région a connu au cours des siècles des périodes prospères.

Dès la fin du 15e s., le pastel devient « l'or bleu » du Lauragais *(voir Saint-Félix-de-Lauragais)*. Par milliers, les balles de cette plante tinctoriale partent vers les ports de l'Atlantique et de la Méditerranée, puis vers l'Angleterre, la Flandre, l'Italie… Sa culture est un commerce florissant pour les grands marchands toulousains et albigeois, rapidement ennoblis. Ils bâtissent alors de somptueux palais et hôtels particuliers, entre 1500 et 1560, avant que l'indigo des Indes et les guerres de Religion n'entraînent son déclin.

D'une autre couleur, au début du 19e s., Decazeville a animé le bassin houiller de l'Aveyron, dont les dernières mines ont cessé leurs activités en 1965.

- **1892** – Grandes grèves de Carmaux. Jean Jaurès résout le conflit en faveur des mineurs et les représente à la Chambre des députés.
- **1901** – Exploitation hydroélectrique des Pyrénées.

20^E ET 21^E SIÈCLES

- **1914** – Assassinat de Jean Jaurès, natif de Castres.
- **1914-1918** – L'éloignement des zones de combat de la Première Guerre mondiale permet l'implantation d'usines militaires dans la région.
- **1920** – Importantes infrastructures touristiques réalisées sous l'impulsion de J.-R. Paul, directeur de la Compagnie des chemins de fer du Midi.
- **1940-1944** – Importance du réseau pyrénéen dans la Résistance. Nouvelles constructions d'usines dans la région.
- **1945** – Nationalisation des compagnies minières, dont celle de Carmaux qui fermera définitivement ses portes en 1983.
- **1970** – Création d'Airbus Industrie.
- **1993** – Mise en service du métro à Toulouse.
- **1997** – Le cirque de Gavarnie, le site d'Ordesa et le mont Perdu entrent au Patrimoine mondial de l'Unesco.
- **21 septembre 2001** – Explosion de l'usine chimique AZF, en banlieue périphérique de Toulouse. On dénombre 29 morts et plus de 2 400 blessés. Des secousses ont été enregistrées jusque sur la place du Capitole.
- **2006** – Premiers essais du plus gros avion au monde, l'A380, assemblé à Toulouse.
- **2009** – Année Jean Jaurès à Toulouse qui fête les 150 ans de la naissance du grand homme.

Sur la route de Saint-Jacques

Très ancien, et pendant un temps tombé en désuétude, le pèlerinage de Saint-Jacques-de-Compostelle connaît aujourd'hui un certain succès et reste une expérience unique, chargée d'émotion.

L'APÔTRE

Jacques vint de Palestine pour évangéliser l'Espagne. Selon la légende enracinée dans l'histoire, il aurait été décapité et son corps transporté par deux de ses disciples échoués sur la côte de Galice. Vers l'an 813, un ermite repère en Galice la sépulture de saint Jacques le Majeur grâce à une pluie d'étoiles qui tombe sur un monticule. Une chapelle est aussitôt édifiée et le lieu prend le nom de *Campus stellæ* (Compostelle). Le saint, évangélisateur de l'Espagne, est élu patron des chrétiens et symbolise la reconquête espagnole sur les infidèles à la suite d'une apparition : on l'aurait vu en 844 combattant les Maures (ou Mores), d'où son surnom de Matamore. L'évêque du Puy inaugure en 951 le premier pèlerinage français. Compostelle acquiert une aussi grande réputation que Rome ou Jérusalem, et, à partir du Moyen Âge, des millions de **Jacquets**, Jacquots ou Jacobits se mettent en route.

LES CHEMINS DE COMPOSTELLE

La pratique des pèlerinages lointains, notamment celui de Compostelle, amenait dans les villages des étrangers, souvent loqueteux, redoutés par les autorités locales, mais dont les récits étaient propres à enflammer l'imagination populaire. Le costume du pèlerin ressemblait à celui des voyageurs de l'époque, mis à part le gros bâton à crosse, ou bourdon, et les insignes du pèlerinage : coquille et médaille. Nombre de tableaux et de statuettes révèlent la vaste cape et le mantelet court (esclavine) ; une panetière (musette), une gourde, un couvert, une écuelle, un coffret en tôle contenant les papiers et les sauf-conduits complétaient sa tenue. Tout était prévu pour le réconfort et la sécurité du pèlerin, même un guide touristique (le *Codex Calixtinus*), rédigé en 1130 par un moine poitevin, Aymeri Picaud, qui traçait les chemins de Compostelle. En Midi-Pyrénées, trois d'entre eux s'élançaient vers Saint-Jean-Pied-de-Port pour traverser les Pyrénées, formant le *camino frances* : la **via Podiensis** part du Puy-en-Velay, traverse Aubrac, Espalion, Estaing, Conques, Figeac et propose un détour par Rocamadour avant de poursuivre sur Cahors puis Moissac ; la **via Tolosane**, que l'on emprunte à partir d'Arles, permet de passer par Castres, Sorèze et Toulouse pour gagner ensuite Auch, Montesquiou et Marciac ; enfin, la **voie du Piémont pyrénéen** se veut parallèle à la chaîne montagneuse. Partant du Languedoc, elle fait étape à Foix, Saint-Lizier, Saint-Gaudens, Saint-Bertrand-de-Comminges, Lourdes et Saint-Pé-de-Bigorre.

La forêt vivante de fidèles diminue au fil des siècles. La foi des Jacquets s'émousse, et les villageois, de leur côté, se méfient des aventuriers ou des escrocs cachés sous la pèlerine, rassemblés en bandes de « Coquillards » auxquels aime se joindre le poète François Villon. Mais plus de dix siècles de pèlerinage vers le tombeau de saint Jacques ont laissé de belles traces culturelles : Conques, Rocamadour, Saint-Sernin de Toulouse, Saint-Bertrand-de-Comminges ainsi que de nombreuses petites chapelles, hospices, fontaines ou ponts évoquent au présent les lieux de repos, d'accueil et de dévotion des pèlerins.

Pour toutes les informations pratiques concernant les chemins de Saint-Jacques, reportez-vous à la rubrique « randonnée pédestre » p. 16.

L'épopée cathare

Célèbre, mais vraiment méconnue, cette période est souvent réduite à certaines scènes tragiques qui ont marqué l'imaginaire collectif jusqu'à nos jours.

LA DOCTRINE

Venue d'Orient, elle doit son nom au grec *katharos* (pur). Le « dualisme radical », fondé au concile de Saint-Félix-Lauragais (1167), emprunte au catholicisme, mais nie la divinité du Christ.

Au Dieu bon régnant sur un monde spirituel de lumière et de beauté s'oppose le monde matériel de Satan qui emprisonne l'homme. Les **parfaits** ou **bonshommes** mènent une existence austère qui les libère du Malin et les ramène à la pureté divine. Les **croyants**, simples fidèles, les vénèrent.

L'ÉGLISE CATHARE

Ses quatre évêques sont à Albi (d'où le nom d'albigeois), Toulouse, Carcassonne et Agen. L'Église cathare n'administre qu'un sacrement, le *consolamentum*, dont le rite varie selon qu'il s'agit de l'ordination d'un parfait ou de la bénédiction réservée aux croyants à l'article de la mort, qui seule peut leur ouvrir les portes du monde de la lumière. D'autres usages liturgiques rassemblent les fidèles : réunions de prière, confessions publiques, etc. Le refus des sacrements traditionnels (baptême et mariage) au profit du seul *consolamentum* attise la colère des clercs et explique le franc succès que remporte l'hérésie.

Dons et legs assurent le

fonctionnement économique de l'Église cathare et lui permettent de financer ses œuvres caritatives et hospitalières. Les fonds récoltés sont rassemblés dans un dépôt monétaire propre à chaque église locale. Ce *thesaurus* (« trésor » en latin) joue ainsi le rôle de banque. Par sa connotation mystérieuse et par son étymologie, ce terme a contribué à créer le mythe du « trésor cathare », notamment à Montségur, sous la plume des écrivains romantiques du 19e s. Un mythe favorisé par une réalité historique : persécutés, les hérétiques font circuler des sommes plus ou moins importantes dans la clandestinité.

LA RÉPRESSION

En 1204, le pape Innocent III demande au comte de Toulouse, **Raimond VI**, de renoncer à protéger les hérétiques ; en vain. Le meurtre du légat Pierre de Castelnau va déclencher la **première croisade contre les albigeois**, qui dégénère en massacres et appropriations. **Simon de Montfort** met à sac Béziers (1209) et Mazamet (1212), ferraille à Muret, où Raimond VI doit abdiquer (1213), et fait tomber le comté de Toulouse (1215).
Raimond VII venge son père par huit ans de guerre de libération cathare. En 1226, Louis VIII en personne mène la **seconde croisade** du Nord contre le Sud. Avec la paix, le **traité de Paris** (1229) apporte à la couronne de France toutes les terres conquises par les Montfort.
L'Inquisition relance la lutte. **Peyrepertuse** se rend en 1240. Au fameux siège de **Montségur**, 215 cathares sont brûlés vifs, et les rescapés sont achevés au château de **Puilaurens**. Enfin, la guerre se conclut par la chute de **Quéribus** en 1255.

☺ Ces passions ont posé définitivement les bases de l'unité française. On peut s'imprégner de leur décor à **Montségur** *(voir p. 221)*, à **Foix** *(voir p. 214)* dont le château fut assiégé, à **Mirepoix** *(voir p. 255)* qui abrita un concile cathare, à **Roquefixade** *(voir p. 220)*, haut lieu de la vie albigeoise, et encore à **Toulouse**, **Castres**, **Albi**…
Les châteaux de Peyrepertuse, Puilaurens et Quéribus sont décrits dans *Le Guide Vert Languedoc-Roussillon*.

Le pyrénéisme

Hérité des premiers grands ascensionnistes, audacieux et rêveurs, le pyrénéisme – l'étude et la pratique des Pyrénées – conserve immuablement la ferveur et l'élégance de ses débuts.

LES CONTEMPLATIFS

Après un premier séjour à Barèges en 1787 pour accompagner le cardinal de Rohan dont il était secrétaire, **Ramond de Carbonnières** (1755-1827) se passionne pour l'étude des Pyrénées. Il atteint en 1802 la cime convoitée du mont Perdu, « la plus belle montagne calcaire ».
De son côté, le comte **Henry Russel** (1834-1909), familier des Andes et de l'Himalaya, gravit 33 fois le Vignemale, se faisant aménager près du sommet 7 « villas » (grottes-abris). Ses ouvrages suscitèrent de nombreuses vocations.

LE PYRÉNÉISME PROFESSIONNEL

D'autres exploits, longtemps méconnus, sont dus à des militaires chargés de la réalisation des cartes d'état-major. De grands cartographes ont aussi œuvré pour une meilleure connaissance des Pyrénées : Schrader, Wallon, de Saint-Saud sur le versant espagnol ont réuni une moisson de renseignements précieux, exploités par le colonel Prudent pour une carte de France officielle au 1/500 000 (1871-1893) qui facilita les ascensions futures. Ces pyrénéistes de la première heure portaient sur la montagne un regard esthétique et sentimental ; l'escalade athlétique attendit la fin du 19e s. pour se développer.

LES GRANDS TERRAINS D'ESCALADE

Le **massif de Luchon** affirme son caractère dans le cirque d'Espingo, aux parois de granit franc et à la fine guirlande glaciaire. Le souvenir du Dr Jean Arlaud (1896-1938), skieur et alpiniste, y reste vif. À **Gavarnie**, Henri Brulle (1854-1936) inaugura de son côté les courses d'escalade, appelées plaisamment « jeux du cirque ».

Le couloir de Gaube du **Vignemale** présente une « fascinante et provocante cheminée de neige et de glace… vertigineuse et haute de 600 m », qui rendit très difficile son accès (en 1889 puis en 1933).

Le **Balaïtous**, massif granitique le plus secret des Pyrénées centrales, offre un parcours aérien aussi admirable qu'effroyable, la crête du Diable.

LE THERMALISME

Tout au long du Premier Empire sont découvertes de nouvelles sources thermales. La grande vogue du thermalisme pyrénéen connaît un essor au milieu du 19e s., avec la route thermale des Pyrénées ouverte par Napoléon III, reliant Eaux-Bonnes à Bagnères-de-Bigorre.

Ainsi commence une ère de luxe et d'opulence au moment où les grands de l'Europe entière viennent prendre les eaux à **Luchon**, **Cauterets** ou **Barèges**. Ces grandes stations sont alors des lieux de plaisirs mondains qui vont faire des

Pyrénées une des grandes régions touristiques françaises, héritage encore présent aujourd'hui.

Les personnalités de la région

HOMMES DE GUERRE ET DE LÉGENDE

Cadet de Gascogne, **Hector de Galard**, né à Terraube, fut des compagnons de Jeanne d'Arc qui soutinrent la pucelle d'Orléans pour bouter les Anglais hors de France. Il donna également son nom au valet de carreau des jeux de cartes traditionnels.

Le seul nom de **d'Artagnan** symbolise une mosaïque de force et d'élégance, de chevalerie altière et de verbe truculent. De son vrai nom, **Charles de Batz de Castelmore** (1611-1673) fut cadet de Gascogne, capitaine des Mousquetaires du roi (Louis XIII puis Louis XIV). Un rôle qu'il tint, en fin bretteur, avec courage et panache, et qui l'entraîna au mariage de Louis XIV à Saint-Jean-de-Luz, aux parades de Fontainebleau, à l'arrestation du surintendant Fouquet, jusqu'au siège de Maastricht, où il mourut au combat. Un parcours qui inspira très largement et librement Alexandre Dumas père pour ses *Trois Mousquetaires*.

Trouvé en janvier 1800 dans les bois de la Bassine près de Laucaune, un jeune garçon âgé de dix ans environ, ayant grandi seul dans la nature, telle une bête, défraya la chronique à l'orée du 19e s. Il se réfugia d'abord chez le teinturier Vidal à Saint-Sernin-sur-Rance, avant d'être envoyé à Rodez, puis à Paris chez le docteur Itard. Il fut enfin confié à Mme Guérin qui se chargea de lui jusqu'à sa mort, en 1828. L'histoire peu commune et extraordinaire de cet enfant que

Portrait de Jean Jaurès (1904).
akg-images

l'on baptisa **Victor** inspira François Truffaut pour son film *L'Enfant sauvage* (1970).

Né à Saint-Béat, le **maréchal Joseph Gallieni** (1849-1916), fin stratège, fit ses premières armes au Soudan puis au Tonkin, avant de devenir ministre de la Guerre entre 1915 et 1916. C'est lui qui, en août 1914, avait eu l'idée des taxis de la Marne. Il fit réquisitionner les taxis parisiens pour amener les troupes à faire face au plus vite à l'avancée allemande… D'où la victoire de la Marne qui lui valut, à titre posthume, le titre de maréchal.

ARTISTES ET ÉCRIVAINS

Avec **Dominique Ingres** (1780-1867) à Montauban *(voir p. 440)*, **Henri de Toulouse-Lautrec** (1864-1901) à Albi *(voir p. 146)*, et **Francisco de Goya** *(1746-1828)* dont on peut admirer de nombreuses œuvres à Castres *(voir p. 159)*, cette région peut s'enorgueillir de musées aux collections de peintures exceptionnelles. Montauban a aussi vu naître le sculpteur **Antoine Bourdelle** *(1861-1929)* qui réalisa l'impressionnant monument aux morts de sa ville natale.

Le sculpteur **Denys Puech** est né à Gavernac dans l'Aveyron en 1854 et mort à Rodez en 1942. Lauréat du grand prix de Rome en 1884, il est élu membre de l'Académie des beaux-arts en 1905, puis directeur de la villa Médicis en 1921. Artiste officiel, on lui commande, entre autres, le monument Cabrol à Decazeville. Nombre de ses œuvres sont aujourd'hui conservées au musée qui lui est consacré à Rodez *(voir p. 499)*.

Écrivain et académicien français, l'Albigeois **Pierre Benoît** (1886-1962) est l'auteur, à succès, d'une trentaine de romans, dont *L'Atlantide*, *Kœnigsmark* et *Le Roi lépreux*.

Le Rodézien **Pierre Soulages** (né en 1919) compte parmi les artistes peintres contemporains les plus importants, dont l'œuvre joue sur les dégradés monochromes, traversés de fulgurances colorées. Il est également l'auteur des vitraux de l'abbatiale romane de Sainte-Foy à Conques.

Jean Dieuzaide (1921-2003), né à Grenade-sur-Garonne, est l'un des maîtres de la photographie d'après-guerre, fondateur de la Galerie du Château d'Eau à Toulouse, portraitiste (Giono, Dalí entre autres) et paysagiste. Il reçut les deux prix prestigieux réservés à son art, les prix Niepce et Nadar.

Figure essentielle de la chanson française, à la voix suave et rauque, inspiré par le swing et le jazz, chantre de la cité rose, de l'eau verte du canal du Midi et de la brique rouge des Minimes, **Claude Nougaro** (1930-2004) ne s'est jamais départi de son accent de la Haute-Garonne. Verbe coloré et jeux de langue ont marqué ses textes. *Ô Toulouse*, *Cécile*, *Garonne*, *La Pendule* sont quelques-uns de ses titres les plus fredonnés.

SCIENTIFIQUES ET AVENTURIERS

Né à Béziers, l'ingénieur **Pierre-Paul Riquet** (1604-1680) reste intimement lié à la région Midi-Pyrénées pour avoir imaginé et orchestré l'édification du canal du Midi *(voir p. 126)*.

« A-t-on des nouvelles de monsieur de Lapérouse ? », interrogea Louis XVI peu avant de monter sur l'échafaud. Question non sans hasard puisque le navigateur **Jean-François de Galaup de Lapérouse** (1741-1788), né au Guo, près d'Albi, était le protégé du roi. À la tête d'une expédition de découvertes, il aborda successivement les îles de Pâques, Hawaii puis Macao, les Philippines et l'Australie, avant

LES GRANDES PERSONNALITÉS DU MIDI TOULOUSAIN

Pour en savoir plus sur ces personnalités, reportez-vous à la description de la ville indiquée entre parenthèses s'il y a lieu.

Clément Ader *(Toulouse)* (1841-1825), le père de l'aviation française.
Vincent Auriol *(Revel - Montagne Noire)* (1884-1966), président de la République.
Simon Berryer, alias **Sim** *(Cauterets)* (1926-2009), humoriste.
Antoine Bourdelle *(Montauban)* (1861-1929), sculpteur.
Emma Calvé *(Decazeville)* (1858-1942), chanteuse d'opéra.
Jacques Chancel *(Argelès-Gazost)*, journaliste.
Gabriel Fauré *(Pamiers - Mirepoix)* (1845-1924), musicien.
Gaston Fébus *(Foix)* (1331-1361).
Pierre de Fermat *(Beaumont-de-Lomagne)* (1601-1665), mathématicien.
Maréchal **Foch** *(Tarbes)* (1851-1929).
Théophile Gautier *(Tarbes)* (1811-1872), écrivain.
Dominique Ingres *(Montauban)* (1780-1867), peintre.
Francis Jammes *(Tournay - Bagnères-de-Bigorre)* (1868-1938), poète.
Jean Jaurès *(Castres - Carmaux)* (1859-1914), politicien.
Maréchal **Lannes** *(Lectoure)* (1769-1809).
Pierre Latécoère *(Bagnères-de-Bigorre)* (1883-1943), pionnier de l'aviation.
Alain Peyrefitte *(Najac)* (1925-1999), écrivain et diplomate.
Déodat de Séverac *(Saint-Félix-de-Lauragais)* (1872-1921), musicien.
Bernadette Soubirous *(Lourdes)* (1844-1879).
Henri de Toulouse-Lautrec *(Albi)* (1864-1901), peintre.
Maréchal **Soult** *(Saint-Amans-Soult - Mazamet)* (1769-1851).

d'échouer et de disparaître à Vanikoro en 1788.

Un musée lui est consacré à Albi. Ingénieur, constructeur d'hydravions, fournisseur de l'Aéropostale, le Bagnérais **Pierre Georges Latécoère** (1883-1943) est un pionnier de l'aviation. À la tête d'une compagnie qui porta son nom et qu'il installa aux portes de Toulouse, à Montaudran, il multiplia les entreprises audacieuses. Il fut le premier à inaugurer une ligne aérienne Toulouse-Barcelone (1918), qui fut ensuite prolongée jusqu'à Casablanca (1919), puis Dakar (1924), avant de céder sa compagnie en 1927, alors que la prestigieuse Aéropostale allait voir le jour. La compagnie Latécoère fournit encore aujourd'hui des pièces détachées pour l'aviation.

Fondateur, au tout début des années 1960, des laboratoires qui portent son nom, le Castrais **Pierre Fabre** (né en 1927), leader des cosmétiques en pharmacie, a commencé sa carrière en cultivant le houx poussant sur la Montagne Noire. Amateur de rugby, il est aussi le sponsor du Castres Olympique.

Jean-Louis Étienne (né en 1946 à Vielmur-sur-Agout, près de Castres), médecin, explorateur, spécialiste de la biodiversité, aventurier des temps modernes, multiplie les expéditions aux confins du monde, du pôle Nord au pôle Sud, en infatigable défenseur de la planète.

SPORTIFS

Le rugbyman **Jean Prat** (1923-2005), le plus souvent au poste de troisième ligne, capitaine de l'équipe de Lourdes, 51 fois champion international, remporta six fois le bouclier de Brennus dans les années 1950. Un palmarès et une aura qui lui ont valu le surnom de « Monsieur Rugby ».

Coureur cycliste majeur dans le peloton des années 1990, **Laurent Jalabert**, né à Mazamet en 1968, gagna plusieurs étapes du Tour de France, le Tour d'Espagne et diverses classiques (Midi Libre, Tour de Lombardie, Milan-San Remo, Flèche Wallonne…).

Gardien de but de Toulouse, de Marseille, de Manchester United, portier de l'équipe nationale durant une bonne décennie, **Fabien Barthez**, né en 1972 à Lavelanet, est l'un des plus titrés des joueurs de football français : vainqueur de la Coupe d'Europe des clubs champions, de la Coupe du monde 1998, du Championnat d'Europe des nations 2000, finaliste également de la Coupe du monde 2006 en Allemagne. Un palmarès à la hauteur de son génie « footballistique ».

Arts et culture

Châteaux cathares juchés sur des éperons rocheux, églises fortifiées, bastides pourvues de belles places à couverts, campaniles aux allures toscanes, cathédrales romanes et gothiques s'élevant tels de puissants vaisseaux aux côtés d'un habitat rural traditionnel… Telle est l'architecture en Midi Toulousain qui allie le rose de la brique au blanc de la pierre calcaire et au gris-noir du granit. Des artistes de renom, parmi lesquels Goya, Ingres et Toulouse-Lautrec, ont illuminé et illuminent encore de leur présence et de leur art les ateliers et les musées régionaux. Tandis que poètes et écrivains, troubadours et musiciens ont chanté en français ou en occitan la beauté et la diversité de cette région.

L'architecture militaire

En ruine ou préservées des outrages du temps, les constructions militaires du Moyen Âge donnent au paysage un aspect de grandeur sévère.

CHÂTEAUX FORTS ET DONJONS

Au fil des ans, l'émiettement de la puissance publique, puis la guerre des albigeois incitent les seigneurs à organiser leur propre défense. Des fortifications grossières se dressent en dehors des cités à partir du 10e s., les **mottes**, qui vont se changer en inaccessibles et fières citadelles.

Aux 12e et 13e s., l'entrée des canyons, les rocs abrupts et la Montagne Noire se hérissent de tours d'observation et de forteresses défendues par leur simple position, sans pont-levis ni fossés.

Les **donjons** viennent compléter l'arsenal dès le 11e s. Isolés, ils servent d'abord à se protéger puis à se défendre, avant d'être intégrés, aux 13e et 14e s., dans les enceintes du château. Le seigneur s'installe dans un bâtiment plus vaste de la **basse cour**. Les **salles**, variantes gasconnes du donjon, sont des logis accostés de tours rectangulaires. Plus élaboré, le **château gascon** est aménagé en longues pièces flanquées de tours inégales.

ÉGLISES FORTIFIÉES

Lieux de paix et de recueillement, les églises deviennent aux 10e et 11e s., avec les Trêves de Dieu – ces journées où toute entreprise guerrière entraîne l'excommunication – des aires d'asile inviolables. Avec leur architecture robuste et leur clocher tout désigné pour le guet, elles offrent un refuge sûr. L'usage se répand, chez les comtes de Toulouse, de les renforcer de mâchicoulis, comme à Beaumont-de-Lomagne ou à Simorre : la croisade contre les albigeois y met fin.

Avec le triomphe de l'orthodoxie sur l'hérésie, l'intégration du Sud

Forteresse de Larressingle dans le Gers.
B. Brillion / MICHELIN

au domaine royal, le 13ᵉ s. voit se multiplier les grandes églises de brique du gothique toulousain, conçues dans un souci défensif. La cathédrale Sainte-Cécile s'élève ainsi puissamment au cœur d'un pays cathare soumis. Dans les hautes vallées pyrénéennes exposées aux raids aragonais, d'autres édifices demeurent, impassibles, tels ceux de Luz ou de Sentein.

LA GUERRE DE SIÈGE

À défaut d'une attaque surprise, la conquête des châteaux nécessitait souvent de longs sièges aux stratégies savantes, parfois cocasses.

Le premier soin de l'attaquant était de fortifier la place pour se prémunir d'une sortie éventuelle des assiégés ou de l'assaut d'une armée de secours.

On ébréchait ensuite la muraille avant d'actionner les engins conçus par les « engeigneurs ». À la catapulte romaine, le Moyen Âge préfère l'artillerie trébuchante, bâtie sur place (**pierrière** ou **trébuchet**). Cette arme à tir courbe, propulsant des blocs de pierre à l'aide d'une énorme fronde, vint à bout du fief de Montségur. La sophistiquée **tour roulante** (ou beffroi) abritait des centaines de soldats.

Au signal, les beffrois déversaient une fourmilière de combattants. De hautes échelles et des échafaudages assemblés par des charpentiers virtuoses s'abattaient sur les courtines en une toile d'araignée géante.

Les assiégés se défendaient comme de beaux diables, tirant des flèches, coupant les cordes, versant de la poix bouillante ou de la chaux vive sur les intrus. Un farouche corps à corps protégeait ensuite la prise de la forteresse intérieure.

Les châteaux cathares furent sans doute les plus décourageants pour l'assaillant. Juchés sur des éperons rocheux, surplombant de vertigineux à-pics, ils se dérobaient aux techniques de siège. Les prouesses des pyrénéistes, grimpeurs prodiges, auraient mieux convenu, mais leur science vit le jour trop tardivement !

Les bastides

La rigoureuse géométrie de leur plan et le charme des matériaux utilisés font des bastides un joyau de l'architecture civile méridionale, la marque tangible du bouillonnant passage du gothique à la Renaissance.

UNE VOLONTÉ POLITIQUE

À l'initiative des templiers ou des monastères, les premières **sauvetés** (Salvetat, Sauveterre…) sont créées au 11e s. pour servir de refuge et procéder au défrichement. Les **castelnaux** (Muret, Castelnau-Magnoac…) leur succèdent, sous forme d'agglomérations dépendantes d'un château. Avec l'apparition des **bastides**, aux 12e et 13e s., l'échelle change radicalement. De véritables villes nouvelles surgissent de la terre occitane, voulues par de puissants seigneurs afin d'étendre leur influence politique et contrôler les frontières de leurs territoires. Ce formidable mouvement de construction a pour toile de fond la dynastie des comtes de Toulouse, Simon de Montfort, la répression cathare et la rivalité centenaire des souverains de France et d'Angleterre.

On compte environ 300 bastides, *bastidas* en langue d'oc, disséminées le long de la Garonne et du Tarn, vers Toulouse, le Piémont pyrénéen, les coteaux de Gascogne, le pays de Foix, le Lauragais… Inscrites dans un vaste programme de colonisation et de valorisation des fiefs, nombre d'entre elles sont nées d'un contrat de paréage entre roi et seigneurs. Y étaient précisés les prérogatives seigneuriales, le statut des habitants, la nature du lotissement, les redevances à payer par les acquéreurs, etc.

Les nouveaux venus recevaient une parcelle à bâtir, une à jardiner et une à cultiver. Une charte extrêmement libérale les encourageait à s'installer et comprenait la garantie du droit d'asile, l'exemption du service militaire, la pleine disposition de leurs biens en faveur de leurs héritiers, l'égalité des conjoints… Une fois les bastides créées, il fallait leur trouver un nom… D'où les Villeneuve et autres Villefranche qui pullulent dans la région. D'où aussi cette idée de les mettre sous le patronage d'une cité prestigieuse. Ainsi en est-il pour Grenade, Cologne, Valence, Pavie, Miélan (Milan) et Fleurance (Florence).

QUELQUES BASTIDES DE GASCOGNE

⠿ Fondation française ⠿ Fondation anglaise

Fourcès
Miradoux
Montréal
St-Clar
Valence-sur-Baïse
Fleurance
Beaumont-de-Lomagne
Monfort
Gers
Baïse
AUCH
Cologne
Plaisance
Beaumarchés
Gimont
Bassoues
Marciac
Mirande

N

0   30 km

OÙ SONT LES BASTIDES ?
Fleurance *(voir Lectoure)*, élevée sur un plan triangulaire, **Mirande** et **Marciac** selon un damier, **Saint-Clar** *(voir Lectoure)*, dotée de deux places à couverts, **Cordes** sur les hauteurs, **Fourcès** *(voir Condom)* suivant un modèle circulaire ; **Villefranche-de-Rouergue**, **Villeneuve**, **Sauveterre-de-Rouergue** en Aveyron ; **Mirepoix** en Ariège ; **Revel** *(voir la Montagne Noire)* et **Grenade** *(voir Toulouse)* en Haute-Garonne ; **Cologne** *(voir Beaumont-de-Lomagne)* et **Jegun** *(voir Auch)* dans le Gers ; **Castelnau-de-Montmiral** *(voir Gaillac)* dans le Tarn ; **Montauban**, **Auvillar** *(voir Lectoure)*, **Beaumont-de-Lomagne** et **Larrazet** *(voir Beaumont-de-Lomagne)* dans le Tarn-et-Garonne…

D'autres bastides enfin, quand elles sont royales, ont conservé dans leur étymologie un hommage à leur roi fondateur, Capétien ou Plantagenêt, comme à Montréjeau et Montréal.

NAISSANCE D'UN NOUVEL URBANISME

Le frère de Saint Louis, **Alphonse de Poitiers** (1249-1271), comte de Toulouse, fut l'un des plus grands fondateurs de bastides, du Comminges au Rouergue. Quant au sénéchal de Toulouse, **Eustache de Beaumarchés** (1272-1294), il dirigea des constructions selon des plans originaux (Fleurance, dans un triangle) et fit élever des bastides gasconnes en très beaux damiers (Mirande, Marciac).

Le plan des bastides se rapprochait souvent du modèle de l'échiquier carré ou rectangulaire, sauf exceptions dues au relief. Leur régularité tranchait avec l'urbanisme anarchique et insalubre des bourgs anciens. On faisait appel à un arpenteur professionnel pour le tracé des rues se croisant à angle droit et le découpage de lots de valeur égale. La bastide innovait aussi par son organisation autour d'une place unique et centrale, réservée aux marchés et entourée de **couverts**, un maillage d'arcades de bois (les *embans* gascons) ou de pierre, magnifiquement conservés à Mirepoix.

Les bastides les plus prospères firent naître des chantiers d'églises qui s'ouvraient à proximité des couverts ou dans le prolongement des fortifications (Montesquieu-Volvestre). Le gothique méridional, à nef unique, y trouva d'autant plus naturellement sa place qu'il devait s'intégrer dans un espace limité. L'église Saint-Jacques de Montauban se rattache à l'école languedocienne par sa nef sombre et son clocher octogonal en brique. Celle de Grenade s'inspire de l'édifice des Jacobins de Toulouse ; les églises des bastides gasconnes sont surmontées d'un clocher porche accueillant.

Certaines de ces villes nouvelles ont disparu, mais celles qui demeurent donnent un beau témoignage de cette révolution de velours.

L'art roman

Pour retrouver les traces de la foi, de l'art et de l'histoire, on peut suivre le chemin qui relie les grands sites romans ou s'abandonner au hasard d'une promenade propre à dévoiler la finesse d'édifices plus humbles.

LE PRINTEMPS DE L'EUROPE

Après l'an 1 000, le pays toulousain est balayé comme tout l'Occident par un souffle économique, spirituel et artistique qu'on appelle

« le printemps de l'Europe ». Dans cette Occitanie déjà hantée par les troubadours, l'art roman va se développer avec une richesse toute particulière.

Les églises sont construites en moellons concassés selon une technique importée d'Italie par des maçons lombards. Les « bandes lombardes », frises de petites arcatures retombant sur de légers pilastres, sont la seule fantaisie du décor. Le plan d'ensemble est simple : une nef unique et un chœur quadrangulaire qui deviendra ensuite semi-circulaire. Dès le milieu du 11e s., l'édifice se complique : des chapelles latérales sont ajoutées à l'abside, les voûtes en simples charpentes deviennent des berceaux plein cintre soutenus de murs très épais. Autre caractéristique de la région, le **campanile**, tour carrée à étage avec fenêtres en arcades groupées deux à deux.

Il reste de beaux exemples de ce premier âge roman, comme l'église de **Vals** (voir Mirepoix), édifice rupestre auquel on accède par l'étroite faille d'un rocher.

Au début du 12e s., une architecture plus évoluée voit le jour. Les monuments se distinguent par des plans d'une exceptionnelle ampleur, une vaste abside entourée de déambulatoires et couronnée de chapelles rayonnantes. La grande nouveauté est la généralisation de la sculpture aux fenêtres, dans le chœur et les petits édifices. On y observe souvent des lions, signe de l'influence du chantier toulousain, et également en Pyrénées, des masques d'ours.

LES GRANDS CHANTIERS

Plusieurs grands chantiers s'ouvrent, vers la fin du 11e s., que dominent Saint-Pierre de Moissac, Saint-Sernin de Toulouse ou Sainte-Foy de Conques.

Importante étape sur la route de Compostelle, l'abbaye bénédictine de **Moissac** rayonne de tous ses feux à l'époque romane, où elle est partiellement reconstruite. Le portail et le cloître sont de purs chefs-d'œuvre qui laissent la sensibilité médiévale s'épanouir dans toute sa profondeur. L'harmonie et la richesse du décor se déploient jusque dans les chapiteaux des galeries qui offrent une grande variété de motifs géométriques, végétaux et animaux, et des scènes historiées.

L'église Saint-Sernin de **Toulouse** s'impose comme la plus vaste basilique romane d'Occident. Sa construction constitue un véritable temps fort dans le perfectionnement de l'art religieux. Comme Sainte-Foy de **Conques**, elle appartient à une famille architecturale d'églises conçues pour accueillir une grande foule de fidèles et pour abriter une importante communauté religieuse. Elle mêle subtilement pierre et brique, et développe toute la gamme raffinée des voûtes romanes. Les scènes sculptées des portails de Saint-Sernin, par leur symbolisme et leur ordonnance, manifestent une foi profonde, puisée directement aux sources de l'Ancien et du Nouveau Testament.

L'histoire romane s'inscrit aussi aux frontons de l'abbaye de **Flaran**, fleuron cistercien du Gers, de la cathédrale de **Saint-Bertrand-de-Comminges**, complétée ultérieurement d'une touche gothique, de **Saint-Just de Valcabrère**, l'une des plus belles églises des Pyrénées, et de l'abbaye de l'**Escaladieu**…

Le gothique toulousain

Toulouse la romane a su tirer le meilleur effet de l'art gothique venu d'Île-de-France, innovant

La façade gothique de la maison du Grand Fauconnier à Cordes-sur-Ciel.
M.-H. Carcanague / MICHELIN

tout en intégrant les traditions architecturales de l'Occitanie.

DE L'ÎLE-DE-FRANCE...

C'est un ensemble de formes artistiques développées brillamment du 12e s. au 16e s. dans l'Occident chrétien. Il se caractérise par la voûte sur croisée d'ogives et l'emploi systématique de l'arc brisé, principes qui bouleversent complètement l'art de construire puisque les murs ne subissent plus d'efforts qu'aux points de retombée des ogives.

La nouveauté, par rapport à l'architecture romane, vient aussi de la capacité du gothique à aérer et illuminer les édifices – en ajourant les murs et en multipliant les fenêtres – et à renforcer le sentiment de vertige par une plus grande verticalité.

Né en Île-de-France (Saint-Denis, Chartres…), ce mouvement accompagne l'installation d'un pouvoir central fort et une nouvelle vision du monde plus attentive à l'homme et à la nature. Le Midi de la France ne s'aligne pas

VIOLLET-LE-DUC (1814-1879)

Architecte et restaurateur, il est régulièrement intervenu en Midi-Pyrénées, suivant un adage personnel : « Sauver avant de restaurer. » Un attachement à l'architecture médiévale, un retour au gothique : tels sont les deux éléments clés qui régissent son œuvre. À Toulouse, il prolonge à l'extérieur de la basilique Saint-Sernin les volumes intérieurs de la nef ; il orne le toit d'arcatures décoratives et substitue à la pierre locale le grès de Carcassonne. La restauration n'échappa pas à de vives critiques jusque dans les années 1990, où des travaux rendirent à l'édifice ses allures d'antan. Viollet-le-Duc transforma également l'ancienne tour du Capitole en véritable donjon surmonté d'un beffroi d'inspiration flamande. Au-delà de la Ville rose, il intervint à Saint-Antonin-Noble-Val, dotant l'hôtel de ville d'un beffroi carré couronné d'une loggia à mâchicoulis et à Simorre, pour abaisser la toiture de l'église et ajouter des créneaux.

exactement sur ce style « français », représenté seulement par la cathédrale de Rodez ; farouchement indépendante, la région préfère innover tout en restant étroitement liée à ses traditions romanes.

... À TOULOUSE

Au 13ᵉ s., un **art gothique proprement méridional** dit « toulousain » se développe. Il se démarque par l'emploi de la brique légère et par la présence d'un clocher-mur ou d'un clocher-tour (joliment illustré à Rieux-Volvestre), ajouré d'arcs en mitre, grande technique originale du Toulousain. À l'intérieur, on choisit d'élever une nef unique, relativement sombre, très large, terminée par une étroite abside polygonale et bordée de chapelles peu profondes. Les vastes surfaces aveugles des murs appellent la décoration peinte. L'ampleur de la nef permet le rassemblement des foules afin de mieux servir la mission de prédication confiée principalement aux ordres mendiants (dominicains et franciscains) établis à Toulouse.

LES ORDRES MENDIANTS

Les dominicains ou « jacobins » élèvent le premier couvent de leur ordre en 1216 à Toulouse. En 1222, du vivant de saint François d'Assise, les cordeliers (franciscains) s'y installent aussi, dans une bâtisse désormais disparue. L'audacieuse voûte de l'église des Jacobins, ses colonnes en palmier et l'austère cloître aux frêles colonnettes jumelées font de cet édifice un ensemble gracieux d'où se dégage l'impression d'une haute spiritualité. Son clocher inaugure, avec les deux derniers étages de celui de Saint-Sernin et le beau clocher-tour de Notre-Dame-du-Taur, l'arc en mitre : il présente d'élégantes baies géminées coiffées d'arcs triangulaires de briques en saillie. Ces arcs en mitre produisent un si bel effet, avec des moyens très simples, qu'ils sont imités dans toutes les constructions qui foisonnent, du 13ᵉ au 15ᵉ s.

LA CATHÉDRALE D'ALBI

La cathédrale d'Albi constitue l'exemple le plus achevé de l'art gothique méridional. Elle abolit le transept, les collatéraux et le déambulatoire pour privilégier l'équilibre des masses. Puissant vaisseau d'une seule nef à douze travées, soutenue d'épais contreforts et percée d'ouvertures étroites, elle affiche, malgré ses allures de forteresse, une très grande pureté de lignes. Commencée en 1282, elle ne sera achevée que deux siècles plus tard. En 1500, le style flamboyant fait son apparition avec la clôture du chœur et le jubé, tandis que sont édifiés les trois derniers étages du clocher. En 1533, un porche en forme de baldaquin complète l'imposante physionomie du monument.
Écho lointain des écoles gothiques française, flamande et italienne qui s'enrichissent mutuellement au fil des siècles, ces créations architecturales s'accompagnent d'un formidable essor des ordres religieux, instruments d'une valorisation toujours plus avancée de la terre occitane.

ABC d'architecture

Les dessins présentés dans les planches qui suivent offrent un aperçu visuel de l'histoire de l'architecture dans la région et de ses particularités. Les définitions des termes d'art permettent de se familiariser avec un vocabulaire spécifique et de profiter au mieux des visites des monuments religieux, militaires ou civils.

ABC d'architecture

Architecture religieuse

Arc brisé

Arcature

Voûte en berceau plein cintre : en demi-cercle

Tribune : galerie haute où peut s'isoler un groupe de fidèles

Doubleau : arc placé en doublure sous une voûte pour la renforcer

Voûte en demi-berceau sous combles

Fenêtre haute

1ᵉʳ collatéral, voûté d'arêtes (berceaux croisés)

Grande arcade

Contrefort : renfort extérieur d'un mur, faisant saillie et engagé dans la maçonnerie.

2ᵉ collatéral ou bas-côté

Nef

Sous le chœur s'étend la **crypte**, chapelle souterraine destinée à abriter des reliques.

MOISSAC – Portail méridional de l'église abbatiale (12ᵉ s.)

Tore ou boudin séparant les voussures

Voussure : arc concentrique couvrant l'embrasure d'une baie

Tympan historié : décoré de scènes à personnages

Archivolte : ensemble des voussures

Linteau

Trumeau, sculpté ici de lions entrecroisés.

Montant

Redents

Piédroits : montants verticaux sur lesquels retombent les voussures

CONQUES – Coupole de l'abbatiale Ste-Foy (12ᵉ-14ᵉ s.)

La coupole sur trompes surmontant la croisée du transept existait dès le 12ᵉ s. Elle a été montée sur huit nervures au 14ᵉ s.

Ogive : arc diagonal renforçant ou soulignant les arêtes de voûte

Voûtain ou quartier

Tambour : soubassement d'une coupole

Clef de voûte

Arc à double rouleau

Trompe : petite voûte conique facilitant le passage du plan carré au plan circulaire ou polygonal. Ici, elle est décorée de sculptures en **haut-relief** (en forte saillie).

VALCABRÈRE – Chevet de la basilique St-Just (11ᵉ-12ᵉ s.)

Toit en pavillon : pyramidal

Baie en arc brisé

Toit en croupe ronde

Croupe en appentis

Trompe en cul-de-four

Cordon : saillie horizontale à allure de tore, courant sur une paroi.

Fenêtre encadrée de colonnettes

Abside carrée s'élevant en plan polygonal

Absidiole polygonale

Décrochement de façade

LUZ-ST-SAUVEUR – Église fortifiée (12ᵉ-14ᵉ s.)

Clocher à redans (servait de beffroi ou de tour de guet). Les redans sont les ressauts d'un mur formant comme des marches d'escalier.

Mâchicoulis

Bretèche : logette rectangulaire en encorbellement, au sol percé pour le tir plongeant.

Merlon surmonté d'une plaque de schiste retenue par une grosse pierre

Arc en mitre

Clocher-mur

Chemin de ronde : (à l'intérieur des murs)

Créneau

Enceinte (muraille de défense) crénelée

Fruit : inclinaison donnée au côté extérieur d'un mur ou d'une muraille

Porte fortifiée

TOULOUSE – Intérieur de l'église des Jacobins (13ᵉ-14ᵉ s.)

Lierne : nervure auxiliaire d'une voûte d'ogive

Voûtain ou quartier

Nervure

Clef de voûte

Tierceron : subdivision d'une lierne

Fenêtre haute lancéolée

Formeret : arc latéral d'une voûte

Colonne engagée

Lancette : arc brisé surhaussé, ressemblant à une pointe de lance.

Tore

Dosseret : sorte de pilastre sans base ni chapiteau sur lequel s'appuie une colonne.

Colonne : support de forme cylindrique composé de trois éléments nommés la base (pied), le fût (partie centrale) et le chapiteau (élément supérieur).

Grande arcade brisée

RODEZ – Chevet de la cathédrale Notre-Dame (13e-16e s.)

Alors que le chevet de la cathédrale date du 13e s., le clocher a été ajouté au 16e s., époque du gothique flamboyant finissant.

Les découpes sinueuses du remplage des fenêtres évoquent des flammes, d'où le qualificatif de « flamboyant » donné à cette phase terminale du gothique.

Tourelle

Statue de la Vierge couronnant le clocher

Arc en accolade (à contre-courbes) garni de crochets

Culée : massif de maçonnerie qui contient la poussée des arches

Garde-corps ajouré surmonté de crêtes

Arc-boutant à double volée

Garde-corps ajouré de quadrilobes

Gargouille : dégorgeoir saillant servant à l'écoulement des eaux de pluie

Remplage : réseau de pierre divisant l'ouverture d'une baie

Pinacle à crochets

AUCH – Façade occidentale de la cathédrale Ste-Marie (15ᵉ-16ᵉ s.)

Toit en terrasse

Abat-son

Agrafe : élément ornemental placé sur la clef d'une baie

Dé : élément de construction séparant à intervalle régulier les balustres

Boule quillée

Écoinçon : (surface comprise entre la courbure d'un arc et son encadrement) décoré de guirlandes de fleurs

Entablement

Pinacle

Piédestal : socle formant le soubassement d'une colonne ou d'une statue

Portail d'axe

Arc en anse de panier

Médaillon soutenu par deux putti (figure nue d'ange ou d'enfant)

Fronton triangulaire

ALBI – Jubé de la cathédrale Ste-Cécile (16ᵉ s.)

Le jubé avait pour fonction de séparer le chœur (réservé aux clercs) de la nef centrale (où se tenaient les fidèles). Celui de la cathédrale d'Albi est un exemple de style gothique flamboyant.

Tribune de style flamboyant (les découpures sinueuses évoquent des flammes)

Piédestal

Arc en accolade : à contre-courbes

Clef de voûte pendante

Niche

Baie latérale menant au bas-côté

Entrée du chœur

Gâble orné de crochets de feuillage

R. Corbel

Architecture civile

TOULOUSE – Hôtel d'Assézat (16⁰ s.)

Nicolas Bachelier, architecte de l'hôtel d'Assézat, fut le premier à introduire dans le Midi toulousain le « grand ordre » prôné par Palladio, superposant les ordres ionique, dorique et corinthien.

Lanterne octogonale

Tourelle d'angle

Décrochement de façade

Corniche

Médaillon circulaire

Colonne engagée

Meneau

Arcade en plein cintre

Entablement

Escalier en hémicycle

Colonne torse

Bahut : surélévation du mur au-dessus du chéneau

Modillon : petite console soutenant une corniche

Chapiteau corinthien

Chapiteau ionique

Stylobate : soubassement d'une colonnade

Chapiteau dorique

MONTAUBAN – Immeuble néoclassique, place Franklin-Roosevelt (1830-1840)

Balustrade

Attique : petit étage supplémentaire couronnant une construction

Corniche

Lambrequin : bordure découpée décorative, en bois ou en zinc.

Colonnes accouplées

Guillochis : ornement en creux ou en relief, composé de lignes ondulées formant un dessin de fond.

Balustre en poire

Modillon

Oves : ornements en forme d'œuf sculptés en bas-relief et répétés horizontalement

Loggia : galerie extérieure, généralement à arcades ou à colonnes, ouverte d'un côté.

Volutes

Cariatide : statue de femme servant de support

Plinthe

Balustre en double poire

Socle

Habitat traditionnel

À chacun son chez-soi. Telle pourrait être la devise des maisons de ce Midi. En pierre, en granit, en galets, souvent en briques. Une mosaïque de constructions toujours parfaitement intégrées à la géographie des lieux.

LE ROUERGUE

Les solides bâtisses du Rouergue s'appuient sur de gros murs en moellons de schiste ou de granit et se coiffent de toits de lauzes ou d'ardoises animés de lucarnes. La vie agricole s'étage des combles, où sèchent les châtaignes, à la cave, qui abrite les réserves. Sous l'escalier extérieur conduisant au logement, une porcherie est souvent installée. Près de Villefranche-de-Rouergue, cet escalier est prolongé au premier étage par un balcon ou « balet ». Quelquefois, un paysan aisé déploie plusieurs bâtiments autour d'une cour abritée d'un portail à auvent, et place ses châtaignes à l'écart dans la *secada* ou *secadour*.

Les burons, essentiellement constitués de basalte, et de granit pour les angles, servaient d'abris et de fromagerie aux bergers durant les mois d'estive.

On rencontre aussi, clairsemées dans les champs, de petites cabanes rondes en pierres sèches, au toit conique, qui rappellent les bories de haute Provence, utilisées comme abris, remises…

Dans la vallée du Lot, les granges ont de drôles de toitures « à la Philibert » en forme de carènes de bateaux renversées qui permettent d'amasser un très grand volume de foin.

LE MIDI TOULOUSAIN

De longues maisons, dont le toit presque plat est recouvert de tuiles, jalonnent cette vaste plaine. Elles sont ornées d'un auvent et parées de granges et remises. Faute de pierre, la **brique** s'est faite reine de Montauban à Toulouse, d'Albi à Saint-Félix-Lauragais. Non sans hasard, puisque le sol du Midi Toulousain est chargé de glaise et d'argile : exactement ce qui est nécessaire à la fabrication d'une brique. Une brique plate et pleine, tantôt cuite tantôt crue, parfois additionnée de cailloux pour la construction. Son utilisation a connu de rares défaillances, finissant toujours par avoir le dessus sur le béton ou le marbre.

Outre les prestigieux édifices visibles à Toulouse, Albi, Gaillac, Montauban, nombreuses sont les constructions traditionnelles en brique : humbles bâtisses, hôtels particuliers, châteaux d'eau, fermes, tours, porches et ponts. Et l'usage perdure, comme en témoigne encore le très contemporain Théâtre national de la Cité à Toulouse.

Murs porteurs, façades, encadrements, clefs de voûte, corniches, ouvertures en arc en plein cintre… La brique sert à tout, jusqu'aux décorations en terre cuite (frises, rosaces, cariatides, etc.). Autre avantage : elle offre une variété de teintes, entre ocre, rose, feu, oranger et pourpre. De quoi colorer les cités.

LES DEUX VOLETS ARIÉGEOIS

En montagne dominent de petites maisons aux teintes blondes ou grises, constituées de calcaire, granit, schiste et galets, surmontées d'un toit en ardoise plus ou moins pointu, ouvertes sur le paysage et au soleil par un balcon ou une galerie en bois. Certaines bâtisses, notamment dans le Couserans, possèdent leur four à pain sur le côté d'une façade. À l'écart des villages se dressent des granges, habitées pendant la transhumance, mais également adaptées au stockage. Dans la vallée de Soucem, ce sont les cabanes de bergers, en pierres sèches, qui caractérisent le paysage.

La plaine ariégeoise, au climat moins rude, décline ses maisons de calcaire et de galets, de brique également (quand l'influence du Midi Toulousain l'a emporté), à un ou deux étages, auréolées d'un grenier et de balcons.

DEMEURES GASCONNES

Avec sa riche palette de paysages, la Gascogne déploie une multitude de bâtisses. À commencer par ces maisons carrées, ornées d'un tympan triangulaire typique au centre de leur façade, juste au bord du toit. Il existe aussi des maisons-bloc, groupant dans un même ensemble l'habitation et l'exploitation, disposées en équerre et coiffées de tuiles-canal. En Lomagne et dans les environs de Lectoure, les maisons peuvent s'enorgueillir de belles pierres. Ailleurs, les constructions sont constituées de matériaux divers (cailloux, pierre ou brique) selon les ressources locales. Du côté d'Aignan, de Lombez, d'Eauze et de Mirande, on observe de jolies maisons à colombages. Enfin, vignobles obligent, en Armagnac, on édifie à l'arrière des maisons des celliers et des chais tournés vers le nord et protégés par les arbres.

PIGEONNIERS ET MOULINS

Il fut un temps où les pigeons étaient utilisés comme messagers et où leurs rejets servaient d'engrais pour le pastel, les vignes et les céréales, tandis que les moulins à vent, à eau ou à traction distribuaient leur énergie motrice. Voilà pourquoi nombre de pigeonniers et moulins se dressent en Midi Toulousain, isolés dans les champs ou partie intégrante d'un ensemble agricole et pleinement inscrits dans le patrimoine architectural de la région. Carrés, cylindriques, dotés d'un porche, sur piliers ou sur arcades, parfois à colonnes, les pigeonniers sont légion dans le Gers, le Tarn et le Tarn-et-Garonne (qui propose même un circuit des pigeonniers). Si la plupart des pigeonniers se sont vidés de leurs volatiles, rares sont également les moulins en activité. En Ariège ou dans le Tarn, beaucoup ont été restaurés pour se muer en résidences.

L'occitan

Tendez l'oreille aux mélopées locales… Les accents portent encore la trace des belles sonorités colorées de la langue d'oc, écho lointain de la romance des troubadours.

FIERS TROUBADOURS

Oyez gentes dames ! Fini le temps où vous étiez des « souveraines pestes » et des « sentinelles avancées de l'Enfer » ; place à l'amour courtois ! Au 11e s., la rudesse des seigneurs s'estompe : ils deviennent chevaliers et honorent les charmes de leur belle. Vient alors l'idée de s'entourer de poètes capables de « trouver » eux-mêmes leurs chansons ; ce seront les « troubadours ». Certains sont princes, d'autres démunis, mais tous jouent le même air, celui de l'amour pur, inspiré par une femme idéale.

Parmi les plus célèbres, citons **Jaufré Rudel**, seigneur de Blaye, qui « s'enamoura de la comtesse de Tripoli sans la voir… » (« amor de lonh »), **Bernard de Ventadour**, chantre de la fin'amor (l'amour parfait), **Peire Vidal** qui promena son lyrisme extravagant de la Provence à la Terre sainte, **Guiraut Riquier**…

Les cours méridionales retentissent jusqu'au 13e s. de leur langue raffinée, l'occitan. Celui-ci ne correspond pas exactement au dialecte alors parlé, mais à une langue plus littéraire, harmonisée, dans laquelle les troubadours écrivent leurs textes. Le phénomène du « classicisme » donne à l'occitan un surplus de dignité : ainsi Dante hésite-t-il entre le provençal et le toscan au moment de la rédaction de *La Divine Comédie*.

Au début du 20e s., deux poètes bigourdans ont chanté, dans leur belle langue, la grande nature pyrénéenne : Philadelphe de Gerde, « la fée de Bigorre », et Miquèu Camélat d'Arrens, l'un des fondateurs de l'école Gaston-Fébus.

RENAISSANCE D'UNE LANGUE

« Occitan » est le terme qui remplace de nos jours celui de « langue d'oc ». Les langues d'oïl et d'oc, issues de la fusion du latin vulgaire et d'un vieux fonds linguistique gaulois, étaient ainsi nommées pour la façon dont on disait « oui » en chacune d'elles. Cette distinction, dessinée dès l'époque mérovingienne, était suffisamment avancée aux 10e et 11e s. pour que les deux langues entrent séparément dans la littérature. La limite géographique entre les pays d'oïl et d'oc passait au nord du Massif central, si bien que l'occitan comportait les parlers languedocien, gascon, limousin, auvergnat et provençal. Le catalan et le corse, autres expressions de cultures indépendantes, ont de nombreuses affinités avec l'occitan.

Avec les croisades contre les albigeois (1208 et 1226) et leur cortège de malheurs, l'occitan déclina. En 1323, des poètes toulousains tentèrent de le réhabiliter par des Jeux floraux de pure tradition médiévale. En 1539, l'**édit de Villers-Cotterêts** lui porta le coup de grâce en imposant, dans les actes administratifs, le dialecte d'Île-de-France : le français.

L'occitan connut plusieurs sursauts : en 1819, avec la publication, par Rochegude, d'une anthologie de poèmes de troubadours, *Le Parnasse occitanien* ; au 19e s. avec l'édition de nombreuses études savantes de « romanistes » germaniques ; en 1854 lorsque le Félibrige *(voir* Le Guide Vert Provence) réforma l'orthographe du provençal. Depuis le 19e s., donc, l'espoir renaît d'enrayer le déclin de l'occitan, tout au moins comme langue de culture.

L'OCCITANIE AU 20E S.

Les termes naguère savants et littéraires d'« Occitanie » ou de « peuple occitan » se sont vulgarisés pour désigner une communauté de culture à l'intérieur des limites de l'ancien pays de langue d'oc. L'Escola Occitana (1919) et l'Institut d'études occitanes de Toulouse (1945) ont joué un rôle décisif dans ce renouveau de l'Occitanie : la première en mettant au point une orthographe normalisée, tenant le plus grand compte de l'ancienne langue des troubadours et compatible avec tous les parlers d'oc ; la seconde en assurant la diffusion de cette réforme.

Il faut cependant attendre une loi de 1951, la « loi Deixonne », pour que soit annulée l'interdiction des « patois » à l'école et, partant, de l'occitan. En 1969, étape importante, il est introduit comme épreuve facultative au baccalauréat. Aujourd'hui, les petits peuvent l'apprendre dans les *calendretas* de Muret, Castanet-Tolosan, Pamiers et Toulouse, et les plus grands au collège bilingue ouvert dans la ville voisine de Montpellier en 1997.

3/
DÉCOUVRIR
LE MIDI
TOULOUSAIN

Pigeonnier près de Cordes
M.-H. COLONQUES/MICHELIN

TOULOUSE ET SES ENVIRONS

0 4 km

TOULOUSE

Magrin

Merville

★★★ Vaut le voyage
★   Intéressant
      À voir

⟶ Itinéraire conseillé avec ville de départ

Toulouse et ses environs 1

Carte Michelin Départements 336 et 343 – Haute-Garonne (31) et Gers (32)

Toulouse

★★★

437 100 Toulousains (761 090 agglomération) – Haute-Garonne (31)

☺ NOS ADRESSES PAGE 112

S'INFORMER

Office du tourisme de Toulouse – *Donjon du Capitole - BP 38001- 31080 Toulouse Cedex 6 - ℘ 05 61 11 02 22 - www.toulouse-tourisme.com - juin-sept. : lun.- sam. 9h-19h, dim. et j. fériés 10h30-17h15 ; oct.-mai : lun.-vend. 9h-18h, sam. 9h-12h30, 14h-18h, dim. et j. fériés 10h-12h30, 14h-17h.*
L'office de tourisme propose des visites guidées à pied (2h) animées par des guides-conférenciers. *De 9 € à 12 € (10-16 ans 6 €).* Outre les principaux sites de la ville, on peut découvrir les œuvres d'art présentes dans le métro toulousain. Sont également proposées des visites guidées à thèmes telle que « Toulouse en lumières » à bord d'un autobus ou à pied et « Ô Toulouse, sur les pas de Claude Nougaro » qui permet de découvrir Toulouse depuis le quartier Arnaud-Bernard où est né Nougaro jusqu'au quai de Tournis où il vécut.

SE REPÉRER

Carte de la région B1 *(p. 80)* – *carte Michelin Départements 343 G3.* Accès par l'A 20 en venant de Paris ou l'A 62 depuis Bordeaux. Ouvrage en béton d'une grande simplicité de ligne, le **pont Saint-Michel** offre un point de vue intéressant, surtout si l'on se place entre le milieu du pont et la rive gauche : par temps clair, la chaîne des Pyrénées se profile au sud. Du côté opposé, le regard embrasse une bonne partie de la ville, des Jacobins à la Dalbade.

SE GARER

Difficile de circuler en centre-ville, surtout dans le vieux Toulouse. Des parkings sont aménagés place du Capitole, allée Jean-Jaurès, place Esquirol, place des Carmes et sur les allées Carnot. Sur certaines stations des lignes A et B du métro, vous trouverez également des parkings gratuits. *Voir nos adresses.*

À NE PAS MANQUER

La place du Capitole ; la basilique St-Sernin ; les Jacobins ; le musée des Augustins ; la fondation Bemberg (hôtel d'Assézat) ; un moment de farniente, aux beaux jours, sur les quais de la Daurade.

La place du Capitole.
Office du tourisme de Toulouse

🕐 **ORGANISER SON TEMPS**

Sur un week-end, comptez une journée pour visiter la vieille ville, les églises, les musées. Le deuxième jour, privilégiez le pôle aéronautique : Cité de l'espace et Airbus Visit.

👥 **AVEC LES ENFANTS**

La Cité de l'espace ; African Safari à Plaisance-du-Touch ; le Labyrinthe des Merveilles au château de Merville (prévoir un pique-nique).

« Ville rose à l'aube, ville mauve au soleil, ville rouge au crépuscule »… Toulouse mélange avec bonheur les couleurs et les époques. Cette ancienne capitale des terres d'oc et des capitouls, résolument tournée vers l'avenir avec ses usines aéronautiques bien connues, est une cité universitaire animée (la troisième après Paris et Montpellier), à la pointe en matière de recherche et de santé. En se promenant dans ses vieux quartiers, on découvre de superbes cours Renaissance envahies de fleurs et de magnifiques maisons cachées derrière de lourdes portes. Toulouse est également riche en musées, parmi lesquels le passionnant et flambant neuf Muséum d'histoire naturelle, réouvert en 2008 après dix ans de travaux. Quant aux gourmands, ils y trouveront forcément leur compte, entre foie gras, truffes, canard et cassoulet. En un mot, il ne faut pas seulement s'arrêter à Toulouse, mais y rester plusieurs jours !

Se promener

★★★ LE VIEUX TOULOUSE Plan I

◐ *Circuit* 1 *de Saint-Sernin au Capitole tracé en vert sur le plan I de la ville (p. 90) – compter 3 à 4h.*

★★★ Basilique Saint-Sernin Plan I A1

🎧 *05 61 21 80 45 - juil.-sept. : 10h30-18h30, dim. 12h-18h30 ; oct.-juin : 10h-12h, 14h-18h, dim. 14h-18h30.*

C'est la plus célèbre et la plus belle des grandes églises romanes du Midi, la plus riche de France en reliques, classée par l'Unesco. Sur son emplacement s'élevait, à la fin du 4ᵉ s., une basilique qui abritait le corps de saint Sernin. Charlemagne ayant enrichi l'église de reliques, on y venait de tous les points de l'Europe. C'était aussi et c'est toujours une étape pour les pèlerins qui se rendent à Saint-Jacques-de-Compostelle.

Toulouse, cité d'avenir

La cité des capitouls

Tolosa viendrait d'une racine *tul* signifiant « hauteur ». Si Toulouse n'est pas précisément construite sur une butte, elle a conservé, en se déplaçant dans la plaine, le nom de l'oppidum des Volques tectosages situé à l'emplacement de l'actuelle Vieille-Toulouse, à 9 km au sud. Plaque tournante du commerce des vins sous les Romains, *Tolosa* devient le centre intellectuel de la Narbonnaise. Au 3ᵉ s., la ville est gagnée par le christianisme, au moment du martyre de l'évêque Saturnin (Sernin). Capitale des Wisigoths au 5ᵉ s., elle passe ensuite dans le domaine des Francs. Après Charlemagne, elle est gouvernée par des comtes qui, du fait de l'éloignement du pouvoir franc, prennent de plus en plus d'autonomie. La brique, seul matériau fourni en abondance par la plaine alluviale de la Garonne, domine dans les constructions toulousaines et donne son cachet à la cité. Légère et adhérente au mortier, elle a permis aux maîtres d'œuvre des églises de lancer de larges voûtes couvrant une nef unique. Du 9ᵉ au 13ᵉ s., sous la dynastie des comtes Raimond, Toulouse est le siège de la cour la plus aimable et la plus magnifique d'Europe. Des consuls ou capitouls (le nom vient probablement du latin *capitulares* : membres du chapitre), choisis dans la bourgeoisie commerçante, administrent la cité, une véritable « république » à l'italienne. Le comte les consulte pour la défense de la ville et pour toute question de relations extérieures. Le capitoulat permettait aux riches marchands toulousains d'accéder à la noblesse. Pour symboliser leur élévation, les nouveaux promus flanquaient leurs demeures de tours.

Mais le pouvoir des capitouls perdra de sa substance (même si le titre subsiste) après le rattachement à la Couronne, à l'issue de la crise albigeoise en 1271 *(voir p. 56)*. Le nouveau comte, Alphonse de Poitiers, frère de Saint Louis, réside à Vincennes et reproche amèrement aux capitouls de n'en faire qu'à leur tête. Il faut prendre des mesures ; ce sera fait. Le Parlement, créé en 1420, supervise la justice et les finances.

La doyenne des académies

Après la tourmente albigeoise, Toulouse retrouve son rayonnement artistique et littéraire. En 1324, sept notables qui veulent « maintenir » la langue d'oc fondent la « compagnie du Gai-Savoir », la plus ancienne des sociétés littéraires d'Europe. Chaque année, le 3 mai, les mieux « disants » des poètes reçoivent une fleur d'orfèvrerie. Ronsard et Victor Hugo en furent honorés ainsi que Nazaire-François Fabre (1755-1794), auteur du calendrier républicain et de la fameuse romance *Il pleut, il pleut bergère*, qui tint à immortaliser son prix en modifiant son patronyme en Fabre d'Églantine. En 1694, Louis XIV avait érigé la société en Académie des jeux floraux.

Le boom du pastel

Au 15ᵉ s., le commerce des coques de pastel jette les négociants toulousains dans l'aventure du commerce international : Londres et Anvers figurent parmi les principaux débouchés. La spéculation permet aux Bernuy et aux Assézat de mener un train de vie princier. De splendides hôtels-palais sont élevés à cette époque, symboles de la fortune, de la puissance et de la

richesse des « princes du pastel ». L'influence italienne, et plus particulièrement le renouveau florentin, vont harmonieusement modifier la physionomie de cette cité florissante, encore largement médiévale. Mais à partir de
1560, l'indigo, en provenance d'Amérique, apparaît et le marasme s'installe
avec les guerres de Religion (Toulouse se rallie à la cause catholique). Le système s'effondre.

Une tête qui tombe

Un épisode de la rébellion de la noblesse contre Richelieu connaît sa conclusion tragique à Toulouse. Henri de Montmorency, gouverneur du Languedoc,
« premier baron chrestien », appartient à la plus grande famille de France.
D'une bravoure éclatante, beau, généreux, il devient rapidement populaire dans sa province d'adoption. Entraîné par Gaston d'Orléans, frère de
Louis XIII, il prend les armes en 1632 et fait renaître quelque temps le rêve
d'un Midi débarrassé de la sujétion à la Couronne. Mais tous deux sont défaits
à Castelnaudary. Montmorency s'est battu désespérément ; atteint de dix-
sept blessures, il est fait prisonnier. Le parlement de Toulouse le condamne
à mort. Personne n'imagine possible l'exécution d'un si haut personnage.
Mais le roi, qui est venu en personne à Toulouse avec le cardinal, résiste aux
supplications de la famille, de la Cour et du peuple. « Je ne serais pas roi,
si j'avais les sentiments des particuliers », répond-il avec hauteur. La seule
faveur accordée au condamné est d'être décapité à l'intérieur du Capitole,
au lieu de subir son supplice sur la place publique. L'échafaud est dressé dans
la cour, au pied de la statue de Henri IV. Le duc meurt avec l'élégance d'un
grand seigneur. Le peuple, assemblé devant le Capitole, pousse des cris de
vengeance à l'adresse du cardinal quand, d'une fenêtre, le bourreau vient
montrer la tête sanglante.

UN DÉCOLLAGE ÉCONOMIQUE TARDIF RÉUSSI

Au 19e s., la plupart des notables toulousains continuent à tirer profit de
l'exploitation de leurs biens fonciers et immobiliers. La ville se tient en retrait
des transformations introduites par la révolution industrielle. Un frémisse-
ment survient, en 1856, avec l'arrivée du chemin de fer : Toulouse s'impose
alors logiquement comme capitale régionale. La création de rues nouvelles, à l'architecture haussmannienne, facilite la circulation des hommes et
des marchandises. Le véritable décollage économique ne vient cependant
qu'au lendemain de la Première Guerre mondiale, notamment avec l'implantation d'industriels du secteur aéronautique *(sur Toulouse et l'aéronautique,
voir Découvrir p. 106)*. La ville attire chaque année environ 12 000 habitants
supplémentaires.

Le drame d'AZF

Figurant parmi les catastrophes industrielles les plus importantes survenues
en France durant ces dernières décennies, l'explosion de l'usine chimique AZF,
le 21 septembre 2001, fit 30 morts et 2 500 blessés. Le montant des dégâts
se chiffre à environ 2 milliards d'euros, et près de 30 000 logements ont été
touchés. Ce tragique événement, qui a rouvert le débat sur la question de
l'implantation de sites industriels potentiellement dangereux dans des zones
habitées, a eu pour conséquence la quasi-suppression du pôle chimique toulousain. Les friches industrielles de l'usine ont laissé la place au « Canceropôle »,
centre de recherche dédié à la lutte contre le cancer.

SAINT SERNIN, UN DESTIN TRAGIQUE

Apôtre du Languedoc, saint Sernin fut le premier évêque de Toulouse. Il fut martyrisé en 250, attaché à un taureau (la rue du Taur commémore l'événement). Très populaire en Languedoc, on le retrouve sous les noms de Saturnin, Satur ou Savournin en de nombreux lieux.

L'édifice actuel fut construit pour répondre à cet afflux. Commencé vers 1080, il a été achevé au milieu du 14e s. Sa restauration générale fut entreprise à partir de 1860 par Viollet-le-Duc qui y fit preuve de son habituelle imagination. Une récente campagne de travaux a eu pour résultat de redonner aux toitures leur apparence d'avant l'intervention de 1860 : les croisillons du transept et la nef ont retrouvé leurs grands toits débordants sur des combles aérés par des mirandes.

🔎 *Pour une description en image, reportez-vous à l'ABC d'architecture p. 69.*

Extérieur – Saint-Sernin est construite en brique et pierre. Au **chevet**, la pierre domine ; dans la nef, c'est la brique, employée finalement seule dans le clocher. Le **chevet** date du 11e s. ; c'est la partie la plus ancienne du monument. Les cinq chapelles de l'abside et les quatre chapelles des croisillons, les toitures étagées du chœur et du transept, dominées par le clocher, forment un ensemble magnifique. Le **clocher** octogonal à cinq étages s'élève sur la croisée du transept. Les trois étages inférieurs sont ornés d'arcades romanes en plein cintre (début du 12e s.). Les deux étages supérieurs furent ajoutés 150 ans plus tard ; les baies, en forme de mitre, sont surmontées d'un petit fronton décoratif. La flèche date du 15e s.

La **porte des Comtes**, primitivement dédiée à saint Sernin, s'ouvre dans le croisillon sud du transept. Les chapiteaux de ses colonnettes, d'une facture encore fruste, se rapportent à la parabole de Lazare et du mauvais riche *(portail de droite)* et surtout aux châtiments appliqués aux péchés d'avarice *(portail de gauche, 1er chapiteau de gauche)* et de luxure *(portail de gauche, 1er chapiteau de droite et 2e chapiteau de gauche)*. De part et d'autre du pilier central du portail, le riche, qui demande à revenir sur la terre pour avertir son frère, est maintenu en enfer (ce motif est répété afin de marquer l'éternité du châtiment).

À gauche du portail, une niche grillagée abrite quatre sarcophages ayant servi de sépultures à des comtes de Toulouse, d'où le nom de la porte. Plus à gauche, une arcade Renaissance subsiste de l'enceinte qui entourait, jusqu'au début du 19e s., l'église, les bâtiments du chapitre des chanoines et les cimetières adjacents.

La sculpture romane de la **porte Miégeville** a fait école dans tout le Midi. Du début du 12e s., elle recherche l'expression et le mouvement beaucoup plus que les œuvres du siècle précédent.

Intérieur – Ce qui frappe au premier abord en entrant dans Saint-Sernin, c'est l'immensité de l'église : 115 m de longueur, 64 m de largeur au transept et 21 m de hauteur sous voûte. Saint-Sernin est le type accompli de la grande église de pèlerinage. Elle est conçue pour faciliter les dévotions des foules et rendre possible la célébration des offices par un chœur de chanoines : une nef flanquée de doubles collatéraux, un immense transept et un chœur avec déambulatoire sur lequel ouvrent cinq chapelles rayonnantes. La coupe de l'église montre la perfection de son élévation et de son équilibre. La nef principale, voûtée en berceau plein cintre, est épaulée par un premier bas-côté voûté d'arêtes et surmonté de tribunes très décoratives (voûtées en

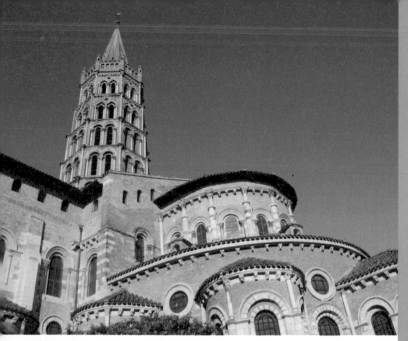

La basilique Saint-Sernin.
Juliane / fotolia.com

demi-berceau), qui lui-même prend appui sur un second bas-côté de moindre hauteur, encore voûté d'arêtes et adossé à un contrefort. Ainsi, tous les éléments de cette énorme masse concourent harmonieusement à la solidité de l'ensemble.

Chœur – Sous la coupole de la croisée, belle table en marbre des Pyrénées de l'ancien autel roman signée Bernard Gilduin et consacrée en 1096 par le pape Urbain II.

Transept – Le vaste transept présente une structure à trois nefs et chapelles orientées. Admirez les chapiteaux de la galerie de la tribune et les peintures murales romanes. Dans le croisillon nord on a mis au jour deux ensembles de peintures murales romanes (Résurrection, l'Agneau de Dieu présenté par des anges).

Dans le croisillon sud, voir particulièrement la 2e chapelle orientée dédiée à la Vierge (statue de « Notre-Dame-la-Belle » du 14e s.) : au cul-de-four, fresques superposées mêlant les thèmes de la Vierge assise en majesté (13e s.) et du Couronnement de la Vierge.

Tour des Corps-Saints et cryptes – ☎ 05 61 21 70 18 (mat.) - juil.-sept. : 10h-18h, sam.-dim. 11h30-18h ; reste de l'année : tlj sf dim. mat. 10h-11h30, 14h30-17h - fermé j. fériés - 2 € (enf. gratuit).

C'est la présence de nombreux retables et reliquaires qui est à l'origine de la dénomination attribuée au déambulatoire. Dans les réceptacles en bois sculpté, doré et peint sont disposées, entre autres, des reliques de saint Asciscle, de sainte Victoire, de saint Hilaire et de saint Papoul.

Les sept **bas-reliefs★** de la fin du 11e s. en marbre de Saint-Béat, provenant de l'atelier de Bernard Gilduin, sont encastrés contre le mur de la crypte. Ils représentent le Christ en majesté avec les symboles des Évangélistes, entouré d'anges et d'apôtres.

La crypte supérieure abrite le reliquaire de saint Saturnin (13e s.), et la crypte inférieure, des châsses et des statues d'apôtres (14e s.).

Prendre la rue du Taur, très fréquentée par les étudiants et bordée de nombreuses librairies, de neuf ou d'ancien.

TOULOUSE
plan II

SE LOGER

SE RESTAURER

TOULOUSE
plan I

★★ **Musée Saint-Raymond** Plan I A1

Pl. St-Sernin - 05 61 22 31 44 - www.saintraymond.toulouse.fr - - juin-sept. : 10h-19h ; reste de l'année : 10h-18h - possibilité de visite guidée (1h30) - fermé 1er janv., 1er Mai et 25 déc. - 3 € (enf. gratuit), suppl. visite guidée 2,50 €, gratuit 1er dim. du mois.

Tout proche de la basilique St-Sernin, l'ancien collège Saint-Raymond, reconstruit en 1523 et restauré ensuite par Viollet-le-Duc, a été remarquablement rénové pour présenter sur trois niveaux les collections d'archéologie et d'art antique de la ville. À l'étage supérieur sont présentés des objets (frises, inscriptions, maquettes) provenant de l'antique *Tolosa* en Narbonnaise ; au 2e étage, ce sont les mosaïques (certaines tout à fait remarquables) et la statuaire de la villa de Chiragan de Martres-Tolosane. Remarquez la superbe collection de têtes d'empereurs disséminée sur les deux étages, du serein Auguste au rubicond Romulus Augustule, en passant par le doux Antonin le Pieux. Ces têtes étaient emboîtées sur une statue acéphale : lorsque l'on changeait d'empereur, il suffisait de visser la tête de son successeur sur la statue. Le sous-sol a été aménagé pour mettre en valeur les découvertes effectuées lors de la rénovation de l'édifice (un four à chaux, en particulier) et exposer une belle collection de sarcophages paléochrétiens délicatement ouvragés, issus de la nécropole de Saint-Sernin. Au rez-de-chaussée, la salle du Tinel est consacrée à des expositions thématiques.

Collège de l'Esquila Plan I A1

Il s'ouvre au n° 69 de la rue du Taur par un portail à bossages, œuvre Renaissance du sculpteur toulousain **Nicolas Bachelier** (1487-1557). Auteur de nombreux hôtels toulousains (dont l'hôtel d'Assézat, son chef-d'œuvre), celui-ci conçut également en 1539 un projet pour le futur canal du Midi. Le portail donne désormais accès à la **cinémathèque** de Toulouse.

S'engager dans la rue du Périgord, à gauche.

Chapelle des Carmélites Plan I A1

1 r. du Périgord - 05 61 21 27 60 - mai-sept. : tlj sf lun. 9h30-13h, 14h-18h ; reste de l'année : tlj sf lun. 10h-13h, 14h-17h - fermé 1er janv., 1er Mai, 1er et 11 Nov., 25 déc. - gratuit.

De l'ancien couvent des Carmélites, édifié au 17e s., ne subsiste que la chapelle. Sa décoration ainsi que ses boiseries et peintures célébrant la gloire de l'ordre du Carmel (œuvre du peintre toulousain du 18e s., Jean-Baptiste Despax) constituent un très bel ensemble.

Poursuivre dans la rue du Taur.

Bibliothèque d'étude et du patrimoine de la ville de Toulouse Plan I A1

Née en 1866 de la réunion de la bibliothèque du clergé (fondée en 1772) et de celle du Collège royal, grossie, à la Révolution, par la confiscation d'une dizaine de bibliothèques conventuelles, elle est installée dans un bâtiment œuvre de Montariol. C'est un bel exemple d'architecture des années 1930 : rigueur et grandeur des volumes, volonté de fonctionnalisme et de luminosité (voir la salle de lecture : grandes baies, plafond dallé de verre et large coupole). Décoration caractéristique de l'époque utilisant volontiers le fer forgé et le bas-relief. Majestueuse façade de brique et pierre, centrée autour d'une imposante porte de bronze.

Revenir à la rue du Taur que l'on reprend sur la gauche.

Église Notre-Dame-du-Taur Plan I A1

Lun.-vend. 14h-19h, sam. 9h-12h, 14h-19h, dim. 9h-13h.

Appelée Saint-Sernin-du-Taur jusqu'au 16e s., elle a remplacé le sanctuaire élevé à l'endroit où le corps du martyr fut inhumé. Le mur-pignon de la façade, flanqué de tours octogonales et percé d'arcs en mitre, est d'un type fréquent dans la région, où il servit de modèle à maintes églises de campagne. Le clocher est crénelé et coiffé d'un pignon triangulaire. Observez les combinaisons décoratives que permet la brique : baies en losange, frises en dents d'engrenage.

Débouchant sur la place du Capitole, on prend sur la droite la rue Romiguières.

Hôtel du Grand Balcon Plan I A1-2

Hôtel mythique de Toulouse, le Grand Balcon fut, dans les années 1920, le havre de paix des pilotes de l'Aéropostale. C'est dans cette pension de famille tenue par les sœurs Marquez que les hommes se reposaient entre deux voyages. Les deux premiers étages étaient réservés aux pilotes : Saint-Exupéry occupait la chambre 32, Mermoz la 20. Le dernier étage accueillait les mécaniciens. Henri Decoin, en 1949, raconta la grande épopée de ces hommes passionnés, véritables pionniers de l'aviation française, dans un film dont le scénario écrit par Joseph Kessel met en scène les sœurs Marquez et l'hôtel du Grand Balcon. Racheté en 2006, l'édifice a été entièrement rénové.

De la rue Romiguières, prenez à gauche la rue Lakanal.

★★ **Les Jacobins** Plan I A2

R. Lakanal - ☎ 05 61 22 21 92 - www.jacobins.mairie-toulouse.fr - ♿ - 9h-19h - possibilité de visite guidée (1h15) - église gratuite - cloître : 3 € (enf. gratuit), gratuit 1er dim. du mois.

En 1215, saint Dominique, effrayé par les progrès de l'hérésie albigeoise, avait fondé l'ordre des Frères prêcheurs. Le premier couvent des dominicains fut installé à Toulouse en 1216. Lorsque ceux-ci arrivent à Paris en 1217, ils s'installent dans une chapelle consacrée à saint Jacques : ceci leur valut le nom de « Jacobins ».

La construction de l'église et du couvent, première université toulousaine, commencée en 1230, se poursuivit aux 13e et 14e s. L'ensemble fut par la suite défiguré par sa transformation en quartier d'artillerie sous le Premier Empire. L'église servit d'écurie avant d'être intégrée dans le lycée Pierre-de-Fermat. Certains anciens élèves se souviennent de quelques parties de ballon dans le cloître ! De longs travaux de dégagement et de restauration ont abouti, en 1974, à la réhabilitation de l'église, du cloître ainsi que des bâtiments conventuels rescapés, dont la grande sacristie. Le site accueille désormais en septembre le festival « Piano aux Jacobins ».

L'église de brique est un chef-d'œuvre de l'école gothique du Midi, dont elle marque l'apogée. Extérieurement, elle frappe par ses grands arcs de décharge disposés entre les contreforts et surmontés d'oculi, et par sa tour octogonale allégée d'arcs en mitre qui servit de modèle pour de nombreux clochers d'églises de la région ; elle reçut, à son achèvement en 1298, la cloche unique de l'Université dominicaine.

L'« église mère » de l'ordre des Frères prêcheurs, achevée vers 1340, accueillit en 1369 le corps de saint Thomas d'Aquin. Les reliques du « Docteur angélique », transportées à la basilique Saint-Sernin lors de la Révolution française, sont à nouveau exposées sous un maître-autel en marbre gris (monastère de Prouille), depuis les solennités du 7e centenaire de la mort du saint en 1974.

Le fameux palmier des Jacobins.
M.-H. Carcanague / MICHELIN

Le grandiose **vaisseau**★★ à deux nefs fut bâti par surélévations et agrandissements successifs. Il traduit le rayonnement de l'ordre, sa prospérité et ses deux missions bien tranchées : le service divin et la prédication. Sur le pavement, le plan du premier sanctuaire (1234), rectangulaire et couvert de charpente, est rappelé par cinq dalles de marbre noir (base des anciens piliers) et par un cordon de carreaux, également noirs (les murs). Les sept colonnes portent la voûte à 28 m de hauteur sous clef. Sur la dernière **colonne**★★ repose la voûte tournante de l'abside : ses 22 nervures, alternativement minces et larges, composent le fameux « palmier ». La décoration polychrome des murs ayant subsisté en grande partie, les restaurateurs ont pu restituer l'ambiance de l'église. Jusqu'à l'appui des fenêtres hautes, les murs présentent un faux appareil de pierres ocre et rosées. D'autres contrastes de teintes soulignent l'élan des colonnettes engagées ainsi que la souplesse des nervures de la voûte. Les verrières (grisailles dans le chœur, plus chaudement colorées dans la nef) furent posées à partir de 1923. Seules les deux roses de la façade datent du 14ᵉ s.

Pour une description en image, reportez-vous à l'ABC d'architecture p. 71

Cloître – La porte nord ouvre sur un cloître à colonnettes jumelées typique du gothique languedocien (autres exemplaires à Saint-Hilaire et Arles-sur-Tech). Les galeries sud et est, qui avaient disparu vers 1830, ont pu être reconstituées à partir de vestiges retrouvées çà et là dans la région, ou d'autres fragments de la même école.

Chapelle Saint-Antonin – À gauche de la salle capitulaire, elle fut élevée de 1337 à 1341 comme chapelle funéraire par le frère Dominique Grima, devenu évêque de Pamiers (clef de voûte au-dessus de la tête du Christ de l'Apocalypse). Elle constitue une délicate œuvre gothique, parée, en 1341, de peintures murales à dominante bleue.

Les médaillons inscrits dans les voûtains sont consacrés à la deuxième vision de l'Apocalypse. Sur les murs, au-dessous d'anges musiciens, se déroulent, en deux registres, les scènes de la fantastique légende de saint Antonin de Pamiers, dont la clef de voûte de l'abside donne la conclusion : les reliques du martyr naviguent sous la garde de deux aigles blancs.

CÉLÉBRITÉS TOULOUSAINES

Parmi elles, citons les écrivains **José Cabanis** et **Pierre Gamarra**, le comédien à la proverbiale faconde **Lucien Baroux** (1888-1968), mais aussi **Laurent Terzieff**, **Daniel Sorano** (1920-1962), qui émut la France entière à l'époque de la télévision en noir et blanc par son interprétation (en direct!) jamais égalée de *Cyrano de Bergerac*, **Jean-Marcel Bouguereau**, l'un des journalistes qui participèrent à la fondation de *Libération*, le « fondateur de la géographie humaine » **Jean Brunhes**, le journaliste de télévision **Georges de Caunes**, le psychiatre **Esquirol** (1772-1840), le leader syndical **Georges Séguy**…

Côté chanson, **Claude Nougaro** (1929-2004) s'est illustré par la richesse de sa voix et la beauté sauvage de ses textes, rythmes et mélodies. *Toulouse*, véritable hymne d'amour à la Ville rose, résonne encore dans toutes les mémoires. Près de 10 000 personnes se sont réunies le mercredi 10 mars 2004 en la basilique Saint-Sernin pour lui rendre hommage. Mais il ne fut pas le seul musicien de la ville : sans remonter au troubadour Pèire Vidal, on citera dans le domaine lyrique les cantatrices Mady Mesplé et Jeanine Michau ; dans celui du tango argentin, l'idole des *muchachos* de Buenos Aires, Carlos Gardel, né ici Charles Gardes ; le groupe Gold, auteur de plusieurs « tubes » mémorables autour de 1985 ; la chanteuse Juliette ; l'auteur-compositeur Jean-Pierre Mader ; le groupe de rap occitan Fabulous Trobadors ; Zebda qui nous conseillait, à la fin des années 1990, de « tomber la chemise » ; et parmi les derniers-nés de la scène toulousaine, le groupe Les Notaires et ses musiciens poly-instrumentistes qui mêlent des styles très différents, du rock au punk en passant par le disco.

Salle capitulaire – Construite vers 1300. Deux fines colonnes prismatiques en supportent les voûtes. La gracieuse absidiole a retrouvé son décor polychrome.

Grand réfectoire – *Accès par le cloître, à l'angle nord-est.* Construit en 1303, c'est un vaste vaisseau avec couverture de charpente supportée par six arcs diaphragme. Il est aujourd'hui utilisé pour des expositions temporaires d'art moderne, en liaison avec Les Abattoirs, le nouveau musée d'Art contemporain de Toulouse.

Hôtel de Bernuy (lycée Pierre-de-Fermat) Plan I A2

1 r. Gambetta - visite des 2 cours Renaissance uniquement, tlj sf w.-end -8h-18h30 - fermé 1ᵉʳ janv., 25 déc. et vac. scol - renseignements à l'office de tourisme.

Il fut bâti en deux campagnes au début du 16ᵉ s. La porte (*1 r. Gambetta*) associe courbes et contre-courbes, de tradition gothique, à des médaillons. La 1ʳᵉ cour offre un intermède d'architecture de pierre. Le faste de la Renaissance s'y manifeste par un portique à loggia, au revers de l'entrée, et par une arcade très surbaissée, à droite. Par le passage voûté d'ogives, gagnez la 2ᵉ cour où l'on retrouve le charme de la Ville rose. La **tour d'escalier★** octogonale montée sur trompe, une des plus hautes du vieux Toulouse, prend jour par des fenêtres gracieusement agencées à la rencontre de deux pans.

Par la rue Gambetta, rejoindre la place du Capitole.

Place du Capitole Plan I A2

Cette grande place, lieu de rendez-vous des Toulousains, est bordée à l'est par la majestueuse façade du Capitole à laquelle fait face une rangée d'arcades. Au centre de la place, une croix du Languedoc est incrustée, formant un lacis de rubans de bronze ; aux extrémités, inscrits dans des cercles, figurent les douze signes du zodiaque, œuvre de Raymond Moretti, également auteur des 29 tableaux évoquant sous les arcades, avec des couleurs très vives, certains des épisodes et personnages qui ont fait l'histoire de Toulouse, de la Vénus de Lespugue à Airbus en passant par Carlos Gardel. On prend le temps d'une pause pour se joindre aux Toulousains qui envahissent les terrasses des brasseries afin de dévorer la légendaire *Dépêche du Midi*.

★ Capitole Plan I A2

𝄢 05 61 22 34 12 - de Pâques à Toussaint : 9h-19h ; reste de l'année : 9h-17h (1er w.-end du mois et j. fériés 19h) - fermé dim. (sf le 1er dim. de chaque mois) et 1er janv. - gratuit.

L'hôtel de ville de Toulouse tire son nom de l'ancienne assemblée des capitouls, autrefois en charge de l'administration de la ville, représentés sur la façade (milieu 18e s.) par les huit colonnes de marbre rose. Longue de 128 m, ornée de pilastres ioniques, c'est un bel exemple d'architecture colorée, jouant habilement des alternances de la brique et de la pierre. Dans l'aile droite se trouve le théâtre, réaménagé en 1995-1996.

Pénétrer dans la cour. Dans la cour du Capitole, en 1632, eut lieu la fameuse exécution du duc de Montmorency, gouverneur du Languedoc, entré en rébellion armée contre le pouvoir de Louis XIII (remarquez la dalle commémorative sur le pavé). L'escalier, le vestibule et diverses salles, surtout la **salle des Illustres**, dédiée aux gloires toulousaines, furent décorés avec la pompe qu'il fallait par des peintres témoins de l'art officiel, au temps de la IIIe République. Dans la **salle Henri Martin**, chaque mur est composé de plusieurs fresques impressionnistes du peintre (1860-1943).

Traversez la cour, puis le jardin en biais pour aller voir le donjon, reste de l'ancien Capitole (16e s.), restauré par Viollet-le-Duc. Il abrite aujourd'hui l'office de tourisme. À deux pas, la rue d'Alsace-Lorraine, semi-piétonne, offre un visage agréable et animé avec ses cubes de béton coloré et ses jeux pour enfants.

◐ *Circuit* ② *de la rue Saint-Rome au musée des Augustins tracé en vert sur le plan I de la ville (p. 90) – compter 3 à 4h.*
Quitter la place du Capitole au sud par la rue Saint-Rome.

Rue Saint-Rome Plan I A2

Tronçon de l'antique voie qui traversait la ville du nord au sud, elle est aujourd'hui devenue piétonne et accueille de nombreuses boutiques. À son début (*n° 39*), remarquable maison du médecin de Catherine de Médicis, Augier Ferrier. Dans la **rue Jules-Chalande**, deux rues plus loin sur la gauche, au n° 4 (*entrer dans la cour*), on voit la belle tour gothique de Pierre Séguy. Au n° 3 de la rue Saint-Rome, hôtel de Comère du début du 17e s.

Musée du Vieux Toulouse Plan I A2

7 r. du May - 𝄢 05 62 27 11 50 - mai-oct. : tlj sf dim. et j. fériés 14h-18h - possibilité de visite guidée (1h30) merc. et vend. 15h - 2,50 € (10-18 ans 1,30 €).

Le bel Hôtel Dumay, en briques roses rehaussées de pierres pour les parties nobles, fut édifié à la fin du 16e s. par Antoine Dumay, conseiller et premier médecin de la reine Marguerite de Valois. Le musée, rénové en 2008, réunit des collections concernant l'histoire de la ville : peintures et sculptures en rapport avec Toulouse, portraits des capitouls et des personnalités locales, maquettes et programmes des édifices culturels, objets de fouilles tirés du sous-sol de la ville et de ses environs. L'art régional populaire est également abordé à travers le costume, la faïence, la céramique…

Rue des Changes Plan I A2

Le carrefour dit « Quatre Coins des Changes » est dominé par la **tour de Serta** *(avancer dans la rue des Changes pour la voir)*. Remarquez les n°s 20, 19 et 17 ; au n° 16, l'hôtel d'Astorg et Saint-Germain du 16e s. présente une façade à mirandes (larges ouvertures ou galeries sous comble d'où l'on peut « mirer » sans être vu).

Tourner à droite avant d'arriver au carrefour de la place Esquirol.

Rue Malcousinat Plan I A2

Au n° 11, agréable corps de logis gothique-Renaissance flanqué d'un sévère donjon du 15e s. Il abrite la Maison de l'Occitanie.

Prendre à droite la rue de la Bourse.

Rue de la Bourse Plan I A2

S'arrêter au n° 15 : hôtel de Nupces (18e s.) et au n° 20 : maison de Pierre Del Fau (15e s.). L'histoire de ce dernier est l'illustration de l'adage selon lequel il ne faut jamais vendre la peau de l'ours avant de l'avoir tué. Il espéra longtemps devenir capitoul, d'où la tour qu'il fit édifier… Mais sa nomination ne vint jamais. La tour *(ouverte uniquement durant certaines visites guidées et pendant les Journées du patrimoine)* est néanmoins fort belle. Haute de 24 m, elle est percée de cinq larges baies dont deux d'entre elles, aux 2e et 5e étages, présentent un élégant linteau en forme d'arc en accolade.

Prendre la rue Cujas, à gauche.

Rue Cujas Plan I A2

Suite au départ des grossistes du textile, elle s'était quelque peu endormie. Elle fait aujourd'hui partie des rues de Toulouse en plein renouveau. Une vingtaine de magasins et de restaurants s'y sont installés, animés par une association de commerçants.

Continuer tout droit pour gagner la place de la Daurade.

Basilique Notre-Dame-de-la-Daurade Plan I A2

Héritière d'un temple païen, devenu une église dédiée à la Vierge dès le 5e s., et d'un monastère bénédictin, l'église actuelle, à laquelle les Toulousains sont très attachés, remonte au 18e s. Sa façade au lourd péristyle, dominant la perspective de la Garonne, est intéressante. Plusieurs cérémonies s'y déroulent : pèlerinage à Notre-Dame-la-Noire, recommandation des futures mères ou encore bénédiction des fleurs décernées aux lauréats des Jeux floraux…

C'est un plaisir de flâner sur le **quai de la Daurade**, un de ces lieux où l'on ne peut que se sentir bien, en aval du pont Neuf (16e-17e s.). Bordé par l'école des beaux-arts, il offre une vue sur le quartier Saint-Cyprien *(rive gauche)* avec l'hôtel-Dieu et le dôme de l'hospice de la Grave.

Pont Neuf Plan I A2

Reliant la Gascogne au Languedoc, le pont Neuf (rénové en 2008) est le plus ancien pont de Toulouse. Sa construction, ordonnée par François Ier, fut entreprise en 1544 sous l'égide de Nicolas Bachelier. Elle ne fut achevée qu'en 1632.

ROUGE ET NOIR

C'est à Toulouse, dans les années 1890-1907, que le rugby venu d'Angleterre a été pour la première fois pratiqué en France. Les rouges et noirs du Stade Toulousain (17 fois champions de France) portent haut les couleurs de la ville depuis 1912.

Sur la place du Pont-Neuf, prendre la rue de Metz à gauche.

★★ **Hôtel d'Assézat** Plan I A2

C'est incontestablement le plus bel hôtel de Toulouse. Il fut élevé en 1555-1557 sur les plans de Nicolas Bachelier, le plus grand architecte toulousain de la Renaissance, pour le capitoul d'Assézat. Tout réussissait à ce négociant enrichi dans le commerce du pastel, jusqu'à sa conversion au protestantisme. Résultat : ruine et exil immédiat, tandis que l'hôtel, orgueilleux témoignage d'une réussite sociale, demeurait inachevé… Peut-être pour illustrer la fragilité des biens de ce monde !

Sur les façades des bâtiments de gauche et de face, pour la première fois à Toulouse, s'est développé le style classique caractérisé par la superposition des trois ordres antiques : dorique, ionique et corinthien. Pour donner de la variété à ces façades, l'architecte a ouvert, au rez-de-chaussée et au 1er étage, des fenêtres rectangulaires sous des arcades de décharge. Au 2e étage, c'est l'inverse : la fenêtre est en plein cintre sous un entablement droit.

À cette recherche correspond la décoration poussée des deux portes, l'une avec ses colonnes torses, l'autre avec ses cartouches et ses guirlandes. L'art de la sculpture s'est en effet ranimé à la Renaissance, la pierre venant dès lors à nouveau se mêler à la brique. Au revers de la façade donnant sur la rue s'ouvre un portique élégant, à quatre arcades, surmonté d'une galerie. Le 4e côté est resté inachevé : le mur est seulement décoré d'une galerie couverte reposant sur de gracieuses consoles.

🔎 *Pour une description en image, reportez-vous à l'ABC d'architecture p. 74*

L'hôtel abrite la **fondation Bemberg** ainsi que les six sociétés savantes de Toulouse, dont l'Académie des jeux floraux.

★★ **Fondation Bemberg** – *Pl. d'Assézat - 𝄞 05 61 12 06 89 - www.fondation-bemberg.fr -* ♿ *- tlj sf lun. 10h-12h30, 13h30-18h (jeu. 21h) - possibilité de visite guidée (1h15) à 15h30 - fermé 1er janv. et 25 déc. - 5 € (- 8 ans gratuit, 8-18 ans 3 €).*

Rassemblées par l'amateur d'art Georges Bemberg qui en fit don à la ville de Toulouse, les collections, installées dans le superbe hôtel d'Assézat, comprennent des peintures, sculptures et objets d'art, de la Renaissance au 20e s.

La fondation Bemberg a fait peau neuve. La période de remise en état a été mise à profit pour réaménager certaines salles du musée et acquérir de nouvelles œuvres.

L'art ancien (16e-18e s.) est présenté comme dans une maison particulière : peintures vénitiennes avec des *vedute* de Canaletto et de Guardi, flamandes du 15e s. avec une *Vierge à l'Enfant* de l'atelier de Rogier Van der Weyden, et hollandaises du 17e s. avec un *Couple jouant de la musique* de Pieter De Hooch ; d'élégants meubles vénitiens du 18e s. et objets d'art du 16e s. accompagnent ces tableaux. Remarquez un nautile et une plaque d'émail en grisaille de Limoges représentant Saturne. Dans la **galerie des portraits Renaissance**, les tableaux (dont *Charles IX* par François Clouet, *Portrait de jeune femme à la bague* par Benson, *Portrait d'Antoine de Bourbon* par Frans Pourbus) font face à des groupes sculptés du 16e s. Dans le cabinet voisin, des bronzes d'Italie, dont un superbe Mars attribué à Jean de Bologne, côtoient des émaux de Limoges, des tableaux de Véronèse (grande toile du Fauconnier), du Tintoret et de Bassano.

Une aile est consacrée au 18e s. à travers la peinture, le mobilier et les arts décoratifs (porcelaine notamment).

Changement de décor au 2e étage, consacré à l'art moderne. La collection, dominée en nombre par un ensemble de tableaux de Bonnard *(salle 7)* aux couleurs vibrantes *(Femme au peignoir moucheté, Le Cannet, Nature morte aux citrons)*, rassemble pratiquement tous les grands noms de l'école française moderne, offrant un panorama des principaux courants de peinture à la charnière du 19e et du 20e s. : impressionnisme, pointillisme, fauvisme. Parmi bien d'autres, on relève les noms de Louis Valtat *(La Lecture)*, Gauguin *(Tête de jeune paysan)*, Matisse *(Vue d'Antibes)*, H.-E. Cross *(Un canal à Venise)*, Boudin *(Crinolines sur la plage)*, Monet *(Bateaux sur la plage à Étretat)*, Vlaminck *(Nature morte aux poissons)* et Dufy *(La Famille Kessler à cheval)*.

Au sous-sol, les salles voûtées accueillent des expositions temporaires, souvent pleines d'intérêt. Un agréable salon de thé, installé de mai à octobre sur la galerie de l'accueil, ne fait qu'ajouter au charme du lieu.

Suivre à droite la rue des Marchands, puis prendre à droite la rue des Filatiers et encore à droite la rue des Polinaires et la rue H.-de-Gorsse, qui possède de belles maisons du 16e s. Puis prendre à gauche la rue de la Dalbade.

Église Notre-Dame-la-Dalbade Plan I A3

Le nom de l'église vient de la blancheur (« albade ») des murs du premier édifice. L'église actuelle, construite au 16e s., endommagée par l'écroulement de son clocher (1926), a été restaurée, et son bel appareil de brique remis en valeur. Portail Renaissance (le tympan en céramique date du 19e s.).

Rue de la Dalbade Plan I A3

Les demeures parlementaires (des capitouls) s'y succèdent. Les nos 7, 11, 18 et 20 montrent d'élégantes façades du 18e s. Remarquer au no 22 le grand portail sculpté, d'inspiration on ne peut plus païenne (16e s.), de l'hôtel Molinier. Au no 25, l'**hôtel de Clary** comporte une belle cour intérieure Renaissance ; sa façade en pierre, « un peu » chargée, fit sensation lorsqu'elle fut élevée au 17e s. C'était là un signe d'opulence en cette ville de brique ! Du coup, l'édifice en a gardé le sobriquet d'« hôtel de pierre ». L'hôtel des Chevaliers de Saint-Jean-de-Jérusalem *(no 32)*, robuste et noble construction du 17e s., fut le siège local du grand prieuré de l'ordre de Malte.

Prendre à droite la rue des Poutiroux, qui débouche directement sur la rue Pharaon.

Rue Pharaon Plan I A3

Façade du 18e s. au no 29 ; hôtel du capitoul Marvejol (jolie cour) au no 47.

Remonter par la rue Pharaon jusqu'à la place des Carmes. Prendre à droite et continuer tout droit jusqu'à la rue Ozenne.

Hôtel Béringuier-Maynier, dit aussi du Vieux-Raisin Plan I A3

Peu avant d'arriver rue Ozenne, au no 36 rue du Languedoc, le corps de logis au fond de la cour marque la première manifestation de la Renaissance italianisante à Toulouse, dans le style des châteaux de la Loire. Le décor des ailes, aux fenêtres à cariatides, reflète un style plus tourmenté, proche du baroque.

Rue Ozenne Plan I B3

Au no 9, remarquable ensemble de la fin du 15e s. : l'hôtel Dahus et la tour de Tournoër.

Prendre à gauche la rue de la Pleau. L'hôtel Pierre-Besson abrite aujourd'hui le musée Paul-Dupuy (voir ci-dessous).

Tourner à gauche.

★ Musée Paul-Dupuy

13 r. de la Pleau - ℰ 05 61 14 65 50 - www.mairie-toulouse.fr - ⑆ - tlj sf mar. 10h-18h (17h oct.-mai) - possibilité de visite guidée (1h) - fermé j. fériés - 3 € (enf. gratuit), gratuit 1er dim. du mois.

L'église Notre-Dame-de-la-Dalbade.
B. Brillion / MICHELIN

La visite des collections rassemblées au début du 20e s. par le Toulousain Paul Dupuy débute par le 2e étage avec une remarquable collection d'horlogerie et d'instruments de mesure du 16e au 19e s. Le 1er étage est plus diversifié avec des ivoires (olifant dit « cor de Roland », de la 1re moitié du 11e s.), des émaux, l'antependium des Cordeliers (1320), des instruments de musique, des pièces d'orfèvrerie et des costumes (18e-19e s.). Deux cabinets sont accessibles sur réservation : l'un d'estampes, l'autre de dessins (œuvres d'artistes de la région, ainsi qu'un ensemble de dessins vénitiens des 15e-16e s. : Tintoret, Véronèse, Bassano, Bordon…). Au rez-de-chaussée, meubles, terres cuites et faïences régionales (Giroussens, Martres-Tolosane, Samadet…), sculptures sur bois. La plus vaste salle est occupée par la pharmacie du collège des jésuites (17e s.) avec ses pots en faïence et en verre, son beau vase à thériaque en étain (1624). Enfin, les salles du sous-sol abritent une collection d'armes et de pièces de ferronnerie.

Rue Mage Plan I B3
C'est une des mieux conservées du vieux Toulouse : au n° 3, hôtel d'Espie, de style Régence ; demeures d'époque Louis XIII *(n° 11)* et Louis XIV *(n° 16 et n° 20)*.

Rue Bouquières Plan I B3
L'hôtel de Puivert (18e s.) y déploie sa grande architecture d'apparat.
Au bout de la rue Bouquières, prendre à droite sur la place Rouaix.

Hôtel de Fumel (palais consulaire) Plan I A2
Siège de la chambre de commerce. Belle façade du 18e s., en équerre, sur jardin. Plusieurs demeures d'antiquaires ont été restaurées : au n° 15, « la plus vieille maison de Toulouse », du 13e s., se reconnaît à ses baies géminées. Au n° 24 de la **rue Croix-Baragnon**, centre culturel de la ville.

Place Saint-Étienne Plan I B2
La place Saint-Étienne est agrémentée d'une fontaine du 16e s., le « Griffoul » (« fontaine » en occitan). Un marché aux livres s'y déroule le samedi matin : une occasion de promenade dans le quartier des antiquaires et des grands bijoutiers.

★ **Cathédrale Saint-Étienne** Plan I B2

📞 *05 61 52 03 82 - 8h-19h, dim. 9h-19h.*

Comparée à la lumineuse unité de Saint-Sernin, la cathédrale apparaît curieusement disparate. C'est que sa construction s'est étendue du 13e au 17e s. ! Les écoles gothiques du Midi et du Nord s'y sont affrontées. Puis, les fonds manquant, on ne put achever la construction de la nef et l'élévation du chœur. Dans la façade de l'église primitive commencée en 1078, les évêques firent percer une rose au 13e s. Plus tard, au 15e s., un portail fut ouvert. Enfin, au 16e s., on éleva un clocher-donjon rectangulaire sans rapport avec les clochers polygonaux ajourés de la région.

Entrer par le portail de la façade.

La nef et le chœur ne sont pas dans le même axe et donnent l'impression de n'être pas faits l'un pour l'autre. Cela tient au fait que l'on commença la reconstruction de ce dernier sans se préoccuper de la nef, bâtie en 1209, que l'on comptait jeter bas ultérieurement. On se contenta de procéder à un raccordement de fortune exigeant des prouesses architecturales dans ce qui aurait dû normalement devenir le bras gauche du transept. Puis on en resta là.

La nef unique, aussi large que haute, est la première manifestation de l'architecture gothique du Midi. Au pied du pilier d'Orléans, point de jonction avec le chœur, elle abrite la tombe de **Pierre-Paul Riquet**, le père du canal du Midi décédé en 1680. La voûte unique est ici large de 19 m alors que la voûte romane de Saint-Sernin n'en a que 9. L'austérité des murs est corrigée par une belle collection de tapisseries des 16e et 17e s. exécutées à Toulouse et retraçant la vie de saint Étienne. À la clef de la 3e voûte, remarquez la « croix aux douze perles », emblème des comtes de Toulouse, puis de la province de Languedoc et enfin, plus récemment, de l'Occitanie tout entière.

La construction du chœur, commencée en 1272, fut arrêtée quarante-cinq ans plus tard, et l'édifice a été couvert d'une charpente. En 1609, celle-ci, détruite par un incendie, fut remplacée par la voûte actuelle qui n'a que 28 m de haut au lieu des 37 m prévus au plan initial. Le retable du maître-autel, les stalles, le buffet d'orgue et les vitraux des cinq grandes fenêtres de l'abside datent du 17e s. Dans le déambulatoire, on peut voir des vitraux anciens.

LA CITÉ DES VIOLETTES

On raconte que c'est au 19e s. que la violette, originaire de Parme, arriva à Toulouse : elle aurait été rapportée par des soldats français à l'issue des guerres napoléoniennes en Italie. Aussitôt adoptée par les Toulousains, elle fit la fortune des fleuristes, des parfumeurs et des confiseurs (avec leurs fameuses violettes cristallisées). Au début du 20e s., on expédiait quelque 600 000 bouquets par an vers la capitale, l'Europe du Nord et même le Canada ! Malheureusement, les virus et les champignons eurent bientôt raison de cette délicate fleur hivernale. Depuis 1985, cependant, des chercheurs se sont mobilisés afin de sauver la petite fleur mauve. Cinq ans plus tard, ils sont parvenus à la cultiver *in vitro*. Les serres, au nord de Toulouse, sont désormais emplies du parfum si caractéristique de la violette qui, plantée de mai à juin, est cueillie d'octobre à mars. Unique pour ses fleurs doubles et son bleu mauve, elle est redevenue l'emblème de la ville qui la fête chaque année en février.

Le « vitrail du Roi de France » est, dans la chapelle immédiatement à droite de la chapelle axiale, un vitrail du 15e s. reproduisant les traits du roi Charles VII (couronné et revêtu d'un manteau bleu fleurdelisé d'or) et de Louis, dauphin, futur Louis XI (représenté à genoux, vêtu comme un chevalier).

Sortez par la porte droite et contournez l'église ; extérieurement, la puissance des contreforts du chœur est révélatrice de l'ambition des projets, jamais menés à terme.

Prendre à gauche la rue de Metz, puis à droite la rue des Arts (piétonne).

★★ Musée des Augustins Plan I B2

21 r. de Metz - ℘ 05 61 22 21 82 - www.augustins.org - 10h-18h (merc. 21h) - possibilité de visite guidée (1h) - fermé 1er janv., 1er Mai et 25 déc. - 3 € (– 18 ans et étudiants gratuit), gratuit 1er dim. du mois - concert d'orgues gratuit le merc. à 20h (avec le ticket d'entrée).

Créé en 1793, peu de temps après le Louvre, il abrite d'exceptionnelles collections de peintures et de sculptures, du Moyen Âge au début du 20e s. Le musée est installé dans les anciens bâtiments du couvent des Augustins, de style gothique méridional (14e et 15e s.) : salle capitulaire, grand cloître et petit cloître. Le bâtiment ouest, qui borde la rue d'Alsace-Lorraine, fut construit au 19e s. selon un projet de Viollet-le-Duc, à l'emplacement de l'ancien réfectoire. Il accueille aujourd'hui l'admirable collection de sculptures romanes.

Sculptures gothiques (13e-15e s.) – Les galeries du grand cloître (14e s.) abritent une intéressante collection lapidaire paléochrétienne ainsi qu'une série de gargouilles gothiques issues de l'église des Cordeliers *(galerie sud)*. L'aile orientale rassemble la sacristie (belles consoles sculptées du 14e s.), la chapelle N.-D.-de-Pitié (14e s.) et la salle capitulaire. La chapelle N.-D.-de-Pitié est réservée au « cycle de Rieux », ensemble de sculptures d'une chapelle funéraire du 14e s. de Rieux. La salle capitulaire (fin 15e s.) conserve des œuvres du 15e s. dont la Pietà des Récollets et la célèbre Notre-Dame-de-Grasse, aux souples et amples drapés et à l'attitude originale.

Peinture religieuse (14e-18e s.) – L'église conventuelle est caractéristique du gothique méridional avec son chevet à trois chapelles ouvrant directement sur une large nef unique, sans transept. Elle abrite des peintures religieuses des 15e, 16e et 17e s. (le Pérugin, Rubens, le Guerchin, Simon Vouet et Nicolas Tournier sont représentés, ainsi que Murillo) et quelques sculptures des 16e et 17e s.

★★★ Sculptures romanes (12e s.) – C'est, dans l'aile occidentale, que rythment de grands arcs en plein cintre, la section à ne manquer sous aucun prétexte ! Les admirables chapiteaux historiés ou à décor végétal qui proviennent essentiellement du cloître de la basilique Saint-Sernin, du monastère Notre-Dame-de-la-Daurade et des bâtiments du chapitre de la cathédrale Saint-Étienne sont les pièces maîtresses du musée. Concentrez-vous sur les chapiteaux : l'histoire de Job (monastère de la Daurade), les Vierges sages et les Vierges folles de Saint-Étienne ou encore, du même endroit, la **mort de saint Jean-Baptiste** attribuée à Gilabertus, un des maîtres les plus importants de la sculpture romane.

Peinture française – À l'étage, les sculptures du 19e s. précèdent une curieuse galerie de peinture, dont le Salon rouge, avec ses tableaux accrochés très haut et semblant « jouer des coudes », évoque les musées d'antan : peintres toulousains, tels que J.-P. Laurens (1838-1921) ou Henri Martin (1860-1943), tableaux de Corot, Gros, Courbet, Isabey, Benjamin Constant ou encore Delacroix et quelques œuvres de la fin du 19e s. (Toulouse-Lautrec, Vuillard ou Manguin). Le Salon brun présente essentiellement la production toulousaine des 17e et

18ᵉ s. Enfin, le Salon vert rassemble des peintures françaises des 17ᵉ et 18ᵉ s., avec les inévitables Philippe de Champaigne, Largillière et Oudry, grands pourvoyeurs des musées des Beaux-Arts de province.

Une fois la visite du musée terminée, regagnez le cloître où ont été reconstitués les différents jardins des abbayes et monastères médiévaux. En prime, jolie vue sur le clocher et la nef de l'ancienne église des Augustins.

Place Saint-Georges Plan I B2

Cette place, bordée de cafés et de restaurants, est l'une des plus fréquentées de Toulouse. Elle fut longtemps le théâtre des exécutions capitales. Elle vit notamment périr le protestant Jean Calas.

Revenir dans la rue d'Alsace-Lorraine puis tourner à gauche dans la rue de la Pomme que l'on suivra jusqu'à la place du Capitole.

AUTOUR DU JARDIN DES PLANTES

★★ Muséum d'histoire naturelle Plan I B3

35 allées Jules-Guesdes - métro ligne B, station Palais-de-Justice ou Carmes - ☏ 05 67 73 84 84 - www.museum.toulouse.fr - tlj sf lun. 10h-18h, 10h-19h en été - fermé 1ᵉʳ janv., 1ᵉʳ Mai, 25 déc. - 5 € à 6,50 € avec expositions temporaires (6/12 ans 3,50 €).

👥 La réouverture du Muséum de Toulouse en 2008, après dix ans de travaux, a été un événement majeur pour la ville. Situé dans le jardin des Plantes, au sud des allées Jules-Guesde qui marquent la limite de la ville historique, ce musée expose de très importantes collections d'histoire naturelle, et plus particulièrement d'ornithologie, de préhistoire et d'ethnographie. Ses collections comptent 2,5 millions de pièces au total.

L'arrivée dans le majestueux hall d'accueil du Muséum donne le ton, avec le squelette reconstitué d'un *Quetzalcoatlus*, le plus grand reptile volant connu – plus de 12 m d'envergure – qui plane au-dessus d'un éléphant d'Asie naturalisé. L'exposition permanente s'articule autour de cinq grands espaces, respectivement dédiés à la Terre, au vivant, à l'histoire de la vie à travers le temps, aux grandes fonctions du vivant et, enfin, au futur. Tout au long de son parcours, le visiteur est amené à s'émerveiller, s'interroger et prendre conscience de sa responsabilité dans le devenir de la planète.

Le premier espace, consacré à la **Terre**, fait voyager de l'infiniment petit (minéraux) à l'infiniment grand (le système solaire) et explique de manière vivante et pédagogique, à l'aide de nombreux écrans, toutes les forces à l'œuvre sur notre planète (activité sismique, volcanique, vent, eau…). Plusieurs surprises vous attendent : une plaque au sol – sur laquelle on stationne souvent sans méfiance… – se met à vibrer et reproduit les secousses d'un tremblement de terre. Plus perturbant encore, un film de quelques minutes déroule, sur trois grands écrans, le mouvement des plaques terrestres à travers le temps, de la naissance de la Terre jusqu'à nos jours, et se poursuit bien au-delà de notre ère…

On pénètre ensuite dans le monde du **vivant**. Suspendus au plafond, un squelette de baleine à phanons (authentique) et un calamar géant (faux, mais de taille réelle) dominent l'espace. Mais le « **mur des squelettes** » est peut-être ce qui vous captivera le plus : dans la courbe en verre qui sert de façade au Muséum, sont exposés des squelettes de toutes sortes. Ils ont la particularité d'être en situation dynamique, ce qui leur donne une allure étonnamment vivante : vous verrez – ou essaierez de reconnaître, la tâche n'est parfois pas facile ! – un homme sur un cheval, un lion sautant sur une gazelle, un ours qui se gratte le dos, un chat essayant d'attraper un oiseau, etc.

Dans l'espace « Classer pour connaître », vous découvrirez, au travers d'une belle installation lumineuse, « l'arbre de vie phylogénétique », qui correspond à la nouvelle classification enseignée aujourd'hui à l'école. Cet arbre représente les liens entre les êtres vivants et les classe par acquisition : les parentés sont souvent surprenantes ! Ici, les explications d'un médiateur sont particulièrement bienvenues, d'autant que les salles suivantes (« l'Ordre du vivant ») sont organisées selon ce principe. Mais si vous êtes pressé, nul besoin de grandes connaissances scientifiques pour apprécier le spectacle. Végétaux, insectes, papillons, coquillages, poissons, mammifères naturalisés (ours, hippopotame…) : toutes ces vitrines constituent un véritable plaisir des yeux.

La visite se poursuit à l'étage. Une fois gravi « l'Escalier du **Temps** », le visiteur se retrouve propulsé 3,8 milliards d'années en arrière. Chaque couloir correspond à une période donnée. Fossiles, vertébrés marins, squelettes de dinosaures puis de mammifères nous ramènent progressivement à notre histoire récente. La salle « les derniers venus » nous rappelle – ou nous apprend – que l'homme n'est pas le dernier arrivé sur Terre… L'avant-dernière salle, où l'on déambule librement, est consacrée aux **grandes fonctions du vivant** : se déplacer, se nourrir, se protéger, s'informer et se reproduire. Elles sont illustrées par les collections d'ethnographie du Muséum.

La visite se termine par un tableau de bord sur l'état de santé actuel de la Terre, nous projetant en même temps dans le **futur**. Sur tout un mur, techniques multimédias et compteurs renseignent en temps réel sur des sujets aussi divers que l'évolution démographique, l'avancée de la désertification, la consommation des énergies renouvelables ou encore le nombre de décès du aux pesticides. L'exposition nous laisse face au choix suivant : participer, subir, comprendre, ignorer ou réagir ?

Deux espaces de restauration – le Moaï et le Noria – ont ouvert en 2008.

Prendre l'air après une visite aussi dense n'est pas du luxe : longeant le grand arc vitré du Muséum, le **jardin botanique Henri-Gaussen** invite à découvrir les plantes à travers leur relation à l'homme.

Au nord de la ville, le **site des Jardins du Muséum** (plan II B1) vient compléter les expositions du Muséum. Il se trouve au sein du parc de la Maourine, dans le quartier Borderouge. La visite commence sous une grande ombrière, et se poursuit par la découverte des « potagers du monde ». Par le « sentier oublié », on accède à une roselière, plan d'eau couvert de roseaux où viennent nicher des oiseaux. Tout autour de l'étang de la Maourine, des affûts permettent d'observer la biodiversité des espèces. *Entrée avenue Maurice-Bourges-Mounaury, métro ligne B arrêt Borderouge (15mn à pied ensuite) ou ligne de bus 36, arrêt Ségla.*

Jardins Plan I B3

Attenant au Muséum, le **jardin des Plantes**, conçu par Louis de Mondran, est un lieu de détente et de promenade où paradent quelques paons, mais aussi un lieu apprécié des enfants, regorgeant de jeux. On trouvera un peu plus au sud, vers l'extrémité des allées Frédéric-Mistral, le **monument de la Résistance** ; un jeu de lentilles ne distribue la lumière du soleil dans la crypte que le 19 août, jour anniversaire de la libération de Toulouse. Diaporama. ✆ 05 61 14 80 40 - tlj sf w.-end 10h-12h, 14h-17h - gratuit. Au 52 allée des Demoiselles, le **musée départemental de la Résistance et de la Déportation** relate les grands faits de la Résistance toulousaine et l'histoire de la Seconde Guerre mondiale. ✆ 05 61 14 80 40 - www.musee-resistance31. fr- ♿ - tlj sf dim. 9h30-12h, 14h-18h - fermé j. fériés - gratuit. L'angle nord-ouest du jardin des Plantes est occupé par la faculté de médecine et pharmacie.

Une passerelle fleurie débouche sur le **Grand Rond**, bel espace planté, et permet d'atteindre le **Jardin royal**, qui abrite une statue de Saint-Exupéry, en compagnie de son personnage, le Petit Prince.

★ **Musée Georges-Labit** Plan II BC2

En bordure du canal du Midi, 17 rue du Japon - ℘ 05 61 14 65 50 - www.mairie-toulouse.fr - ⅄ - tlj sf mar. 10h-18h (17h oct.-mai) - possibilité de visite guidée (1h15) - fermé j. fériés - 3 € (enf. gratuit), gratuit 1ᵉʳ dim. du mois.

Le musée est installé dans la villa mauresque où Georges Labit (1862-1899), collectionneur toulousain passionné par l'Asie, avait réuni les objets rapportés de ses voyages. Trois belles salles cloisonnées par des arcs outrepassés, typiquement mozarabes, présentent des sculptures khmères, chames, indiennes, du Gandhara (influence de la statuaire grecque) et des poteries Qing. Armures de guerriers japonais, masques de théâtre nô ainsi qu'une belle collection d'estampes japonaises et un fonds de photographies sur le Japon de Felice Beato (fin du 19ᵉ s.) attendent les amoureux du pays du Soleil-Levant. Au sous-sol, peintures portatives et statuettes en cuivre ou en laiton du Tibet et du Népal, antiquités égyptiennes : un sarcophage avec ses deux couvercles et la momie d'une femme, une multitude de répondants (petites statuettes représentant le défunt), des amulettes, une barque funéraire, etc.

Le musée possède une intéressante bibliothèque située dans un bâtiment, dans son jardin des plantes asiatiques et méditérranéennes, proche du canal du Midi.

QUARTIER SAINT-CYPRIEN

★ **Les Abattoirs (musée d'Art moderne et contemporain)**

Plan II B2 *76 allées Charles-de-Fitte (rive gauche de la Garonne). Métro St-Cyprien-République, bus n° 1 - ℘ 05 62 48 58 00 - www.lesabattoirs.org - ⅄ - merc.-vend. 10h-18h (dernière entrée 17h15), sam.-dim. 10h-19h (dernière entrée 18h15) - fermé lun., mar., 1ᵉʳ janv., 1ᵉʳ Mai et 25 déc. - possibilité de visite guidée (1h) - 6 € (– 18 ans 3 €), gratuit 1ᵉʳ dim. du mois.*

Pas de cris d'animaux ici, juste les magnifiques bâtiments de brique qui servaient autrefois d'abattoirs, aujourd'hui réhabilités pour recevoir le fonds d'art moderne et contemporain (plus de 2 500 œuvres) qui manquait tant à la capitale occitane. Divers courants artistiques nés après la Seconde Guerre mondiale sont représentés : expressionnisme abstrait, art brut, art informel, Gutai, arte povera, Support/Surface, figuration libre, etc. Les artistes ? Entre Antoni Tàpies, Pierre Soulages, Simon Hantaï, Lucio Fontana, Jean Dubuffet, Robert

Les Abattoirs (musée d'Art moderne et contemporain).
M.-H. Carcanague / MICHELIN

Morris ou Richard Baquié (et tous ne sont pas cités !), notre cœur balance… Au sous-sol, six mois par an, vous pourrez admirer le rideau de scène *La Dépouille du Minotaure en costume d'Arlequin* peint par Picasso en 1936 pour la pièce de Romain Rolland *Le Quatorze Juillet*, au théâtre du Peuple. Pour la beauté des lieux et l'inspiration suscitée par tant d'œuvres admirables, un endroit des plus recommandables. Ouverture en 2008 du restaurant-salon de thé L'Hémicycle dans les Abattoirs.

Attenant aux Abattoirs, le **jardin Raymond-VI** s'étend jusqu'à la Garonne. Notez le rempart médiéval qui enceint le parc et constitue l'un des rares éléments des fortifications du 16e s. encore debout à Toulouse. En 2010, un théâtre de verdure de 1 200 places devrait être construit sur les berges. La **passerelle Viguerie** permet de rejoindre l'hôtel-Dieu et offre une jolie vue sur la rive droite de la ville.

Le Château d'eau Plan II B2 (D)

1 pl. Laganne - ℰ 05 61 77 09 40 - www.galeriechateaudeau.org - tlj sf lun. 13h-19h (dernière entrée 18h30) - fermé j. fériés - 2,50 € (– 18 ans gratuit).

Les amateurs de photographie doivent absolument traverser le pont Neuf pour visiter cette tour de brique de 1823 posée sur la rive gauche de la Garonne ! Cet ancien château d'eau, désaffecté en 1870, qui signalait la station de pompage alimentant autrefois les 90 fontaines publiques de la ville (l'ancien appareillage hydraulique avec ses deux roues à aubes est encore visible à l'intérieur), abrite depuis 1974 une galerie créée à l'instigation du photographe toulousain Jean Dieuzaide : remarquables expositions temporaires permettant de présenter le fonds et centre de documentation consacré à la photographie, des origines à nos jours.

Derrière le château d'eau, en bord de Garonne, se déploie la **prairie des filtres**, vaste espace verdoyant planté de peupliers, de saulnes, et qui accueille de nombreux événements (festival Rio Loco, expositions…).

Hôtel-Dieu Plan II B2

Lieu de charité jusqu'au début du 15e s. avant de devenir hôpital, il recueillait et nourrissait les pauvres, les pèlerins, les malades. En témoigne la remarquable **salle des Pèlerins**, immense, tout en boiseries y compris le plafond. Aujourd'hui, il est classé par l'Unesco « Sur les chemins de Saint-Jacques-de-Compostelle ». Au-dessus de la porte menant à la chapelle, statue de saint-Jacques de Compostelle. Par le couloir au fond à gauche, on accède à la **salle des Colonnes**, qui tire son nom des colonnes de navires soutenant le plafond, où s'alignaient les lits des malades.

L'aile Viguerie abrite deux musées.

Musée d'Histoire de la médecine de Toulouse – ℘ 05 61 77 84 25 - www. musee-medecine.com - jeu., vend., dim. et certains j. fériés : 11h-17h - gratuit. C'est le plus grand et le plus ancien. Il comprend quatre salles dont l'ancienne pharmacie, avec ses mortiers, ses pots, ses balances… D'autres objets soulignent l'évolution des techniques et de l'enseignement médical dans les facultés toulousaines, aux côtés de portraits de bienfaiteurs ou d'illustres médecins.
Musée des Instruments de médecine – ℘ 05 61 77 82 72 - www.chu-toulouse. fr - jeu. et vend. : 13h-17h, 1er dim. du mois : 10h-18h - fermé j. fériés - gratuit. Il présente une collection d'objets contemporains (de la deuxième moitié du 19e s. à nos jours), issus de diverses spécialités : chirurgie, obstétrique…

QUARTIER DES AMIDONNIERS

Espace EDF Bazacle Plan II B2
À l'extrémité du quai St-Pierre, n° 11 - ℘ 05 62 30 16 00 - mar.-vend. (hors expositions temporaires) 14h-19h ; mar.-dim. 14h-19h (pendant les expositions temporaires) - fermé j. fériés et mois d'août - gratuit.
Cette centrale hydroélectrique occupe un site au bord de la Garonne (offrant l'une des plus belles vues de la ville) qui fut exploité par des moulins privés dès 1189. D'autres activités s'y développèrent : moulins à papier, tanneries, filatures, manufacture des tabacs (bâtiment aujourd'hui occupé par l'université). Il trouve sa vocation en 1890 : l'alimentation électrique de la ville. L'usine fonctionne encore aujourd'hui (on peut voir les machines à travers une baie vitrée, dans le hall d'accueil). Depuis 1989, une passe à poissons permet aux poissons migrateurs de continuer leur migration vers l'Océan sans être bloqués par la chaussée (digue) du Bazacle. Dans les souterrains, une vitre permet de les voir passer, de mai à juillet. L'usine a conservé son ancienne galerie d'amenée et trois chambres d'eau en brique qui abritaient les turbines ayant fonctionné jusqu'en 1972. L'une d'entre elles a été reconstituée. Le site sert également de lieu d'exposition.

Découvrir

LE PATRIMOINE AÉRONAUTIQUE ET SPATIAL

La « ligne » – Rien ne semblait prédestiner Toulouse à cette vocation aérienne, et pourtant la ville prit de l'importance entre les deux guerres comme base de la « ligne », la première ligne aérienne régulière exploitée au départ de France, grâce aux efforts déployés par des industriels comme Latécoère, des organisateurs comme D. Daurat, des pilotes comme Mermoz, Saint-Exupéry ou Guillaumet… Le 25 décembre 1918 a lieu le premier vol d'étude sur le parcours Toulouse-Barcelone. Dès le 1er septembre 1919, on inaugure la première liaison postale entre la France et le Maroc. Les appareils de type militaire relient Toulouse-Montaudran à Rabat, avec escales à Barcelone, Alicante, Málaga et Tanger. Le 1er juin 1925, Dakar est atteint. Les « défricheurs » opèrent en Amérique du Sud, et le 12 mai 1930 est la date de la première traversée commerciale de l'Atlantique sud par l'équipage Mermoz-Dabry-Gimié. Désormais, la liaison aérienne entre la France et l'Amérique du Sud devient réalité. L'hôtel du Grand Balcon, qui accueillait les pilotes à Toulouse, vient de rouvrir ses portes (voir Se promener p. 92).
L'après-guerre : les succès d'une technologie – Après la Seconde Guerre mondiale et le premier vol d'essai du Leduc 010, prototype des appareils à

La Cité de l'espace.
M.-H. Carcanague / MICHELIN

très haute vitesse (21 avril 1949), quatre grands projets ont contribué à relancer l'aéronautique française et européenne. Deux avions militaires (Transall et Breguet Atlantic) et deux civils (Caravelle et Concorde) permettent aux ingénieurs et bureaux d'études français d'affirmer leurs talents d'avionneurs, souvent en équipe avec leurs homologues anglais et allemands.

Le 1er mai 1959 marque le premier vol de Caravelle, sur l'itinéraire Paris-Athènes-Istanbul, premier avion de transport commercial à réaction. Dix ans plus tard, le 2 mars 1969, le pilote d'essai André Turcat effectue le premier vol aux commandes de « Concorde 001 », premier supersonique de transport commercial. Indéniables succès technologiques, ces deux projets civils n'ont pas connu le développement industriel escompté. L'échec commercial et financier de Concorde servira de leçon pour Airbus. Le 1er janvier 1970 voit la création d'Aérospatiale, regroupement de Nord-Aviation, Sud-Aviation et Sereb.

Le succès d'Airbus – Né de la volonté européenne (franco-anglaise tout d'abord, franco-allemande dès 1969 et espagnole à partir de 1987), Airbus Industrie est devenu en vingt ans le 2e constructeur aéronautique mondial, donnant ainsi au Vieux Continent le moyen de constituer, à partir d'un premier modèle réussi, l'A 300, une gamme complète d'avions de 150 à 330 places. Fruit de la ténacité de trois hommes, Roger Béteille, coordinateur des travaux du projet Airbus, Henri Ziegler, administrateur-gérant d'Airbus Industrie, et Franz-Joseph Strauss, président du conseil de surveillance, ce qui au départ ressemblait un peu à une aventure s'est transformé en une industrie d'importance mondiale s'imposant sur tous les continents.

Au moment du développement de la famille Airbus, la collaboration franco-américaine entre la Snecma et General Electric a donné naissance, en 1981, au moteur CFM-56, l'un des moteurs d'avion les plus vendus au monde.

Le succès d'Airbus réside en grande partie dans la volonté de toujours proposer un avion qui réponde aux besoins du client. Il est aussi dû à une impressionnante série de progrès technologiques comme l'apparition des commandes de vol électriques, la mise au point d'une voilure aérodynamique très performante, le dessin d'un poste de pilotage prévu pour deux membres d'équipage grâce à un système de gestion de vol entièrement nouveau. Le dernier-né des long-courriers, l'A 380 (555 passagers) est assemblé, comme les autres, dans l'usine toulousaine, renforçant ainsi la prééminence de l'aéronautique toulousaine en Europe et sa présence dans le monde.

Airbus Visit

À Blagnac, dans la banlieue ouest de Toulouse. Rocade direction Blagnac Aéroport, sortie 4 - Village Aéroconstellation - R. Franz-Josef-Strauss - ☎ 05 34 39 42 00 - www.taxiway.fr - ♿ - visite guidée sur réserv. (1 mois à l'avance) au service réserv. de Taxiway - papiers d'identité obligatoires - fermé dim. et j. fériés - circuit Lagardère-A 380 : 14 € (+ 6 ans 11 €), suppl. Concorde 4,50 € (+ 6 ans 3 €) ; circuit Mach 2 : 11 € (+ 6 ans 9,50 €) ; circuit Lagardère + Mach 2 : 22,50 € (+ 6 ans 18,45 €).

Le **circuit J.L. Lagardère** démarre par une présentation du programme A 380. Un bus vous conduit ensuite sur le site Jean-Luc-Lagardère où différents exemplaires du long-courrier sont assemblés et testés (postes « essais généraux »), à 20 m du sol. Vue panoramique depuis la passerelle d'observation. En complément, une visite guidée vous permet de monter à bord du premier Concorde (n° 1). 2009 a fêté les 40 ans du premier vol du Concorde.

Le **circuit Mach 2** se consacre exclusivement à l'avion de légende : après le Concorde n° 1, vous découvrirez le Concorde n° 9, qui a été le dernier Concorde à avoir volé en France. Vous pouvez combiner les deux circuits.

Le site Clément-Ader n'est accessible qu'aux groupes scolaires.

★ Cité de l'espace Plan II C2

Au parc de la Plaine, en bordure de la rocade est - av. Jean-Gonord - ☎ 0820 377 223 (N° Indigo 0,12 €/mn) - www.cite-espace.com - ♿ - du 3 au 19 juil. : tlj 9h30-18h ; du 20 juil. au 23 août : tlj 9h30-19h ; reste de l'année : 9h30-17h, w.-end 9h30-18h ; vac. scol. : 9h30-18h - possibilité de visite guidée (1h) - fermé 3 sem. en janv., lun. (hors vac. scol.) - 19,50-22 € selon sais. (5-15 ans 13 € - 14,50 € selon sais.), suppl. 4,90 € (5-15 ans 3,90 €) visite guidée. Huit programmes de planétarium différents ; animations gratuites régulièrement proposées (programme dans le hall d'accueil) ; boutique et restaurant sur place.

Visible de loin grâce à sa fusée et à l'étonnante sculpture, due à Henri-Georges Adam (1904-1967), qui lui sert de bâtiment d'exposition, la Cité de l'espace se veut un lieu à la fois ludique et pédagogique de découverte, d'expérimentation et de compréhension de l'univers.

Dans le pavillon des expositions permanentes, sept thèmes d'**exposition** donnent un vaste aperçu de notre univers, de la Terre aux planètes les plus lointaines. « **Points de repère** » expose les théories qui ont jalonné l'histoire de l'espace. « **De la Terre à l'espace** » permet entre autres de lancer son propre satellite et d'assister aux étapes de lancement d'une fusée depuis la salle de contrôle à Kourou. « **Communiquer à distance** » recense tous les modes de communication par satellite (système GPS, balises Argos, visiophone, etc.). « **Observer la Terre** » montre des images par satellite de notre planète, notamment grâce au géoscope qui peut survoler la Terre à 250 km d'altitude. « **Vivre dans l'espace** » est consacré au quotidien des cosmonautes, soumis aux lois de l'apesanteur ; le visiteur peut expérimenter les sensations physiques éprouvées lors d'un décollage. « **Prévoir le temps** » donne la météo de tous les pays et même le temps qu'il faisait le jour de votre naissance. « **Explorer l'univers** » permet d'observer le mouvement des planètes grâce à des télescopes spatiaux.

Par le hall d'accueil, on accède au **Stellarium** équipé d'un écran hémisphérique et d'un simulateur astronomique. Sur l'écran est projeté « *Le chasseur* *dans le ciel »*, un conte où les 4-8 ans apprennent que l'on peut se repérer grâce aux étoiles.

Le **parc** est dominé par la maquette grandeur nature d'Ariane 5 (53 m de haut), avec sa table de lancement, réplique de celle qui se trouve à Kourou en Guyane. On y voit également la composition d'un lanceur (divers moteurs). Un passage aménagé sous la fusée mène à la **base des enfants**. Dans ce lieu de jeux interactifs, animé par les mascottes Marcus et Zap, les 6-12 ans deviennent tour à tour astronautes, ingénieurs et astronomes. Un peu plus loin est installé le **square des petits astronautes** pour s'entraîner à monter sur une fusée toboggan, à partir en mission dans une station-cabane et même à conduire une Jeep sur la Lune. Une allée mène à l'**Astralia**, le 6e continent, l'espace des spectacles en trois dimensions. Il comprend la salle Imax, dotée d'un écran haut comme un immeuble de 6 étages, et le planétarium.

De l'autre côté du parc se déploie le **Terr@dome**, un hémisphère de 25 m de diamètre à l'intérieur duquel effets spéciaux et images inédites font revivre près de 5 milliards d'années de la vie de notre planète. À côté, vous pourrez grimper à bord de la célèbre **station Mir** : il s'agit de la station grandeur nature qui a servi de modèle d'essai à la véritable station spatiale, lancée en 1986 et détruite en 2001. La visite permet de se faire une idée de la vie et du travail des cosmonautes qui l'ont habitée. On peut prendre place à bord de la capsule russe Soyouz.

Difficile de retourner sur Terre après ce voyage qui ne pourra que fasciner tous ceux que l'astronomie et la conquête de l'espace passionnent.

Touch and go, visite des coulisses de l'aéroport Plan II A1

À Blagnac, aéroport d'avions d'affaires - ☎ *06 08 67 72 84 - www.touchandgo. fr - lun.-sam. visite guidée (1h30) sur RV - fermé dim. et j. fériés - 12 € (– 10 ans 6 €).*

👥 Jean-Luc Perez a quitté l'Éducation nationale et transmet maintenant sa passion des avions et de leur monde. Il vous fera découvrir la vie quotidienne d'un aéroport et tous les métiers qui le font vivre : des pompiers effrayant les oiseaux sur les pistes aux mécaniciens et météorologues.

À proximité Carte de la microrégion

Canal de Garonne A1

◐ *Long de 193 km, le canal de Garonne, anciennement nommé canal latéral à la Garonne, s'étend au nord-ouest, de Toulouse à Castets-en-Dorthe. Informations sur les possibilités de randonnées pédestres ou cyclistes auprès du Comité départemental de Haute-Garonne.* ☎ *05 61 99 44 00.*

Moins couru que le canal du Midi qu'il prolonge à partir du bassin de l'Embouchure à Toulouse, le canal de Garonne traverse, en lisière des pays du Frontonnois et de Lomagne, une région pittoresque riche en vignes et vergers. Un itinéraire insolite de 20 km, au départ de Toulouse, a été ouvert au public en septembre 2002. Ce parcours jalonné d'écluses permet aux cyclistes de rejoindre le département du Tarn-et-Garonne, au nord. Il offre également l'occasion de faire des randonnées intéressantes.

Grenade A1

◐ *33 km au nord-ouest de Toulouse par la D 902.* Bastide fondée en 1290 par Eustache de Beaumarchés et l'abbaye de Grandselve. Le toit de la halle est soutenu par des piliers massifs et rapprochés. On s'arrêtera à Grenade par gourmandise (ses vergers sont réputés) ou pour visiter son église (14ᵉ s.-15ᵉ s.), majestueux édifice de l'école gothique toulousaine, remarquable par l'ordonnance régulière de ses trois nefs et son clocher de brique, haut de 47 m, inspiré de celui des Jacobins de Toulouse.

Château de Merville A1

▶ *20 km au nord-ouest de Toulouse par la D 902 en direction de Grenade ; 6 km après Seilh, prendre à gauche la D 87ᴬ· Le château est à droite à l'entrée du village. La visite du château (visite guidée de 1h) est une option, obligatoirement combinée avec le labyrinthe. Château :* ℘ *05 61 85 67 46 - www.chateau-merville.com ; labyrinthe :* ℘ *05 61 85 32 34 - www.labyrinthedemerville.com ; dernière entrée 1h30 av. fermeture - juil.-août : 10h30-19h30 ; mai-juin et sept. : w.-end et j. fériés 10h30-19h30 - fermé nov.-avr. - 8,90 € (4-11 ans 6,90 €) labyrinthe seult ; 3,50 € (2 € enf.) château à partir de 14h.*

Cette « maison de campagne » fut construite de 1750 à 1759 à l'emplacement de deux maisons fortes par le marquis de Chalvet-Rochemonteix, grand sénéchal de Toulouse. Les deux façades de brique sont percées de nombreuses fenêtres, suivant le goût de l'époque. Le rez-de-chaussée s'ouvre sur un hall donnant sur une enfilade de pièces : salon d'été, d'un style très frais avec ses 18 panneaux peints d'après des « chinoiseries » de Boucher, salon d'hiver, bureau tendu de tapisseries de la fin du 16ᵉ s. ayant pour thème la guerre de Troie, chambre (lit à baldaquin) et salle à manger d'apparat. Chaque pièce est meublée et décorée d'époque ; toutes s'ouvrent sur une belle terrasse dominant le parc paysager.

🚶 Bordé à l'est par une grande perspective de pelouses avec un bassin central, le jardin de buis se transforme au printemps (et jusqu'à l'été) en **Labyrinthe des Merveilles** (6 km d'allées palissées). Un livre des sorts est remis à chaque visiteur, détaillant le parcours et les missions à accomplir pour parvenir aux quatre jardins de plantes magiques. Un parcours pédagogique et ludique jalonné d'énigmes, de jeux d'eau et d'obstacles à franchir : miroirs déformants, rivière magique, photos géantes en trompe-l'œil… À vous de jouer ! *Possibilité de visite guidée l'apr.-midi (45mn).*

Château de Larra A1

▶ *25 km au nord-ouest de Toulouse. De Merville (5 km), prendre la D 87ᴬ au nord-ouest. Traverser la D 17 puis tourner à droite dans la D 87. Une route à gauche mène à Larra -* ℘ *05 61 82 62 51 - visite guidée (30mn) juin-sept. : tlj sf lun. et mar. 15h-18h ; de mi-mars à fin mai et de déb. oct. à mi-nov. : w.-end et j. fériés 15h-18h - fermé de déb. déc. à mi-mars - 5 € (enf. gratuit) - parc 3 €.*

Cette grande demeure en brique et de plan carré fut construite au 18ᵉ s. par Guillaume Cammas, architecte de la façade du Capitole à Toulouse, pour le parlementaire de Tournier. La façade principale s'ouvre sur un vaste hall et un escalier à rampe en fer forgé décoré de portraits de famille. Toutes les pièces portent de beaux stucs blancs ou peints en couleur. Le salon, dont chaque dessus-de-porte est orné de copies des *Fêtes galantes* de Boucher, donne sur le jardin agrémenté d'un parterre de buis en forme de fleur de lys et de quatre fontaines. Un grand parc de 15 hectares aux allées bordées de buis centenaires prolonge le château.

African Safari A1-2

▶ *À Plaisance-du-Touch, à 14 km au sud-ouest de Toulouse - 41 r. des Landes -* ℘ *05 61 86 45 03 - www.zoo-africansafari.com - avr.-sept. : 9h30-20h (dernière entrée 18h30) ; oct.-mars : 10h-18h (dernière entrée 17h30) - 12,50 € (2-10 ans 8,50 €).*

👥 Un petit safari vous tente ? La visite débute par un circuit en voiture en charmante compagnie au milieu des lions, zèbres et autres watusis aux cornes si imposantes… Le reste du zoo se découvre à pied. Au rendez-vous : félins, loups, mais aussi singes, kangourous, spectacle d'otaries… tous dans des enclos, bien entendu.

Muret A2

▶ *16 km au sud de Toulouse par la voie express.* Qui penserait que Muret fut la place forte d'où sortirent le 12 septembre 1213 les trois corps de bataille des croisés de Simon de Montfort en guerre contre Raimond VI de Toulouse et Pierre II d'Aragon. En quelques heures, le grand rêve d'un royaume méditerranéen sous la houlette du roi d'Aragon s'effondra et les troupes de Raimond VI furent balayées de la plaine. Dans la chapelle du Rosaire de l'**église Saint-Jacques** (12e s., *bas-côté gauche*) où saint Dominique se serait retiré en prière au matin de la bataille de Muret, remarquez les voûtes de brique enrichies de belles clefs. Dehors, un soldat de pierre attend toujours l'issue de la bataille. Deux monuments au bord de la route de Seysses (*D 12*), à 1 km au nord, commémorent cette bataille historique (inscriptions en occitan).

Le jardin **Clément-Ader**, à cheval sur la Louge, est consacré aux pionniers de l'aviation et, en premier lieu, au souvenir de Clément Ader (1841-1925) : une grande statue d'*Icare s'essayant au vol*, par Landowski, évoque le premier envol de l'*Éole*. Natif de Muret, ce génial inventeur baptisa « avion » ses modèles successifs. Il construisit d'abord un drôle d'engin, l'*Éole*, qui, le 9 octobre 1890, se souleva du sol sur une cinquantaine de mètres, au grand étonnement de l'assistance. Plus tard, son *Avion III* fut balayé par le vent lors d'une séance d'essai, si bien que les pouvoirs publics cessèrent de financer ses recherches.

Itinéraire conseillé

▶ Circuit La plaine du Lauragais, au départ de Toulouse, le long du canal du Midi *(voir p. 125)*.

NOS ADRESSES À TOULOUSE

TRANSPORTS

Parkings gratuits – Des parkings gratuits sont à votre disposition aux stations de métro ci-dessous : Sur la ligne A : Basso-Cambo, Arènes, Jolimont, Argoulets, Balma Gramont. Ligne B : Borderouge, La Vache, Ramonville. Ces parkings sont réservés aux usagers munis d'un ticket validé dans le bus ou le métro dans le délai de la correspondance de 60 mn.

Transports en commun – L'agglomération toulousaine est dotée d'un large réseau de transports en commun : elle compte 67 lignes de bus et 2 lignes de métro. Il est possible de laisser gratuitement sa voiture dans les « parkings d'échange », puis de prendre le métro ou le bus. Un ticket jaune *(1,40 € l'unité)* permet de voyager avec correspondances durant 60mn sur l'ensemble du réseau ; l'AR *(2,50 €)* donne droit à deux déplacements au cours d'une même journée ; tickets journaliers *(4,20 €)* et abonnements sont également disponibles. La navette électrique Tisséo dessert gratuitement le centre-ville (pour la trouver, suivre la ligne rouge au sol). Pour tout renseignement complémentaire : *Allô Tisséo -* 📞 *05 61 41 70 70 - www.tisseo.fr.*

Aéroport Toulouse-Blagnac – Vols réguliers Paris-Toulouse, liaisons avec les autres grandes villes : Lille, Lyon, Marseille, Strasbourg, Rennes… *Informations et réservations -* 📞 *0825 380 000 - www.toulouse-aeroport.fr.*

Navette aéroport – Une navette relie l'aéroport Toulouse-Blagnac au centre-ville. Départ toutes les 20mn. 📞 *05 34 60 64 00 - www.navette-tisseo-aeroport.com.*

Vélo – Depuis 2007, Toulouse s'est équipée de plus de 200 stations « VélôToulouse ». Droit d'accès : 1 € pour 24h. Il suffit de vous rendre à une borne, muni d'une carte bancaire à puce. *www.velo.toulouse.fr.*

Passeports Musées de Toulouse – Pour les Jacobins, les musées St-Raymond, Paul-Dupuy, Georges-Labit et des Augustins, il existe un passeport donnant droit à 3 entrées *(6 €)* et un autre donnant droit à 6 entrées *(9 €)*. En vente à l'accueil des musées. Par ailleurs, l'entrée aux musées est gratuite le 1er dim. de chaque mois.

City Card - « Toulouse en liberté » – Carte annuelle et nominative, offrant plus de 250 réductions sur les sites à visiter, les excursions, les boutiques, les restaurants, les centres de remise en forme, les hôtels, les festivals, les loisirs, les locations de voiture. 10 € (– 18 ans 5 €). Il existe une carte famille *(25 € pour 2 adultes et 2 enfants)*.

Le petit train touristique – Balade commentée (40mn) à travers le centre historique. 📞 *05 62 71 08 51 ou 06 83 28 14 00 - juin-sept. : 10h30, 11h15, 14h, 14h45, 15h30, 16h15, 17h, 17h45, 18h30 - hors sais. : merc., sam., dim. et vac. scol. - 5 € (– 12 ans 3 €).*

Visite en cycloville – Une manière originale de découvrir le cœur de la Ville rose, ses monuments et ses ruelles typiques, à bord d'un tricycle électrique. Circuit de 1h à partir du Capitole. Un autre circuit longe le canal de la Garonne depuis le port St-Sauveur.

Forfaits courts séjours Toulouse Festivals – Une vingtaine de formules et de thématiques (cinéma, arts plastiques, danse, humour, musique classique) sont proposées. Elles comprennent l'hébergement (1 à 4 nuits), des entrées au festival et la carte City Pass. Renseignements à l'office de tourisme. *℘ 05 61 11 02 22 - www. toulouse-tourisme.com.*

Plan lumière – De nombreux sites et monuments sont éclairés la nuit (selon la période) : le pont Neuf, la basilique St-Sernin, le donjon du Capitole, la chaussée du Bazacle… Autant de joyaux qui se dévoilent sous un autre angle, d'autres couleurs, offrant au promeneur un somptueux tableau. Un plan du réseau est disponible à l'office de tourisme. *℘ 05 61 11 02 22   www.toulouse-tourisme.com.*

Ophorus – *℘ 05 61 57 51 39 - www.ophorus.com.* Visite de Toulouse et des principales villes de la région en véhicule 8 places avec chauffeurs-guides expérimentés.

HÉBERGEMENT

PREMIER PRIX

Hôtel Boréal – *20 r. Caffarelli - M° Jean Jaures - ℘ 05 61 62 57 21 - www.hotel-boreal.fr - 24 ch. 65/75 € - � 9 €.* Idéalement situé entre la gare et la place Wilson, cet hôtel vient d'être entièrement rénové. Façade de briques roses, vaste hall à la décoration très contemporaine et sur trois étages, des chambres d'ampleur variable, mais toujours confortables. Excellent rapport qualité-prix et accueil sympathique.

Hôtel Albert 1er – *8 r. Rivals - ℘ 05 61 21 17 91 - www.hotel-albert1.com - 47 ch. 65/123 € - ⊡ 10 €.* Adresse très pratique pour sillonner à pied la Ville rose. Préférez les chambres joliment relookées ; celles sur l'arrière sont plus calmes.

BUDGET MOYEN

Hôtel de l'Ours Blanc-Place Victor-Hugo – *25 pl. Victor-Hugo - ℘ 05 61 23 14 55 - www.hotel-oursblanc.com - 38 ch. 75/85 € - ⊡ 8 €.* Cet établissement situé face au marché Victor-Hugo abrite des chambres climatisées et insonorisées ; simples et de bon confort, elles ont été récemment rafraîchies. La salle des petits-déjeuners est lumineuse et agrémentée de tableaux.

Hôtel de Brienne – *20 bd du Mar.-Leclerc - ℘ 05 61 23 60 60 - www.hoteldebrienne.com - 70 ch. 70/95 € - ⊡ 11 €.* Chambres colorées et impeccablement tenues, nombreux espaces de travail et de détente (bar-bibliothèque, patio) : une adresse appréciée par la clientèle d'affaires.

Hôtel Athénée – *13 bis r. Matabiau - ℘ 05 61 63 10 63 - www.athenee-hotel.com - 35 ch. 99/147 € - ⊡ 11 €.* Sobre bâtiment situé à 500 m de la basilique St-Sernin. Chambres fonctionnelles rehaussées de couleurs gaies. Pierres et briques habillent les murs du salon.

Hôtel de l'Ours Blanc-Centre – *14 pl. Victor-Hugo - ℘ 05 61 21 25 97 - www.hotel-oursblanc.com - 44 ch. 85 € - ⊡ 7 €.* Emplacement privilégié pour cet hôtel proche des lieux les plus en vue. Petites chambres fonctionnelles climatisées, double vitrage efficace, entretien régulier…

Hôtel Castellane – *17 r. Castellane - ℘ 05 61 62 18 82 - www.castellanehotel.com - 53 ch. 76 € - ⊡ 8 €.* Accueil sympathique dans cet hôtel ordonné autour d'un patio. Chambres simples et rénovées, parfois dotées de terrasses ; certaines conviennent particulièrement aux familles.

Hôtel St-Claire – *29 pl. N. Bachelier* - ℰ *05 34 40 58 88* - *www.stclairehotel.fr* - *16 ch. 81/138 €* - ☖ *9 €*. À deux pas de la place Wilson, ce petit hôtel entièrement rénové propose des chambres élégantes, claires et reposantes. La décoration est inspirée du feng shui. Accueil très sympathique. Tarifs préférentiels à certaines dates (69 € pour une chambre double le w.-end, se renseigner). Bon petit-déjeuner buffet.

POUR SE FAIRE PLAISIR

Chambre d'hôte Les Loges de St-Sernin – *12 r. St-Bernard* - Mᵒ *Jeanne-d'Arc* - ℰ *05 61 24 44 44* - *www. dormiratoulouse.net* - *fermé 2ᵉ quinz. d'août et 20-30 déc.* - *4 ch. 120 €* ☖. À deux pas de la basilique St-Sernin, cet immeuble en briques roses abrite au troisième étage quatre superbes chambres d'hôte. Décoration raffinée mariant à merveille l'ancien (cheminée en marbre, parquet) et confort moderne (salle de bain design, luminaires). Une étape privilégiée en plein centre de Toulouse.

Hôtel des Beaux-Arts – *1 pl. du Pont-Neuf* - ℰ *05 34 45 42 42* - *www.hoteldesbeauxarts. com* - *19 ch. 110/250 €* - ☖ *16 €*. Maison du 18ᵉ s. aménagée avec goût aux chambres douillettes et raffinées. La plupart ont vue sur la Garonne et la nᵒ 42 possède un atout supplémentaire : une miniterrasse.

Hôtel Mermoz – *50 r. Matabiau* - ℰ *05 61 63 04 04* - *www. hotel-mermoz.com* - *52 ch. 125/140 €* - ☖ *15 €*. Rénové par étape, le décor de l'hôtel évoque sobrement les héroïques pilotes de l'Aéropostale : chambres aux tons acidulés, verrière ou terrasse arborée pour le petit-déjeuner.

UNE FOLIE

Hôtel Le Grand Balcon – *8 r. Romiguières* - ℰ *05 34 25 44 09* - *www.grandbalconhotel. com* - *47 ch. 185/390 €* - ☖ *22 €*. À deux pas du Capitole, cet hôtel légendaire, qui accueillit des aviateurs célèbres tels Saint-Exupéry ou Mermoz, sera pour vous un véritable havre de paix. Les différentes chambres et suites aménagées dans des styles variés – cosy, tendance…–, les salons, le bar et la salle de restaurant vous enchanteront par leur élégance.

RESTAURATION

🕭 **Bon à savoir** – Au Muséum d'histoire naturelle, vous trouverez un restaurant tenu par le chef Gérard Garrigues. Le lieu s'appelle le Moaï, en référence aux statues de l'île de Pâques.

PREMIER PRIX

La Régalade – *16 r. Gambetta* - ℰ *05 61 23 20 11* - *fermé 3 sem. en août et w.-end.* - ♿ - *formule déj. 11 €* - *12/27 €*. Entre le Capitole et la Garonne, petit restaurant abrité derrière une jolie façade de briques roses. L'intérieur est plaisant : poutres apparentes, exposition de toiles contemporaines, mobilier en bois et chaises bistrot. Copieuse cuisine traditionnelle et régionale.

J'Go – *16 pl. Victor-Hugo* - ℰ *05 61 23 02 03* - *www.lejgo. com* - *fermé 1ᵉʳ janv., 24 et 31 déc.* - *formule déj. 13 €* - *16/30 €*. Un décor qui rend hommage à la région (nombreuses photos et affiches dédiées aux mondes du rugby et de la corrida), une cuisine du terroir évoluant avec les saisons et une ambiance conviviale… Une adresse prisée par les Toulousains, particulièrement animée à l'heure de l'apéritif.

BUDGET MOYEN

L'Envers du Décor – 22 r. des Blanchers - ℘ 05 61 23 85 33 - www.enversdudecor.info - fermé lun. (sauf juil.-août) et dim. - formule déj. 11,50 € - 18/30 €. Cuisine du Sud-Ouest avec quelques parfums exotiques, telle est l'affiche de ce restaurant d'une petite rue animée à deux pas de la Garonne.

La Madeleine de Proust – 11 r. Riquet - ℘ 05 61 63 80 88 - www.madeleinedeproust.com - fermé 3 sem. en août, lun. et dim. - formule déj. 13,50 € - 23,50/27,50 €. Une adresse originale que ce restaurant décoré sur le thème des souvenirs d'enfance. Murs jaunes patinés, tables cirées, jouets anciens, bureau d'écolier, vieux buffet… : le décor est ici particulièrement recherché. La cuisine met en vedette des légumes oubliés.

Le Mangevins – 46 r. Pharaon - ℘ 05 61 52 79 16 - fermé août et w.-end - 18,40/40 €. Dans ce bouchon toulousain où le foie gras au sel et la pièce de bœuf se vendent au poids, l'ambiance est paillarde, très décontractée, avec chansons à l'appui. Pas de menu, mais une carte immuable pour les solides appétits. Amateurs d'intimité, passez votre chemin.

Le Châteaubriand – 42 r. Pargaminières - ℘ 05 61 21 50 58 - www.restaurant-lechateaubriand.com - fermé sam. midi et dim. - formule déj. 13 € - 19,50/28 €. Il règne une ambiance fort sympathique en ce petit restaurant du vieux Toulouse. L'intérieur est cosy : parquet au sol, murs en briques rouges, immense miroir et plantes vertes. Au menu, plats du Sud-Ouest – goûtez le cassoulet – et côte de bœuf.

Colombier – 14 r. Bayard - ℘ 05 61 62 40 05 - www.restaurant-lecolombier.com - fermé dern. sem. de juil., 2 sem. déb. août, 1 sem. à Noël, sam. midi, dim. et j. fériés - ᕖ - formule déj. 17 € - 22/49 €. À Toulouse, un pèlerinage culinaire passe forcément par le Colombier, véritable temple du cassoulet fondé en 1874. Belle salle à manger avec briques roses, galets de la Garonne, fresque à thème gargantuesque et mise en place soignée. Service souriant et décontracté.

La Cave des Blanchers – 23 r. Blanchers - ℘ 05 61 22 47 47 - fermé de mi-déc. à mi-janv., lun. et dim. - ᕖ - 18/26 €. Une adresse sympathique située dans une rue jalonnée de restaurants et très animée le soir. Jolie salle installée dans une cave voûtée en briques roses. La cuisine, à base de produits régionaux, prend parfois des saveurs sucrées-salées.

Michel, Marcel, Pierre et les Autres – 35 r. Rémusat - ℘ 05 61 22 47 05 - www.michelmarcelpierre.com - fermé 10-18 août, dim. et lundi - formule déj. 16 € - 20 € bc. Convivialité garantie dans ce bistrot dont l'enseigne évoque un film de C. Sautet. Diffusion de matchs de rugby, maillots de sport accrochés aux murs et recettes du marché.

Rôtisserie des Carmes – 38 r. Polinaires - ℘ 05 61 53 34 88 - http://rotisseriedescarmes.cartesurtables.com - fermé août, 24-27 déc., 31 déc.-3 janv., sam., dim. et fériés - formule déj. 16 € - 21/31 € bc. Voisinage du marché des Carmes oblige, la petite carte et le menu du jour évoluent selon les arrivages. Le truculent patron officie dans une cuisine offerte à la vue de tous.

7 Place St-Sernin – 7 pl. St-Sernin - ℘ 05 62 30 05 30 - www.7placesaintsernin.com - fermé sam. midi et dim. - formule déj. 20 € - 26/75 € bc. Dans les murs d'une « Toulousaine » typique, restaurant aux flamboyantes couleurs, élégamment aménagé et égayé de toiles contemporaines. Plats au goût du jour.

Le Bellevue – *1 av. Pyrénées - 31120 Lacroix-Falgarde - ☏ 05 61 76 94 97 - fermé 2-8 mars, 15 oct.-15 nov., merc. de sept. à avr. et mar. -* 🅿 *- formule déj. 19 € - 28/39 €.* Ancienne guinguette entourée de verdure bordant l'Ariège. Aux beaux jours, la grande terrasse à fleur d'eau a beaucoup de succès. Plats traditionnels et spécialités du Sud-Ouest.

La Table des Merville – *3 pl. Richard - 31320 Castanet-Tolosan - ☏ 05 62 71 24 25 - www.table-des-merville.fr - fermé 12-20 avr., 26 juil.-16 août, 25 oct.-2 nov., 24 déc.-4 janv., dim. et lun. - formule déj. 15 € - 27/39 €.* L'appétissante cuisine de ce restaurant familial est concoctée en fonction des arrivages du marché… et à la vue de tous. Expo-vente de tableaux modernes. Un lieu séduisant.

POUR SE FAIRE PLAISIR

Brasserie Flo « Les Beaux-Arts » – *1 quai Daurade - ☏ 05 61 21 12 12 - www. brasserielesbeauxarts.com - formule déj. 23 € - 31 €.* Les Toulousains apprécient l'ambiance et le décor rétro de cette brasserie des bords de la Garonne, jadis fréquentée par Ingres, Matisse et Bourdelle. Carte très variée.

PETITE PAUSE

Maison Octave – *11 allée Franklin-Roosevelt - ☏ 05 62 27 05 21 - www. octave.eu - 12h-1h - fermé hors sais.* Une visite s'impose chez ce célèbre glacier toulousain qui met un point d'honneur à confectionner ses délices à partir de produits naturels de saison, sans colorants, stabilisateurs ni conservateurs : sorbets, crèmes glacées… Plus de trente parfums à déguster sur place ou à emporter pour fondre de plaisir.

EN SOIRÉE

😊 **Bon à savoir** – *Capitole infos* donne tous les renseignements concernant les spectacles et les manifestations culturelles. Consultez : *www.toulouse-tourisme.com* et le site de la mairie : *www.toulouse.fr.*

Au Père Louis – *45 r. des Tourneurs - ☏ 05 61 21 33 45 - fermé août.* Fondé en 1889 et classé Monument historique, ce bar à vins est une véritable institution. Le portrait du père Louis, fondateur de l'établissement, y trône en bonne place et son visage débonnaire orne les étiquettes des bouteilles. La dégustation se fait sur des tonneaux ventrus et, en soirée, un appétissant choix de tartines garnies est proposé pour combler les petits creux.

La Maison – *9 r. Gabriel-Péri - ☏ 05 61 62 87 22 - 17h-2h.* Décor éclectique (fauteuils dépareillés, éclairage tamisé et cheminées), tapas et charcuteries accompagnant apéritifs et cocktails, plaisante ambiance musicale : une vraie maison pour noctambules.

La cinémathèque de Toulouse – *69 r. du Taur - ☏ 05 62 30 30 10 - fermé août et j. fériés.* Fondée en 1950 par Raymond Borde, cette cinémathèque propose, outre des expositions en entrée libre et une bibliothèque axée sur le cinéma, des rendez-vous réguliers de rencontre avec les professionnels tels que « le métier du cinéma », des ciné-concerts (des mucisiens jouent en direct sur un film muet), une programmation spéciale pour les enfants… Durant le mois de juillet, des séances en plein air.

ACHATS

Rues commerçantes – Ce sont principalement les rues d'Alsace-Lorraine, Croix-Baragnon, St-Antoine-du-T., Boulbonne, des Arts et les zones piétonnes des rues St-Rome, des Filatiers, Baronie et de la Pomme. Un centre commercial, St-Georges, en plein centre-ville.

Boutique du Stade Toulousain – 75 r. d'Alsace-Lorraine - ℘ 05 61 21 67 81 - www.stadetoulousain.fr - lun. 14h-19h, mar.-sam. 10h-19h . Boutique officielle du Stade Toulousain, qui propose gadgets, parfum, maillots et autres vêtements au sigle du club.

Busquets – 10 r. Rémusat - ℘ 05 61 21 22 16 - tlj sf lun. mat. 9h45-12h45, 14h15-19h15 - fermé dim. et j. fériés. Vins du Sud-Ouest, foie gras, cassoulet, confit et autres spécialités régionales sont en vente dans cette boutique fondée en 1919 et qui fera le bonheur des amateurs de bonne chère.

Olivier Confiseur-Chocolatier – 33 r. du Rempart-Matabiau - ℘ 05 61 23 21 87 - http://chocolatsolivier.com - lun. 14h-19h, mar.-sam. 9h30-19h, dim. 10h-13h (sf été). Difficile de résister aux spécialités de ce maître chocolatier le plus ancien de France : capitouls (amandes enrobées de chocolat noir), Clémence Isaure (raisins à l'armagnac enrobés de chocolat noir), brindilles (nougatine enrobée de chocolat praliné), le Petit Béret (ganache au chocolat noir rehaussée d'écorces d'orange et de gingembre)…

⚭ Atelier du Chocolat de Bayonne – 1 r. du Rempart-Villeneuve - ℘ 05 61 22 97 67 -

www.atelierduchocolat.fr - tlj sf dim. 9h30-19h30, sam. 9h-19h30 - 6 € le parcours découverte « du cacaoyer au chocolat » suivi d'une dégustation - (– 12 ans 3 €). Dans cette boutique, tous les chocolats sont garantis 100 % pur cacao et sans ajout de matière grasse. Laissez-vous séduire par l'imagination du maître chocolatier qui crée chaque matin devant les clients ses plaques de chocolat : blanc, au lait, noir, aux amandes, aux noisettes, à la cannelle, à l'orange, au gingembre ou – la spécialité maison – au piment d'Espelette…

La Fleurée du Pastel – Hôtel Pierre-Delfau - 20 r. de la Bourse - ℘ 05 61 12 05 94 - www.bleu-de-lectoure.com - mar.-sam. 10h30-13h, 14h30-19h. L'authentique pastel de Lectoure est décliné dans de nombreux produits.

La Maison de la violette – Canal du Midi - face au 2 bd Bonrepos - ℘ 05 61 99 01 30 - www.lamaisondelaviolette.fr - tlj sf dim. 10h-12h30, 14h-19h - fermé 2e sem. de janv. La violette de Toulouse est la vedette de cette boutique installée sur une péniche décorée dans les tons pastel. La patronne, très accueillante, vous fera partager sa passion pour cette jolie fleur et vous proposera ses produits dérivés : parfums, liqueurs, confiseries, cosmétiques…

⚭Ombres Blanches – 50 r. Gambetta - ℘ 05 34 45 53 33 - www.ombres-blanches.fr - tlj sf dim. 10h-19h. La plus grande librairie de Toulouse proposant régulièrement des rencontres et des débats avec des écrivains. Vastes rayons voyages, littérature, sciences humaines, beaux-arts, jeunesse…

Librairie Privat – 14 r. des Arts - ℘ 05 61 12 64 20 - www.chapitre.com - lun.- sam. : 10h-19h - fermé le 1er Mai. C'est une véritable institution toulousaine : livres régionaux de qualité et grand choix d'ouvrages dédiés aux sciences de la Terre et à la médecine, sans oublier le pôle « Loisirs-voyages ».

Librairie des Arcades – *16 pl. du Capitole -* 𝄞 *05 61 23 19 49 - 5h-20h - fermé le dim.* Cette boutique spécialisée dans le 9e art propose un grand choix de bandes dessinées.

Marché campagnard –. Marché campagnard qui se tient autour de l'église St-Aubin le dimanche matin est le rendez-vous des petits producteurs qui viennent vendre leurs fruits et légumes et leurs volailles, certaines encore vivantes. D'octobre à mars, place du Salin, on trouve volailles et foies gras le mercredi et le vendredi matin.

Marché biologique –. Un marché biologique a lieu le mardi et le samedi matin place du Capitole.

Les Bouquinistes –.
Ils se réunissent le samedi place St-Étienne, de 9h30 à 18h, le jeudi place Arnaud-Bernard, le mercredi et le vendredi place du Parlement. Une brocante se tient les 1ers w.-ends du mois, allée Jules-Guesde.

ACTIVITÉS

Toulouse-Croisières - Le Capitole – *Quai de la Daurade -* 𝄞 *05 61 25 72 57 - www.toulouse-croisieres.com - juil.-sept. : 10h30, 11h45, 14h, 15h, 16h30, 18h ; mars-juin et oct. : 10h30, 15h, 16h30 - durée 1h15 ; croisières nocturnes : 14 Juil.-15 août (horaires : se renseigner) - fermé nov.-fév. - 8 € - (– 12 ans 5 €).* Pour une croisière commentée sur la Garonne ou sur le canal du Midi, embarquez à bord du bateau-mouche *Le Capitole*. Vous découvrirez le pont Neuf, le passage de l'écluse

Saint-Pierre, les berges sauvages de l'île du Grand-Ramier, le canal de Brienne… Une vraie récompense pour le regard.

Péniche « Baladine » – *Quai de la Daurade -* 𝄞 *05 61 80 22 26 ou 06 7 4 64 52 - www.bateaux-toulousains. com - Pâques-Toussaint : tlj à 10h50, 14h30, 16h et 17h30 pour croisière « été Canal » (1h15) et croisière « été Garonne » (1h15) ; juil.-août : nocturne croisière « cœur historique » (45mn) à 19h15, 20h45 et 21h45 - fermé 17 nov.-1er mars (ouv. tte l'année pour les groupes, se renseigner) - 8 €.*

L'Occitania – *Écluse Bayard, bd Bonrepos face à la gare Matabiau -* 𝄞 *05 61 63 06 06 - www.loccitania.fr - du mar. soir au dim. midi sur réservation.* Croisières gastronomiques au fil de l'eau (canal du Midi, canal de Brienne, Garonne).

Ile du Ramier-Parc toulousain – Aménagé dans une île de la Garonne, le Parc toulousain compte trois piscines de plein air et une piscine couverte, le Stadium, théâtre des exploits du Stade Toulousain, le parc des expositions et le palais des congrès.

Guide de pêche René Lamoure – *26 allée des Platanes - 31320 Péchabou -* 𝄞 *05 61 27 21 03 - www.eterlou.org.* Guide de l'École française de pêche et accompagnateur en montagne, René Lamoure vous propose des stages « truite » dans les Pyrénées, des randonnées d'un à quatre jours autour des lacs avec hébergement dans un confortable refuge.

AGENDA

C'est de la danse contemporaine – Fin janv.-déb. fév. Tour d'horizon de la création contemporaine.

Journées de la violette – 2e w.-end de fév. Production, vente, exposition… Pour se familiariser avec la fleur emblème de la Ville rose ! ☎ 05 61 11 02 22.

Zoom arrière – Déb. mars. Organisé par la cinémathèque de Toulouse. Le cinéma d'antan à partir d'un thème qui change chaque année.

Festival Flamenco – Mi-mars. La femme et le flamenco.

Printemps du rire – Fin mars - déb. avr. Un festival de l'humour pour se dérider à l'approche des beaux jours. ☎ 05 62 21 23 24 - www.printemps-du-rire.com.

Rencontres Cinémas d'Amérique latine – Fin mars - déb. avr. ☎ 05 61 32 98 83 - www.cinelatino.com.

Fête des œufs – Chaque année, lors du w.-end de Pâques, 50 000 œufs en chocolat sont cachés dans les jardins de buis du château de Merville. 6 € (enf 4 €)

Festam – Mi-mai. À découvrir à cette occasion l'art et la création de certains pays.

Le Marathon des mots – Mi-juin. Lectures et spectacles autour des mots. 05 61 99 64 01 - www.lemarathondesmots.com.

Festival Rio Loco ! – Fin juin. Les grands fleuves du monde s'invitent chez leur cousine la Garonne pour des concerts, échanges, fêtes et animations variées. ☎ 05 61 25 96 93 ou 05 61 25 99 15 - www.rio-loco.org.

Siestes électroniques – Fin juin-déb. juil. Musiques nouvelles. www.les-siestes-electroniques.com.

Festival Ravensare – En juil. Danse contemporaine et moderne, concerts, expositions. ☎ 05 61 25 78 42.

Festival Toulouse d'été – De mi-juil. à mi-août. Concerts de musique (tous styles) et spectacles de cirque à travers la ville (basilique St-Sernin, jardin Raymond-VI, hôtel d'Assézat, etc.). ☎ 05 62 27 60 71 - www.toulousedete.org.

Piano aux Jacobins – En sept. ☎ 05 61 22 40 05 - www.pianojacobins.com.

Le Printemps de septembre – Fin sept.-déb. oct. Festival de la photographie et des arts visuels. ☎ 01 43 38 00 11 - www.printempsdeseptembre.com.

Festival Occitania – Mi-sept.-fin oct. La création contemporaine occitane aujourd'hui.

Toulouse les Orgues – 1re quinz. d'oct. Festival international. ☎ 05 61 33 76 80 - www.toulouse-les-orgues.org.

Jazz sur son 31 – Oct. Créé par le conseil général il y a une vingtaine d'années, ce festival du jazz permet d'entendre un large panel d'artistes. ☎ 05 34 45 05 92 - www.jazz31.com.

Cinespaña – En oct. Hommage au cinéma espagnol. ☎ 05 61 12 12 20 - www.cinespagnol.com.

Séquence court-métrage – Fin nov.-déb. déc. À visionner plus de 200 films de tous genres, de 35 pays différents.

Marché de Noël – En déc. Place du Capitole.

Festival Diaz de Muret – Fin juin ou déb. juil. Ce festival vise à encourager la création dans les domaines de la poésie, de la musique, de l'artisanat d'art, du théâtre, du cinéma, de la danse…

Saint-Félix-Lauragais

1 348 Saint-Féliciens – Haute-Garonne (31)

NOS ADRESSES P. 123

S'INFORMER
Syndicat d'initiative de Saint-Félix-Lauragais – *Pl. Guillaume Nogaret - 31540 St-Félix-Lauragais - ℘ 05 62 18 96 99 - www.revel-lauragais.com - tlj 14h-18h.*

SE REPÉRER
Carte de la microrégion C2 *(p. 80)* – *carte Michelin Départements 343 J4.* À 10 km à l'ouest de Revel, non loin de Toulouse et du canal du Midi, Saint-Félix domine la riche plaine du Lauragais dont il fut la capitale.

ORGANISER SON TEMPS
Consacrez une bonne demi-journée à parcourir le pays du pastel.

Dans un site★ dominant la plaine du Lauragais, Saint-Félix est entré dans l'Histoire pour avoir été, en 1167, le siège du premier concile des cathares, au cours duquel ces derniers auraient organisé leur Église. Toujours est-il que ce village est fort sympathique... Surtout à Pâques durant la Fête de la cocagne, où jongleurs, personnages en costumes d'époque et jeux traditionnels sont au rendez-vous !

Se promener

Le village s'ordonne autour d'une place de caractère, la place Guillaume-de-Nogaret, pourvue d'une halle surmontée d'un beffroi.

Château

Édifié au 13ᵉ s. puis agrandi et remanié, il est entouré d'une agréable promenade qui procure des vues étendues à l'est sur la Montagne Noire, au pied de laquelle s'étend Revel *(voir La Montagne Noire)*. Au nord, on distingue le clocher de Saint-Julia et le château perché de Montgey. On comprend pourquoi les révolutionnaires avaient rebaptisé Saint-Félix « Bellevue » !

Église

Cette collégiale date du début du 14ᵉ s. ; sa voûte, incendiée, fut reconstruite au début du 17ᵉ s. On reconnaît à droite la sobre façade de la maison capitulaire. Le puits creusé dans le mur *(à gauche du portail d'entrée de l'église)* serait aussi profond que le beau clocher de style toulousain est haut, soit 42 m. L'intérieur est intéressant, en particulier pour l'élégance de l'abside à sept pans, éclairée de fenêtres à remplage trilobé. La nef est surmontée d'une voûte en bois

---

GUILLAUME DE NOGARET
Légiste saint-félicien, chancelier de Philippe le Bel, il fut l'âme damnée du roi capétien et l'exécuteur de ses basses œuvres. Grand pourfendeur des templiers, il saisit les biens des juifs de Toulouse après leur expulsion (1309) et tenta de prendre en otage le pape Boniface VIII qui voulait excommunier le roi !

peinte, du 18e s. Dans la 3e chapelle à droite, belle Vierge à l'Enfant en bois polychrome, du 14e s. Les orgues sont du 18e s.

Promenade
Non loin de l'église, un passage voûté y conduit : vue à l'ouest sur un paisible paysage de collines et de cyprès.

Itinéraires conseillés Carte de la microrégion

LA PLAINE DU LAURAGAIS 1

▷ *Pour visualiser ce circuit de 52 km qui longe le canal du Midi, de Toulouse au seuil de Narouze, voir Canal du Midi. Reportez-vous à la carte (p. 128) - compter environ 2h.*

LE PAYS DU PASTEL

▷ *Pour visualiser ce circuit de 80 km, reportez-vous à la carte (p. 80) – compter environ 2h. Quitter St-Félix au nord par la D 67.*

Saint-Julia C2
Ancienne ville « libre » fortifiée qui conserve des remparts et une église au curieux clocher-mur.
Rejoindre au nord la D 1 que l'on prend à droite vers Montégut-Lauragais. Tourner tout de suite à gauche en direction de Puéchoursi. À la sortie du village, prendre à droite.

Montgey C2
La **forteresse médiévale** de Montgey fut le cadre d'un des épisodes sanglants de la croisade des albigeois. Le comte de Foix y fit périr près de 6 000 croisés venus prêter main-forte à Simon de Montfort en 1211. En représailles, ce dernier fit raser la forteresse. Mais le château fut reconstruit et remanié aux 15e et 17e s.
De la terrasse, vue sur les coteaux du Lauragais. À l'ouest du château, beau parc planté de cyprès. 𝄐 05 63 75 75 81 - visite du parc uniquement - gratuit.
Rejoindre Aguts au nord-ouest par la D 45, puis prendre la D 92 au nord-est jusqu'à Puylaurens. Sortir de Puylaurens par la N 126 à gauche, puis emprunter la D 12 à droite vers Magrin.

★ Château de Magrin - musée du Pastel C1
𝄐 05 63 70 63 82 - www.pastel-chateau-musee.com - visite guidée (1h15) juil.-sept. : 10h-12h, 15h-18h ; janv.-déc. : dim. 15h-18h - 7 € (7-12 ans 5 €).
À l'écart du bourg, au sommet d'une butte, ce château (12e-16e s.) offre un splendide **panorama★** sur la Montagne Noire et les Pyrénées. Son musée permet de découvrir la culture du pastel et les divers stades de fabrication du bleu. Provenant d'une vieille ferme du village d'Algans, le **moulin pastellier**, intégralement reconstitué, se compose d'une énorme meule de granit (1,40 m sur 0,40 m) d'un poids de deux tonnes, d'une poutre transversale en chêne massif reposant sur des axes de fer et de deux timons d'entraînement en bois. Une exposition est consacrée à l'empire des Wisigoths de Toulouse au 6e s. (reproduction de sculptures, bustes de souverains, orfèvrerie et médaillons). Le 1er étage est réservé aux « princes du pastel », avec les comtes de Toulouse et les marchands enrichis par le commerce du pastel qui leur offrit les moyens financiers de bâtir leur palais. Sous verre sont disposées plante et cocagne.

LE PASTEL

Le grand bleu – Connu pour ses vertus médicinales depuis la plus haute Antiquité et encore utilisé de nos jours comme plante fourragère et mellifère, l'*Isatis tinctoria*, ou pastel, est la plante qui permet aux teinturiers d'obtenir toutes les nuances de bleu. Principalement cultivé sur le pourtour méditerranéen, le pastel atteignit une exceptionnelle densité de production dans un triangle ayant pour sommets Albi, Toulouse et Carcassonne. C'est au 14e s. que sa culture et son commerce connaissent un essor étonnant aux environs d'Albi. Le succès de l'expérience entraîne alors le développement de la production d'*Isatis* vers le sud, pour atteindre le Lauragais. Au 15e s., quelques riches Toulousains intensifient la culture du pastel dans leurs domaines en y ajoutant des moulins pastelliers permettant d'obtenir, à partir des feuilles broyées, une pâte presque homogène qui, distribuée en piles et laissée en fermentation quelques jours, donnera les si précieuses cocagnes, coques de pastel. Celles-ci subissent un traitement complémentaire de quatre mois au terme duquel on obtient l'agranat de pastel, prêt pour l'exportation. De *coca*, « gâteau », « pain blanc », *cocanha* est le nom occitan du pain de pastel (cocagne). Toulouse, capitale financière, saisit l'importance de sa situation géographique entre les zones pastellières et les ports de l'Océan. Les Toulousains prennent le contrôle des productions teinturières locales tout d'abord, puis du commerce régional et européen. La richesse que le pastel procura fut jugée si fabuleuse que le nom « cocagne » a fini par désigner un pays imaginaire où tout prospère. Il est utilisé par les Languedociens, en interjection, pour exprimer leur satisfaction lorsque le sort est favorable. Mais l'âge d'or ne durera guère plus de soixante ans. Les guerres de Religion et l'apparition de l'indigo (ou teinture « des Indes ») entraîneront ce rapide déclin.

Vers le renouveau – Le pastel connaît aujourd'hui un regain d'intérêt, d'ordre scientifique, grâce aux recherches de l'École nationale de chimie de Toulouse, et agricole, avec 60 ha de pastel à nouveau cultivés dans le Lauragais. De nouveaux débouchés sont recherchés dans le domaine de la cosmétologie, tandis que l'on étudie la possibilité de réutiliser le bleu tiré du pastel pour la teinture des fils destinés au tissage de tapisseries.

Au 2e étage, on peut voir le **séchoir** (18e s.), dont ne subsistent que quatre des huit grilles originelles sur lesquelles on empilait les coques de pastel séparées par des clayonnages. Chacune d'elles permettait de stocker près de 14 000 cocagnes d'un poids total de deux tonnes. Au même étage, une centaine de photographies retracent la restauration du château depuis 1971. Dans la salle audiovisuelle, au 3e étage, un film présente l'histoire du pastel et celle des seigneurs de Magrin.

Quitter le château à l'ouest pour rejoindre la D 130 au niveau d'Algans. À l'intersection avec la N 126, prendre à droite en direction de Toulouse, puis la D 20D sur la gauche.

Loubens-Lauragais C1

Château – ☎ 05 61 83 12 08 - www.chateaudeloubens.com - *août : jeu.-dim. 14h30-18h30 (dernière entrée) ; 1er Mai-11 Nov. : dim., j. fériés (et sam. en juil.) : 14h30-18h30 - 6 € (8-17 ans 3 €).* Charmant village fleuri adossé à un château. En visitant celui-ci, on plonge dans l'histoire de la famille de Loubens qui donna

LA MUSIQUE À SAINT-FÉLIX-LAURAGAIS

Saint-Félix est la ville natale du compositeur **Déodat de Séverac** (1872-1921). Élève de Vincent d'Indy et de Magnard à la Schola cantorum de Paris, il fut profondément influencé par Debussy. Ses recueils *Le Chant de la Terre*, *En Languedoc* ou *En vacances* figurent parmi les chefs-d'œuvre de la musique pour piano du 20e s., tandis que ses mélodies évoquent avec sensibilité la beauté de la nature et de sa terre d'oc (*Flors d'Occitania*, 1913), au point que Debussy n'hésitait pas à dire de sa musique qu'elle « sentait bon » !

de grands serviteurs à l'État, dont Hugues de Loubens qui fut cardinal, prince et souverain de l'ordre de Malte. Son frère Jacques rebâtit le château, à la fin du 16e s. La façade, avec ses deux grosses tours en avancée, donne sur un parc paisible. À l'intérieur, attardez-vous dans la belle bibliothèque gothique et devant une suite de neuf tapisseries des Flandres (16e s.).

Rejoindre Caraman par la D 20ᴰ puis la D 11, prendre ensuite la D 25 vers Villefranche-de-Lauragais. Au bout de 8 km, prendre la D 2 à gauche.

Vaux C2

Ce village perché possède une église qui a gardé son clocher-mur à tourelles (1551).

Château – ℰ 05 62 18 94 00 - *visite guidée (45mn) mai-oct. : w.-end 14h30-18h - fermé j. fériés (sf w.-end) - 4 € (– 12 ans gratuit).* Il s'agit en fait d'un hôtel particulier construit sur le modèle des hôtels toulousains, d'un édifice Renaissance (1550-1560) comme en témoignent ses nombreuses fenêtres à meneaux, parfois sculptées (*façade méridionale*), et sa porte armoriée surmontée d'un fronton triangulaire et entourée de claveaux vermiculés.

Prendre la D 72 au sud jusqu'à Mourvilles-Hautes, puis la D 79 à gauche.

Château de Montmaur C2

Visite extérieure. Ce château fut pris et repris par Simon de Montfort en 1211 et 1212, pillé par les protestants en 1577, reconstruit et remanié aux 16e et 17e s. Le corps de logis carré, en pierre, est flanqué de quatre tours rondes ; au centre se dresse le donjon. La courtine principale est percée d'une porte surmontée d'une bretèche sur mâchicoulis. Des meurtrières sont visibles sur les tours et les courtines. Des fenêtres à meneaux ont été aménagées au 16e s.

Revenir à St-Félix par la D 1117.

☺ NOS ADRESSES À SAINT-FÉLIX-LAURAGAIS

Fête historique de la cocagne – Dim. et lun. de Pâques : concerts, spectacles de cirque, jongleurs et défilés historiques, foire aux vieux métiers. ℰ 05 61 83 01 71 (*office de tourisme*). **Festival Déodat de Séverac** – Juin-juillet : musique de chambre, opéra, musiques occitanes et catalanes. ℰ 05 61 83 01 71 (*office de tourisme*).

Canal du Midi

★

Haute-Garonne (31)

☺ NOS ADRESSES PAGE 131

🅸 S'INFORMER

Office du tourisme de Villefranche-de-Lauragais – *Pl. du Gén.-de-Gaulle - 31290 Villefranche-de-Lauragais - ℘ 05 61 27 20 94 - www.otvilfranche31.fr - juil.-août : tlj sf dim. 9h-12h, 14h-18h ; reste de l'année : mar.-jeu. 10h-12h, 14h-17h, vend.-sam. 9h-12h, 14h-17h - fermé j. fériés.*

Site Internet – *www.canalmidi.com*. Réalisé bénévolement par un instituteur, il présente l'histoire du canal, agrémentée de nombreuses photos prises sur son parcours.

◖ SE REPÉRER

Carte de la microrégion B2-C2 *(p. 80)* – *carte Michelin Départements 343 H4-I4-J5-K5*. La partie du canal qui concerne ce guide est le tronçon qui, de Toulouse au seuil de Naurouze, serpente à travers la plaine du Lauragais. La partie plus à l'est est décrite dans *Le Guide Vert Languedoc-Roussillon*.

☺ À NE PAS MANQUER

Le seuil de Naurouze.

🕓 ORGANISER SON TEMPS

On peut découvrir le canal en voiture, mais si l'on veut capter la douceur de vivre de ses rives ou de son cours, il faut suivre ses berges à pied ou à vélo ou, mieux encore, à bord d'une péniche.

Le canal joua longtemps un rôle important dans le transport des marchandises. Aujourd'hui, on l'aime surtout pour la beauté de ses berges et la tranquillité de son cours qui nous fait traverser de bout en bout le Languedoc, de Sète à Toulouse, de la Méditerranée au Lauragais. La qualité de ses ouvrages lui valent d'être inscrit au Patrimoine mondial de l'humanité par l'Unesco. Suivre le canal, c'est goûter un rythme de vie hors du temps, parcourir de bucoliques paysages et découvrir des cités pleines d'histoire !

Le canal du Midi.
Thieury / fotolia. com

Itinéraires conseillés

LA PLAINE DU LAURAGAIS ①

◗ *Pour visualiser ce circuit de 52 km de Toulouse au seuil de Naurouze, reportez-vous à la carte (p. 128) compter environ 2h. Quitter Toulouse par la N 113 au sud-est.*

Cet itinéraire traverse la plaine du Lauragais, une région agricole fertile où l'on peut voir de belles constructions en brique. On y croise également des églises de style gothique toulousain à clocher-mur et des châteaux, témoins de l'époque faste où le pastel fit de cette contrée un « pays de cocagne ». Pour les plus sportifs, cette portion du canal du Midi est dotée d'une piste cyclable balisée et bien aménagée.

Montgiscard

Bastide fondée par Alphonse de Poitiers, frère de Saint Louis, au 13e s. L'église gothique du 14e s. possède un clocher-mur en brique percé de six arcs en mitre et flanqué de deux tourelles, dû à Nicolas Bachelier, architecte de l'hôtel d'Assézat à Toulouse. Derrière l'église, côté parking, une curieuse maison est décorée sur toute sa largeur par une marquise en fer ouvragé.
Descendre de Montgiscard par la N 113 en direction d'Ayguesvives.

Écluse d'Ayguesvives

Elle est entourée des quelques constructions formant le hameau de Ticaille. En face de la maison éclusière se dresse un moulin datant de 1831.

Ayguesvives

On entre dans le village par un portail monumental en brique, ouvrant sur une allée de platanes qui mène au château. Ce dernier, prolongé par un parc planté de grands arbres, fut construit durant la première moitié du 19e s. Sur la droite, l'église en brique à clocher-mur est de style gothique toulousain.

Montesquieu-Lauragais

Situé au sommet d'un coteau, le village conserve son château Renaissance en brique et pierre, agrandi au 19e s. et aujourd'hui occupé par la mairie. À sa gauche se trouve un autre château, édifié, lui, au 19e s. En face, l'église de brique est surmontée d'un clocher massif à deux tours carrées portant de faux mâchicoulis. Le porche qui la précède est un ajout du 19e s.

Le canal des Deux-Mers

Appelé Canal royal en Languedoc puis canal des Deux-Mers, il fut enfin baptisé canal du Midi en 1789. Il vit le jour grâce au courage et à la ténacité des quelque 12 000 ouvriers, femmes et enfants compris, qui, durant quatorze ans, furent durement mis à contribution pour le bâtir. La grandiose idée de relier l'Atlantique et la Méditerranée, avait déjà été évoquée à l'époque romaine puis sous François Ier, Henri IV et Richelieu. C'est finalement à **Pierre-Paul Riquet**, baron de Bonrepos (1604-1680) et fermier de la gabelle de Languedoc, qu'en revint le mérite

L'ŒUVRE D'UN SEUL HOMME : PIERRE-PAUL RIQUET

Dans les projets de construction d'un canal « des Deux-Mers », le franchissement du **seuil de Naurouze** (alt. 194 m) était un obstacle insurmontable. En explorant le site dans tous ses détails, Riquet, homme de réflexion, trouva la solution : au seuil de Naurouze sourdait la fontaine de la Grave dont les eaux se séparaient immédiatement en deux ruisseaux coulant l'un vers l'ouest, l'autre vers l'est. Il suffisait donc d'accroître ce flot pour constituer un bief de partage suffisamment alimenté, permettant l'aménagement d'écluses sur l'un et l'autre versant. Riquet eut l'idée d'utiliser le réseau hydrographique de la Montagne Noire. Avec l'aide du fils d'un fontainier de Revel, il capta et amena les eaux de l'Alzeau, de la Bernassonne, du Lampy et du Sor par la rigole de la Montagne jusqu'au barrage de Saint-Ferréol, puis à Naurouze par la rigole de la Plaine.

En 1662, il réussit à intéresser Colbert à son projet. L'autorisation fut accordée en 1666. Riquet engloutit dans cette œuvre gigantesque le tiers des dépenses des travaux, soit plus de 5 millions de livres, contractant les emprunts les plus onéreux, sacrifiant les dots destinées à ses filles. Épuisé, il meurt en 1680, six mois avant l'inauguration du canal. Rétablis dans leurs droits sous la Restauration, les représentants de la famille consentent en 1897 au rachat par l'État du canal, désormais administré sous le régime du service public.

L'HÉRITAGE ET L'AVENIR

Ouvrage pharaonique réalisé à une époque où s'intensifiaient les relations commerciales entre pays toulousain et bas Languedoc, le canal du Midi répondait à une préoccupation économique majeure. S'il a pleinement rempli, deux siècles durant, sa fonction de fret de marchandises, la concurrence d'autres moyens de transport, en particulier du rail, a eu raison de ses activités commerciales ; ses écluses, calculées à l'époque pour les navires de mer les plus courants en Méditerranée, n'admettent pas les bateaux de plus de 30 m de long. Le canal mesure 240 km de long, possède 63 écluses et draine 300 millions de m^3 d'eau par an. Encore au 19e s., il fallait huit jours pour aller d'Agde à Toulouse avec une barge de 120 t.

La modernisation du canal a commencé par la section Toulouse Villefranche-de-Lauragais (43 km). Il est aujourd'hui presque exclusivement voué à la navigation de plaisance et fait les délices des promeneurs et cyclistes séduits par le charme de ses berges plantées de platanes, de ses nombreuses courbes serrées, de ses écluses aux bassins ovales, de son cours rétréci par de gracieux ponts de brique, et, plus spécifiquement sur le versant méditerranéen, de ses cyprès et de ses pins parasols. Les eaux du canal permettent également d'irriguer 40 000 ha de terres dans le Lauragais.

ABC DU CANAL

Le canal du Midi présente une véritable architecture constituée par le canal lui-même, mais également par tous les ouvrages construits autour, servant à son fonctionnement ou à son exploitation.

L'alimentation en eau est rassemblée loin du bief de partage par de petits canaux appelés « **rigoles** ». La rigole de la Montagne alimente le bassin de Saint-Ferréol d'où part la rigole de la Plaine qui se déverse dans le bief de partage du canal au seuil de Naurouze. Pour rassembler les eaux, on a d'abord créé des étangs artificiels, comme celui de Naurouze, puis des **réservoirs** contenus par des barrages en maçonnerie, comme celui de Saint-Ferréol, afin d'alimenter le canal durant la saison sèche.

Les **déversoirs** ou **épanchoirs** servent à évacuer le trop-plein d'eau du canal dû aux variations saisonnières ou encore à vider un bief, un bassin ou un réservoir pour le nettoyer, le réparer. L'épanchoir coupe parfois le chemin de halage ; on construit alors un pont à arcades au-dessus de l'épanchoir, comme on l'a fait pour celui de l'Argent-Double. Dans le système de l'épanchoir « à fond », l'eau excédentaire s'écoule par l'action d'une vanne, comme à Gailhousty ; les deux systèmes sont réunis dans l'épanchoir « à siphon » (Ventenac).

Pour franchir un ruisseau, le canal passe sur un aqueduc voûté. Pour franchir une rivière, on préfère utiliser un **pont-canal**, véritable pont enjambant la rivière. Le premier à être construit en Europe est le **pont-canal de Répudre** ; il en existe également au-dessus de la Cesse, du Fresquel ou de l'Orbiel. Grâce aux **souterrains**, le canal peut traverser une montagne ou une colline sans que son niveau soit élevé ; c'est le cas de la percée des Cammazes (ou voûte de Vauban), creusée dans la Montagne Noire et permettant à l'eau de la rigole de la Montagne de venir alimenter le bassin de Saint-Ferréol.

Tout au long du canal, les **écluses** ponctuent la vie du marinier comme du plaisancier. Elles permettent de passer d'un plan d'eau (bief) à un autre situé plus haut ou plus bas. Le bateau qui descend vers l'aval (on dit qu'il « avale ») entre dans l'écluse au sas rempli d'eau ; la porte amont se ferme et le bateau descend avec l'eau du sas qui s'écoule dans le bief inférieur ; la porte aval s'ouvre alors pour laisser passer le bateau. Les écluses du canal du Midi ont été construites en ellipse (elles sont ovales), forme qui offre une meilleure résistance à la poussée des terres. Pour monter ou descendre une forte pente, on créa des échelles d'écluses : celle de Saint-Roch, à la sortie de Castelnaudary, comporte quatre écluses, celle de Fonséranes, huit. Sur chaque canal, les **maisons éclusières**, toutes identiques, sont des bâtisses rectangulaires comportant une ou deux pièces de plain-pied. Sur leur façade est apposée une plaque indiquant la distance qui sépare l'écluse amont de l'écluse aval.

Les **ports** servent à l'exploitation du canal. On les reconnaît par la présence d'un quai de pierre. Certains ne sont que des relais où l'on trouve le plus souvent une auberge (la « dînée ») avec des écuries pour les chevaux de halage, parfois un lavoir, une chapelle ou une glacière, comme c'est le cas au port du Somail. D'autres possèdent une cale de radoub, plan incliné à sec où l'on peut réparer la coque du bateau. Ces derniers ports, nécessitant plus de place, forment un véritable bassin, comme à Castelnaudary.

Les plantations apportent de l'ombrage au canal afin d'éviter l'évaporation de l'eau. On plante plus volontiers des arbres à croissance rapide : platanes, peupliers, pins maritimes. Aux abords des ouvrages les plus imposants, on a parfois créé de véritables promenades : ainsi, le bassin de Naurouze est planté d'essences diverses, arboretum très agréable à parcourir.

CANAL DU MIDI

Négra

Ce petit port formait, du temps de Riquet, un relais comportant une auberge, des écuries, une glacière et une chapelle. Un petit pont en dos d'âne enjambe la Thésauque, ruisseau perpendiculaire au canal qui le traverse sur un aqueduc.

Traverser le canal pour rejoindre Saint-Rome.

On passe devant la ferme de Bordeneuve, typiquement lauragaise : il s'agit d'un long bâtiment de plain-pied, prolongé par des granges ouvertes par de grandes arcades en plein cintre.

Saint-Rome

Un parc de buis taillés entoure un château d'esprit Renaissance, domaine du marquis de La Panouse construit au 19e s. Tout le village constitue un seul et même domaine agricole organisé, avec sa maison de maître entourée de bâtiments agricoles (granges, entrepôts, porcheries…) et d'habitations d'ouvriers. Les bâtiments furent construits dans le goût éclectique en vogue durant la seconde moitié du 19e s., époque où le pastiche était roi : influences arabe (arcs outrepassés et moucharabiehs), scandinave (balcon en bois ajouré), flamande (pignon à redents), baroque (fronton en arc brisé) sont visibles dans les pavillons. Tuiles vernissées et carreaux de céramique polychromes décorent cet ensemble insolite.

La D 97 franchit le canal pour rejoindre la D 16 et, à gauche, Gardouch. Descendre par la D 622 qui passe par l'agréable port de Gardouch. Après avoir traversé ce village, on s'éloigne provisoirement du canal en poursuivant sur la D 622 jusqu'à Nailloux où l'on prend à gauche la direction de Montgeard.

Montgeard

2,5 km au sud de Nailloux.

Dans cette petite bastide rose et fleurie, on découvre maints témoignages de la piété populaire (oratoires, statues), notamment une **église** fortifiée qui fut achevée en 1561 par la construction d'une énorme tour carrée de façade à gargouilles et faux mâchicoulis, qu'un clocher-mur est venu couronner au 19e s. Remarquez le porche extérieur Renaissance avec sa voûte de brique compartimentée, aux clefs ornées de médaillons de pierre à personnages. En passant dans la travée sous la tour, admirez le pavement de galets de rivière aux motifs décoratifs, revêtement fréquent dans l'avant-pays pyrénéen. À l'intérieur, quatre albâtres du 16e s. : l'Assomption, sainte Catherine, le Couronnement de la Vierge et le Trône mystique.

Revenir à Gardouch et, de là, rejoindre Villefranche-de-Lauragais où l'on emprunte au sud la N 113 vers Avignonet.

Avignonet-Lauragais

🛈 *Mairie - pl. de la République - ℘ 05 61 81 63 67 - tlj sf w.-end 9h-12h, 14h-17h (lun. et vend. 18h) - fermé j. fériés.*

Lorsqu'on vient du pays toulousain, Avignonet marque une sorte de frontière : ici s'achève le royaume de la brique qui fait place à la pierre. Régulièrement ordonnée à flanc de pente, la cité, qui a conservé quelques vestiges de son enceinte, domine la plaine où courent le canal et la route nationale. La petite ville, qui connut la prospérité au 14e s. grâce au pastel, s'est aujourd'hui reconvertie dans l'agriculture.

Dans l'**église Notre-Dame-des-Miracles**, édifiée à partir de 1385 en grès appareillé, un tableau évoque le « massacre d'Avignonet » qui eut pour conséquence la prise du château de Montségur. Un messager de Raimond VII de Toulouse avait alors informé les cathares occupant Montségur que les inquisiteurs (soutenus par le pouvoir royal) s'étaient établis à Avignonet pour y ouvrir un tribunal. Dans la nuit du 28 au 29 mai 1242, un « commando » pénètre dans le château (aujourd'hui disparu) et massacre les onze moines inquisiteurs. Ces exécutions devaient être le coup d'envoi du dernier sursaut du Languedoc contre la Couronne : en 1243, la paix de Lorris contraint tous les châteaux languedociens (hormis Montségur) à jurer fidélité au roi de France et à l'Église.

À Avignonet-Lauragais, prendre la D 80 en direction de Baraigne.

Aire de Port-Lauragais

🛈 *Autoroute A 61 - ℘ 05 61 81 41 03 - juil.-août : 9h-19h ; mai-juin et sept.-oct. : 9h-18h ; nov.-avr. : 10h-18h - fermé 1er janv., 25 déc.*

Cette aire de repos sur l'autoroute A 61, à mi-chemin entre Villefranche-de-Lauragais et Castelnaudary, occupe le site du port Lauragais. Au milieu du port, sur une presqu'île, un vaste bâtiment abrite un restaurant-cafétéria et un **point informations touristiques** (produits régionaux, artisanat, presse…).

Maison du tourisme de la Haute-Garonne – ℘ 05 61 81 41 03 - juil.-août : 9h-19h ; mai-juin et sept.-oct. : 9h-18h ; nov.-avr. : 10h-18h - possibilité de visite guidée (30mn) - fermé 1er janv., 25 déc. - gratuit.

Située sur le parking de l'autoroute, elle présente, sur une surface de 200 m² une exposition consacrée au canal du Midi et à son constructeur Pierre-Paul Riquet. L'histoire, la géographie, les activités, les paysages, l'architecture du canal sont évoqués par un ensemble de dispositifs scénographiques.

Une capitainerie accueille les bateaux de passage. 📞 05 62 71 75 75.

L'aire de Port-Lauragais se veut également sportive l'été avec la possibilité d'y pratiquer la voile, l'aviron, le canoë-kayak et l'escrime.

Revenir à Avignonet. À l'est, la N 113 mène à Montferrand.

Montferrand

Perché à 300 m d'altitude, Montferrand abrita une forteresse cathare qui tomba en 1211, et dont il ne reste qu'une porte fortifiée.

L'église Notre-Dame, désaffectée, possède un clocher-mur du 16e s. Un phare aéronautique a été installé au sommet du village en 1927. Il servait de signal aux appareils de l'Aéropostale sur les lignes Toulouse-Dakar et Toulouse-Santiago du Chili…

Descendre de Montferrand sur la N 113 que l'on traverse vers Naurouze par la D 218.

Obélisque de Riquet

Laisser la voiture au parking situé près de l'obélisque. Élevé en 1825 par les descendants de Riquet, il se dresse dans un enclos sur le socle naturel des « pierres de Naurouze », entre le col de Naurouze (*N 113*) et le canal. Selon la légende, quand les fissures qui strient les pierres de Naurouze viendront à se fermer, la société sombrera dans une débauche annonciatrice de la fin du monde. L'obélisque est entouré d'une double couronne de cèdres. Vue à l'ouest sur la butte de Montferrand.

Se diriger à pied vers le seuil de Naurouze.

★ Seuil de Naurouze

C'est à cet endroit que les eaux captées dans la Montagne Noire viennent alimenter les deux versants, méditerranéen et atlantique, du canal du Midi. Riquet voulait créer une ville au seuil de Naurouze. Son projet n'a pas abouti et les constructions furent uniquement consacrées à l'entretien et à l'exploitation du canal.

Contourner le bassin à gauche. Un agréable sentier ombragé fait le tour du bassin de décantation, de forme octogonale, creusé de 1669 à 1673. On voit successivement la station de pompage destinée à l'irrigation du Lauragais, l'épanchoir permettant d'évacuer le trop-plein du bassin vers le Fresquel, le **bief de partage** des eaux, l'écluse qui déverse l'eau de la rigole de la Montagne Noire dans le bief et enfin l'écluse de l'Océan (1671). Le bassin est entouré d'un **arboretum** planté de pins d'Alep, de micocouliers, d'érables sycomores, de cèdres de l'Atlas (*allée menant à l'écluse de l'Océan*), de merisiers, etc.

Revenir au parking par une allée de platanes traversant le bassin.

LES EAUX CAPTIVES 2

▷ *Pour visualiser ce circuit de 75 km de la prise d'Alzeau au seuil de Narouze, voir La Montagne Noire. Reportez-vous à la carte (p. 179).*

😊 NOS ADRESSES DU CANAL DU MIDI

TRANSPORTS

Quand naviguer ? – De fin mars à fin oct. La pleine saison *(juil.-août)* engendre un certain nombre d'inconvénients : moins de bateaux à louer, circulation intense à certaines écluses, tarifs plus élevés, etc. En mai-juin, berges fleuries d'iris et de diverses plantes aquatiques ; en sept.-oct. (arrière-saison souvent magnifique), couleurs fauves assurées.

Les écluses sont ouvertes de juin à août *(9h-12h30, 13h30-19h)*. Certaines sont automatiques, d'autres encore manuelles, ce qui permet de faire un brin de causette avec l'éclusier (passage 15mn).

Louer un bateau – Il s'agit de bateaux sans permis ; une initiation est généralement proposée par les loueurs avant le départ. Vitesse maxi : 6 km/h.

On peut louer à la semaine ou au week-end, pour un aller simple (si le loueur a plusieurs bases sur le parcours) ou pour un aller-retour. Pour naviguer en été, réserver à l'avance, si possible à la base d'où l'on souhaite partir.

Voir les coordonnées des loueurs de bateaux habitables dans le chapitre « Sur place de A à Z » dans la partie « Organiser son voyage », en début de guide.

À emporter sur le bateau – Des chaussures antidérapantes, une lampe de poche pour retrouver son bateau lorsque l'on rentre tard le soir à bord, éventuellement du matériel de pêche (gardons, carpes, perches, sandres – permis obligatoire).

Les **vélos** sont fortement conseillés pour se déplacer de temps en temps hors du canal (location chez certains loueurs). Enfin, n'oubliez pas de vous munir de cartes nautiques et cartes-guides, vendues par les loueurs de bateaux ou aux adresses suivantes :

Éditions Grafocarte-Lavigne – *125 r. Jean-Jacques-Rousseau - 92130 Issy-les-Moulineaux -* 📞 *01 41 09 19 00.*

Éditions du Plaisancier – *43 porte du Grand-Lyon - 01700 Neyron -* 📞 *04 72 01 58 68 - www.cordes-vagnon.fr.*

HÉBERGEMENT

PREMIER PRIX

Ferme-auberge Pagnard – *31560 St-Léon -* 📞 *05 61 81 92 21 /06 63 6 72 86 - fermé déc.-janv. -* 🚭 *- 5 ch. 55 €* 🍽 *- rest. 12/20 €.* Cette ferme-auberge du 18e s., plantée au milieu des collines du Lauragais, fera le bonheur des amateurs de tranquillité. Ses chambres, vastes, sont dotées de meubles de famille d'époques variées. La table régionale est basée sur les produits fermiers.

BUDGET MOYEN

Chambre d'hôte Bigot – *Lieu-dit « Bigot » - 31450 Montesquieu-Lauragais -* 📞 *05 61 27 02 83 - www.hotebigot.chez-alice.fr -* 🅿 *-* 🚭 *- 5 ch. 60/75 €* 🍽 *- rest. 20 €.* Au bout d'une allée bordée d'arbres centenaires, cette grande ferme du 17e s. abrite, derrière ses murs en terre crue, ses piliers et arceaux en brique rouge typiques du Lauragais, 5 chambres confortables, garnies de beaux meubles anciens. Coin cuisine à disposition dans une superbe étable convertie en salle d'accueil. Vaste terrasse couverte avec poutres apparentes.

Chambre d'hôte « Maison Joséphine » – *1 r. des Écoles - 31290 Villenouvelle -*

℘ 05 34 66 20 13 - http://www.
maisonjosephine.fr - 🍽 - 4 ch.
69 € 🛏 - rest. 20 €. Dans une
petite rue au cœur du village,
cette maison de maître du 18ᵉ s.
entourée d'un espace verdoyant,
compte 4 chambres alliant
personnalité et bon goût. On
appréciera une petite pause
dans le salon de détente ou dans
la salle de billard. Table d'hôte
régionale, avec quelques
produits d'Irlande et de
Normandie.

POUR SE FAIRE PLAISIR

**Chambre d'hôte La Péniche
Soleïado** – Pont de Mange-
Pomme - 31520 Ramonville-
St-Agne - ℘ 06 86 27 83 19 - www.
peniche-soleiado.com - 🅿 - 🍽 -
3 ch. 80/90 € 🛏 - rest. 30 €. Cette
accueillante péniche permet
de conjuguer charme de la
navigation fluviale et service
hôtelier de qualité. De Ramonville
à Baziège, une autre façon de
découvrir le Lauragais.

**Chambre d'hôte La
Pradasse** – 39 chemin de
Toulouse - 31450 Ayguesvives D 16 -
℘ 05 61 81 55 96 - www.lapradasse.
com - 5 ch. 85/92 € 🛏. Cette
grange superbement restaurée
abrite des chambres qui rivalisent
de charme dans leur décor en
brique, bois et fer forgé conçu par
les propriétaires. Délicieux parc
avec étang.

RESTAURATION

PREMIER PRIX

Auberge du Pastel – Rte de
Villefranche - 31560 Nailloux -
℘ 05 61 81 46 61 - www.hotel-

restaurant-pastel.com - fermé une
sem. en fév., une sem. déb. nov.,
dim. soir et lun. - 🅿 - 14/29 € -
54 ch. 62 € - 🛏 7 €. Situation
dominante pour cet hôtel-
restaurant du Lauragais, qui
propose une cuisine régionale.
La grande salle à manger
comme la terrasse donnent sur
la piscine et offre une jolie vue
sur la campagne environnante.
Chambres toutes simples,
rénovées et fonctionnelles.

ACTIVITÉS

🐾 **Bon à savoir** – De Toulouse
à Port-Lauragais, vous pourrez
emprunter le chemin de halage
sur un parcours de 49 km
aménagé pour les piétons et les
cyclistes.

**Bateau « Lucie » - promenade
en barge** – Port-Lauragais - 31290
Avignonet-Lauragais - ℘ 04 68 6
0 15 98 ou 06 88 12 92 24 - www.
bateaulucie.com - fermé oct.-mars
- 9 € promenade « pique-nique » -
durée 2h30 ; promenade «avec
l'âne» - durée 1h15 env - (enf. 6 €).
Promenades en barge, dont une
avec traction par âne, sur le canal
du Midi au départ de l'aire de
Port-Lauragais.

AGENDA

Festival Convivencia – De mi-
juin à mi-juillet et début août.
Ce festival itinérant suit le canal
du Midi. Escales musicales où
l'on peut danser et écouter des
musiciens languedociens,
gascons et méditerranéens.
℘ 05 62 19 08 08. www.
festivalconvivencia.com.

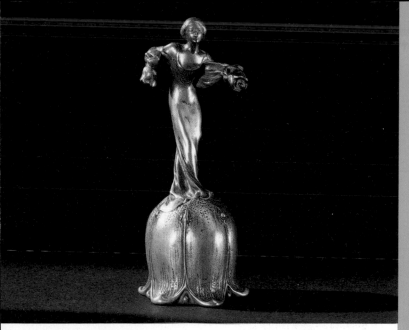

Une œuvre du musée d'Art campanaire.
IEAC Midi-Pyrénées

L'Isle-Jourdain

6 471 Lislois ou Jordanilois – Gers (32)

😊 **NOS ADRESSES PAGE 135**

🛈 **S'INFORMER**

Office du tourisme de L'Isle-Jourdain – *Au bord du lac - 32600 L'Isle-Jourdain - ℘ 05 62 07 25 57 - www.mairie-islejourdain.fr - juin-sept. : tlj 9h30-12h30, 13h30-18h30 - reste de l'année : tlj sf lun. et dim. 9h30-12h30, 13h30-17h30.*

◗ **SE REPÉRER**

Carte de la microrégion A1 *(p. 80)* – *carte Michelin Départements 336 I8.* Au carrefour du Gers et de la Haute-Garonne, cette ancienne étape sur la route de Compostelle (comme l'atteste la statue de saint Jacques à la halte Saint-Jacques, avenue de Lombez) est posée entre Toulouse et Auch sur la N 124.

😊 **À NE PAS MANQUER**

Le musée d'Art campanaire.

Située à une trentaine de kilomètres de Toulouse, L'Isle-Jourdain, traversée par l'un des sentiers de randonnée menant à Saint-Jacques-de-Compostelle, est une halte agréable dans un vallon de verdure, en bord de Save. C'est aussi une halte culturelle dans une cité médiévale baignée d'histoire, dont la terre regorge de trésors gourmands.

Se promener

Centre-ville

Sur la **place de l'Hôtel-de-Ville** (l'édifice communal s'inspire sans complexe du Capitole de Toulouse) s'élève la **maison de Claude Augé** (début 20ᵉ s.), fondateur du Petit Larousse illustré. Remarquez sa verrière, ses sculptures en façade et surtout ses vitraux de style Art nouveau, dont celui représentant la célèbre *Semeuse* de Larousse, d'après le dessin d'Eugène Grasset.

L'élégante halle de brique du 19ᵉ s. possède une belle charpente reposant sur des piliers octogonaux. La **collégiale Saint-Martin** du 18ᵉ s. *(accès par le côté est de la place)*, dont l'intérieur est peint à fresque, surprend par son style néoclassique.

★ Musée d'Art campanaire

Pl. de l'Hôtel-de-Ville - ℘ 05 62 07 30 01 - www.mairie-islejourdain.fr - ₳ - de mi-juin à mi-sept. : 10h-12h, 14h30-18h30 ; reste de l'année : tlj sf mar. 10h-12h, 14h30-17h30 - fermé mar., 1ᵉʳ Mai, 25 déc., 1ʳᵉ quinz. janv. - 4,50 € (enf. et étudiants 2 €).

Aménagé dans l'ancienne halle aux grains (dotée d'une belle charpente de bois), il propose sur deux étages un panorama de l'art campanaire autour de plus de mille cloches, de toutes les époques et parvenues des cinq continents. Au rez-de-chaussée, l'espace « fonderie » présente les techniques de fabrication des cloches. Une salle abrite l'horloge monumentale de la Bastille (classée Monument historique), dont on voit le mécanisme, et une autre horloge provenant de Meung-sur-Loire (milieu du 19ᵉ s.), animée de quatre jacquemarts. À l'étage sont exposés des carillons et leur clavier, dont le visiteur peut jouer (une pastille verte indique les instruments que l'on peut faire sonner). Une magnifique collection de cloches de table (dont une en cristal de roche ciselée du Second Empire) et des jeux jouxtent l'espace « cloches du monde » (Europe, Amérique, Océanie, Asie, Afrique). Il faut s'attarder sur les petites cloches nigérianes surmontées de personnages sculptés en bois, ou encore sur une cloche de jade chinoise d'époque Qing (18ᵉ s.). L'espace « sonnailles » rassemble diverses cloches de bétail. Enfin, la décoration polychrome des « subrejougs » (carillons d'attelage de la vallée de la Save) est également intéressante.

À proximité Carte de la microrégion

Château de Caumont A2

▸ *10 km au sud-ouest de L'Isle-Jourdain. Quitter L'Isle-Jourdain au sud-ouest par la D 634 et prendre sur la droite, à 7 km, la D 243 qui franchit la Save puis, à gauche, la D 39 - Cazaux-Savès - ℘ 05 62 07 94 20 - www.caumont.org - visite guidée (1h) juil.-août : tlj sf sam. 15h-18h ; mai-juin et sept.-oct. : dim. et j. fériés 15h-18h - sam. sur demande - fermé nov.-avr. - 5 € (enf. 2,50 €).*

Érigé au 16ᵉ s. par Pierre de Nogaret de La Valette sur les ruines d'un ancien château fort (ayant appartenu à Gaston Fébus), dominant la vallée de la Save, ce « château de la Loire en Gascogne » s'insère dans un cadre remarquable. Né au château en 1554, le petit-fils de Pierre, Jean-Louis de Nogaret de La Valette, a commencé sa carrière comme mignon d'Henri III. Sous son règne, il atteint les plus hautes charges : duc d'Épernon, gouverneur de Provence, de Metz, de Guyenne, colonel-général de l'infanterie, amiral…

Flanqué de quatre tours en losange, le château se compose de trois corps de bâtiment dressés en forme de fer à cheval. L'alternance de briques et de pierres contribue à son originalité. L'aile sud a été reconstruite en 1665 après un incendie ; l'aile nord où court une galerie extérieure (et sous laquelle un bas-relief en marbre porte les armes du père du futur duc d'Épernon) est plus ancienne.

Au rez-de-chaussée, la salle rouge contient quelques tableaux intéressants (dont un portrait du duc d'Épernon et un autre de La Rochefoucauld par Gros) ainsi qu'une cheminée en marbre des Pyrénées.

Dans le Salon blanc, remarquez le beau plafond à caissons de style pompéien décoré en 1840. L'escalier, l'un des premiers escaliers droits, a conservé ses travées voûtées. La visite se poursuit par la chapelle, puis par la chambre du roi qu'a occupée Henri de Navarre de passage à Caumont. Par le balcon et un escalier à vis, on gagne le sous-sol où s'étalent les anciennes cuisines, le chai et la salle de garde.

😊 NOS ADRESSES À L'ISLE-JOURDAIN

HÉBERGEMENT

BUDGET MOYEN

Chambre d'hôte Les Granges du Meillon – *32490 Monferran-Savès -* ℘ *05 62 07 83 34 - www. lesgrangesdumeillon.com -* 🅿 *- 4 ch. 70 € ⌒ - rest. 25 €.* Alliant avec bonheur confort actuel et cachet authentique, cette demeure de caractère du 18ᵉ s. bénéficie d'une situation privilégiée au cœur d'une propriété de 150 ha. Chambres joliment décorées, salle de fitness, piscine et Jacuzzi offrent l'occasion de se ressourcer le temps d'un agréable séjour.

RESTAURATION

BUDGET MOYEN

Le Relais de la Diligence – *32490 Monferran-Savès -* ℘ *05 62 07 80 14 - fermé 1ʳᵉ quinz. de sept. et 24-31 déc. -* ♿ *-* 🅿 *- formule déj. 11 € - 16/23 €.* Bien restauré, cet ancien corps de ferme est proche d'un des chemins qui mènent à St-Jacques-de-Compostelle. Salle rustique (climatisée), en sous-pente, où le bois et la pierre se marient agréablement. Cuisine traditionnelle. Collection de chevaux miniatures.

ACHATS

Marchés – *32600 L'Isle-Jourdain.* Le dimanche matin, de novembre à mars, à l'occasion de « la grasse matinée », les éleveurs fermiers de la région proposent canards, oies et foie gras de qualité. Un marché au gras se tient par ailleurs tous les mercredis matin. Le samedi « Le Marché L'Islois » propose des produits locaux et un marché piétonnier.

AGENDA

Festival « Escuta e Minja » – Le 1ᵉʳ sam. de juil., festival rock gascon (concert, banda) et gastronomie.

L'Albigeois et la Montagne Noire

2

Carte Michelin Départements 338 – Tarn (81)

Aux alentours de Cordes-sur-Ciel.
B. Brillion / MICHELIN

A

B

D 19

Dolmen
Peyro-Lebado
Roussayrolles

D 600

Aveyron

Gorges
de Aveyron

Vaour
D 33

Vindrac
D 922

D 91

Monestiés
D 91

CORDES-S-CIEL

Carmaux
N 88

Bruniquel

D 15

Le Cayla

D 600

D 90

Cap'Découver

D 964

Puycelci

D 1

D 922

Cagnac-
les-Mines

N.-D.-de-
la-Drèche

St-Michel
de Lescure

1

Castelnau-
de-Montmiral

Mauriac

D 964

Castelnau-
de-Lévis

St-Jué

Salvagnac

D 999

D 988

N 88

ALBI

Gaillac

D 672

Lisle-sur-Tarn

Tarn

Montans

D 988

A 68

D 87

D 964

Rabastens

St-Suplice-
la-Pointe

D 12

D 631

Réalme

St-Lieux-
lès-Lavaur

D 631

Graulhet

D 631

Jardin des
Martels

D 650

D 83

Lavaur

D 112

D 84

Lautrec

2

Agout

D 83

A 680

D 20

D 87

St-Paul-
Cap-de-Joux

D 112

D 612

D 42

N 826

N 126

Puylaurens

N 126

D 1

D 11

D 621

Caraman

D 45

D 84

D 622

HAUTE-GARONNE

D 2

Belloc

En Calcat

D 14

D 12

GR 7

Montégut-
Lauragais

Revel

Sorèze

Fontbruno

D 85

D 12

A 61

Villefranche-
de-Lauragais

D 622

Bassin de
St-Ferréol

D 45

3

A 66

Canal

du

D 813

Bassin de
St-Ferréol

D 629

D 44

Barrage des
Cammazes

Prise
d'Alze

Nailloux

Midi

D 6113

D 524

D 629

D 103

A

CARCASSONNE

B

TOULOUSE

TOULOUSE

FOIX

L'ALBIGEOIS ET
LA MONTAGNE NOIRE

0   6 km

RODEZ

Viaduc du Viaur

Valence-
d'Albigeois

Réquista

Ambialet

Alban

St-Sernin-s-Rance

St-Affrique

Villefranche-
d'Albigeois

PARC

NATUREL   RÉGIONAL

DES   GRANDS   CAUSSES

Belmont-
s-Rance

TARN

AVEYRON

Montredon-
Labessonnié

Vabre

Roc de l'Oie

LE SIDOBRE

t de la Truite

astres

St-Dominique

Ferrières

Brassac

Lacaune

La Pierre plantée

△ 1267

Roc de
Montalet

1259

Rieu-Montagné

Murat-
s-Vèbre

Lac de Laouzas

La Salvetat-
sur-Agout

MONTS   DE   LACAUNE

Le Militarial de
Boissezon

Anglès

Lac de la
Raviège

HÉRAULT

Gorges
du Banquet

NATUREL   RÉGIONAL

Lac des
Saints-Peyres

Mazamet

Vallée du Thoré

Labastide-
Rouairoux

St-Pons-
de-Thomières

Lac des
Montagnès

Hautpoul

St-Amans-
Soult

DU   HAUT-   LANGUEDOC

△ 1211

rêt de
oubatière

Montagne   Noire

AUDE

N

ALBI   ★★★   Vaut le voyage

Castres   ★   Intéressant

Revel   À voir

Itinéraire conseillé avec
ville de départ

Albi

★★★

48 712 Albigeois – Tarn (81)

😊 **NOS ADRESSES PAGE 152**

🛈 **S'INFORMER**

Office du tourisme d'Albi – Pl. Ste-Cécile - 81000 Albi - ☏ 05 63 49 48 80 -
www.albi-tourisme.fr - juil.-août : 9h-19h, dim. et j. fériés 10h-12h30, 14h30-
18h30 ; oct. à avr. : 9h-12h30, 14h-18h ; mai, juin et sept. : 9h-12h30, 14h-
18h30, dim. et j. fériés 10h-12h30, 14h30-17h - fermé 1er janv., 1er Mai, 1er nov.,
25 déc.

L'office de tourisme organise des visites guidées estivales (45mn) des
quartiers anciens (4,40 €, – 14 ans gratuit), de la cathédrale (4,40 €,
– 12 ans gratuit), du musée Toulouse-Lautrec (9,40 €, – 14 ans gratuit), de
la verrerie d'Albi VOA (5,80 €, enf. accepté à partir de 8 ans). Réservation
conseillée.

Six circuits permettent de découvrir Albi à pied : le circuit Pourpre (1h30)
pénètre au cœur du vieil Alby et présente les sites, personnages et monuments historiques ; le circuit Or (1h30) s'intéresse au développement d'Albi
à travers 20 siècles d'histoire ; le circuit Azur (1h) est conçu pour flâner
sur les berges du Tarn en passant par le pont Vieux et le pont Neuf et
pour admirer les superbes panoramas d'Albi (circuits balisés par des panneaux explicatifs traduits en 3 langues) ; le circuit du patrimoine religieux ;
le circuit des artisans d'art ; le circuits des jardins cachés. Dép. devant
l'office de tourisme.

▶ **SE REPÉRER**

Carte de la microrégion B1 (p. 138) – carte Michelin Départements 338
E7. Dominée par la fantastique silhouette de sa cathédrale-forte-
resse, « Albi la Rouge », bâtie en brique, s'étend au bord du Tarn qui,
descend des derniers contreforts du Massif central. Accès par l'A 68
depuis Toulouse.

🅿 **SE GARER**

Vous trouverez un vaste parking en contrebas de la cathédrale. Une grande
partie des places sont gratuites.

Le pont Vieux sur le Tarn.
E.Suetone / hemis.fr

☺ **À NE PAS MANQUER**

Le jubé de la cathédrale Sainte-Cécile ; le musée Toulouse-Lautrec ; les vues depuis les berges du Tarn.

🕐 **ORGANISER SON TEMPS**

On peut démarrer la journée au salon de thé La Berbie, place Sainte-Cécile, face à l'impressionnante cathédrale. Après une visite du musée Toulouse-Lautrec, palais de la Berbie, passez goûter les friandises locales *(voir nos adresses)*. Dans la journée, offrez-vous la promenade en gabarre sur le Tarn pour entrevoir la beauté de cette cité.

Une ville fascinante, au charme fou, dont le rouge de la brique se reflète dans les eaux vert émeraude du Tarn. « Avec son beau ciel, ses maisons de briques, ses jardins en terrasses et ses beaux ponts ; avec sa place centrale bien exposée au soleil [...], avec sa cathédrale puissante, au pied de laquelle fleurit le baldaquin, avec les coteaux crayeux qui la bornent au nord et qui ressemblent aux collines du Latium, on dirait une ville italienne, faite surtout pour le culte de l'art et d'une sereine philosophie. » (Discours de Jean Jaurès à Albi, 1888.)

Découvrir

★★★ CATHÉDRALE SAINTE-CÉCILE A2

Il faut admirer la cathédrale de loin avant de l'approcher. On peut la voir du pont du 22-Août ou la découvrir depuis l'une des rues du vieil Alby (ainsi la rue Puech-Bérenguier), en débouchant sur la place Sainte-Cécile, devenue semi-piétonne.

Au lendemain de la croisade contre les albigeois, l'autorité catholique se devait d'être tout à fait rétablie. D'où l'idée de construire une église qui symboliserait la grandeur et la puissance de Rome ! C'est ainsi que Bernard de Castanet entreprend en 1282 la construction d'une cathédrale, conçue comme une forteresse et dédiée à sainte Cécile, martyre romaine du 5e s. L'achèvement du gros œuvre dure deux siècles ! Le simple toit de tuiles, qui la couvrait au ras des fenêtres et reposait directement sur les voûtes, a été remplacé en 1849 par un bandeau à faux mâchicoulis et chemin de ronde, surmonté de clochetons.

★ Porche et baldaquin

L'entrée principale s'ouvre au milieu du flanc sud. On y accède par une porte construite au début du 15e s. qui unit l'édifice à une ancienne tour de défense.

Il faut gravir le majestueux escalier en pierre, qui conduit au porche en forme de baldaquin. Sa décoration, de style flamboyant, est exubérante mais d'une extrême délicatesse. Elle contraste avec le sobre appareil de brique de la façade. C'est une œuvre de l'évêque Louis Ier d'Amboise (1520).

Clocher

Entre 1485 et 1492, Louis Ier d'Amboise fait édifier trois étages sur la tour carrée à l'allure de donjon, qui s'adossent aux deux tourelles orientales, alors qu'à l'ouest celles-ci s'arrêtent à hauteur du 1er étage. Cet agencement donne au monument une silhouette cambrée…

Nef

Pour se représenter l'intérieur de la cathédrale, telle qu'il était à l'origine, il faut se placer à droite du grand orgue et imaginer l'édifice sans le jubé ni la galerie qui, ajoutée au 15e s., est venue interrompre l'élan des chapelles. On se retrouve alors en présence d'un vaste vaisseau voûté d'ogives, sans transept, épaulé de contreforts intérieurs que séparent des chapelles.

★★★ Jubé

L'église fut consacrée en 1480. Presque aussitôt, Louis Ier d'Amboise décide l'érection du chœur, clos par un **jubé**★★★ souvent comparé à une dentelle. L'art flamboyant finissant déploie ici toute sa technique : ce ne sont que motifs enlacés, pinacles et arcs savamment mêlés, voûtes aux clefs richement décorées.

Les portes du chœur (également appelé « grand chœur »), en bois finement sculpté, possèdent de remarquables serrures. Des 96 statues qui ont paré ce jubé jusqu'à la Révolution, il ne reste qu'Adam et Ève, dont les mains ont été mutilées à la Révolution. Les trois statues qui couronnent le jubé (le Christ en Croix entouré à droite par la Vierge, à gauche par saint Jean) sont des copies exécutées à la fin du 19e s.

La clôture extérieure est faite d'arcs en accolade où s'inscrit le monogramme du Christ. Dans le **déambulatoire**, les piliers qui séparent ces arcs portent chacun une statue représentant un personnage de l'Ancien Testament. Avec la statuaire de la clôture du chœur d'Albi, le naturalisme de la sculpture gothique atteint son apogée. L'influence bourguignonne est manifeste dans l'expression réaliste des visages, les drapés un peu lourds des vêtements, l'allure souvent trapue des personnages. Sont particulièrement remarquables Judith **(1)**, les prophètes Sophonie **(2)**, Isaïe **(3)** et Jérémie **(4)** et, côté nord, Esther **(5)**.

Pour une description en image, reportez-vous à l'ABC d'architecture p. 73.

Chœur

05 63 43 23 43 - http://perso.wanadoo.fr/paroisse.ste-cecile.albi - & - juin-sept. : 9h-18h30 ; reste de l'année : 9h-12h, 14h-18h30 - 2 € avec audioguide (– 12 ans gratuit).

À l'intérieur du chœur, les statues de Charlemagne **(6)** et de Constantin **(7)** trônent au-dessus des deux portes latérales. Il faut se placer face au maître-autel pour voir resplendir les peintures des chapelles à travers les ajours des arcades. Sur le sanctuaire proprement dit règne la Vierge à l'Enfant **(8)** entourée d'anges. Aux piliers, les douze apôtres. Autour du chœur courent deux rangées de stalles au-dessus desquelles une frise d'angelots, magnifiquement sculptée, apparaît dans un décor d'arabesques peint sur la pierre.

Les vitraux des cinq fenêtres hautes de l'abside datent du 15e s. et furent restaurés au 19e s. Les chapelles latérales présentent un intérêt inégal. Il faut remarquer surtout celle de la Sainte-Croix (9).

Remarquez également au-dessus de la porte centrale, au revers de la haute croix, sainte Cécile, assise, tenant un orgue et la palme de martyr.

Trésor

05 63 43 23 43 - http://perso.wanadoo.fr/paroisse.ste-cecile.albi - juin-sept. : 9h-18h30 ; reste de l'année : tlj sf dim. 9h-12h, 14h-18h30 - 2 €.

Il est aménagé dans une belle chapelle voûtée qui, dès le 13e s., était destinée à abriter les archives et les objets précieux de la cathédrale. Une 1re salle rassemble les objets d'art sacré, parmi lesquels la châsse de sainte Ursule en

---

TRÉPIDANTS ALBIGEOIS

C'est sous le nom d'**albigeois** que l'on désignait dès le 12e s., dans tout le Languedoc, les adeptes de la religion cathare. Sans doute parce que ces derniers trouvèrent d'abord refuge dans l'Albigeois, région qui s'étendait alors jusqu'à Béziers, Limoux, Carcassonne et Saint-Gilles. S'ils ont donné leur nom à une hérésie, ce n'est pas parce que les cathares y étaient plus nombreux qu'ailleurs, mais parce que la ville sut les accueillir et que leur Église y tint quelques conciles. Entre 1209 et 1229, une croisade permit de rattacher à la Couronne les terres du comte de Toulouse. La ville se tourna vers Simon de Montfort, qui avait pris la tête de la répression contre les albigeois, et le fit seigneur d'Albi. Les évêques, sans cesse en guerre ou en procès, ne tardèrent cependant pas à recouvrer leurs pouvoirs. Bernard de Castanet fit ériger la cathédrale Sainte-Cécile pour exalter la foi catholique et transforma la résidence épiscopale, le palais de la Berbie, en une forteresse ; son goût immodéré pour les satisfactions temporelles finit par scandaliser un pape et lui valut une retraite au couvent. Plus tard, Louis Ier d'Amboise (1473-1502), au terme d'un règne fastueux, dut abdiquer à la suite de querelles incessantes avec ses administrés. Albi fut malgré tout érigée en archevêché en 1678.

bois polychrome du 14e s., une crosse limousine du 13e s., un anneau épiscopal (14e s.) et un polyptyque siennois du 14e s. On peut voir, dans une deuxième salle, des objets provenant des autres églises d'Albi et du diocèse.

★ Orgue

L'**orgue** monumental, construit entre 1734 et 1736 par C. Moucherel, est admirable. Il se compose en fait de deux parties superposées, soutenues par des atlantes. Il compte 3 549 tuyaux dont seulement un dixième sont visibles. Le buffet de l'orgue, très raffiné, est décoré de chérubins jouant de différents instruments de musique. On aperçoit, au-dessus, les statues de sainte Cécile et de saint Valérien.

★ Maître-autel

Au pied de l'orgue se dresse le maître-autel en marbre noir de Jean-Paul Froidevaux (consacré en 1980). Il est orné d'émaux de couleurs vives figurant une vigne sur trois côtés, et sainte Cécile sur la face postérieure. Tout autour de l'autel court un verset de l'Évangile de Matthieu qui évoque le mystère de l'Eucharistie.

Le Jugement dernier (10)

C'est l'immense peinture qui orne la paroi occidentale *(sous le grand orgue)*. Exécutée à la fin du 15e s., elle fut malheureusement mutilée en 1693 par le percement de la chapelle Saint-Clair, ce qui entraîna la disparition de toute la partie centrale et en particulier de la figure du Christ.

La technique employée est celle de la détrempe : les couleurs, broyées, ont été fixées au jaune d'œuf et à la colle. La paroi de brique, qui supporte cette composition sur laquelle vient jouer la lumière, contribue à sa légèreté et à sa transparence.

La peinture, qui supplée peut-être à l'absence de sculpture sur la façade ouest (traditionnellement réservée à ce thème dans les cathédrales), se compose de trois registres. On peut voir au sommet une assemblée d'anges qui figure le ciel. Au centre et à la droite du Christ disparu *(c'est-à-dire à gauche)* se tiennent les élus, sur trois rangées. En haut les apôtres, vêtus de blanc et nimbés d'or. Au-dessous, les saints, déjà jugés et admis au ciel, parmi lesquels on reconnaît des personnages de haut rang. En bas, les ressuscités nouvellement élus, encore tournés vers le juge suprême, le livre de leur vie ouvert devant eux.

Leur faisant pendant à droite, les maudits sont précipités dans les ténèbres de l'enfer. L'espace vide qui les domine matérialise la rupture irrémédiable avec Dieu qu'a engendrée leurs péchés. Le dernier registre représente les enfers où sont dépeints de façon truculente les châtiments correspondant aux sept péchés capitaux. La nature des tourments est directement inspirée des vices de ces damnés. De gauche à droite : les orgueilleux, les envieux, les coléreux, les avaricieux, les gourmands et les luxurieux… Seuls manquent les paresseux : le panneau qui leur était consacré a disparu.

La grande voûte

Le Jugement dernier achevé, les artistes français abandonnèrent Sainte-Cécile. Louis Ier d'Amboise fit alors appel à des Italiens pour décorer les parois et la voûte (1509-1512). Les artistes bolonais, qui ont paré de fresques éblouissantes la grande voûte de l'austère nef de la cathédrale, se sont souvenus des splendeurs du Quattrocento (15e s.), le grand siècle de la Renaissance italienne. Sur un fond d'azur, les blancs et les gris des rinceaux, rehaussés de feuilles d'or, produisent le plus bel effet. Ces peintures, qui constituent le plus grand ensemble de peintures italiennes réalisé en France, sont contemporaines de celles de la chapelle Sixtine.

La grande voûte est décorée de multiples portraits de saints et de personnages de l'Ancien Testament. Parmi les douze travées, remarquez la 4ᵉ en partant du clocher : dans le voûtain ouest, le Christ montre ses plaies à Thomas ; à l'est, la Transfiguration. À la 7ᵉ travée, dans le compartiment ouest, sainte Cécile et saint Valérien, son époux ; à l'est, l'Annonciation. La 10ᵉ travée est la plus richement décorée : à l'ouest, parabole des Vierges sages et des Vierges folles. À l'opposé, le Christ, dans une auréole de lumière, couronne la Vierge. Enfin, à la naissance de l'abside (*12ᵉ travée*), le Christ de la Parousie, auréolé d'anges, est entouré des quatre symboles évangéliques.

★ PALAIS DE LA BERBIE A1

« Berbie » est la transformation du mot *Berbia* (ou, suivant les régions, *Bisbia*) signifiant « évêché ». Détail amusant, c'est ce dernier terme qui a donné en français familier le mot « bisbille » désignant une querelle sans importance. C'est dire comment étaient considérées les disputes de droit canon auxquelles se livraient les évêques.

Le palais

C'est à Bernard de Combret que revient l'initiative d'avoir commencé vers 1265 la construction d'une résidence épiscopale, près de la première cathédrale, aujourd'hui disparue. Bernard de Castanet en fit une forteresse, avec donjon massif et enceinte fortifiée dont on apprécie l'importance depuis la terrasse aménagée au bord du Tarn. Cette muraille, primitivement destinée à préserver l'accès au donjon, s'est transformée au cours des siècles. À la fin du 17ᵉ s., la cour jadis occupée par les hommes d'armes fut décorée par un jardin à la française dessiné par Le Nôtre, d'aspect nettement moins guerrier, et la tour occidentale coiffée d'un toit hexagonal. Quant au chemin de ronde, il est devenu une agréable promenade ombragée, bordée de statues de marbre représentant Bacchus et les Saisons (18ᵉ s.).

Le corps de logis oriental, couvert d'ardoises, date de la fin du 15ᵉ s. Louis Iᵉʳ d'Amboise fit surmonter les tourelles de toits en poivrière ajourés d'élégantes lucarnes en pierre dont il ne subsiste qu'un exemplaire. Après la promulgation de l'édit de Nantes en 1598, la Berbie perdit toute fonction de citadelle. L'enceinte occidentale fut démantelée, la tour nord du donjon écrêtée. Par la suite, les prélats s'attachèrent surtout à aménager l'intérieur du château qui abrite, depuis 1922, le musée Toulouse-Lautrec créé à l'initiative de sa mère, par son cousin, Gabriel Tapié de Céleyran, et Maurice Joyant, son fidèle ami.

★★ Musée Toulouse-Lautrec

Le musée est entré dans une phase de restructuration devant s'achever en 2011 ; la collection Toulouse-Lautrec reste cependant entièrement visible - ℰ *05 63 49 48 70 - www.musee-toulouse-lautrec.com -* ♿ *- juil.-août : 9h-18h ; juin-sept. : 9h-12h, 14h-18h ; avril et mai : 10h-12h, 14h-18h ; mars et oct. : 10h-12h, 14h-17h30 ; janv., fév., nov., déc. : 10h-12h, 14h-17h ; fermé mar., 1ᵉʳ janv., 1ᵉʳ Mai, 1ᵉʳ nov. et 25 déc. - 5 € (– 14 ans gratuit), audioguide 3 €.*

Plus de 1 000 œuvres dues à une généreuse donation des parents du peintre sont ici conservées. Tableaux, dessins, lithographies et l'ensemble des affiches réalisées par le peintre prennent place dans le superbe décor du palais.

La première partie du circuit se trouve dans les salles médiévales (des prisons et de l'Inquisition). Elle débute par une série de **portraits** et d'**œuvres de jeunesse**. Parmi les portraits consacrés à l'artiste, remarquez celui réalisé par Édouard Vuillard (1898) ou celui exécuté par Javal, qui traduit bien la noblesse dont Toulouse-Lautrec ne s'est jamais départi sous son apparente

Toulouse-Lautrec à Albi

« LE COMTE BUFÈC »

En 1864, en l'hôtel du Bosc à Albi, naît Henri de Toulouse-Lautrec, l'un de nos plus grands peintres de mœurs. Descendant des comtes de Toulouse, il est le fils d'Alphonse de Toulouse-Lautrec Monfa et d'Adèle Tapié de Céleyran, sa cousine germaine. Atteint d'une maladie osseuse, il est instruit à domicile par un précepteur. Son enfance est marquée par deux accidents, en 1878 et en 1879, qui le privent de l'usage normal de ses jambes et rendent sa silhouette difforme. En 1882, il s'installe à Montmartre et se mêle au monde de la misère et de la débauche. Les personnages qu'il y rencontre le fascinent et deviennent ses modèles. Il les croque dans leurs lieux familiers qui deviennent aussi les siens : maisons closes, champs de courses, cirques, cabarets… À partir de 1891, ses talents de lithographe et les débuts de la « réclame » lui apportent la célébrité, et ses affiches couvrent les murs de Paris. Prématurément usé par l'alcool et la vie de bohème, il est interné dans une maison de santé de Neuilly en 1899, se rétablit et reprend son existence dissolue, malgré la vigilance de son ami Paul Viaud. En 1901, il quitte la capitale pour s'éteindre au mois de septembre au château familial de Malromé, près de Langon (Gironde). Il meurt à l'âge de 37 ans, laissant derrière lui une œuvre riche de vingt-deux années de travail.

Ça, c'est Paris !

Dessinateur incomparable, l'artiste observe et reproduit impitoyablement. Il laisse toujours apparaître le trait sous la peinture. Puis défilent les personnages de music-hall et de théâtre dont il allait chaque soir faire de nombreux portraits : Valentin le Désossé qui venait au Moulin-Rouge pour danser avec la Goulue ; le chansonnier Aristide Bruant qui chantait en argot dans son cabaret Le Mirliton ; Caudieux, l'artiste de café-concert ; Jane Avril, surnommée « la Mélinite » pour ses danses frénétiques, dont Lautrec a maintes fois évoqué les expressions délicates et les attitudes distinguées ; la chanteuse Yvette Guilbert, poursuivie avec acharnement par le peintre à qui elle interdisait de divulguer ses portraits qu'elle trouvait désobligeants… et à qui elle doit d'être passée à la postérité !

Au cours de sa carrière, Toulouse-Lautrec a multiplié les signatures : Monfa, H L. ou H T L., l'anagramme Tréclau inscrite dans un éléphant, une souris ou un chat…

Une riche collection exposée à Albi

C'est dans le palais de la Berbie, imposante forteresse du 13e s. nichée au pied de la cathédrale, que s'est installé le musée Toulouse-Lautrec en 1922. Sa mère et sa famille ont légué au musée une vaste collection de peintures, dessins, affiches et lithographies retraçant la vie de cet artiste fasciné par Montmartre, les cafés-concerts, les théâtres et les beuglants, les music-halls, les maisons closes et les danseuses. Cet homme profondément indépendant, qui fit preuve d'une grande virtuosité et d'un regard caustique, se prêta aussi de bonne grâce au jeu du modèle, comme l'attestent des portraits de lui peints par Javal ou Anquetin.

déchéance. Avisez *L'Artilleur sellant son cheval*, peint par Lautrec alors qu'il n'avait que 16 ans. Dans la deuxième salle, les œuvres de l'artiste lui-même évoquent les séjours au domaine maternel de Céleyran (près de Narbonne), et mettent en scène famille et amis. Ici, le docteur Tapié de Céleyran, Désiré Dihau, Maurice Joyant, là Adèle, la comtesse de Toulouse-Lautrec. La troisième salle est consacrée aux maisons closes, fréquentées assidûment par l'artiste. *Au salon de la rue des Moulins* (1894) demeure l'une de ses œuvres les plus connues.

La seconde partie du circuit Toulouse-Lautrec se poursuit dans les futures salles d'exposition temporaire, au rez-de-jardin (*niveaux – 1 et – 2*). Remarquez l'étude pour l'affiche de *La Revue blanche* (1895), œuvre au fusain rehaussée de couleurs, hommage à la beauté de Misia Godebski, alors épouse d'un des frères Natanson, créateurs de *La Revue blanche*. Des portraits célèbres et des scènes illustrent la **vie parisienne** de l'artiste. *L'Anglaise du « Star »* est un souvenir du Havre : avant de s'embarquer pour Bordeaux, l'artiste a voulu fixer le sourire de la blonde Miss Dolly, rencontrée dans un café-concert du port. *La Modiste* frappe par son atmosphère de clair-obscur. Un cabinet contient une série de croquis représentant le jeune Routy (un laboureur) à Céleyran : on perçoit ainsi l'énorme travail de préparation auquel Toulouse-Lautrec se livrait avant de peindre un portrait. La série des dessins *Au cirque* fut exécutée de mémoire par Toulouse-Lautrec durant son séjour en maison de repos à Neuilly en 1899.

On découvre également un remarquable ensemble de **dessins**, **affiches** et **lithographies** (Aristide Bruant, la Goulue…).

À l'issue des travaux, les collections Toulouse-Lautrec seront redéployées au 1er étage du palais. Le 2e étage sera consacré à l'art moderne, avec des œuvres de Matisse, Dufy, Vlaminck, Maillol. Des peintres régionaux seront également représentés.

Se promener

★★ ALBI LA ROUGE

◐ *Promenade de 1h, tracé en vert sur le plan de la ville. De la place Ste-Cécile, prendre la rue du même nom et tourner dans la rue St-Clair (2e à droite).*
Sur la gauche, un passage couvert permet de découvrir l'agréable **cloître Saint-Salvi**, que l'on reverra plus tard.

Hôtel Séré-de-Rivières A2 (D)
Ce fut la demeure (15e-18e s.) d'une famille de marchands de pastel anoblie au 18e s. Son plus illustre représentant fut le général Raymond Séré de Rivières (1815-1895) qui conçut le dispositif de places fortes défendant les nouvelles frontières de la France après 1870.

Maison du vieil Alby A2 (K)
℘ 05 63 54 96 38 - vieil.alby@tele2.fr - mi-janv. - fin déc. : tlj sf dim. 10h30-12h30, 15h-19h - 2 € (– 12 ans gratuit) :
Restaurée selon les plans d'une maison médiévale, cette demeure en brique et bois, avec un étage en encorbellement, occupe la fourche entre les rues très pittoresques de la Croix-Blanche et **Puech-Bérenguier**, au bout de laquelle on a une jolie vue sur le clocher de Sainte-Cécile. La Maison du vieil Alby, dont le nom évoque le plus vieux quartier de la ville, sert de cadre à des expositions d'artisanat et présente des documents sur la ville.

Rue Toulouse-Lautrec A2

Au n° 8, l'**hôtel Decazes** possède une belle cour avec escalier à balustres et galeries sous arcades surbaissées, architecture de transition entre Renaissance et classicisme. Sur la droite de la rue se succèdent la maison Lapérouse, et l'**hôtel du Bosc** (**maison natale de Toulouse-Lautrec**), situé à l'emplacement des fortifications du 14ᵉ s. (il en subsiste deux tours et une partie du chemin de ronde).
Prendre à gauche la rue de Verdusse, puis à droite la rue de Saunal.
Remarquez l'**hôtel du 16ᵉ s. de Simon Saunal**, riche marchand de pastel, avec sa tour, et, plus loin, l'**hôtel de ville**, belle construction du 17ᵉ s. occupant l'angle des rues des Pénitents et de l'Hôtel-de-Ville.
Au bout de la rue de l'Hôtel-de-Ville, on débouche sur la **place du Vigan**, entièrement restaurée, avec ses 81 jets d'eau et le Jardin national.
Prendre la rue Timbal.

★ Hôtel Reynès A2

Cette demeure Renaissance en brique et pierre *(que l'on peut visiter avec l'office de tourisme)* appartenait à une famille de riches marchands de pastel. La cour est décorée de deux galeries superposées accolées à une tour d'angle du 14ᵉ s. Les meneaux des fenêtres représentent des formes féminines, mais les éléments les plus remarquables sont les deux bustes de François Iᵉʳ et d'Éléonore d'Autriche, sa seconde épouse.

★ Pharmacie des Pénitents (ou maison Enjalbert) A2 (R)

Construction du 16ᵉ s. typique du style albigeois avec ses briques entrecroisées

et son colombage. La décoration de la façade (frontons, masques et perles) est caractéristique de la Renaissance.
Prendre la rue Mariès. Au n° 6, belle **maison du 15ᵉ s. (L)** en brique et bois.

Collégiale Saint-Salvi A2

Saint Salvi, d'abord avocat, devint moine puis évêque d'Albi au 6ᵉ s. Il fut enterré à l'emplacement actuel de l'église dont l'histoire est mouvementée. Ses plans et ses fondations sont carolingiens. Au 11ᵉ s., on édifia une église et un cloître roman, puis les travaux, interrompus par la croisade contre les albigeois, reprirent au 13ᵉ s. dans le nouveau style gothique. La variété de styles peut s'apprécier en observant, depuis la place du cloître Saint-Salvi, le clocher massif qui s'élève sur le côté nord de l'édifice. La tour romane en pierre, à bandes lombardes, surmontée d'un étage gothique (12ᵉ s.) est terminée par une construction en brique du 15ᵉ s. La tourelle crénelée qui la flanque, « la Gacholle » (c'est-à-dire l'endroit d'où on *agache*, on regarde, on surveille en occitan), où l'on discerne le blason de la ville d'Albi à côté de celui du chapitre, servait de tour de guet.

Pénétrez dans l'église par le flanc nord. Du portail roman, défiguré par une adjonction de style classique, il ne reste que l'archivolte, les voussures et deux chapiteaux. Les quatre premières travées sont romanes et ont conservé leurs chapiteaux du 12ᵉ s. D'une première campagne de construction subsistent deux absidioles du chœur, non alignées dans l'axe des bas-côtés. Le chœur, de même que les autres travées, est de style gothique flamboyant. Au bout de la nef, sous les orgues, on peut voir un Christ entouré de six statues (bois polychrome du 16ᵉ s.) représentant les prêtres, scribes et anciens du Sanhédrin (tribunal siégeant à Jérusalem), qui tiennent en main le rouleau de la Torah. Dans la première chapelle latérale droite, remarquer une Mise au tombeau, beau tableau primitif hollandais sur bois. Une copie d'une statue en bois de saint Salvi, du 12ᵉ s., est placée au-dessus du baldaquin, dans le chœur.

Le **cloître** *(accès par une porte percée dans le flanc sud)* a été reconstruit au 13ᵉ s. par Vidal de Malvesi. Il n'en subsiste que la galerie orientale, qui présente des chapiteaux romans historiés et des chapiteaux gothiques à feuillages. L'artiste et son frère reposent dans un mausolée avec enfeu adossé à l'église. Le cloître est embelli par des compositions florales évoluant au gré des saisons, dans un parti pris monochrome.
Revenir à la place Ste-Cécile.

★★ BERGES DU TARN

◗ *Suivre le circuit Azur qui part de l'office de tourisme.*
Les berges du Tarn, aménagées, nous font découvrir de superbes **vues★★** sur la ville et les anciennes fortifications. La promenade est un moment de tranquillité, un peu en retrait des rumeurs de la ville.

Les moulins albigeois A1

Sur la rive droite du Tarn, les bâtiments d'anciens moulins en brique, joliment restaurés, abritent un hôtel, ainsi que le comité départemental de tourisme, des logements et le musée Lapérouse. Ces moulins bordent le square Botany-Bay, d'où l'on a une **vue★** imprenable sur le Tarn, le **pont Vieux★** et la vieille ville.

Au sud de la ville *(accès par l'avenue Gambetta)*, le **parc Rochegude** offre une belle possibilité de promenade ; on y voit la fontaine du Griffoul, vaste cuve en plomb (13ᵉ s.) ornée de bas-reliefs et d'un motif central en bronze (16ᵉ s.).

Musée Lapérouse A1

Sq. Botany-Bay, accès par la rue Porta n° 41 - ℘ 05 63 46 01 87 - www.laperouse-france.fr - juil.-août : 9h-12h, 14h-18h, w.-end 10h-12h, 14h-19h ; mars-juin et sept.-oct. : tlj sf lun. 9h-12h, 14h-18h ; nov.-fév. : tlj sf lun. 10h-12h, 14h-17h ; fermé 1er janv., 1er Mai, 1er nov. et 25 déc. - 3 € (– 12 ans gratuit).

Aménagé dans de belles salles voûtées, il évoque les expéditions de l'amiral Jean-François de Galaup de Lapérouse, né en 1741 dans les environs d'Albi. Marin talentueux, apprécié de Louis XVI, Lapérouse entreprit une expédition scientifique en 1785 à bord des frégates *La Boussole* et *L'Astrolabe*. C'est au cours du naufrage de cette dernière, devant l'île de Vanikoro, au nord des Nouvelles-Hébrides, qu'il périt. Sa dernière escale fut Botany Bay en Australie au début de 1788.

Des instruments de navigation, des cartes et des modèles réduits de bateaux nous en apprennent beaucoup sur la navigation au 18e s. Un film vidéo retrace quatre siècles d'aventures à travers le Pacifique ; de nouvelles investigations menées en 1999 puis en 2003 au large de Vanikoro sont venues récemment enrichir les collections du musée.

☺ Pour les admirateurs, une **statue** du navigateur se dresse place Lapérouse.

À proximité Carte de la microrégion

★ Église Saint-Michel de Lescure B1

▷ *5 km au nord-est direction Carmaux-Rodez, puis tourner à droite au panneau Lescure - tlj sf w.-end : 9h-12h, 13h30-17h30 - (demander la clé à la mairie ℘ 05 63 60 76 73).*

Située dans le cimetière de Lescure, cette ancienne église prieurale fut édifiée au 11e s. par les moines bénédictins de l'abbaye de Gaillac. Son portail roman, du début du 12e s., est digne d'intérêt. Quatre de ses chapiteaux sont historiés et représentent, à gauche, la tentation d'Adam et Ève et le sacrifice d'Abraham ; à droite, la damnation de l'usurier, le mauvais riche châtié, et Lazare, le pauvre, récompensé. Par ses chapiteaux, Saint-Michel s'apparente à la basilique Saint-Sernin de Toulouse et à l'église Saint-Pierre de Moissac.

Notre-Dame-de-la-Drèche B1

▷ *5 km au nord direction Carmaux-Rodez, puis à gauche vers Cagnac-les-Mines - ℘ 05 63 53 75 00 - ♿ - visite guidée sur RV, se renseigner pour les horaires - gratuit (participation recommandée).*

Juché sur un plateau dans la campagne tarnaise, le sanctuaire en briques roses frappe par ses dimensions imposantes. Bâti au 19e s. à l'emplacement d'une église du 13e s., l'édifice est dédié à la Vierge d'Or de Clermont, qui inspira de nombreuses répliques. Son vocable veut dire « Notre-Dame du coteau ensoleillé » (le mot *adrech*, dans la région, désigne une pente exposée au soleil). À l'intérieur, la rotonde octogonale est décorée dans sa partie supérieure par des peintures murales de Bernard Bénézet relatant l'histoire de la Vierge, exécutées par le père Léon Valette. Dans la **sacristie**, la pièce la plus remarquable est un devant d'autel en brocart d'or réalisé par les clarisses de Mazamet sur le thème des peintures murales de l'église.

Castelnau-de-Lévis B1

▷ *7 km à l'ouest par la route de Cordes, puis, dans un virage, prendre à gauche la D 1 vers Castelnau-de-Lévis. De la forteresse du 13e s., intacte jusqu'à la*

Révolution, il ne reste que la salle de garde et la tour de guet de 50 m de haut. La vue s'étend sur Albi et sa cathédrale et sur la vallée du Tarn.

Saint-Juéry B1

6 km à l'est direction Millau, puis à St-Juéry suivre les petits panneaux marron « Site du Saut du Tarn » - ℘ 05 63 45 91 01 - www.musee-saut-du-tarn.com - juil.-août : visite guidée (1h30) - 4,50 € ; mars-avr. : merc., dim. et j. fériés 14h-18h ; mai-15 nov. : 14h-19h - fermé sam., 1er nov. - 4,50 € (– 10 ans gratuit).

Une ancienne centrale hydroélectrique sert de cadre à l'**Espace culturel du Saut du Tarn**, où des salariés font partager ce qui fut leur univers pendant de nombreuses années : une usine fabriquant de l'acier et le transformant en limes, râpes et autres outils… Les guides font découvrir, notamment grâce à de nombreuses maquettes, pour la plupart animées, ce lieu où ont travaillé jusqu'à 2 000 employés.

Ambialet C1

20 km à l'est par la D 100 jusqu'à Saint-Juéry où l'on empruntera en bordure du Tarn la très jolie D 172 qui suit le cours capricieux de la rivière.

Ambialet est l'un des rares villages méridionaux à avoir conservé une trace du passage des Celtes dans son nom. Celui-ci vient en effet du mot *ambe* qui, dans le gaulois le plus pur, signifie « rivière »… C'est ici que le Tarn décrit le méandre le plus étroit de son cours, créant une presqu'île où s'est installé le village. Depuis les ruines du château fort, on peut apprécier pleinement le **site★**. La rivière décrit une boucle de 4 km, enserrant un promontoire coiffé d'un prieuré, tandis que le village s'agrippe sur l'arête rocheuse qui s'étire sur toute la longueur de l'isthme. Le cours paresseux des eaux n'est coupé que par un barrage qui alimenta naguère un moulin avant de desservir une usine hydroélectrique. On peut se rendre au **prieuré**, occupé par des frères de la congrégation Saint-Jean, en empruntant la route qui longe le Tarn. On passe devant la chapelle **Notre-Dame-de-l'Auder** (du nom occitan d'un arbuste à feuilles persistantes, le phyllaire, dont un croisé aurait rapporté la tige de Terre sainte). Cette chapelle romane, fondée au 11e s. par les moines de Saint-Victor de Marseille, possède un portail aux chapiteaux finement sculptés. L'intérieur, austère et faiblement éclairé par quelques fenêtres « meurtrières », abrite la statue en bois polychrome de Notre-Dame de l'Auder (17e s.).

Réalmont B2

18 km au sud par la N 112. Dérivée de *regius mons* (« la montagne du roi »), cette bastide fut fondée en 1272 sur l'ordre du roi Philippe le Hardi au pied du Puech du Caylou. Dotée d'une vaste place à arcades, de rues pittoresques bordées de maisons à encorbellement, d'un puits central (19e s.), elle conserve ses charmes d'antan. Remarquez, sur l'un des murs de l'église Notre-Dame-du-Taur, un superbe cadran solaire avec l'inscription « la vie passe comme cette ombre ». À l'intérieur, remarquable retable baroque. Du 17e s., la fontaine de la Féjaire et son bassin alimenté par trois têtes de lions.

😊 NOS ADRESSES À ALBI

VISITE

Carte « Albi Pass » – Cette carte nominative, valable un an, offre de nombreuses réductions sur les principaux sites et monuments, les commerces, les loisirs, recensés dans un guide pratique. En vente à l'office de tourisme (6,50 €).

Forfait « Destination Albi » – Formule à tarif préférentiel valable toute l'année, englobant nuitée(s) et petit(s)-déjeuner(s), la carte Albi Pass et un cadeau de bienvenue… *Informations et réservations à l'office de tourisme - ℘ 05 63 49 48 80 - www.albi-tourisme.fr.*

HÉBERGEMENT

PREMIER PRIX

Chambre d'hôte à la Ferme « Naussens » – *81150 Castanet - ℘ 05 63 55 22 56 - fermé de nov. à mi-avr. -* 🅿 *-* 🍴 *- 5 ch. 45 € -* ⌷ *- rest. 16 €.* Attendez-vous à un accueil convivial et chaleureux dans cette exploitation agricole située au beau milieu des vignes. Un ensemble très simple, dans l'esprit des chambres d'hôte traditionnelles. Une cuisine familiale, qui, bien sûr, fait la part belle aux produits de la ferme, arrosée du bon vin de la propriété.

Chambre d'hôte Au Bouquet de Roose – *Jussens - 81150 Castelnau-de-Levis - ℘ 05 63 45 59 75 - www.chambre-hote-tarn.com - fermé 15 déc.-15 janv. -* 🅿 *-* 🍴 *- 3 ch. 47/52 €* ⌷ *- rest. 18 €.* À la fois proche de la ville (on aperçoit la cathédrale d'Albi de certaines chambres) et en pleine campagne, cette ancienne exploitation vinicole vous offre détente et tranquillité. La table d'hôte prend des accents méditerranéens quand arrivent les beaux jours. Accueil souriant et prix d'ami.

BUDGET MOYEN

Hôtel Cantepau – *9 r. Cantepau - ℘ 05 63 60 75 80 - www.hotelcantepau.fr -* 🅿 *- 33 ch. 54/75 € -* ⌷ *- 9 €.* Meubles en osier et rotin, tons crème et tabac, ventilateurs : le décor de ce petit hôtel familial situé dans une rue tranquille s'inspire du style colonial. Accueil aimable.

POUR SE FAIRE PLAISIR

Grand Hôtel d'Orléans – *Pl. Stalingrad - ℘ 05 63 54 16 56 - www.hotel-orleans-albi.com - 56 ch. 70/87 € -* ⌷ *- 10 € - rest. formule déj. 17 € - 23 €.* Depuis 1902, de père en fils, on installe le voyageur dans des chambres fonctionnelles peu à peu revues dans un esprit contemporain, pour un quiet séjour au pays de Lautrec. Confortable salle à manger, terrasse autour de la piscine et recettes traditionnelles.

Hôtel Mercure – *41 bis r. Porta - ℘ 05 63 47 66 66 - www.lemoulin-albi.fr -* 🅿 *- 56 ch. 92/105 € -* ⌷ *- 12 € - rest. formule déj. 17 € - 20/45 € bc.* Ce moulin à farine du 18e s. dominant le Tarn abrite, derrière sa typique façade en briques roses, un hôtel au cadre sobre et au confort moderne..Le restaurant et la terrasse offrent une vue imprenable sur la cathédrale ; cuisine dans l'air du temps.

RESTAURATION

BUDGET MOYEN

Le Robinson – *142 r. Édouard-Branly - ℘ 05 63 46 15 69 - fermé nov.-fév., lun. et mar. -* ♿ *-* 🅿 *- 17/38 €.* Accédez par les berges ou depuis le pont Neuf à cet îlot de verdure insolite au bord du Tarn. Cette ancienne guinguette des années 1920 à l'architecture exubérante propose une cuisine traditionnelle et exotique. L'accueil est chaleureux. Un lieu idéal pour les rêveurs, mais par beau temps.

La Fourchette Adroite – *7 pl. de l'Archevêché -* ℘ *05 63 49 77 81 - formule déj. 13 € - 16/42 € bc.* Une architecture moderne dans un cadre ancien : ce restaurant aux allures de loft se révèle aussi tendance que convivial. Cuisine inventive, bien en phase avec le concept.

Le Jardin des Quatre Saisons – *19 bd Strasbourg -* ℘ *05 63 60 77 76 - www. lejardindes4saisons.fr.st - fermé dim. soir et lun. - formule déj. 17 € - 24/35 €.* Deux attrayantes salles à manger colorées : l'une avec cheminée et l'autre agrémentée de tableaux et plantes vertes. Généreuse cuisine traditionnelle et belle carte des vins.

La Table du Sommelier – *20 r. Porta -* ℘ *05 63 46 20 10 - www. latabledusommelier.com - fermé dim. et lun. - formule déj. 13 € - 16/40 €.* L'enseigne et les caisses de bois empilées dans l'entrée annoncent la couleur. Petits plats bistrotiers revisités accompagnés, comme il se doit, d'une belle sélection de vin.

L'Épicurien – *42 pl. Jean-Jaurès -* ℘ *05 63 53 10 70 - www. restaurantlepicurien.com - fermé dim. et lun. -* ♿ *- formule déj. 17 € - 20/65 €.* C'est l'adresse branchée d'Albi. Cadre épuré mais néanmoins chaleureux avec ses banquettes, ses baies vitrées et sa vue directe sur les cuisines. Carte dans l'air du temps.

La Taverne – *R. Aubijoux - 81150 Castelnau-de-Lévis -* ℘ *05 63 60 90 16 - www. tavernebesson.com -* ♿ *- 23/61 € - 8 ch. 58/85 € -* ☕ *9 €.* Ancienne coopérative boulangère dont les fours en brique agrémentent l'une des deux confortables

salles à manger. Cuisine raffinée s'inspirant du terroir et de la tradition.

POUR SE FAIRE PLAISIR

L'Esprit du Vin – *11 quai Choiseul -* ℘ *05 63 54 60 44 - lespritduvin@ free.fr - fermé dim. et lun. - formule déj. 26 € - 30/95 €.* Chaleureux restaurant dans une maison du vieil Albi. Magnifique salle logée sous des voûtes, et une autre plus contemporaine. Cuisine créative tout en finesse et subtilité.

PETITE PAUSE

La Berbie – *17 pl. Ste-Cécile -* ℘ *05 63 54 13 86 - juil.-août : 10-20h ; reste de l'année : 10h-19h - fermé lun. d'oct. à mai.* Ce salon de thé bénéficie d'un emplacement de choix face à la cathédrale Sainte-Cécile. Intérieur joliment décoré où l'on sert un large choix de thés, de cafés, de pâtisseries « maison », de coupes glacées et de crêpes. Formule déjeuner.

ACHATS

☺ **Bon à savoir** – Dans les rues du vieil Alby, on trouve antiquaires et boutiques chic (rues Mariès, Ste-Cécile et Verdrusse). Outre les foies gras et les confits, il faut goûter les **pâtisseries** : les jeannots, délicieux biscuits à l'anis, les gimblettes au cédrat, les navettes, les croustades aux pommes, les briques albigeoises au pralin, le chocolat pastel, etc. Pour cela, vous pouvez vous rendre à la **pâtisserie Galy**, l'une des plus réputées d'Albi. *7 r. de Saunal, près de la r. Toulouse-Lautrec, merc.-sam. 9h30-19h.*

Marché biologique *Pl. Fernand-Pelloutier - mar. 17h-19h .* Produits alimentaires biologiques et locaux.

Marché couvert – *R. Émile-Grand -* ℘ *05 63 49 48 80 - sous la halle : mar.-vend. et dim. 8h-14h,* sam. 7h-14h ; marché de plein air autour de la halle : sam. 7h-13h. Un pavillon de style Baltard abrite le grand marché, auquel s'ajoute le samedi un marché de plein air (place Saint-Julien, rues Saint-Julien, des Foissants, Émile-Grand) : on y trouve fruits et légumes, volailles, foies gras (en saison), cèpes, ail rose de Lautrec, charcuterie de Lacaune et vins de Gaillac.

L'Artisan Pastellier – 5 r. Puech-Bérenguier - ℘ 05 63 38 59 18 - www.artisanpastellier.com - tlj sf dim. et lun. 14h-18h - fermé vac. de Toussaint. Venez voir la vie en bleu dans cette jolie boutique située à deux pas de la Maison du vieil Alby, proposant objets artisanaux et textiles (vêtements, linge de maison, etc.) colorés de ce bleu inimitable, extrait des feuilles de pastel. Les calligraphes et autres artistes trouveront aussi leur bonheur parmi les gammes d'encres, aquarelles et pastels préparés avec des pigments naturels.

Les Pigeons du Mont Royal – Goutines - 81120 Lombers - ℘ 05 63 45 52 33 - visites guidées tte l'année sur réservation - 3 € à partir de 7 pers. (jusqu'à 6 pers. forfait 20 €). Une belle idée de visite que cet écomusée dédié au pigeon. Vous y découvrirez le pigeonnier traditionnel, tout en bois, et des volières occupés par quelque 4 200 couples de volatiles et assisterez à une démonstration de pigeons de vol. En vente, pigeonneau à rôtir, confit…

ACTIVITÉS

Promenade en gabarre sur le Tarn – Berges du Tarn - ℘ 05 63 43 59 63 - www.albi-croisieres.com - juin-sept. : 11h, 11h45 et ttes les 40mn de 14h à 18h - durée 30mn - 6 € (– 12 ans 4 €). À 12h30 parcours avec pique-nique - durée 1h30 - 12 € (– 12 ans 8 €). Croisière d'Aiguelèze (dép. 10h) à Albi (arr. 11h45) et retour (17h15-19h) - 15 € (AR 23 €) - (– 12 ans 10 € : AR 15 €). La gabarre est un bateau à fond plat utilisé pour le transport des marchandises jusqu'au 19ᵉ s. et que l'on destine maintenant à la promenade. Après avoir quitté l'ancien port situé au pied des remparts du palais de la Berbie, vous découvrirez au fil du Tarn les moulins albigeois, l'écluse des moulins de Gardès et de la Mothe.

AGENDA

Concerts d'orgue – Juillet et août, les mercredi et dimanche après-midi. Concerts gratuits dans la cathédrale.

Festival « Pause Guitare » – Juillet et août. Festival francophone.

Festival de théâtre – De mi-juillet à fin août), les théâtrales. ℘ 05 63 54 99 70 - www.croixblanche.net.

Son et lumière – À Ambialet, tous les jeudis soir de juillet et d'août, ce spectacle retrace le passé de la ville. 6 €. ℘ 05 63 55 37 91.

Carnaval - Fin février.

Salon de la carte postale et des collections – Mars.

Grand Prix automobile – Septembre.

Lautrec

1 700 Lautrecois – Tarn (81)

NOS ADRESSES PAGE 156

S'INFORMER

Office du tourisme de Lautrec – *R. du Mercadial - 81440 Lautrec -* ℘ *05 63 75 31 40 - www.lautrec.fr - de mi-juin à mi-sept. : 10h-12h30, 14h30-18h30, dim. et j. fériés 14h30-18h30 ; nov.-fév. : 10h-12h, 14h-17h, lun., dim. et j. fériés 14h-17h ; reste de l'année : 10h-12h, 14h-17h30, lun., dim. et j. fériés 14h-17h30.*

SE REPÉRER

Carte de la microrégion B2 *(p.138)* – *carte Michelin Départements 338 E8.* Village perché, Lautrec est situé sur la D 83 à 15 km au nord-ouest de Castres et à 15 km au sud de Graulhet. C'est en arrivant de Graulhet que l'on découvre la plus belle vue d'ensemble sur le village.

À NE PAS MANQUER

La vue sur le village depuis le calvaire de la Salette.

ORGANISER SON TEMPS

En été, calez votre passage sur les fêtes gourmandes du mois d'août.

AVEC LES ENFANTS

Le moulin à vent de la Salette.

Ce village médiéval perché sur une colline, qui fut autrefois une place forte, est de nos jours réputé pour sa production d'ail rose… Cette bastide, qui sut s'enrichir à la grande époque de la production du pastel, est également le berceau de la famille du peintre Henri de Toulouse-Lautrec.

Se promener

Lautrec étage ses maisons à colombages et à encorbellement sur un éperon rocheux qui émerge, verdoyant, au cœur du village, avec la petite colline de la Salette. Les fortifications (13ᵉ s.) qui protégeaient en totalité la bastide conservent de beaux vestiges, dont la **porte de la Caussade**. On accède à l'intérieur des remparts par la rue du Mercadial. Immédiatement à gauche, un ancien couvent de bénédictines abrite l'office de tourisme.

Musée archéologique – ℘ *05 63 75 31 40 - horaires se renseigner à l'office de tourisme.* Exposition d'objets trouvés lors des fouilles effectuées dans la région, ainsi que quelques documents historiques locaux.

Au delà de la jolie place des Halles (15ᵉ-17ᵉ s.), la **collégiale Saint-Rémy** est ornée d'un retable en marbre au maître-autel.

Atelier du sabotier – ℘ *05 63 75 31 40 - juil.-août : tlj visite libre ; juin et sept. : vend., sam., dim. Pour les autres jours, consulter l'office de tourisme - visite guidée (30mn) 2 €.* Situé derrière le chevet de l'église, il vous fait découvrir cet ancien métier et son outillage alors en usage.

Une rue à gradins monte jusqu'au **moulin à vent de la Salette**, qui fonctionne toujours (démonstrations). ℘ *05 63 75 31 40 - juin-sept. : visite libre sur demande à l'office de tourisme - fév. et déc. sur réservation - visite guidée (30mn) 2 € (– 8 ans gratuit).*

De là, un **sentier botanique** mène au **calvaire de la Salette** qui, sur le site du château aujourd'hui disparu, domine le village et offre une vue étendue à l'est sur les monts de Lacaune, au sud sur la Montagne Noire et à l'ouest sur la plaine que traverse l'Agout.

Dans les champs alentour est cultivé l'**ail rose**, remarquable tant pour son goût que pour ses qualités de conservation. Les Lautrecois ont reçu le « Label rouge » de qualité pour leur production annuelle de 4 000 tonnes !

NOS ADRESSES À LAUTREC

VISITE

Circuit des cartes postales – L'office de tourisme a mis en place un parcours jalonné d'agrandissements de cartes postales anciennes : la comparaison entre le Lautrec d'hier et celui d'aujourd'hui est passionnante !

HÉBERGEMENT

BUDGET MOYEN

Chambre d'hôte La Terrasse de Lautrec – *R. de l'Église* - ☎ 05 63 75 84 22 - www.laterrassedelautrec.com - *avr.-oct.* - 🅿 - *4 ch. 75/105 €* 🍽 - *rest. 30 €*. La façade côté rue passerait presque inaperçue En revanche les surprises abondent en entrant dans cette demeure du 17e s. Une superbe salle à manger avec rosaces et fresque au plafond, un salon paré de papiers peints de 1810, et un jardin à la française avec vue imprenable sur les côteaux. Grandes chambres.

ACHATS

Ail rose de Lautrec - Carayol et fils – *Finèse* - ☎ 05 63 75 95 65 - www.marchesdepays.fr. Cette exploitation familiale cultive, depuis 1930, 4 ha d'ail rose, qu'elle vend au détail ou sous forme de « manouille » (hampes d'ail tressées entre elles). Par ailleurs, la famille tient un stand sur les marchés de Lautrec, Gaillac et de Castres. Accueil très sympathique.

ACTIVITÉS

Base de loisirs Aquaval – *Rte de Vielmur* - ☎ 05 63 70 51 74 - *juil.-août : 10h-20h ; de mi-juin à fin juin : 10h-17h, w.-end 10h-20h - fermé de sept. à mi-juin - 4 € entrée pour la journée (– 8 ans 2,50 €)*. Aquaval, c'est avant tout un parc aquatique avec des plages, un grand toboggan, une cascade, un bassin de natation… Mais c'est aussi un espace de jeux avec boulodrome, mini golf, beach-volley, parcours de santé, pêche, jeux pour enfants et restauration rapide.

AGENDA

Fête de l'ail – Dans la capitale de l'ail rose, rien d'étonnant qu'une fête soit consacrée à ce prestigieux produit le premier vendredi d'août : marché à l'ail et aux produits du terroir, concours de sculpture sur ail et dégustation de soupe à l'ail animent la cité qui se réunit, le soir venu, autour d'un cassoulet géant au confit de canard…

Fête du pain – Le 15 août, on pourra visiter une mini ferme, assister à la fabrication de la farine au moulin, au pétrissage de la pâte et enfin participer à la dégustation. Vente de pains spéciaux et de pâtisseries locales. Danses folkloriques et animations.

Castres

★

43 141 Castrais – Tarn (81)

☺ NOS ADRESSES PAGE 164

🗓 S'INFORMER

Office du tourisme de Castres – *2 place de la République - 81100 Castres - ℘ 05 63 62 63 62 - www.tourisme-castres.fr - juil.-août : 9h30-18h30, dim. et j. fériés 10h30-12h, 14h30-17h ; reste de l'année : 9h30-12h30, 14h-18h, dim. et j. fériés 14h30-16h30 ; fermé le dim. de nov. à janv., le 1ᵉʳ janv., 1ᵉʳ Mai, 1ᵉʳ nov., 25 déc.*

Différents thèmes de visite (1h30) sont proposés par l'office de tourisme en juil.-août. *Programme sur le site de l'office de tourisme - tlj sf w.-end et j. fériés à 10h30 - 3,50 €.*

◖ SE REPÉRER

Carte de la microrégion C2 *(p.138)* – *carte Michelin Départements 338 F9.* À 40 km au sud d'Albi et à 70 km à l'est de Toulouse, Castres est la deuxième ville du Tarn.

🅿 SE GARER

Pour visiter le vieux Castres, il est conseillé de se garer sur la rive gauche de l'Agout, au parking de la place Ste-Claire.

☺ À NE PAS MANQUER

Le musée Goya.

◷ ORGANISER SON TEMPS

Débutez la journée par une promenade dans le vieux Castres avant de vous plonger dans la peinture espagnole (attention, hors saison, le musée est fermé le lundi).

👪 AVEC LES ENFANTS

Le planétarium de Montredon-Labessonnié.

Le textile a longtemps assuré la prospérité de Castres comme en témoignent les nombreuses demeures de tisserands, teinturiers et tanneurs sur les rives de l'Agout. La ville, qui abrite un remarquable musée consacré à l'art hispanique, constitue un excellent point de départ pour des excursions dans le Sidobre, les monts de Lacaune et la Montagne Noire où gorges, rivières et rochers se côtoient dans une nature sauvage !

Se promener

LE VIEUX CASTRES

◖ *Circuit tracé en vert sur le plan de la ville (p.160) – compter 1h30 (sans la visite des musées).* Partir du théâtre qui fait face aux beaux **jardins** à la française (jardins de l'Évêché, 1676) dessinés par Le Nôtre.

Une cité dynamique

DES CAPITOULS BIEN AVISÉS

Castres se développa d'abord sur la rive droite de l'Agout, autour d'un monastère bénédictin fondé vers 810. À la fin du 9ᵉ s., la vénération des reliques de saint Vincent, l'un des évangélisateurs de l'Espagne, fit de Castres une étape sur le chemin de Saint-Jacques-de-Compostelle (par la voie d'Arles). Après être passée sous la domination des vicomtes d'Albi et de Lautrec, la ville reçut dès le 11ᵉ s. le privilège d'assurer son propre gouvernement, selon la formule toulousaine, par l'intermédiaire d'une assemblée de « consuls » ou « capitouls ». Sous leur sage administration, elle eut la bonne idée de se maintenir à l'écart de la croisade albigeoise, en se soumettant sans discuter à Simon de Montfort !

UNE CITÉ RÉFORMÉE

Cependant, dès 1563, la Réforme y rallia de nombreux adeptes. Lorsque les consuls eurent abjuré le catholicisme, Castres devint une des places fortes du calvinisme dans le Languedoc. Elle connut alors les guerres de Religion auxquelles la paix d'Alès, l'arrivée sur le trône d'Henri IV et la promulgation de l'édit de Nantes apportèrent quelque répit. Au 17ᵉ s., la cité reçut l'une des quatre chambres créées par l'édit de Nantes pour régler les différends entre protestants et catholiques. Durant cette période faste, magistrats et marchands érigèrent de riches hôtels particuliers, tandis que l'évêque faisait construire un magnifique palais épiscopal… Les affrontements entre protestants et catholiques reprirent après la révocation de l'édit de Nantes et ne cessèrent qu'à la Révolution, contraignant de nombreux huguenots à l'exil.

HISTOIRE D'ÉDITS

Le premier, celui de Nantes, promulgué par Henri IV en 1598, accordait aux protestants la liberté de culte, sauf à Paris et à la Cour. En 1685, il fut révoqué par Louis XIV. Résultat : émigration massive (ruine pour le royaume), répression (les « dragonnades »), soulèvement (guerre des Camisards) et le Désert, clandestinité dans laquelle se réfugièrent les adeptes du protestantisme afin de pratiquer leur culte tout en échappant aux galères ou au bûcher.

LE TRIBUN DE CASTRES

Personnalité brillante, **Jean Jaurès** naît à Castres le 3 septembre 1859 et passe une partie de son enfance à Saïx, petit village du bord de l'Agout, au sud-ouest de la ville. Élève au lycée qui aujourd'hui porte son nom, puis normalien à Paris, il devient professeur de philosophie au lycée d'Albi et enseigne à l'université de Toulouse. Attiré par la politique, il est élu député républicain du Tarn en 1885, puis député socialiste de Carmaux, après s'être engagé au côté des mineurs en lutte en 1893. Sa prise de position en faveur de Dreyfus lui coûtera son siège. Il prend cependant la tête du parti socialiste unifié SFIO, peu après sa création en 1905. À l'approche de la guerre, Jaurès mit sa voix puissante au service de la paix, et œuvra à la fraternisation des peuples par-delà les frontières. Mais il fut assassiné au café du Croissant à Paris, le 31 juillet 1914. Deux jours plus tard, l'Allemagne déclarait la guerre à la France…

« Autoportrait aux lunettes » de Goya vers 1800.
Castres - Musée Goya

GOYA À CASTRES

Francisco de Goya y Lucientes naquit à Fuendetodos, au sud de Saragosse, en 1746, et fut nommé peintre du roi en 1786. Il fut alors chargé de l'exécution des portraits de nombreux personnages de haut rang, qu'il réalisa sans le moindre sens de la flatterie.

On découvre à Castres des tirages des *Caprices*, dans lesquels Goya s'attaque à la superstition, la bêtise, les vices et fait une large place au fantastique, des estampes à l'eau-forte de la *Tauromachie*, des gravures visionnaires et mystérieuses des *Disparates* et des épreuves de ses fameux *Désastres de la guerre*, fresque désespérée dans laquelle il pourfend la cruauté des hommes. C'est à Bordeaux, où il avait fui depuis quatre ans l'absolutisme espagnol et la répression, que Goya s'éteignit en 1828. Il avait poursuivi une brillante carrière de peintre officiel en Espagne, avant de s'éloigner peu à peu des conventions thématiques et stylistiques pour se forger une palette très personnelle : désinvolte, violente, sombre et libre.

Pour l'Espagne, l'époque de Goya correspond à un véritable siècle d'or. Et tandis que le pays se ruinait en guerres inutiles, confiants en la pérennité de l'or des Amériques, les mécènes permirent l'éclosion d'une exceptionnelle génération d'artistes : dramaturges (Calderón, Lope de Vega), poètes (Quevedo), écrivains (Cervantès), peintres (Vélasquez, Zurbarán, Murillo) et architectes (Herrera, Berruguete), écrivant ainsi l'une des plus belles pages de la culture hispanique.

Hôtel de ville

Installé dans l'**ancien palais épiscopal** (Castres fut le siège d'un évêché de 1317 à 1790), il fut construit en 1669 d'après les plans de Mansart. Le 1er étage abrite le musée Goya. À droite, dans la cour, la **tour Saint-Benoît**, massive construction romane à l'élégant portail, est l'unique vestige de l'abbaye Saint-Benoît.

CASTRES

0   100 m

SE LOGER		SE RESTAURER	
Crémaussel (Auberge de)	①	Café de Paris	③
Castel de Burlats (Hôtel Le)	④	Europe (Brasserie de L')	⑥
Pasteillé (Chambre d'hôte Le)	⑦	Mandragore (La)	⑨
Plô (Camping Le)	⑩	Pescadou (Le)	⑫
Renaissance (Hôtel La)	⑬	Relais du Vieux Pont (Le)	⑮
		Victoria (Le)	⑰

Quai des Jacobins	**19**	**Place Jean-Jaurès**	**20**

★ Musée d'Art hispanique (musée Goya)

Au 1er étage de l'hôtel de ville, dans l'ancien palais épiscopal - ✆ *05 63 71 59 30 - www.tourisme-castres.fr - possibilité de visite guidée (1h) - juil.-août : 10h-18h ; reste de l'année : tlj sf lun. 9h-12h (10h-12h dim. et j. fériés), 14h-18h (17h de fin sept. à fin mars) - fermé 1er janv., 1er Mai, 14 Juil., 1er nov. et 25 déc. - 2,30 € (– 18 ans gratuit), 1er dim. du mois (oct.-mai) gratuit, billet groupé musées Goya/Jaurès/Centre d'art contemporain : 4 €.*

Le musée occupe le palais épiscopal dont les plans ont été réalisés par Mansart et les jardins, par Le Nôtre. Spécialisé dans la peinture espagnole, il est surtout célèbre pour sa collection exceptionnelle d'**œuvres de Goya★★**, léguées en 1893 par le fils du peintre castrais Marcel Briguiboul. Autour des chefs-d'œuvre de Goya s'articule une exceptionnelle collection de peintures espagnoles, du 14ᵉ s. à nos jours. Avec ses Vélasquez, Alonso Cano, Javier Bueno et ses Picasso, c'est la deuxième en France après celle du Louvre.

Ses œuvres, rassemblées dans trois salles, correspondent à des moments bien particuliers de son évolution. La première salle est dominée par *La Junte des Philippines présidée par Ferdinand VII,* tableau aux dimensions exceptionnelles, peint vers 1814, dont la composition baigne dans une atmosphère poussiéreuse. Le peintre, en soulignant l'ovale des dossiers des fauteuils, a figé le roi et ses conseillers dans des attitudes dépourvues d'humanité ; cette impression de lourde immobilité est encore accentuée par de grands espaces froidement géométriques, tandis que l'assemblée montre tout son intérêt en somnolant, bâillant d'ennui et se donnant des airs d'importance.

Son *Autoportrait aux lunettes* et le *Portrait de Francisco del Mazo* illustrent l'art de Goya pour rendre les expressions, sans la moindre concession.

Deux petites salles conservent l'exceptionnel œuvre gravé du maître de Fuendetodos. On sera saisi par *Les Désastres de la guerre*, ensemble que lui avait inspiré la guerre d'indépendance (1808-1814) contre la soldatesque napoléonienne. Sur les murs, *Les Caprices*, deuxième tirage du recueil de 80 gravures à l'eau-forte publié en 1799, expriment la solitude et l'amertume dans lesquelles la surdité avait plongé Goya à partir de 1792. Fugacité de la jeunesse et de la beauté, vanité de la coquetterie féminine, injustice de la société, aliénation des hommes alors encore traqués par une Inquisition hors d'âge et enchaînés à toutes sortes de superstitions, tels sont les thèmes qu'a traduits Goya dans des images peuplées de sorcières et de monstres. Autant d'audace ne pouvait qu'attirer des ennuis au peintre du roi ; aussi fit-il don des cuivres des *Caprices* à Charles IV et en arrêta-t-il ainsi la vente.

Deux autres séries gravées sont également visibles dans ces deux salles, *La Tauromachie* et *Les Proverbes*.

Cathédrale Saint-Benoît

Elle a été bâtie à l'emplacement de l'abbatiale fondée au 9ᵉ s. par les bénédictins. La construction fut confiée en 1677 à l'architecte Caillau qui réalisa le chœur, puis Eustache Lagon reprit les travaux en 1710. De style baroque, elle est impressionnante par ses vastes proportions. Le maître-autel à baldaquin, soutenu par des colonnes en marbre de Caunes, est surmonté d'un tableau représentant la résurrection du Christ par Gabriel Briard (1725-1777).

Le chœur est entouré de quatre statues de marbre de la fin du 17ᵉ s. Les chapelles latérales renferment un riche ensemble de tableaux provenant de la chartreuse de Saïx. La plupart sont des œuvres de Jean-Pierre Rivalz le Jeune (1718-1785), peintre toulousain du 18ᵉ s. Ce dernier était surnommé « le Chevalier » bien qu'il n'eût aucun titre de noblesse. Il était issu d'une dynastie de peintres toulousains dont le plus remarquable fut son père, Antoine Rivalz (1667-1735), peintre officiel du Capitole à Toulouse, de 1703 à sa mort.

LES « PEYRATS »

Cette tradition que Castres partage avec Labastide et Mazamet est née au 14ᵉ s. Il s'agit de tisserands qui, également paysans, utilisaient la laine de leurs moutons et la teintaient à l'aide de la garance et du pastel cultivés dans les plaines voisines.

Quai des Jacobins

Jolie **vue★**, du pont Neuf et du quai, sur les anciennes demeures de tisserands, de teinturiers et de tanneurs du bord de l'Agout. Construites sur de vastes caves de pierre, elles s'ouvrent directement sur la rivière. Leurs couleurs vives qui se reflètent sur l'eau forment un ensemble harmonieux, que l'on apprécie particulièrement à bord du coche d'eau *(voir nos adresses)*.

Place Jean-Jaurès

Ses façades classiques taillées dans le grès forment un bel ensemble. La statue de Jean Jaurès, signée Gaston Pech, domine la place. La fontaine qui lui fait face est une reproduction à échelle réduite d'une de celles qui se trouvent place de la Concorde.

Traverser la place Jean-Jaurès, prendre à droite la rue Henri-IV, puis à gauche la rue du Consulat qui débouche sur le musée Jean-Jaurès.

Centre national et musée Jean-Jaurès

2 pl. Pélisson - ℘ 05 63 62 41 83 - www.jaures.fr - ⅃- possibilité de visite guidée (1h30) - juil.-août : 10h-12h, 14h-18h ; reste de l'année : tlj sf lun. 10h-12h, 14h-18h (oct.-mars 17h) - fermé dim. (oct.-avril), 1er janv., 1er Mai, 1er nov. et 25 déc. - 1,50 € (0,75 € étudiant, – 26 ans), 1er dim. du mois (avr., mai, oct.) gratuit, billet groupé musées Goya/Jaurès/Centre d'art contemporain : 4 €.

Il est consacré à la vie et à l'œuvre du fondateur de *L'Humanité* ainsi qu'aux thèmes qui agitaient la société de la fin du 19e s. et du début du 20e s. Il dispose d'un centre de documentation sur l'histoire du socialisme. Des colloques, soirées thématiques et expositions temporaires y sont organisés.

★ Hôtel de Nayrac

12 r. Frédéric-Thomas. Ne se visite pas. Bel hôtel (1620) en brique et pierre représentatif du style d'architecture civile toulousaine du 16e s. Trois façades avec des fenêtres à meneaux, encadrant une cour, sont réunies par deux tours d'angle sur trompes.

Suivre les rues Émile-Zola et Victor-Hugo.

Église N.-D.-de-la-Platé

L'édifice *(fermé)* fut rebâti dans le style baroque de 1743 à 1755. Le carillon de Notre-Dame de la Platé fait retentir ses 33 cloches tous les matins à 11h45 depuis cent soixante ans !

Revenir sur ses pas et prendre à gauche la rue de l'Hôtel-de-Ville. Au n° 31, on admire une porte en plein cintre à colonnes cannelées surmontées d'un fronton sculpté représentant des armes (pistolet, sabre, canon, etc.).

Prendre à gauche la rue de la Platé qui aboutit rue Chambre-de-l'Édit.

L'AFFAIRE SIRVEN

Né à Castres en 1709, Pierre-Paul Sirven était un homme de loi connu pour sa foi protestante. Une de ses filles entra au couvent des Dames-Noires avec l'intention de se convertir au catholicisme. Souffrante, elle dut revenir dans sa famille. Quelques mois plus tard, on trouva son cadavre au fond d'un puits. Le mobile était tout trouvé, et le tribunal de Mazamet accusa les Sirven d'avoir tué leur fille pour empêcher sa conversion. Menacés, ils s'enfuirent en Suisse et furent condamnés à mort par contumace. Voltaire, qui avait déjà obtenu la réhabilitation de Calas en 1765, employa tout son talent à démontrer l'erreur judiciaire. L'innocence des époux Sirven fut finalement reconnue en 1777 par le parlement de Toulouse.

Hôtel de Viviès

35 rue Chambre-de-l'Édit. Pour visiter l'hôtel, s'adresser à l'office de tourisme de Castres.

Un portail monumental donne accès à une cour qu'encadre un édifice du 16ᵉ s. comportant une tour d'angle carrée.

Hôtel Jean-Leroy

Au n° 31. Cet hôtel du 16ᵉ s., assez délabré, présente des fenêtres à meneaux et une tour d'angle sur la rue.

Hôtel de Poncet

R. Gabriel-Guy. Élégant hôtel du 17ᵉ s. avec une façade pourvue de curieuses cariatides soutenant une terrasse à balustres. À l'intérieur se déploie un escalier monumental.

La rue Chambre-de-l'Édit ramène au théâtre.

À proximité Carte de microrégion

Montredon-Labessionné C2

▷ *21 km au nord-est de Castres par la D 89 ; 5 km après Roquecourbe, tourner à gauche.*

Planétarium-observatoire – ☎ 05 63 75 63 12 - http://assoc.pagespro-orange. fr/Planetarn/adresse.htm - ♿ - *planétarium : juil.-août : tlj sf lun. 16h, autres vac. scol. : tlj sur RV 16h ; 7 € (enf. 5 €) - ateliers fusées à eau : juil.-août : merc. et vend. 16h30, autres vac. scol. : tlj sur RV. 14h30 (8 €) - soirées d'observation estivales : mar.-vend. sur réservation : juil. -août : 21h ; 11 € à 13 € (enf. 7 € à 9 €) - soirées d'observation : autres vac. scol. : tlj sur RV 20h30 ; 9 € (enf ; 5,50 €) - fermé 1ᵉʳ-31 déc.*

👫 Outre les activités classiques d'un observatoire, ce centre possède un espace d'observation nocturne et propose deux **spectacles** : « Le Théâtre des étoiles », sur le système solaire, les constellations et les légendes qui s'y rattachent (à partir de 4 ans) ; « La Planète aux mille regards », sur les satellites et les découvertes qui leur sont liées tels les tremblements de terre, la météo… (à partir de 8 ans).

Brassac C2

▷ *24 km à l'est de Castres par la D 622.* À la limite du Sidobre et des monts de Lacaune, Brassac est une agréable station climatique, entourée de collines boisées, classée Station verte, où se maintient une industrie textile. Son vieux **pont gothique**, qui résiste aux crues de l'Agout depuis le 12ᵉ s., présente d'énormes crochets de fer auxquels les teinturiers suspendaient les perches de bois servant à faire sécher les toiles. Vu du pont Neuf, il compose un ensemble harmonieux avec les tours du **château** plongeant dans l'Agout.

Ferrières C2

▷ *31 km à l'est par la D 622 jusqu'à Brassac, puis la D 53 vers Vabre.* À la limite nord-est du Sidobre, ce village est le centre d'animation culturelle du Parc naturel régional du Haut-Languedoc. Si son histoire est étroitement liée à celle de la Réforme, c'est tout simplement parce que le seigneur local, Guillaume de Guilhot, qui fit reconstruire le château au 16ᵉ s., fut le chef du parti réformé.

Musée du Protestantisme – ☎ 05 63 73 45 01 et 05 63 74 05 49 - www.mpehl. org - *de Pâques à fin juin et de fin sept. au 1ᵉʳ nov. : dim. et j. fériés 15h-19h ; de fin* *juin à fin sept. : 10h-12h, 15h-19h, mar., dim., et j. fériés 15h-19h - fermé de nov. à fin mars - 3 € (+ 12 ans 1 €).* Installé dans la maison du Luthier (16ᵉ s.), le musée possède une importante collection de documents liés à l'histoire du protestantisme et aux événements qui ensanglantèrent la région. L'édit de Nantes, l'édit de Castres, la révocation de l'édit de Nantes, la période du Désert et du Refuge sont évoqués par des gravures, des écrits et des objets. Ainsi les lanternes sourdes, qui permettaient de ne pas être repéré de loin, et les capuches, utilisées pendant la période du Désert. Une place toute particulière est faite à l'affaire Calas, illustrée par un fonds important de gravures.

Le Militarial de Boissezon C3

▶ *15 km au sud-est par la D 612, puis la D 93 - La Bastide du Fort - ☎ 05 63 50 86 30 - www.lemilitarial.com - de mi-juin à mi-sept. : tlj sf mar. 10h-12h, 14h-18h30 ; reste de l'année : dim. et j. fériés 14h-18h30 - fermé de mi-déc. à mi-fév. - 4 € (enf. 2 €, – 12 ans gratuit).* Ce petit musée rassemble une vaste collection d'objets de guerre : armes (pistolets, revolvers, fusils, bazookas, mitrailleuses…), uniformes, photos, livres, carnets, etc. De la Première à la Seconde Guerre mondiale, de la guerre d'Indochine à celle d'Algérie, transparaît l'évolution des techniques et de l'équipement.

☺ NOS ADRESSES À CASTRES

HÉBERGEMENT

PREMIER PRIX

Camping Le Plô – *81260 Le Bez - sortie SO vers Castres et à droite après le pont, près de l'Agout et au bord d'un ruisseau, pour caravanes, faire demi-tour au rond-point - ☎ 05 63 74 00 82 - ⌗ réserv. conseillée - 60 empl. 14,60 €.* Isolé dans la Montagne Noire, en lisière d'une forêt, ce terrain se distingue du lot par son emplacement, bien sûr, mais aussi par la qualité de son entretien et sa propreté. Tout ici est simple mais nickel.

Auberge de Crémaussel – *81210 Lacrouzette - ☎ 05 63 50 61 33 - fermé 1 sem. en sept. et du 25 déc. à fin janv. - 🅿 - ⌗ - 5 ch. 46 € ⌑ - rest. 16,50/18,50 €.* Installée sur un site classé de la région du Sidobre, cette « auberge d'hôte » associe son charme rustique à la quiétude ambiante. Les chambres lumineuses ouvrent sur la campagne et ses chemins de randonnée. Côté cuisine, les amateurs n'hésiteront pas à réserver la soupe au fromage, à savourer près de la cheminée.

Chambre d'hôte

Le Pasteillé – *La Ferme - 81290 Viviers-les-Montagnes - ☎ 05 63 72 15 64 ou 06 08 85 34 89 - ♿ - 🅿 - ⌗ - 4 ch. 55 € ⌑ - rest. 18 €.* Cette ancienne ferme nichée au cœur d'une propriété de 5 ha placera votre séjour sous le signe de la tranquillité. La pièce à vivre vous incitera à prolonger les moments de détente au coin de la cheminée, tandis que les chambres, dont une accessible aux personnes à mobilité réduite, aux couleurs pastel donneront une douce saveur aux grasses matinées. Accueil charmant.

BUDGET MOYEN

Hôtel La Renaissance – *17 r. V.-Hugo - ☎ 05 63 59 30 42 - www.hotel-renaissance.fr - 22 ch. 60/70 €.* Belle façade à colombages du 17ᵉ s. abritant des chambres personnalisées (styles Empire, Napoléon III, africain, etc.) où foisonnent tableaux et bibelots. Salons très « cosy ».

POUR SE FAIRE PLAISIR

Hôtel Le Castel de Burlats – *8 pl. du 8-Mai-1945 - 81100 Burlats - ℘ 05 63 35 29 20 - www.lecasteldeburlats.fr.st - fermé 13 fév.-1ᵉʳ mars - 10 ch. 70/110 € - ☑ 10 €.* Castel des 14ᵉ et 16ᵉ s. Très beau salon de style Renaissance et vastes chambres personnalisées ouvertes sur le parc et les jardins à la française. Ambiance guesthouse.

RESTAURATION

PREMIER PRIX

Brasserie de l'Europe – *1 pl. Jean-Jaurès - ℘ 05 63 59 01 44 - fermé dim. - formule déj. 8 € - 11/22 €.* Cette brasserie – la plus réputée de Castres – jouit d'une situation agréable sur la place, à deux pas de l'Agout. Décor typique du genre, ambiance conviviale et animée et carte proposant un bon choix de viandes, pizzas, salades, gratins, etc.

Le Relais du Vieux Pont – *3 pl. Roger-Salengro - ℘ 05 63 35 56 14 - www.hotel-miredames.com - ♿ 33 €/13bc - 14 ch. 65/70 € - ☑ 8 €.* L'adresse jouit d'une certaine notoriété à Castres car elle hébergea le premier « resto philo » de France. Discussions, débats et colloques ont régulièrement lieu dans ces murs où l'on peut également se réunir et s'attabler autour de petits plats traditionnels.

La Mandragore – *1 r. Malpas - ℘ 05 63 59 51 27 - fermé 15-30 mars, 15-30 sept., dim. et lun. - 25 €/13 bc.* Cette maison du vieux Castres est décorée dans un style contemporain, où dominent bois blond et verre dépoli. On y déguste des préparations traditionnelles.

Café de Paris – *8 pl. de l'Hôtel-de-Ville - 81260 Brassac - ℘ 05 63 74 00 31 - fermé vend. soir sf juil.-août - formule déj. 12 € - 14/35 € - 10 ch. 40/53 € - ☑ 7,50 €.* Une petite halte sympathique et sans prétention que cet ancien relais de poste situé à proximité du pont du 12ᵉ s. Intérieur un brin désuet (papier peint à fleurs, cheminée massive, cuivres rutilants) où déguster une cuisine simple, à la fois traditionnelle et régionale.

BUDGET MOYEN

Le Pescadou – *18-20 r. des 3-Rois - ℘ 05 63 72 32 22 - fermé 1 sem. en mai, 3 sem. en août et 1 sem. en nov. - formule déj. 13 € - 17/20 €.* La poissonnerie d'origine s'est dotée d'un restaurant et vous invite à y découvrir sa courte carte de produits de la mer : poissons, coquillages, crustacés, bouillabaisse, suggestions du jour (selon les arrivages) inscrites sur tableau noir… Décor simple à thème marin et terrasse d'été.

Le Victoria – *24 pl. 8-Mai-1945 - ℘ 05 63 59 14 68 - fermé sam. midi et dim. - formule déj. 13 € - 24/45 €.* Trois salles à manger assez intimes aménagées dans un sous-sol voûté. La plus plaisante donne sur la cave à vins protégée par une vitre. Cuisine traditionnelle soignée.

PETITE PAUSE

Signovert – *5 r. Émile-Zola - ℘ 05 63 59 21 77 - tlj sf lun. 8h15-12h15, 14h15-19h15 .* La famille Signovert perpétue depuis trois générations – bientôt quatre – l'élaboration de délices spécifiques à la maison : la nougatine castraise, nougat aux amandes enrobé de glace royale, la Valencienne, un entremet chocolat-vanille aux écorces d'orange amère et petits choux à arroser de chocolat, etc. Le choix de pâtisseries, à déguster dans le salon de thé attenant, est impressionnant. Quant à la qualité, la maison l'assure en fabriquant elle-même l'intégralité des produits.

ACHATS

Marché couvert – *Pl. de l'Albinque - mar.-sam. 7h-13h, dim. et j. fériés 8h-12h30 (été), 9h-12h30 (hiver), vend. 16h-19h sept.-juin .* À signaler la présence, dans le hall des marchés, de « Noctambio », le rendez-vous des producteurs biologiques, chaque jeudi de 16h à 20h et du marché au gras du 2e samedi de novembre au 2e samedi d'avril, de 7h à 13h.

Marché – *Pl. Jean-Jaurès - le mat. : mar., jeu., vend. et sam.* À noter qu'en décembre, à l'occasion du marché de Noël et en juillet, lors du festival Les Extravadanses, le marché est déplacé de la place Jean-Jaurès à la place Soult.

ACTIVITÉS

Parc de loisirs de Gourjade – *Rte de Roquecourbe - ☎ 05 63 59 72 30.* Au nord de la ville, le parc de loisirs de Gourjade, avec son golf, ses promenades, ses aires de pique-nique, son parcours d'orientation, ses jeux pour enfants et sa piscine-patinoire est conçu pour la détente.

Le Coche d'Eau - le « Miredames » – *R. Milhau-Ducommun - ☎ 05 63 71 58 58 - www.ville-castres.fr - mai-oct. : centre-ville 10h30, 12h, 14h, 15h20, 16h30, 17h50 - Gourjade 11h10, 12h30, 14h40, 16h, 17h10, 18h30 - fermé nov.-avr. - 5 € AR - (– 17 ans 2 € : AR - 0 à 3 ans gratuit).* Pour une promenade sur l'Agout, embarquez sur le *Miredames*, un superbe bateau en bois dont la construction s'est inspirée des anciennes diligences fluviales jadis halées par les chevaux. L'occasion de découvrir une autre facette de Castres et du parc de Gourjade.

AGENDA

Festival Les Extravadanses – La 1re quinz. de juillet. Différentes compagnies et troupes de danse classique, contemporaine, tango se produisent sur les places et dans les rues de Castres. ☎ 05 63 71 56 58.

Le rocher de Sept-Faux dans le Sidobre.
L. Frezouls / fotolia.com

Le Sidobre

★

Tarn (81)

S'INFORMER

Maison du Sidobre – *Vialavert - 81260 Le Bez - ☏ 05 63 74 63 38 - juil.-août : tlj 10h-18h ; avril-juin et sept.-oct. : tlj 10h-12h, 14h-17h ; nov. et fév. : lun.-vend. 10h-12h, 14h-17h ; mars : lun.-vend. 10h-12h, 14h-17h, dim. 14h-17h ; déc.-janv. : mar.-vend. 10h-12h, 14h-17h.*

Pour les adresses d'hébergement et de restauration, consultez l'encadré pratique de Castres.

SE REPÉRER

Carte de la microrégion C2 *(p.138)* – carte Michelin Départements 338 F9. Le Sidobre s'étend à l'est de Castres. Il est délimité par son affluent la Durenque et l'Agout, encaissé dans de profondes gorges.

À NE PAS MANQUER

La Peyro Clabado et le rocher de Sept-Faux.

ORGANISER SON TEMPS

La découverte du Sidobre s'accompagne de marche : n'oubliez pas vos chaussures de randonnée, une gourde et votre pique-nique !

AVEC LES ENFANTS

Le chaos de Saint-Dominique, le rocher de Sept-Faux, le roc de l'Oie et le Peyro-Clabado.

Compris dans le périmètre du Parc naturel régional du Haut-Languedoc, le Sidobre présente un double intérêt. D'une part, les carrières gigantesques qui l'entaillent, quelquefois cruellement, témoignent de son

importance économique. D'autre part, il offre aux touristes ses curieux paysages de roches granitiques sculptées en boules par l'érosion. D'énormes masses arrondies, en équilibre les unes sur les autres, des rivières de rochers, les compayrés (véritables chaos formés de blocs isolés par le ruissellement de la rivière qu'ils recouvrent), en font un site touristique réputé.

EXPLOITATION DU GRANIT

Massif granitique vieux de 290 millions d'années, le Sidobre constitue l'un des plus importants gisements d'Europe : 150 kilotonnes de granit brut y sont extraite chaque année, principalement destinées au secteur funéraire, au bâtiment et à la voirie. Une partie est façonnée et polie sur place. On estime que les activités d'exploitation et de transformation du granit occupent environ 250 entreprises et génèrent 1 500 emplois.

Itinéraire conseillé

▶ *Pour visualiser ce circuit de 53 km au départ de Castres, reportez-vous à la carte ci-contre – compter environ 3h. Quitter Castres à l'est par la D 622 en direction de Brassac. Au hameau de la Fontasse, tourner à droite.*

Chaos de Saint-Dominique

👥 Dans un agréable site boisé, cette rivière de rochers recouvre le Lézert sur une longueur d'environ 4 km.

Grotte de Saint-Dominique

🚶 *1/4h à pied AR. Attention, rochers très glissants. Bonnes chaussures et corde recommandées.* Descendre le long de la rive droite de la rivière, puis la traverser. Donnant sur une clairière, la grotte aurait abrité, sinon saint Dominique en personne, du moins un de ses lointains disciples traqué sous la Révolution.
Revenir sur la D 622 et reprendre la direction de Brassac. Après 5 km, juste après un café, tourner à gauche, puis, dans le hameau de l'Oustalou, s'arrêter au café-tabac « Au Rocher Tremblant ».

Rocher de Sept-Faux

👥 C'est le plus bel exemple de « rocher tremblant » du Sidobre. Deux blocs juchés l'un sur l'autre, d'une masse de 900 t, peuvent être ébranlés par simple pression sur un levier de bois.
Reprendre la route de Brassac. Au niveau de Vialavert, tourner à gauche sur la D 30 en direction de Lacrouzette.

Lac du Merle

Alimenté par les eaux du Lignon, ce beau lac, d'où émergent de gros blocs arrondis, est entouré de forêts. Une aire de pique-nique aménagée permet de déjeuner en bordure du lac.

Chaos de la Resse (ou rivière de rochers)

En s'approchant, on entend les grondements du Lignon qui disparaît totalement sous ce chaos de rochers.

Peyro Clabado

👥 La Peyro Clabado (ou roc Clabat) est la curiosité la plus impressionnante du Sidobre. Un bloc de granit, dont le poids est estimé à 780 t, se maintient en équilibre sur un socle de très petites dimensions. Un coin, naturellement disposé entre le piédestal et le rocher, assure la stabilité de l'ensemble.

Lacrouzette
Une grande partie de sa population vit de l'exploitation et du travail du granit.

De Lacrouzette, prendre la D 58 vers Thérondel. Cette très belle route offre des vues plongeantes sur la vallée de l'Agout.

S'arrêter au village de Ricard, le traverser pour prendre le sentier vers les Trois Fromages et le roc de l'Oie.

Trois Fromages et roc de l'Oie
3/4h à pied AR, suivre la signalisation rouge et blanc du GR, agréable sentier en sous-bois. Les **Trois Fromages** sont un unique bloc divisé par diaclase (fissure) en trois parties arrondies par l'érosion.

Plus loin, le **roc de l'Oie**, vu du sentier en provenance de Crémaussel, présente une ressemblance frappante avec l'animal familier des amateurs de foie gras. On raconte qu'un tyran n'autorisait son oie à ne couver que la nuit, l'obligeant à rentrer à l'aube. Un matin, l'animal s'attarda et ne revint que bien après le lever du soleil. Furieux, le maître la pétrifia sur place avec son œuf… D'où ce curieux rocher sur le plateau !

Reprendre la D 58 en direction de Lacrouzette et Burlats. Environ 2 km après Lacrouzette, après l'embranchement de Campselves, une petite route à gauche est signalée.

À L'ABRI
De nombreux clandestins, prêtres proscrits pendant la Révolution ou maquisards de la Seconde Guerre mondiale, ont trouvé dans les forêts sauvages du Sidobre un refuge les mettant à l'abri des persécutions.

Saut de la Truite

S'arrêter près du Lignon, puis prendre un chemin à droite du torrent. 10mn de *marche AR jusqu'au pied de la cascade.* Le paysage, généralement verdoyant, présente, à hauteur de cette cascade aux eaux tumultueuses, un aspect plus aride.

Burlats

Au débouché des gorges de l'Agout se dresse un ensemble (aujourd'hui occupé par la mairie) comprenant les vestiges d'une abbaye bénédictine fondée au 10e s., ornée de portails romans, de chapiteaux et moulures, de fenêtres à croisillons. Derrière, remarquez le **pavillon d'Adélaïde**, belle maison romane aux ravissantes fenêtres, qui abrita au 12e s. Adélaïde de Toulouse, fille de Raimond V, et sa cour d'amour où les troubadours Ramon de Miraval et Arnaud de Mareuil chantaient la beauté de la jeune femme.

Revenir à Castres par les Salvages et la D 89.

Lacaune

2 839 Lacaunais – Tarn (81)

😊 **NOS ADRESSES PAGE 172**

🛈 **S'INFORMER**

Office du tourisme de Lacaune – *Pl. du Gén.-de-Gaulle - 81230 Lacaune - ✆ 05 63 37 04 98 - www.lacaune.com - de mi-juin à mi-sept. : lun.-vend. 9h-12h30, 13h30-18h30, sam. 10h-12h, 14h-18h30, dim. 10h-12h, 14h-16h30 ; reste de l'année : mar.-vend. 9h-12h, 14h-17h, lun. 14h-17h, sam. 10h-12h, 14h-17h.*

⟳ **SE REPÉRER**

Carte de la microrégion D2 *(p. 138)* – *carte Michelin Départements 338 I8.* Située dans le paysage accidenté des monts de Lacaune, à la limite du Parc naturel régional du Haut-Languedoc, la ville est reliée par la D 622 à Castres, à l'ouest, et à Bédarieux, à l'est.

😊 **À NE PAS MANQUER**

Le lac de Laouzas.

Les amateurs de « tourisme vert » apprécieront les paysages bucoliques de Lacaune et des monts du même nom. De cette station climatique, dotée de sources thermales, qui accueille principalement des enfants, on peut partir pour d'agréables randonnées à travers les monts environnants ou dans la fraîche vallée du Gijou.

Se promener

La cauna, en deux mots (c'est du reste ainsi que s'écrivait traditionnellement le nom de la ville), signifie en occitan « la grotte ». Et elles sont nombreuses dans les monts de Lacaune !

Font dels Pissaïres (fontaine des Pisseurs)

Au centre de la ville, sur la place du Griffoul, se dresse une fontaine affirmant haut et fort les vertus diurétiques des eaux de Lacaune. Un groupe de quatre jeunes gens en acier noirci surmonte deux belles vasques de pierre du 14e s.

Musée-filature Ramond

R. Rhin-et-Danube - ℰ 05 63 37 04 98 - www.lacaune.com - visite guidée (1h) du 15 juin au 15 sept. : lun.-vend. à 15h - 2 € (– 12 ans gratuit).

Dans cet établissement construit en 1841 dans le quartier de Peyruc, vous pourrez vous initier aux techniques traditionnelles du cardage et du filage de la laine.

Itinéraire conseillé Carte de microrégion

MONTS DE LACAUNE D2

◗ *46 km – compter 2h. Quitter Lacaune à l'est par la route des Vidals et suivre le panneau « Route touristique des Vidals à Nages ».*

Roc de Montalet D2

🥾 *Laisser la voiture sur un terre-plein au pied du roc et emprunter le chemin qui monte jusqu'au sommet. Compter 1/2h à pied AR.* Après le Montgrand à l'ouest (1 267 m), le roc du Montalet (1 259 m) est le sommet le plus élevé des monts de Lacaune. On sera récompensé de l'ascension en découvrant depuis la butte, qui porte une statue de la Vierge, une **vue** intéressante au sud sur les formes adoucies des monts de Lacaune, moins accidentés que les monts de l'Espinouse au sud-est *(table d'orientation)*. Au premier plan, le barrage de Laouzas.

La route redescend jusqu'à Nages où l'on prend sur la droite la D 62 qui conduit au lac.

Lac de Laouzas D2

🛈 *Ferme de Rieumontagné - 81320 Nages - ℰ 05 63 37 06 01 - www.laouzas.com - mai-oct. : tlj 10h-12h, 14h-19h ; reste de l'année : tlj sf dim. 10h-12h, 14h-18h.*

Une route construite en retrait des berges permet de faire le tour de ce lac,

---

LES BREBIS DE LACAUNE

Les Lacaunais exploitent les ardoisières, fabriquent des salaisons et ont donné le nom de Lacaune à une race de brebis qui compte parmi les meilleures races laitières de France. Elle comprend 650 000 individus répartis entre le Tarn, l'Aveyron, l'Aude et la Lozère. La production laitière locale est acheminée vers Roquefort. Quant aux agneaux, une fois engraissés, ils font d'excellentes côtelettes et de savoureux gigots.

d'une superficie de 320 ha, et de découvrir de très agréables paysages où se succèdent bois, prés et collines se reflétant dans l'eau. À l'automne, les tapis de fougères les colorent d'une belle teinte rousse.

À **Rieu-Montagné**, une ferme a été aménagée en base de plein air par le Parc naturel régional du Haut-Languedoc. De l'autre côté du lac, le barrage-voûte sur la Vèbre, haut de 50 m, retient l'eau destinée à alimenter l'usine souterraine de Montahut, après un parcours souterrain de plus de 15 km.

Le retour vers Lacaune pourra s'effectuer par Nages où l'on poursuivra sur la D 62 jusqu'à La Trivalle. Prendre alors à gauche la D 622 vers Lacaune.

La Pierre plantée D2

Il s'agit d'une des nombreuses statues-menhirs qui parsèment la région de Lacaune. Haute de 4,50 m, elle indique le lieu où le prédicant protestant Corbière de La Sicarié fut tué, en 1689, quatre jours après le massacre de Saint-Jean-del-Frech. Tous les ans, le quatrième dimanche du mois d'août, des protestants se réunissent ici afin de commémorer cet événement survenu quatre ans après la révocation de l'édit de Nantes.

😊 NOS ADRESSES À LACAUNE

HÉBERGEMENT

PREMIER PRIX

Chambre d'hôte La Tranquille – *81260 Lamontélarié -* 𝒫 *05 63 74 56 54 - www.la-tranquille.com -* 🅿 *-* 🖊 *- 3 ch.* *45 € ☕ - rest. 17 €.* Un nom bien trouvé pour cette maisonnette, bercée par le chant des oiseaux et le murmure du ruisseau. Confortables et bien tenues, les chambres sont décorées de tableaux du propriétaire, véritable passionné. En table d'hôte, le repas familial où gastronomique apporte chaleur et convivialité.

RESTAURATION

BUDGET MOYEN

Calas – *Pl. Vierge -* 𝒫 *05 63 37 03 28 - www.hotel-calas.fr - fermé 15 déc.-* *15 janv. - formule déj. 13 € - 16/36 € -* *16 ch. 40/55 € - ☕ 7 €.* Quatre générations se sont succédés à la tête de cette institution familiale servant une solide cuisine du terroir. Restaurant décoré par des artistes du pays et chambres colorées.

ACHATS

Maison de la charcuterie – *3 r. du Biarnès -* 𝒫 *05 63 37 46 31 - www.lacaune.com - 15 juin-15 sept. : tlj 10h-12h et 14h30-18h. - 3 € - (enf. – 12 ans gratuit).* Cette maison vous invite à découvrir l'histoire de Lacaune ainsi que l'origine et l'évolution des traditions locales en matière de charcuterie (audioguides en français, anglais, espagnol et néerlandais). Dégustations en fin de parcours et vente de produits dans la partie boutique.

Dans le musée du Textile à Labastide-Rouairoux.
L. Michel / MICHELIN

Mazamet

10 158 Mazamétains – Tarn (81)

😊 **NOS ADRESSES PAGE 176**

🗓 **S'INFORMER**

Office du tourisme de Mazamet – *Maison Fuzier - r. des Casernes - 81200 Mazamet -* 📞 *05 63 61 27 07 - www.tourisme-mazamet.com - juil.-août : 9h-19h, dim. et j. fériés 10h-12h, 15h-18h ; juin et sept. : 9h-12h, 14h-18h, dim. et j. fériés 15h-18h ; oct.-mai : 9h-12h, 14h-18h, dim. et j. fériés 14h30-17h30 ; janv. : tlj sf dim. 9h-12h, 14h-18h.*

Six thèmes de visites guidées sont proposés en juil.-août : « Mazamet, au fil de la laine », « Hautpoul village perché médiéval », « Catharisme occitan, la mémoire retrouvée », « Saint Amans Valtoret et Saint Amans Soult », « Odyssée des savoirs, la filière bois ». *Informations à l'office de tourisme - tarif variable selon visite, entre 3 et 5 €.*

▶ **SE REPÉRER**

Carte de la microrégion C3 *(p.138) – carte Michelin Départements 338 G10.* À 3 km au sud, sur la D 118, le belvédère du **Plo de la Bise** offre une vue intéressante sur les ruines d'Hautpoul et sur Mazamet qui se développe en éventail au débouché des gorges de l'Arnette. On distingue la vieille ville serrée autour de l'église Saint-Sauveur et, sur la rive gauche, la cité moderne ceinturée par les zones industrielles de Bonnecombe et d'Aussillon.

🕐 **ORGANISER SON TEMPS**

Tout passage à Mazamet suppose forcément de s'aventurer dans la Montagne Noire voisine.

👥 **AVEC LES ENFANTS**

La Maison du bois et du jouet.

Mazamet, situé au pied de la Montagne Noire, s'appelait jadis Hautpoul (alt pujòl, ou « puy en hauteur »). Après le siège de Simon de Montfort en 1212, le village descendit dans la vallée et prit le nom de la rivière, le Mas Arnette avant de devenir Mazamet. La ville était surtout connue pour ses installations de délainage et ses mégisseries. Plus tard, elle s'illustra en disputant le bouclier de Brennus lors de la finale du Championnat de France de rugby, en 1958.

Se promener

Maison des mémoires de Mazamet

R. des Casernes - ☎ 05 63 61 56 56 - www.maison-memoires.com/- ♿ - possibilité de visite guidée - juin-août : 10h-12h, 14h30-18h, w.-end 15h-18h ; sept.-mai : tlj sf lun. et mar. 14h30-17h30 - fermé janv., 1er Mai, 24, 25 et 31 déc. - 3 € (+ 6 ans 2 €), 4 € visite guidée.

Siège de l'office de tourisme, l'hôtel Fuzier, maison bourgeoise du 19e s., abrite l'exposition « Catharisme occitan, la mémoire retrouvée ». On y part à la découverte de cette religion qui trouva refuge sur le versant tarnais de la Montagne Noire, dans les bourgs et les châteaux du pays occitan (ainsi de Hautpoul). Reconstitutions historiques, ambiances sonores et vidéos retracent la vie des cathares pendant trois siècles : leur organisation, leurs croyances, la répression, l'Inquisition et les croisades.

Église du Sacré-Cœur de Bonnecousse

À Aussillon-Plaine. Accès par l'avenue Jean-Mermoz, direction Toulouse.

Conçue notamment par Joseph Belmont, l'église du Sacré-Cœur fut édifiée en 1959 dans un style résolument moderne. À l'intérieur, Vierge à l'Enfant en plomb habillée d'un tissu du à Simone Prouvé. Dans le baptistère, vitrail de dom Ephrem, moine de l'abbaye d'En Calcat.

À proximité Carte de microrégion

Hautpoul C3

▶ *4 km au sud par la D 54 et la première route à droite.*

Son ancien château médiéval, bâti sur un éperon rocheux, est aujourd'hui en ruine. Il fut assailli et brûlé en 1212 par Simon de Montfort durant sa croisade contre les albigeois. Les quelques survivants fuyant les lieux du massacre s'installèrent sur les rives de l'Arnette pour fonder Mazamet. En à-pic sur les **gorges de l'Arnette**, une belle **vue** se dégage sur Mazamet et la vallée du Thoré.

Maison du bois et du jouet – *☎ 05 63 61 42 70 - www.hautpoul.org - juil.-août : tlj 14h-19h ; janv.-déc. : merc., w.-end et j. fériés 14h-18h (vac. scol. : tlj sf lun.) - fermé janv. et 25 déc. - 5 € (4-14 ans 3 €).*

Elle permet, aux uns d'effectuer quelques emplettes, aux autres de retrouver leur âme d'enfant.

Lac des Montagnès C3

▶ *6 km au sud par la D 118.*

Situé dans un écrin de collines et de bois, ce beau lac artificiel, réservoir d'eau pour Mazamet, est fréquenté par les pêcheurs, les baigneurs et les promeneurs (base de loisirs).

DE NID D'AIGLE EN BAS DE LAINE

Au contact des plaines où l'on cultivait pastel, garance ou safran, et de la Montagne Noire où broutaient les moutons, Mazamet avait une situation rêvée pour devenir une capitale lainière. La pureté des eaux de l'Arnette, idéale pour le lavage de la laine, et leur force motrice poussèrent les Hautpoulois à abandonner leur nid d'aigle. En 1851, l'industrie du délainage naquit lorsque la maison Houlès Père et Fils et Cormouls importa des peaux de Buenos Aires qu'elle fit délainer. Séparée de la peau et lavée, la laine était cardée, peignée, filée et tissée. Quant à la peau (le « cuirot »), elle était dirigée vers les mégisseries. Les peaux étaient importées d'Australie, d'Afrique du Sud et d'Argentine avant d'être traitées à Mazamet, qui exportait ensuite la laine, surtout vers l'Italie. Les « cuirots » étaient expédiés vers l'Espagne, la Belgique, l'Italie et les États-Unis.

Aujourd'hui, la Chine a remporté les meilleurs marchés ; les mégisseries et les usines de filature et de tissage, installées dans le sillon de l'Arnette et le long du Thoré jusqu'à Labastide-Rouairoux, se sont progressivement transformées en friche industrielle. De nouvelles industries font vivre la région dans le secteur automobile (Valeo) ou alimentaire (Menguy's).

😊 Pour compléter vos connaissances, vous pouvez visiter la filature Ramond à Lacaune *(voir p.171)* et les anciennes maisons de tisserands à Castres *(voir p.161)*.

Labastide-Rouairoux D3

▶ *23 km à l'est par la D 612.* 🥾 *2,5 km - 1h30.* L'activité du village, autrefois tournée vers la fabrication du fil, se dévoile à travers le sentier « Art et Textile » au départ de l'office de tourisme *(bd Carnot)*. Ponctué de 24 étapes, il vous fera découvrir la *tendo* (en occitan « l'étendoir »), la Carrieyrasse (« grand chemin pavé » en latin), les moulins à foulons, la teinturerie, le quartier protestant, le musée du Textile *(voir ci-dessous)*, etc. Chemin faisant, profitez de la belle vue sur le village et la vallée. 📞 *05 63 98 07 58 - demandez le dépliant à l'office de tourisme.*

Musée du Textile – 📞 *05 63 98 08 60 - http://musee-textile.tarn.fr -* ♿ *- juil.-août : tlj 10h-12h30, 14h-19h ; mai-juin et sept.-oct. : tlj sf mar. 10h-12h, 14h-18h ; nov.-avril : tlj sf lun. et mar. 14h-17h - du 20 déc. au 28 fév. : pour les groupes, sur réservation - fermé j. fériés - 3,80 € (– 18 ans gratuit), gratuit 1er dim. du mois.* Dans une manufacture du 19e s., machines et bobines de fils se côtoient pour nous faire revivre l'ambiance des anciens ateliers de tissage de la région. De la matière première au produit fini, ce sont les différentes étapes de fabrication des tissus qui nous sont révélées : filature, teinture, tissage, impressions, apprêts… Chaque étape est expliquée, souvent associée à une machine donnant lieu à une démonstration lors de la visite guidée. Outre des métiers à tisser, sont exposées une visiteuse qui contrôlait la qualité de la pièce de tissu, un foulon pour feutrer et rétrécir, une tondeuse-veloûteuse pour obtenir un « velours ras », une chardonneuse-gîteuse pour ajouter du brillant… Expositions temporaires à l'étage.

😊 Possibilité de participer à des ateliers *(1h à 1h30)*, sur réservation. Parmi les thématiques : impressions textiles, secrets de musées, textiles performants. *2,30 €.*

Itinéraires conseillés

VALLÉE DU THORÉ C3

▷ *41 km – compter environ 2h. Quitter Mazamet à l'est par la D 612 en direction de St-Pons.*

Saint-Amans-Soult C3

Saint-Amans-la-Bastide a pris le nom du plus illustre de ses enfants, le **maréchal Soult** (1769-1851). Son tombeau se trouve dans le flanc droit de l'église.

Prendre à gauche la D 53 qui franchit un pont puis s'élève, après St-Amans-Valtoret, parmi les prairies. 1,8 km au-delà du lieu-dit le Banquet, laisser la voiture au panneau « Gorges du Banquet, belvédère à 150 m ».

Gorges du Banquet C3

🐾 *15mn à pied AR.* Du belvédère aménagé sur des rochers en surplomb, vue impressionnante sur ces gorges très encaissées et profondes d'une centaine de mètres, où l'Arn se fraie un chemin à travers les chaos des rochers.

Poursuivre la route jusqu'au Vintrou, puis tourner à droite dans la D 161 vers le barrage des Saints-Peyres.

Lac des Saints-Peyres C3

Ce lac, d'une superficie de 211 ha, est retenu par un barrage. Entouré de forêts, il a beaucoup de charme et attire les amateurs de planche à voile.

Revenir au Vintrou et prendre la D 54 qui ramène à Mazamet en traversant Pont-de-Larn.

MONTAGNE NOIRE

▷ Un circuit incluant le **pic de Nore★** (point culminant du massif), les gorges de la Clamoux et le gouffre de Carespine est décrit dans *Le Guide Vert Languedoc-Roussillon* (chapitre « Carcassonne »).

😊 NOS ADRESSES À MAZAMET

HÉBERGEMENT

BUDGET MOYEN

Chambre d'hôte Chez Françoise – *En Rosières - 81240 St-Amans-Soult -* 📞 *05 63 97 90 68 - www. chez-francoise.com -* 🅿 *- 🖥 - 3 ch. 65/70 € ⌑ - rest. 18 €.* Parée d'un enchevêtrement de plantes grimpantes, cette superbe bâtisse du début du 20e s. ouvre sur un joli parc arboré. Ses 3 chambres, dont 2 suites, bénéficient chacune d'une décoration soignée. Jolie piscine et plage en bois. Petits-déjeuners complets avec charcuterie et fromage.

Chambre d'hôte La Ranquière – *La Ranquière - 81240 Rouairoux -* 📞 *05 63 98 87 50 - www. laranquiere.com - 🖥 - 4 ch. 50/65 € - rest. 17 €.* Cette ravissante ferme du 17e s. isolée sur un domaine de 2 ha propose des chambres personnalisées et pétries de charme. Accueil agréable, coquet jardin, petit verger, belle piscine et terrasse tournée vers la Montagne Noire.

Hôtel Mets et Plaisirs – *7 av. Albert-Rouvière - 81200 Mazamet -* 📞 *05 63 61 56 93 - www. metsetplaisirs.com - fermé 3-23 août, 2-11 janv. et dim. soir - 11 ch. 55 € - ⌑ 7 € - rest. 16/55 €.*

Maison de maître du début du 20e s. située en plein centre-ville, face à la poste. Chambres simples, rénovées et correctement équipées.. La salle de restaurant a conservé de son passé de demeure patricienne une distinction certaine ; cuisine au goût du jour.

RESTAURATION

PREMIER PRIX
La Scala – *Quai Charles-Cazenave -* ☎ *05 63 98 12 52 - fermé dim. et*

lun. - formule déj. 10 € - 10/20 €. Dans une ambiance agréable, le maître des lieux vous propose un bon choix de pizzas, salades, pâtes et grillades.

AGENDA

Fête du fil – Le 15 août à Labastide-Rouairoux : spectacles, animations, ateliers d'initiation. *Renseignements à l'office de tourisme.* ☎ *05 63 98 07 58.*

La Montagne Noire

★

Tarn (81)

NOS ADRESSES PAGE 183

S'INFORMER
Office du tourisme de Revel Saint-Ferréol Montagne Noire – *Pl. Philippe-VI-de-Valois-Beffroi - 31250 Revel -* ☎ *05 34 66 67 68 - www.revel-lauragais.com - juil.-août : 9h-19h (sam. 18h30), dim. 10h-12h30, 15h-18h ; sept.-juin : tlj sf lun. 9h30-12h30, 14h30-18h30, sam. 9h-13h, 15h-18h30, dim. 10h-12h30, 15h-18h - fermé 1re sem. janv. et j. fériés.*

SE REPÉRER
Carte de la microrégion C3 *(p.138)* – *carte Michelin Départements 338 E-F-G-H10.* La Montagne Noire constitue l'extrême sud-ouest du Massif central.

À NE PAS MANQUER
Le bassin de Saint-Ferréol ; l'abbaye-école de Sorrèze.

ORGANISER SON TEMPS
Sur un week-end, consacrez la première journée à la découverte du Parc naturel régional du Haut-Languedoc en faisant halte dans les villages. Le lendemain, poussez plutôt à travers la plaine du Lauragais pour rejoindre le canal du Midi.

AVEC LES ENFANTS
Sylvea à Revel, Explorarôme à Montégut-Lauragais.

On est fasciné par cette montagne qui se présente sous deux visages. Un versant nord couvert de sombres forêts de hêtres, de chênes, de sapins et d'épicéas, où règnent fraîcheur et odeurs d'humus… Une déclivité sud qui étonne par son paysage méditerranéen, sec et dénudé, où se côtoient genêts, garrigues, vignes et oliviers. Des paysages contrastés à découvrir !

Itinéraires conseillés

LE PARC NATUREL RÉGIONAL DU HAUT-LANGUEDOC 1

◐ *Pour visualiser ce circuit de 83 km, reportez-vous à la carte ci-contre – compter 2h. Quitter Revel par la D 629 au sud-est, puis, aux Cammazes, prendre sur la gauche la D 44 qui parcourt les pittoresques gorges du Sor.*

Durfort
Au seuil de la vallée encaissée du Sor, Durfort s'est depuis toujours consacré à l'industrie du cuivre. La tradition perdure aujourd'hui grâce à l'artisanat d'art ! Des chaudronniers travaillent sur le dernier « martinet » encore en activité (15e s.) pour façonner divers objets en cuivre. Un **musée du Cuivre** est installé dans une ancienne maison de chaudronnier. ℘ 05 63 74 22 77 ou 06 19 59 02 95 - www.durfort.village.com - ♿ - *visite guidée (1h30) - du 14 Juil. au 15 août : jeu.-dim. 15h-18h ; du 15 juin au 13 juil. et du 16 août au 15 sept. : w.-end 15h-18h - 2 € (7-12 ans 1 €).*
Poursuivre la route jusqu'à Pont-Crouzet et prendre à droite la D 45.

★ Sorèze
🛈 *La Tour Ronde, r. St-Martin - ℘ 05 63 74 16 28 - www.ville-soreze.fr - juil.-août : 10h-12h, 14h-18h ; sept.-juin : 10h-12h, 14h-17h30, w.-end et j. fériés 14h-17h30.* L'office de tourisme de Sorèze propose trois visites guidées *(1h env.)* de la ville, du clocher Saint-Martin et du lac Saint-Ferréol, *1 à 3 € (– 12 ans gratuit) - sur réservation.*

Ce village s'est développé au 8e s. autour d'une abbaye bénédictine dont il partagea la destinée, alternant périodes d'extension, de destruction et de reconstruction. En 1573, durant les guerres de Religion, Sorèze voit son abbaye pillée et incendiée et son village ruiné ; l'église paroissiale Saint-Martin, témoin de la prospérité du 14e s., est détruite : seul subsiste le **clocher-chœur** encore visible aujourd'hui à proximité de l'abbaye.

★ **Abbaye-école** – *1 r. St-Martin - ℘ 05 63 50 86 38 - www.abbayeecoledesoreze. com - ♿ - avr.-oct. : tlj 10h-12h, 14h-18h ; nov.-mars : tlj 14h-17h30 - fermé 1er Mai et vac. de Noël. - 3 €, avec audioguide 4 €.*

DE SOMBRES FORÊTS
La Montagne Noire se caractérise par un fort contraste entre son versant nord, qui s'élève brusquement au-dessus du Thoré, et son versant sud, doucement incliné vers les plaines du Lauragais et du Minervois, en vue des Pyrénées. Le pic de Nore (1 210 m) culmine sur l'abrupt versant nord.

Ce sont les sombres forêts du versant nord, plus arrosé, qui ont valu ce nom au massif. Il étonnera ceux qui limitent leur visite au versant sud, âpre et dénudé, à la végétation méditerranéenne.

Sur ce relief diversifié, les vents se transforment : ceux de l'ouest, chargés de pluie, se font violents et secs quand ils atteignent la plaine du Bas-Languedoc ; le « marin », venu de l'est chargé d'humidité, devient le sec vent d'autan du Haut-Languedoc. Résultat, la Montagne Noire reçoit plus de 1 m d'eau par an !

LA MONTAGNE NOIRE

Après un difficile siècle de reconstruction, en 1682, l'abbaye ouvre ses portes à un séminaire pour les enfants des familles peu fortunées. Son succès et sa renommée grandissent rapidement au point que l'extension des bâtiments est nécessaire. Les familles aisées réclament de voir leur progéniture également accepptée.

Sous Louis XVI, l'établissement devient l'une des 12 écoles royales militaires de France. Sa renommée rebondit une seconde fois grâce à l'arrivée d'un dominicain, le père **Lacordaire** (sa statue domine la cour d'entrée), qui en assurera la direction de 1854 à sa mort, en 1861. « Religion, sciences, arts et armes » (devise de l'école) offrent une éducation très large de l'esprit et du corps où chacun peut trouver sa voie (nombreux sont les militaires, politiques, écrivains, philosophes… qui ont passé leur enfance à Sorèze). Le port de l'uniforme permettait de ne pas faire de différence entre les élèves boursiers et les autres. Seul signe de distinction : selon leur âge, les élèves portaient un collet vert, bleu, jaune ou rouge, un système de classification qui était également appliqué à l'enseignement et aux bâtiments. Quelques grandes nouveautés pour l'époque : on y enseigne l'anglais et l'allemand ainsi que la natation. Les élèves affluent même de l'étranger.

L'enseignement des dominicains perdura jusqu'en 1974. L'établissement a été transformé en hôtel *(voir nos adresses)*. L'immense **parc** de 6 ha et les bâtiments permettent de comprendre comment s'organisaient la scolarité et la vie en internat. On admirera tout particulièrement la grande façade classique, rue Saint-Martin. L'abbaye-école est aujourd'hui classée parmi les Sites majeurs en Midi-Pyrénées.

À la sortie de Sorèze, prendre à droite l'agréable D 45, puis encore à droite la D 12.

Arfons

Autrefois propriété des hospitaliers de Saint-Jean-de-Jérusalem (l'ordre de Malte), Arfons est aujourd'hui un paisible village de montagne aux toits d'ardoise. Entouré de forêts, c'est le point de départ de belles promenades à pied (*sentier GR 7*). À l'angle d'une maison de la rue principale, belle Vierge de pierre du 14e s.

D'Arfons, on gagnera au sud-est Lacombe, à travers la forêt de la Montagne Noire. Puis on rejoindra la D 203 qui remonte vers le nord (Laprade) à travers la forêt de la Loubatière.

Forêt de la Loubatière

La route qui traverse cette forêt de hêtres, de chênes et de sapins est particulièrement agréable à parcourir.

Fontbruno

Au-dessus d'une crypte se dresse le monument aux morts du maquis de la Montagne Noire. De là, belle vue sur la plaine.

*Aussitôt après le monument, tourner à gauche dans la forêt d'Hautaniboul. La route forestière atteint, à la croisée de trois routes, le **Pas du Sant**.*

Prendre à gauche la D 14 et, après Massaguel, de nouveau à gauche la D 85 vers Saint-Ferréol.

En Calcat

Deux abbayes bénédictines y sont installées, fondées par le père Romain Banquet sur sa propriété personnelle. Le **monastère Saint-Benoît**, réservé aux hommes, reçut la bénédiction abbatiale en 1896. C'est une communauté active qui, entre autres travaux artistiques (poterie, ateliers de vitraux, lutherie), a acquis quelque célébrité pour son atelier de cartons de tapisserie de Dom Robert. Les tapisseries sont ensuite fabriquées à Aubusson. Plus loin, sur la gauche, se dresse l'**abbaye Sainte-Scholastique** (1890) occupée par des moniales, également actives (ateliers de tissage et de reliure).

Poursuivre jusqu'à **Dourgne**, village qui exploite des ardoisières et des carrières de pierre. Nombreuses randonnées autour des chapelles de St-Ferreol et St-Stapin – *www.paysdedourgne-tourisme.com.*

Prendre sur la gauche la D 12 qui ramène à Sorèze par le mont Alric.

Table d'orientation du mont Alric

Alt. 788 m. La vue s'étend à l'ouest sur la plaine de Revel, au sud jusqu'aux Pyrénées. Au premier plan, à l'est, le mont Alric (813 m).

Reprendre sur la droite la D 45 jusqu'à Sorèze, puis, à gauche, la D 85 vers Revel.

★ LES EAUX CAPTIVES ②

Pour visualiser ce circuit de 75 km de la prise d'Alzeau au seuil de Naurouze, reportez-vous à la carte (p.179) - compter environ 5h.

Cet itinéraire suit le système d'alimentation du canal du Midi imaginé au 17e s. par Pierre-Paul Riquet, puis amélioré au cours des siècles suivants. La Montagne Noire représentant un formidable château d'eau, Riquet eut l'idée de rassembler les eaux de ses ruisseaux (principalement l'Alzeau, la Bernassonne, le Lampy et le Sor) et de les conduire par un petit canal (la rigole de la Plaine) jusqu'au bief de partage, à Naurouze.

Atteindre la prise d'Alzeau par la D 353 au départ de St-Denis et en direction de Lacombe, puis par une route forestière à droite.

Dans la Montagne Noire.
M.-H. Carcanague / MICHELIN

Prise d'Alzeau

Un monument élevé à la mémoire de Pierre-Paul Riquet retrace les étapes de la construction du canal du Midi. Il marque l'origine de la rigole de la Montagne (dont le départ se trouve derrière la maison de garde) qui capte les eaux de l'Alzeau, puis, au cours de son cheminement, celles de la Coudière, de Cantemerle, de las Nobiès, de la Bernassonne, de la Falquette, du Lampy et du Rieutord, et les conduit au bassin régulateur du Lampy.

Faire demi-tour et continuer jusqu'à Lacombe. Tourner à gauche et suivre, par les routes forestières, la direction du Lampy.

Forêt domaniale de la Montagne Noire

Forêt de 3 650 ha, essentiellement peuplée de hêtres et de sapins. C'est début novembre qu'il faut admirer ses couleurs flamboyantes.

Bassin du Lampy

Cette retenue de 1 672 000 m³ d'eau sur le Lampy se déverse dans la rigole de la Montagne Noire qui, de la prise d'Alzeau, se poursuit jusqu'au bassin de Saint-Ferréol. Riquet avait installé un bassin régulateur de 6 ha environ (le Lampy-Vieux) qui s'avéra très vite insuffisant. À la fin du 18ᵉ s., l'ouverture de l'embranchement de la Robine imposa l'aménagement d'un bassin de plus grande capacité (le Lampy-Neuf). Le barrage actuel fut construit de 1776 à 1780 par l'ingénieur Garipuy. De magnifiques hêtraies et des sentiers ombragés font de ce bassin un but de promenade apprécié.

Prendre la D 4 en direction de Saissac, puis tourner à droite dans la D 629. Avant Les Cammazes, prendre à droite la route conduisant au barrage.

Barrage des Cammazes

Constituée par un barrage-voûte de 70 m de hauteur, la retenue alimente le canal du Midi, fournit de l'eau potable à 116 communes et irrigue toute la plaine du Lauragais à l'est de Toulouse. Des sentiers permettent de descendre au bord du Sor, dans un beau site boisé.

Reprendre la D 629 à droite. Dans un site verdoyant, la route se poursuit en longeant la rigole de la Montagne.

Les Cammazes

À l'entrée du village des Cammazes se trouve la **voûte de Vauban**, sous laquelle passe la rigole de la Montagne avant de se déverser dans le bassin de Saint-Ferréol. Cette galerie souterraine de 122 m de long permet à la rigole de changer de bassin-versant.

★ Bassin et barrage de Saint-Ferréol

Av. de la Plage - de fin juin à déb. sept. : 10h-13h, 15h-19h - sept. : le w.-end 10h-13h, 15h-19h.

Le bassin et son barrage constituent le principal réservoir du canal du Midi, sur le versant océanique. Encadré de collines boisées, le **bassin** s'étend sur 67 ha. Il est alimenté par le Laudot supérieur et par la rigole de la Montagne, venue du bassin du Lampy. Avant d'entrer dans le bassin, les eaux sont divisées en deux par une vanne-épanchoir : une partie entre dans le bassin, l'autre est dirigée dans la « rigole de ceinture » qui contourne le bassin et rejoint le Laudot moyen en aval du barrage. La vanne-épanchoir sert à évacuer les eaux du Laudot supérieur lors de la vidange du bassin, environ tous les dix ans. Un sentier permet aux promeneurs de faire le tour du bassin et une plage a été aménagée sur la rive nord : il est possible en été de s'adonner à la pratique de la voile et de se baigner.

Le **barrage** fut construit par Riquet de 1667 à 1672 ; un millier d'ouvriers, femmes et enfants compris, y travaillèrent. Il se compose de trois murs parallèles : le mur amont, immergé sous l'eau du bassin, le « grand mur » (35 m de haut) et le mur aval. Entre le mur amont et le « grand mur » passent la « voûte d'enfer » et, au-dessus d'elle, la « voûte du tambour » ; entre les murs amont et aval sont situées la voûte de vidange et, juste au-dessus, la voûte des robinets. L'espace entre les trois murs a été comblé par un remblai de 120 m d'épaisseur.

Musée et jardins du Canal du Midi – *℘ 05 61 80 57 57 - www.museecanal-dumidi.fr - juil.-août : tlj 10h-19h ; nov.-mars : 14h-17h ; avr.-juin et sept.-oct. : 10h30-12h30, 14h30-18h - 4 €.* Ce musée dédié au canal et à Pierre-Paul Riquet son créateur, se situe au pied de la digue du bassin de St-Ferréol. Répartis dans six salles, de nombreux documents – maquettes, plans, dessins, photographies et vidéos – expliquent les principales étapes de la construction, de l'histoire et du fonctionnement du canal du Midi. En contrebas du musée, le **parc** boisé du 19e s. permet de mieux comprendre les principes hydrauliques qui régissent l'alimentation en eau du canal : vous pourrez voir la gerbe d'eau, la cascade, la rigole de vidange et la voûte des robinets qui conduit au cœur du barrage et assure le système de régulation installé en 1829.

Revel

Son passé de bastide (fondée en 1342) lui vaut un réseau de rues disposées géométriquement autour de la place centrale à couverts. La **halle** du 14e s., dont la taille est impressionnante, a conservé sa charpente de bois et son beffroi (remanié au 19e s.) ; tout autour, les galeries (17e-18e s.) du Nord, du Levant, du Midi et du Couchant complètent le charme de la place. Des fabriques de meubles, des ateliers d'ébénisterie et de marqueterie, le travail du bronze, de la dorure et de la laque ainsi que des distilleries sont les principales activités de Revel qui a vu naître en 1884 **Vincent Auriol**, premier président de la IVe République (1947-1954).

Sylvea (musée du Bois et de la Marqueterie) – *13 r. Jean-Moulin - ℘ 05 61 27 65 50 - www.sylvea.com - & - 9h-12h, 14h-18h, ouv. 1er et 3e w.-end du mois 14h-18h - fermé j. fériés - 4 € (– 12 ans gratuit).* Ce musée offre un panorama très complet de la filière bois, de l'exploitation de la forêt et de l'arbre aux nombreux métiers du bois reconstitués sous forme de scènes. Certains ont disparu (charron, sabotier), d'autres sont toujours vivants (charpentier, menuisier, tonnelier, luthier). Le travail de marqueterie est évoqué à travers quelques mobiliers et des panneaux explicatifs sur les techniques. Expositions temporaires au 2e étage.

👪 Un espace (avec jeux et livres) est aménagé pour les enfants. Un jeu de piste autour du bois et de la forêt est proposé, ainsi que des ateliers de marqueterie ou de moulage et des sorties en forêt *(sur inscription préalable)*.
Prendre la D 85 à l'est en direction de Pont-Crouzet.

Pont-Crouzet
C'est le point de départ de la rigole de la Plaine, canal qui conduit les eaux du Sor vers le poste des Thommasses où elles rejoignent le Laudot moyen, lui-même venu du bassin de Saint-Ferréol.
Revenir à Revel et prendre la D 622 au sud, puis la D 624 vers Castelnaudary.

Poste des Thommasses
Il sert à capter les eaux du Laudot moyen arrivant de Saint-Ferréol ainsi que celles du Sor, elles-mêmes captées à Pont-Crouzet et acheminées par la rigole de la Plaine. Les eaux ainsi réunies sont ensuite dirigées vers le seuil de Naurouze.

★ **Seuil de Naurouze** *(voir p.130)*

À proximité Carte de microrégion

Explorarôme à Montégut-Lauragais B3
▶ *À 7 km à l'ouest de Revel par la D 1.* 🕾 *05 62 18 53 00 - http://asquali.club. fr/index.htm - visite guidée (2h) vac. de printemps et juil.-août : mar., jeu. et dim. 15h - 9 € (– 11 ans 5,50 €).*
👪 Un plongeon initiatique dans l'univers des parfums et des arômes, aussi bien destiné aux enfants qu'aux parents. La visite se partage entre le laboratoire, lieu de travail et d'expériences, rempli d'essences que vous apprendrez à sentir, à reconnaître et à capturer, le jardin où s'épanouissent des centaines de végétaux et la salle d'exposition.

😊 NOS ADRESSES DE LA MONTAGNE NOIRE

HÉBERGEMENT

PREMIER PRIX
Camping Le Martinet-Rouge Birdie – *11390 Brousses-et-Villaret - S : 0,5 km par D 203 et chemin à dr., à 200 m de la Dure -* 🕾 *04 68 26 51 98 - www. camping-lemartinetrouge.com - de déb. mars à fin nov. -* ♿ *-* 🚐 *- réserv. conseillée - 35 empl. 22 €.* Niché dans la Montagne Noire, dans un paysage chaotique de roches et de chênes-lièges, ce camping est vraiment installé dans un lieu exceptionnel. Ses emplacements superbes font vite oublier les sanitaires un peu justes. Piscine.
Hôtel La Comtadine – *Lieu-dit l'Hermitage - 31250 St-Ferréol -* 🕾 *05 61 81 73 03 - www. lacomtadine.com - 9 ch. 65/80 € -* 🍴 *9 € - rest. 25 € bc.* À quelques pas du lac, tranquille petit hôtel

restauré et entièrement non-fumeur. Lumineuses chambres contemporaines agrémentées de meubles chinés. Au restaurant, la cuisine prend l'accent du terroir.

Hôtel Le Pavillon des Hôtes – *81540 Sorèze - ✆ 05 63 74 44 80 - www.hotelfp-soreze. com -✗- 20 ch. 55 € - ☕ 12 €.* Chambres simples, réparties autour d'une cour intérieure.

POUR SE FAIRE PLAISIR

Hôtel Abbaye École Le Logis des Pères – *18 r. Lacordaire - 81540 Sorèze - ✆ 05 63 74 44 80 - www. hotelfp-soreze.com - ♿ - 52 ch. 98/153 € - ☕ 12 € - rest. 21/40 €.* Hôtel installé dans une aile de la célèbre abbaye-école des bénédictins (17e s.), fondée en 754 par Pépin le Bref. Sobres chambres joliment décorées et parc arboré de 6 ha. Repas traditionnels servis dans l'ancien réfectoire ou à l'ombre des platanes.

Hôtel Demeure de Flore – *106 Grand'rue - 81240 Lacabarède - ✆ 05 63 98 32 32 - www. demeuredeflore.com - fermé 2-30 janv. et lundi hors saison - 11 ch. 100/110 € - ☕ 10 € - rest. 27/35 €.* La déesse romaine a doté cette maison de maître du 19e s. d'un bel écrin de verdure face à la Montagne Noire. Intérieur coquet, mobilier ancien, accueil attentif..Cuisine du marché aux accents provençaux ou italiens à déguster dans un cadre contemporain et raffiné.

RESTAURATION

BUDGET MOYEN

Midi – *34 bd Gambetta - 31250 Revel - ✆ 05 61 83 50 50 - www. hotelrestaurantdumidi.com - fermé 23-29 nov. - formule déj. 14 € - 23/45 € bc.* Lumineuse salle à manger où l'on déploie une table alliant terroir et tradition.

ACHATS

Ferme de las Cases – *81700 Blan - ✆ 05 63 75 48 25 - 8h-19h30; visite guidée de l'élevage et du séchoir : merc. 10h. - fermé lun. et dim..* Las Cases, compagnon de Napoléon, a vu le jour dans cette ferme du 17e s. aujourd'hui dédiée à l'élevage et à la transformation des porcs. Tout dans la boutique invite à la gourmandise : du melsat, la spécialité maison, aux saucisson à l'ail rose de Lautrec en passant par le cassoulet et le pâté à l'armagnac.

ACTIVITÉS

👣 Se munir des cartes IGN 2344 Ouest, 2244 Est et 2244 Ouest. Le **GR 7** longe la rigole de la Montagne, du bassin du Lampy au barrage des Cammazes (11 km), à travers la forêt. Entre l'épanchoir-vanne du Conquet et le barrage des Cammazes, la rigole est dallée de briques ; du Conquet au Plo de la Jasse, 14 petites chutes ont été aménagées sur la rigole afin de régulariser le courant (la rigole est en pente sur cette portion). Le **GR 653**, variante « Pierre-Paul Riquet » du GR 7, part du bassin de St-Ferréol et rejoint la rigole de la Plaine à Revel, longe celle-ci jusqu'au poste des Thomasses (9 km), puis jusqu'au seuil de Naurouze (24 km supplémentaires).

Le **parcours cyclable de la Rigole de la Plaine** relie, sur 17 km, le lac Saint-Ferréol au lac de l'Enclas. Demander le dépliant du parcours au ✆ 05 61 99 44 00.

AGENDA

Festival Musique des Lumières à Sorèze – *1re quinzaine de juillet.* Concerts de musique baroque - programme et réservation au ✆ 05 63 50 86 38.

Lavaur

9 860 Vauréens – Tarn (81)

😊 **NOS ADRESSES PAGE 187**

🗊 **S'INFORMER**

Office du tourisme de Lavaur – *Tour des Rondes - 81500 Lavaur -* 📞 *05 63 58 02 00 - www.ville-lavaur.fr - mar.-sam. 9h-12h, 14h-18h - point accueil à la cathédrale en juil.-août : mar.-vend. 10h-12h30, 15h30-18h30, sam., dim., lun. 15h30-18h30.*
Possibilité de visites guidées de Lavaur toute l'année sur réservation auprès de l'office de tourisme.

📀 **SE REPÉRER**

Carte de la microrégion A2 *(p.138) – carte Michelin Départements 338 C8.* Sur la rive gauche de l'Agout, entre Lauragais et Albigeois, Lavaur se situe à un carrefour de routes qui la relient à Toulouse, Castres et Montauban.

😊 **À NE PAS MANQUER**

Le jacquemart de la cathédrale Saint-Alain.

🕐 **ORGANISER SON TEMPS**

Prévoyez une demi-journée de balade.

👫 **AVEC LES ENFANTS**

Les jardins des Martels à Giroussens ; le chemin de fer touristique à Saint-Lieux-lès-Lavaur.

Lavaur conserve, dans ses quartiers anciens, le charme des petites villes languedociennes écrasées de soleil où le temps semble s'être figé. Défendue par le château de Plo, dont quelques pans de murs subsistent, elle protégea les cathares qui ne purent cependant échapper à Simon de Monfort…

Se promener

★ Cathédrale Saint-Alain
Ouv. tte l'année 9h-12h, 14h-18h (17h l'hiver).

Elle succède à un premier édifice roman qui, détruit en 1211, fut reconstruit en brique en 1254. Sur la façade sud, au sommet d'une tour romane au soubassement de pierre, un **jacquemart** en bois peint frappe les heures et les demi-heures. Le mécanisme et la cloche datent de 1523. Une terrasse permet de faire le tour de l'édifice et d'admirer le chevet qui domine l'Agout.

L'intérieur, avec son imposante nef unique (13ᵉ et 14ᵉ s.) et son abside (15ᵉ s.-16ᵉ s.) à sept pans, plus basse et plus étroite que la nef, est de style gothique méridional.

La porte romane par laquelle on accède à la première chapelle de droite est un vestige de l'édifice primitif : remarquez les chapiteaux des colonnettes, décorés de scènes de l'enfance du Christ. Dans la troisième chapelle, un enfeu flamboyant abrite une Pietà en bois du 18ᵉ s. et un lutrin de la même époque. Dans le chœur, la table d'autel en marbre blanc du 11ᵉ s. (école de Moissac) provient de Sainte-Foy, la plus ancienne église de Lavaur. L'orgue du 16ᵉ s. a été restauré au 19ᵉ s. par Cavaillé-Coll. Par le côté ouest de la nef, pénétrez sous le porche situé sous le clocher octogonal : un portail flamboyant, endommagé lors des guerres de Religion, puis pendant la Révolution, porte au trumeau la statue de saint Alain et, au linteau, l'Adoration des Mages.

Jardin de l'Évêché

Dessiné à l'emplacement de l'ancien évêché sur une terrasse dominant l'Agout, ce jardin ombragé de cèdres séculaires est un lieu de promenade très apprécié des Vauréens comme des visiteurs. Au 19ᵉ s., on y érigea une statue d'**Emmanuel de Las Cases** (1766-1842). Né à Blan près de Lavaur, il doit sa célébrité au fait d'avoir été un des compagnons de Napoléon Iᵉʳ à Sainte-Hélène. C'est lui qui recueillit sous la dictée de l'empereur déchu le *Mémorial de Sainte-Hélène*, qui fut l'un des « best-sellers » du 19ᵉ s. Jolie vue sur l'Agout et, à gauche, sur le pont Saint-Roch (1786).

Église Saint-François

Située dans la rue principale, cette église, édifiée en 1328, et qui ne manque pas d'élégance, était, avant la Révolution, la chapelle du couvent des cordeliers, installés à Lavaur en 1220 par Sicard VI de Lautrec, baron d'Ambres. À droite de l'entrée, remarquez une belle maison de brique et bois.

À proximité Carte de la microrégion

Saint-Lieux-lès-Lavaur A2
◗ *10 km au nord-ouest par la D 87 et la D 631 à gauche.*
Chemin de fer touristique du Tarn – ☏ *05 61 47 44 52 ou 05 61 70 33 63 - www.cftt.org - départ de la gare de St-Lieux-lès-Lavaur : 14h30, 15h30, 16h30, 17h30 - 2ᵉ quinz. juil. : w.-end, lun. et mar. ; août : tlj ; de Pâques à fin oct. : dim. et j. fériés - 6 € (4-10 ans 5 €).*
👥 Cette charmante localité de la vallée de l'Agout est le point de départ du train à vapeur qui propose des promenades *(1h)* jusqu'à Giroussens.

★ Jardin des Martels à Giroussens A2
◗ *9 km au nord-ouest par les D 87 et D 631. ☏ 05 63 41 61 42 - www.jardinsdesmartels.com - ♿ - mai-août : 10h-18h ; avr. : 13h-18h ; sept.-oct. : 13h-18h, w.-end et j. fériés 11h-18h ; nov. : w.-end et j. fériés 13h-18h - fermé de fin nov. à fin mars - 6,50 € (11-18 ans 5 €, 4-10 ans 4,50 €).*
👥 Ce joli jardin à l'anglaise mêle pièces d'eau couvertes de nymphéas, massifs fleuris, sous-bois… Une miniferme ravira les enfants.

Saint-Sulpice-la-Pointe A2
◗ *11 km au nord-ouest par la D 630. 🅘 Parc Georges-Spénale - ☏ 05 63 41 89 50 - www.ville-saint-sulpice-81.fr - 15h-19h.*
Souterrain du Castela – ☏ *05 63 41 89 50 - www.ville-saint-sulpice-81.fr - ♿ - visite guidée (40mn) juil.-sept. : 15h-19h ; reste de l'année : sur demande - 3 € (5-*

LE COURAGE DE DAME GUIRAUDE
En mars 1211, la cité qui protégeait les cathares fut assiégée par les troupes de Simon de Montfort. Une habitante, **Dame Guiraude**, aidée de 80 chevaliers, organisa la résistance de la cité qui ne se rendit qu'après deux mois de siège, le 3 mai 1211. Ce fut alors le massacre : les chevaliers furent pendus et 400 hérétiques brûlés. Quant à Dame Guiraude, elle fut précipitée dans un puits que l'on combla de pierres.

10 ans 1,50 €). Cette bastide est dominée par les ruines du château du Castela. Sous ces vestiges, on peut visiter les 142 m de galeries et ses quatre salles où est retracée l'histoire de ceux qui l'utilisèrent au cours des siècles, des faux-monnayeurs aux fileurs de laine. À proximité, allez jeter un coup d'œil à l'église du 14e s. que fit bâtir Gaston Fébus, comte de Foix-Béarn. Imposant clocher-mur de 40 m de haut.

Graulhet B2

▶ *21 km au nord-est par la D 87 et la D 631.* ▯ *1 sq. du Mar.-Foch -* ℘ *05 63 34 75 09 - www.ville-graulhet.fr - tlj sf w.-end 9h-12h, 13h30-17h30.*

Depuis le Moyen Âge, Graulhet (on prononce *Grauillet*) est une cité « tannante », dont le nom *grolha* en langue d'oc signifie « savate ».

Maison des métiers du cuir – *R. St-Jean -* ℘ *05 63 42 16 04 - www.ville-graulhet.fr -* ♿ *- visite guidée (1h) - mai-sept. : tlj sf dim. 9h-12h, 14h-18h, dim. 10h-12h, 15h-17h - janv.-avr. et oct.-déc. tlj sf dim. 9h-12h, 14h-18h - 5 € (6-12 ans 2,50 €).*
Graulhet fut la capitale française de la mégisserie au 17e s. Bien que son activité se soit ralentie, elle possède toujours un savoir-faire unique en France auquel font appel les grands noms de la maroquinerie. Installée dans une ancienne usine, la Maison des métiers du cuir est l'endroit idéal pour découvrir les différentes phases de transformation de la peau en cuir, ainsi que les métiers de la mégisserie et de la maroquinerie. On y apprend à distinguer la tannerie, qui traite les peaux de bovins et d'équidés, de la mégisserie, qui s'occupe, elle, des peaux de moutons, de chèvres et de porcs. Reconstitutions, atelier d'initiation et expositions temporaires donnent vie à cette activité ancestrale.

☺ NOS ADRESSES À LAVAUR

ACTIVITÉS

À 3 km au sud par la D 84, en direction de St-Paul-Cap-de-Joux, le **lac de Miquelou**, apprécié des pêcheurs, offre une aire de pique-nique, un parcours de santé. Le sentier de randonnée des Cabanes (13,5 km) conduit au plus haut sommet du canton. Point de vue sur le bassin de Graulhet. À 2 km au sud-ouest de Graulhet par la D 631 en direction de Briatexte, le **lac de Nabeillou** est un havre de verdure, où il est également possible de pêcher. Mur d'escalade, piste de VTT, terrain de tir à l'arc. De là, vous pourrez emprunter deux chemins de randonnée, les 3 Lacs (10 km) et le Soubirou (20 km) qui permet de découvrir Notre-Dame-des-Vignes, une petite église romane.

AGENDA

Giroussens – Dernier w-end d'avril : marché des potiers. ℘ *05 63 41 61 90 (mairie).*

couverts) enjambant les ruelles au niveau de l'étage. L'**église N.-D.-de-la-Jonquière** possède un portail roman et un clocher de type toulousain. Du pont, vue agréable sur la ville et ses jardins étagés.

Musée Raymond-Lafage – *℘ 05 63 40 45 45 - www.ville-lisle-sur-tarn.fr - possibilité de visite guidée -avr.-oct. : tlj sf mar. 10h-12h, 15h-18h - pour les autres périodes, consulter le musée - 2 € (– 12 ans gratuit).* Du nom d'un dessinateur né à Lisle au 17ᵉ s. On verra, outre des gravures et dessins de ce dernier, des collections d'archéologie gallo-romaine et médiévale, des objets d'art sacré, ainsi que des œuvres du portraitiste Victor Maziès (1836-1895).

Musée'art du Chocolat – *℘ 05 63 33 69 79 - visite guidée sf lun. 10h-12h30 (dernière entrée 11h45), 14h-19h (dernière entrée 18h) - 3,50 € (6-12 ans 2,50 €).* Sont exposées des pièces imaginées et conçues par Michel Thomaso-Défos, maître chocolatier, et Casimir Ferrer, peintre et sculpteur. Les sujets sont variés : cathédrale d'Albi, obélisque de la Concorde… Un film présente les étapes de la transformation du cacao en produit fini. *13 pl. Paul-Saissac.*

Rabastens A2

▶ *17 km au sud-ouest par la D 988.* ▯ *8 pl. Guillaume-de-Cunh - ℘ 05 63 33 56 90 - www.cc-rabastinois.fr - juil.-août : lun.-sam. 9h30-12h30, 14h-18h, dim. 9h30-12h30 ; mai-juin et sept. : lun.-vend. 9h-12h, 14h-18h, sam.-dim. 9h30-12h30.* Sur la rive droite du Tarn, couverte de céréales, de vignes, de primeurs et d'arbres fruitiers, la ville active de Rabastens domine le fleuve de ses puissants remparts. Bien que fortement acquise aux hérétiques, Rabastens n'opposa aucune résistance aux troupes catholiques lors de la croisade des albigeois mais elle fut néanmoins contrainte de détruire ses fortifications. De l'ancien château ne demeure que la place du Plô des chevaliers. De nouvelles industries (mécanique de précision pour l'aviation, fabrication de cellules et charpentes métalliques) s'ajoutent à celle des compteurs électriques et à celle du meuble, qui perpétue la tradition des ateliers d'ébénisterie et de sculpture sur bois du 17ᵉ s. Du pont, jolies vues sur les maisons anciennes qui dominent la rivière.

Église Notre-Dame-du-Bourg – *Juin-sept. : 10h-12h, 14h-18h - oct.-mai : tlj sf dim. 10h-12h, 14h-18h - visite estivale à 15h à partir du 10 juil. - 2,50 €.* Fondée au 12ᵉ s. par les bénédictins de Moissac dans la ville basse (le bourg), elle se présente comme une forteresse dont la puissante façade est percée d'un portail aux beaux **chapiteaux★** romans. Richement décorés de rinceaux, de feuilles d'acanthe et de personnages, ils représentent des scènes de la vie du Christ et de la Vierge. À l'intérieur, les peintures de la nef, découvertes et restaurées au 19ᵉ s., sont du 13ᵉ s., comme celles du chœur, remarquable pour son élégant triforium.

Musée du Pays rabastinois – *℘ 05 63 40 65 65 - janv.-nov. : mar.-vend. 10h-12h, 14h-18h, w.-end et j. fériés 15h-18h - fermé déc. - 2,50 € (– 15 ans gratuit).* Situé dans l'hôtel de La Fite (fin 17ᵉ s.), il rassemble diverses œuvres d'art de la région : superbe mosaïque de la fin du 4ᵉ s. provenant d'une villa gallo-romaine, terres vernissées de Giroussens, broderies haute couture du brodeur Rébé…

😊 NOS ADRESSES À GAILLAC

HÉBERGEMENT

BUDGET MOYEN

Hôtel La Verrerie – *R. Égalité -
𝒫 05 63 57 32 77 - www.la-
verrerie.com - fermé 23-30 déc.
17 fév.-2 mars - ♿ - 14 ch.
55/85 € - ☕ 11 € - rest. formule
déj. 15 € - 25/44 €.* Cette maison
bicentenaire, aux allures de mas
provençal, abritait jadis une
verrerie. Chambres modernes
et pratiques, à choisir côté parc
(belle bambouseraie). Cuisine au
goût du jour dans une lumineuse
salle à manger ou en terrasse.

RESTAURATION

PREMIER PRIX

La Table du Sommelier – *34 pl.
du Griffoul - 𝒫 05 63 81 20 10 -
www.latabledusommelier.com -
fermé dim. et lun. - 13/34 € bc.* Avec
une telle enseigne, nul doute,
c'est Bacchus que l'on célèbre
dans ce « bistrot-boutique » : belle
carte des vins, au verre ou en
bouteille, et cuisine du marché.

BUDGET MOYEN

La Falaise – *Rte de Cordes -
81140 Cahuzac-sur-Vère -
𝒫 05 63 33 96 31 - www.
lafalaiserestaurant.com - fermé
dim. soir, mar. midi et lun. - 🅿 -
formule déj. 17 € - 20/57 €.* À la
sortie du village, une petite
maison où le chef signe une
séduisante cuisine riche en
saveurs. Joli choix de vins du
vignoble voisin de Gaillac. En été,
terrasse dressée sous les saules.

POUR SE FAIRE PLAISIR

Les Sarments – *27 r. Cabrol
derrière abbaye St-Michel -
𝒫 05 63 57 62 61 - www.
restaurantslessarments.com -
fermé 21 déc.-18 janv., 1ᵉʳ-7 mars,
mar. soir d'oct. à fév., merc. sauf le
midi de mars à sept., dim. soir et*
lun. - formule déj. 25 € - 30/48 €.
Découvrez le Gaillac viticole dans
un chai médiéval, voisin de la
Maison des vins. Salles voûtées,
exposition des tableaux des
propriétaires, artistes. Cuisine
traditionnelle.

ACHATS

Domaine du Moulin – *Chemin
de Bastié - 𝒫 05 63 57 20 52 -
ledomainedumoulin.com -
possibilité promenade dans
les vignes - fermé dim. de janv.
à mars. .* La famille Hirissou
exploite ce domaine viticole
depuis cinq générations. Le
vigneron vous invite à découvrlr,
entre autres, sa cuvée Vieilles
Vignes Rouge – récompensée
au Concours des vins de
Gaillac – dans son beau caveau
de dégustation situé à flanc de
coteau, en plein cœur du vignoble
gaillacois. Accueil chaleureux d'un
passionné par son métier et sa
région.

**Maison des vins de Gaillac -
Caveau St-Michel** – *Abbaye
St-Michel - 𝒫 05 63 57 15 40 - www.
vins-gaillac.com - juil.-août : 10h-
13h, 14h-19h ; reste de l'année :
10h-12h, 14h-18h - fermé 1ᵉʳ janv.,
1ᵉʳ Mai, 1ᵉʳ nov. et 25 déc.* Cette
Maison des vins bordée par le
Tarn présente la production de 95
domaines viticoles et
3 caves coopératives appartenant
à l'appellation gaillac. Au
programme : dégustations et
vente directe, présentation du
vignoble et stages d'initiation à la
dégustation.

**Les vins de Robert et Bernard
Plageoles** – *Domaine des Tres
Cantous - 81 110 Cahuzac-sur-
Vère - 𝒫 05 63 33 90 40 - www.vins-
plageoles.com - juil.-août : 8h 12h,
15h-18h ; reste de l'année : 8h-12h,
14h-18h.* Ce domaine élabore une

grande variété de blancs dont le « vin de voile », vieilli en fût à ciel ouvert pendant 7 sept ans et le mauzac nature, un vin pétillant. Les rouges, moins nombreux, sont issus des cépages duras et syrah. Érudits et passionnés, Robert et Bernard Plageoles nous content leur métier avec beaucoup de poésie.

Cave de Labastide de Lévis – *Lieu-dit la Barthe - 81150 Marssac-sur-Tarn - ☏ 05 63 53 73 73 - www. cave-labastide.com - 9h-12h, 14h-19h - fermé j. fériés et dim.* Quelques chiffres ? Plus de 260 vignerons, 1 400 ha de vignes, 6 millions de bouteilles produites par an, 10 cépages, dont le très ancien Len de L'El (loin de l'œil), création du blanc perlé (légèrement pétillant) en 1957 et du rosé perlé en 2004. Amateurs de rugby : la cave élabore des cuvées en partenariat avec Yannick Jauzion. Dégustation et visite gratuites avec diffusion d'une vidéo.

Château de Mayragues – *81140 Castelnau-de-Montmiral - ☏ 05 63 33 94 08 - www.chateau-de-mayragues.com - tlj sf dim. 9h-19h - fermé 25 déc.* Moult raisons incitent à visiter ce domaine : l'architecture fortifiée des 13e et 17e s. du château, son environnement vallonné, ses vignobles (culture bio-dynamique) et sa production de gaillac : rouge, blanc sec, blanc doux, mousseux et pétillant. Possibilité d'hébergement (deux originales chambres d'hôte et un gîte).

ACTIVITÉS

Plan d'eau d'Aiguelèze – *Les chalets du lac - La Courtade Haute - 81600 Rivières - ☏ 05 63 81 29 09 - www. leschaletsdulac.com - fermé nov.-mars - 10 €.* Petit port de plaisance où l'on peut louer un pédalo ou un kayak, pour partir à la découverte de la vallée du Tarn. Sur le plan d'eau, vous pourrez également profiter des canoës, pédalos et planches à voile.

AGENDA

Fête des vins de Gaillac – *1er w.-end d'août avec chaque année environ 15 000 visiteurs. Dégustations et repas gastronomiques dans le parc de Foucaud. ☏ 05 63 57 15 40 ou 05 63 57 70 60 - www.vins-gaillac. com (Maison des vins) ou 05 63 57 14 65 (office de tourisme).*

Cordes-sur- Ciel.
D. Luzy / fotolia.com

Cordes-sur-Ciel

★★★

1 012 Cordais – Tarn (81)

😊 **NOS ADRESSES PAGE 203**

ℹ️ **S'INFORMER**

Office du tourisme de Cordes – *Pl. Jeanne-Ramel-Cals - 𝒫 05 63 56 00 52 - www.cordesurciel.eu - juil.-août : 9h30-13h, 14h-18h30 ; avr.-juin : 10h30-12h30, 14h-18h, lun., sam. et dim. 14h-18h ; sept. : 10h30-12h30, 14h-18h, lun. 14h-18h ; oct. : mar.-vend. et dim. 10h30-12h30, 14h-18h, lun. et sam. 14h-18h ; nov.-déc. et fév.-mars : tlj sf lun. et sam. 14h-17h ; janv. : dim. 14h-17h.*
En saison, l'office de tourisme propose des visites guidées quotidiennes et thématiques *(1h30 env. - 5 € - réservation conseillée)* et des visites aux flambeaux. Également des circuits thématiques au cœur de la ville, à suivre avec un livret explicatif (en vente à l'office de tourisme).

◐ **SE REPÉRER**

Carte de la microrégion B1 *(p.138)* – *carte Michelin Départements 338 D6.*
Au nord-ouest du Tarn, la cité se trouve à 27 km d'Albi.

🅿️ **SE GARER**

Le stationnement est interdit (en été) dans la ville haute. Il est donc préférable de garer son véhicule près de la porte de la Jane, d'où la montée à la vieille ville est plus aisée, ou au parking des tuileries (gratuit). Ceux qui auront retenu une chambre dans un hôtel de la ville haute pourront cependant s'y rendre en voiture, le temps de décharger leurs bagages… En outre, un **petit train** permet d'accéder à la vieille cité *(voir nos adresses)*.

Cordoas la belle

NÉE DE LA GUERRE

En 1222, en pleine croisade contre les albigeois, Raimond VII de Toulouse décide la création de la bastide de Cordes pour répondre à la destruction de la place forte de Saint-Marcel par les troupes de Simon de Montfort. Une charte de coutumes et privilèges prévoyant, parmi d'autres avantages, l'exemption d'impôts et de péage attire les habitants, d'autant que la situation de cette véritable cité-forteresse en fait un asile de choix pour les adeptes du catharisme. Aussi l'Inquisition y mènera-t-elle activement sa besogne.

Une cité prospère

Cordes, à la fin du 12e s., compte plus de 5 500 habitants. La fin des troubles cathares entraîne une première période de prospérité. Au 14e s., le commerce des cuirs et des draps y est florissant, les artisans tissent le lin et le chanvre cultivés dans la plaine, tandis que les teinturiers, établis sur les rives du Cérou, utilisent le pastel et le safran, abondants dans la région. Les belles demeures gothiques qui ont été construites à cette époque témoignent de la richesse des habitants.

LE RÉVEIL DE LA BELLE ENDORMIE

Les querelles des évêques d'Albi, qui rejaillissent sur toute la contrée, la résistance cordaise aux huguenots durant les guerres de Religion, ainsi que deux épidémies de peste mettent fin à ce bel âge d'or dès le 15e s. La construction du canal du Midi, au 17e s., contribue à éloigner un peu plus Cordes des grands axes commerciaux. Après un ultime sursaut à la fin du 19e s., dû à l'introduction de métiers à broder mécaniques, la cité isolée entre en sommeil. Par bonheur, les menaces pesant sur ses maisons gothiques suscitent l'émotion, et certaines mesures de classement, au titre des Monuments historiques, sont prises à partir de 1923. Mais le charme de Cordes opère surtout sur les artistes et artisans d'art qui participent activement à sa sauvegarde et contribuent au réveil de la cité. Aujourd'hui, dans les ruelles pavées, tortueuses et escarpées, ferronniers, émailleurs, imagiers, tisserands, potiers, graveurs, sculpteurs et peintres ont installé leurs ateliers dans les maisons anciennes auxquelles ils ont su restituer leur noble allure.

Le peintre **Yves Brayer**, démobilisé en 1940 à Montauban, vécut à Cordes de 1940 à 1942, entraînant avec lui une colonie d'artistes. On lui doit la décoration de la chapelle de l'ancien hôpital Saint-Jacques…

CHANGEMENT DE NOM

La cité fut baptisée Cordoas en hommage à la cité d'Al-Andalus, Cordoue, sans doute parce qu'elle s'adonnait aux industries des étoffes et du cuir, comme sa prestigieuse aînée… Hors saison, elle semble parfois posée sur les nuages ; ainsi devint-elle « Cordes-sur-Ciel » en 1993, après consultation de sa population et malgré un avis défavorable du Conseil d'État…

☺ **À NE PAS MANQUER**
Une balade dans la ville haute et, si vous le pouvez, une nuit sur place, pour profiter pleinement de la magie cordaise.

◷ **ORGANISER SON TEMPS**
Impensable de visiter Cordes au pas de course. Prévoyez d'y passer au moins une journée, partagée entre promenade et visites.

👫 **AVEC LES ENFANTS**
L'Historama ; le musée de l'Art du sucre ; les jeux du jardin des Paradis.

Perchée au sommet du puech de Mordagne, dans un site★★ splendide, cette ville médiévale domine la vallée du Cérou. Celle que l'on appelle aussi la « ville aux cent ogives » est une cité hors du temps, échouée, selon Camus, « à la frontière d'un autre univers », où la lumière vient jouer sur les tons roses et gris des façades en grès. Comment profiter pleinement de la nuit cordaise et de sa magie ? Tout simplement en dormant dans la ville haute !

Se promener

★★ LA VILLE HAUTE

▶ *Circuit tracé en vert sur le plan de la ville (p.198).*

Visiter Cordes ? C'est surtout humer l'air de cette vieille cité, flâner au hasard des ruelles empierrées, parmi un exceptionnel ensemble de **maisons gothiques★★** (13e-14e s.), en admirant le décor sculpté de leurs façades et en léchant les vitrines des artisans dont certains font preuve de beaucoup d'originalité ! Il faut essayer de capter l'essence de cette ville où l'on se rapproche de ce que fut la civilisation occitane à l'époque des comtes Raimond. SI c'est une question de sensibilité, avant tout, c'est aussi une question d'ouverture à mille détails impalpables, à une ambiance inimitable, à l'âme de la ville… Et c'est là que le charme opère !

Les maisons, surtout… Les plus importantes et les mieux conservées bordent la grand-rue Raymond-VII (dite « rue Droite »). Leurs façades en grès de Salles, aux tons roses à reflets gris, s'ouvrent sur la rue par de grandes arcades surmontées de deux étages de fenêtres en arc brisé, parfois malheureusement transformées en simples ouvertures rectangulaires. En levant les yeux, on remarque souvent, au niveau du 2e étage, des barres de fer terminées par un anneau et scellées dans le mur. Certains pensent qu'une tige de bois ou de fer, passée horizontalement dans chacun des anneaux, permettait de tendre un *velum*, selon l'usage médiéval répandu en Italie ou en Provence, pour protéger les habitants des ardeurs du soleil… D'autres affirment qu'elles servaient à suspendre des bannières les jours de fête…

Porte de la Jane

Pointe occidentale de la ville haute. En 1222, la cité, construite sur plan en losange, fut entourée de deux enceintes fortifiées, renforcées à l'est et à l'ouest, points d'accès relativement faciles pour les éventuels assaillants. La porte de la Jane, vestige de la seconde enceinte, doublait la porte des Ormeaux.

Musée d'Art et d'Histoire Charles-Portal

Porte des Ormeaux - ☎ 05 63 56 06 11 - juil.-août : tlj sf mar. l'apr.-midi ; de Pâques à fin juin, vac. de Toussaint et sept. : w.-end et j. fériés l'apr.-midi.

Dédié à Charles Portal, archiviste du Tarn et grand historien de Cordes, ce musée est installé dans un bâtiment militaire du 13ᵉ s. et de belles maisons à ogives du 14ᵉ s. Les collections exposées évoquent l'histoire de Cordes depuis la préhistoire. On peut y voir le produit des fouilles de la nécropole de Vindrac, des mesures à grain médiévales et des éléments d'architecture comme les faucons de la maison du Grand Fauconnier.

Porte des Ormeaux
Persuadés, après avoir franchi la porte de la Jane, d'avoir pénétré dans la ville, les assaillants avaient alors la désagréable surprise de se heurter à ses grosses tours ! Elle donne accès à la cité haute.

Chemin de ronde
Les lices (remparts) du sud ou Planol procurent de jolis points de vue sur la campagne environnante.

Porte du Planol (ou porte du Vainqueur)
Constituant le pendant oriental de la porte de la Jane, elle s'ouvre parallèlement au mur de la seconde enceinte.

Barbacane
À la fin du 13ᵉ s., la cité s'étant développée hors de ses remparts, on décida de construire une troisième enceinte dont subsiste la barbacane (tour percée de meurtrières), en contrebas de la porte du Planol.

Maison Gorsse
De belles fenêtres à meneaux Renaissance ornent sa façade.

Portail peint (ou portail de Rous)
C'est, à l'est, le pendant de la porte des Ormeaux. Son nom lui vient probablement de la Vierge peinte qui l'ornait.

La Grand-Rue, très escarpée, conduit au cœur de la ville fortifiée. On y rencontre la **maison Prunet** qui abrite le musée de l'Art du sucre.

Historama

20 Grand-Rue-Raymond-VII - ℘ 05 63 56 25 33 - juin-sept. : 10h30-12h30, 14h-19h ; mai et oct. : 14h-19h, w.-end 14h-18h ; vac. scol. : 14h-18h - fermé du 5 janv. au 8 fév. - 4 € (7-18 ans 2,50 €, – 7 ans gratuit).

👪 Le musée évoque la vie cordaise au Moyen Âge grâce à de remarquables reconstitutions historiques, riches de 80 personnages en cire. Dans la cuisine (cheminée, table, vaisselle et pétrin chargé de mets), un commentaire retrace l'histoire de la cité. Au 1er étage, habillée de tapisseries, est située la chambre d'une femme noble, accompagnée de ses servantes. Au 2e étage, scène de banquet, gorgé de volailles, de tourtes, de pâtés en croûte et de gibiers, avec serveurs, troubadours et gardes à l'occasion de la réception du Dauphin, en 1439. Dans la salle opposée sont réunis les quatre consuls de Cordes. Au 3e étage a été reconstitué un marché médiéval, animé d'artisans et de commerçants. La visite se clôt au sous-sol, dans la reconstitution d'une taverne où cohabitent amoureux, ivrognes et joueurs.

★ Maison du Grand Fauconnier (E)

Témoignage de l'harmonie médiévale d'une cité échappée de son temps, cette belle maison ancienne est actuellement occupée par le musée d'Art moderne et contemporain. L'encorbellement du toit était autrefois orné de faucons, d'où son nom. La façade, restaurée au 19e s., est remarquable par son élégance et la régularité de son appareil.

Musée d'Art moderne et contemporain Yves-Brayer – *Dans la maison du Grand Fauconnier - ℘ 05 63 56 14 79 - juin-sept. : 11h-12h30, 14h-19h ; avr., mai, oct., 15 mars-fin mars et déb. nov.-15 nov. : 11h-12h30, 14h-18h30 ; fermé 15 nov.-15 mars - 3,50 € (enf. 2 €).*

Salle Yves-Brayer – On y accède par un escalier à vis du 15e s. Il contient dessins, lithographies, estampes et aquarelles du peintre.

Salle de la Broderie cordaise – Elle permet d'assister à des démonstrations sur un des premiers métiers à broder « à bras », provenant de Saint-Gall en Suisse, qui firent la prospérité de Cordes à la fin du 19e s. et au début du 20e s.

Espace André-Verdet – La donation de ce poète qui aimait séjourner à Cordes est présentée dans la salle de la Fresque, ainsi appelée en raison des peintures murales du 14e s. qui ornent une partie des murs. On peut y découvrir des œuvres modernes et contemporaines (peintures, vitraux, céramiques…) de Picasso, Léger, Prévert, Klee, Miró, Arman, Magnelli…

Halle et puits

Vingt-quatre piliers octogonaux (plusieurs fois restaurés) soutiennent la toiture (refaite au 19e s.) de la halle qui, autrefois affectée au commerce des étoffes, est aujourd'hui le grand lieu d'animation de la cité. Adossée à l'un des piliers de la halle et derrière une belle croix en fer forgé du 16e s., une plaque de marbre mentionne le massacre de trois inquisiteurs. Légende ou réalité ? À proximité, on découvre un puits de 113,47 m de profondeur.

Place de la Bride

Ce lieu de repos très apprécié offre une vue apaisante et étendue sur la vallée du Cérou au nord-est, sur la silhouette élancée du clocher de Bournazel au nord.

Église Saint-Michel

Maintes fois remaniée, elle a conservé le chœur et le transept du 13e s. et une très belle rosace enchâssée dans la muraille (14e s.). Les contreforts intérieurs séparant les chapelles latérales rappellent ceux de Sainte-Cécile d'Albi, qui a par ailleurs servi de modèle aux peintures (19e s.) de la voûte. L'orgue (1830) provient de N.-D. de Paris.

Du sommet de la tour de guet accolée au clocher, vaste panorama.

Maison Fonpeyrouse d'Alayrac (H)

Elle abrite la mairie. Il faut aller voir la cour intérieure de cette maison du 13e s., dont les étages sont desservis par deux galeries en bois.

★ Maison du Grand Veneur

La haute façade (trois étages) de cette maison du 14e s. est ornée, au niveau du 2e étage, d'une frise de sculptures en haut relief représentant des scènes de chasse. On peut distinguer un piqueur près de transpercer un sanglier poussé hors de la forêt par un chien ; puis un lièvre qui, poursuivi par un chien, va être frappé par la flèche du chasseur *(entre les fenêtres de gauche)* ; un autre chasseur sonne de la trompe *(entre les fenêtres de droite)* tandis que deux animaux s'enfuient vers la forêt. Remarquez les anneaux de fer, particulièrement bien conservés.

Maison du Grand Écuyer

Sa façade élégante se distingue par la qualité de son appareil en grès fin de Salles et par la fantaisie décorative des sculptures en ronde bosse, alliée à un style exceptionnel.

Musée de l'Art du sucre (Maison Prunet)

34 Grand-Rue-Raymond-VII - ℘ *05 63 56 02 40 - avr.-juin : tlj sf lun. 10h30-12h30, 13h30-18h, fermé mar. mat. ; 1er juil.-mi-sept. : 10h30-12h30, 13h30-19h - 3 € (enf. 2 €).* Ce musée est installé dans la maison Prunet à côté de la maison du Grand Écuyer. Conservés pour la plupart dans des vitrines, les chefs-d'œuvre présentés sont réalisés à 100 % avec du sucre. Ils sont dus à l'équipe de pâtissiers du musée et traitent de thèmes variés (Moyen Âge, contes et légendes, fleurs…). Dans la deuxième salle, la tonnelle « aux cent roses », haute de 2,60 m, accueille le visiteur. Divers tableaux, reproductions de voitures, trains ou avions, évocations variées (album de timbres, marché de Provence, instruments de musique…) jalonnent la visite.

Revenir à la porte des Ormeaux.

LA VILLE BASSE

Au 14e s., une quatrième puis une cinquième enceinte furent bâties afin d'enserrer les faubourgs qui proliféraient. À l'est de la ville, la porte de l'Horloge, probablement reconstruite au 16e s., est un vestige pittoresque de la quatrième muraille.

Pour accéder à la porte de l'Horloge, il faut emprunter un escalier sur la place de Lacampadou. On l'appelle l'**escalier du Pater Noster**, ainsi nommé parce qu'il est composé d'autant de marches que la prière compte de mots !

La Capelette

Dans la Grand-Rue. Pour la visite, voir les indications affichées sur la porte.
Cette ancienne chapelle, construite en 1511, a été décorée par Yves Brayer.

Jardin des Paradis

Pl. du Théron - ℘ *05 63 56 29 77 - www.jardindesparadis.eu - de mi-juin au 31 août : 10h30-19h ; du 1er Mai à mi-juin et sept.-oct. : tlj sf lun. 14h-18h, dim. et j. fériés 11h-18h - fermé nov.-avr. - 5 € (8-17 ans 2,50 €).*

La maison du Grand Fauconnier.
B. Brillion / MICHELIN

Insolite et rafraîchissant, ce jardin d'été est aménagé sur les anciennes terrasses de la ville basse. À la fois contemporain, oriental et médiéval, il se compose d'une succession d'enclos (ou de paradis) aux atmosphères différentes : pavillon persan doté de hamacs, bassin aux nymphéas, bananeraie, potager, fontaines, mur végétal, cloître… Ses compositions fleuries et odorantes, parfois comestibles (patchouli, rose, monarde, armoise, lotus, cardamome), évoluent au gré des saisons et de l'inspiration de ses créateurs. Un espace muséographique accueille des expositions sur la nature.

👪 Un livret est proposé aux enfants. Des jeux permettent d'identifier des odeurs à partir de flacons disposés çà et là.

À proximité Carte de la microrégion

★ Monestiés B1
Voir p. 206.

Le Cayla A1
▶ *11 km au sud-ouest par la D 922 en direction de Gaillac. À 8 km, suivre la signalisation. ☎ 05 63 33 90 30 - www.litterature-lieux.com - juil.-août : tlj 10h-12h30, 14h-19h ; mai-juin et sept.-oct. : tlj sf mar. 10h-12h, 14h-18h ; janv.-fév. : sam.-dim. 14h-17h ; mars-avr. et nov.-déc. : tlj sf lun. et mar. 14h-17h - fermé 1er janv., 1er Mai, 1er et 11 Nov., 25 déc. - possibilité de visite guidée (1h) - 2 € (– 12 ans gratuit), gratuit 1er dim. du mois (oct.-avr.).*

Cette gentilhommière languedocienne fut la demeure familiale d'**Eugénie de Guérin** (1805-1848) et de son frère **Maurice** (1810-1839), écrivains et poètes romantiques auxquels le **musée Maurice-et-Eugénie-de-Guérin** est consacré. L'œuvre de Maurice survit surtout par son poème en prose, *Le Centaure*, que George Sand fit publier en 1840, et par son *Journal* édité par Barbey d'Aurevilly, son condisciple. Le *Journal* et les *Lettres d'Eugénie*, également édités par Barbey d'Aurevilly en 1855 sous le titre *Reliquiæ*, évoquent le souvenir des paysages du Cayla et de ce château où

Maurice et Eugénie naquirent et trouvèrent refuge, après un séjour décevant dans les milieux littéraires parisiens. Le site paisible et les pièces d'habitation fidèlement reconstituées évoquent de façon émouvante leur mémoire, belle revanche sur l'ingratitude de la postérité.

Itinéraire conseillé Carte de la microrégion

PAYS DE VAOUR A1

◗ *18 km – compter environ 45mn de Cordes à Roussayrolles. Quitter Cordes par la D 600, en direction des Cabannes. À 5 km, prendre sur la gauche la D 91, direction Vindrac.*

La route traverse le village de **Vindrac**, ses quelques maisons de briques rouges à colombages et sa petite église ornée d'un cadran solaire, surmontée d'un clocher octogonal.

Très sinueuse, la route traverse la forêt. Après 9 km, tourner à gauche sur la D 33, vers Vaour (2,5 km).

Vaour A1

Commanderie des templiers de Vaour – Vaour fut le siège de l'une des premières commanderies des templiers, au mitan du 12e s. Située à l'entrée du hameau, à 500 m sur la gauche, au bout d'une petite route très sinueuse, la commanderie n'est plus représentée que par les vestiges d'un porche, d'une tour carrée et d'un bâtiment composé de trois salles aux plafonds voûtés, avec un four à pain et une cheminée. À proximité, une métairie a été aménagée en salle de spectacles.

Du village de Vaour, prendre la direction de Saint-Antonin-Noble-Val (D 15).

Dolmen Peyro-Lebado

Daté de 2 000 ans av. J.-C., long de 4 m et large de 2,90 m, le dolmen est orienté dans le sens du lever au coucher du soleil. Il est le plus grand dolmen du Tarn.

Au niveau du dolmen qui marque une intersection, tourner à droite, direction Cordes, puis aussitôt à gauche vers Roussayrolles.

Église de Roussayrolles

Pour l'ouverture, se renseigner à l'Office du tourisme de Penne - ✆ 05 63 56 36 68.

Bâtie au 13e s., l'église gothique possède une chapelle seigneuriale à clef de voûte armoriée, une crédence de style flamboyant du 16e s. et des fresques (1952) réalisées par Nicolaï Greschny, maître de l'icône, influencé par la tradition orientale pour l'art sacré.

😊 NOS ADRESSES À CORDES-SUR-CIEL

VISITE

Petit train – ☎ 06 88 76 62 68 - de mi-juin à fin août : 9h30-12h50, 14h-17h50 (ttes les 30mn) - de mai à mi-juin et sept. : 10h30-12h50, 14h-16h50 - 2,50 € (enf. 3-12 ans 1,50 €).

HÉBERGEMENT

PREMIER PRIX

Camping Moulin de Julien – *1,5 km au sud-est par D 922 rte de Gaillac, bord d'un ruisseau -* ☎ *05 63 56 11 10 - www. campingmoulindejulien.com - mai-sept.* - ♿ *- réserv. conseillée - 130 empl. 20 €.* Venez planter votre tente au pied de la cité médiévale. Ce camping est dans le style du pays avec son toboggan aquatique sortant d'un ancien pigeonnier pour plonger dans la piscine. Aire de jeux pour les petits. Chalets à louer.

Chambre d'hôte Le Cayrols – *Livers Cazelles -* ☎ *05 63 56 22 46 - www.lecayrols.com - fermé de fin nov. à fin fév. sf vac. de Noël.* - 🅿 *- 🍴 - 5 ch. 55/65 € ⊊ - rest. 16/19 €.* Cette vieille ferme restaurée abrite des chambres récemment redécorées et une salle à manger aménagée dans l'ancienne grange. Les nombreux équipements de loisirs (piscines chauffées, toboggan nautique, minigolf, etc.) séduiront petits et grands. Atelier galerie d'art moderne à l'entrée de la propriété.

Chambre d'hôte La Maison Bakea – *26/28 le Planol -* ☎ *05 63 56 29 54 - http:// maisonbakea.eu - fermé 15 oct.-30 mars - 🍴 - 5 ch. 56/79 € ⊊.* Cette maison du 13ᵉ s. nichée dans la pittoresque cité médiévale abrite une ravissante cour intérieure et des chambres

confortables et très joliment personnalisées. Sa terrasse panoramique et son atmosphère de demeure d'artiste ajoutent au charme de l'adresse.

BUDGET MOYEN

Chambre d'hôte Aurifat – *Rte de St-Jean -* ☎ *05 63 56 07 03 - www. aurifat.com - fermé de mi-déc. à mi-fév.* - 🅿 *- 🍴 - 4 ch. 78 € ⊊.* Un lieu enchanteur : cette ancienne tour de garde du 13ᵉ s. en brique et colombages, flanquée d'un pigeonnier, a été joliment restaurée. Les chambres (non-fumeurs) sont coquettes et le jardin en terrasse ouvre sur les champs. Cuisine accessible pour les hôtes et accès Internet dans le salon. Belle piscine. Pour visiter Cordes, allez-y à pied.

Hôtel La Cité – *21 r. St-Michel -* ☎ *05 63 56 03 53 - www.thuries.fr - 59/72 € - ⊊ 9 € - rest. 22/46 €.* Cette belle demeure du 13ᵉ s., intégrée aux remparts et bâtie sur les hauteurs du village, est l'annexe de l'Hostellerie du Vieux Cordes. Les chambres, dont une avec cheminée, plus ou moins grandes, sont décorées à l'ancienne ; certaines jouissent d'une belle vue sur la vallée.

POUR SE FAIRE PLAISIR

Chambre d'hôte L'Envolée Sauvage – *La Borie -* ☎ *05 63 56 88 52 - www. lenvolee-sauvage.com - fermé 5 janv.-28 fév. - 4 ch. 90/115 € ⊊ - rest. 35 €.* Vous pourrez passer un séjour au goût authentique de terroir dans cette coquette ferme du 18ᵉ s. où l'on élève des oies. Les chambres sont personnalisées et l'on appréciera le grand salon-bibliothèque. Les produits de la ferme garnissent la table d'hôte, simple et savoureuse. Stages de cuisine. Accueil aimable.

RESTAURATION

PREMIER PRIX

Les Arcades – *3 pl. de la Halle -
℘ 05 63 56 93 96 - fermé de Noël à
déb. fév. - 🍴 - 12/23 €*. Une adresse
sympathique pour se restaurer
sans se ruiner. Le patron propose
des petits plats tout simples
(viandes, salades, omelettes, etc.)
ou inspirés de la gastronomie
régionale, mais choisit la
plupart de ses produits chez des
producteurs locaux. La salle, peu
spacieuse, s'agrandit en été d'une
terrasse sous les arcades de la
halle médiévale.

BUDGET MOYEN

Auberge de la Bouriette –
*Campes - ℘ 05 63 56 07 32 - www.
cordes-sur-ciel.org - fermé de fin
nov. à déb. fév. - 🅿 - 🍴 - 17/25 € -
5 ch. 52/58 € 🍵*. Cette ferme
céréalière est toujours en activité.
La salle à manger, aménagée
dans l'ancienne grange,
ouvre sur la belle campagne
environnante. Cuisine simple
de produits régionaux. Dans
l'ancienne bergerie, possibilité
d'hébergement en chambres
d'hôte, propres mais un peu
exigus. Terrasse et piscine.

**Hostellerie du Vieux
Cordes** – *21 r. St-Michel -
℘ 05 63 53 79 20 - www.thuries.
fr - fermé 1er janv.-13 fév. -
25/46 € - 19 ch. 52/110 € - 🍵 12 €*.
Cuisine traditionnelle servie
dans une salle à manger-
terrasse dominant la vallée, ou
dans le patio, sous une glycine
tricentenaire..Dans les murs d'un
ancien monastère du 13e s., un bel
escalier à vis mène aux chambres
personnalisées, en partie refaites
et actualisées.

PETITE PAUSE

Maison Moulin – *1 av. du 8-Mai-
1945 - ℘ 05 63 56 00 41 - avr.-*
sept. : 7h30-20h ; reste de l'année :
tlj sf mar. 7h30-19h30. - fermé
fév. Entremets, tartes aux fruits,
spécialités locales (Croquant et
Pavé de Cordes), glaces maison
(parfums traditionnels ou plus
originaux) et autres gourmandises
vous attendent dans cette
pâtisserie qui fait également
salon de thé et propose une
petite restauration à l'heure du
déjeuner (tartes salées, tourtes,
pizzas, etc.).

ACHATS

Art'Cord – *℘ 05 63 56 14 79 - www.
cordesurciel.eu - juin-sept. : 11h-
12h30, 14h-19h ; reste de l'année :
11h-12h30, 14h-18h30 - fermé de
mi-nov. à mi-mars - 3,50 € (– 12 ans
gratuit)*. L'association Art'Cord
regroupe une vingtaine d'artistes
et d'artisans de la région.
Installée dans la maison du Grand
Fauconnier, elle vous invite à
découvrir leur travail (peinture,
céramique, sculpture, horlogerie,
tapisserie, décoration, etc.).

**Cordae (Centre occitan de
recherche, de documentation et
d'animation ethnographique)** –
*23 Grand-Rue-de-l'Horloge -
Cordae/La Talvera -
℘ 05 63 56 19 17 - www.talvera.
org - lun.-vend. : 9h-13h, 14h-
18h et sam. : 10h-13h, 14h-19h*.
Cette médiathèque propose
des enregistrements de contes
occitans, des revues, des livres,
des photos anciennes, ainsi que
différents produits (disques,
ouvrages, etc.) en vente dans
la partie boutique… De quoi
parfaire sa connaissance de
l'Occitanie. Également prêt de
disques de musique du monde.

**Hameau des Saveurs l'Artisan
du foie gras** – *1 pl. de la Halle -
℘ 05 63 56 92 09 - www.hameau-
des-saveurs.com - fermé de
mi-sept. à mi-juin*. La boutique de
Michel Monteil regorge de bons

produits du terroir : les Conserves d'Yvonne (foies gras), les Eaux de vie du Papé (hypocras, vin de noix, vin de châtaigne), les Cueillettes de l'Ermite (pâtés de légumes, gelée d'ortie, de pissenlits, etc.) ou les Vendanges d'Émile (vins d'appellation contrôlée vin de pays).

AGENDA

Fête médiévale du Grand Fauconnier – Voyagez dans le temps, lors de cette fête (autour du 14 Juillet, en journée et soirée) : défilés en costumes médiévaux, spectacles professionnels (fauconniers, troubadours, jongleurs, bateleurs), jeux, animations artisanales et banquet (sur réservation). *05 63 56 34 63 - www.grandfauconnier.com - 8 € (6-14 ans 3 €), forfait 2 j. 12 € (enf. 5 €, gratuit pour les personnes réellement costumées époque médiévale (possibilité de location). 05 63 56 34 63.*

Musique sur Ciel – Festival de musique classique. Rencontres de jeunes solistes, luthiers et archetiers. Compositeur en résidence. Dernière quinzaine de juillet. *Acadoc - 05 63 56 00 75 - www.festivalmusiquesurciel.fr.*

Carmaux

10 273 Carmausins – Tarn (81)

NOS ADRESSES PAGE 209

S'INFORMER

Office du tourisme de Carmaux – *Pl. Gambetta - 81400 Carmaux - 05 63 76 76 67 - www.carmaux.fr - tlj sf dim. et j. fériés 10h-12h, 14h-18h.*

SE REPÉRER

Carte de la microrégion B1 *(p.138)* – *carte Michelin Départements 338 E6.* À 16 km au nord d'Albi et à 23 km à l'est de Cordes, qui s'imaginerait trouver un bassin houiller, témoin de luttes sociales dignes d'un roman de Zola ? Tel est pourtant le cas de Carmaux, cette petite ville du Tarn qui tente aujourd'hui de mettre en valeur son patrimoine, certes différent, mais aussi représentatif de l'histoire de la région que celui de ses prestigieuses voisines.

À NE PAS MANQUER

La remarquable mise au tombeau de Monestiés.

ORGANISER SON TEMPS

Prévoyez une journée avec Cap'Découverte dans votre programme.

AVEC LES ENFANTS

Cap'Découverte.

À la limite des plaines d'Aquitaine et du Massif central, la ville de Carmaux doit sa notoriété à son gisement houiller, qui s'étend au sud-ouest de la localité sur environ 10 km de longueur et 1 à 3 km de largeur. L'épaisseur des couches de charbon varie de 30 cm à 28 m… À Carmaux, c'est l'histoire de l'exploitation des mines à travers les siècles qui nous est contée !

À proximité Carte de la microrégion

★ **Monestiés** B1

▶ *8 km à l'ouest. Quitter Carmaux par la D 91 en direction de Cordes-sur-Ciel.*

🏛 *Pl. de la Mairie - ℘ 05 63 76 19 17 - www.tourisme-monesties.fr - juil.-août : 10h-12h, 14h-18h30 ; reste de l'année : horaires variables - fermé de mi-déc. au 2 janv.*

Dans un site agréable, sur la rive droite du Cérou, Monestiés, classé parmi les Plus Beaux Villages de France, mérite une visite pour les magnifiques statues de la chapelle Saint-Jacques.

★★ **Chapelle Saint-Jacques** (dite aussi « de l'Hôpital ») – *℘ 05 63 76 41 63 - de mi-juin à mi-sept. : 10h-12h30, 14h-18h30 ; de mi-mars à mi-juin et de mi-sept.à fin oct. : 10h-12h, 14h-18h ; du 7 janv. à mi-mars et de nov. au 21 déc. : 14h-17h, le w.-end 10h-12h, 14h-17h - 2,50 €.* Dans cette chapelle, une Mise au tombeau, une Pietà du 15ᵉ s., un Christ en Croix (15ᵉ s.) et un Christ à la colonne, ont été transportés en 1774 du château épiscopal de Combefa (au sud de Monestiés, aujourd'hui en ruine). La **Mise au tombeau**★★ (1490) constitue un ensemble d'une remarquable élégance représentant, sur trois niveaux, les derniers épisodes de la Passion. Les personnages ont été sculptés dans du calcaire de la région par un artiste qui demeure inconnu à ce jour. Le centre de la scène est occupé par le Christ dans son linceul, soutenu par Louis Iᵉʳ d'Amboise, évêque d'Albi. Admirez l'expression des visages et les détails des costumes des personnages disposés en cortège et non plus statiques comme ils étaient représentés avant la fin du 15ᵉ s.

Centre contemporain Bajén-Vega – *℘ 05 63 76 19 17 - www.tourisme-monesties.fr - mêmes horaires que pour la Mise au tombeau - 3 € (– 14 ans gratuit).* Ce centre rassemble plus d'une centaine de toiles des peintres albigeois Martine Vega et Francisco Bajén, couple de réfugiés politiques espagnols. Les œuvres de Bajén sont exposées au 1ᵉʳ étage, celles de Vega au 2ᵉ étage.

Itinéraire conseillé Carte de la microrégion

LE PATRIMOINE INDUSTRIEL DU CARMAUSIN

▶ *35 km de Carmaux à Viaur – compter une journée. Quitter le centre de Carmaux à l'ouest par la D 90, dir. St-Benoît-de-Carmaux.*

Musée du Verre à Carmaux B1

Domaine de la Verrerie - Carmaux - ℘ 05 63 80 52 90 - www.museeverre-tarn.com - ♿ - mai-sept. : tlj sf mar. 10h-12h, 14h-17h30 - fermé 1ᵉʳ mai - 4 € (enf. 2,50 €).

Le château de la Verrerie, détruit lors d'un incendie en 1895, fut édifié par la famille de Solages qui conserva la concession des mines de Carmaux de 1752 à 1946, année de leur nationalisation. Aujourd'hui, on peut visiter le bâtiment dit « l'Orangerie », première verrerie à bouteilles du Carmausin. Il abrite plusieurs salles d'exposition respectivement consacrées à l'histoire de la famille de Solage, aux premières verreries tarnaises dont celles de Carmaux et aux luttes de Jaurès. Des artistes verriers régionaux et nationaux sont également exposés.

Prendre la direction Albi et suivre l'itinéraire Cap'Découverte dir. Le Garric.

Cap'Découverte

Le Garric - ℘ 05 63 80 15 15 (0,15 €/mn) - www.capdecouverte.com - juil.-août : 10h-20h ; des vac. de printemps à fin juin et sept. : w.-end 11h-18h30 ; fermé oct.-

La Mise au tombeau de Monestiés (chapelle Saint-Jacques).
B. Brillon / MICHELIN

mars - 20 € (jusqu'à 1,35 m 16 €). La participation à certaines activités (roller, tyrolienne, minigolf, etc.) nécessite une pièce d'identité, un chèque de caution, une autorisation parentale et/ou un questionnaire médical.

Dans un site naturel préservé de 650 ha entourant le cratère de la découverte de Ste-Marie, ancienne mine à ciel ouvert fermée en 1997, Cap'Découverte est un immense parc de loisirs consacré aux sports, aux spectacles et à la culture. Chantier pharaonique, ce projet a exigé le recours à des excavatrices de belle taille. Le parc tire parti du cratère pour offrir des activités de « glisse » (piste de ski synthétique, téléski nautique, piste de luge, aquagliss, etc.), mais on peut aussi pratiquer des sports dits de « roule » (vélo, roller, skatepark…). Le pôle spectacle, en plus de salles de concerts, dispose d'un espace « grands festivals ».

Jardins du Carbonifère – *Appartient au pôle mémoire de Cap'Découverte. Accès libre.* Parcours à travers l'évolution des espèces végétales, de l'ère du Carbonifère à nos jours. C'est aussi l'occasion de se pencher sur le charbon, la façon dont il se forme.

Revenir à Blaye-les-Mines. À la sortie, après Capalou, tourner à gauche.

Parc des Titans

👥 *Appartient au pôle mémoire de Cap'Découverte. Accès libre.* De gigantesques machines (roue-pelle, sauterelle, pelleteuse géante…) sont replacées dans leur environnement. On retrouve un peu l'ambiance de la mine à ciel ouvert.

JEAN JAURÈS

C'est à Carmaux que le fameux tribun socialiste **Jean Jaurès** (1859-1914) fut triomphalement élu en 1892 comme député. L'orateur philosophe mit sa fougue et son talent au service des mineurs et des verriers du Carmausin. Sur la place qui porte son nom se dresse une statue du député de Carmaux, entouré de personnages représentant différents métiers de la région (paysan, verrier, métallurgiste et mineur).

Prendre la direction de Cagnac-les-Mines par la D 90.

La route passe par la **cité des Homps**. Cette cité ouvrière, composée de petites maisons bien alignées, a été créée par la Société des mines d'Albi pour accueillir les mineurs, venant en majorité de Pologne.

Musée de la Mine à Cagnac-les-Mines B1

Appartient au pôle mémoire de Cap'Découverte. ✆ *05 63 53 91 70 - www. capdecouverte.com -* ♿ *- visite guidée (1h) - juil.-août : 10h-19h (dernier départ : 1h av. fermeture) ; mai-juin et sept.-oct. : 10h-12h, 14h-18h ; nov.-avr. : tlj sf lun. 10h-12h, 14h-17h (dim. 18h) - 7 € (enf. 5-14 ans, étudiants 4 €).*

👥 C'est la partie la plus intéressante du circuit et qui fait le mieux comprendre le difficile et périlleux travail du mineur de fond. Sur le site de Camp-Grand, le chevalement du puits n° 2 et ses bâtiments annexes, datant de 1891, ont été sauvés de justesse de la destruction. Ces vestiges uniques de l'exploitation minière par le fond forment un carreau de mine quasi complet. Une salle retrace la vie des mineurs hors de la mine, avec notamment la question de l'immigration, grâce à des automates et des hologrammes. Un spectacle de 10mn permet de comprendre la place d'un village de mineurs en 1914, tandis qu'une dernière salle est consacrée à Jean Jaurès et à la grève. Des galeries souterraines reconstituées sur 350 m de longueur plongent au cœur de l'activité quotidienne minière et des différentes méthodes d'extraction du charbon du 19e s. à nos jours. Une restitution sonorisée des bruits de marteaux-piqueurs et de ventilateurs ne fait qu'ajouter au réalisme de cette évocation de la vie des « gueules noires ».

Pour parfaire votre connaissance du monde industriel, ne ratez pas la visite du site du Saut du Tarn à Saint-Juéry *(voir Albi)*.

De Cagnac-les-Mines, revenir sur la N 88 dir. Rodez. Après 18 km de route, tourner à droite en dir. de Tanus. Suivre les panneaux qui mènent à travers champs jusqu'au Viaduc.

★ Viaduc du Viaur

Cette masse de 3 734 t, œuvre de l'ingénieur Paul Bodin, émule de Gustave Eiffel, enjambe le Viaur depuis 1902 sur une longueur de 460 m. Reposant sur un arc central de 200 m d'envergure, cet ouvrage métallique, inscrit

---

LA FIN DES MINES...

Tel est le cas depuis la fermeture en 1997 du site de la « découverte » de Sainte-Marie, dernier gisement exploité à Carmaux. Cette fermeture a mis un terme à une longue histoire, puisque l'extraction de la houille a commencé ici au milieu du 13e s. Au 16e s., certains puits atteignaient déjà une profondeur de 100 m. L'exploitation industrielle du bassin ne débuta vraiment qu'au milieu du 18e s. lorsque Gabriel de Solages, propriétaire des terres, reçut du roi une concession pour y extraire le charbon et aménager une verrerie destinée à réemployer la « charbonille » (mauvais charbon). Le gisement houiller de Cagnac, plus au sud, fut découvert en 1881 et exploité par la Société des mines d'Albi. La fin du 19e s. fut marquée par des conflits entre la famille de Solages et les mineurs, auxquels Jean Jaurès apporta un soutien énergique. C'est entre 1912 et 1950 que les gisements connurent leur période de plus forte productivité. Mais, ici comme ailleurs, la roue tourne ; l'arrêt de l'exploitation par le fond a eu lieu en 1987 au puits de la Tronquié, et dix ans plus tard, c'était au tour de la mine à ciel ouvert d'être abandonnée...

dans un site verdoyant, ne manque pas d'élégance et permet à la voie fer-rée Carmaux-Rodez de franchir la rivière. La percée du chemin de fer dans la région, au début du 20ᵉ s., a beaucoup contribué à désenclaver le Ségala. Belles balades au départ du viaduc le long de la vallée du Viaur : jusqu'à la petite église romane de Las Planques *(2h30)* ou jusqu'aux ruines du château de Thuriès *(3h45)*.

😊 NOS ADRESSES À CARMAUX

HÉBERGEMENT

BUDGET MOYEN

Chambre d'hôte
Le Peyrugal – *81190 Ste-Gemme -* 📞 *05 63 76 59 86 - www.lepeyrugal. com -* 🅿️ *- 📶 - 3 ch. 66 € 🍵 - rest. 23 €.* Entre champs et espaces boisés, cet ancien mas de vigneron du 18ᵉ s. a retrouvé sa jeunesse d'antan. Les 3 chambres très spacieuses ont chacune un accès direct sur l'extérieur. La propriétaire étant une passionnée de cuisine, on prend place avec plaisir dans la salle à manger campagnarde. Bonne humeur contagieuse.

RESTAURATION

PREMIER PRIX

Hostellerie des Voyageurs – *Pl. du Foirail - 81190 Mirandol-Bourgnounac -* 📞 *05 63 76 90 10 - fermé vac. de printemps, 24 août-9 sept. et le soir du 1ᵉʳ oct. au 15 avr. - ♿ - 13/33 € - 8 ch. 42/52 € - 🍵 6 €.* Cette maison à la façade discrète héberge également le café du village. Grande salle à manger rustique et cuisine

familiale généreuse à base de plats mijotés. Terrasse fleurie.

BUDGET MOYEN

Au Chapon Tarnais – *3 bd Augustin-Malroux -* 📞 *05 63 36 60 10 - www. auchapontarnais.com - fermé 2 20 janv., sam. midi, dim. soir, mar. soir et lun. - formule déj. 22 € - 24/45 €.* Discrète maisonnette au bord de la route nationale. Plaisante salle à manger fleurie, mise en place soignée, généreuse cuisine actuelle et accueil familial charmant.

AGENDA

National de Pétanque – Les amateurs de pétanque ne manqueront pas le « National » de Carmaux en août. Organisé au parc du Candou, il compte parmi les tournois les plus importants de la discipline en France.
Grandes Fêtes de Saint-Privat – Fin août. Gala de variétés, corso fleuri, concours de pétanque, feu d'artifice, fête foraine…
Festival Pause Guitare – À Monestiés, début juillet ce festival reçoit des guitaristes et chanteurs connus. 📞 *05 65 60 55 90.*

L'Ariège 3

Carte Michelin Départements 343 – Ariège (09)

La vallée de Biros près de Saint-Girons.
J. Malburet / MICHELIN

Foix

★

9 605 Fuxéens – Ariège (09)

☺ NOS ADRESSES PAGE 225

🛈 **S'INFORMER**

Office du tourisme du pays de Foix Varilhes – *29 r. Delcassé - 09000 Foix - ℰ 05 61 65 12 12 - www.ot-foix.fr - juil.-août : 9h-19h, dim. 9h30-12h30, 14h-18h ; reste de l'année : tlj sf dim. 9h-12h, 14h-18h.*

▷ **SE REPÉRER**

Carte de la microrégion C2 *(p.212)* – *carte Michelin Départements 343 H7.* La ville ancienne, aux rues étroites, a pour centre, à l'angle des rues de Labistour et des Marchands, le carrefour où coule la petite fontaine de l'Oie, en bronze. Elle contraste avec le quartier administratif, bâti au 19ᵉ s. autour de vastes esplanades, les allées de la Villote et le Champ-de-Mars.

😊 **À NE PAS MANQUER**

Aux alentours, la route Verte et la route de la Crouzette.

🕐 **ORGANISER SON TEMPS**

La ville de Foix, peu étendue, se parcourt rapidement. Pour bien profiter des Forges de Pyrène, prévoyez d'y passer une demi-journée, voire plus.

👪 **AVEC LES ENFANTS**

Les Forges de Pyrène ; la rivière souterraine de Labouiche ; la Ferme des reptiles.

Préfecture la moins peuplée de France, la petite ville de Foix est accueillante et tranquille. Son attrait réside dans son passé légendaire. Au débouché de l'ancienne vallée glaciaire de l'Ariège, Foix apparaît soudain dans un site★ tourmenté hérissé de sommets aigus. Les trois tours de son château semblent surveiller, de leur roc austère, le dernier défilé de la rivière à travers les plis du Plantaurel.

Se promener

Château

ℰ 05 34 09 83 83 - www.sesta.fr - possibilité de visite guidée - juil.-août : 9h45-18h30 ; juin et sept. : 9h45-12h, 14h-18h ; mai : 10h30-12h, 14h-17h30, w.-end et j. fériés 9h45-12h, 14h-18h ; fév.-avr. et oct.-déc. : 10h30-12h, 14h-17h30, fermé mar. hors vac. scol. ; janv. : w.-end 10h30-12h, 14h-17h30 - fermé j. fériés de nov. à mars - 4,30 € (13-18 ans 3,10 €, enf. 2,20 €).

C'est du **pont de Vernajoul**, qui enjambe l'Arget au bout de la rue de la Préfecture, que l'on aura la vue la plus saisissante sur le château.

En 1002, le comte de Carcassonne, Roger le Vieux, lègue des terres et le château de Foix à son fils Roger-Bernard qui prend le titre de comte de Foix.

Le château, dont les premières bases datent du 10ᵉ s., est une solide place forte que Simon de Montfort assiégea en vain en 1211 et 1212, lors de la croisade contre les albigeois. Mais en 1272, le comte de Foix refusant de reconnaître la

Le château de Foix.
A. Thuillier / MICHELIN

souveraineté du roi de France, Philippe le Hardi prend en personne la direction d'une expédition contre la ville. À bout de vivres et devant l'attaque du rocher à pic, le comte capitule. Après la réunion du Béarn et du comté de Foix en 1290, la ville est pratiquement abandonnée par les comtes. Gaston Fébus (14e s.) est le dernier à avoir vécu au château qui devint siège du gouverneur du pays de Foix, puis siège de garnison jusqu'à la Révolution. Il fut ensuite utilisé comme prison, et ce jusqu'en 1862. Aujourd'hui, il abrite le musée départemental.

L'intérêt du château tient avant tout à son site, en aplomb au-dessus de la ville. Des trois tours qui subsistent (le quart des bâtiments d'origine), deux sont ouvertes à la visite : la tour carrée, centrale, dite « la tour d'Arget », et la tour ronde, qui ont conservé des salles voûtées des 14e et 15e s. Vous y verrez le lit restauré de Henri IV. Certaines salles abritent des expositions temporaires. Ces tours étaient entourées de deux enceintes qui rendaient la position du château fort redoutable. De la terrasse entre les tours, ou mieux, du sommet de la tour ronde, **panorama**★ sur le site de Foix, la vallée de l'Ariège et le Pain de Sucre de Montgaillard.

Musée départemental de l'Ariège – *Mêmes conditions de visite que le château.* Dans la grande salle basse, des collections d'armes de guerre et de chasse rappellent la destination première de la forteresse. Des éléments de préhistoire témoignent de l'activité humaine dans les grottes de l'Ariège (on en a répertorié 300 et fouillé 60), du Paléolithique à l'âge du bronze. Importants débris de faune (ours des cavernes), moulages d'empreintes de pas humains. On voit aussi des chapiteaux du 12e s. provenant du cloître de Saint-Volusien, aujourd'hui disparu et des maquettes du château.

Église Saint-Volusien
Visite guidée juil.-août : 11h-12h30, 16h-18h ; reste de l'année : tlj sf dim. apr.-midi 11h-12h30, 16h-18h - gratuit. Évêque de Tours vivant au 5e s, saint Volusien endura les persécutions des Wisigoths qui entreprirent de l'exiler vers l'Espagne. Il mourut sur le chemin, dans la vallée de l'Ariège, aux portes de Foix qui accueillit ses reliques.

À la cour des comtes de Foix

IL ÉTAIT UNE FOIS…

À l'époque carolingienne, la cité s'appelait *Fuxum*. Ce qui donna *Foish* en occitan. Le pays de Foix, devenu le département de l'Ariège, a pour axe la vallée pyrénéenne de ce grand affluent montagnard de la Garonne. Partie du duché d'Aquitaine, puis du comté de Carcassonne, il fut érigé en comté au 11e s. Lors du traité de Paris (1229) qui met un terme politique à la guerre contre les albigeois, particulièrement cruelle ici, le comte de Foix se reconnait vassal du roi de France. En 1290, la famille de Foix hérite, par alliance, du Béarn et se fixe dans cet État, préférant être maîtresse chez elle plutôt que de subir la domination royale. Sous la houlette de Gaston Fébus, elle réunit un territoire, indépendant à des degrés divers, allant de Foix à la Soule. Il faudra le « destin national » de celui qui, par suite d'alliances, hérita du comté, le futur Henri IV, pour que le comté soit, en 1607, rattaché à la Couronne.

Le plus célèbre des comtes de Foix est **Gaston III** (1331-1391), surnommé **Fébus** (le brillant, le chasseur). Ce politique avisé, personnage cultivé, lettré et poète, qui aimait s'entourer d'écrivains et de troubadours, n'était cependant pas un tendre ! Après avoir fait assassiner son frère, il tua son fils unique. Passionné de chasse, auteur d'un traité sur l'art de la vénerie, il entretenait 600 chiens et, à l'âge de 60 ans, en décousait encore avec l'ours… C'est au retour d'une de ces rudes expéditions qu'il tomba foudroyé par une hémorragie cérébrale… Mais Gaston Fébus ne fut pas le seul représentant de l'illustre lignée des comtes de Foix. Neveu de Louis XII, Gaston de Foix avait, à 22 ans, le commandement de l'armée royale en Italie. Surnommé « le foudre d'Italie », il gagna la bataille de Ravenne en 1512 mais, percé de quinze coups de lance, il succomba à ses blessures. Son cousin Odet, blessé à Ravenne, contribua puissamment à la conquête du Milanais (1515).

UNE RIVIÈRE QUI ROULE SUR L'OR

L'Ariège roule de l'or dans ses eaux et, du Moyen Âge à la fin du 19e s., les orpailleurs étaient nombreux à laver les sables à la recherche des précieuses paillettes. C'est en aval de Foix que la rivière devient aurifère ; les plus grosses paillettes (dont certaines pesaient jusqu'à 15 g) ont été trouvées entre Varilhes et Pamiers.

MINEURS ET FORGERONS

Les minerais de fer des Pyrénées, fort appréciés pour leur richesse, furent très tôt activement exploités. La mine du Rancié, fermée définitivement en 1931, était encore exploitée au 19e s. suivant une formule coopérative archaïque : les habitants de la vallée, inscrits à l'Office des mineurs, étaient des associés plus que des salariés. Ils n'avaient le droit d'abattre par jour qu'une quantité déterminée de minerai. Souvent, le mineur travaillait isolé à l'abattage. Une fois sa hotte remplie, il remontait le minerai sur son dos jusqu'à l'entrée des galeries et le vendait comptant aux muletiers qui assuraient le transport jusqu'à Vicdessos, où s'approvisionnaient les maîtres de forges.

En 1833, 74 forges « à la catalane » s'alimentaient à cette mine. Ces forges traitaient directement le minerai par simple réaction avec du charbon de bois… au grand dam des forêts qui s'en trouvèrent dévastées.

L'église qui lui est consacrée revêt aujourd'hui l'aspect d'un bel édifice gothique très simple. La nef date du 14e s., et le chœur, surélevé, du début du 15e s. Remarquez les stalles (17e s.) qui proviennent de l'église Saint-Sernin de Toulouse, les grandes fenêtres, très étroites, et l'autel Renaissance (scènes de la Visitation et de la Cène).

En face de l'église, au n° 1 de la rue de la Préfecture, admirez la façade, curieuse et harmonieuse, d'une noble maison à cariatides.

Itinéraires conseillés

★★ ROUTE VERTE ET ROUTE DE LA CROUZETTE 1

Pour visualiser ce circuit de 93 km, reportez-vous à la carte (p.218) – compter environ 5h. Quitter Foix à l'ouest par la D 17. Attention ! La route reste généralement obstruée par la neige, de mi-décembre à mi-juin, entre les cols des Marrous et de la Crouzette, ainsi qu'au col des Caougnous.

★★ Route Verte

La route, en rampe légère, remonte la **vallée de l'Arget** ou Barguillère, région autrefois connue pour sa métallurgie (clouterie), et serpente au milieu des bois. Après la Mouline, la montée s'accentue et, à Burret, la route s'écarte de l'Arget qui prend sa source dans une conque boisée. Le paysage devient pastoral.

Col des Marrous

Alt. 990 m. Vues étendues, au sud, sur la vallée de l'Arget et la forêt de l'Arize.

La montée se poursuit à travers une forêt où dominent les hêtres. Au départ de la route forestière *(à droite)*, dans le premier lacet, belles échappées sur la montagne du Plantaurel et La Bastide-de-Sérou. Après le col de Jouels, la route, tracée en corniche sur les pentes supérieures du cirque boisé de Caplong, où naît l'Arize, prend un caractère panoramique. Au second plan surgit la pyramide tronquée du mont Valier (alt. 2 838 m).

Au **col de Péguère** (alt. 1 375 m), le panorama se dégage complètement.

Tour Laffont

15 mn à pied AR par le chemin à droite, derrière le refuge. Magnifique **panorama**★ sur les Pyrénées centrales et ariégeoises, depuis le pic de Fontfrède (1 617 m) jusqu'au pic de Cagire (1 912 m), au-delà du col de Portet-d'Aspet.

★★ Route de la Crouzette

Parcours de crête sur les croupes du massif de l'Arize couvertes de fougères. La route domine les cirques forestiers des ruisseaux tributaires de l'Arize, au nord, et la fraîche vallée de Massat, doucement évidée, au sud.

★★ Sommet de Portel

15 mn à pied AR. À 3,5 km du col de Péguère, laisser la voiture au passage d'un col où la route décrit une large boucle. Alt. 1 485 m. Montez, au nord-ouest, sur cette bosse herbeuse, jusqu'aux fondations d'un ancien signal. Panorama sur les sommets du haut Couserans, jusqu'à la chaîne frontière.

Du sommet de Portel, le vieux chemin prenant à l'intérieur de la boucle, sur la route, descend en quelques minutes à la fontaine du Coulat, joli coin agréablement situé pour une halte ou un pique-nique.

Après le col de la Crouzette, dans la forte descente vers Massat, par Biert et la D 618 à gauche, vue sur le haut Couserans et tout le massif supérieur en bas du col de Pause, Aulus et la vallée du Garbet.

Massat

🛈 *1 rte du Col-de-Port - ℰ 05 61 96 92 76 - www.ariege.com/massat - mar.-sam. 10h-12h30, 15h-17h30.*

Cette petite capitale montagnarde possède une **église** dont la façade, au pignon en accolade, est flanquée d'un élégant clocher haut de 58 m. Au dernier étage, des gueules de canons, fort heureusement décoratives, pointent à travers les baies en losange.

Poursuivre par la D 618. À l'est de Massat, le bassin supérieur de l'Arac s'épanouit et la route, très sinueuse, en offrant de jolies vues sur le verdoyant pays de Massat, puis sur le majestueux massif du mont Valier, s'élève vers le col des Caougnous.

En avant s'échancre le col de Port. À droite, derrière un premier plan mamelonné, apparaît la cime déchiquetée du pic des Trois-Seigneurs.

Des hameaux se succèdent et la vue sur le mont Valier devient superbe. On atteint bientôt les dernières habitations, puis la limite supérieure des prairies et des forêts pour pénétrer dans le domaine des landes de fougères et de genêts. À droite, belle forêt de sapins.

Col de Port

Alt. 1 250 m. Ici semble passer la frontière naturelle entre les « Pyrénées vertes », soumises à l'influence atlantique, et les « Pyrénées du soleil », méditerranéennes, aux paysages plus contrastés.

La descente s'effectue par la vallée de Saurat, ensoleillée et fertile. À la sortie de Saurat se dresse la tour Montorgueil, dans l'axe de la route. On passe ensuite entre les deux énormes rochers de Soudour et de Calamès, ce dernier couronné de ruines.

Grotte de Bédeilhac

À 800 m du bourg de Bédeilhac. (Voir Tarascon-sur-Ariège).

Tarascon-sur-Ariège

(voir p.228)

Sortir de Tarascon par la route de Mercus-Garrabet, sur la rive droite de l'Ariège.

Après le pic de Soudour (alt. 1 070 m) que l'on aperçoit sur la gauche, dans un paysage accidenté et parsemé de pitons, apparaît l'église romane de **Mercus-Garrabet**, isolée dans son cimetière.

Pont du Diable

Accès par la route longeant la rive droite de l'Ariège. Laisser la voiture peu après le passage à niveau. Ce pont pittoresque, jeté sur l'Ariège, possède encore des traces de fortifications (*côté rive gauche* : porte et chambre inférieure). Selon la légende, on a dû recommencer les travaux une dizaine de fois ; à chaque fois, les travaux effectués le jour s'effondraient à la nuit venue. D'où une réputation sulfureuse dans les alentours ! Résultat, on ne l'empruntait que contraint et forcé et seulement après s'être signé. Mais le diable a fini par se lasser, par s'en aller au diable vauvert… et le pont est toujours là !

Après l'embranchement de Lavelanet apparaît le **Pain de Sucre**, un piton dominant le village de Montgaillard. *Entrer dans Montgaillard et suivre la signalisation « Les Forges de Pyrène ».*

★ Les Forges de Pyrène

À Montgaillard - ℰ *05 34 09 30 60 - www.sesta.fr -* &. *- juil.-août : 10h-19h ; juin : 10h-12h, 13h30-18h, dim. 10h-12h, 13h30-18h30 ; fév. mai et sept.-nov. : 10h-12h, 13h30-18h, dim. et j. fériés 10h-12h30, 13h30-18h30 ; janv. et déc. : se renseigner - fermé lun. en mai et sept.-nov., 25 déc. et 1ᵉʳ janv. - 8 € (5-12 ans 4,50 €, 13-18 ans 6 €).*

👥 Le passé rendu vivant. Telle pourrait être la devise des Forges de Pyrène. Sur 5 ha, vous pourrez découvrir un musée regroupant 125 métiers d'autrefois : de la laitière avec son attelage de chiens au cirier, en passant par le fabricant des premières boules de pétanque, le colporteur, l'arracheur de dents, le bouchonnier, l'ardoisier et la perleuse brodeuse… Les granges abritent des ateliers où des artisans (forgeron, boulanger, sculpteur) font des démonstrations, ainsi que le musée du Fer. Ne ratez pas la démonstration de la forge à martinet, outil classé Monument historique. Un parcours scénographique « Les âges de la vie » relate les grands événements d'une vie au 20e s. de la naissance à la mort. Pour agrémenter la visite, une aire de pique-nique est aménagée au bord d'un plan d'eau et, pour les enfants, un espace de jeux.

LE COMTÉ DE FOIX AU TEMPS DES CATHARES ②

▶ *Pour visualiser ce circuit de 55 km, reportez-vous à la carte (p.218) – compter une demi-journée. Quitter Foix au sud par la D 117 en direction de Montgaillard, puis obliquer à gauche sur la D 9 en direction de Soula et de Roquefixade. Route sineuse.*

Si les cathares se sont surtout concentrés dans les Corbières, ils furent également nombreux dans les pays entourant Foix : le pays d'Olmes, le pays de Sault et le Plantaurel. Leur situation, perdue dans les montagnes pyrénéennes loin de toute voie de communication, fit des châteaux cités ci-dessous des lieux privilégiés où les cathares trouvaient asile lors des chevauchées sanguinaires des croisés. Parmi eux, Montségur est devenu le symbole de la résistance cathare, tandis que Montaillou, connu grâce à l'ouvrage d'Emmanuel Le Roy Ladurie, témoigne de la dureté de l'Inquisition qui suivit la croisade.

Roquefixade

À l'entrée du village, faisant halte devant une croix, on découvrira une très belle **vue★**, au-delà de la vallée, coupée de rideaux de frênes et semée de villages aux toits roses, sur le massif du Saint-Barthélemy et, à droite au dernier plan, sur le massif des Trois-Seigneurs. Vers l'amont, au sud-est, on reconnaît le rocher de Montségur, avec lequel le château local pouvait communiquer par des feux.

Le calme village de Roquefixade, bastide de la fin du 13e s., s'ordonne autour d'une place rectangulaire dotée d'une fontaine-abreuvoir. De là, un chemin (🚶 *3/4h à pied AR)* monte vers le piton rocheux où se détachent les ruines du **château**. Édifié au 11e s., celui-ci servit de refuge aux populations cathares durant la croisade contre les albigeois. Il devint forteresse royale en 1272 pour être finalement détruit en 1632 sur ordre de Louis XIII, son rôle défensif n'étant plus justifié. Les remparts épousent la forme de l'éperon rocheux. Après les avoir contournés, on pénètre dans la 1re, puis dans la 2e enceinte : celle-ci abrite ce qui reste de l'habitat seigneurial.

On poursuit la D 9 jusqu'à la D 117 que l'on prend à gauche vers Lavelanet.

Lavelanet

🛈 *1 pl. Henri-Dunant - ☎ 05 61 01 22 20 - www.paysdolmes.org - juil.-août : 9h-12h, 14h-19h, dim. et j. fériés 9h-12h30 ; reste de l'année : tlj sf dim. 9h-12h, 14h-18h.*

Musée du Textile et du Peigne en corne – *65 r. Jean-Jaurès - ☎ 05 61 03 89 19 - possibilité de visite guidée (1h) - juil.-août : tlj 14h-19h ; reste de l'année se renseigner - 5 € (7-12 ans 3 €).* Installé dans une ancienne manufacture de draps, le musée rassemble une belle collection de machines (17e-19e s.) : navette volante, premiers métiers à tisser mécaniques puis automatiques… La visite,

LE PARC NATUREL RÉGIONAL DES PYRÉNÉES ARIÉGEOISES

Il est en train de voir le jour. Son territoire, 2 500 km², représente la moitié ouest du département de l'Ariège. Il s'étend à l'ouest de Foix et de Tarascon-sur-Ariège et jusqu'après Saint-Girons. Au nord, il remonte au-dessus du Mas-d'Azil et de Sainte-Croix-Volvestre, au sud, jusqu'à la frontière espagnole. Il regroupe 145 communes, 13 cantons, et près de 43 000 habitants. Il est recouvert à 50 % de magnifiques forêts. Vallées, plaines et montagnes sont les refuges de nombreuses espèces tant florales qu'animales. Dans le parc se dressent les mont Valier, le pic des 3 Seigneurs et le massif de Montcalm. Son patrimoine naturel et culturel est exceptionnel car il est particulièrement bien préservé. 🖉 05 61 02 71 69 - www.projet-pnr-pyrenees-ariegeoises.com.

agrémentée de démonstrations, suit le processus de fabrication de la laine, matière autrefois la plus utilisée à Lavelanet. Autre matériau mis à l'honneur : la corne servant à fabriquer des peignes depuis les 12ᵉ-13ᵉ s.

Revenir à l'entrée ouest de Lavelanet et bifurquer à gauche dans la D 109. Celle-ci rejoint la D 9 qui mène à Montségur.

★★ Montségur

🖉 05 61 01 10 27/06 94 - www.montsegur.fr - possibilité de visite guidée (50mn) - juil.-août : 9h-19h30 ; fév. et déc. : 11h-16h30 ; mars : 10h30-17h30 ; avr.-juin : 10h-18h30 ; sept. : 9h30-18h30 ; oct. : 10h-18h ; nov. : 10h30-17h - fermé 25 déc., janv. - château : 4,50 € (8-15 ans 2 €, – 8 ans gratuit).

Prévoyez de vraies chaussures de marche : il faut compter une bonne heure à pied aller-retour par un sentier escarpé pour accéder au château.

Du latin *securus*, *segur* exprime l'impression de sécurité et désigne souvent des lieux fortifiés. Perché sur son « pog » à 1 216 m d'altitude, le château occupe un **site★★** dominant des à-pics de plusieurs centaines de mètres. Il offre un panorama remarquable sur les rides du Plantaurel, la coupure de la vallée de l'Aude et le massif du Saint-Barthélemy.

Avant de parvenir au **château★**, voyez, au bord du sentier, la stèle portant la croix de Toulouse érigée en 1960 à la mémoire des cathares. On accède à la forteresse, dont le plan pentagonal épouse le contour de la plate-forme du sommet, par une porte au sud. Autour de la cour intérieure, divers bâtiments (logis, annexes) étaient adossés au rempart.

Autrefois, une porte au 1ᵉʳ étage du donjon permettait d'y accéder à partir du rempart. Un escalier intérieur menait à la salle basse, réservée à la défense et à l'entrepôt de vivres. Aujourd'hui, on pénètre dans la salle basse après avoir contourné l'enceinte par la porte nord, à travers une brèche qui donne sur l'ancienne citerne. Deux meurtrières de la salle basse reçoivent le soleil du solstice d'été de telle sorte que la lumière ressort par les deux meurtrières qui leur font face. Cette curiosité, sans doute fortuite, n'a pas manqué de débrider l'imagination des ésotéristes qui y ont vu on ne sait quel culte cathare au soleil… oubliant seulement que le château actuel n'est plus celui de 1244 !

Au pied du donjon, côté nord-ouest, s'étagent les vestiges du **village** cathare qui font encore aujourd'hui l'objet de fouilles. Le village s'étend au pied du rocher, dans la vallée du Lasset.

Musée archéologique du château de Montségur – 🖉 05 61 01 10 27/06 94 - www.montsegur.fr - juil.-août : 11h-13h, 14h-20h ; mai-juin et sept. : 111h-13h, 14h-19h ; avr. : 14h-19h ; mars et oct. : 14h-18h ; fév. et nov.-déc. : 14h-17h - fermé janv., 25 déc. - gratuit. Installé dans le bâtiment de la mairie, il abrite des objets révélés par les fouilles effectuées sur les lieux : important mobilier du 13ᵉ s., outillage permettant de faire remonter au Néolithique l'occupation du « pog » et documentation sur le catharisme.

Poursuivre sur la D 9 en direction de Bélesta. Passer Fougax-et-Barrineuf.

Fontaine intermittente de Fontestorbes

Débouchant d'une voûte rocheuse dans la vallée de l'Hers, Fontestorbes est une résurgence des eaux infiltrées dans les terrains calcaires du plateau de Sault. À l'époque des basses eaux *(de mi-juillet à fin novembre)*, le phénomène d'intermittence durant lequel le débit oscille entre 100 et 1 800 litres/seconde peut être observé.

À Bélesta, on emprunte sur la droite la D 16 (signalée avec une remarquable discrétion) pour traverser la sombre et belle forêt de Bélesta. La D 16 se prolonge par la D 29. Sinueuse, la route s'élève sur le plateau de Sault (voir Le Guide Vert Languedoc-Roussillon*) jusqu'au croisement avec la D 613 que l'on prend sur la droite en direction d'Ax-les-Thermes. Au village de Camurac, la D 20, sur la droite,*

MONTSÉGUR, LIEU DE MÉMOIRE ET D'ÉMOTION

Reconstruit en 1204 à l'emplacement d'une forteresse antérieure, le château de Montségur abrite une centaine d'hommes sous le commandement de Pierre Roger de Mirepoix. À l'extérieur, mais toujours sur le pog, vit une communauté de réfugiés cathares avec son évêque, ses diacres, ses parfaits et ses parfaites. Le prestige du lieu, les pèlerinages qu'il génère, sa fière indépendance, bien que la croisade contre les albigeois soit en voie de s'achever, portent ombrage à l'Église et à la royauté. Le massacre des membres du tribunal de l'Inquisition à Avignonet, par une troupe venue de Montségur le 28 mai 1242, met le feu aux poudres et la décision est prise de réduire ce foyer de résistance. Le siège, dirigé par le sénéchal de Carcassonne, Hugues des Arcis, à la tête d'une armée de 10 000 hommes, commence en juillet 1243. Entrecoupé de combats, il dure dix mois et s'achève une nuit de janvier 1244 lorsqu'une escouade de montagnards basques, escaladant à la faveur de la nuit la falaise abrupte, prend pied sur le plateau supérieur. Elle y installe un trébuchet monté par pièces détachées avec lequel les murailles sont criblées de boulets.

Les secours promis par le comte de Toulouse n'arrivant toujours pas, Pierre Roger de Mirepoix offre de rendre la place et obtient la vie sauve pour la garnison. Une trêve de 15 jours est conclue, du 1ᵉʳ au 15 mars 1244. Refusant d'abjurer, les religieux cathares, au nombre de 207, descendent de la montagne le matin du 16 mars et montent sur le gigantesque bûcher du « Camp dels Cremats », sous la conduite de leur évêque, Bertrand Marty. Parmi eux, Esclarmonde de Péreilhe, fille du seigneur de Montségur et épouse de Pierre Roger de Mirepoix, et sa mère, qui choisirent de recevoir la mort avec les autres albigeois réfugiés sur le site. Depuis lors, érudits, tenants de la tradition occitane, chercheurs d'un prétendu trésor cathare et adeptes de théories ésotériques fréquentent le pog où s'élève un nouveau château édifié après 1245 par le nouveau seigneur de Mirepoix, Guy de Lévis II, sur les ruines de celui qui connut le drame.

 Pour plus d'informations sur le catharisme, se reporter au chapitre « Histoire » p. 25 et à la « Bibliographie » p. 56.

Le château de Montségur.
M.-H. Çarcanague / MICHELIN

mène au GR 107 longeant les gorges de la Frau (voir Le Guide Vert Languedoc-Roussillon). Poursuivre sur la D 613.

Montaillou

Ce village a acquis une soudaine célébrité lors de la publication d'un livre qui fit grand bruit, *Montaillou, village occitan de 1294 à 1324*, d'Emmanuel Le Roy Ladurie, établi à partir du registre d'Inquisition de Jacques Fournier, évêque de Pamiers. Il s'agit là d'un inestimable témoignage, tant sur la vie quotidienne dans un village ariégeois au 14e s. que sur la dureté de la répression qui s'abattit sur les habitants de la région après la fin de la croisade contre les albigeois, lorsqu'il s'agissait d'éradiquer l'hérésie.
Continuer en direction d'Ax.

★ Signal du Chioula *(voir Ax-les-Thermes)*
Prendre à droite la petite D 2, fort tourmentée, en direction de Lordat.

Château de Lordat
Parking (gratuit) en haut du village (prendre garde aux éventuels croisements). Attention, les accès au château et aux tables d'orientation ne sont pas libres. La visite comprend également la découverte d'une volerie (35 oiseaux de proie) - ☎ 05 61 01 34 22 - Pâques-1er nov. : 10h30-12h30, 14h30-18h - spectacle (45mn) : 11h30, 14h30 et 16h30 - 6,50 € (enf. 5 €).

Les ruines de ce château, qui servit de refuge à quelques cathares après le siège de Montségur, surplombent la vallée de l'Ariège. Il ne reste aujourd'hui de cette forteresse démantelée par Richelieu (jadis la plus grande du comté de Foix) que les vestiges des trois enceintes, des pans de mur du donjon et la herse de la porte d'entrée. Sa position, bien détachée sur un piton calcaire, en fait un **belvédère★** sur le Sabarthès, le sillon de l'Ariège vers Ax et la chaîne frontière, du côté de l'Andorre.
Rejoindre la N 20 à Luzenac et prendre à droite vers Tarascon-sur-Ariège et Foix.
☺ Pour compléter votre découverte des châteaux cathares, consultez *Le Guide Vert Languedoc-Roussillon*.

★ **LE PLANTAUREL** ③

▷ *Pour visualiser ce circuit de 58 km, reportez-vous à la carte (p.218) – compter une demi-journée. Quitter Foix au nord en suivant la rive gauche de l'Ariège jusqu'à Vernajoul où l'on prend à gauche la D 1.*

Plantaurel, tel est le nom de ces crêtes qui s'allongent d'est en ouest sur la bordure septentrionale des Pyrénées. Ces avant-monts pyrénéens, culminant à 830 m, sont traversés de rivières (Touyre, Douctouyre, Ariège, Arize) qui ont formé des cluses, parties les plus animées du massif avec celles situées sur les contreforts des chaînons.

★ **Rivière souterraine de Labouiche**

℘ 05 61 65 04 11 - www.grottes-en-france.com - visite guidée (1h15) - juil.-août : 9h30-17h15 ; avr.-juin et sept. : 10h-11h15, 14h-17h15 ; oct.-nov. : w.-end, j. fériés et vac. scol. : 10h-11h15, 14h-16h30 - 8 € (enf. 6 €).

👥 Ce réseau de galeries souterraines, exploré en 1908 par le Dr Dunac, puis par Norbert Casteret, est dû au creusement de la roche calcaire par les ruisseaux de Labouiche et du Fajal. De petits barrages, aménagés afin de surélever le niveau de l'eau, permettent d'effectuer une navigation souterraine sur cette « rivière mystérieuse » qui ne pourra qu'enchanter les visiteurs. Grâce à un parcours de 1,5 km en barque, à 70 m sous terre, dans des galeries hautes ou surbaissées, éclairées ou laissées à dessein dans l'obscurité, on peut admirer les stalactites et stalagmites, mises en valeur par la couleur noirâtre du calcaire sur lequel elles se détachent. Au gré de l'imagination, elles se transforment en bêtes chimériques, en fleurs étranges ou en décor fantasmagorique… Bref, c'est grandiose !

Poursuivre sur la D 1 jusqu'au croisement avec la D 11 que l'on prend sur la gauche avant de rejoindre la D 117.

La Bastide-de-Sérou

🏠 *La Côte - ℘ 05 61 64 53 53 - www.seronais.com - juil.-août : 9h30-12h30, 14h-18h, sam. 10h-12h ; le reste de l'année : tlj sf sam.-dim. 9h-12h, 14h-18h, sam. 9h-12h, 13h-17h.*

Dans le noyau ancien du bourg, l'église abrite un pathétique Christ rhénan en bois du 15e s. *(à gauche en entrant)* et une Pietà de la fin du 15e s. *(dans une chapelle à gauche du chœur)*. Sur la place de la Halle (mesures à grain, en pierre) et dans les petites rues du quartier au sud de l'église subsistent plusieurs maisons aux portails datés du 18e s.

La Bastide-de-Sérou abrite le Centre national du **cheval de Mérens**. Ce cheval de petite taille, noir et d'une hauteur de 1,50 m au garrot, est issu d'une très ancienne race locale puisqu'il fut dessiné sur les parois de la grotte de Niaux, voilà plus de dix mille ans ! Doux et endurant, il était naguère utilisé pour les travaux des champs… avant de réussir sa reconversion dans le domaine du tourisme, son caractère docile en faisant un compagnon idéal de randonnée, activité largement répandue dans la région. On le voit, de mai à octobre, paître en liberté sur les prairies de la haute vallée de l'Ariège.

Poursuivre sur la D 117 puis prendre à droite la D 49 dir. Allières. La Ferme des reptiles se trouve vers Brouzenac.

La Ferme des reptiles

℘ 05 61 65 82 13 - www.lafermedesreptiles.com - visite guidée - de mi-juin à mi-sept. : 10h-12h, 14h-19h ; de déb. fév. à mi-juin et de mi-sept. à mi-nov. : dim., j. fériés et vac. scol. 14h-18h - fermé de mi-nov. à fin janv. - 7 € (enf. 5 €).

👣 Grâce à une visite commentée, venez découvrir et toucher iguanes, tortues et autres serpents : du grand python à la couleuvre locale. !

Reprendre à droite la D 117.

Les amateurs d'art roman pourront poursuivre la D 117 jusqu'à Rimont pour se rendre ensuite par la D 518 à l'**abbaye de Combelongue** (1138) : la visite guidée du monument *(45mn)* peut se prolonger par une flânerie dans les jardins. 📞 05 61 96 37 33 et 06 07 99 35 82 - www.abbayedecombelongue.fr - ♿ - *visite guidée (libre pour les jardins) - juil.-sept. : 15h-18h ; reste de l'année sur demande - 3 € (7-15 ans 2 €).*

Revenir sur la D 117 puis prendre à gauche la D 15, au niveau de Ségalas. Sur la D 15, au-delà de Durban, on quitte la dépression du Sérou pour suivre, après un angle droit, le défilé agréablement ombragé de l'Arize. En remontant la vallée en direction du Mas-d'Azil, on remarque les chapelles du **chemin de croix de Raynaude** qui sont accrochées à la pente, comme des nids dans la broussaille…

★★ Grotte du Mas-d'Azil *(voir p.252)*

Poursuivre le long de l'Arize, qui coule dans un étroit défilé, jusqu'à Sabarat où l'on emprunte à gauche la D 628 vers Daumazan-sur-Arize. Dans le village, prendre à gauche la D 19.

Montbrun-Bocage *(voir Rieux p.259)*

😊 NOS ADRESSES À FOIX

HÉBERGEMENT

BUDGET MOYEN

Hôtel du Lac – *Rte Nationale 20* - 📞 05 61 65 17 17 - www.hotel.du.lac.foix.free.fr - rest. *fermé dlm. soir* - 🅿 - 25 ch. 63/75 € - 🍽 8,50 € - rest. 15/29 €. Établissement agréablement situé au bord du lac et jouissant d'un environnement calme. Les chambres sont confortables et les deux salles à manger viennent d'être rénovées. Possibilité de louer un bungalow climatisé. Accès wifi gratuit.

Hôtel Eychenne – *11 r. N.-Peyrevidal* - 📞 05 61 65 00 04 - www.hotel-eychenne.com - 16 ch. 55 € - 🍽 6 €. Facilement repérable grâce à sa tour d'angle en bois et son bar façon pub anglais, cet hôtel simple et rajeuni se révèle pratique et idéalement situé pour une visite de Foix.

Chambre d'hôte Château de Benac – *09000 Benac* - 📞 05 61 02 65 20 - www.haute-ariege.com - *fermé 15 nov.-15 fév.* - 🅿 - 🚭 - 5 ch. 65/85 € 🍽 - rest. 22 € bc. Entourée d'une propriété de 11 ha de forêt et de prairies, cette belle demeure du 17ᵉ s. compte 3 chambres et 2 suites, à l'étage, baptisées suivant leur thème de décoration. Les 2 salons (piano-billard) donnent sur le parc fleuri. Table d'hôte végétarienne, mais accompagnée parfois de volaille ou de poisson. Glaces maison au dessert.

RESTAURATION

PREMIER PRIX

Au Grilladou – *7 r. de Lafaurie* - 📞 05 61 64 00 74 - au-grilladou-vieux-foix.com - *fermé sam. midi et dim. de déb. sept. à fin juin* - ♿ - *formule déj.* 11 € - 12/21 €. Ce petit restaurant, situé au pied du château, propose pizzas, grillades (viandes et poissons), salades et pâtes fraîches maison, à prix tout doux. Nouveau décor – tons aubergine et gris –, service efficace et accueil souriant. Terrasse l'été dans la rue piétonne.

BUDGET MOYEN

Le Sainte-Marthe – *21 r. N.-Peyrevidal -* 🕿 *05 61 02 87 87 - www.le-saintemarthe. fr - fermé mar. et merc. sauf juil.-août - 23/42 €.* Une adresse qui rassasiera vos envies de spécialités régionales (cassoulet, foie gras…) : assiettes généreuses servies sur nappes blanches dans un décor d'esprit rustique.

Ferme-auberge de Caussou – *09000 Cos -* 🕿 *05 61 65 34 42 - www.ariege. com/fermedecaussou -* 🅿 *-* 🚭 *- formule déj. 20 € - 25/40 € - 6 ch. 50/70 € -* 🍽 *6 €.* Cette ferme de la fin du 18e s. se consacre à l'élevage de brebis et d'animaux de basse-cour. Dans la grande salle à manger aux murs de pierre et colombages, goûtez aux bons petits plats préparés avec les produits maison (viandes, légumes du jardin). Chambres, gîtes et jardin avec vue sur la vallée.

Les Sapins – *Conte - 09300 Nalzen -* 🕿 *05 61 03 03 85 - www. restaurantlessapins.com - fermé merc. soir, dim. soir et lun. sauf fériés -* 🅿 *- 15/48 €.* Maison aux allures de chalet posée au pied d'une forêt de sapins. Dans un sobre intérieur rustique, vous apprécierez la simplicité d'une bonne cuisine traditionnelle.

Costes – *09300 Montségur -* 🕿 *05 61 01 10 24 - www.chez-costes.com - 15/32 € - 13 ch. 29/120 € -* 🍽 *8 €.* Une auberge sympathique où dominent la pierre et le bois. Cuisine régionale mitonnée avec les produits bio des fermes des montagnes ; civets, confits, magrets selon les saisons.

POUR SE FAIRE PLAISIR

Le Phœbus – *3 cours Irénée-Cros -* 🕿 *05 61 65 10 42 - www.ariege. com/le-phoebus - fermé 19 juil.-19 août, sam. midi, dim. soir et lun. - formule déj. 19 € - 29/66 €.* Pour déguster une cuisine traditionnelle dans une salle dominant l'Ariège et le château de G. Fébus. L'accueil est soigné et pensé pour les non-voyants (carte en braille).

ACHATS

Azema Bigou – *Campredon - 09600 Lesparrou -* 🕿 *05 61 01 11 09 - www.peigne-corne-azema-bigou. com - tlj sf w.-end et j. fériés 9h-12h, 14h-16h30 - fermé 2 sem. en août.* Cette fabrique de peignes en corne, fondée en 1820 et toujours tenue par la même famille, perpétue le savoir-faire traditionnel. Elle est aujourd'hui la seule entreprise de ce type en Europe. Sa boutique propose un large éventail de la production.

ACTIVITÉS

Centre équestre de Cantegril – *09000 St-Martin-de-Caralp -* 🕿 *05 61 65 15 43 -*

*http://pagesperso-orange.
fr/cantegril-equitation/index.
htm - été : 9h-20h, hiver : tlj sf lun.
(sf pdt vac. scol.) 9h-19h30 - fermé
1er-7 sept. - 18 € l'heure.* Centre
à l'atmosphère familiale qui
propose des séjours d'initiation et
de perfectionnement à la voltige,
au dressage, à l'obstacle ainsi que
des randonnées de 1 à 3 jours. Les
plus sportifs pourront pratiquer
le horse-ball et préparer des
compétitions.

**Club de voile des Rives de
Léran** – *Rte du Lac - 09600 Léran -
☎ 05 61 01 93 68 - http://cvrl.fr.*
Pour la pratique des sports de
voile sur le lac de Montbel.

Sentier cathare – Foix,
Roquefixade, Montségur…
Autant de sites empruntés par ce
sentier qui relie en 12 étapes Foix
à la Méditerranée, la montagne
à la mer, à travers une foule de
paysages (forêts de l'Escale et de
Picaussel, Quillan et le canyon
d'Agly, Port-la-Nouvelle).

Il existe une variante du sentier
cathare sur le GR 107, dit
« le chemin des bonshommes ».
Le parcours est commun avec
le précédent jusqu'au village de
Comus avant de descendre sur
Berga, en Espagne, en passant
par le refuge de Chioula, la Forge,
Merens-les-Vals, L'Hospitalet-
près-l'Andorre, le col de
Puymorens et le Parc naturel
de Cadi Moixero.

AGENDA

Résistances – C'est le thème du
festival de cinéma qui accueille
depuis 1997, pendant dix jours
autour de la 2e semaine de
juillet, un nombre grandissant
de spectateurs dans quatre
salles, dont une en plein air.
Cinéma européen avec des
films de réalisateurs prestigieux
(Angelopoulos, Tarkovski,
Godard) ; débats, rencontres et
ateliers. *☎ 05 61 05 13 30 -
www.cine-resistances.fr.*

Tarascon-sur-Ariège

3 489 Tarasconnais – Ariège (09)

NOS ADRESSES PAGE 236

S'INFORMER

Office de tourisme des vallées de Tarascon et d'Auzat-Vicdessos : *www. montagnesdetarasconetduvicdessos.com.*
Bureau de Tarascon - *Av. Paul-Joucia - 09400 Tarascon-sur-Ariège - ℘ 05 61 05 94 94 - juil.-août et vac. scol. : tlj 9h-13h, 14h-18h ; reste de l'année : tlj sf dim. 9h-13h, 14h-18h - fermé 1er janv., 1er Mai, 1er et 11 Nov., 25 déc.*
Bureau d'Auzat - *R. des Pyrénées - ℘ 05 61 64 87 53 – juil.-août et vac. scol. : tlj 9h-12h, 14h-18h ; reste de l'année : tlj sf dim. 9h-12h - fermé 25 déc.*

SE REPÉRER

Carte de la microrégion C2 *(p.212) – carte Michelin Départements 343 H7.* Le bassin de Tarascon occupe un site privilégié au centre du val d'Ariège. Les falaises calcaires creusées par la rivière lui ont réservé un décor attrayant, agrémenté par le cours d'eau du Vicdessos, affluent de l'Ariège.

ORGANISER SON TEMPS

Pour la visite du Parc de la préhistoire, comptez une bonne demi-journée. Restauration possible sur place.

AVEC LES ENFANTS

Le Parc de la préhistoire et ses ateliers, les grottes de Niaux et de Lombrives.

Tarascon est « le » rendez-vous pyrénéen de la spéléologie scientifique (étude du Néolithique surtout), touristique et mythique ! Il faut reconnaître que la légende et le mystère n'ont pas cessé de fleurir dans ce confluent de vallées connu sous le nom de Sabarthès, aux parois percées d'une cinquantaine de grottes préhistoriques. Et les promenades ne manquent pas au cœur des magnifiques forêts ariégeoises…

Se promener

Vieille ville de Tarascon

Le nom de Tarascon vient d'une racine d'origine ligure, *tar*, signifiant « rivière », « ruisseau » ou « cours d'eau ». Voilà un nom bien mérité ! Au départ du pont enjambant l'Ariège, la **rue du Barri**, légèrement montante, aux maisons colorées, constituait au Moyen Âge le quartier des paysans en dehors des murs de l'enceinte primitive. À l'intersection marquée par une fontaine, la **porte de Leule** donne accès à la rue Naugé, dont la plupart des maisons possèdent des ouvertures en forme d'arc. La rue de la Tour, aux larges escaliers, conduit à la **tour du Castella**, bâtie en 1775 sur l'emplacement d'un ancien donjon et surmontée d'une cloche. Depuis la tour *(ne se visite pas)*, vue plongeante sur l'Ariège et sur la vallée. On redescend la rue du Castella sur la droite. Blotti entre trois maisons, se dresse le **château Lamotte**, ancienne forteresse du 13e s. *(ne se visite pas)*, que l'on distingue mieux depuis le square en bas de la rue. À peine plus bas, la **porte d'Espagne**, à créneaux, commandait autrefois l'entrée sud

Deux aurochs, reproductions de ceux de la grotte de Niaux, au Parc de la préhistoire.
Parc de la préhistoire, Tarascon-sur-Ariège

de la cité. Dépourvue de son pont-levis et de sa herse, elle conduit à la place Garrigou, bordée d'arcades et où s'élève l'**église de la Daurade** (tirant son nom de la Vierge dorée qui orne la chapelle de gauche). Édifiée au 16ᵉ s., sa porte d'entrée du 13ᵉ s. provient d'une ancienne église romane. À ses côtés se dresse encore la **tour Saint-Michel** (14ᵉ s.) tandis que l'avenue Laguerre mène aux halles aux pommes de terre, érigées en 1905, toutes de briques et de bois. Plus en bas encore sur la gauche, la **porte Lacaussade** (16ᵉ s.), signifiant « la chaussée en bois », permet de regagner la rue du Barri.

Découvrir Carte de la microrégion

LA PRÉHISTOIRE EN ARIÈGE

Douze grottes préhistoriques ornées font de la région de Tarascon une véritable capitale de la préhistoire, incontournable pour les passionnés qui s'intéressent à la vie de nos lointains ancêtres… D'autant qu'un superbe Parc de la préhistoire permet aux profanes de s'initier aux mystères des premiers balbutiements de l'humanité *(Voir le chapitre Histoire dans « Comprendre le Midi Toulousain »).*

★★ Parc de la préhistoire C2
1 km au nord. Prendre la N 20 en direction de Foix, puis suivre le fléchage. 📞 *05 61 05 10 10 - www.sesta.fr - juil.-août : 10h-20h ; avr.-juin : lun.-vend. 10h-18h, w.-end et j. fériés 10h-19h ; sept.-oct. : tlj sf lun. (hors vac. scol.) 10h-18h, w.-end et j. fériés 10h-19h (jusqu'au 18 oct. inclus) - fermé de déb. nov. à fin mars - 9,70 € (5-12 ans 5,90 €, 13-18 ans 7,20 €), Pass Famille 28 €.*

👥 Aménagé dans un beau cadre de montagne, le parc se consacre à l'art pariétal et à la vie des Magdaléniens. Un bâtiment contemporain abrite, outre la caféteria et la boutique, le Grand Atelier dont la visite est passionnante. Il propose un parcours dans la pénombre au long duquel le visiteur, muni d'un audioguide, découvre l'univers des grottes ornées à partir de belles reconstitutions, de photographies, de vidéos… Particulièrement émouvante en début de visite, la dune des Pas (Niaux) laisse apparaître les pas de trois enfants vieux de plus de 5 000 ans. Dans une série de nouvelles salles sont évoqués le rythme, la couleur et la matière dans l'art pariétal. Au cœur de cet ensemble, le squelette d'un mammouth (retrouvé dans la région lors de l'installation d'une ligne de chemin de fer) et celui d'un ours des cavernes dominent de leur taille impressionnante le visiteur. À ne pas manquer, une magnifique reconstitution du grand panneau peint de la grotte de Marscoulas dont les décors ont subi les atteintes du temps. On découvre avec plaisir l'enchevêtrement des figures colorées que des analyses scientifiques ont permis de reconstituer.

Puis de très intéressantes maquettes dévoilent le réseau Clastres de la grotte de Niaux actuellement fermé à la visite. Une vidéo illustre l'art pariétal à travers le monde. Plusieurs espaces vidéo permettent de mieux comprendre les méthodes de fouilles et de datation, les techniques utilisées par les artistes du Magdalénien. Plus loin, de magnifiques objets sculptés – propulseur aux bouquetins, têtes de chevaux…– sont exposés à côté des empreintes de décors au sol de la grotte de Niaux. La visite s'achève par le fac-similé du Salon noir de Niaux, réalisé par Renaud Sanson, auteur de Lascaux 2 à Montignac. Les représentations sont ici plus complètes qu'on ne peut les voir en réalité : en effet, utilisant une couverture photographique sous luminescence ultraviolette, il restitue les dessins dans leur état d'origine, avant que la calcite n'en ait altéré le tracé.

Dans le vaste parc de plein air, plusieurs ateliers permettent de découvrir et, dans certains cas, de pratiquer différentes techniques magdaléniennes : la chasse, armé d'une sagaie et d'un propulseur, la peinture sur parois, la reconnaissance des traces et des sons, la taille de la pierre, l'allumage du feu, le campement. Un atelier permet de suivre le travail de l'archéologue. Différents habitats reconstitués feront le bonheur des plus petits.

★★ Grotte de Niaux C2

5 km au sud de Tarascon par la N 20 vers Ax, puis la D 8 que l'on prend à droite. ℘ 05 61 05 10 10 - www.sesta.fr - visite guidée uniquement sur réservation - fermé 1er janv., 25 déc. - 9,40 € (– 5 ans gratuit, 5-12 ans 5,70 €, 13-18 ans 7 €). Le nombre de visiteurs admis dans la grotte étant limité (20 par visite), il est indispensable de réserver (1 à 2 semaines avant en été). Parcours long, accidenté et glissant, prévoir des vêtements chauds et de bonnes chaussures.

On désigne aujourd'hui la grotte du nom de la commune sur le territoire de laquelle elle est située. Mais les autochtones l'appellent depuis toujours la grotte de la Calbière (nom du lieu-dit). Ses décors étant très fragiles, la visite qui se fait à la seule lumière de torches électriques, se limite au Salon noir.

Le **porche** abrite une gigantesque structure métallique créée par un architecte italien, Fuksas (1994). C'est de là, à 678 m d'altitude, que l'on peut comprendre parfaitement le travail de l'érosion glaciaire qui se produisit dans ce massif du cap de la Lesse. Au cours des millénaires, des glaciers successifs ont parfois comblé la vallée et complètement couvert le massif. D'énormes masses d'eau s'engouffrèrent alors dans les anfractuosités. Taraudant la roche, elles creusèrent peu à peu l'immense réseau dont le porche et la grotte sont les éléments les plus apparents. Avec le temps, le niveau de fond de vallée s'est abaissé ; la rivière coule maintenant le long de la D 8, une centaine de mètres en contrebas. Ainsi apparaît le profil caractéristique des vallées glaciaires, à fond plat et à terrasses et versants abrupts.

La **grotte★★** se compose de salles très vastes et très hautes et de longs couloirs qui, à 775 m de l'entrée, conduisent à une sorte de rotonde naturelle, le

Salon noir, dont les parois sont décorées de dessins de bisons, de chevaux, de bouquetins et d'un cerf vus de profil. Les dessins exécutés avec des oxydes de manganèse traduisent la vision du monde des peuples chasseurs d'Europe occidentale à la fin du Paléolithique. Leur facture, leur finesse et leur réalisme témoignent d'une maîtrise exceptionnelle. Ces peintures rupestres, particulièrement émouvante, sont datées de l'époque magdalénienne (fin du Paléolithique supérieur, vers 12 000 ans avant J.- C.).

Grotte de la Vache C2

8 km au sud par la D 8, puis par une petite route qu'on prend à droite à hauteur de Niaux en direction d'Alliat - ℘ 05 61 05 95 06 - www.grotte-de-la-vache.org - visite guidée (1h30) juil.-août : 10h-17h30 (dernier départ à 17h30) ; avril-juin, sept. et vac. scol. : tlj 2 visites à 14h30 et 16h ; se renseigner pour les autres périodes - 8 € (+ 5 ans 5 €) - fermé dim.

Un sentier pédestre mène à la grotte que des chasseurs nomades occupèrent à la fin du Magdalénien. Ce site comprend deux salles dont celle dite « Monique » explorée jusqu'en 1967. Des milliers d'os d'animaux, des armes (harpons et sagaies), des outils (aiguilles à coudre, lampes à graisse) et des œuvres sculptées ou gravées (sur de l'os ou du bois de cervidés) furent trouvés lors des fouilles ; ils prouvent le passage de divers groupes d'hommes de Cro-Magnon durant 500 ans et aident les chercheurs à reconstituer la vie de nos ancêtres. Il y a 13 000 ans…

Grotte de Bédeilhac C2

6 km au nord-ouest par la D 618 - ℘ 05 61 05 95 06 - visite guidée (1h30) juil.-août : 10h-17h30 ; avril-juin, sept. et vac. scol. : 14h30 et 16h15, w.-end 14h30-16h15 ; hors sais. : dim. 15h - 9 € (+ 5 ans 5 €).

La grotte de Bédeilhac dont les premières peintures ont été découvertes par l'abbé Breuil, s'ouvre par un immense porche, tellement vaste que, pour les besoins d'un film, on a pu y faire atterrir et décoller un avion. Après avoir contourné une énorme concrétion stalagmitique de 120 m de circonférence, on atteint, à 800 m de l'entrée, la salle terminale. L'étanchéité absolue de la voûte depuis 15 000 ans y a favorisé la conservation de gravures (certaines sur le sol même de la grotte) et peintures d'animaux, rendues plus expressives par l'utilisation du modelé naturel de la roche (grand bison, très beau renne, chevaux). On trouve également, à même le sol, des modelages d'argile en bas relief représentant des animaux (bison) ; sur une colonne, deux mains positives. Ces œuvres datent de l'époque magdalénienne.

★ Grotte de Lombrives C2

3 km au sud par la N 20. ℘ 05 61 05 98 40 - www.grotte-lombrives.fr - visite guidée (temps variable selon le circuit) - juil.-août : 10h-19h, se renseigner pour connaître la fréquence des circuits ; mai-juin : visites à 10h, 14h, 15h30 et 17h ; reste de l'année : se renseigner - tarifs différents selon les circuits. Ceux de 3h et plus ne se font que sur réservation. Des visites-conférences permettent d'aborder la préhistoire, l'histoire et la géologie. En saison, de nombreux dîners, spectacles et concerts sont donnés avec des artistes reconnus. Prévoyez de bonnes chaussures et un pull, même en été, car il fait 13 °C dans la grotte.

Un petit train permet d'accéder à la grotte *(route panoramique)*. Sinon, il faut monter à pied un chemin caillouteux *(1 km)*. De la table d'orientation, à 200 m du porche d'entrée, belle vue sur la haute vallée de l'Ariège.

L'*ombriva* : c'est ainsi qu'on désigne un lieu ombragé, voire franchement sombre. Depuis des millénaires, la grotte sert d'abri aux humains, comme l'attestent les nombreuses inscriptions tracées sur les parois. Si les premiers Ariégeois cherchaient à s'y protéger des intempéries et des bêtes sauvages, plus tard s'y réfugièrent brigands et hors-la-loi, cathares pourchassés par l'Inquisition (on a beaucoup glosé sur le trésor qu'ils y auraient dissimulé après la chute de Montségur), catholiques et protestants – alternativement – pendant les guerres de Religion, prêtres réfractaires, proscrits politiques, francs-maçons... La signature d'Henri IV, longtemps jugée inauthentique, laisse aujourd'hui penser à une visite du roi lui-même, d'autres sources étant venues étayer cette hypothèse. À l'époque romantique, ce sont des écrivains qui vinrent ici chercher l'inspiration (200 écrits antérieurs à 1900 évoquent ou décrivent Lombrives), comme ceux dont les circuits portent les noms.

Circuit Première Découverte (George Sand) : passé le porche Perpère, la galerie basse *(niveau 5)* surprend par son plafond en forme de carène de bateau renversée. Au passage, remarquez de nombreuses inscriptions, la plus ancienne date du 16e s. On accède à la « cathédrale », cavité d'une centaine de mètres de hauteur, aussi vaste que N.-D. de Paris, où ont lieu les concerts. *1h15 - 0,7 km - 7,50 € (enf. 4,50 €).*

Circuit Découverte Médiane (Henri IV) : parcours précédent avec les salles aux « 1000 stalactites » et aux « 1000 colonnes ». *1h30 - 1,2 km - 9 € (enf. 5,25 €).*

Circuit Grande Découverte (Alphonse de Lamartine) : au circuit précédent s'ajoute le niveau 4, avec de spectaculaires concrétions, tels le « mammouth blanc », la « sorcière » ou le « tombeau de Pyrène ». Ce circuit s'achève au lac Porte-Bonheur dans lequel les visiteurs lancent des pièces depuis l'Antiquité. *2h -1, 7 km - 10 € (enf. 6 €).*

Circuit Super Découverte (Maurice Magre) : parcours précédent avec la salle des Fées et la galerie du Puits 32. *2h30 - 11,50 € (enf. 7,50 €).*

Circuit Découverte exceptionnelle (Pierre Benoît) : parcours précédent avec les Cinq Porches. *3h - 13 € (enf. 9 €).*

Circuit Randonnée Édouard Alfred Martel : il s'adresse davantage aux adultes et aux adolescents qu'aux enfants. Il allie découverte de la grotte et géologie. On pénètre dans la grotte jusqu'au lac Porte-Bonheur. Ensuite, le cheminement à travers les galeries, aux parois tapissées de marbres rouge, bleu ou noir, fait découvrir des gours, l'immense salle du Grand Chaos et diverses concrétions qui stimulent l'imagination comme le « solitaire », les « cascades » (des coulées de stalagmites), le « tombeau d'Hercule » et la « Vierge ». On admire aussi des formations plus fines : des excentriques, des cristaux

---

UNE RECHERCHE SCIENTIFIQUE VIVANTE

De récentes études ont montré que la grotte de Lombrives, avec ses 19 km de galeries, ne constitue qu'une partie d'un réseau bien plus vaste (39 km), qui, en raison d'une explosion survenue il y a environ 1 million d'années, laissa la place à l'actuelle vallée de l'Ariège. 200 entrées de cavités, de part et d'autre de la rivière, s'ouvrent sur un réseau unique constitué de galeries pour la plupart parallèles à l'Ariège. La grotte de Niaux fait partie du même système de drain.

Les scientifiques sont également parvenus à expliquer l'absence d'inscriptions pariétales sur les murs de la grotte de Lombrives : durant la glaciation Würm (40 000-8 500 ans av. J.-C.), un glacier obstruait totalement les porches permettant l'accès au niveau 5 de la grotte, tandis que, pour les entrées exposées à l'ouest, plus ensoleillées, le glacier était nettement plus bas, livrant un passage aux hommes préhistoriques.

d'aragonite et de gypse ainsi que des perles des cavernes. Remarquez l'appareil de descente utilisé par Martel en 1937 et l'audacieuse passerelle en acier, jetée au-dessus du vide au cœur d'un immense chaos par l'ingénieur Perpère en 1927. *3 ou 5h (avec le repas) - 4 km env. - + 8 ans - 15 personnes maximum - 19 à 44 €.*

À ces circuits peuvent s'ajouter les visites (avec déplacement en voiture) de la **grotte des Églises**, gouffre géant vu du bas, et de l'**habitat troglodytique fortifié de Bouan**.

Itinéraires conseillés Carte de la microrégion

★ HAUTE VALLÉE DE L'ARIÈGE

Circuit de 54 km de Tarascon-sur-Ariège vers le col de Puymorens – compter environ 1/2 journée. Quitter Tarascon par la N 20 en direction d'Ax-les-Thermes.
L'Ariège prend naissance aux confins de l'Andorre dans le cirque de Font-Nègre et rejoint la Garonne peu avant Toulouse, après un parcours de 170 km. Dans son cours supérieur, elle suit un sillon glaciaire qui s'élargit et change de direction à hauteur d'Ax-les-Thermes. Les traces de l'ancien glacier sont particulièrement remarquables de part et d'autre de Tarascon. Par le défilé de Labarre, l'Ariège tranche les chaînes calcaires du Plantaurel et, gagnant la plaine de Pamiers que ses alluvions ont constituée, s'évade du domaine pyrénéen. La diversité des affleurements géologiques et des filons minéraux fait de l'Ariège une véritable encyclopédie des ressources minières. On y a exploité (avec plus ou moins de régularité) le fer, la bauxite, le zinc, le manganèse et, dernièrement, le tungstène (à Salau). Aujourd'hui, seul le talc de Luzenac constitue une ressource minérale d'importance (10 % de la production mondiale).

★ Grotte de Lombrives *(voir p.231)* C2
On traverse jusqu'au bassin de Cabannes, au débouché de la vallée de l'Aston, le Sabarthès dont les escarpements criblés de grottes constituent le val d'Ariège, ancienne auge glaciaire, profonde et régulière à cet endroit.
Aux Cabannes, l'étroite D 522, sur la droite, permet d'atteindre le **plateau de Beille** (alt. 1 800-2 000 m), l'un des plus beaux sites de ski de fond des Pyrénées *(voir Ax-les-Thermes)*, offrant un panorama sur la chaîne des Pyrénées et les pics andorrans. Son altitude lui garantit un enneigement de décembre à mai, sur 60 km de pistes tracées. Une piste pour chiens de traîneau et un itinéraire en raquettes complètent les activités du domaine.
Poursuivre sur la N 20.
Le contraste entre le versant ensoleillé, où s'étalent cultures et habitations, et le versant d'ombre, couvert de forêts, devient frappant. Sur les plus proches promontoires se détachent les ruines de l'ermitage Saint-Pierre et du château de Lordat *(voir Foix)*, tandis qu'à gauche se dégage le pic de Saint-Barthélemy (alt. 2 438 m).

Luzenac *(voir p.242)* C3
On longe alors, jusqu'à Ax-les-Thermes, la rive gauche de l'Ariège. Remarquez au passage le beau clocher roman de l'église d'Unac sur l'autre rive.

Ax-les-Thermes *(voir p.237)* D3
Poursuivre sur la N 20 en direction de Puymorens et d'Andorre.
La route longe les ouvrages d'art de la ligne transpyrénéenne, l'une des plus élevées d'Europe.

LE 13ᴱ TRAVAIL D'HERCULE

En ce temps-là, Bébryx, le roi des Bekrydes, avait installé son palais dans la grotte de Lombrives. Il avait une fille belle comme le jour, Pyrène, qui se refusait à tous les jeunes hommes du pays. Mais voilà qu'arrive un *belastruc*, un *estranger*, un dénommé Hercule. À peine Pyrène le voit-elle qu'elle en tombe amoureuse. *Alavetz*, ce qui devait arriver arriva, et les tourtereaux étaient bienheureux. Hélas, tout a une fin ! On rappelle Hercule pour achever ses travaux dans son pays. Et Pyrène, en larme, est chassée par son père. Dans la montagne, un ours attaque la jeune fille, en la serrant avec ses pattes. Elle crie et Hercule qui l'entend accourt pour tuer l'ours. Mais c'est trop tard. *A defuntat*. Hercule, fou de douleur, prend Pyrène dans ses bras et l'enterre dans la grotte de Lombrives. Il dit alors : « *Macarèl*, puisque c'est comme ça, les montagnes, elles porteront ton nom ! » Et c'est ainsi que les Pyrénées s'appellent les Pyrénées…

Mérens-les-Vals D3

Le village s'est reconstitué le long de la route après l'incendie de Mérens-d'en-Haut, allumé par les Miquelets (irréguliers espagnols craints depuis le 16ᵉ s.) en 1811, au cours de la guerre napoléonienne d'Espagne.

Après Mérens et les gorges du même nom, on remonte la haute vallée de l'Ariège, encadrée de belles forêts. Sur la gauche, on aperçoit la dent d'Orlu.

Centrale de Mérens

Alt. 1 100 m. Cette usine automatique constitue le palier intermédiaire de l'aménagement du même nom, rendu possible par la surélévation de l'étang de Lanoux. Ce captage, dérivant dans le bassin de la Garonne des eaux tributaires du Sègre (bassin de l'Èbre), a donné lieu à un accord avec l'Espagne, afin de compenser la perte d'eau subie par le pays voisin. Une table d'orientation permet d'identifier les sommets du fond de la vallée.

L'Hospitalet C3

Premier village de la vallée de l'Ariège, à 1 436 m d'altitude. On l'atteint après avoir traversé un paysage qui, à mesure que l'on s'élève, devient de plus en plus sévère, tandis que l'on aperçoit des troupeaux de chevaux en liberté.

Au-delà de L'Hospitalet, on pourra choisir d'emprunter la N 22 vers le Pas de la Casa et la principauté d'Andorre *(voir p.544)* ou de monter vers le **col de Puymorens** et de pénétrer en Cerdagne, puis en Catalogne espagnole.

Depuis 1994, un tunnel permet d'éviter le col de Puymorens, toujours très difficile en hiver. Le tunnel de Puymorens, long de 4 820 m, concrétise l'ouverture économique et culturelle de l'Ariège à la Catalogne, et doit favoriser l'essor des échanges franco-espagnols. Une liaison autoroutière entre Toulouse et Barcelone devrait voir le jour en 2010.

ROUTE DU PORT DE LERS

▶ *Pour visualiser ce circuit de 87 km, reportez-vous à la carte (p.218) – compter environ 3h. Quitter Tarascon en direction d'Ax-les-Thermes et prendre immédiatement à droite la D 8 en direction d'Alliat.*

Cette route révèle un contraste sensible entre des paysages bocagers « atlantiques » et la nature méditerranéenne, plus âpre.

★★ **Grotte de Niaux** *(voir p.230)*

Niaux

Musée pyrénéen de Niaux – *05 61 05 88 36 - www.musee-pyreneen-de-niaux.com - juil.-août : 9h-20h ; reste de l'année : 10h-12h, 14h-19h - 8 € (enf. 5 €).* Situé à l'entrée du village, il est dédié aux métiers et traditions populaires des vallées ariégeoises : outils de forges catalanes, maquettes d'orris, objets liés aux activités pastorales (moules à fromages, sonnailles), à la fabrication des peignes en corne, au tissage de la laine et du chanvre, etc.

Les ruines claires du château perché de Miglos (14e s.) se dressent sur un promontoire rocheux. On poursuit la route vers Junac, où le monument aux morts de 1914-1918 est une œuvre de Bourdelle.

À Laramade s'ouvre, à gauche, la vallée de Siguer. Le port de Siguer (alt. 2 396 m) était un passage très fréquenté pour les échanges entre la France, l'Andorre et l'Espagne. Il fut emprunté, sous l'Occupation, par de nombreux Français, juifs et résistants, à la recherche d'un refuge en territoire neutre.

La route suit la profonde et rude **vallée du Vicdessos** où les vastes étendues pastorales accueillent de nombreux troupeaux, laissant peu de place aux habitations. À droite se succèdent les villages balcons d'Illier et d'Orus.

Vicdessos

Village montagnard qui occupe un site de verrou glaciaire, en contrebas de la vallée suspendue de Suc.

On prend alors à droite la D 18 qui monte vers le port de Lers.

Port de Lers

Alt. 1 517 m. Au cours de la montée au col, belle vue (en arrière) sur la vallée du Goulier. La route, égayée de cascades, domine un profond torrent. C'est au cours de cette ascension qu'apparaissent le plus clairement les différences entre les végétations atlantique et méditerranéenne.

★ Étang de Lers

Superbe site solitaire au pied du pic de Montbéas, il est embelli au début de l'automne par la floraison des ajoncs, au cœur d'un beau paysage de moyenne montagne aux reliefs chahutés par les glaciers. **Domaine skiable de l'Étang de Lers-Trois Seigneurs** *(voir nos adresses).*

On traverse le cirque de Lers où l'on rencontre chevaux et moutons tandis que, tout près, les sonnailles harmonieuses des bovins accompagnent le voyageur.

À LA DÉCOUVERTE DES ORRIS

Les orris sont des cabanes de bergers en pierres sèches, coiffées d'une voûte en encorbellement recouverte de mottes de gispet (une herbe assurant l'étanchéité), fréquentes dans le pays d'Auzat et du Vicdessos. Les bergers se servaient de ces abris, dont le nom viendrait du latin *horreum* (« grenier »), pendant l'estivage. En occitan, le verbe *orriar* a pris le sens de « aller sur la montagne ». Deux **chemins aménagés** permettent de découvrir les orris, dont certains dateraient du 13e s. Le premier part de Pradières et son tracé recoupe en grande partie celui du GR 10 : orris de la Caudière et de Journosque, étang d'Izourt et vallée d'Arties. Le second circuit, au départ des orris de Carla, fraîchement restaurés, passe par de nombreux orris et par les étangs de Roumazet et de Soucarrane.

Peyre Auselère

Faites halte dans ce premier hameau de la vallée du Courtignou aux granges éparses, et quittez la voiture pour un instant de détente près des gracieuses chutes du torrent. Un pont permet de passer sur la rive gauche.

Au fil de la descente, le paysage devient plus souriant, en particulier après Mouréou. La route s'engage ensuite dans des vallons étroits ouverts en pays schisteux.

Massat *(voir p. 218)*

Col de Port *(voir p. 219)*
Revenir à Tarascon par la D 618.

😊 NOS ADRESSES À TARASCON-SUR-ARIÈGE

HÉBERGEMENT

PREMIER PRIX

Chambre d'hôte Domaine Fournié – *Rte de Saurat 2,5 km au nord-ouest par D 618 rte du Col de Port -* 📞 *05 61 05 54 52 - www. domaine-fournie.com - fermé 23 déc.-2 janv. -* 🅿 *-* 🚭 *- 5 ch. 54/58 €* 🛏 *- rest. 20 € bc.* Le décor des chambres de cette maison du 17e s. rend hommage au cinéma. Certaines s'agrémentent de meubles anciens. Salle de petit-déjeuner dotée d'une cheminée.

Les Forges d'Enfalits – *Chemin d'Enfalits - 09400 Rabat-les-Trois-Seigneurs -* 📞 *05 61 03 83 45 - www. forgesdenfalits.com -* 🅿 *-* 🚭 *- 5 ch. 56/59 €* 🛏 *- rest. 22 €.* Sur le site des anciennes forges, cette maison de plain-pied abrite une magnifique pièce à vivre de 110 m², ainsi que 5 chambres dont le style dépouillé ne fait que mieux ressortir le charme. Tout autour, un parc de 7 ha, avec ses étangs et ses chutes d'eau. Vaste salle d'activités, avec en hiver un espace détente (sauna et spa) et en été, la piscine.

RESTAURATION

BUDGET MOYEN

La Table de la Ramade – *R. des Écoles - 09400 Rabat-les-Trois-Seigneurs -* 📞 *05 61 64 94 32 - latabledelaramade.com - fermé 27 sept.-14 oct., dim. soir et lun. - 18/35 €.* Ex-forge du village, tout en hauteur, coincée dans une ruelle étroite. Petite salle d'esprit contemporain au 1er étage et terrasse sur le toit. Alléchante cuisine actuelle.

La Petite Auberge de Niaux – *Au village - 09400 Niaux -* 📞 *05 61 05 79 79 - www. aubergedeniaux.com - fermé de mi-nov. à mi-fév. -* 🅿 *- formule déj. 18 € - 23/38 €.* Vous allez aimer ce restaurant sis dans cette maison en pierre du pays. Sa salle à manger est coquette avec ses poutres, sa cheminée, ses chaises en bois et ses nappes colorées. Le charmant accueil et la cuisine soignée – valorisant les produits ariégeois – attirent les connaisseurs. Terrasse et véranda.

ACHATS

Hypocras – *1 r. Croix-de-Quié - ℰ 05 61 05 60 38 - www.hypocras. com - tlj sf lun. et dim. 15h-19h - fermé j. fériés.* L'hypocras est un apéritif d'origine médiévale à base d'épices. Sa recette précise, récemment retrouvée, est jalousement préservée. On raconte que Gaston Fébus appréciait particulièrement cette boisson. Goûtez-le. Et tentez aussi la gelée d'hypocras ou les pépites d'Ariège…

Filature Jean-Jacques Laffont – *5 r. de la Filature - 09400 Niaux - ℰ 05 61 01 43 43 - juil.-août : visite des ateliers de tissage de laine tlj sf lun. et w.-end 15h. - fermé vac. de fév..*

ACTIVITÉS

Domaine skiable de l'Étang de Lers-Trois Seigneurs – *ℰ 05 61 04 91 13.* Altitude 1 275-1 600 m, 35 km de pistes de ski de fond sont tracés autour de l'étang, au pied du pic de Montbéas.

Ax-les-Thermes

1 509 Axéens – Ariège (09)

NOS ADRESSES PAGE 243

S'INFORMER

Office du tourisme des vallées d'Ax – « *La Résidence* » - *6 av. Théophile-Delcassé - 09110 Ax-les-Thermes - ℰ 05 61 64 60 60 - www.vallees-ax.com - juil.-août : tlj 9h-19h ; de mi-juin à fin juin et de déb. sept. à mi-sept. : 9h-12h, 14h-19h ; reste de l'année : 9h-12h, 14h-18h.*

SE REPÉRER

Carte de la microrégion D3 *(p.212)* – carte Michelin Départements 343 J8. La ville se trouve dans la vallée de l'Ariège, au débouché de l'Oriège et de la Lauze, au carrefour de trois vallées verdoyantes.

À NE PAS MANQUER

Le bassin d'eau chaude des Ladres ; la vue depuis le plateau de Bonascre ; le panorama depuis la carrière de Trimouns.

AVEC LES ENFANTS

La Maison des loups ; le circuit à travers la ville, jalonné de panneaux placés à hauteur des enfants, sous les panneaux destinés aux « grands ».

Ax-les-Thermes est une cité de villégiature estivale ainsi qu'une station thermale et de sports d'hiver gaie et pimpante. Après avoir laissé sa voiture sur des parkings route du Chioula, il est agréable de se promener dans les rues piétonnes du village. Bref, Ax-les-Thermes est un lieu idéal pour découvrir la région, ses riches vallées, ses forêts denses, ses cours d'eau…

Se promener

La station thermale

Ax dérive du latin *aquæ*, les « eaux ». Mais pourquoi donc enfoncer le clou en y ajoutant « les thermes » ? Aucune allusion aux sources chaudes ! En fait, c'est le latin *termen*, « tertre », qui a donné en occitan le mot *terme*, avec le même sens. Quant au *h* intermédiaire, il s'est glissé mutinement dans le mot, sans doute à l'initiative de quelque scribe peu familier avec la langue du pays…

Ses 80 sources, aux températures variant de 18 à 78 °C, alimentent trois établissements : le Couloubret, le Modèle et le Teich. On y soigne surtout les rhumatismes, les affections des muqueuses respiratoires et certaines dermatoses. Le centre de la station est la promenade du Couloubret.

La vieille ville

🥾 *45mn.* C'est grâce à Gaston Fébus *(voir Foix)* que la cité d'Ax, au 14e s., devint ville franche et se dota d'une enceinte (aujourd'hui détruite) défendue par huit tours. En partant du casino, bâti en 1903, gagnez l'église Saint-Vincent, au style composite étendu (12e-19e s.). Sur la place du Breilh, qui marque l'entrée dans la vieille cité, un dégagement de vapeur signale le **bassin des Ladres** (1250), empli d'eau chaude. C'est Saint Louis qui, dit-on, le fit établir pour les soldats lépreux qui revenaient des croisades. Il connut ensuite différents usages, servant tantôt à laver la laine ou à ébouillanter le cochon. Fondé en 1260, l'hôpital Saint-Louis fut agrandi en 1846 : son clocheton est un honorable témoin du style « thermal » en vogue au 19e s. Contigus, les thermes du Breilh (1813), sont aujourd'hui fermés. Dans le dédale des petites rues du Coustou, Constant-Alibert, des Escaliers, du Moulinas et de la Boucarie se succèdent fontaines, maisons à colombages du Moyen Âge et ancienne chapelle Saint-Jérôme.

Randonnées

Abondante autour d'Ax, la gentiane, plante médicinale, est un ingrédient de base de bien des apéritifs traditionnels.

Réserve nationale d'Orlu D3

Pour rejoindre le sentier de départ, à 8,5 km, sortir d'Ax par la route d'Andorre ; la quitter aussitôt avant le pont sur l'Oriège direction Orlu ; rester sur la rive droite du torrent. La route suit la **vallée d'Orlu★**. Elle longe la retenue du barrage d'Orgeix où se reflète le manoir d'Orgeix. Les anciennes forges d'Orlu sont entourées d'escarpements rocheux où ruissellent des eaux vives. Elles abritent aujourd'hui la Maison des loups *(voir À proximité)*. Avant les forges, continuez sur la route à gauche. Laissez la voiture au parking du pont de Caralp et suivez à pied la piste interdite à la circulation motorisée.

🥾 *Randonnée de 3h à pied AR.* Le sentier remonte la rive gauche de l'Oriège jusqu'à l'abri d'en Gaudu, réservé aux bergers et situé en aval de la « jasse » (espace clos où l'on garde le bétail) d'en Gaudu. À cet endroit, vous pourrez observer marmottes et isards, de préférence tôt le matin ou en fin de journée. Si vous avez de la chance, vous verrez peut-être le couple d'aigles royaux et/ou celui de gypaètes (grands rapaces charognards de plus de 2,50 m d'envergure) qui occupent la vallée.

Pour les plus courageux *(2h de plus AR)*, le sentier s'élève sous les hêtres puis traverse un ruisseau. Au pas de Balussière, le sentier passe sur la rive droite

ANDORRA LA VELLA, COL DE PUYMORENS

de l'Oriège. Plus haut, on découvre l'**étang de Beys** vers lequel on se dirige en passant par le refuge de Beys.

★ **Signal de Chioula** D3

3/4h à pied AR. Sortir d'Ax au nord par la D 613 tracée en lacet au-dessus du val d'Ariège. Au col de Chioula, une large piste conduit au signal (alt. 1 507 m). Belvédère sur les sommets de la haute Ariège.

À proximité Carte de la microrégion

Maison des loups

8,5 km. Sortir d'Ax par la route d'Andorre ; la quitter aussitôt avant le pont sur l'Oriège direction Orlu. Aller jusqu'au bout de la vallée, au lieu-dit les Forges - ☎ 05 61 64 02 66 - www.maisondesloups.com - juil.-août : 10h-19h ; avr.-juin : 10h-17h30 ; sept.-oct. : tlj sf lun. et mar. 11h-17h - fermé nov.-mars - 7 € (4-12 ans 5 €).

Des plates-formes d'observation disséminées dans un **site★** magnifique de sous-bois et de torrents vous permettent d'observer différentes espèces de loups (Europe et Amérique du Nord) vivant dans de vastes enclos. Ne ratez pas le nourrissage commenté qui vous fait découvrir la vie et le comportement de cet animal mythique. Un sentier botanique permet par ailleurs de se familiariser avec les espèces pyrénéennes. Les enfants apprécieront aussi les territoires des ânes, chèvres, agneaux et petits cochons ainsi que le sentier découverte de traces d'animaux pyrénéens.

★ **Plateau de Bonascre** D3

8 km. Sortir d'Ax par la N 20 en direction de Tarascon ; la quitter aussitôt pour la D 820. La route s'élève rapidement en lacet, en vue des trois vallées convergeant vers Ax : val d'Ariège (vers Tarascon), vallée d'Orlu dominée par la dent

VOUS AVEZ DIT ISARD ?

Il y a une quarantaine d'années, l'isard a bien failli disparaître sous le fusil des chasseurs. Aujourd'hui, c'est une espèce protégée, et la vallée d'Orlu en abrite plus d'un millier, ce qui lui a valu d'être classée Réserve nationale en 1981. L'isard vit habituellement entre 1 600 et 2 500 m d'altitude, mais il n'est pas rare qu'il s'aventure en dessous de 900 m : il conquiert peu à peu les terres abandonnées par l'homme. La robe de cette variété pyrénéenne du chamois change de teinte suivant les saisons : du blond roux en été, elle passe au brun foncé tacheté de blanc l'hiver et sa fourrure s'épaissit pour affronter le froid. Peu farouches, les isards se laissent facilement observer, en particulier au printemps et en automne, car la chaleur estivale et la neige hivernale les obligent à se retrancher dans les sous-bois. Parfaitement adapté à son milieu, l'isard escalade ou descend les parois des montagnes, parfois abruptes, avec une agilité impressionnante.

d'Orlu, vallée de la haute Ariège. On atteint le plateau de Bonascre, site de la station de ski d'Ax-Bonascre-Le Saquet.

Poursuivre en voiture, au-delà de la maison de vacances de « Sup-Aéro » ; prendre sur la gauche la route forestière des Campels, tracée à flanc de montagne ; la suivre sur 1 500 m. Superbe **vue★★** en enfilade sur le sillon de la haute Ariège jusqu'aux montagnes frontière de l'Andorre. Remarquez les tracés enchevêtrés de la route et de la voie ferrée.

LES DOMAINES SKIABLES

Ax-Bonascre-Le Saquet (Ax 3 Domaines) D3

8 km au sud-ouest d'Ax-les-Thermes par la D 820. ℘ 05 61 64 20 06 - www.vallees-ax.com - liaison Ax-Bonascre - sais. d'hiver : lun.-vend. 9h-18h, w.-end 9h-20h ; juil.-août et 1er w.-end de sept. : 9h30-12h30, 13h45-19h30 - liaison Bonascre-Saquet - sais. d'hiver : 9h-17h ; juil.-août : 10h-12h30, 13h45-17h30 ; 1er w.-end de sept. : 10h30-12h30, 13h45-17h30 - 6,50 € (6-15 ans 2,50 €) ; 10 € (6-15 ans 4,50 €) billet combiné pour les 2 télécabines. Alt. 1 400-2 400 m. Étendu et varié, le domaine skiable propose 75 km de pistes de ski alpin de tous niveaux (5 pistes vertes, 6 bleues, 10 rouges et 2 noires). Elles ondulent à travers des paysages de haute montagne, de grandes combes et de paisibles forêts, sur des pentes parfois très raides. Et en été ? Pas de problème… on skie sur l'herbe ! La **télécabine** conduisant au plateau du Saquet (secteur pour débutants à 2 040 m d'altitude) en constitue l'équipement de base.

Ascou-Pailhères

12 km à l'est par la D 25. Alt. 1 500-2 030 m. Cette station familiale propose 15 pistes de ski alpin de tous niveaux : pentes douces pour les tout-petits, pentes variées pour les débutants ou les skieurs confirmés. Bref, idéal pour skier en famille !

Mijanès-Donezan

28 km à l'est par la D 25. Alt. 1 530-2 000 m. ▯ *Point info à la station de ski de Mijanès - ℘ 04 68 20 40 44 - de mi-déc. à mi-mars : 9h-17h.* Appelé le « Québec ariégeois », le plateau du Donezan propose 10 pistes de ski alpin et 25 km de pistes de ski de fond avec deux départs. Station à vocation familiale, Mijanès-Donezan possède par ailleurs de nombreux équipements réservés aux enfants (garderie, espace d'initiation, luge).

Le Chioula

À 1/4h par la D 613, au nord. Alt. 1 240-1 650 m. Ses 65 km de pistes de ski de fond sillonnent un espace en pleine nature. 6 km de pistes *(circuit gratuit)* permettent aux néophytes de s'initier. Hébergement au pied des pistes.

Plateau de Beille

16 km à l'ouest par la N 20. Rouler jusqu'aux Cabannes, puis prendre à gauche la D 522. Alt. 1 800-2 000 m. Premier site de ski de fond des Pyrénées, le plateau de Beille offre aux vacanciers 12 pistes sur 70 km ainsi que des sentiers de découverte et deux pistes piétons *(15 km).*

Itinéraires conseillés

LE DONÉZAN

▶ *Pour visualiser ce circuit de 42 km, reportez-vous à la carte (p.239) – compter environ 3h. Attention, les routes empruntées ne sont ouvertes que de mai à nov., l'accès au col de Pailhères et du Pradel étant bloqué par la neige le reste de l'année.*

🛈 *Office du tourisme du Donézan – 09460 Le Pla - ☎ 04 68 20 41 37 - www.donezan.com - 8h30-12h30, 13h30-17h30 (vend. 16h30) - fermé w.-end sf juil.-août, j. fériés sf 14 Juil. et 15 août.*

Aux confins de l'Aude et des Pyrénées-Orientales, dans l'extrémité est des Pyrénées ariégeoises, cette « terre souveraine » selon Henri, roi de Navarre, au patrimoine historique chargé, fut jadis rattachée au comté de Foix. Le Donézan, ou canton de Quérigut, offre un paysage de moyenne montagne (alt. autour de 1 200 m) encore sauvage, composé de forêts, de lacs, de hameaux et de petits villages tournés vers l'activité agro pastorale. C'est aussi un lieu idéal de séjour, été comme hiver, des chemins de randonnée à la station de ski.

Quitter Ax-les-Thermes à l'est par la D 613 en direction de Chioula et Quérigut. La route est sinueuse et grimpante. Emprunter la D 25 à droite, en direction d'Ascou et de Quérigut. Au hameau de Lavail, prendre à gauche la D 22.

★ Col du Pradel

La **dent d'Orlu** (alt. 2 222 m), sommet pointu caractéristique de la haute Ariège, se dessine au sud-est. Par maints lacets serrés à travers les prés, on atteint le col (alt. 1 679 m) d'où l'on découvre une belle vue sur les montagnes qui encadrent le bassin supérieur de l'Ariège.

Revenir sur la D 25 que l'on prend à gauche. On dépasse la station de ski d'Ascou-Pailhères sur la droite et le col de Pailhères (alt. 2 001 m).

Mijanès et l'étang du Laurenti

En traversant le village de Mijanès, on aperçoit les maisons adossées les unes contre les autres. Juste après le village, en prenant la route forestière de la Bruyante sur 5,5 km on arrive au refuge du Laurenti. De là, randonnée facile au beau lac de montagne du Laurenti (🚶 3h30 à pied AR).

Revenir sur la D 25 puis suivre la D 16, avant de gagner Quérigut.

Château de Quérigut

En haut du village, il ne subsiste du château de Quérigut dit le « château du Donézan », édifié au Moyen Âge, que les ruines de la tour Carle.

Revenir à Le Pla. Prendre à droite la D 16 en direction de Rouze.

Ponts Vauban

🚶 *30mn*. Au cœur du Donézan, le petit village de Rouze peut s'enorgueillir de posséder encore deux ponts édifiés sous Louis XIV par Vauban après la signature du traité des Pyrénées, en 1659, mettant fin aux guerres avec l'Espagne. On accède au petit puis au grand pont, distants de quelques dizaines de mètres, par un sentier indiqué dans le village depuis la place de la Mairie, sur la gauche.
Quitter Rouze par la D 16, en direction d'Usson-les-Bains et du château d'Usson.

Château d'Usson

🚶 *15mn depuis le parking aménagé au bas du château.* 📞 *04 68 20 43 92 – possibilité de visite guidée dont une nocturne (3h) en été à 21h, 4,70 € : renseignements à l'office du tourisme du Donézan - juil.-août : 10h-13h, 15h-19h ; vac. scol. de fév., de printemps et sept. : 14h-18h ; reste de l'année : sur réservation - (dern. entrée 45mn avant fermeture) - 3,50 € (6-15 ans 2,10 €).*

L'époustouflante verticalité architecturale de cette forteresse cathare, édifiée entre le 11ᵉ et le 12ᵉ s. pour mieux contrôler la vallée de l'Aude, est au diapason du paysage montagnard. Les anciennes écuries abritent la **Maison du patrimoine du Donézan**. Le rez-de-chaussée est consacré à la forêt, à l'architecture religieuse et industrielle. Au 1ᵉʳ étage, à côté d'une maquette en relief du pays du Donézan, a été recréée une pièce d'habitation montagnarde traditionnelle. Au 2ᵉ étage, diaporama sur la région et pièces archéologiques (vers 2300 av. J.-C.) découvertes dans la grotte d'Usson. Au 3ᵉ étage demeurent les vestiges d'un four à pain (18ᵉ s.) et des boulets de catapulte. Parmi d'autres pièces exposées, la plus belle est sans doute la Dame d'Usson, élégante sculpture taillée dans un os. Accès direct au château, doté d'une vue imprenable sur toute la vallée. De l'édifice originel restent les oubliettes, les réserves avec leur plafond voûté, des dalles de marbre, quelques créneaux, un chemin dérobé, les vestiges de la cuisine et d'une chapelle.

★★ MONTÉE À TRIMOUNS ②

▶ *Pour visualiser ce circuit de 39 km, reportez-vous à la carte (p.239) – compter environ 3h. Quitter Ax au nord-ouest par la N 20 en direction de Tarascon.*

Luzenac

L'office de tourisme du village (6 rue de la Mairie) propose une documentation abondante sur la région et ses principaux points d'intérêt. Depuis la fin du 19ᵉ s., Luzenac doit son renom à son gisement de talc. Celui-ci, extrait à l'état brut de la carrière de Trimouns, qui s'ouvre en pleine montagne dans le massif du Saint-Barthélemy entre 1 700 et 1 850 m d'altitude, est descendu par bennes jusqu'à l'imposante usine de la vallée où l'on procède au séchage, au broyage et au conditionnement.
Quitter Luzenac par le pont sur l'Ariège et la D 2, route de Caussou.

Unac

Ce village possède une très jolie église romane fièrement campée au-dessus de la vallée. À l'intérieur, les deux gros chapiteaux flanquant l'entrée du chœur sont d'un travail particulièrement soigné.
Continuer sur la D 2, route des Corniches (vues plongeantes sur la vallée de l'Ariège), puis tourner à gauche, vers Lordat.

Château de Lordat *(voir Foix)*

Revenir au carrefour de la **route des Corniches** et prendre, tout droit, la route de Trimouns, traversée au gré des lacets par les bennes descendant la production à l'usine.

★ Carrière de Trimouns

Laisser la voiture au parking « Visiteurs » - ℘ 05 61 64 68 05 - visite guidée (1h)
à bord d'un autocar : mi-mai-fin juin et déb. sept.-mi-oct. : 16h ; juil.-août : tlj
sf w.-end 10h, 11h, 14h, 15h et 16h - 7,60 € (6-20 ans 4,80 €) famille avec plu-
sieurs enfants, un seul paye. Visites soumises à la météo, tél. le jour même, 1h
av. dép.

Ce gisement de talc, vaste cirque surplombant la vallée de l'Ariège (1 800 m),
est l'un des plus importants exploités dans le monde. On y découvre des
vues★ étonnantes sur le large filon blanc. Les hommes sont, pour la plupart,
affectés au tri manuel des diverses qualités de talc.

Le **panorama**★★ sur les montagnes de la haute Ariège est saisissant.

Redescendre à Lordat d'où l'on regagne directement Luzenac par Vernaux.

Vernaux

En contrebas du village, la route contourne l'église isolée, édifice roman menu,
mais très soigneusement construit en tuf.

Retour à Ax par la N 20.

☺ NOS ADRESSES À AX-LES-THERMES

HÉBERGEMENT

PREMIER PRIX

Chambre d'hôte Adret – Les
Bazerques - ℘ 05 61 64 05 70 -
www.adret-chambresdhotes.
fr - fermé de mi-oct. à mi-nov. -
🅿 - 🛇 - 50 € 🛇. Échappez-vous
du centre d'Ax-les-Thermes pour
découvrir cette ancienne grange
de la fin du 19e s. Chambres
rustiques dont deux s'ouvrent sur
la vallée. Jardin fleuri en terrasse
avec barbecue.

**Camping Résidences et Chalets
Isatis** – À Ignaux : - 5 km au nord-
est par D 613, rte de Quillan et à
gauche - ℘ 05 34 09 20 05 - www.
grandbleu.fr - 🖢 - 🛇 - 22 chalets et
27 appart. 280/742 € par sem. pour
4 à 6 pers. Confort et équipements
complets caractérisent les
appartements (pour 3 à
4 personnes) et les chalets de
cette résidence, idéalement située
face au magnifique panorama sur
les Pyrénées ariégeoises. Belle
terrasse pour profiter du grand air
et lézarder au soleil.

RESTAURATION

POUR SE FAIRE PLAISIR

L'Orry Le Saquet – 1 km au sud
par N 20 - ℘ 05 61 64 31 30 - www.
auberge-lorry.com - fermé vac. de
printemps, nov., dim. soir et merc. -
🅿 - 27 € - 15 ch. 55/65 € - 🛇 8 €.
Bâtisses aux allures de chalet
situées sur la route de l'Andorre.
Restaurant aménagé dans l'esprit
des auberges de campagne. Cours
de cuisine deux samedis par mois.

ACHATS

La Boutique de la Ferme – 3 pl.
des Platanes - 09310 Les Cabannes -
℘ 05 61 64 91 36 - www.
lafermeduquie.com - tlj sf lun. mat.
10h-12h, 16h-19h - fermé
j. fériés. Comme l'indique
l'enseigne, les produits de cette
avenante boutique rustique
proviennent exclusivement de la
ferme : viandes, foie gras, confits,
charcuterie du pays, miels de
l'Ariège, fromages, vins, liqueurs
et quelques cadeaux typiques du
monde montagnard.

ACTIVITÉS

Les Bains du Couloubret – *Promenade Paul-Salette - 09110 Ax-les-Thermes - ☎ 05 61 02 64 41 - www.bains-couloubret.com - haute saison : lun.-jeu. 10h-20h, vend. 21h, sam. 22h, dim. 19h - basse saison : lun.-jeu. 14h-20h, vend.-sam. 21h, dim. 19h. 15 € (2h, enf. 12 €) à 26 € (la journée, enf. 20 €).* Établi à l'emplacement d'un ancien centre thermal, les bains offrent sur deux étages ainsi qu'à l'extérieur les plaisirs des anciens thermes romains : bains froids, bains chauds, vapeur, sauna et hammam…
Également la possibilité de soins de détente et de bien-être.

AGENDA

Festival des saveurs – Du 13 au 15 sept. Pendant trois jours, les produits du terroir et la gastronomie ariègeoise sont mis à l'honneur. *Renseignements auprès de l'office de tourisme.*

Saint-Girons

6 533 Saint-Gironnais – Ariège (09)

☺ NOS ADRESSES PAGE 250

ℹ S'INFORMER

Office de tourisme de Saint-Girons et du Couserans – *Pl. Alphonse-Sentein - 09200 St-Girons - ☎ 05 61 96 26 60 - www.ville-st-girons.fr - juil.-août : 10h-18h30, dim. 10h-13h ; reste de l'année : tlj sf dim. 10h-12h, 14h-18h - fermé j. fériés sf 14 Juil. et 15 août.*

▶ SE REPÉRER

Carte de la microrégion A2 *(p.212)* – *carte Michelin Départements 343 E6-E7.* Les rivières du Baup, du Lez et du Salat se rencontrent à Saint-Girons. Il n'en fallait pas plus pour que la petite cité devint un important marché et, aujourd'hui, un lieu de séjour idéal pour la découverte du pays de Foix.

👀 À NE PAS MANQUER

Le col de Pause ; la cascade d'Arse ; une visite du dernier atelier de sabots bethmalais.

🕐 ORGANISER SON TEMPS

Passez une journée dans le Couserans, en sillonnant ses vallées (de Biros et de Bethmale, du haut Salat et du Garbet).

Pour rayonner dans le Couserans, Saint-Girons (dont le nom célèbre un évêque de Milan du 5ᵉ s., le bienheureux Gerontius), est une base d'excursions tout à fait indiquée… Aux alentours, des vallées verdoyantes, des torrents, des cascades et des lacs s'intègrent dans de merveilleux

paysages. Quant à la ville, c'est une cité commerçante où il est agréable de flâner en bordure du Salat, sur une promenade ombragée de vénérables platanes.

À proximité Carte de la microrégion

★ Saint-Lizier

◗ *À 2 km au nord de Saint-Girons.* 🛈 *Pl. de l'Église -* 🖉 *05 61 96 77 77 - www. st-lizier.fr - lun.-sam. 10h-12h, 14h-18h, dim. et j. fériés 15h-18h (du 15 mai au 15 sept.).*

Le nom de Saint-Lizier vient de l'évêque local Lycerius qui, au 6ᵉ s., fonda les deux cathédrales. Après sa mort, ses anciens fidèles du Couserans lui attribuèrent des guérisons du « mal de terra » (rage). Reconnaissants, ceux-ci donnèrent à leur cité, jusque-là *Civitas Conseranorum*, le nom de *Sanct Leze*, bientôt francisé en Saint-Lizier.

L'ancienne capitale du Couserans occupe un site agréable sur une colline dominant le Salat, face aux Pyrénées sur lesquelles elle offre un vaste panorama. Flâner dans la **ville haute**, enserrée par ses remparts romains des 3ᵉ et 4ᵉ s. dont une bonne partie subsiste encore, est un vrai bonheur. On entre dans la cité par la tour de l'Horloge afin de découvrir, au hasard des ruelles, quelques vieilles maisons du 15ᵉ s. à colombages et encorbellement, en particulier rue Notre-Dame, place de l'Église et place des Étendes. On remarque, rue des Nobles, une maison du 18ᵉ s. ornée de boiseries, de gypseries et d'un bel escalier à rampe de bois sculpté. Enfin, on arrive en haut du village devant le **palais épiscopal** (17ᵉ s.), qui abrite aujourd'hui le **musée départemental d'Art et de Traditions populaires**, d'où l'on découvre une belle vue sur l'ensemble de la ville et les Pyrénées. 🖉 *05 61 04 81 86. Fermé pour travaux jusqu'en 2010.*

La construction de la **cathédrale ★**, dont le clocher octogonal du 14ᵉ s. relève du style gothique toulousain, s'est échelonnée du 10ᵉ au 15ᵉ s. On peut voir, dans la souche de la construction, des débris de pilastres cannelés prélevés sur des monuments romains disparus. À l'intérieur, remarquez le plan, très irrégulier, avec un chœur roman désaxé où de superbes **fresques romanes★★** (12ᵉ s.) représentent les apôtres. Par leur style et leur thème, elles rappellent les peintures byzantines (stylisation des yeux, du nez et de la bouche, absence de décor et de paysage autour des personnages) et sont très proches des fresques que l'on peut trouver dans les églises catalanes contemporaines. L'anonyme Maître de Saint-Lizier, qui peignit les fresques de la cathédrale, serait également l'auteur des peintures murales d'églises de Catalogne désormais exposées à Barcelone au Museu Nacional d'Art de Catalunya (MNAC).

Le **cloître★**, du 12ᵉ s., possède des chapiteaux sculptés de style typiquement roman, s'inspirant de motifs gallo-romains (éléments floraux), mozarabes (vannerie), syriens *(chapiteau central de la galerie ouest)* et chaldéens *(1ᵉʳ chapiteau de la galerie est, en partant de la droite)*. La galerie supérieure, élevée au 14ᵉ s., conserve quelques traces de fresques. Le **trésor** contient le buste-reliquaire en argent de saint Lizier (16ᵉ s.), une crosse en ivoire (12ᵉ s.) ainsi que des statues en bois polychrome du 16ᵉ s.

L'hôtel-Dieu – 🖉 *05 61 96 77 77 -* ♿ *- visite guidée tlj sf dim. mat. 11h, 15h, 17h (toutes les heures de 10h30 à 18h en juil.-août) - 2,50 € (– 12 ans gratuit).* Attenant à la cathédrale, il possède une **pharmacie** du 18ᵉ s. dont les quatre murs sont plaqués de vitrines en bois roux contenant une belle collection de pots en faïence bleue ou polychrome.

Au Pays des Traces

◐ *Ferme du Miguet - ℰ 05 61 66 47 98 - www.paysdestraces.fr - de mi-juin à mi-sept. : 10h-19h, dim. 13h30-19h ; vac. de la Toussaint, de fév. et de printemps : 13h30-18h30 - 10 € (enf. 8 €), forfait saison (permettant de revenir à volonté) 13 € (enf. 11 €) - chaussures de sport conseillées.*

👪 Ce parc original installé en bordure du Salat, autour de la grotte du Loup, initie à l'ichnologie (la science des traces). Enquête nature, fouilles, moulages en plâtre ou en argile, parcours ludiques (ornithologique, cavernicole, montagne, archéologique) permettent aux enfants d'observer et d'interpréter des traces tout en s'amusant. Deux espaces muséographiques (expositions temporaires) et un bestiaire de buis complètent la visite.

Itinéraires conseillés

LE COUSERANS : VALLÉES DE BIROS ET DE BETHMALE ★ ①

◐ *Pour visualiser ce circuit de 78 km, reportez-vous à la carte (p.247) – compter 4h environ. Quitter St-Girons au sud-ouest par la D 618 en direction de Luchon.* La route, fort jolie, suit le cours du Lez dans une large vallée ensoleillée. D'agréables villages ponctuent le parcours.

Audressein

Site agréable au confluent de la Bouigane et du Lez.

Juste après le pont de la Bouigane, l'**église** de pèlerinage Notre-Dame-de-Tramezaygues (du 14e s. pour l'essentiel) est rehaussée d'un campanile ajouré. Le porche central est décoré de peintures murales du 15e s.

Prendre la D 4, au sud. La route remonte la vallée du Lez.

Castillon-en-Couserans

🛈 *Av. Noël-Peyrevidal - ℰ 05 61 96 72 64 - www.ot-castillon-en-couserans.fr - juil.-août : 9h30-13h, 15h-19h30 ; reste de l'année : mar.-sam. 9h-12h30, 14h30-18h30.* Petit village situé sur une terrasse de la rive droite du Lez, au pied d'une butte boisée. Dans le parc du Calvaire, en aplomb sur la vallée, la **chapelle Saint-Pierre** jouit d'une situation magnifique. Construite au 12e s., elle fut fortifiée au 16e s.

LE PAYS AUX 18 VALLÉES

Étroitement associé au Comminges à l'époque féodale, tout en ayant son propre évêque à Saint-Lizier, le Couserans « aux 18 vallées », terre des Consorani lorsqu'elle faisait partie de la Novempopulanie, correspond géographiquement au bassin du haut Salat, avec Saint-Girons pour chef-lieu. Lacérés par les nombreux affluents du torrent, les terrains sédimentaires relativement tendres de la zone axiale (schistes en particulier) forment des monts très ramifiés séparés par d'amples vallées. Un ciel calme et lumineux, une végétation touffue constituent les attraits de ce pays où les conditions de vie, sinon précaires, du moins fort rudes, engendrent un dépeuplement que l'absence de foyers industriels ne fait qu'aggraver. La chaîne frontière, connue surtout pour la silhouette du mont Valier (alt. 2 838 m), sommet dont la sombre pyramide entre dans le champ de vision des Toulousains, reste le domaine des randonneurs confirmés à qui des marches d'une dizaine d'heures ne font pas peur !

Les Bordes-sur-Lez

À l'entrée du village, à hauteur d'une croix, jolie vue sur le plus vieux pont du Couserans et sur l'église romane d'Ourjout.

On s'engage alors sur la gauche dans la vallée de Biros.

Vallée de Biros

La route, pittoresque, remontant la vallée du Lez, ouvre par les vallées affluentes des perspectives sur les cimes de la chaîne frontière : mont Valier dans l'enfilade du Riberot et Mail de Bulard au fond de la vallée d'Orle.

Senteln

🛈 ☎ 05 61 96 10 90 - http://otbiros.free.fr - juil.-août : tlj sf dim. 14h-18h30 ; reste de l'année : mar. et vend. 9h-12h, 14h-18h, sam. 9h-12h.

Ce village, base d'excursions en montagne, possède une église flanquée de deux tours quadrangulaires, vestiges de l'enceinte fortifiée dont le pourtour mesurait 200 m. Beau clocher à trois étages et flèche.

Les amateurs de randonnées et ceux que le paysage a charmés pourront poursuivre jusqu'au fond de la vallée où la route s'achève à Eylie.

Faire demi-tour et, aux Bordes, prendre à droite la D 17.

★ Vallée de Bethmale

Vallée largement ouverte, aux paysages harmonieux, aux versants bosselés semés de granges et, le long de la route, de villages aux maisons étroitement imbriquées.

Ayet

Un très joli village qui possède une **église** dans laquelle on découvre des boiseries naïves du 18e s., en particulier le décor rocaille de la chapelle du baptistère.

Laisser la voiture dans un lacet à gauche, à l'entrée de la forêt domaniale de Bethmale.

CURIEUSE ET INTÉRESSANTE VALLÉE : BETHMALE

La population de la vallée n'est guère pléthorique : on y trouve deux communes, Arrien-en-Bethmale et Bethmale. Cette dernière ne comptait pas plus de 96 habitants en 1990, ce qui ne l'a pas empêché d'attirer l'attention des ethnologues et des spécialistes du folklore. Ceux-ci se sont en effet longtemps intéressés au costume bethmalais masculin dont la veste de laine écrue, garnie de parements multicolores, rappelait certaines tenues paysannes d'apparat dans les Balkans… Les visiteurs ne manqueront pas l'occasion de se procurer des sabots (avec un cœur gravé sur la pointe s'ils souhaitent les offrir à la dame de leurs pensées). Quant aux gourmets, ils dégusteront le délicieux fromage local (le bien-nommé bethmale) qui, à la coupe et consommé sur place, a autrement plus de goût que les échantillons que l'on trouve dans les rayons des supermarchés !

Lac de Bethmale

1/4h à pied AR. Étang situé dans un beau décor de hêtres qui lui confèrent un charme on ne peut plus romantique.

Gagnant de l'altitude dans un cirque de pâturages, la route atteint le col de la Core (alt. 1 395 m), offrant une dernière vue sur la vallée de Bethmale. Sur le versant est du col, le vallon d'Esbints présente un paysage boisé plus solitaire.

Au sud-ouest, légèrement en arrière, se déroule le chaînon du mont Valier.

En fin de descente, les arbres fruitiers et les granges se multiplient à nouveau, tandis que le bassin de confluence d'Oust, centre géographique du haut Salat, se rapproche.

Seix

05 61 96 00 01 - www.haut-couserans.com - de mi-juil. à fin août : 9h-12h30, 15h-19h ; reste de l'année : tlj sf mar. 9h-12h, 14h-18h, dim. 9h-12h30.

Jadis ville franche jouissant de la protection royale, Seix est aujourd'hui un petit village dominé par un château du 16e s.

Vic

Le village possède une **église** typiquement ariégeoise avec son clocher-mur et sa triple abside romane. La nef et les bas-côtés sont couverts d'un plafond du 16e s. à petits caissons peints, qui trouvent leur réplique dans les peintures murales de la voûte du chœur. Sur la placette, du côté du portail, une croix en fer forgé, témoin de l'habileté des ferronniers de l'Ariège, fut érigée comme monument aux morts des guerres mondiales.

Rentrer à Saint-Girons en prenant à gauche la D 3, par les gorges de Ribaouto.

★ **LE COUSERANS : VALLÉES DU HAUT SALAT ET DU GARBET** ★ 2

Pour visualiser ce circuit de 170 km au départ de Seix, reportez-vous à la carte (p.247) – compter une journée. Prendre sur la droite, après Seix, la D 3 vers la vallée

DES FROMAGES DE CARACTÈRE

Bamalous, moulis ou bethmale…, le Couserans peut s'enorgueillir de posséder des fromages de caractère. À base de lait de vache ou de brebis, ils sont affinés en cave et se caractérisent par un arôme doux et fruité. Vous les trouverez sur le marché de Saint-Girons *(le samedi matin)* ou au cœur du pays couserans (Bethmale, Engomer).

du haut Salat. Après 10 km d'un parcours très encaissé au bord du torrent, bifurquer, à l'entrée de Couflens, à droite vers le col de Pause (route du port d'Aula).

Étroite et tracée sur des versants raides, la petite route s'élève au-dessus de l'impressionnante vallée forestière d'Angouls. Par l'encoche du Salat apparaissent les sommets du cirque terminal de la vallée, au-dessus de Salau (mont Rouche, alt. 2 858 m). Au-delà du village-balcon de Faup, superbement exposé, poussez jusqu'au col de Pause.

La chaussée, mauvaise et ravinée, est souvent obstruée par la neige entre oct. et mai.

★★ Col de Pause

Alt. 1 527 m. Prenez de la hauteur sur la pente à droite, en direction du pic de Fonta, pour découvrir le mont Valier au-delà de la coupure de la vallée d'Estours. Vue sur les abîmes de la face est de ce sommet et sur les arêtes de son chaînon nord.

Revenir au pont de la Taule et prendre la D 8 à droite.

La route traverse la vallée d'Ustou, monte sur quelques kilomètres avant de redescendre en lacet jusqu'à Aulus-les-Bains. Belles vues dans la descente.

Guzet

Occupant un site exceptionnel à l'amont de la vallée de l'Ustou, cette paisible station de sports d'hiver s'illustre par ses chalets blottis sous les sapins.

Aulus-les-Bains

Les eaux sulfatées, calciques et magnésiennes qui sourdent à Aulus sont employées dans le traitement des maladies métaboliques et sont spécialement efficaces dans le traitement de l'hypercholestérolémie et des maladies de l'appareil urinaire. La station propose également des semaines thermales axées sur la remise en forme. Sa situation permet des excursions en montagne, dans la fourche des trois vallées supérieures du Garbet (Fouillet, Ars et haut Garbet), embellies de cascades et de lacs.

Monter la vallée du Garbet (vers l'est). À 1 km, laisser la voiture et prendre à droite le GR 10 (⟿ 5 km à pied).

★ Cascade d'Arse

Traversez le torrent et suivez le GR 10 vers l'ouest puis vers le sud pour parvenir au pied de la cascade bondissant de 110 m de hauteur, en trois chutes.

Revenir à Aulus et prendre la D 32 au nord pour descendre la vallée du Garbet.

★ Vallée du Garbet

C'est l'une des vallées les plus régulièrement évidées et l'une des mieux orientées du haut Couserans. Ensoleillée, parsemée de nombreux hameaux gardant parfois des chaumières à pignons à redents, elle était appelée autrefois « Terra Santa » en raison du grand nombre de chapelles et d'oratoires que l'on y recensait.

La route traverse les villages d'Oust et de Vic avant de rejoindre Seix.

😊 NOS ADRESSES À SAINT-GIRONS

HÉBERGEMENT

PREMIER PRIX

Camping Audinac – *Parc d'Audinac-les-Bains - à Audinac-les-Bains, 4,5 km au NE par D 117, rte de Foix et D 627, rte de Ste-Croix-Volvestre* - ✆ 04 68 31 87 99 - www.audinac.com - *de déb. mai à mi-sept.* - ♿ - ⛔ - *réserv. conseillée* - 100 empl. 16 €. Les 15 ha d'un ancien parc thermal assurent espace et calme à ce camping, niché au milieu d'arbres tricenenaires. Vous ne serez pas insensible à la beauté des bâtiments d'époque chargés d'histoire. Côté divertissement : piscine, mini club enfants, animations ado, tournois sportifs, soirées familiales… Location de chalets et de bungalows.

Camping Le Coulédous – *Rte de St-Girons - 09140 Aulus-les-Bains - sortie NO par D 32 rte de St-Girons, près du Garbet* - ✆ 05 61 96 02 26 - www.couledous.com - *permanent* - ♿ - *réserv. conseillée* - 70 empl. 18 €. À proximité de la ville, ce terrain est connu des curistes qui y séjournent une bonne partie de l'année. Son cadre verdoyant est son atout majeur. Location de chalets.

Camping La Vie en Vert – *09800 Augirein - à l'E du bourg, bord de la Bouigane* - ✆ 05 61 96 82 66 - www.lavieenvert.com - *de mi-mai à mi-sept.* - ♿ - ⛔ - *réserv. conseillée* - 15 empl. 20 €. Bercé par le bruit d'un petit torrent, ce camping est sympathique et joliment fleuri. Grâce aux efforts de décoration et de plantation, ce lieu, certes simple, a du charme. Deux chambres d'hôte dans une ancienne grange en pierre de pays.

Camping Les Quatre Saisons – *Rte d'Aulus-les-Bains - 09140 Oust - sortie SE par D 32, rte d'Aulus-les-Bains, près du Garbet* - ✆ 05 61 96 55 55 - www. camping4saisons.com - *de mi-mars à mi-oct.* - ♿ - ⛔ - *réserv. conseillée* - 108 empl. 23,10 €. Adeptes du camping – emplacements délimités par de haute haies pour préserver un espace d'intimité – ou de la location de gîtes ou de mobil-homes (capacité de 4 à 5 personnes, avec terrasse, salon de jardin et barbecue), les 3 ha du complexe des Quatre Saisons est fait pour vous. Pétanque, volley, ping-pong et aire de jeux pour enfants. Location de VTT. Aux alentours, rivières réputées pour les truites, activités de montagne…

Camping Les Chalets de Rimont – *09420 Rimont - 1 km au sud par D 518, rte l'Abbaye de Combelongue* - ✆ 05 61 64 53 53 - www.seronais.com - ♿ - ⛔ - 5 chalets 280/530 €/sem. Bien intégrés dans le paysage, ces 5 chalets nichés dans un hameau bénéficient d'équipements fonctionnels. Situation idéale pour profiter en famille des activités de pleine nature. Belle vue sur la vallée.

BUDGET MOYEN

Hôtel Château de Beauregard - L'Auberge d'Antan – *Av. de la Résistance* - ✆ 05 61 66 66 64 - www.chateaubeauregard. net - *fermé 1er-22 mars et 6 nov.-1er déc.* - 🅿 - 10 ch. 60/200 € - ☕ 10 € - *rest.* 29/40 €. Petit château et son pavillon de chasse (19e s.), au calme d'un parc avec roseraie. Chambres au charme rétro et cossu (mobilier chiné), suites de caractère et spa original..À l'Auberge d'Antan, décor rustique et plats de grand-mère préparés au feu de bois.

La Clairière – *Av. de la Résistance* - ✆ 05 61 66 66 66 - www.hotel-clairiere.com - ♿ - 🅿 - 19 ch. 58/68 € - ☕ 9 €. Dans un parc, insolite construction moderne dotée d'un toit de bardeaux tombant jusqu'au sol. Chambres fonctionnelles, certaines aménagées pour les familles.

Chambre d'hôte Maison de la Grande Ourse – *Le village - 09800 Salsein - ℘ 05 61 96 06 25 - www.maisongrandeourse.fr - fermé nov.-janv. -* P *-* ⇗ *- 3 ch. 60 € ⊇.* Admirez les étoiles avant de vous endormir dans cette charmante maison montagnarde nichée dans un petit village typique. Les petits-déjeuners et les repas sont servis dans une belle cuisine au décor gai et chaleureux : sol en pierre et couleurs du Sud. Coup de cœur.

POUR SE FAIRE PLAISIR

Eychenne – *8 av. P. Laffont - ℘ 05 61 04 04 50 - www.ariege.com/hotel-eychenne - fermé déc., janv., dim. soir et lundi sauf fériés de nov. à fin mars - 42 ch. 71/205 € - ⊇ 11 € - rest. 28/57 €.* Ex-relais de poste où règne une plaisante atmosphère bourgeoise. Souci du détail et meubles anciens dans les chambres ; certaines ont vue sur les Pyrénées. Accueil personnalisé. Cuisine traditionnelle et belle terrasse ouvrant sur un ravissant jardin.

RESTAURATION

BUDGET MOYEN

Le Bouchon – *4 pl. des Poilus - ℘ 05 61 96 00 18 - fermé dim. soir hors sais. -* ♿ *-* P *- 18/35 €.* Une mise en place simple et sans prétention pour ce restaurant qui bénéficie d'une terrasse plaisante dans le quartier dit historique de la ville. Sa carte, traditionnelle, se compose surtout de produits frais et compte quelques spécialités qui font le bonheur d'une clientèle de connaisseurs. Pâtisseries maison.

L'Auberge d'Audressein – *09800 Audressein - ℘ 05 61 96 11 80 -* www.auberge-audressein.com *- fermé 15 oct.-15 déc., 10 janv.-15 mars, dim. soir et lun. - 16/85 € - 7 ch. 55/65 € - ⊇ 9 €.* Ces vieux murs de pierre abritaient une forge au 19e s. Salle à manger aux tons chauds, agréable véranda surplombant la rivière et goûteuse cuisine inspirée par le terroir.

La Tour – *R. du Pont - 09190 St-Lizier - ℘ 05 61 66 38 02 - www.hotel-restaurant.net/hoteldelatour - fermé 23 nov.-3 déc. - formule déj. 14 € - 19/39 € - 9 ch. 40/70 € - ⊇ 7 €.* Cette bâtisse avec sa tour de guet carrée du 12e s. domine la rivière. La cuisine, d'inspiration régionale, est servie dans une salle climatisée bordée de baies vitrées. Neuf chambres simples et bien tenues.

ACHATS

♂♀**Pascal Jusot** – *Aret - 09800 Bethmale - ℘ 05 61 96 74 39 - www.artisan-bois-sabots.fr - hors sais. il est conseillé de téléphoner pour un RV..* Cet artisan sabotier, dont l'atelier bénéficie du label national « Entreprise du patrimoine vivant », fournit aimablement aux visiteurs des explications sur la fabrication et sur les différents bois utilisés. La boutique propose sabots bethmalais et de jardin ainsi que des objets décoratifs en bois.

PETITE PAUSE

Croustades Martine Crespo – *38 r. Pierre-Mazaud - ℘ 05 34 14 30 20 - www.croustade.com - mar.-vend. 9h-12h30, 14h-19h15, sam. 8h-13h, 14h-19h30, dim. 8h-13h, lun. (vac. scol.) 9h-12h30, 14h-19h15. - fermé 1er janv. et 25 déc..* La spécialité de cette boutique décorée à l'ancienne, c'est la croustade du Couserans, dessert offert traditionnellement lors des repas de fêtes gascons.

Plusieurs parfums existent : pomme, poire, etc. Également : quiches, tartes, croustades au fromage de montagne et au foie gras frais.

ACTIVITÉS

Horizon Vertical – *Ancienne gare SNCF -* 📞 *05 61 96 08 22 - www.horizonvertical.net - réservation obligatoire.* L'équipe d'Horizon Vertical propose de nombreuses activités : spéléo, canyoning, escalade, parcours aventure et séjour sport-aventure. Stages d'initiation ou de perfectionnement, sur un ou plusieurs jours, assurés par des guides diplômés d'État.
Domaine skiable de Guzet-Neige – *De mi-déc. à fin mars.* Altitude 1 100-2 100 m. 28 pistes de ski alpin diversifiées et 4 km de piste de ski de fond, au milieu des sapins. Une aire de ski avec 2 remontées mécaniques adaptées est réservée aux enfants.
Pyren'Aventure – *09200 Moulis -* 📞 *06 84 08 01 34 - www.pyren-aventure.com.* École de parapente du Couserans.
Aéro-club de l'Ariège – *Aérodrome de St-Girons-Antichan - 09200 St-Lizier -* 📞 *05 61 66 11 00 - www.aeroclub.ariege.free.fr - 9h-12h, 14h-18h .*

AGENDA

Rencontres internationales Tradition et Ethnie – À l'initiative des Bethmalais, un des premiers groupes folkloriques français, invitation de groupes folkloriques du monde entier début août. *www.bethmalais.org.*

Grotte du Mas-d'Azil

★★

1 219 Aziliens (village) – Ariège (09)

😊 **NOS ADRESSES PAGE 254**

🛈 **S'INFORMER**
Office du tourisme des vallées de l'Arize et de la Lèze – *17 av. de la Gare - 09290 Le Mas-d'Azil -* 📞 *05 61 69 99 90 - www.tourisme-arize-leze. com - lun. 14h-18h, mar.-vend. 9h30-12h30, 14h-18h - point info près de la grotte, juil.-août : tlj 11h-19h ; avril-oct. : vend.-dim. 13h-18h- fermé 1er janv., 1er Mai et 25 déc.*

🔘 **SE REPÉRER**
Carte de la microrégion B1 *(p.212)* – *carte Michelin Départements 343 G6.* Au nord de l'Ariège, le Mas-d'Azil est également un village situé à 23 km au nord-est de Saint-Girons et à 34 km au nord-ouest de Foix.

👥 **AVEC LES ENFANTS**
L'Affabuloscope.

Site préhistorique célèbre dans le monde scientifique (au point d'avoir donné son nom à la civilisation « azilienne »), le Mas-d'Azil est aussi l'une

des curiosités naturelles les plus spectaculaires de l'Ariège. Raison de plus pour marcher sur les traces de nos lointains ancêtres !

Se promener

Édouard Piette découvrit en 1887 une couche originale d'habitat humain, entre le Magdalénien finissant (11 000 ans av. J.-C.) et le début du Néolithique : l'**Azilien** (9 500 ans av. J.-C.). Après lui, l'abbé Breuil et Joseph Mandement continuèrent les recherches, mais aussi Boule et Cartailhac…

★★Grotte du Mas-d'Azil

🕻 05 61 69 97 71 - www.sesta.fr - visite guidée (1h) juil.-août : 10h-18h ; juin et sept. : tlj sf lun. 10h-12h, 14h-18h ; avr.-mai : tlj sf lun. 14h-18h, dim., j. fériés et vac. scol. 10h-12h, 14h-18h ; mars : dim. 14h-18h ; oct.-nov. : dim., j. fériés et vac. scol. 14h-18h ; déc.-fév. : se renseigner - 6,10 € (6-15 ans 3,10 €) billet combiné avec le musée.

Creusée par l'Arize sous le Plantaurel, cette grotte est un tunnel long de 420 m, d'une largeur moyenne de 50 m. En amont, l'arche d'entrée est magnifique (65 m de haut). En aval, l'ouverture, surbaissée (7 à 8 m), est forée dans un rocher à pic d'une hauteur de 140 m. La route utilise ce passage, côtoyant le torrent dont les eaux sapent les parois calcaires et s'enfoncent sous une voûte majestueuse, étayée au centre par un énorme pilier rocheux.

Les quatre étages de galeries fouillées se développent sur 2 km, dans un calcaire dont l'homogénéité empêche les infiltrations et la propagation de l'humidité. On visite, entre autres, la **salle du Temple**, lieu de refuge protestant lors du siège de 1625. Des vitrines présentent des pièces remontant aux époques magdalénienne (grattoirs, burins, aiguilles, moulage de la célèbre tête de cheval hennissant) et azilienne (harpons en bois de cerf, pointes, galets coloriés, outillage miniaturisé).

Dans la salle Mandement apparaissent, parmi les déblais, des vestiges de faune (mammouth et ours) amoncelés en ossuaire sans doute par des crues souterraines (les eaux de l'Arize, dix fois plus considérables qu'aujourd'hui, pouvaient atteindre le niveau de la voûte).

Les objets trouvés lors des différentes campagnes de fouilles sont exposés dans la grotte et au bourg du Mas-d'Azil.

Musée de la préhistoire

🕻 05 61 69 97 71 - www.sesta.fr - juil.-août : 11h-13h, 14h-19h ; avr.-juin et sept. : tlj sf lun. 14h-18h - 4,60 € (enf. 2,30 €) ; 6,10 € (6-15 ans 3,10 €) billet combiné avec la grotte.

À 800 m de la grotte, le musée est situé au centre du village, à l'emplacement de l'ancienne mairie. Collection de pièces d'époque magdalénienne, dont quelques galets peints et le célèbre propulseur dit « faon aux oiseaux ».

Affabuloscope

R. de l'Usine - 🕻 05 61 69 72 10 - www.affabuloscope.fr - 14h-19h - fermé mar. hors vac. scol. - 5 € (– 6 ans gratuit).

🏃‍♂️ La salle principale expose une multiplicité d'affabulations jouant avec leur propre titre : machine à verser dans le tragique, retardateur d'échéance, redresseur de torts, semoir à tout vent… Autant d'œuvres en bois sculpté, polies, vernies, parfois encastrées dans un jeu de poulies, de ressorts, de cordes, de roues montées sur un socle ou sur un pied. La « Machine à réduire » ressemble à une guillotine, le « Pèse-mot » est doté d'un fin duvet… Au 1er étage, d'autres drôles sculptures sont exposées, constituées de matériaux de récupération (entonnoir, cylindre, radio, hélice, selle de tracteur), un bric-à-brac hétéroclite qui poursuit le voyage imaginaire.

😊 NOS ADRESSES AU MAS-D'AZIL

HÉBERGEMENT

POUR SE FAIRE PLAISIR

Chambre d'hôtes Domaine de Terrac – 09420 Rimont 4 km à l'Est par D 117 et rte secondaire - ☎ 05 61 96 39 60 - www.chambresdhotesariege. com - fermé janv. et fév. - 🅿 - 🍽 - 5 ch. 90 € - ☕ 5 € - rest. 30 € bc. Cette ferme merveilleusement restaurée n'aura aucun mal à vous séduire. Ses chambres concilient charme et tranquillité ; deux d'entre elles ont une terrasse dominant la vallée. Côté restauration, la propriétaire propose des plats régionaux, végétariens et indiens.

RESTAURATION

BUDGET MOYEN

Le Jardin de Cadettou – 5 Fg St-Ferréol - 09290 Le Mas-d'Azil - ☎ 05 61 69 95 23 - www. cadettou.fr - fermé janv.-fév., dim. soir et lun. de mai à oct. - 18/29 € - 3 ch. 55/65 € - ☕ 8 €. Dans une maison couverte de vigne vierge, à l'entrée du village, vos papilles découvriront avec bonheur la « cuisine des femmes » transmise de mère en fille autour du fourneau. Une cuisine du terroir, qui parfois se parfume de quelques saveurs exotiques, à déguster à côté de la baie vitrée donnant sur le jardin. Trois coquettes chambres complètent cette adresse.
Maison Gardel – Pl. du Champ-de-Mars - 09290 Le Mas-d'Azil - ☎ 05 61 69 90 05 - www.ariege. com/hotel-gardel - fermé dim. soir et lun. soir du 1er nov. à Pâques - 🅿 - formule déj. 10 € - 18/23 € - 20 ch. 45 € - ☕ 6 €. Véritable institution dans la région, cette auberge familiale sur le chemin des pélerins de St-Jacques-de-Compostelle compte 20 chambres. Aujourd'hui, les fidèles connaisseurs se pressent autour des tables pour y savourer assiette ariégeoise, plats du terroir ou menu végétarien dans un décor rustique.
Restaurant de la Poste – pl. 8-Mai - 09420 Rimont - ☎ 05 61 96 33 23 - fermé 25-30 août, 15 fév.- 1er mars, lun. soir, mar. soir et merc. soir sauf juil.-août - formule déj. 12 € - 21/29 €. La façade un peu rétro dissimule une salle de restaurant rustique et colorée qui dégage une ambiance chaleureuse. Cuisine traditionnelle, simple et sans fausse note.

ACHATS

Asinerie de Feillet « Asinus » – « Feillet » - 09420 Castelnau-Durban - ☎ 05 61 96 38 93 - www.asinus.fr - lun.-vend. : 8h-12h, 14h-18h . Cette entreprise de production de lait d'ânesse est un lieu unique en France et peut-être en Europe. Le lait, dont les propriétés légendaires ne sont plus à prouver, sert à la fabrication de savonnettes artisanales. Une belle idée de visite.

Arcades à Mirepoix.
M.-H. Carcanague / MICHELIN

Mirepoix

3 077 Mirapiciens – Ariège (09)

😊 **NOS ADRESSES PAGE 258**

🛈 **S'INFORMER**

Office du tourisme de Mirepoix – *Pl. du Mar.-Leclerc - 09500 Mirepoix - ℘ 05 61 68 83 76 - www.ot-mirepoix.com - 9h15-12h15, 14h-18h30 (oct.-juin 18h), w.-end et j. fériés 10h-12h, 14h-18h (oct.-juin fermé le dim.).*

▶ **SE REPÉRER**

Carte de la microrégion D1 *(p.212)* – carte Michelin Départements *343 J6*. À 22 km à l'est de Pamiers, Mirepoix se situe à quelques pas du département de l'Aude. La bastide se trouve sur le sentier GR 78 de Saint-Jacques-de-Compostelle.

☺ **À NE PAS MANQUER**

Vous l'aurez compris, la place à couverts, et tout particulièrement la maison des Consuls.

👥 **AVEC LES ENFANTS**

La Fête médiévale en juillet et le Festival international de la marionnette en août.

Au cœur du pays cathare, à deux pas de Montségur, cette bastide médiévale abrite l'une des plus belles places à couverts. Il y règne une atmosphère étrange qui nous entraîne dans le glorieux passé toulousain. On ne s'étonnerait guère de voir arriver quelque jongleur juché sur un destrier, la vielle en bandoulière, venu interpréter pour le plaisir de tous quelques poèmes satiriques, les sirventès.

Se promener

★★ Place principale (place du Maréchal-Leclerc)

Cette place est entourée de maisons (fin 13e s.-15e s.) dont le 1er étage s'avance sur des couverts en charpente ; remarquez en particulier la **maison des Consuls** avec ses têtes sculptées.

Aux angles nord-ouest et nord-est de la place, observez la disposition caractéristique des cornières : les couverts se rejoignent et ne laissent aux voies de desserte qu'un interstice. Tout semble résumer l'Occitanie : ombre où il fait bon se réfugier pour regarder les vitrines des boutiques, grands cafés dont les calendriers vantent les exploits des rugbymen locaux et où retentit la voix rocailleuse des Mirapiciens avec leurs expressions imagées et leur langage où oc et oïl se mêlent savoureusement… En somme, un lieu où, le soir, on pourrait fort bien s'imaginer que les barons du Nord n'ont jamais fondu sur le Midi !

Cathédrale Saint-Maurice

Qui se douterait, en découvrant cet édifice que couronne une élégante flèche gothique, qu'il fallut cinq siècles (de 1343 à 1865) pour l'achever ?

Entrer par le portail nord. La nef (début du 16e s.), flanquée de chapelles engagées entre les contreforts intérieurs suivant la tradition du gothique du Midi, est la plus large (21,60 m) que l'on n'ait jamais construite pour une église gothique française.

À proximité Carte de la microrégion

Camon

▷ *8 km au sud-est par la D 625, puis la D 7.* Ramassé autour de sa puissante **abbaye**, Camon apparaît dans un site dominé par les collines ariégeoises. *Visite guidée (1h) mai-sept. : s'adresser à l'office de tourisme ℘ 05 61 68 83 76 - 4,60 € (enf. 1,25 €).*

Après avoir fait le tour des fortifications, on pénètre dans le village par la porte de l'Horloge (belle maison d'angle à colombages) et on accède aux bâtiments conventuels remis en état au 16e s. : vestiges de l'ancien cloître, bel escalier à vis aménagé dans la tour ronde, oratoire décoré de peintures murales du 14e s. L'église, ancienne abbatiale, abrite un retable de l'école espagnole du 17e s. et une croix du 14e s.

Vals

▷ *12 km à l'ouest de Mirepoix par la D 119 en direction de Pamiers puis, aux Pujols, la petite D 40 sur la droite.*

L'oppidum de Vals fut occupé de l'âge du bronze au Moyen Âge, comme en témoignent ossements, céramiques et verrerie trouvés sur les lieux. Le roc de l'Éperon semble taillé selon une technique archaïque, tandis que la case-encoche du roc Taillat présente des cannelures probablement travaillées au moyen d'outils de métal. L'ensemble de la plate-forme a pu être la base d'un ancien temple.

C'est cependant l'**église rupestre★** de Vals, dominant la plaine, qui attire tout d'abord l'attention. On y accède par un escalier creusé dans un boyau rocheux.

L'abside, du 11e s., abrite des peintures murales du 12e s. d'une remarquable unité qui montrent, selon un plan logique assez rare, trois aspects de la vie

LA CITÉ ENGLOUTIE

Mirapixo a donné en occitan *Mirapeis* : de *mirar*, « regarder », et de *peis*, « poisson ». Les armoiries de la ville représentent un poisson surmonté de trois étoiles. Au 13e s., de nombreux cathares étaient établis à Mirepoix, parmi lesquels le seigneur des lieux, **Pierre Roger de Mirepoix**. La ville prise en 1209 par Simon de Montfort fut confiée à son principal lieutenant, Guy de Lévis. En 1279, le paisible étang de Puivert rompit ses digues et se vida, engloutissant en quelques minutes la petite cité de Mirepoix. C'est le duc Jean, fils de Guy de Lévis, qui fit reconstruire la cité dans un lieu plus sûr, au confluent de l'Hers et du Countirou, donnant naissance à la bastide que l'on connaît aujourd'hui. Descendant direct de ces « barons du Nord » qui avaient mis la région à feu et à sang, le duc de Lévis-Mirepoix (1884-1981), auteur de nombreux ouvrages historiques et d'un roman sur le drame de Montségur, fut élu à l'Académie française en 1953. Cet étonnant aficionado ne dédaignait pas d'affronter des vachettes, cape en main, jusqu'à un âge avancé…

du Christ : sa naissance, sa vie publique et sa glorification. Sur ces tableaux stylisés, dessin au trait plutôt que peinture, les personnages aux grands yeux en amande, figés dans des attitudes hiératiques selon la tradition byzantine, s'apparentent à ceux que l'on peut découvrir sur les fresques catalanes romanes.

Dressée sur le socle rocheux, la tour massive abrite une chapelle romane (terminée au 14e s.) dédiée à l'archange saint Michel.

Pamiers

◐ *21 km à l'ouest de Mirepoix par la D 119.* 🖹 *Bd Delcasse -* ✆ *05 61 67 52 52 - www.pamierstourisme.com - juil.-août : tlj sf dim. 9h-12h, 14h-18h ; mai-juin et sept. : 9h-12h, 14h-17h ; oct.-avr. : 9h-12h.*

La ville la plus importante de l'Ariège, avec ses quelque 13 400 âmes, est entourée de canaux. Son nom provient d'Apamée (Asie Mineure), en souvenir de la participation à la première croisade de Roger II, comte de Foix. Le grand compositeur **Gabriel Fauré** (1845-1924), « le musicien le plus musical, avec Mozart », selon Arthur Honegger, est né à Pamiers. Son buste a été érigé **promenade du Castella**. Cette promenade est dessinée sur l'emplacement de l'ancien château, qui portait le même nom et dont on voit encore les soubassements en sortant par la porte de Nerviau et en se dirigeant vers le pont Neuf.

À la **cathédrale Saint-Antonin**, seul le portail témoigne de l'église d'origine édifiée au 12e s. Le beau clocher, de style toulousain, repose sur une assise fortifiée. L'**église N.-D.-du-Camp** présente une façade monumentale crénelée, en brique, que surmontent deux tours. La nef unique date du 17e s.

D'autres tours dominent la ville, parmi lesquelles le **clocher des Cordeliers** *(dans la rue du même nom)*, copie de celui des Cordeliers de Toulouse, la **tour de la Monnaie** *(près du CES Rimbaud)*, la **tour carrée du Carmel** *(pl. Eugène-Soula)*, ancien donjon édifié en 1285 par Roger Bernard III de Foix, la tour de l'ancien couvent des Augustins *(près de l'hôpital)* et la porte de Nerviau *(près de la mairie)*, en pierre et brique.

☺ NOS ADRESSES À MIREPOIX

HÉBERGEMENT

PREMIER PRIX

Hôtel les Minotiers – *Av. Mar.-Foch - ℰ 05 61 69 37 36 - www.lesminotiers.com - ♿ - Ⓟ - 40 ch. 45/130 € - ☕ 7 € - rest. 16/37 €.* Cette ancienne minoterie convertie en hôtel-restaurant a su préserver quelques traces de son passé comme ses murs en pierre apparente et son auvent en fer. Les chambres, fonctionnelles et bien équipées, sont souvent très spacieuses. Agréable terrasse couverte pour les repas d'été. Accueil charmant et bon rapport qualité-prix.

BUDGET MOYEN

Chambre d'hôte Domaine de Marlas – *09500 Rieucros - ℰ 05 61 69 29 88 ou 06 73 67 18 24 - www.domainedemarlas.com - Ⓟ - 5 ch. 68/71 € ☕ - rest. 20 €.* Si l'apparence de cette ancienne maison de maître n'a rien d'exceptionnel, on découvre avec surprise son intérieur plein de charme, tour à tour tendance ou campagnard, mais toujours magnifiquement réalisé. Aux étages, 5 chambres, décorées de façon particulièrement réussie. Table d'hôte aux saveurs du sud.

Hôtel de la Paix – *4 pl. A.-Tournier - 09100 Pamiers - ℰ 05 61 67 12 71 - www.hoteldelapaix-pamiers.com - fermé 24 déc.-8 janv. - 15 ch. 52/57 € - ☕ 8 € - rest. formule déj. 13 € - 16/35 €.* Cet ancien relais de poste dispose de chambres colorées, équipées de meubles rustiques ou fonctionnels. Chaleureuse atmosphère d'antan dans la salle à manger ornée de remarquables plafonds moulurés d'origine (1760).

Hôtel de France – *5 cours Joseph-Rambaud - 09100 Pamiers - ℰ 05 61 60 20 88 - www.hotel-de-france-pamiers.com - ♿ - Ⓟ - 31 ch. 60/75 € - ☕ 8 €.* Cure de jouvence bénéfique pour cet hôtel proche du centre-ville proposant des chambres relookées, dotées de meubles aux lignes contemporaines.

RESTAURATION

POUR SE FAIRE PLAISIR

Le Comptoir Gourmand – *Cours Mar.-de-Mirepoix - ℰ 05 61 68 19 19 - www.lecomptoirgourmand.com - fermé mar. et merc. de sept. à juin, dim. et le midi - 28/35 €.* L'alléchante cuisine, traditionnelle et soignée, met en avant les produits et les vins des petits exploitants régionaux. Espace boutique à l'entrée du restaurant. Terrasse d'été.

ACHATS

Marché des potiers – *ℰ 05 61 67 21 41 - www.tourisme-mirepoix.com - 1ʳᵉ ou 2ᵉ sem. d'août : mar. et merc.* La place du Maréchal-Leclerc accueille chaque année une quarantaine de potiers qui présentent leur production. Animations et atelier pour les enfants.

AGENDA

Fête médiévale – Le 3ᵉ w.-end de juillet.
Festival international de la marionnette – Le 1ᵉʳ w.-end d'août. *ℰ 05 61 68 20 72.*
Fête des roses – Camon, le village aux 100 rosiers, célèbre chaque année fin mai la Fête des roses. *ℰ 05 61 68 88 26.*

Rieux

★

2 306 Rivois – Haute-Garonne (31)

NOS ADRESSES PAGE 261

S'INFORMER

Office de tourisme du canton de Rieux-Volvestre – *9 r. de l'Évêché - 31310 Rieux - ℘ 05 61 87 63 33 - www.tourisme-volvestre.com - juil.-août : lun.-sam. 10h-12h30, 14h30-18h30, dim. 14h30 - ouvert le reste de l'année, téléphoner pour horaires - fermé 1ᵉʳ janv., 1ᵉʳ et 11 Nov., 25 déc.*

SE REPÉRER

Carte de la microrégion B1 *(p.212)* – *carte Michelin Départements 343 F5.* Entre Ariège et Garonne s'étend le Volvestre, pays de coteaux et de terres argileuses où s'élève la petite cité épiscopale de Rieux.

À NE PAS MANQUER

La cathédrale ; les maisons à colombages dans le centre.

AVEC LES ENFANTS

Le village gaulois de Saint-Juilen (au moins une demi-journée de visite).

Lovée à l'intérieur d'une boucle de l'Arize, Rieux est une ville pleine de charme. Des ruelles aux vieilles maisons à pans de bois sont dominées par le rose de l'une des plus jolies tours du Toulousain. Et, de plus, le premier week-end de mai, c'est la Fête du papogay… !

Se promener

Comment une bourgade aussi petite, si charmante soit-elle, a pu devenir le siège d'un évêché ? L'explication est simple : Rieux doit cette promotion à Jacques Duèze ! Originaire de Cahors, il fut élu pape à Avignon en 1316 et n'eut alors de cesse de favoriser sa région. C'est ainsi qu'il démembra le vaste diocèse de Toulouse et celui de Pamiers en créant des évêchés à Montauban, Rieux, Lombez, Saint-Papoul, Lavaur et Alet-les-Bains…

★ Cathédrale

℘ 05 61 87 63 33 - ♿ - visite guidée (1h15) sur RV : 15h30 - fermé 1ᵉʳ janv, 1ᵉʳ et 11 Nov., 25 déc. - 5 € (– 12 ans gratuit).

Pour l'admirer, il est tout d'abord conseillé de prendre un peu de recul ! Traversez le pont sur l'Arize, vers le calvaire du monument aux morts, et découvrez une belle **vue★** d'ensemble de l'édifice : devant, le chevet plat, fortifié, de la première église du 13ᵉ s., assise sur les maçonneries de l'ancien château fort, baignant dans la rivière ; à droite, le vaisseau transversal du chœur des Évêques ; à l'arrière-plan, la tour-clocher octogonale, avec ses trois étages ajourés. Au débouché du pont, une vieille maison à colombages, l'eau verte de l'Arize, la brique rose et la végétation composent un ensemble plein d'une grâce ingénue, empreinte de sérénité. Puis on pénètre dans la nef principale par le grand portail gothique mutilé.

Construit au 17ᵉ s. pour le chapitre, le **chœur des Évêques** est une chapelle meublée de stalles de noyer inspirées de celles de la cathédrale de Toulouse.

Le maître-autel aux marbres polychromes (le marbre jaune est superbe !) lui donne un cachet « Grand Siècle ».

Le **trésor★** de Rieux est conservé dans la **sacristie des Chanoines**, dans une grande armoire du 14e s. ornée de ferrures d'époque : bustes-reliquaires et châsse en bois de saint Cizi (1672), patron de l'ancien diocèse. La petite armoire abrite un impressionnant buste-reliquaire, en argent repoussé sur âme de bois, travail d'un orfèvre toulousain. Le soldat-martyr, tué par les Sarrasins au 8e s., est représenté en guerrier antique.

L'**ancien palais épiscopal** est aujourd'hui un établissement médical. On peut pénétrer dans la cour d'honneur pour admirer la tour de la cathédrale.

Devant la cathédrale, remarquez les **maisons à colombages** (15e et 16e s.) qui abritent de nos jours l'hôtel de ville.

À proximité Carte de la microrégion

Village gaulois de Saint-Julien

▶ *5 km au sud-ouest par la D 25 - ℘ 05 61 87 16 38 - www.archeosite-gaulois. asso.fr - juil.-août : 10h-19h ; de Pâques à fin juin et de déb. sept.-11 Nov. : merc., dim., j. fériés et vac. scol. zone A : 14h-18h - possibilité de visite guidée (1h) dép. 15h - fermé de déc. à Pâques - 12 € (+ 5 ans 9 €).*

👥 Sur plus de 5 ha, en bordure de Garonne, deux passionnés ont fidèlement reconstitué un **village gaulois**. À l'entrée du village, ceint de remparts en bois, une porte fortifiée donne le ton. Maisons de torchis avec toits de chaume, quartier de pêcheurs et d'artisans. Différents ateliers, aux accents à la fois spectaculaires et pédagogiques, s'articulent autour de la vie des Gaulois : vannerie, orfèvrerie, orpaillage, poterie, forge, tissage, bronze… Vous voilà revenu près de deux mille ans en arrière chez les Volques tectosages.

Le village comprend aussi une salle d'expositions temporaires, un espace boutique (produits confectionnés sur place) et une librairie.

Itinéraire conseillé

LE VOLVESTRE

▶ *Circuit de 34 km de Rieux à Carla-Bayle – compter environ 1h30.* Avec les cols pyrénéens en toile de fond, le Volvestre offre, à travers villages de crête et bastides de vallée, l'occasion de maints itinéraires panoramiques. Au départ de Rieux, la route que nous proposons *(D 627)* s'engage dans la dépression de l'Arize, rivière sourdant à 1 200 m d'altitude, dans un massif boisé.

Montesquieu-Volvestre

🏠 *20 pl. de la Halle - ℘ 05 61 90 19 55 - ot.montesquieu@wanadoo.fr - tlj sf dim. et lun. 9h-12h, 14h-17h.* Cette jolie bastide, créée dans une boucle de l'Arize par Raimond VII de Toulouse, et rebâtie en brique au 16e s., est ceinturée de boulevards ombragés ; belle place à arcades et une halle du 16e s.

Église fortifiée – *℘ 05 61 90 19 55 (office de tourisme) - visite guidée tlj sf dim. et lun. 9h-17h.* Du 13e s., elle se distingue par son clocher polygonal à 16 pans : effet d'illusion, on le croirait volontiers ovale.

À Daumazan-sur-Arize, prendre à droite la D 19.

Montbrun-Bocage

Église – ☎ 05 61 98 10 82 - *visite sur demande à la mairie*. Elle abrite un remarquable ensemble de **peintures murales★** du 16ᵉ s.; on reconnaît dans le chœur saint Christophe, l'Arbre de Jessé et des scènes de la vie de saint Jean-Baptiste. Côté nord, des scènes de la Passion et l'Enfer.

Quitter Montbrun-Bocage par la D 74, puis prendre à droite la D 628 que l'on suit sur 3 km environ. S'engager ensuite sur la D 14 et suivre la direction Carla-Bayle.

Carla-Bayle

Village fortifié sur un éperon rocheux, Carla-le-Peuple fut, après la Révolution, rebaptisé Carla-Bayle en l'honneur du philosophe protestant Pierre Bayle qui y vit le jour en 1647. Des remparts : jolie vue sur les Pyrénées.

Musée Bayle – ☎ 05 61 68 53 53 - *juil.-août : tlj 14h-19h, jeu. 15h-22h, sam. 10h-12h; reste de l'année se renseigner auprès de la mairie* ☎ 05 61 68 51 32 - *possibilité de visite guidée (1h) - gratuit*. Principale curiosité du village, le musée, aménagé dans la maison natale de l'écrivain, fut inauguré en 1989. Il permet de se familiariser avec la vie et l'œuvre de l'auteur du *Dictionnaire historique et critique*.

😊 NOS ADRESSES À RIEUX

HÉBERGEMENT

PREMIER PRIX

Chambre d'hôte Namasté – *Lieudit Primoulas - 31310 Latour -* ☎ *05 61 97 46 87 - www.primoulas. com - fermé vac. de Noël; table d'hôte ouv. en juil.-août -* 🅿 *- 5 ch. 50 € ☕ - rest. 20/29 €.* Cette exploitation agricole biologique en activité bénéficie d'éléments de décoration originaux. La salle à manger est dotée d'une baie vitrée panoramique sur la chaîne des Pyrénées. Table d'hôte « bio ». Piscine.

BUDGET MOYEN

Chambre d'hôte La Halte du Temps – *72 r. Mage - 31310 Montesquieu-Volvestre -* ☎ *05 61 97 56 10 - www.lahaltedutemps. com -* 🅿 *- 5 ch. 62/75 € ☕ - rest. 24 €.* Cet hôtel particulier du 17ᵉ s., modeste, a un intérieur remarquable. Les chambres sont décorées avec goût, la cour intérieure est charmante et la cuisine goûteuse.

ACTIVITÉS

Base de loisirs – *Camping municipal du Plan d'Eau -* ☎ *05 61 87 63 33 - www.tourisme-volvestre. com.* Piscines couverte et découverte, tennis, voile (école), canotage, pédalos, randonnée, parcours santé, pêche, pétanque, ping-pong, jeux pour enfants. Camping et aire naturelle.

AGENDA

Fête du papogay – Fête traditionnelle le 1ᵉʳ w.-end de mai à Rieux. Le papogay, c'est le perroquet de bois fixé au faîte d'un mât haut de 45 m. Celui qui arrive à le « descendre » devient Roi de Rieux. ☎ *05 61 87 63 33 - www.tourisme-volvestre.com.*

Expo-vente de plantes rares – À Saint-Élix-le-Château (bâtisse du 17ᵉ s.), le dernier w.-end d'oct. ☎ *05 61 87 94 40 - www.expoplantesrares.org.*

Rue des Arts – Ce festival d'arts plastiques et visuels a lieu à Carla-Bayle, de juillet à septembre. Des artistes exposent leurs œuvres dans une quinzaine de lieux à travers la ville. - ☎ *05 61 69 50 59 - www.rue-des-arts.fr.*

Vous CONNAISSEZ

LeGuideVert

...CONNAISSEZ-VOUS
VRAIMENT
MICHELIN ?

Données au 31/12/2008

MICHELIN
Une meilleure façon d'avancer

N°1 mondial des pneumatiques avec 17,1 % du marché

Une présence commerciale dans plus de 170 pays

Une implantation industrielle au cœur des marchés

68 sites industriels dans **19** pays ont produit en 2008 :

- **177** millions de pneus
- **16** millions de cartes et guides

Des équipes très internationales

Plus de **117 500** employés* de toutes cultures sur tous les continents dont **6 000** personnes employés dans les centres de R&D en Europe, aux Etats-Unis, en Asie.

*110 252 en équivalents temps plein

Le groupe Michelin en un coup d'œil

Michelin présent en compétition

A fin 2008

24h du Mans
11 années de victoires consécutives

Endurance 2008
- 5 victoires sur 5 épreuves en Le Mans Series
- 10 victoires sur 10 épreuves en American Le Mans Series

Paris-Dakar
Depuis le début de l'épreuve, le groupe Michelin remporte toutes les catégories

Moto GP
26 titres de champion du monde des pilotes en catégorie reine

Trial
Tous les titres de champion du monde depuis 1981 (sauf 1992)

Michelin, implanté près de ses clients

○ **68 sites de production dans 19 pays**

- Algérie
- Allemagne
- Brésil
- Canada
- Chine
- Colombie
- Espagne
- Etats-Unis
- France
- Hongrie
- Italie
- Japon
- Mexique
- Pologne
- Roumanie
- Royaume-Uni
- Russie
- Serbie

● **Un centre de Technologies réparti sur 3 continents**

- Amérique du Nord
- Asie
- Europe

● **2 plantations d'hévéa**
- Brésil

Notre mission

Contribuer, de manière durable, au progrès de la mobilité des personnes et des biens en facilitant la liberté, la sécurité, l'efficacité et aussi le plaisir de se déplacer.

Michelin s'engage pour l'environnement

Michelin, 1er producteur mondial de pneus à basse résistance au roulement, contribue à la diminution de la consommation de carburant et des émissions de gaz par les véhicules.

Michelin développe, pour ses produits, les technologies les plus avancées afin de :
- diminuer la consommation de carburant, tout en améliorant les autres performances du pneumatique ;
- allonger la durée de vie pour réduire le nombre de pneus à traiter en fin de vie ;
- privilégier les matières premières à faible impact sur l'environnement.

Par ailleurs, à fin 2008, 99,5 % de la production de pneumatiques en tonnage est réalisé dans des usines certifiées ISO 14001*.
Michelin est engagé dans la mise en œuvre de filières de valorisation des pneus en fin de vie.

*certification environnementale

Tourisme camionnette

Poids lourd

**Michelin
au service de la mobilité**

Génie civil

Avion

Agricole

Deux roues　　　　　　　　**Distribution**

Partenaire des constructeurs, à l'écoute des utilisateurs,
présent en compétition et dans tous les circuits de distribution,
Michelin ne cesse d'innover pour servir
la mobilité d'aujourd'hui et inventer celle de demain.

Cartes　　　　**ViaMichelin,**　　　　**Michelin**
et Guides　　　des services　　　　**Lifestyle,**
　　　　　　　　d'aide au　　　　des accessoires
　　　　　　　　voyage　　　　　　pour vos
　　　　　　　　　　　　　　　déplacements

MICHELIN
joue l'équilibre des performances

 Longévité des pneumatiques

 Economies de carburant

 Sécurité sur la route

... les pneus MICHELIN vous offrent les meilleures performances, sans en sacrifier aucune.

Le pneu MICHELIN
un concentré de technologie

1 Bande de roulement
Une épaisse couche de gomme assure le contact avec le sol. Elle doit évacuer l'eau et durer très longtemps.

2 Armature de sommet
Cette double ou triple ceinture armée est à la fois souple verticalement et très rigide transversalement. Elle procure la puissance de guidage.

3 Flancs
Ils recouvrent et protègent la carcasse textile dont le rôle est de relier la bande de roulement du pneu à la jante.

4 Talons d'accrochage à la jante
Grâce aux tringles internes, ils serrent solidement le pneu à la jante pour les rendre solidaires.

5 Gomme intérieure d'étanchéité
Elle procure au pneu l'étanchéité qui maintient le gonflage à la bonne pression.

Suivez les conseils
du bonhomme MICHELIN

Pour gagner en sécurité

- Je roule avec une pression adaptée
- Je vérifie ma pression tous les mois
- Je fais contrôler régulièrement mon véhicule
- Je contrôle régulièrement l'aspect de mes pneus (usure, déformations)
- J'adopte une conduite souple
- J'adapte mes pneus à la saison

www.michelin.com
www.michelin.(votre extension pays - ex : fr pour France)

Autour de Saint-Gaudens $\boxed{4}$

Carte Michelin Départements 342, 343 – Haute-Garonne (31)
et Hautes-Pyrénées (65)

La basilique Saint-Just de Valcabrère près de Saint-Bertrand-de-Comminges.
J.-P/M.-H. Azam/Carcanague / MICHELIN

C · D · TOULOUSE

D 8

D 635
D 10 · Alan
Aurignac · D 8 · D 10
D 635 · Martres-
Tolosane
A 64 · D 10

D 10 · Cazères
D 62

Mancioux · D 83
St-Martory · Carrières
de Belbèze
Petites Pyrénées
D 817 · D 26 · D 135 · Ste-Croix-
Volvestre
Garonne · D 117 · D 13
D 26 · Salies-du-Salat · D 6 · D 35

ARIÈGE

HAUTE- · Salat · D 627
D 5 · D 5ᵉ · GARONNE · D 117

Aspet · St-Lizier · D 117
Jardins · St-Girons
des Sortilèges
D 618 · D 618
D 618 · Col de
1069 · Portet-d'Aspet
Col · Ger de Boutx · D 618 · Castillon-en-
e Menté · Le Couret · Couserans · D 4
49 · D 618 · D 618
Le Mourtis

D 17 · D 3

AUTOUR DE SAINT-GAUDENS

0 — 4 km

3

Vallée de la Pique ★★ Mérite un détour

Valcabrère ★ Intéressant

Tournay · À voir

➡ Itinéraire conseillé avec
ville de départ

N 230

C 28

N

LLEIDA / LÉRIDA · C · D

Saint-Gaudens

11 000 Saint-Gaudinois – Haute-Garonne (31)

☺ NOS ADRESSES PAGE 268

⊞ S'INFORMER

Office du tourisme de Saint-Gaudens – *2 r. Thiers - 31800 St-Gaudens -*
℘ 05 61 94 77 61 - www.tourisme-stgaudens.com - tlj sf dim. 9h-12h, 13h30-
18h ; juil.-août : consulter l'office de tourisme - fermé 1er janv., 1er nov. et
25 déc.

◖ SE REPÉRER

Carte de la microrégion B1 *(p. 264)* – *carte Michelin Départements 343 C6.*
Accessible par l'A 64, Saint-Gaudens se trouve à 100 km de Toulouse et
à 70 km de Tarbes.

☺ À NE PAS MANQUER

Les chapiteaux historiés ; les tapisseries et le chœur de la collégiale
Saint-Pierre-et-Saint-Gaudens.

**Ancienne capitale du Nébouzan, Saint-Gaudens est aujourd'hui sous-
préfecture de la Haute-Garonne. À mi-chemin entre Toulouse et l'Espagne, la ville jouit d'une situation privilégiée face au massif du Cagire et
face aux Pyrénées que l'on peut admirer depuis ses belvédères.**

Se promener

★ Les belvédères

Une voie panoramique de près de 2 km de long est constituée par le boulevard Jean-Bepmale prolongé, au sud-ouest, par le boulevard des Pyrénées.
Depuis les **belvédères★**, en particulier à côté du **monument des Trois-
Maréchaux** (Foch, Joffre et Gallieni, tous trois pyrénéens), s'offrent de
belles vues sur la chaîne des Pyrénées ariégeoises jusqu'au massif de la
Maladetta *(table d'orientation, fort utile pour qui souhaite identifier les différents sommets).*

Jardin public

Il est orné, au sud-ouest, d'une série de colonnes jumelées, vestiges de l'ancienne abbaye de Bonnefont.

Collégiale Saint-Pierre-et-Saint-Gaudens

Ce bel édifice roman se compose d'une nef centrale à cinq travées et de deux
bas-côtés surmontés de tribunes voûtées en demi-berceau. À l'intérieur, une
minuterie met en valeur le patrimoine artistique de la collégiale. Les nombreux chapiteaux historiés coiffant les colonnes trouvent ainsi un éclat particulier. De belles tapisseries d'Aubusson du 18e s. garnissent les collatéraux
(voir notamment *Le Martyre de saint Gaudens* et *Le Triomphe de l'Église,* inspiré
de Rubens). Avec ses stalles du 17e s. et sa tribune, le chœur est remarquable.
Notez le buffet d'orgue sculpté et en partie doré, qui s'inspire du style classique du 17e s.
De l'angle de la place Jean-Jaurès et de la rue Thiers, belle vue d'ensemble
sur le chevet de la collégiale.

SE LOGER

Commerce (Hôtel du)... ⑤

SE RESTAURER

Pyrène (La).....................⑧

Monument des Trois-Maréchaux..........B

Musée de St-Gaudens et du Comminges.........M

Cloître – Adossé au flanc sud de la collégiale, ce cloître du 12e s., démoli en 1807, a été reconstitué entre 1986 et 1989 avec ses arcades, colonnes et chapiteaux historiés qui, côté église, sont de facture commingeoise et, côté salle capitulaire, de style gothique (14e s.). À l'ouest, le dallage dessine le tracé des fondations de l'ancien collège des chanoines.

Musée de Saint-Gaudens et du Comminges

℘ 05 61 89 05 42 - de mi-mai à fin sept. : tlj sf dim. et lun. 9h-12h, 14h-18h - possibilité de visite guidée (1h30) sur demande 1 j. à l'avance - fermé j. fériés - 3 € (enf. gratuit).

Le sous-sol, où l'on peut voir une importante collection minéralogique, est surtout réservé au folklore et aux traditions populaires. Les métiers traditionnels (cordonnier, sabotier, tisserand, tailleur de pierre), des outils de la ferme et la reconstitution d'un intérieur rural commingeois avec son mobilier, ses ustensiles de ménage et ses personnages en costumes d'époque évoquent la vie d'autrefois.

Au rez-de-chaussée est présentée une importante collection issue de la manufacture Fouque-Arnoux en activité de 1830 à 1878. Des porcelaines de Valentine y sont également exposées. Parmi les objets d'art religieux, remarquez un Christ en Croix du 13e s., offert par Louis XIV à une noble famille de verriers du Quercy, et un bel ensemble de statues en bois polychrome du 14e s. Quelques souvenirs des maréchaux pyrénéens de la guerre 1914-1918 complètent les collections du musée.

LES MARÉCHAUX DE SAINT-GAUDENS

On ne sait pourquoi les Pyrénées ont donné tant de maréchaux aussi bien sous l'Empire que lors de la Première Guerre mondiale. Économes, les Saint-Gaudinois en honorent trois en un seul monument : le Catalan Joffre (de Rivesaltes), Gallieni (de Saint-Béat, Haute-Garonne) et Ferdinand Foch (1851-1929), Tarbais peut-être, mais qui fit de fréquents séjours à Valentine.

GAUDENTIUS LE MARTYR
Le jeune berger Gaudentius fut, en 475, martyrisé dans la région (bien que le persécuteur fût Euric, roi des Wisigoths, la légende n'hésite pas à mettre en cause les malheureux Sarrasins…). C'est donc en son honneur que l'ancien Mas-Saint-Pierre fut rebaptisé « Saint-Gaudens ».

À proximité Carte de la microrégion

Valentine B1
◗ *2 km au sud-ouest par la route de Bagnères-de-Luchon (D 5).*
Villa gallo-romaine – ✆ *05 61 89 05 91 - visite guidée (1h) sur demande à la mairie 2 j. à l'avance - gratuit.* Outre le souvenir du maréchal Foch, Valentine conserve un villa gallo-romaine qui appartint à Nymfius, gouverneur de la province d'Aquitaine au 4e s. Derrière un bâtiment de façade, une cour d'honneur longue de 52 m, qui était entourée d'un portique, donne accès à une vaste piscine en hémicycle, autrefois alimentée (canalisations visibles) par les eaux thermales captées au village voisin. Plusieurs des colonnes de marbre gris qui la cernaient ont été redressées. Au-delà, on reconnaît la salle de réception, carrée avec absides d'angle. Les appartements s'ordonnaient autour d'une cour à péristyle de 33 m de côté. Remarquez, à droite du chemin, une grande salle chauffée par hypocauste à conduits rayonnants.
À 50 m au sud-ouest de la villa se trouvent des vestiges d'édifices religieux. On reconnaît le tracé d'un temple. Au fond, à l'angle gauche, vous pouvez voir les murets d'une chapelle paléochrétienne à abside carrée, qui fut aménagée à partir du mausolée de Nymfius. D'autres bâtiments postérieurs ont été mis au jour. De nombreuses tombes attestent la présence de nécropoles sur les lieux entre le 4e et le 13e s.

☺ NOS ADRESSES À SAINT-GAUDENS

HÉBERGEMENT

BUDGET MOYEN
Hôtel du Commerce – *2 av. de Boulogne -* ✆ *05 62 00 97 00 - www.commerce31.com - fermé 18 déc.-11 janv. - 48 ch. 57/75 € - ☕ 9 € - rest. 21/37 €.* Construction moderne à deux pas du centre-ville. Les chambres, fonctionnelles, sont diversement meublées et toutes climatisées..Au restaurant, couleurs ensoleillées, mélange d'ancien et de contemporain et carte où le cassoulet figure en bonne place.

RESTAURATION

BUDGET MOYEN
La Pyrène – *60 av. Joffre -* ✆ *05 61 89 60 98 - fermé mar. soir et dim. soir -* 🅿 *- formule déj. 11 € - 14,90/31 €.* En sortant de St-Gaudens, vous trouverez facilement ce restaurant-pizzeria où l'on déguste en toute simplicité des recettes presque 100 % « maison » (buffets d'entrées et de desserts compris). Le service, efficace, n'est pas en reste, et si le lieu peut s'avérer bruyant en été, la terrasse ombragée vous tend les bras.

Les faïences de Martres-Tolosane.
S. Sauvignier / MICHELIN

Aurignac

1 136 Aurignaciens – Haute-Garonne (31)

NOS ADRESSES PAGE 273

S'INFORMER

Office du tourisme d'Aurignac – *Pl. de la Mairie - 31420 Aurignac - ☎ 05 61 98 70 06 - www.aurignac.fr - mar., vend. 9h-12h30, 14h-18h, sam. 9h30-12h30, 14h-16h.*

SE REPÉRER

Carte de la microrégion C1 *(p.264)* – *carte Michelin Départements 343 D5.* 22 km au nord-est de Saint-Gaudens, au confluent du Salat et de la Garonne.

À NE PAS MANQUER

Les abords de l'abri préhistorique ; les panoramas depuis le donjon et les carrières de Belbèze ; la « vache d'Alan ».

ORGANISER SON TEMPS

Si la ville se parcourt rapidement, les alentours méritent plus de temps. Comptez une demi-journée, haltes et flâneries comprises.

Aurignac est l'ancienne ville forte des comtes de Comminges, qui s'étire sur l'une des dernières rides des Pyrénées, à l'ouest de la Garonne. Elle possède de nombreuses maisons médiévales et Renaissance ainsi qu'une église dotée d'un porche remarquable. Aurignac constitue surtout un site préhistorique important. Son nom attribué à l'une des civilisations du Paléolitique, est mondialement connu des préhistoriens. Un paléontologue averti vous dira que cette civilisation était contemporaine de celle de Cro-Magnon qui, au Paléolithique supérieur, a succédé au Moustérien.

Se promener

L'**abri préhistorique** est situé à la sortie d'Aurignac, sur la route de Boulogne-sur-Gesse (D 635). *Accès libre.*

Musée de la Préhistoire

Fermé - sera remplacé par un musée-forum, en cours de construction à l'entrée sud de la ville. Réouverture prévue fin 2010; se renseigner au ℘ 05 61 98 90 08. Abri préhistorique visible.

Fouilles d'Aurignac : outillage (dont les typiques grattoirs « carénés » aurignaciens), ossements d'animaux (ours, hyène, rhinocéros, lion) recueillis par F. Lacorre en 1938-1939 près de la grotte. Hommage à Édouard Lartet.

Église Saint-Pierre

Tout à votre intérêt pour la vie de ces lointains ancêtres, il ne faut pas en négliger pour autant le **porche** et le portail (de style gothique flamboyant) du clocher fortifié élevé au 16e s., seule partie de l'église à présenter quelque intérêt. Provenant d'une église détruite (l'église Saint-Michel), le porche présente quatre colonnes torses (très rares en France). Les chapiteaux historiés, dégrossis en quartiers d'hexagone lorsqu'on les regarde depuis la rue, présentent, vus de l'intérieur du porche, la forme d'un dé. Au trumeau et au tympan du portail, deux statues superposées : une Vierge à l'Enfant, du 17e s., et *Le Christ attendant la mort*, du 15e s.

Donjon

Le **panorama★** se départage de part et d'autre du sommet du Cagire, lourde montagne boisée caractéristique du second plan. À gauche, les Pyrénées ariégeoises et le massif de la Maladetta avec le pic d'Aneto ; à droite, le massif glaciaire de Luchon, l'Arbizon et le pic du Midi de Bigorre.

Itinéraire conseillé Carte de la microrégion

ENTRE GARONNE ET SALAT

◗ *70 km – compter environ 1h30. Quitter Aurignac au nord-est par la D 8, puis continuer sur la D 10 vers Alan.*

BONNE PIOCHE !

Tout commence en 1852 par le coup de pioche d'un terrassier local qui met au jour, sous une roche, un abri funéraire. Sur le coup, la découverte n'émeut pas grand monde : les guerres religieuses sont passées par là et les nécropoles abondent en pays gascon. Les squelettes sont ensevelis au cimetière communal et plus personne à Aurignac ne repense à l'affaire… jusqu'en 1860, lorsque l'attention du préhistorien gersois **Édouard Lartet** (1801-1871) est attirée par le gisement. Il entreprend aussitôt des fouilles et sa récolte de silex et d'os taillés est assez fructueuse pour lui permettre d'ébaucher une première chronologie du Paléolithique.

C'est une grande aventure scientifique qui commence, du vivant de Lartet, par la découverte, aux Eyzies-de-Tayac, des squelettes de Cro-Magnon, type humain témoin de la période aurignacienne. Les travaux **Édouard Lartet** ont contribué à la renommée de la petite cité dans le milieu scientifique.

Alan C1

Cette bastide, fondée en 1270 par le sénéchal Eustache de Beaumarchés, devint une des résidences préférées des évêques de Comminges. Elle garde ses douves encore en eau, quelques vestiges de remparts et une porte gothique. Sur la place se dresse l'église, reconstruite au 18e s., mais portant encore un clocher-mur à trois étages, du 14e s.

Palais des Évêques – ℘ 05 61 98 90 72 - visite guidée - juil.-sept. : sam. 15h-18h, dim. : 15h-18h ; reste de l'année : sur rendez-vous - 3 €. À gauche de la Grand-Place, un portail en fer forgé surmonté d'une mitre donne accès au palais, dont les bâtiments s'ordonnent autour d'une cour intérieure. Une tourelle d'escalier, percée d'une porte de style gothique flamboyant (15e s.), est surmontée d'un tympan sculpté en haut relief représentant la « **vache d'Alan** »★ qui porte au cou les armes de l'évêque Jean-Baptiste de Foix-Grailly (1466-1501), auteur de ces embellissements. Au linteau, devise latine : *Diligentes pacem quiescite nobiscum* soit : « Vous qui recherchez la paix, venez vous reposer avec nous. » La sculpture manqua d'être exilée par deux fois et ne dut sa sauvegarde qu'à l'opposition farouche de la population, puis au sauvetage, à partir de 1969, du palais des Évêques, alors en ruine.
Poursuivre sur la D 10.

Martres-Tolosane D1

🛈 *Pl. Henri-Dulion - 31220 Martres-Tolosane - ℘ 05 61 98 66 41 - www.tourisme-martres-tolosane.fr - de mi-juin à mi-sept. : 9h30-12h30, 13h30-18h30 ; reste de l'année : tlj sf dim. 9h-12h30, 13h30-17h30.*

La cité s'ordonne autour d'un anneau de boulevards cernant le quartier d'où pointe le clocher gothique de l'église. Elle s'élève sur le territoire de l'ancien domaine gallo-romain de Chiragan dont la villa a livré près de 300 statues et bustes, déposés au musée Saint-Raymond de Toulouse.

L'**église Saint-Vidian**, qui remonte au 14e s., s'élève à l'emplacement d'une basilique funéraire, elle-même fondée sur une nécropole paléochrétienne (d'où sans doute le nom de Martres, désignant en occitan, d'après le latin *martiri*, un cimetière). Outre les sarcophages, on remarque dans la nef, à gauche, la chapelle Saint-Vidian qui s'ouvre sous l'ancien portail de l'église romane. Les reliques du martyr sont disposées dans un monument de pierre de style flamboyant.

Musée Angonia – ℘ 05 61 98 66 41 - www.tourisme-martres-tolosane.fr - juin-sept. : lun.-sam. 9h30-12h30, 13h30-18h30 ; oct.-mai : lun.-sam. 9h30-12h30, 13h30-17h30 - gratuit, visite guidée à partir de 5 pers. (2 € par pers.). Situé à proximité de l'église, ce musée retrace l'histoire de la ville, cité faïencière depuis le 18e s. Le rez-de-chaussée est consacré aux producteurs locaux, le 1er étage à la faïence des 18e et 19e s. À cet étage, on peut également voir une exposition sur le site de Chiragan : genèse et histoire des fouilles, qui ont eu lieu au 19e s., suite à un « miraculeux » orage qui a fait ressortir du sol d'exceptionnelles sculptures. Si vous n'avez pas le temps d'aller les voir au musée à Toulouse, une petite vidéo permet ici d'en avoir un aperçu.
Suivre la D 10 le long de la Garonne.

Cazères D1

🛈 ℘ 05 61 90 06 81 - ot.cazeres@neufbusiness.fr - juil.-août : 9h-12h30, 15h-18h30, dim. 10h-12h30 ; reste de l'année : mar.-sam. 9h-12h, 14h-17h.

Cette ancienne étape de pèlerins et de marchands, sur la route qui mène de Toulouse aux Pyrénées, est un important centre de batellerie sur la Garonne. Il tire un agrément nouveau de sa position sur le léger abrupt d'une rive concave

FAÏENCE D'APOTHICAIRES

Martres-Tolosane est célèbre depuis le 18e s. pour sa faïencerie *(voir nos adresses)* qui utilise encore des techniques ancestrales. Après avoir été entreposée neuf mois pour le « pourrissement », l'argile calcaire est pétrie et façonnée en « croûtes », qui sont estampées sur des moules en plâtre reproduisant des œuvres anciennes ou des créations. Après le démoulage, l'ébarbage (nettoyage) et le séchage, la pièce est cuite une première fois. L'émaillage se fait ensuite par trempage, puis les décors sont appliqués sur émail cru, selon la technique de la faïence au grand feu. La pièce subit alors une seconde cuisson au four à 940 °C. Les décors ? Ce sont souvent des motifs traditionnels : décors de Moustiers, ibis, rose de Samadet et de Montpellier, grotesques, vieux Martres, fleur mauve ou bleue sur émail jaune. Autrefois, la faïencerie de Martres-Tolosane fournissait aux apothicaires des pots à onguents, des vases divers, des pots-canons portant des inscriptions décrivant leur contenu.

du fleuve, depuis qu'un barrage EDF en a rehaussé le niveau, créant ainsi un plan d'eau propice aux activités nautiques. L'**église**, des 14e et 15e s., conserve un **trésor** présentant des bustes-reliquaires (sainte Quittérie), des vêtements sacerdotaux et des documents ayant trait à l'histoire locale (confréries, pèlerinages). Sur les fonts baptismaux à cuve décagonale, remarquez l'agneau et la croix du diocèse de Rieux sculptés.

Traverser la Garonne en direction de Couladère. Au niveau de Mauran, prendre la D 83 à gauche. Vues très dégagées sur les Petites Pyrénées, particulièrement avant Ausseing.

★ Panorama des carrières de Belbèze D1

🚶 *1/4h à pied. Laisser la route de Belbèze-en-Comminges et prendre à gauche l'itinéraire signalé « Table d'orientation ».* Du parking, on monte à vue vers la table d'orientation érigée sur un versant pierreux de la montagne : panorama sur la dépression du Salat et les Pyrénées ariégeoises ; sur la droite, le pic du Midi de Bigorre, le pic de Montaigu et les derniers contreforts pyrénéens vers le Pays basque. La pierre extraite des carrières de Belbèze a souvent été utilisée à Toulouse.

Emprunter la D 26 puis la D 52 sur la gauche pour rejoindre Mazères-sur-Salat. Tourner à gauche dans la D 13.

Salies-du-Salat C1

🛈 *Bd Jean-Jaurès - 𝒫 05 61 90 53 93 - http://salinea.free.fr - juil.-août : lun.-sam. 10h-12h, 13h30-17h30 ; reste de l'année : lun.-vend. 10h-12h, 13h30-17h30.* Station thermale et climatique possédant l'eau la plus minéralisée d'Europe (322 g de sels par litre), Salies-du-Salat occupe un site agréable et verdoyant dans les premiers contreforts des Pyrénées, au bord du Salat. De vieilles maisons restaurées (autour de la rue de la République où l'on pourra voir une halle aux grains du 18e s.), des parcs ombragés et des rues piétonnes agrémentent la visite. Juchées sur un promontoire, les ruines du château (12e s.) et de l'église au clocher-fronton offrent une belle vue sur la vallée et, par temps clair, sur la chaîne des Pyrénées.

Prendre la D 117 vers le nord.

Saint-Martory C1

🛈 *17 r. des Écoles - 𝒫 05 61 97 40 48 - www.petitespyrenees.com - lun.-vend. 10h-12h, 14h30-17h.*

Le nom de la ville évoque le martyre de chrétiens sous les coups des Sarrasins. Serrée entre la Garonne et la paroi abrupte de l'Escalère, la localité possède un **pont** à trois arches, de 1727, qui s'inscrit dans une perspective monumentale. À l'arc triomphal de la rive droite répond sur la rive gauche, au-delà du carrefour central, une porte de ville traitée dans le même style. Le **barrage** élevé à hauteur de l'église dévie une partie des eaux de la Garonne dans le canal de Saint-Martory, long de 70 km, creusé de 1846 à 1877 pour l'irrigation des hautes terrasses sèches de la Garonne, jusqu'aux abords de Toulouse. Saint-Martory a vu naître en 1897 le spéléologue Norbert Casteret, explorateur de nombreux gouffres et grottes, et qui a dissipé en 1931 le mystère des sources de la Garonne.

Suivre au nord-est la N 117 sur 3 km.

Menhirs de Mancioux C1

Ils sont situés au bord de la route, dans la cluse de Boussens. Cette coupure de la Garonne à travers les Petites Pyrénées, grande voie de passage et d'invasion, consiste en chaînons calcaires habités dès la préhistoire. Les menhirs furent conservés par les Romains comme balises, à une bifurcation de la voie romaine menant de Toulouse à Saint-Bertrand-de-Comminges.

Poursuivre sur la N 117, emprunter à gauche la D 635 pour regagner Aurignac.

😊 NOS ADRESSES À AURIGNAC

HÉBERGEMENT

BUDGET MOYEN

Hôtel du Parc – *6 r. d'Austerlitz - 31260 Salies-du-Salat -* 📞 *05 61 90 51 99 - www. hotelduparcsaliesdusalat. com - fermé vac. de Printemps et 23 déc.-3 janv. -* 🅿 *- 21 ch. 49 € -* ☕ *7 €.* Dans le parc du casino, construction bien entretenue datant des années 1920. Chambres pratiques insonorisées. Formule buffet au petit-déjeuner, service en terrasse l'été.

ACHATS

Faïencerie du Matet – *15 r. du Matet - 31220 Martres-Tolosane -* 📞 *05 61 98 81 30 - www.matet. com - tlj : 8h-12h, 14h-18h, dim. sur RV - fermé 1er janv., 1er Mai et 25 déc.* Spécialisée dans la réalisation artisanale de faïences pour la maison et les arts de la table, cette entreprise perpétue une tradition de trois siècles. La visite *(gratuite)* permet de découvrir les étapes de la fabrication : explications sur le tour, le coulage, le four, la cuisson et la décoration.

AGENDA

Fête de la Saint-Vidian – Le dim. de la Trinité (en juin) à Martres-Tolosane. Reconstitution de la bataille qui coûta la vie à Vidian, au 9e s.

Montmaurin

212 Montmaurinois – Haute-Garonne (31)

😊 NOS ADRESSES PAGE 277

▶ **SE REPÉRER**

Carte de la microrégion B1 *(p.264) – carte Michelin Départements 343 B5.* Dans la région des coteaux de Gascogne drainée par la haute Save, Montmaurin est situé à 10 km au sud de Boulogne-sur-Gesse, à l'écart de la D 653 qui relie cette petite cité à Montréjeau.

😊 **À NE PAS MANQUER**

La villa gallo-romaine ; le panorama depuis la table d'orientation, au nord de Montmaurin.

À Montmaurin, on trouve des points de vue sur les Pyrénées, l'accès aux gorges de la Save, mais, surtout, une étonnante villa gallo-romaine… bref, de quoi concilier amour de la randonnée et goût pour l'archéologie.

Se promener

LES TERRES DE NÉPOTIUS

Qui était ce Nepotius qui aurait laissé son nom à la région du Nébouzan ? Un homme fort riche puisque, au 4e s. de notre ère, ses héritiers disposaient à Montmaurin d'un terroir de quelque 7 000 ha et d'une villa, véritable palais de 200 pièces (4e s.), qui est aujourd'hui le principal centre d'intérêt du village.

La villa gallo-romaine de Montmaurin.
M.-H. Carcanague / MICHELIN

Villa gallo-romaine

☎ 05 61 88 74 73 - http://montmaurin.monuments-nationaux.fr - ♿- *possibilité de visite guidée (1h30) sur demande 15 j. av. - mai-août : 9h30-12h, 14h-18h ; reste de l'année : tlj sf lun. 9h30-12h, 14h-17h - fermé 1ᵉʳ janv., 1ᵉʳ Mai, 1ᵉʳ et 11 Nov., 25 déc. - 3 € (– 18 ans gratuit).*

Il s'agit en fait d'une vaste exploitation composée d'une *villa rustica* (1ᵉʳ s.) qui concentrait ses bâtiments agricoles autour de la résidence du maître des lieux, comme dans nos grands domaines agricoles de plaine. Après sa destruction (peut-être due à une crue de la Save), cette demeure fit place, au 4ᵉ s., à un palais de marbre, clos sur lui-même et éloigné des bâtiments utilitaires dispersés sur les terres. Délassement, loisirs et accueil inspirèrent la conception de cette *villa urbana*, dotée de jardins, de portiques et d'un nymphée. Deux cents pièces étaient réparties autour de trois cours en enfilade, agrémentées de péristyles et de pergolas. À gauche de la cour centrale, à proximité des cuisines et des jardins, les salles exposées au nord-ouest étaient en partie chauffées et servaient sans doute de salles à manger. Au nord-est, l'ensemble s'achevait sur des appartements d'été surélevés, aux terrasses étagées. Quant aux thermes, ils étaient installés du côté des communs.

Des gentlemen-farmers qui ne se refusaient rien : tels semblent avoir été les occupants de la villa, qui disposaient de thermes privés et du chauffage assuré par la circulation d'air chaud sous les dallages (hypocaustes)… De plus, extrêmement raffinés, ils avaient pour habitude de consommer régulièrement des huîtres !

Musée

☎ 05 61 88 17 18 - *mai-août : 9h30-12h, 14h-18h ; reste de l'année : tlj sf lun. 9h30-12h, 14h-17h - fermé 1ᵉʳ janv., 1ᵉʳ Mai, 1ᵉʳ et 11 Nov., 25 déc. - 1 €.*

Aménagé au rez-de-chaussée de la mairie, il comprend deux salles, l'une consacrée aux fouilles préhistoriques et aux chercheurs qui illustrèrent la région, l'autre à la civilisation gallo-romaine. Une maquette de la villa et des découvertes faites sur le site de celle-ci, dont un buste d'adolescent, retiennent tout particulièrement l'attention.

À proximité Carte de la microrégion

Table d'orientation

▶ À 800 m au nord de Montmaurin, on découvre un **panorama**★★ très étendu, allant des Pyrénées ariégeoises au pic du Midi de Bigorre et au pic de Ger. La trouée de la Garonne dévoile le massif de la Maladetta et la partie glaciaire des montagnes frontières de Luchon.

Saint-Plancard B1

▶ *8 km au sud par la D 69^C, puis la D 633 en direction de Montréjeau.*
Édifiée à l'emplacement d'un sanctuaire gallo-romain, la chapelle **Saint-Jean-des-Vignes** (début du 11ᵉ s.) a livré des stèles, des autels votifs et des monuments funéraires. Son décor peint, peu distinct *(l'interrupteur face à l'entrée est le bienvenu)*, remonte par endroits à la fin du 11ᵉ s. Dans l'abside principale, à gauche, trône le Christ en gloire entouré des évangélistes. Au centre défilent les Mages, tandis qu'à droite se superposent la Crucifixion et l'Ascension. Le décor de l'absidiole sud montre au cul-de-four le Christ trônant dans une mandorle en forme de huit, soutenue par quatre anges très expressifs ; les parois sont consacrées à la mission de saint Jean-Baptiste. À droite de l'entrée, le péché originel.

Notre-Dame-de-Garaison B1

▶ *18 km à l'ouest de Montmaurin par la D 17, puis la D 34 à droite après Balesta.*
Ici, la Vierge est apparue à une bergère. C'est la raison pour laquelle, dans ce vallon isolé du plateau de Lannemezan, un sanctuaire de pèlerinage est né… puis un couvent qui se voua d'abord à l'évangélisation des campagnes et, depuis 1847, à l'éducation. La visite commence par le **collège**, élégant bâtiment Louis XIII.
La **chapelle** permet de découvrir, dans le vestibule, des peintures naïves (1702) représentant les pèlerinages du passé avec leurs files de pénitents encagoulés de blanc, bleu, gris ou noir, suivant la couleur de leur confrérie. Dans le vaisseau, très beau **mobilier**★ du 17ᵉ s., œuvre du sculpteur toulousain Pierre Affre. Autour de la Pietà du 16ᵉ s., s'ordonnent, dans un cadre de boiseries noir et doré, 12 statues de prophètes et d'héroïnes de l'Ancien Testament. Dans la 1ʳᵉ chapelle de gauche, admirez un Christ du 17ᵉ s. D'importants fragments de peintures murales du 16ᵉ s. ont été dégagés : remarquez en particulier la représentation du site de Garaison vers 1550 *(haut des parois nord et sud de la nef)*, les scènes de la vie de sainte Catherine *(1ʳᵉ chapelle à droite)* et de la vie de saint Jean-Baptiste *(2ᵉ chapelle à droite)*.
Le **manoir de Garaison** est situé en face du collège, de l'autre côté de la route. Ses bâtiments d'époque Henri IV s'organisent autour d'une cour. Ils comprennent une maison d'habitation à pans de bois et galets, une étable-écurie, une bergerie, des hangars ainsi qu'une métairie.
Pour compléter la visite de Garaison, un tour à l'**église** paroissiale de **Monléon-Magnoac** *(7 km au nord par la D 9)* permet d'apercevoir des boiseries et des statues (notamment celles des Évangélistes) provenant du sanctuaire.

Itinéraire conseillé

GORGES DE LA SAVE

◗ *12 km – compter 1h. Descendre la vallée de la Save sur 1 km, puis traverser la rivière.*

Château de Lespugue

C'est dans ce vallon que fut découverte une statuette de femme… aux formes pour le moins rebondies, baptisée la « Vénus de Lespugue ». Taillée dans une défense de mammouth, on peut en voir un moulage à la mairie de Montmaurin (l'original est au musée des Antiquités nationales de Saint-Germain-en-Laye). Descendez à pied à travers la belle chênaie du vallon et, remontant directement à travers bois sur le versant opposé, gagnez (prudemment) les ruines de cette forteresse du 13ᵉ s., au bord d'un à-pic des gorges de la Save.
Reprendre la voiture et descendre Jusqu'à la Save. Aussitôt avant le pont, tourner à gauche.

Gorges de la Save

La rivière, en s'encaissant, a mordu ici dans les plis calcaires qui prolongent les Petites Pyrénées. Plusieurs abris-sous-roche, fouillés de 1912 à 1922, ont permis de mettre au jour du matériel magdalénien et azilien.

La Hillère

À la sortie des gorges, en contrebas de la route, des fouilles ont révélé un sanctuaire des eaux (temples, thermes, fontaine et marché) construit autour d'une résurgence de la Save au 4ᵉ s.
Remonter au bourg de Montmaurin.

😊 NOS ADRESSES À MONTMAURIN

RESTAURATION

PREMIER PRIX
Auberge « La Ferme de Préville » – *Rte d'Auch - 31350 Boulogne/Gesse - ℘ 05 61 88 23 12 - www.preville.fr - fermé de fin août à déb. sept., fêtes de fin d'année et le w.-end -* ♿ *-* 🅿 *-* 🚭 *- formule déj.* 10 € 13/35 €. Poutres et meubles en bois : le décor de cette auberge est résolument rustique mais nouvellement rénové. La cuisine, élaborée uniquement avec les produits des fermiers locaux, privilégie le canard et l'agneau (élevé sur place). Atelier de cuisine le lundi soir suivi d'un repas.

Saint-Bertrand-de-Comminges

★★

252 Saint-Bertranais – Haute-Garonne (31)

NOS ADRESSES PAGE 286

S'INFORMER

Les Olivétains – *Parvis de la cathédrale* - ☎ *05 61 95 44 44* - *www.tourisme31. com* - *juil.-août : 10h-19h ; avr.-juin et sept.-oct. : 10h-18h ; nov., déc., fév.-mars : tlj sf lun. 10h-17h - fermé janv. (hors vac. scol.).* Ce centre touristique départemental, installé dans un ancien couvent du 19ᵉ s., propose de la documentation sur la région et abrite une librairie (histoire, histoire de l'art, régionalisme, randonnée, musique, spiritualité, jeunesse). La salle de la chapelle présente une exposition archéologique organisée par le musée départemental, avec des marbres issus des fouilles effectuées sur le site de Saint-Bertrand-de-Comminges. *Entrée gratuite.*

Les Olivétains organisent des visites guidées de la cathédrale, de la basilique St-Just, de la cité médiévale et du site antique sur réservation (groupe d'au moins 15 pers.) - ☎ *05 61 95 44 44* - *7 €.*

Maison de la Haute-Garonne – *Aire du Comminges - sortie 17 de l'A 64 (proche de l'échangeur de Montréjeau) - 31210 Clarac -* ☎ *05 62 00 88 11 - juil.-août : 10h-19h ; nov.-mars : 10h-17h ; reste de l'année : 10h-18h.* Informations touristiques, produits régionaux, librairie, presse.

SE REPÉRER

Carte de la microrégion B2 *(p.264)* – *carte Michelin Départements 343 B6.* Saint-Bertrand ne se trouve qu'à 10 km au sud de l'A 64, sortie 17 (Montréjeau, Luchon, Saint-Bertrand-de-Comminges). Une fois arrivé à proximité du village, nul danger de se perdre, la cathédrale se voit de loin.

SE GARER

En juil.-août, la route d'accès à la partie haute de St-Bertrand est fermée. Soit on laisse la voiture au parking, d'où l'on peut emprunter le petit train *(1 €)* ; soit on se gare sous les platanes de la grand-place (accès près du camping Es Pibous) et on prend les escaliers qui, bien qu'un peu raides, raccourcissent considérablement l'ascension.

À NE PAS MANQUER

Le cloître et les boiseries du chœur des chanoines, dans la cathédrale Sainte-Marie.

ORGANISER SON TEMPS

Démarrez la visite par les vestiges de la partie antique avant de grimper jusqu'à la cathédrale Sainte-Marie. Après une petite promenade dans les ruelles de la ville, vous redescendrez sur Valcabrère en direction de la basilique Saint-Just. Prévoyez au moins une demi-journée.

AVEC LES ENFANTS

La Maison des sources à Mauléon-Barousse.

Chapiteau de la basilique de Saint-Just de Valcabrère.
M.-H. Carcanague / MICHELIN

Dressée sur un piton rocheux avec pour toile de fond les premières hauteurs du Piémont pyrénéen, la ville ceinturée de remparts médiévaux domine le bassin de la Garonne. Dans la partie haute, les ruelles sont peuplée d'artisans d'art, de boutiques et de vieilles demeures à colombages. Depuis la cathédrale Sainte-Marie, à 515 m d'altitude, on peut contempler les pics neigeux du Cagire, du Gar ou du Montsacon... La partie basse, demeurée plus « authentique », moins touristique, conserve une activité pastorale et agricole.

Se promener

SITE ANTIQUE

Les fouilles ont permis de dégager, dans la partie basse, un temple consacré sans doute à Rome et à Auguste, deux établissements thermaux, un théâtre, une basilique paléochrétienne du 5e s. apr. J.-C., un marché précédé d'une grande place bordée de portiques, monuments publics attestant la réalité d'une cité populeuse et animée. À l'entrée de chacun de ces vestiges, visibles depuis le haut de la cité, est apposé un panneau explicatif.

★ CATHÉDRALE STE-MARIE

Accès payant (audioguides) au cloître, aux terrasses et dans la partie droite de l'église (trésor, stalles), accès libre dans le reste de la cathédrale - ☎ 05 61 89 04 91 (Bureau des guides) - mai-sept. : 9h-19h, dim. 14h-19h ; nov.-mars : 10h-12h, 14h-17h, dim. 14h-17h ; vac. scol. fév. : 10h-12h, 14h-18h, dim. 14h-18h ; avril et oct. : 10h-12h, 14h-18h, dim. 14h-18h - possibilité de visite guidée pour les groupes sur réservation - 4 € (+ 10 ans 1,50 €). La cathédrale comprend une partie romane : la façade, le porche et les trois travées occidentales. Le portail montre au tympan une Adoration des Mages et l'évêque saint Bertrand. Le reste de l'édifice est gothique.

ENTRE LÉGENDE ET RÉALITÉ

La tradition voudrait que le général romain Pompée ait fondé à la fin du 1er s. av. J.-C., *Lugdunum*, *civitas Convenarum*, la capitale des Convènes, du nom de la population locale. Mais l'archéologie ne nous dit rien de tel et la ville se développa surtout à partir du règne d'Auguste (27 av. J.-C. - 14 apr. J.-C.). Selon l'historien Flavius Josèphe, elle aurait servi à cette époque de lieu d'exil à Hérode Antipas, le tétrarque de Galilée qui fit décapiter saint Jean-Baptiste pour accéder au désir de sa belle-fille, Salomé. Mais là encore, il n'existe aucune preuve. Dans sa période la plus florissante, soit la seconde moitié du 2e s. apr. J.-C., la cité comptait entre 5 000 et 10 000 habitants et couvrait 32 ha. Elle déclina à la chute de l'Empire romain. Le déplacement de l'habitat du bas vers le haut, de la plaine vers la colline tel qu'on le connaît aujourd'hui, eut lieu au 5e s.

Vers 1120, Bertrand de L'Isle-Jourdain, évêque du Comminges et petit-fils du comte de Toulouse Guillaume Taillefer, lance la reconstruction de la cathédrale Sainte-Marie. Son œuvre est poursuivie par un autre Bertrand, de Got, devenu sous le nom de Clément V le premier pape d'Avignon. Plus tard, face au flot de pèlerins, ce dernier entreprit d'agrandir la cathédrale. Ces travaux ne s'achevèrent qu'en 1352. On accola le nom du saint patron de la ville à Comminges après sa canonisation vers 1220.

★★ Cloître

Une situation exceptionnelle en hauteur donne à ce lieu, au-delà de ses qualités architecturales, une spiritualité et une poésie particulières. La galerie sud, ouverte sur l'extérieur, confère au visiteur le rare privilège de pouvoir contempler le paysage alentour depuis le jardin clos.

Seule la galerie occidentale date de l'époque romane (12e s.). Quoique d'inspiration gothique, les galeries sud et est s'intègrent parfaitement à l'ensemble architectural. La galerie nord, située contre l'église, refaite aux 15e et 16e s., abrite quelques beaux sarcophages. Prenez le temps d'admirer les remarquables chapiteaux décorés d'entrelacs, de feuillages ou de scènes bibliques ainsi que le célèbre pilier **(1)** des quatre évangélistes (Matthieu, Marc, Luc et Jean), dont le chapiteau représente les signes du zodiaque associés à chaque saison de l'année.

★ Trésor

Au-dessus de la galerie nord du cloître ; accès par l'intérieur de l'église, à droite de la chapelle Sainte-Marguerite.

Dans la chapelle surélevée et l'ancienne salle capitulaire sont exposés des tapisseries de Tournai du 16e s., des vases sacrés et des ornements : chape de la Vierge et chape de la Passion (splendide travail de broderie liturgique dite anglaise) offertes en 1 309 par Bertrand de Got à l'occasion du transfert des reliques de saint Bertrand, mitre, gants, sandales et crosse de saint Bertrand en « corne d'alicorne » (défense de narval).

★★ Chœur des chanoines

Église de bois dans une église de pierre, ce chœur, réalisé grâce au mécénat de l'évêque Jean de Mauléon entre 1525 et 1535, est formé de splendides **boiseries★★** Renaissance, mélange d'art toulousain et italien. Le jubé **(2)**, la clôture du chœur **(3)**, le trône épiscopal **(5)** surmonté d'un dôme pyramidal à trois étages garnis de clochetons et enfin 66 **stalles★** dont 38 hautes et 28 basses sont richement ornés. Le travail du bois allie harmonieusement

CATHÉDRALE STE-MARIE

Légende :
- XIᵉ-XIIᵉ siècle
- XIIIᵉ siècle
- XIVᵉ siècle
- XVIᵉ siècle

N

Sacristie
Déambulatoire
6
4
★★Chœur
3 — 3
des
★ Trésor *(1ᵉ étage)*
5
chanoines
7
3 — Stalles — 3
Chapelle de la Vierge
2
CLOÎTRE ★★
10
9 8
NEF
1
Narthex

0 — 10 m

reliefs et marqueteries fines. Seules les stalles hautes possèdent de hauts dossiers surmontés d'un dais ou baldaquin. Les décors traitent d'une grande variété de sujets : religieux avec la vie de la Vierge et du Christ, des saints, et les Pères de l'Église ; également mythologiques et profanes. Les motifs les plus extravagants sont taillés dans les parcloses (séparations) et les miséricordes (mini sièges d'appui). Le retable du maître autel **(4)** en bois sculpté a malheureusement été recouvert au 18ᵉ s. de peintures peu subtiles.

Mausolée de saint Bertrand (6)
Commandé au 15ᵉ s. par l'évêque Pierre de Foix, il est adossé au chœur des chanoines. Édicule de pierre en forme de châsse (15ᵉ s.), il est couvert de peintures représentant les miracles de saint Bertrand.

Chapelle de la Vierge
À l'entrée, tombeau en marbre de Hugues de Châtillon **(7)**, qui termina la cathédrale au 14ᵉ s.

Nef et narthex
Au revers du jubé, les fidèles disposaient d'un espace réduit mais riche en mobilier. De biais dans l'encoignure, un superbe buffet d'**orgue★** du 16ᵉ s. **(8)** dont les sculptures traitent de sujets profanes (musiciens et leurs instruments, travaux d'Hercule). La chaire est du 16ᵉ s. **(9)**, l'autel paroissial (1621) **(10)** est décoré d'un beau devant d'autel (antependium) en cuir de Cordoue.

Musée départemental
Ancienne gendarmerie - ☏ 05 61 88 55 00 (salle d'exposition) ou ☏ 05 61 88 31 79 (musée) - juil.-août 10h-19h, sept. 10h-18h - gratuit.

Installé dans un bâtiment du 19ᵉ s. « l'ancienne gendarmerie », il ne se visite que partiellement. Il sert de lieu de conservation pour les objets trouvés sur le site antique de Saint-Bertrand-de-Comminges depuis 1920. Il abrite également une riche bibliothèque (plus de 2 000 volumes) accessible sur demande. Au rez-de-chaussée se trouve un espace réservé aux expositions temporaires d'art contemporain qui ont lieu l'été.

Itinéraires conseillés

Ancienne province de la Gascogne, située au cœur de la chaîne pyrénéenne, à mi-chemin entre l'Atlantique et la Méditerranée, le **Comminges** recouvre une partie des départements de la Haute-Garonne, de l'Ariège, du Gers et des Hautes-Pyrénées.

ENTRE GARONNE ET NESTE D'AURE ①

Pour visualiser ce circuit de 32 km, reportez-vous à la carte (p.283) - compter 45mn. Quitter Saint-Bertrand au nord-est par la D 26.

★ Basilique Saint-Just de Valcabrère

℘ 05 61 95 49 06 - juin-sept. : 9h30-19h ; mai : 10h-12h, 14h-19h ; reste de l'année : se renseigner - 2,50 € (– 10 ans gratuit) - audioguide - possibilité de visite pour les groupes, se renseigner aux Olivétains (voir S'informer).

Cette basilique romane est isolée au milieu des champs, entourée d'un cimetière de campagne planté de cyprès se prolongeant de l'autre côté par les restes d'un cloître. C'est face à son chevet que l'on a la vue la plus saisissante de Saint-Bertrand-de-Comminges.

L'édifice, bâti aux 11ᵉ et 12ᵉ s., en bonne part avec des matériaux provenant de la cité antique de *Lugdunum, civitas Convenarum*, est dédié à saint Just et saint Pasteur, deux jeunes frères mis à mort en Espagne pendant la persécution de Dioclétien, et à saint Étienne, premier martyr chrétien. En pénétrant dans le cimetière, on remarquera, de part et d'autre du portail, une belle inscription funéraire du 4ᵉ s., puis le portail latéral nord (12ᵉ s.) de l'église pour ses quatre statues-colonnes qui évoquent le martyre des trois saints patrons du lieu. Le quatrième personnage, une femme présentant une croix, serait sainte Hélène. Mais ce qui fait l'originalité de l'église, c'est son **chevet★** en « relief en creux », évidé de niches triangulaires encadrant un réduit central, rare exemple d'architecture romane où le constructeur a laissé libre cours à sa fantaisie à l'extérieur de l'édifice.

Pour une description en image, reportez-vous à l'ABC d'architecture p. 70.

À l'intérieur, vous remarquerez, face à l'entrée, la pierre tombale de la chrétienne Valeria Severa, du 4ᵉ s., vestige d'une importante nécropole qui devait s'étendre sur ces lieux. Des fragments de sarcophages enchâssés dans les murs, des frises antiques (boucliers, casques) rappellent la proximité de la ville romaine.

Emprunter la N 125 au nord de Valcabrère.

Montréjeau

22 pl. Valentin-Abeille - ℘ 05 61 95 80 22 - http://otimontrejeau.ifrance.com - juil.-août : tlj 9h30-18h30 ; reste de l'année : tlj 9h-12h, 14h-18h - fermé 1ᵉʳ janv., jeu. Ascension, 1ᵉʳ nov. et 25 déc.

Bâtie sur une terrasse dominant le confluent de la Neste et de la Garonne, cette ancienne bastide (prononcer Monréjeau), fondée en 1272, prend tout son caractère les jours de marché. Sa position d'observatoire a justifié l'aménagement de belles esplanades ou avenues panoramiques : place de

Verdun (halle et jardin public), place Valentin-Abeille (fontaine au centre, arcades sur les côtés, au n° 21 belle maison à colombages), boulevard de Lassus tracé en corniche. Les **vues★** s'étendent sur les Pyrénées luchonnaises, au-delà des monts boisés de la Barousse. On jettera volontiers un coup d'œil à l'église Saint-Jean-Baptiste, bâtie entre le 13ᵉ et le 15ᵉ s., qui possède une jolie voûte en carène de vaisseau.
Quitter Montréjeau à l'ouest (D 638).

Château de Valmirande

𝄞 06 21 05 40 16 (Yvonne Corrégé) - visite guidée (jardin et dépendances) de déb. juil. à mi-août : 16h ; reste de l'année sur demande - 5 € (– 12 ans 2 €).

Construit dans un domaine caché par de hauts murs, à la fin du 19ᵉ s. par le baron Bertrand de Lassus, le château de Valmirande (littéralement « la vallée qui s'émerveille ») offre une vue exceptionnelle sur Saint-Bertrand-de-Comminges et, au-delà, sur les sommets des Pyrénées : pic du Midi de Bigorre, Cagire et Maladetta. Surmonté d'un belvédère de 40 m de haut, richement ouvragé, son architecture rappelle les demeures Renaissance des bords de la Loire. La propriété, étendue sur une quarantaine d'hectares aménagés par les frères Bülher, abrite un lac, une fontaine, un puits en trompe-l'œil, un donjon et des dépendances formant un petit village. L'intérieur du château n'est pas accessible. La visite, agréable flânerie dans le parc et les jardins, riche de fragrances et d'essences (plus de 180 espèces d'arbres et d'arbustes), se partage entre les écuries, la sellerie et la chapelle.

La D 638 se transforme en D 938 à son entrée dans le département des Hautes-Pyrénées. Tourner à gauche au niveau de Saint-Laurent-de-Neste.

Nestier

Surprenant, ce **calvaire du mont Arès** ! En 1854, le curé de Nestier décida la construction de douze chapelles en pierre et lauze alignées au flanc du mont Arès. La douzième, la plus grande, est ornée sur son tympan d'une céramique représentant la Crucifixion du Christ. Un théâtre de verdure ajouté en 1990 abrite divers spectacles.

Emprunter la D 26 en direction de Saint-Bertrand-de-Comminges.

★ Grottes préhistoriques de Gargas

℘ 05 62 39 72 39 - www.gargas.org - *visite guidée (50mn) sur réservation - dernière entrée 1h avant fermeture - juil.-août : 10h-12h, 14h-18h ; hors sais : tlj, contactez le site pour les horaires- 7 € (6-16 ans 4 €) - nombre de visiteurs limité.*

Sur deux niveaux, ces grottes contiennent plus de 200 énigmatiques empreintes de mains aux phalanges incomplètes, peut-être mutilées. Ces peintures, réalisées « au pochoir » (mains négatives), pourraient se rattacher à un rituel de magie ou d'initiation. À voir également, des gravures d'animaux, mais aussi quelques belles peintures et concrétions.

LE PORTET D'ASPET [2]

Pour visualiser ce circuit de 88 km, reportez-vous à la carte (p.283) – compter environ 2h. 🛈 *Maison des 3 Vallées - r. Armand-Latour - 31160 Aspet -* ℘ 05 61 94 86 51 - http://otaspet.free.fr - *juil.-août : 9h-12h30, 14h30-18h30, dim. 9h30-12h30 ; reste de l'année : mar.-sam. 9h-12h30, 14h30-17h30 (sam. mat. d'oct. à mars) - fermé j. fériés sf juil.-août.* Quitter St-Bertrand au sud-est par la D 26 et gagner la N 125 que l'on prend à droite sur une douzaine de kilomètres. Traverser la Garonne par le pont de Chaum, tourner à droite puis, après le virage, à gauche dans la D 618. À droite apparaissent les ruines de la **tour de Fronsac**, vestiges d'une forteresse des comtes de Comminges.

Bastion des Frontignes

Du lacet après le village d'Antichan, **vue** sur le massif de Luchon et ses petits glaciers. *Table d'orientation.*

Poursuivre sur la D 618. La montée se poursuit, régulière, à travers le joli pays des Frontignes, jusqu'au col des Ares (797 m). *Après Juzet-d'Izaut et le col de Buret, prendre la D 5 à gauche pour rejoindre le village de Sengouagnet.*

Le jardin des Sortilèges

℘ 05 61 88 59 51 - *juil.-août : tlj sf lun. 10h-12h, 15h-18h ; juin et sept. : w.-end 10h-12h, 15h-18h - possibilité de visite guidée (1h) en juil.-août : 16h - fermé oct.-mai - 4 € (5-16 ans, étudiants 3 €), visite guidée 6 € (5-16 ans, étudiants 5 €).*

Ici, pas de buis taillés ni de parc à l'anglaise. Sept jardins à thème, fort intéressants, vous dévoilent les secrets de plantes courantes trop souvent ignorées : redécouvrez ainsi les multiples vertus de l'ortie ou l'utilisation culinaire des « mauvaises » herbes…

Faire demi-tour pour rejoindre la D 618 à gauche. Passé Henne-Morte, la montée s'accentue dans la vallée du Ger, à travers une belle gorge boisée, vers le col de Portet-d'Aspet.

Col de Portet-d'Aspet

Alt. 1 069 m. Panorama depuis les pentes en face du chalet-hôtel : le mont Valier (alt. 2 838 m), au dernier plan forme une pyramide sombre légèrement inclinée. À l'est du col, on pénètre dans le Couserans.

Faire demi-tour. Avant Henne-Morte, tourner à gauche dans la D 85, puis s'engager à droite sur la D 44 dans la côte de la Mole.

Le vallon resserré du haut Ger est semé de granges et de hameaux perchés, dont les églises possèdent des clochers-mur portant trois aiguilles à boules (Couret, Ger-de-Boutx). La route gravit le versant est du **col de Menté** (alt. 1 349 m). C'est dans la descente de ce col, en 1971, que sous un orage diluvien, le champion espagnol Luis Ocaña, alors maillot jaune, chuta et dut abandonner la victoire finale à Eddy Merckx. Plus tragique encore fut la chute, en 1995, dans le col de Portet-d'Aspet du coureur italien Fabio Casartelli, qui

devait y trouver la mort. Une plaque commémore ce funeste accident.
Au niveau du col, prendre à gauche vers Le Mourtis.

Le Mourtis
Station de sports d'hiver conviviale dont les chalets et les résidences, habités surtout à la saison du ski, sont disséminés sous une forêt de vieux sapins qui s'étend sur les vallées de la Garonne et du Ger.
Faire demi-tour et revenir sur la D 44.
La route redescend en décrivant quelques lacets puis plonge rapidement au-dessus des toits d'ardoise tout comprimés de Boutx et de Lez.

Saint-Béat
Ville natale du maréchal Gallieni et ancienne place forte, la « clé de la France » (comme le rappellent ses armes) commandait le débouché du val d'Aran vers la Gascogne. Les maisons grises baignées par le torrent se courbent en arc au fond de la gorge. Les marbres blancs ou gris ont fait la renommée de Saint-Béat dès l'époque romaine et au Grand Siècle, puisqu'ils furent utilisés pour les bassins et les statues du parc de Versailles. La carrière romaine est visible à la sortie du village, sur la D 44. L'église romane du village date du 11e s. Son portail présente un intéressant tympan sculpté figurant le Christ en majesté. La sacristie abrite un trésor remarquable : en particulier les statues en bois polychrome *Notre-Dame-de-l'Espérance*, *Saint Roch en pèlerin* ou *La Trinité*.
Revenir à Saint-Bertrand par les N 125, D 33 et D 26.

VALLÉE DE L'OURSE ③

▷ *Pour visualiser ce circuit de 12 km, reportez-vous à la carte (p.283) – compter 30mn. Quittez St-Bertrand au sud par la D 26 en direction d'Izaourt. Après 2 km, tourner à droite en direction de Mauléon-Barousse. Encore sauvage, la vallée de l'Ourse (ou de la Barousse) frappe par la multitude de villages lilliputiens semés sur ses pentes. On parvient à Bramevaque.*

Bramevaque
Château des Comtes de Comminges – ◦ *20mn AR, en montée depuis le petit parking de Bramevaque.* De ce château du 11e s. ne subsistent que des ruines. Au 15e s., Matthieu de Foix y enferma pendant vingt-deux ans son épouse la comtesse Marguerite de Comminges, dans l'attente d'hériter par elle du comté. Libérée par le roi de France, elle mourut au bout de quelques mois ; quant au Comminges, il échut à Matthieu de Foix jusqu'à sa mort, avant de revenir à la couronne de France, à la demande des Commingeois.
Du sommet du donjon restauré *(escalier étroit et sombre)*, on profite d'une belle vue sur la vallée.
Poursuivre le circuit par la D 925.

Mauléon-Barousse
Maison des sources – ℘ *05 62 39 23 85 - www.eau-barousse.com/page12. html - avr.-sept. : 10h-19h ; reste de l'année : 10h-18h - fermé lun. et 1er w. end de chaque mois - possibilité de visite guidée (1h30) et/ou de visite combinée avec les ouvrages du Syndicat des eaux Barousse Comminges Save (captage des sources, station de filtration et usine d'embouteillage) - 4 € (7-15 ans à 2 €) ; 6,50 € pour les billets combinés (7-15 ans 4 €).*
▲▲ Située dans un parc de 11 ha (arboretum, jeux pour enfants, pêche à la truite, tables de pique-nique), la Maison présente les traditions et les activités de ce pays de montagnes et de vallées : le bois, le marbre, l'élevage, le fromage mais surtout l'eau. Des maquettes explicitent son cycle, depuis sa captation jusqu'à son retour à la rivière, en passant par les différentes formes

de son utilisation et de son traitement. Dans une représentation de la grotte « abri du moulin », située près de Troubat, une vidéo évoque les modes de vie entre – 16 000 et – 8 000 ans av. J.-C. à partir d'objets tels qu'outils, armes et vertèbres de saumon…

Se diriger vers l'ouest (D 925), le long de l'Ourse de Ferrère.

Gouffre de Saoule

11 km de St-Bertrand au sud par la D 26ᴬ vers Luchon, puis la D 925 vers Sarp. Franchir le pont à Mauléon pour longer l'Ourse de Ferrère et laisser la voiture près du sentier. Pont naturel sur le torrent, dans un site ombragé (belvédère).

😊 NOS ADRESSES À SAINT-BERTRAND-DE-COMMINGES

HÉBERGEMENT

PREMIER PRIX

Chambre d'hôte Domaine de Jean-Pierre – *20 rte de Villeneuve - 65300 Pinas -* 📞 *05 62 98 15 08 - www.domainedejeanpierre. com -* 🅿 *-* 🚭 *- 3 ch. 55 € -* 🍽. Cette belle demeure, tapissée de vigne vierge, se niche à 600 m d'altitude, sur le plateau de Lannemezan, face aux Pyrénées. Ses chambres, vastes, calmes et meublées d'ancien, ouvrent sur le parc. L'été, les petits-déjeuners sont servis sur la terrasse.

BUDGET MOYEN

Hôtel L'Oppidum – *R. de la Poste -* 📞 *05 61 88 33 50 -* ♿ *- 16 ch. 49/79 € -* 🍽 *7 € - rest. formule déj. 18 € - 18,50/38 €.* Cet établissement jouit d'un bel emplacement, au pied de la cathédrale Sainte-Marie. Les chambres, dont une accessible aux personnes à mobilité réduite, sont peu spacieuses, mais correctement équipées ; l'une d'entre elles est dotée d'une terrasse.

RESTAURATION

PREMIER PRIX

Le Citron Bleu – *8 r. du Barry - 31210 Montréjeau -* 📞 *05 61 89 08 38 - fermé sam. midi et vend. - formule déj. 8,50 € - 12/30 €.* Tons jaunes dominant parsemés de touches bleues et frises

représentant des citrons… Pas de doute, vous êtes bien au Citron Bleu. On y prépare une cuisine régionale simple et appréciée des habitués. Galerie d'art au 1ᵉʳ étage.

BUDGET MOYEN

Chez Simone – *R. du Musée -* 📞 *05 61 94 91 05 - www.planet-artisans.com - fermé vac. de Toussaint, de Noël et le soir hors sais. -* 🅿 *-* 🚭 *- 17 €.* Ce restaurant vous accueille dans un sympathique cadre campagnard (poutres apparentes, toiles cirées Vichy, cuivres accrochés aux murs) ou sur sa jolie terrasse dressée sous les tilleuls. La cuisine est simple et familiale, et la poule farcie vous attend tous les dimanches

Relais du Castéra – *Pl. du Calvaire - 65150 Nestier -* 📞 *05 62 39 77 37 - www.hotel-castera.com - fermé 2-10 juin, 13-20 oct., 2-31 janv., dim. soir, mar. soir et lun. - 18/48 € - 6 ch. 55/75 € -* 🍽 *10 €.* Auberge de style campagnard où le décor soigné rend l'atmosphère des plus agréables. La cuisine puise son inspiration dans le terroir. Chambres coquettes et calmes.

ACTIVITÉS

Le **parcours cyclable de la Garonne** (100 km env.) relie Saint-Bertrand-de-Comminges à Carbonne (à 35 km de Toulouse). Il devrait à terme, s'étendre de

Luchon à Toulouse. Dépliant du parcours au ℘ 05 61 99 44 00.

ACHATS

Les Sabots d'Isa – ℘ 05 61 79 05 22 - www.sabotsdisa.com - atelier-boutique ouv. tte l'année, horaires variables. Fabriqués à la main, les sabots mêlent tradition et modernisme, produits naturels et savoir-faire dans une large gamme de modèles attrayants.

AGENDA

Festival du Comminges – Juil.-

août : concerts classiques dans la cathédrale de St-Bertrand-de-Comminges, la basilique St-Just de Valcabrère et la collégiale de St-Gaudens. ℘ 05 61 98 45 35 - www.festival-du-comminges.com.
Festival mondial de folklore – À Montréjeau, mi-août, 5 jours et 5 nuits animées par 500 participants venus des cinq continents : spectacles traditionnels costumés (danses, chants, musiques) et animations dans les rues. *Réservations à l'office de tourisme.* ℘ 05 61 95 80 22.

Bagnères-de-Luchon

★

2 619 Luchonnais – Haute-Garonne (31)

NOS ADRESSES PAGE 293

S'INFORMER

Office du tourisme de Luchon – *18 allées d'Étigny - 31110 Bagnères-de-Luchon - ℘ 05 61 79 21 21 - www.luchon.com - juil.-août : 9h-19h ; avr.-juin et de sept. à mi-déc. : 9h-12h30, 13h30-19h, dim. et j. fériés 9h-12h30, 14h-18h ; de mi-déc. à fin mars : 8h30-19h, dim. et j. fériés 8h30-12h30, 14h30-18h.*

SE REPÉRER

Carte de la microrégion B3 *(p.264)* – *carte Michelin Départements 343 B8*. À l'extrême sud du département de la Haute-Garonne, Bagnères-de-Luchon, dans la vallée de la Pique, attire une foule de curistes et de skieurs.

SE GARER

Attention, mieux vaut circuler à Luchon à pied, après avoir laissé la voiture au parking qui borde la D 618 (route d'Arreau), à l'entrée de la ville, ou, mieux, près des télécabines montant à Superbagnères. Un autre parking gratuit situé place du Marché, près des halles, est accessible tous les jours sauf les mercredis et samedis.

À NE PAS MANQUER

Le lac d'Oô ; la vallée de la Pique ; la Fête des fleurs.

ORGANISER SON TEMPS

Si vous partez en randonnée, emportez un pique-nique. Les bords du lac d'Oô s'y prêtent ! Profitez des thermes et du vaporarium en fin de journée.

⚇ AVEC LES ENFANTS
Une ascension vers Superbagnères à bord des œufs.

C'est la ville de cure la plus animée de la région. Elle se trouve dans un site épanoui, à mi-parcours de la route des Pyrénées, et surplombe des vallées où se cachent d'anciennes carrières de marbre. Les visiteurs y découvriront une large gamme de distractions, mais aussi un vaste choix de promenades et d'excursions. En hiver, les pistes de Superbagnères, de Peyragude ou du Mourtis ne sont pas loin…

Se promener

Le nom officiel est Bagnères-de-Luchon… Mais on dit Luchon tout court. Pour ce qui est de « Bagnères », évidemment, c'est une allusion aux bains. Et « Luchon »? C'est l'ancienne *Ilixone*, la ville d'Ilixo, dieu tutélaire des Bains.

Les **allées d'Étigny**, avenue d'accès aux thermes, constituent le grand axe d'animation. Au n° 18, l'hôtel du 18e s. où fut reçu le duc de Richelieu fut construit en 1773 par le baron Bertrand de Lassus-Nestier, également à l'origine du château de Valmirande à Montréjeau *(voir Saint-Bertrand-de-Comminges)*. Il abrite le syndicat d'initiative et le musée du Pays de Luchon. En face, à côté de la mairie (1840), le Castel ou Hôtel Boy date de la fin du 18e s. Plus loin, au n° 56, vous pourrez apercevoir l'imposant chalet Spont *(ne se visite pas)*, construit entre 1848 et 1855 dans le style suisse.

Installations thermales

Thermes Chambert – *☎ 05 61 94 52 53 - www.luchon.com - ♿ - visite guidée (1h) mi-mars-nov.: merc.14h-15h - fermé de nov. à mi-mars - 3,50 € (– 14 ans gratuit, 14-18 ans 1,60 €)*. Construits en 1848 par l'architecte Edmond Chambert sur l'emplacement des anciens bains romains, les thermes s'ouvrent sur un hall remarquablement décoré de vitraux et de fresques.

Près de 80 sources sont captées dans la montagne de Superbagnères. Leurs eaux hyperthermales sulfurées-sodiques jaillissent à 74 °C et permettent de conjuguer les effets du soufre et de la radioactivité pour le traitement des affections des voies respiratoires. Aussi, pendant longtemps, d'illustres curistes ont été recrutés parmi les chanteurs, les comédiens, les avocats et les prédicateurs. D'un essor plus récent, le traitement des affections rhumatologiques et la rééducation fonctionnelle associent les applications de boues maturées avec de la barégine (colonies d'algues et de bactéries vivant dans les eaux hyperthermales) aux émanations sulfurées, au cœur

Les thermes de Luchon.
Photlook / fotolia.com

d'une grotte spécialement aménagée, le **radio-vaporarium**. Il y règne une
température de 38 à 42 °C… La dernière-née des cures propose une aide au
sevrage tabagique.

Villas et quartier thermal

Parmi les plus remarquables villas du 19e s., signalons, boulevard Edmond-
Rostand, la **Villa Édouard** *(n° 2)*, avec ses échauguettes d'angle, construite
par Chambert, l'architecte des thermes. Non loin, la **Villa Julia**, coiffée d'une
tourelle hexagonale, fut la résidence d'Edmond Rostand lors de ses séjours
luchonnais. Allée des Bains, la **Villa Pyrène** *(n° 13)* surprend par ses vérandas
métalliques. Dans le boulevard Henry-de-Gorsse, la Villa Bertin et les chalets russes et persans se distinguent à peine derrière la végétation. Édifié en

---

LA « REINE DES PYRÉNÉES »

À l'époque gallo-romaine, la vallée de l'One est déjà célèbre pour ses bains,
si magnifiques qu'ils sont considérés comme « les premiers après ceux de
Naples » si l'on en croit une inscription en latin sur l'établissement thermal. Une voie romaine relie les thermes à l'importante cité de *Lugdunum
Convenarum* (Saint-Bertrand-de-Comminges). Des fouilles ont permis de
retrouver la trace de trois vastes piscines, revêtues de marbre, avec circulation d'air chaud et de vapeur.

En 1759, l'intendant de la généralité de Gascogne, Béarn et Navarre,
Antoine Mégret, baron d'Étigny, qui réside à Auch, découvre Luchon
et redonne à la ville thermale son lustre d'antan. Dès 1762, une route carrossable relie la ville à Montréjeau : la belle avenue qui porte aujourd'hui son
nom est ouverte et plantée de tilleuls. Le baron remplace la piscine commune rudimentaire par neuf auges de bois à deux places, recouvertes d'un
couvercle mobile comportant un trou pour la tête, mais le déshabillage se
fait encore en plein air à l'abri d'une planche. Il a, le premier, l'idée d'atta-
cher un médecin à la station. Cela fait, il s'agit alors de la lancer. D'Étigny
persuade le gouverneur de la province, le maréchal de Richelieu, de faire
une cure. Le duc se montre enchanté, les fouilles romaines le ravissent. Il
vante les charmes de Bagnères à Versailles et revient pour une seconde
cure. La fortune de Luchon est faite !

On ne compte plus les curistes célèbres, attirés par les eaux sulfureuses
ou par la vie mondaine : Lamartine, Flaubert, Daudet, Bismarck ou encore
Mata Hari et Edmond Rostand… Ce dernier y trouva-t-il l'inspiration pour
son fameux *Aiglon* ? Toujours est-il que son illustre modèle avait, lui aussi,
fréquenté les thermes quelques décennies auparavant !

1880 dans un style classique, le **casino** fut agrandi en 1929 avec une touche Art déco. Côté parc, il voisine avec le **pavillon normand**, construit pour l'Exposition universelle de 1900.

Vieux Luchon

Le quartier du Courtat s'étend entre l'**église**, imposant édifice du 19ᵉ s. surmonté d'une tour carrée et crénelée, et la place du marché, dotée d'une **halle** colorée de 1897.

Musée du Pays de Luchon

🖉 05 61 79 29 87 - 9h-12h, 14h-18h - fermé j. fériés - 2 € (6-15 ans 1 €) billet combiné avec le Musée aéronautique Léon-Élissalde.

Il propose un panorama de la région à travers différents thèmes. L'espace consacré aux montagnes évoque les hôtes illustres, les grands pyrénéistes et les sports d'hiver sur les massifs de la Maladetta, du Lys, d'Oô et d'Aran. Le « plan Lézat » (1854) présente les montagnes de Luchon en relief au 1/10 000. Des vestiges de l'âge du fer, des statues et autels votifs gallo-romains attestent l'ancienneté du site. La salle du vieux Luchon expose des gravures et photographies sur l'histoire de la ville, le thermalisme, le casino. Les arts et traditions populaires des vallées de Larboust, Oueil, Louron, Aran et Luchon sont illustrés par une riche collection d'objets : métiers à tisser, ustensiles du berger, objets religieux, outils aratoires. Des animaux naturalisés illustrent la faune locale : aigle des Pyrénées, chocard, chouette, coq de bruyère, etc.

Musée aéronautique Léon-Élissalde

R. Albert-Camus - ℘ 05 61 79 29 87 - avr.-oct. : mar., jeu. et sam. 15h-18h - 2 € (6-15 ans 1 €) billet combiné avec le musée du Pays de Luchon.

Les expéditions menées par Léon Élissalde (fondateur de l'Aéroclub luchonnais), entre 1983 et 1988, ont permis de retrouver des épaves d'avions tombés pendant la Seconde Guerre mondiale. À côté de moteurs de toutes sortes (BMW 801 M, Bristol Hercule 100) sont également exposés un uniforme de la Royal Air Force, des turbomoteurs, des turbopropulseurs, un entraîneur de vol LMT type 141, etc.

Randonnées

Les Pyrénées luchonnaises se dressent en barrière, suivant une ligne de crête jalonnée d'ouest en est par les sommets granitiques, tous d'altitude supérieure à 3 000 m, fermant la vallée d'Oô (Spijoles, Gourgs Blancs, Perdiguère) et la vallée du Lys (Crabioules, Maupas). L'échancrure la plus marquée, le port de Vénasque, s'élève encore à 2 448 m

★★ LAC D'OÔ ①

Pour visualiser cette randonnée de 2h30 AR par le sentier balisé GR 10, reportez-vous à la carte (p.290). Sortir de Luchon par la D 618, route du col de Peyresourde. À Castillon, prendre à gauche la D 76, route de la vallée d'Oô, qui longe la base de la vaste moraine sur laquelle sont juchés les villages de Cazeaux et Garin. Alt. 1 504 m. Le lac d'Oô est situé dans un cadre magnifique : au fond, le torrent issu du lac d'Espingo forme une cascade haute de 275 m. Le nom d'Oô vient tout simplement du gascon *iu* ou *eu*, signifiant « lac de haute montagne ». Le lac (38 ha pour 67 m de profondeur maximum) alimente la centrale hydroélectrique d'Oô. Les prélèvements peuvent provoquer une baisse sensible du plan d'eau.

★★ VALLÉE DE LA PIQUE ②

Pour visualiser cette randonnée de 4 à 6h AR, reportez-vous à la carte (p.290). Sortir de Luchon au sud par la D 125. Laisser à droite la route de la vallée du Lys et poursuivre la montée à travers de beaux bois de hêtres. Après la maison forestière de Jouéu, laisser la voiture et continuer à pied.

On atteint l'Hospice de France (alt. 1 385 m). La majesté du site pastoral, la forêt, les cascades voisines sont autant d'invitations à la promenade. Les marcheurs entraînés monteront au **port de Vénasque** (alt. 2 448 m) par le chemin muletier, en quittant l'Hospice de France de très bonne heure. Des premières pentes du versant espagnol *(4h30 à pied AR)* ou mieux encore du **pic de Sauvegarde** (alt. 2 738 m – *6h à pied AR*), vue superbe sur tout le massif de la Maladetta.

Itinéraires conseillés

★ VALLÉE DU LYS ③

Pour visualiser ce circuit de 32 km de Luchon à Superbagnères, reportez-vous à la carte (p.290) – compter environ 2h30. Quitter Luchon au sud par la D 125, puis prendre sur la droite la D 46. Quitter la voiture 2 km après le 2ᵉ pont de Ravi.

Gouffre Richard

À partir du pied d'un pylône de transport de force, à gauche, vue superbe sur la puissante chute du Lys qui se jette dans une cuve rocheuse.
Au-delà de la bifurcation de Superbagnères, la route s'infléchit vers le sud. Un beau **panorama★** se dégage sur les plus hauts sommets du cirque supérieur de la vallée.
Laisser la voiture au parking gratuit du restaurant Les Délices du Lys.

Centrale du Portillon

Ses deux groupes travaillent sous une hauteur de chute maximale de 1 419 m, dénivellation qui fit sensation à l'époque (1941).

Cascade d'Enfer

C'est le dernier bond du ruisseau d'Enfer.
Faire demi-tour et prendre la route de Superbagnères tracée sous les hêtres.

Superbagnères

Au-dessus de la limite de la forêt, le centre de ski de Superbagnères (alt. 1 804 m) peut aussi être rejoint par télécabine depuis Bagnères-de-Luchon *(voir nos adresses).* Le Grand Hôtel, bâtiment monumental construit en 1922, récemment relancé par les Villages clubs du Soleil, constitue le centre de la station. De la table d'orientation du TCF, érigée au sud de l'hôtel, **panorama★★** sur les Pyrénées luchonnaises. À l'arrière-plan se déploient les glaciers de la Maladetta.

★ VALLÉE D'OUEIL [4]

▷ *Pour visualiser ce circuit de 15 km au nord-ouest, de Luchon à Cirès, reportez-vous à la carte (p.290) – compter environ 1/2h. Sortir de Luchon au nord-ouest par la D 618.*
On quitte cette route après la chapelle commémorative du martyre de saint Aventin pour prendre la D 51 sur la droite. À 2 km de cette bifurcation se détache, à gauche, la route menant à l'église supérieure de **Benque-Dessous-et-Dessus** qui renferme des peintures murales du 15e s.
La **basse vallée d'Oueil★** ravit par son charme pastoral et ses villages groupés.

Cirès

Village pittoresque, avec ses maisons tassées en amphithéâtre au pied de l'église isolée sur son promontoire. Les maisons présentent, comme dans toute la vallée, des pignons en lattis fermant de hauts greniers à foin.

★ VERS LE COL DE PEYRESOURDE [5]

▷ *Pour visualiser ce circuit de 20 km, reportez-vous à la carte (p.290) – compter environ 3/4h. Quitter Luchon à l'ouest par la D 618. La route, ombragée, s'élève au-dessus du bassin de Luchon.*

Saint-Aventin

Laisser la voiture 100 m avant le départ de la rampe de l'église.
Église – ☎ 05 61 79 21 72 - *visite sur demande à la mairie tlj sf vend. apr.-midi et w.-end 9h-12h, 13h30-16h30.* Cette petite localité aux toits d'ardoise possède une majestueuse église romane, parmi les plus belles de la vallée de Larboust. Remarquez, sur ses deux tours, les fragments sculptés pris dans les maçonneries : au pilier droit du portail, imposante **Vierge à l'Enfant★** du 12e s. ; plus à droite, sur un contrefort, bas-relief représentant un épisode légendaire lié à saint Aventin : un taureau dégage le corps du martyr (il fut assassiné par les

Sarrasins en 732) enveloppé d'un suaire ; à la jointure du mur de la nef et de l'absidiole sud, petits monuments funéraires gallo-romains. À l'intérieur, on remarque un bénitier préroman sculpté d'animaux symboliques : agneaux, poissons, colombes. La grille en fer forgé fermant le chœur est un grand travail de ferronnerie, d'un type plus fréquent en Roussillon que dans les vallées des Pyrénées centrales. Parmi les peintures murales du 12ᵉ s., on reconnaît les effigies de saint Saturnin (ou Sernin) et de saint Aventin, de part et d'autre de la fenêtre centrale de l'abside.

Poursuivre sur la D 618. À gauche, belle vue sur les maisons et l'église de Castillon-de-Larboust.

Garin

Chapelle Saint-Pé (ou Saint-Pierre-de-la-Moraine) – Très agréable halte. Les murs de l'édifice, et surtout les contreforts, incorporent des fragments de monuments funéraires antiques, très frustes.

Cazeaux-de-Larboust

L'église est décorée de **peintures** murales du 15ᵉ s., très retouchées. Face à la porte d'entrée trône un curieux Jugement dernier, thème omniprésent dans les églises de la vallée du Louron *(voir Arreau)*. La Vierge presse son sein pour adoucir les douleurs du Christ et calmer sa colère : le glaive tombe des mains du divin Justicier.

Quittez la D 618 pour la route de corniche menant à Gouaux-de-Larboust (village où l'on fera demi-tour) afin d'apprécier des **vues★★** sur la vallée d'Oô et les toits d'ardoise du village d'Oô. La fraîcheur de cette vallée, où foisonnent les frênes et les noyers, s'allie avec bonheur au paysage de haute montagne caractéristique du massif luchonnais : roches sombres (Spijoles, Gourgs Blancs, pic du Portillon d'Oô) enrobées de petits glaciers.

Revenir à l'embranchement avec la D 618 et prendre à gauche.

Col de Peyresourde

À 1 569 m, il offre une vue dégagée sur la chaîne des Pyrénées. Porte d'accès à la station de Peyragudes distribuée sur les deux versants de la montagne, le col marque la frontière entre la Haute-Garonne et les Hautes-Pyrénées. Sur l'autre versant, court la vallée du Louron *(voir Arreau)*.

⊙ NOS ADRESSES À BAGNÈRES-DE-LUCHON

HÉBERGEMENT

PREMIER PRIX

Hôtel La Petite Auberge – *15 r. Lamartine -* ✆ *05 61 79 02 88 - fermé de fin oct. au 26 déc. ; hiver : ouv. w.-end et vac. scol. -* 🅿 *- 30 ch. 27/41 € -* � *6 € - rest. 14/18 €.* Cette ancienne maison de maître, devenue hôtel dans les années 1960, propose des chambres simples, parfois un peu vieillottes mais avec des prix tous doux. Jolie terrasse.
Chambre d'hôte Le Poujastou – *R. du Sabotier - 31110 Juzet-de-*

Luchon - ✆ *05 61 94 32 88 - www. lepoujastou.com - fermé nov. -* 🅿 *- 🛇 - 5 ch. 53 € -* ⊟ *- rest. 20 €.* Cette bâtisse, exposée plein sud, face aux sommets du Luchonnais, abritait au 18ᵉ s. le café du village. Elle propose aujourd'hui des chambres flambant neuves, aux murs colorés d'ocre. Goûteuse cuisine du pays servie dans une salle à manger de style pyrénéen.
Chambre d'hôte Suberbielo – *Au bourg - 31110 Antignac -* ✆ *05 61 94 37 03 - www.suberbielo. com - fermé de mi-oct. à mi-déc. -* 🅿 *- 🛇 - 4 ch. 59 € -* ⊟ *- rest. 19 €.*

Aménagées dans une maison de village, ces 4 chambres familiales ont été conçues pour recevoir des enfants et assurer leur bien-être. Une salle pleine de jeux les attend au rez-de-chaussée, ainsi qu'une piscine, des balançoires et un bac à sable dehors. Les parents apprécieront plus volontiers la table d'hôte aux produits de la ferme.

Camping Pène Blanche – *65510 Loudenvielle - sortie NO par D 25, rte de Génos, près de la Neste de Louron et à proximité d'un plan d'eau - ℘ 05 62 99 68 85 - www. peneblanche.com - permanent - réserv. conseillée - 120 empl. 23,40 €.* Les adeptes du camping traditionnel trouveront entière satisfaction dans cette vallée protégée. Un espace aménagé en terrasses, verdoyant et parfaitement entretenu, complété par une partie locative comptant 18 mobil-homes de qualité. Piscine avec toboggan et centre de remise en forme à proximité.

  BUDGET MOYEN

Hôtel des Deux Nations – *5 r. Victor-Hugo - ℘ 05 61 79 01 71 - www.hotel-des2nations.com - 27 ch. 52 € - ☐ 7 € - rest. formule déj. 12 € - 15/28 €.* Deux bâtiments composent cet hôtel où la même famille reçoit les clients depuis 1917 ! Optez pour les chambres les plus récentes. Le restaurant ouvre sur une plaisante terrasse dressée dans un joli patio fleuri.

La Recluse – *À St-Mamet - ℘ 05 61 79 02 81 - fermé 9 mars-30 avril - ☐ - 24 ch. 52/55 € - rest. 12/25 €.* Étape sympathique sur la route de l'Espagne : chambres rénovées, plus calmes à l'annexe, et ambiance « maison de campagne familiale ».. Murs lambrissés, mobilier rustique et nappes à carreaux décorent la salle à manger ; cuisine traditionnelle simple.

Chambre d'hôte « Papilio » – *Rte de Subercarrere - 31110 Montauban-de-Luchon - ℘ 05 61 89 29 82 - www.papilio-luchon. com - ☐ - ☒ - 4 ch. 68 € - rest. 20 €.* On se sent forcément à l'aise dans cette maison de village aux volets bleus. Quatre chambres à l'étage, joliment décorées et toutes équipées d'une salle de bain et WC, dont une plus spacieuse, parfaite pour une famille. Une adresse sympathique, à prix doux.

RESTAURATION

  PREMIER PRIX

Les Hauts Pâturages – *Au bourg - 31110 Artigue - ℘ 05 61 79 10 47 - fermé oct.-mars et lun. - 9,50/28,50 €.* Sur les hauteurs de Luchon, cette affaire familiale, réputée pour son site et surtout pour sa cuisine, réalisée au four à bois, propose de savoureuses spécialités régionales qui font le bonheur des randonneurs. Réservation conseillée.

  BUDGET MOYEN

D'Étigny – *℘ 05 61 79 01 42 - www.hotel-etigny.com - ouvert 1er Mai-24 oct. - rest. 18/44 €.* Restaurant sobrement bourgeois et terrasse ombragée pour une carte proposant des recettes ancrées dans la tradition.

ACTIVITÉS

Base rafting canoë-kayak – *Chemin de Poy - 31110 Antignac - ℘ 05 61 79 19 20 - www. antignac-rafting.com - fermé 20 déc.- 10 janv. - 27 € - (– 7 ans 22 € : tarifs famille à partir de 3).* Cette base de loisirs propose différentes activités sportives liées à l'eau : canoë, kayak, rafting, air-boat, hot-dog, hydrospeed.

Plusieurs parcours et ambiances (découverte, sportive, balade) au choix. Encadrement assuré par des moniteurs diplômés.

Domaine skiable de Luchon-Superbagnères – Alt. 1 440-2 260 m. 15 remontées mécaniques. Les 28 pistes de ski alpin couvrent un vaste domaine très ensoleillé dont l'enneigement est assuré par des canons à neige. Au pied de la station, le secteur de Coumes présente des pistes faciles. Dans le secteur du Lac, agréables pistes en forêt de niveau intermédiaire. Pour trouver des pistes noires très techniques, on se rendra dans le secteur d'Arbesquens. Le secteur du Céciré, à l'extrême ouest du domaine, allie des pistes de niveau moyen à confirmé.

AGENDA

Fête des fleurs – 2e quinz. d'août. Défilé de chars décorés de fleurs naturelles. ℘ 05 61 79 21 21 - *www.luchon.com.*

Arreau

838 Aurois – Hautes-Pyrénées (65)

NOS ADRESSES PAGE 300

S'INFORMER
Office du tourisme d'Arreau – *Château des Nestes - 65240 Arreau - ℘ 05 62 98 63 15 - www.vallee-aure.com - juil.-août : 9h30-13h, 15h-19h ; reste de l'année : tlj sf dim. 9h30-12h, 14h-18h.*

SE REPÉRER
Carte de la microrégion A2 *(p.264) – carte Michelin Départements 342 O5.* La ville se trouve à 61 km au sud-est de Tarbes.

À NE PAS MANQUER
La maison des Lys ; les églises peintes de la vallée du Louron.

ORGANISER SON TEMPS
Sur deux jours, commencez par une promenade dans la ville, puis partez explorer la vallée d'Aure. Le lendemain, parcourez la vallée du Louron avec ses villages, ses églises et son lac, lieu propice aux pique-niques.

AVEC LES ENFANTS
Les aigles d'Aure ; les musées de la Vallée d'Aure et de la Cidrerie à Ancizan ; le lac de Génos-Loudenvielle pour les sports nautiques.

Joli bourg aux toits d'ardoise, au confluent des rivières des Nestes, d'Aure et du Louron, sur le seuil séparant les cols de Peyresourde et d'Aspin, Arreau est l'ancienne capitale du pays des Quatre-Vallées. Avec ses deux églises, ses halles, ses agréables berges, ses maisons à encorbellements, ses châteaux et son marché, la petite ville possède un charme tout pyrénéen. Un bon point de départ pour découvrir les vallées d'Aure et du Louron, qui portent désormais le label « Pays d'art et d'histoire ».

Se promener

🕭 Un circuit fléché depuis l'office de tourisme permet de découvrir les principaux monuments de la ville, pancartes à l'appui.

Place de la mairie

On y remarque la **maison des Lys★**, demeure du 16e s. qui élève ses colombages en encorbellement sur un rez-de-chaussée de pierre aux encadrements et aux linteaux sculptés. Les lys qui décorent sa façade commémorent l'allégeance prêtée par les Quatre-Vallées à la couronne de France en 1475.

Bâties à l'orée des années 1930, sur un ancien édifice du 16e s., les **halles** avec leurs couverts (refaits en ciment) en anse de panier sont surmontées d'un clocheton abritant une horloge à trois faces. Les bureaux de la mairie occupent le 1er étage et le rez-de-chaussée accueille chaque jeudi un marché.

Chapelle Saint-Exupère

Sur la rive droite, la chapelle, qui possède un portail roman à colonnettes en marbre des Pyrénées et à chapiteaux historiés, est vouée à l'enfant du pays, saint Exupère, évêque de Toulouse, qui fit édifier la basilique Saint-Sernin. Né à Arreau au 4e s., ce dernier, déçu par la conduite de ses ouailles, avait regagné sa ville natale quand les Toulousains, effrayés par l'approche des Vandales, le supplièrent de revenir. Exupère y posa une condition : voir fleurir son bâton, ce qui se produisit séance tenante. Sur le chapiteau gauche du portail, on distingue (avec peine) le saint et son bâton fleuri. La chapelle est surmontée d'un clocher octogonal du 16e s.

Château des Nestes

En aval, près du confluent des Nestes, cette vaste demeure ancienne abrite l'office de tourisme. Son architecture militaire s'explique par son passé ; le château se devait, au Moyen Âge, de protéger la chapelle Saint-Exupère. Un clocheton en bois s'ajouta au-dessus de sa tour centrale au 19e s., avant de servir d'observatoire astronomique familial. Au bord de la Neste, une scierie hydraulique du 19e s.

Château de Ségure

Au cœur du bourg, au-dessus du Neste du Louron, cette habitation est dominée par une tour carrée du 16e s.

Église Notre-Dame

L'église paroissiale, de style roman, est surmontée d'un clocher en forme de tour carrée. Elle doit sa décoration intérieure à un enfant du pays, Pierre Menvielle, doreur et sculpteur de Bagnères-de-Bigorre. À voir : le retable représentant l'Assomption et, dans la nef latérale gauche, la Pietà à quatre personnages du 16e s.

Les aigles d'Aure

🖉 05 62 40 10 35 - www.lesaiglesdaure@aliceadsl.fr - du 5 avr. au 14 sept. : tlj ouverture à 14h30, visite commentée à 15h30 ; juil. et août : visites commentées 15h30 et 17h - 6,50 € (5-12ans 4 €).

👫 Chaussez vos baskets pour gravir les marches menant à la volerie. Sur cette lande haut perchée (758 m d'altitude) plantée de genêts, distribuée sur les deux versants d'une crête rocheuse, vous pourrez assister à un spectacle commenté de vols de rapaces (faucons, vautours, aigles, etc.). Vous observerez ces différents oiseaux, enchaînés le long d'un chemin en attendant de battre des ailes. Ils s'amusent alors à vous frôler la tête !

LE PAYS DES QUATRE-VALLÉES

Il regroupa, dès le 14e s., les vallées d'Aure, de Magnoac, de Neste et de Barousse. En 1398, il échut à la maison d'Armagnac, puis fut rattaché, en 1475, à la couronne de France. Il fallut attendre la Révolution française pour qu'il forme avec la Bigorre le département des Hautes-Pyrénées.

À proximité Carte de la microrégion

Sarrancolin A2

◐ *7 km au nord d'Arreau par la D 929.* Célèbre pour son marbre et pour sa filature artisanale de laine *(voir nos adresses)*, le petit village conserve quelques maisons des 16e et 17e s. En bordure de la route principale se dresse l'**église Saint-Ébons**. Ce remarquable sanctuaire roman du 12e s. présente un plan en forme de croix grecque (unique dans la région) et un clocher formé par une tour carrée surmontée d'une flèche en ardoise et cantonnée de clochetons. À l'intérieur, grille en fer forgé du 15e s., statues en bois doré et surtout châsse de saint Ébons (13e s.), coffret recouvert de cuivre doré et émaillé.

Grottes de Labastide A2

◐ *𝒫 05 62 49 14 03 - visite guidée (1h à 1h30 - dont 30mn de spectacle) - juin-sept. : tlj 10h-12h, 14h-18h ; mai : lun.-vend. 14h-18h, sam.-dim. et j. fériés 10h-12h, 14h-18h - du 15 au 30 avr. : sam.-dim. 10h-12h, 14h-18h (en sem. pour les groupes) - 5,50 € (enf. 4 €) ; 11 € (enf. 7,50 €) billet combiné avec le gouffre d'Esparros (voir p.321). Prévoir un pull.*

Le spectacle projeté sur les parois calcaires de la grotte blanche présente la découverte et les richesses archéologiques de la grotte aux Chevaux *(ne se visite pas)*. Les plaques, silex et peintures – dont le remarquable cheval polychrome – que l'on y a retrouvés témoignent de la vie des Magdaléniens. Un sentier (jeu d'empreintes) mène à la Perte de Laspugue, le mot « Perte » désignant l'endroit où la rivière disparaît.

👥 Deux ateliers introduisent aux sons « préhistoriques » et à la peinture sur paroi.

Itinéraires conseillés Carte de la microrégion

★ **VALLÉE D'AURE**

◐ *Circuit de 16 km d'Arreau à Saint-Lary-Soulan – compter 20mn.* 🏠 *65170 Vielle-Aure - 𝒫 05 62 39 50 00 - www.vielleaure.com - mar. et vend. 9h-12h30, vend.-sam. 9h-12h, 14h-18h.*

Cette région formait autrefois la vicomté d'Aure, sous la suzeraineté des rois d'Aragon. Elle fut réunie, au 14e s., aux vallées de Magnoac, de Neste et de Barousse, pour former ainsi le **pays des Quatre-Vallées**.

Quitter Arreau au sud par la D 929. Elle remonte la vallée de la Neste d'Aure, large et harmonieusement dessinée.

Ancizan A2

Un ensemble de maisons du 16e s. rappelle la prospérité passée du bourg. Sous l'Ancien Régime, ce secteur de la vallée faisait vivre un millier de tisserands qui travaillaient les cadis (tissus grossiers en laine non teinte). C'est aussi

LES CAGOTS

Contraction de *gaasgothes* (« chiens de goths », en béarnais), le mot **cagot** s'employait dans les Pyrénées pour désigner les ouvriers du bois. Si leur habileté manuelle les rendait indispensables à la société, ils furent toujours considérés comme des lépreux (à cause de nombreuses mutilations et troubles cutanés) et exclus. Un morceau d'étoffe rouge en forme de patte d'oie, sur leur habit, permettait de les identifier.

le pays de la pomme, à cidre ou à couteau, fêtée chaque année en automne *(voir nos adresses)*. Sa culture a été relancée dans les années 1970.

Musée de la Vallée d'Aure – ✆ 05 62 39 97 75 - ♿ - *déc.-oct. : mar.-dim. 14h-18h30 - 5 € (5-15ans 2,50 €) ; 6,50 € (5-15ans 5 €) billet combiné avec le musée de la Cidrerie d'Ancizan.*

Ce musée nous plonge dans la vie des habitants de la vallée au siècle dernier. Du lavoir de Guchan et ses lavandières au contrebandier ou au pèle-porc, vous découvrirez le passé de cette région.

Musée de la Cidrerie d'Ancizan – ✆ 05 62 39 97 61 - www.cidreriedancizan. com - *mêmes coordonnées et mêmes conditions de visite que le musée de la Vallée d'Aure.*

Convivial et coloré, ce musée, aménagé dans un ancien corps de ferme du 19e s., s'organise autour d'un restaurant. Panneaux, affiches et objets anciens, écrans de télévision, maquettes et jeux pour les enfants évoquent l'histoire et la culture du pommier, les variétés, les contes et légendes articulés autour du fruit, les différentes étapes de la fabrication du produit fini (jus, liqueur, cidre, etc.). Une dégustation au tonneau clôt agréablement la visite.

À la sortie d'Ancizan, le fond de la vallée est occupé par des buttes morainiques dénommées *pouys* dans la région. La route franchit la Neste d'Aure avant Guchan. Très beau point de vue sur un horizon montagneux d'où se détache, au sud, la pyramide aiguë du pic de Lustou.

Reprendre la D 929 vers le sud. Après 5 km, tourner à droite vers Vielle-Aure.

Mines de Vielle-Aure A3

✆ 05 62 39 46 19 - *visite guidée (1h) - été : 10h-12h, 14h-19h ; reste de l'année : 10h-12h, 14h-17h - fermé de mi-nov. à mi-déc., lun. et j. fériés (hors vac. scol.) - 7 € (– 6 ans gratuit, – 12 ans 4,50 €).*

Dans une ancienne mine de manganèse entièrement réhabilitée par un particulier, un parcours en son et lumière, agrémenté de mannequins, met en scène l'exploitation de ce filon et la vie des mineurs. Un petit musée regroupe quelques outils et documents d'époque.

Saint-Lary-Soulan *(voir p.302)* A3

★ **VALLÉE DU LOURON**

○ *46 km – compter environ 1h.* ⓘ *65590 Bordères-Louron -* ✆ *05 62 99 92 00 - www.vallee-du-louron.com - juil.-août : 9h-12h, 14h-18h, dim. 10h-13h ; reste de l'année : tlj sf dim. 9h-12h, 14h-18h. Quitter Arreau à l'est par la D 112.*

Jézeau A2

Église – *Sur demande préalable à Mme Duchan* ✆ *05 62 98 61 79 ou à M. Balagna* ✆ *06 71 62 60 39.* Elle renferme un beau **retable** Renaissance en bois sculpté doré et peint. La voûte en bois de la nef unique est couverte de peintures représentant le Jugement dernier, thème majeur de l'iconographie chrétienne.

Revenir à Arreau et prendre la D 618 au sud-est. À la fourche avant Avajan, prendre à droite la D 25.

La route remonte la vallée de la Neste de Louron, d'abord resserrée entre des versants boisés puis épanouie, au sud d'Avajan, en un bassin aux nombreux villages, mais aux fonds humides à peu près abandonnés. Fermé au sud, ce bassin est dominé à gauche par le groupe du pic d'Hourgade (alt. 2 964 m), d'où se détachent de fines arêtes encadrant des combes neigeuses.

Vielle-Louron A3

L'église Saint-Mercurial est une des plus belles églises peintes de la vallée du Louron. On peut voir, sur sa voûte en bois, le Christ entouré des quatre évangélistes ainsi que l'Arbre de Jessé (père du roi David, Jessé est l'ascendant direct du Christ, selon Isaïe repris par Luc et Matthieu). Les **peintures** de la sacristie (16ᵉ s.) sont aussi admirables que terrifiantes : des démons aux expressions sardoniques font subir mille tourments aux damnés… cuits dans une marmite ou dévorés par un monstre !

Poursuivre sur la D 25.

Génos A3

🥾 *1/4h à pied AR.* Au sommet d'une montée, juste avant le panneau d'entrée, gagnez l'église par la rampe, à gauche. Poursuivez, à pied, en contournant le cimetière par la gauche, jusqu'à la ruine du château (14ᵉ s.) qui domine un plan d'eau aménagé pour les distractions nautiques (*tour du lac 1h*). **Vue** sur le fond montagneux de la vallée.

Continuer jusqu'à Loudenvielle, à l'autre extrémité du plan d'eau.

Loudenvielle A3

L'Arixo – ☎ 05 62 99 95 35 et 05 62 99 97 70 - ♿ - *mar. 10h-12h, 14h-18h, dim. et j. fériés 14h-18h - possibilité de visite guidée (1h30) - fermé mai et oct.-nov. - 4,50 € (6-12 ans 2,50 €).* L'espace muséographique permet de découvrir et de mieux connaître la vallée du Louron, sa vie, son habitat et son art religieux. Film, théâtre italien, maquette interactive sur les églises peintes…

Moulin de Saoussas – ☎ 05 62 99 90 50 ou 05 62 99 64 17. Dans ce moulin, vous verrez des meules en fonctionnement et des outils traditionnels des 18ᵉ-19ᵉ s.

Poursuivre la vallée du Louron par la D 725, petite et sinueuse, jusqu'au Pont du Prat.

ÉGLISES PEINTES DE LA VALLÉE DU LOURON

Plusieurs églises romanes de la vallée du Louron portent, sur leur voûte de bois, d'étonnantes peintures réalisées au 16ᵉ s. par des artistes français ou espagnols. Thème récurrent, celui du Jugement dernier que l'on trouve à Vielle-Louron, Mont et Jézeau. La représentation, parfois naïve, du diable et des créatures monstrueuses y est particulièrement évocatrice. L'enfer tient une place prépondérante dans les préoccupations de l'époque ! Il faut dire que le catholicisme, sous l'influence du concile de Trente (qui répondait au développement de la Réforme) et à la veille des guerres de Religion, se chargeait, aussi, de cultiver ce mythe…

👁 *Les églises de Vielle-Louron, Estarvielle et Mont ne sont pas toujours ouvertes. Pour les découvrir, contacter l'Office du tourisme de Bordères-Louron (☎ 05 62 99 92 00), de Loudenvielle (☎ 05 62 99 95 35) ou Mémoires des vallées (☎ 05 62 99 97 70).*

🚶 *4h AR.* Au niveau du **Pont du Prat** (usine hydroélectrique et téléphérique construit par les Allemands en réparation des dommages causés pendant la Seconde Guerre mondiale) s'amorcent les hauts sentiers de la vallée du Louron. En suivant les flèches jaunes jusqu'au refuge de La Soula, par les gorges de Clarabide, vous pourrez vous informer sur la géologie, la faune, la flore, l'histoire de la région grâce aux panneaux de bois qui parsèment l'itinéraire.

Revenir à Loudenvielle et poursuivre sur la D 25, mais sur la rive est du lac de Génos pour rejoindre Estarvielle par Armenteule. Dans l'**église d'Estarvielle**, des peintures évoquent le partage de la tunique de Jésus.

Prendre la D 618 à droite, puis la D 130 à gauche vers Mont.

Mont A3

L'église romane possède un clocher carré percé de fenêtres à colonnettes. Au-dessus du porche, la façade est peinte à fresque. On peut également voir à l'intérieur d'admirables **peintures** datant de 1574. Elles sont attribuées à Melchior Rodigis : *Passion du Christ, Prophète Isaïe annonçant la venue du Sauveur, Les Évangélistes.*

Reprendre la D 618 vers la gauche. Peu avant le col de Peyresourde, la D 117 permet d'atteindre la station de Peyragudes.

Peyragudes A3

Ce centre de ski, développé de part et d'autre de la crête qui sépare le département des Hautes-Pyrénées de la Haute-Garonne, résulte de la fusion des deux stations de Peyresourde et des Agudes. Élevez-vous un peu sur la croupe dominant l'altiport pour apprécier le **panorama★** : on découvre pour la dernière fois, en venant de l'ouest, le massif de Néouvielle finement dentelé et ponctué de neige. La descente du col sur le versant de Luchon révèle une nature riante. On atteint le **col de Peyresourde** (alt. 1 569 m) par une combe, dont le versant opposé est bruni par la sapinière de Balestas.

😊 NOS ADRESSES À ARREAU

HÉBERGEMENT

BUDGET MOYEN

Chambre d'hôte Domaine Véga – 65250 St-Arroman - ☏ 05 62 98 96 77 - www.domaine-vega.fr - fermé oct.-mai - 🅿 - 🛇 - 4 ch. 62 € ☕ - rest. 23/30 €. Beau manoir du 16ᵉ s. au milieu d'un parc planté de cèdres, thuyas géants, tilleuls… Les chambres, simples et confortables, donnent sur la piscine paysagée et la campagne environnante. Agréable petite cuisine de jardin à disposition des hôtes.

Chambre d'hôte Chez Annie et Loïc – *Au village - 65170*

Guchan - ☏ 05 62 39 92 68 - http://annieetloic.free.fr - fermé de mi-avr. à mi-mai et de mi-oct. à mi-nov. - 🛇 - 4 ch. 66 € ☕ - rest. 20 €. Cet ancien corps de ferme (datant de 1781) au centre du petit bourg a été entièrement restauré. Les 4 chambres, à l'étage, garnies de lambris ou aux pierres apparentes, associent confort et caractère. On apprécie, en hiver, une bonne flambée dans la cheminée du salon. Table d'hôte familiale.

POUR SE FAIRE PLAISIR

Hôtel d'Angleterre – *18 rte de Luchon - 65240 Arreau -* ☏ 05 62 98 63 30 - www.hotel-angleterre-arreau.com - ouvert de *mi-mai à mi-oct., w-end et vac. scol. du 26 déc. au 28 fév. et fermé lun. en mai-juin et sept.* - **P** - *17 ch. 70/115 € - ☑ 10 € - rest. 20/40 €.* Dans un petit village typique de la vallée, ancien relais de poste transformé au fil des ans en hôtel de caractère. Un bel escalier dessert les chambres coquettes. Cuisine traditionnelle et cadre campagnard revu au restaurant.

RESTAURATION

BUDGET MOYEN

Les Cimes – *Rte du Col-de-Peyresourde - 65240 Estarvielle - ℘ 05 62 99 67 21 - www.hotel-les-cimes.net - fermé de mi-sept. à mi-déc. - formule déj. 15 € - 18/29 € - 8 ch., demi-pension seulement.* La garbure, la vraie, est la spécialité de ce petit restaurant, aux murs jaune pâles, décorés de photos représentant les cinq continents, et offrant une vue panoramique sur la vallée. D'autres généreuses recettes du terroir (cou de canard farci, truite de montagne poêlée au beurre…) figurent à la carte.

ACHATS

Filature Artisanale de Laine – *9 r. Ste-Quitterie - 65410 Sarrancolin - ℘ 05 62 98 77 21 - www.lafilaturelaine.com - juil.-août : tlj sf w.-end 10h-12h, 14h-18h ; reste de l'année : tlj sf w.-end 14h-18h - groupes sur RV .* C'est la dernière filature artisanale des Pyrénées. On y fabrique encore aujourd'hui, avec des machines datant de 1900, des nappes, des édredons, des écheveaux de laine à tricoter et des vêtements. Vente sur place ou par correspondance.

ACTIVITÉS

🐾 **Bon à savoir** – Six grandes stations de ski entourent Arreau.

Pour le ski alpin, rendez-vous à Saint-Lary-Soulan et Piau-Engaly en vallée d'Aure, Peyragudes *(voir ci-après)* et Val Louron dans la vallée du Louron. Au nord, Nistos Cap Neste et Payolle déploient 90 km de pistes de ski de fond.

Domaine skiable de Peyragudes – *65240 Peyragudes - ℘ 05 62 99 69 99 - www.peyragudes.com.* Alt. 1 600-2 400 m 17 remontées mécaniques. Parmi les 38 pistes de tous niveaux, celle de la vallée Blanche, encaissée dans un vaste cirque, se distingue par sa longueur impressionnante. 70 canons à neige garantissent l'enneigement du bas du domaine. Le forfait est valable dans les autres stations de Haute-Garonne. 15 km de pistes de ski de fond sont balisés en 4 boucles. En janvier, compétition de surf des neiges, la Peyragudes Rider's Cup…

Balnéa – *65510 Génos - ℘ 0 891 701 919 - www.balnea.fr - fermé nov. - 15 € + tarifs famille, étudiant, bébé - (- 14 ans 10 €).* Le premier centre thermoludique des Pyrénées françaises se compose de 3 espaces entièrement dédiés à votre bien-être. Une partie détente et relaxation, un espace tibétain, offrant des soins personnalisés et un secteur appelé espace amérindien, avec un décor en bois massif inspiré des huttes indiennes hoogan. Restaurant.

AGENDA

Fête du gâteau à la broche – Organisée à Arreau par la confrérie du gâteau à la broche, l'avant-dernier samedi de juillet. Fabrication et dégustation de gâteaux de différentes tailles.

Fête de la pomme – Dans les rues d'Arreau, le dernier dimanche d'octobre.

Saint-Lary-Soulan

1 073 Saint-Laryens – Hautes-Pyrénées (65)

😊 NOS ADRESSES PAGE 304

🚹 **S'INFORMER**

Office du tourisme de Saint-Lary – *37 r. Vincent-Mir - 65170 St-Lary-Soulan - ℘ 05 62 39 50 81 - www.saintlary.com - juil.-août et de mi-déc. à mi-avr. : 9h-19h ; reste de l'année : 9h-12h, 14h-19h (dim. 18h), sam. 10h-12h, 14h-19h.*

Maison du Parc national des Pyrénées – *Tour Hachan - pl. de la Mairie - 65170 St-Lary-Soulan - ℘ 05 62 39 40 91 - www.parc-pyrenees.com - se renseigner pour les horaires.* Elle fournit toutes les informations nécessaires à la découverte du Parc *(voir p. 360).* Présentation de la flore, exposition d'animaux naturalisés.

⚫ **SE REPÉRER**

Carte de la microrégion A3 *(p.264)* – *carte Michelin Départements 342 N6.* Saint-Lary est situé au débouché de la vallée d'Aure sur l'artère transpyrénéenne ouverte en 1976 en direction de Lérida (Espagne) par la percée du tunnel de Bielsa.

🕐 **ORGANISER SON TEMPS**

En période estivale, prévoyez de rayonner dans les alentours, dans la vallée d'Aure ou autour des lacs dans le massif de Néouvielle.

👪 **AVEC LES ENFANTS**

La Maison de l'ours. Saint-Lary est labellisé Famille Plus *(voir p. 21).*

Au cœur de la vallée d'Aure, Saint-Lary-Soulan attire chaque année les amateurs de glisse en hiver. C'est aussi, en été, la principale porte d'accès à la réserve de Néouvielle, le point de départ de sublimes randonnées à travers la montagne. Malgré son flot de touristes, la ville a conservé son charme pyrénéen avec ses toits en ardoise, ses façades de pierre et ses colombages.

Se promener

😊 C'est dans la rue Vincent-Mir, entre l'office de tourisme et la mairie, que vous pourrez observer les plus beaux exemples de restauration de maisons de pierre. La Maison du Parc national *(voir nos adresses)* est installée dans la tour Hachan, du 16e s.

DOMAINE SKIABLE

🚹 Point info St-Lary 1700 – *Pla d'Adet - juil.-août : lun. 8h45-12h30, 14h-17h30, mar.-vend. 8h45-12h30, sam. 14h-18h15 ; déc.-avr. : tlj 8h30-17h30 (hors vac. scol. 8h30-12h30, 13h30-17h30).*

Alt. 1 700-2 515 m. Station leader des Pyrénées inaugurée en 1957, Saint-Lary déploie un vaste domaine skiable sur 700 ha et 55 pistes. Reliés à la vallée par un seul téléphérique (le pic Lumière) et une route de montagne, les trois domaines du Pla d'Adet, d'Espiaube et du Vallon du Portet occupent les ressauts ouest de la vallée d'Aure. Les 100 km de pistes qui s'étendent dans de

Saint-Lary-Soulan.
Office de tourisme de St-Lary-Soulan

grands espaces ensoleillés conviennent à toutes les catégories de skieurs. Si le cœur du Pla d'Adet s'adresse plutôt aux débutants ou aux familles, les sportifs privilégieront le secteur d'Espiaube, dont deux pistes, dans la combe du Lita, bénéficient d'un enneigement exceptionnel. Les amateurs de « nouvelles » glisses, de bosses et de surf, se donneront rendez-vous du côté du vallon de Portet, au Snowpark Quicksilver. Quant à ceux qui privilégient les panoramas grandioses ouvrant sur les profondes vallées et les pics déchiquetés, ils s'orienteront sur les pistes du Soum de Matte, de la Corniche et du Balcon, trait d'union entre Espiaube et Pla d'Adet. Équipement récent, le téléski du Glacier achemine les skieurs sur de nouvelles pistes situées à 2 515 m. Les fondeurs, enfin, disposent de 10 km de pistes en 3 boucles, au sein du domaine d'Espiaube.

Skieurs dans l'âme, les Saint-Laryens n'ont pas oublié **Isabelle Mir**, qui fut championne du monde de descente en 1968. Ni son père d'ailleurs… **Vincent Mir** qui, maire du village pendant près de cinquante ans, a fait de la station l'une des plus importantes des Pyrénées.

ACTIVITÉS D'ÉTÉ

Outre les nombreuses possibilités de randonnées, au cœur du massif du Néouvielle *(voir p.329)* tout proche et la montée au pic Lumière en téléphérique, la station offre également les plaisirs de l'eau au **centre thermoludique Sensoria** *(voir nos adresses)* et ceux, plus sportifs, du parapente, de l'escalade, de la trottinette de montagne, de l'équitation, des sports d'eau vive…

SAINT HILAIRE
Le nom honore un des deux saints Hilaire (il y eut un évêque de ce nom à Poitiers au 4e s. et un autre à Arles un siècle plus tard), Ilari en occitan, devenu peu à peu Sant Lari par contraction. Quant à Soulan, ce nom serait celui d'un colon gallo-romain, Solus, ou tout simplement la transcription de l'occitan *solan* qui désigne un versant exposé au soleil.

À proximité Carte de la microrégion

Maison de l'ours

▶ *Accès par la route du Corps-Franc-Pommiès -* ✆ *05 62 39 50 83 - juil.-août :
9h30-12h30, 14h-18h30 ; de mi-avr. à fin juin et de mi-sept. à fin oct. : tlj sf lun.
9h30-12h30, 14h-17h30 ; de déc. à mi-avr. : 9h30-12h30, 14h-17h30 - fermé en
nov.- 6,50 € (5-12 ans 4,50 €).*

👥 Photos, coupures de presse, panneaux nourris d'anecdotes (telle la naissance du *teddy bear*) et agrémentés de commentaires en bande sonore, des jeux, un petit coin lecture et un film court animent cet espace entièrement conçu pour les enfants, où vivent également deux ours dans un petit parc. Outre le mode de vie et l'habitat de cette espèce dont la population a chuté, en un siècle, de 90 % dans les Pyrénées, sont présentées l'ichnologie (identification des traces), la taxidermie (naturalisation) et l'ostéologie (reconstitution du squelette).

😊 NOS ADRESSES À SAINT-LARY-SOULAN

HÉBERGEMENT

PREMIER PRIX

Chambre d'hôte La Couette de Biéou – *65170 Camparan -* ✆ *05 62 39 41 10 -* 🅿 *-* 🚭 *- 3 ch. 50/65 €* 🍵*.* Cette ferme en pierre de pays, aux balcons fleuris, offre un panorama exceptionnel sur la vallée et les Pyrénées. Les chambres, où domine le bois, sont coquettes ; l'une d'entre elles a vue sur St-Lary-Soulan. Et si vous avez de la chance : la cuisson du gâteau à la broche vaut le coup d'œil.

BUDGET MOYEN

Hôtel Pons « Le Dahu » – *4 r. Coudères -* ✆ *05 62 39 43 66 - hotelpons.com - fermé 20 avr.-3 mai -* 🅿 *- 39 ch. 65/70 € -* 🍵 *8 €. - rest. 15 € (sem.)/25 €.* Constructions des années 1970 situées dans un quartier résidentiel proche du téléphérique et du centre. Les plus grandes chambres, toutes dotées d'un balcon, sont à l'annexe. Repas traditionnel servi dans une atmosphère de pension de famille.

Hôtel Aurélia – *Chemin de St Lary - 65170 Vielle-Aure -* ✆ *05 62 39 56 90 - www. hotel-aurelia.com - fermé 27 sept.- 14 déc. -* 🅿 *- 20 ch. 49/56 € -* 🍵 *7,50 €.* Près des thermes, hôtel familial prisé pour ses activités de loisirs, sa piscine et son fitness. Chambres confortables, mansardées au 3ᵉ étage. Deux duplex. Au restaurant, cuisine régionale (réservée aux résidents) élaborée par le jeune fils de la maison.

POUR SE FAIRE PLAISIR

Chambre d'hôte La Ferme de Soulan – *À Soulan -* ✆ *05 62 98 43 21 - http:// fermedesoulan.free.fr - fermé nov. -* 🚭 *- 4 ch. 90/98 €* 🍵 *- rest. 25 €.* Vrai charme montagnard dans cette ancienne ferme située au cœur d'un village d'altitude. Les bâtiments, agencés autour d'une cour pavée, abritent au rez-de-chaussée un espace sauna et hammam, ainsi que deux confortables chambres aux poutres apparentes, tout comme celles situées à l'étage. Accueil chaleureux.

Hôtel La Pergola – *25 r. Vincent-Mir -* ✆ *05 62 39 40 46 - www. hotellapergola.fr -* ♿ *- 22 ch. 69/111 € -* 🍵 *11 €.* Paisible maison dans un jardin. Grandes chambres personnalisées avec raffinement ; sept sont dotées d'une terrasse ou d'un balcon tourné vers les cimes. Accueil aux petits soins. Carte au goût du jour et menu du terroir à l'Enclos des Saveurs.

RESTAURATION

BUDGET MOYEN

La Grange – *Rte d'Autun - ℰ 05 62 40 07 14 - hotel-angleterre-arreau.com - fermé 27 avr.-10 mai, en juin, en nov., mar. et merc. sf le soir en sais. -* 🅿 *- 20/45 €.* Cette ancienne grange s'est transformée en un confortable et coquet restaurant au chaleureux décor de bois. En hiver, belles flambées dans la cheminée. Menus régionaux.

Le Pic Assiette – *Quartier Pradet - 65170 Guchan - ℰ 05 62 39 96 24 - www.picassiette.net - fermé dim. soir et lun. hors sais. -* 🅿 *-* 🍽 *- formule déj. 8,82 € - 18/32 €.* Les familles apprécient ce restaurant

situé face à une aire de jeux pour adolescents (accrobranche) et doté d'un minigolf pour les plus petits. L'hiver, vous vous sustenterez au coin du feu, l'été sur la terrasse au pied des Pyrénées. Cuisine régionale copieuse et service efficace.

ACTIVITÉS

Office des sports de montagne – *9 rte de Soulan - ℰ 05 62 39 42 92 - www.office-sports-montagne. com - 8h30-12h30 ; 15h30-19h30 - fermé mi-oct. à mi-nov.* Cette agence regroupe la quasi-totalité des activités proposées dans la région : ski, surf, initiation à la conduite d'attelage de chiens de traîneau, scooter des neiges, raquettes en hiver ; canyoning, randonnée, parapente, rafting, arapaho (trottinette de montagne), hydro-speed et escalade en été, etc.

Sensoria – *Jardin des Thermes - ℰ 05 62 40 71 71 - www. saintlarysoulan.com - 10h-20h ou 9h30-20h30 selon les périodes.* Ce centre thermoludique s'articule autour de 2 secteurs. L'espace détente trouve sa place dans un décor inspiré des canyons aragonais. Bains de vapeur, d'eau chaude ou froide, il y en a pour tous les goûts. L'espace soins propose quant à lui une gamme complète de thérapies naturelles.

Forfaits ski – *Altiservice - ℰ 05 62 39 53 66 - www.altiservice. com.* Pour les habitués de St-Lary, la carte magnétique Altiplus permet de moduler la journée de ski en conservant le temps non consommé pour une prochaine sortie.

La Bigorre 5

Carte Michelin Départements 342 – Hautes-Pyrénées (65)

L'architecture en galets du gave de la Bigorre.
B. Brillion / MICHELIN

LA BIGORRE

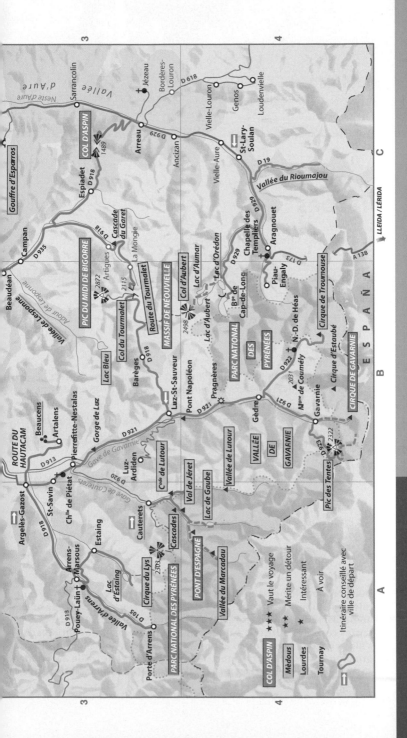

Vallée d'Aure

Col d'Aspin
1489

Gouffre d'Esparros

Espiadet
D 918

Campan
D 935
Beaudéan

Cascade du Garet
La Mongie
Artigues
PIC DU MIDI DE BIGORRE
2872
2115

Vallée de Lesponne
Adour de Lesponne

Col du Tourmalet
Route du Tourmalet
MASSIF DE NÉOUVIELLE
Col d'Aubert
Lac d'Aumar
Lac d'Orédon
2498
Lac d'Aubert

Lac Bleu
Barèges
D 918
Luz-St-Sauveur
Pont Napoléon
Pragnères

Sarrancolin
Jézeau
Bordères-Louron
D 618
Vielle-Louron
Genos
Loudenvielle

Arreau
D 929
Ancizan
Vielle-Aure
St-Lary-Soulan
D 19
Vallée du Rioumajou

Chapelle des Templiers
Aragnouet
D 929
Bᵍᵉ de Cap-de-Long
Plau-Engaly
D 173
A 138

PARC NATIONAL DES PYRÉNÉES
N.-D. de Héas
Cirque de Troumouse
Mⁿᵉ de Coumély
2031
Cirque d'Estaubé
CIRQUE DE GAVARNIE

ROUTE DU HAUTACAM
Beaucens
Artalens
Pierrefitte-Nestalas
D 913
Chⁿᵉ de Piétat
St-Savin
Argelès-Gazost
D 918
Arrens-Marsous
Estaing
D 921
Gorge de Luz
Luz-Ardiden
D 920
Gave de Cauterets
Cauterets

Gⁿᵉ de Lutour
Val de Jéret
Lac de Gaube
Vallée de Lutour
VALLÉE DE GAVARNIE
Gèdre
D 921
Gavarnie
Pic des Tentes
D 923
2322

LLEIDA / LÉRIDA

E S P A Ñ A

Lac d'Estaing
Cirque du Lys
2303
Cascades
PARC NATIONAL DES PYRÉNÉES
PONT D'ESPAGNE
Vallée du Marcadau
Pouey-Laün
D 918
Vallée d'Arrens
D 105
Porte d'Arrens

Légende

COL D'ASPIN ★★★ Vaut le voyage
Médous ★★ Mérite un détour
Lourdes ★ Intéressant
Tournay À voir

Itinéraire conseillé avec ville de départ

Tarbes

45 433 Tarbais – Hautes-Pyrénées (65)

😊 NOS ADRESSES PAGE 315

🅱 **S'INFORMER**

Office du tourisme de Tarbes – *3 cours Gambetta - 65000 Tarbes -
🖉 05 62 51 30 31 - www.tarbes.com - 9h-12h, 14h-18h - fermé dim. et
j. fériés.*

▶ **SE REPÉRER**

Carte de la microrégion B1 *(p. 308) – carte Michelin Départements 343 M3.*
Tarbes se trouve à 150 km de Toulouse, par l'A 64 et à 45 km de Pau.

🅿 **SE GARER**

On peut garer son véhicule en plein centre-ville, au parking de la place
de Verdun, non loin de l'office de tourisme : idéal pour qui souhaite visiter
les haras ou profiter du jardin Massey.

😊 **À NE PAS MANQUER**

En septembre, La Journée nationale du cheval, qui se combine avec la fête
des produits régionaux labellisés : Terro'art.

🕐 **ORGANISER SON TEMPS**

Prévoir une journée pour visiter la ville et sillonner les alentours. Notez
que le haras n'est ouvert qu'en semaine (5 visites guidées par jour).

👨‍👦 **AVEC LES ENFANTS**

Le haras, Maison du cheval ; les promenades en calèche.

Deuxième agglomération de la région Midi-Pyrénées, Tarbes, la capitale de la Bigorre est depuis le 19ᵉ s. réputée pour ses chevaux et ses hussards, réputation encore à l'ordre du jour puisque ses deux importantes casernes abritent aujourd'hui les hussards parachutistes, qui s'illustrent dans les conflits actuels. C'est une cité dynamique située à proximité des stations de sports d'hiver pyrénéennes. Elle a vu naître en 1851 le maréchal Foch et en 1811 l'écrivain Théophile Gautier auteur du *Capitaine Fracasse*.

Le jardin Massey..
B. Brillion/ MICHELIN

Se promener

★ Jardin Massey

Situé au cœur de Tarbes, autour du musée Massey, ce beau parc à l'anglaise est doté d'une végétation luxuriante et d'essences variées, dont nombre d'espèces exotiques. Il fut aménagé par son propriétaire Placide Massey, naturaliste et paysagiste de talent, qui en fit don à la ville à sa mort en 1853. Au centre s'élève l'édifice romantique, surmonté d'une tour d'observation, où résidait Placide Massey. Ce bâtiment, conçu par l'architecte tarbais Jean-Jacques Latour, abrite aujourd'hui le musée des Hussards et le musée d'Archéologie et des Beaux-Arts *(en travaux jusqu'en 2011)*. L'**orangerie**, serre à structure métallique, fut construite quelques années plus tard.

Peuplé de paons et de canards, garni de quelques bancs, le jardin invite à la promenade ou au repos. C'est aussi un lieu chargé d'histoire qui abrite le **cloître de l'abbaye Saint-Sever-de-Rustan** dont on admirera les chapiteaux *(voir Abbaye de St-Sever de Rustan dans « À proximité »)*.

En face du jardin, le **Carmel** est aujourd'hui un lieu d'expositions temporaires (peinture, photographie).

LES HUSSARDS

Les « huszars », cavaliers légers hongrois (le terme désignerait en magyar une troupe de vingt cavaliers, ancêtre du « peloton » des unités de cavalerie modernes), sont apparus à la fin du 17e s. dans les armées d'Europe occidentale. Leur uniforme seyant, exotique, et leur aptitude à mener la « petite guerre » les ont imposés. Il fallut cependant combattre leur comportement indiscipliné, brutal (que traduit encore l'expression « à la hussarde »), et leur propension à la désertion par une discipline de fer. En France, le premier véritable régiment de hussards fut levé en 1720 par Ignace Stanislas de Bercheny, gentilhomme hongrois. Le 1er hussard parachutiste, basé à Tarbes depuis 1963, en est l'héritier direct.

La volonté de tous les chefs militaires d'enrôler des hussards provoqua le tarissement du recrutement hongrois, et on dut recourir à des Turcs, des Polonais, des Allemands… Il n'y eut bientôt plus, pour rappeler l'origine de cette cavalerie, que l'uniforme, adopté dans 34 pays. Mais la bravoure et la compétence ne fléchirent pas ; les hussards continuèrent à se couvrir de gloire et à enfanter des soldats aussi remarquables que les maréchaux Ney, Kellerman, Blücher ou Lyautey.

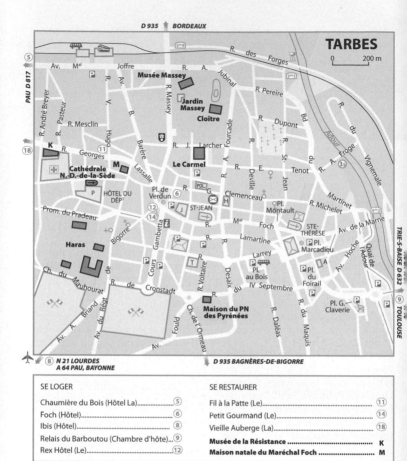

Musée Massey

05 62 51 30 31 - le musée est fermé jusqu'en 2011.

Il comprend le musée des Hussards et celui d'Archéologie et des Beaux-Arts.

Musée des Hussards – Il présente uniformes, équipements et armements provenant d'unités de 18 pays qui retracent l'histoire des hussards depuis leur création jusqu'à aujourd'hui.

Archéologie et Beaux-Arts – On y remarquera le triptyque de Cock *La Vierge, l'Enfant, saint Jean et saint Jérôme*, du 15e s., une *Sainte Famille* (école italienne, 16e s.), une *Chasse au sanglier* (17e s., école flamande) et un *Marché bigourdan*, œuvre du peintre régional Henri Borde (1888-1958).

Maison natale du maréchal Foch (M)

2 r. Victoire - 05 62 93 19 02 - visite guidée (1h) : tlj sf mar. 9h-12h, 14h-18h30 - fermé 2e et 4e dim. du mois (hors juil.-août), 1er janv., 1er Mai, 1er nov. et 25 déc. - gratuit.

Ferdinand Foch y naquit le 2 octobre 1851. La salle du rez-de-chaussée rassemble des portraits, photographies et sculptures du héros. Au 1er étage, parmi des meubles provenant de son appartement de la rue de Grenelle à Paris, on remarque le fauteuil dans lequel il s'est éteint. Une salle évoque sa carrière : le lycée, Polytechnique, la Grande Guerre, les plus hautes distinctions (il était également maréchal de Grande-Bretagne et de Pologne), l'Académie française (près des uniformes de soldat, on peut voir le célèbre habit vert). La salle des souvenirs renferme de nombreux titres honorifiques et témoignages de reconnaissance français et étrangers.

Cathédrale N.-D.-de-la-Sède

Pl. Charles-de-Gaulle. D'origine romane, elle a fait l'objet, du 13e au 19e s., d'importants remaniements, qui rendent difficile la perception de l'édifice médiéval. La partie la plus intéressante est le chevet avec son appareillage de pierre et de brique. Dans la partie supérieure, les rangées de pierres et de galets alternent.

★ Haras, Maison du cheval

70 av. du Régiment-de-Bigorre - ℘ 05 62 56 30 80 - www.haras-nationaux.fr - &. - visite guidée (1h) 14h, 15h, 16h, w.-end et j. fériés sur demande, le matin sur réservation - 5,50 € (enf. 2,30 €).

Dans un parc de 9 ha, ombragé de cèdres et de magnolias, il forme avec ses pavillons clairs et bas un ensemble empreint de la distinction du Premier Empire. Les écuries furent, au 19e s., le berceau du fameux « tarbais », l'anglo-arabe des hussards et des chasseurs montés qui firent les beaux jours de la ville de garnison. Aujourd'hui on y voit aussi des races régionales comme le cheval de Mérens et l'âne des Pyrénées ainsi que des percherons. L'élevage des chevaux est maintenant orienté vers l'insémination ainsi que vers la compétition (saut d'obstacles), le dressage, le tourisme équestre et les utilisations d'agrément.

Après une visite des installations (écuries, maréchalerie, sellerie d'honneur, unité de reproduction…) on parvient à l'ancien manège transformé en Maison du cheval.

Musée de la Déportation et de la Résistance (K)

63 r. Georges-Lassalle - ℘ 05 62 51 11 60 - www.ville-tarbes.fr - tlj sf w.-end 8h30-12h, 14h-17h30 - fermé 1er janv., 1er et 8 Mai, dim. de Pâques, 14 Juil., 15 août, 11 Nov. et 25 déc. - gratuit.

Installé dans deux salles de classe, ce petit musée retrace la chronologie des événements mondiaux et locaux de 1939 à 1945, à travers l'évocation des déportés, des évadés et des résistants de la région (Corps-Franc Pommiès, régiment de Bigorre).

Maison du Parc national des Pyrénées

2 r. du IV-septembre - ℘ 05 62 54 16 40 - www.parc.pyrenees.com - 10h-13h, 14h-18h - fermé dim., 1er janv., 1er et 8 Mai, 14 Juil., 15 août, 11 Nov. et 25 déc. - gratuit.

Depuis 2008, cette nouvelle Maison du Parc national propose des expositions liées au Parc, à sa nature, sa faune, sa flore, une médiathèque et un auditorium.

Elle est installée dans le jardin qui entoure la Villa Fould, siège aministratif du Parc national des Pyrénées. Cette villa était la propriété d'Achille Fould *(voir encadré page suivante).*

ACHILLE FOULD, LE BANQUIER AMOUREUX DES CHEVAUX
En 1847, le banquier parisien Achille Fould (1800-1867) achète un terrain sur lequel il fait construire une grande demeure de style chalet où il reçoit, en 1859, Napoléon III et l'impératrice Eugénie venus inaugurer la nouvelle ligne de chemin de fer. Ayant découvert cette région des Pyrénées à travers sa passion pour les chevaux, il y entame une carrière politique. Il devient député et président du conseil général de 1847 à sa mort en 1867. Il eut un rôle essentiel pour le département des Hautes-Pyrénées ainsi que les cinq générations qui lui succédèrent qui avait pris pour patronyme le nom d'Achille-Fould. Tarbes lui doit le lycée impérial, son arsenal, la culture du tabac.

À proximité Carte de la microrégion

Ibos B1
▷ *7 km. Sortir de Tarbes par la D 817 en direction de Pau.* Les maisons de ce bourg, autrefois fortifié, adoptent un plan concentrique autour de l'ancienne collégiale devenue l'église Saint-Laurent. Bâtie aux 14e et 15e s., celle-ci conserve une allure de forteresse avec son donjon carré et son massif chevet polygonal. La nef, flanquée de chapelles enserrées dans les puissants contreforts, est de style gothique languedocien.

Vic-en-Bigorre B1
▷ *17 km. Sortir de Tarbes par la D 935 en direction de Mont-de-Marsan.*
Bâti dans la plaine entre l'Adour et l'Echez, cette petite ville est dominée par le clocher de l'**église Saint-Martin** qui abrite un retable en bois doré du 17e s., œuvre de Simon Boysson. Sous sa halle, construite au 19e s. sur le modèle des halles centrales de Paris, se tient tous les samedis matin un marché réputé entre autres pour les foies gras en hiver.

Abbaye de Saint-Sever-de-Rustan C1
▷ *22 km. Sortir de Tarbes par la N 21 en direction de Rabastens. À l'entrée d'Escondeaux, prendre la D 27 à droite (itinéraire jalonné) - ℘ 05 62 96 63 93 - &- visite guidée (40mn) tte l'année : 14h-18h - fermé du 21 déc. au 31 janv. - 3,50 € (– 8 ans gratuit).*
L'abbaye bénédictine, qui existait dès le 10e s., fut restaurée par les mauristes, congrégation réformée de l'ordre bénédictin qui s'attacha à ennoblir l'architecture monastique des apports du classicisme. Le pavillon des Hôtes porte encore la marque de cette époque. À l'intérieur de l'église, en grande partie romane, observez les quatre groupes de chapiteaux (hauteur : 1 m) de la travée sous coupole : aigles, lions, Péché originel et châtiment du mauvais riche, arrestation du Christ et Christ en majesté. La **sacristie** présente un bel ensemble de boiseries (18e s.) formé par les lambris à cartouches rocaille. De chaque côté du maître-autel, deux bas-reliefs : saint Sever redonnant sève à un néflier desséché, et la devise « PAX » des bénédictins.
Le cloître roman de l'abbaye se trouve dans le jardin Massey de Tarbes.
En prenant la D 14 vers Villecomtal-sur-Arros, on rejoint la N 21 qui en direction de Auch monte jusqu'au **puntous de Laguian**, d'où le **panorama★★** s'étend, par temps clair, sur 150 km de front pyrénéen.

😊 NOS ADRESSES À TARBES

VISITES

Promenades en calèche – Deux parcours sont proposés de fin juin à début septembre : le tour du jardin Massey (10mn) ou la découverte de Tarbes au rythme inattendu d'un attelage (30mn). Dans les deux cas, départ à la buvette du jardin Massey (14h30-18h).

HÉBERGEMENT

PREMIER PRIX

Chambre d'hôte Relais du Barboutou – *15 Cami deth Barboutou - 65190 Oueilloux -* 📞 *05 62 35 07 66 -* 🅿 *-* 🚭 *- 3 ch. 40 € .* Les chambres ont été aménagées dans une grange restaurée attenante à la ferme des propriétaires ; elles sont mansardées, à la fois simples et joliment décorées (murs blancs et bois omniprésent). Salle des petits-déjeuners avec cheminée et meubles anciens.

BUDGET MOYEN

Hôtel Foch – *18 pl. de Verdun -* 📞 *05 62 93 71 58 - 30 ch. 57 € -* 🚭 *8 €.* En plein centre, établissement bien insonorisé bordant une place animée. Chambres simples, plus spacieuses et ouvertes sur d'agréables balcons aux deux derniers étages.

Hôtel Ibis – *61 av. de Lourdes - 65310 Odos - 4km au sud-ouest de Tarbes par D 921 -* 📞 *05 62 93 51 18 - www. ibishotel.com -* ♿ *- 76 ch. 50/65 € -* 🚭 *8 €.* Hôtel entièrement rénové aux portes de la ville. Salon-bar lumineux au mobilier moderne en bois clair. Vastes chambres confortables et, pour l'été, piscine extérieure.

POUR SE FAIRE PLAISIR

Hôtel La Chaumière du Bois – *D 817 - 65420 Ibos -* 📞 *05 62 90 03 51 - www. chaumieredubois.com -* 🅿 *- 22 ch. 74 € -* 🚭 *10 € - rest. formule déj. 15 € - 20/30 €.* Ambiance champêtre dans cet hébergement de type motel coiffé de toits en chaume. Les chambres, fonctionnelles, donnent sur l'agréable jardin planté de palmiers et de pins parasols. Salle à manger en rotonde sous une haute charpente et terrasse dressée à l'ombre des arbres.

UNE FOLIE

Le Rex Hotel – *8, cours Gambetta -* 📞 *05 62 54 44 44 - reception@ lerexhotel.com - 98 ch. 80/200 € -* 🚭 *15 € - rest. 22/45 €.* Dans un bâtiment d'une architecture audacieuse en verre dont la façade devient multicolore la nuit, les chambres ultramodernes font cohabiter des créations de Starck et Panton.

RESTAURATION

BUDGET MOYEN

Le Petit Gourmand – *62 av. B.-Barère -* 📞 *05 62 34 26 86 - fermé 2 sem. en août, 4-10 janv., sam. midi, dim. soir et lun. - 19/30 €.* Accueil sympathique et intérieur chaleureux de style bistrot chic. Cuisine au goût du jour à base de produits frais et jolie sélection de vins du Languedoc-Roussillon.

Le Fil à la Patte – *30 r. G.-Lassalle -* 📞 *05 62 93 39 23 - lefilalapatte@ neuf.fr - fermé 18-29 août, sam. midi, dim. et lun. - formule déj. 15 € - 20/26 €.* Ici pas de chichi et les habitués l'ont bien compris ! L'ambiance est conviviale dans ce restaurant où l'on s'attable au coude à coude autour de plats du terroir et du marché.

La Vieille Auberge – *Côte de Ger -
65420 Ibos* - *05 62 31 51 54 -
vieille-auberge.com - fermé
13-23 juil., 17-28 août, dim. soir et
lun.* - & - 🅿 - *20/35 €*. En bordure
de la route de Pau, belle auberge
en pierre, parfaitement rénovée.
Les deux salles à manger sont
plaisantes : tables en bois, nappes
vertes et blanches, murs couleur
tilleul avec rideaux assortis…
Terrasse ombragée d'une
glycine. Cuisine vraiment
soignée, basée sur les
produits frais.

PETITE PAUSE

Nectar – *19 pl. Marcadieu -
 05 62 44 19 44 - www.nectar-
65.com - mar.-vend. 9h-19h (jeu.
8h-19h), sam. et dim. 9h-13h -
fermé 1ᵉʳ-15 août*. Situé face aux
halles Marcadieu, ce salon de thé
propose des cafés torréfiés sur
place, une sélection de 70 thés
et de délicieux chocolats. Éric et
son équipe vous reçoivent dans
un cadre chaleureux parsemé
d'objets anciens.

Le Pic Bigourdan – *1 r. du Moulin -
65360 Momères - 05 62 45 31 28 -
tlj 8h-18h*. Installée dans une
ferme restaurée, cette entreprise
familiale vous dévoile les secrets
de fabrication du gâteau à la
broche, connu sous le nom
de « Rocher des Pyrénées » ; la
préparation est artisanale et la
cuisson se fait au feu de bois.
Découvrez aussi les délicieux
macarons.

EN SOIRÉE

Le Monocle – *1 av. Bertrand-
Barère - 05 62 34 29 29 - 8h30-
15h, 18h-0h - fermé dim. (sf le midi
hors vac.) et j. fériés*. Également
brasserie, ce bar-restaurant
élégant offre un grand choix de

bières, de whiskies et de coupes
glacées. Soirées lounge le week-
end.

ACHATS

Grand marché – *Halle
Marcadieu - 05 62 44 47 22 -
jeu. 7h-14h*. C'est le plus grand
marché de spécialités régionales
(alimentaires et non-alimentaires)
à des lieues à la ronde.

AGENDA

**Equestria, festival européen
de la création équestre** – Le
Haras national est le théâtre
de cette grande manifestation
organisée autour du cheval,
animal roi à Tarbes. Des
spectacles équestres (en soirée)
et des animations (cirque, voltige,
baptêmes à poney, présentations
d'étalons et d'attelages) sont
proposées en journée, avec la
participation des clubs de la
région. Également des animations
musicales, chorégraphiques,
folkloriques, des artistes peintres
et sculpteurs au travail. Enfin
produits du terroir, artisanat
d'art et cabaret équestre avec
restaurants à thème sont présents
dans le village d'exposants de
10h30 à 1h, durant 7 jours fin
juillet. *Renseignements auprès
de l'office de tourisme - www.
festivalequestria.com*.

Terro'art – Un samedi à la mi-
sept. Fête des produits régionaux
labellisés : porc noir de Bigorre,
haricot tarbais, agneau de
Barèges.

Festival de tango argentin –
17 au 22 août. Pendant une
semaine les amateurs de tango
viennent de partout pour
des stages et des spectacles.
 05 62 51 30 31 -
www.tarbes.com.

La vallée de Lesponne.
B. Brillion / MICHELIN

Bagnères-de-Bigorre

8 030 Bagnérais – Hautes-Pyrénées (65)

☺ NOS ADRESSES PAGE 324

🗂 S'INFORMER
Office du tourisme de Bagnères-La Mongie – *3 allée Tournefort - 65200 Bagnères-de-Bigorre - ☎ 05 62 95 50 71 - www.bagneresdebigorre-lamongie. com - du 15 juil. au 15 août : 9h-19h ; déb. juil. et fin août : 9h-12h, 14h-19h (dim. 18h) ; juin et sept. : 9h-12h, 14h-18h sauf dim. après-midi ; oct.-mai, lun.-sam. : 9h-12h, 14h-18h.*
Maison de la découverte pyrénéenne – *3 rte de Tarbes « La Chaumière » - 65200 Bagnères-de-Bigorre - ☎ 05 62 95 45 20.*

▶ SE REPÉRER
Carte de la microrégion B2 *(p.308)* – *carte Michelin Départements 342 M4.*
À 21 km de Tarbes et 22 km de Lourdes.

🅿 SE GARER
Parkings place des Vignaux ou rue Gambetta.

☺ À NE PAS MANQUER
Parc thermal de Salut ; le col d'Aspin ; le lac Bleu ; le gouffre d'Esparros.

🕓 ORGANISER SON TEMPS
Comptez 2h pour parcourir la ville. Terminez par une promenade dans le parc thermal de Salut, qui vous mènera au Muséum d'histoire naturelle.

👥 AVEC LES ENFANTS
Les grottes de Médous.

Première station thermale des Hautes-Pyrénées, Bagnères-de-Bigorre est située à 550 m d'altitude dans un environnement pastoral annonçant la vallée de Campan. Ville d'eaux depuis l'Antiquité, elle a conservé quelques témoignages de son passé, de son cloître du 12e s. aux Grands Thermes du 19e s., âge d'or de la station, en passant par les vertes promenades de la Renaissance. Fidèle à son histoire, la ville se lance aujourd'hui dans le thermoludisme. L'ingénieur Pierre Latécoère, passionné d'aviation, y est né en 1883.

Se promener

Station thermale
Elle comprend **les Grands Thermes** d'une part et **les thermes de la Reine** d'autre part *(voir nos adresses)*. Exploitées depuis l'Antiquité romaine, ses eaux sulfatées calciques magnésiennes sont issues de deux forages. Elles soignent les affections rhumatismales, psychosomatiques et les troubles des voies respiratoires supérieures.

★ Parc thermal de Salut
🚶‍♀️ *3/4h à pied AR. Par l'avenue P.-Noguès au sud, gagner le portique d'entrée du parc.* Cette agréable promenade ombragée vous entraîne sur les traces de célèbres curistes du temps passé. Montaigne, George Sand, Rossini et, naturellement, l'impératrice Eugénie ont en effet pris les eaux à Bagnères. Une belle allée centrale traverse ce parc de 100 ha et longe le vallon conduisant à l'ancien établissement thermal de Salut, qui abrite le Muséum d'histoire naturelle.

Le vieux Bagnères
Bordé à l'est par les allées des Coustous, où se concentre l'animation de la ville, il a conservé l'**église Saint-Vincent** du 14e s. avec son clocher-mur percé de trois étages d'arcatures, la **tour des Jacobins** du 15e s., vestige d'un couvent détruit à la Révolution, et les **ruines du cloître Saint-Jean**, à l'angle des rues Saint-Jean et des Thermes. À l'angle des rues du Vieux-Moulin et Victor-Hugo, belle **maison à colombages** du 15e s.

Musée Salies
Pl. des Thermes - 𝄞 05 62 91 07 26 - www.museesbagneres.fr - possibilité de visite guidée - du 4 juin au 2 nov. : merc.-vend. 10h-12h, 14h-18h (juil.-août 19h), sam.-dim. 15h-18h (juil.-août 19h) - 4 € (enf. gratuit).
À côté des faïences des 17e et 18e s. (Marseille, Moustiers), le musée fait la part belle au 19e s. à travers deux mouvements, représentés par des œuvres issues des grands Salons parisiens.
Parmi les orientalistes, sensibles aux lumières ardentes, aux couleurs du désert et aux formes galbées de la gent féminine, on retrouve Jules Laurens, Théodore Frère, Alfred Dehodencq et Théodore Chassériau. L'école de Barbizon, forte de ses paysages d'après nature, est illustrée par Diaz de La Peña *(Ciel d'orage)*, Jules Dupré *(Le Pin)* et Charles François Daubigny *(La Mare au clair)*. Expositions temporaires.

Muséum d'histoire naturelle de Salut
Anciens thermes de Salut - 𝄞 05 62 91 12 05 ou 05 62 91 07 26 (hiver) - juil.-sept. : merc.-dim. 15h-18h ; juin et oct. : merc.-sam. 15h-18h ; nov.-mai : dim. et merc. 15h-18h - 4 €.

BAGNÈRES-DE-BIGORRE

SE LOGER

Catala (Hôtel) .... ①

Ferme du Burret
(Chambre d'hôte La) .... ②

Hostellerie d'Asté .... ④

Petites Vosges
(Chambre d'hôte Les) .... ⑧

SE RESTAURER

Auberge Gourmande (L')......... ③

Maison à colombages .... K

Installé dans les anciens thermes, il présente une grande variété de **marbres** puisés dans des carrières de France, d'Europe et du Moyen-Orient : rouge de Vitrolles, orange varois, bleu belge, rose de Norvège, griotte rouge, jaune Lamartine, gris des Ardennes… À cette palette s'ajoutent un atelier de marbrier d'art funéraire, une galerie de photographies, les marbres blancs de la villa gallo-romaine de Pouzac et, dans la galerie thermale, des cabines, baignoires, bustes et ex-voto.

À l'étage supérieur, un espace est consacré aux chauves-souris (dont certaines nichant dans les combles sont visibles par caméra infrarouge) ; on peut aussi voir des herbiers de Ramond de Carbonnières, prêtés par le Conservatoire botanique pyrénéen, des clichés de la flore pyrénéenne, une maquette géante des Pyrénées…

Randonnées Carte de la microrégion

★ **Le Bédat** B2

1h30 à pied AR. À la fourche des trois chemins située au-dessus du parc du Casino, prenez le sentier de gauche qui atteint la fontaine des Fées, puis la statue de la Vierge du Bédat. Le sentier de crête, derrière celle-ci, conduit à la table d'orientation (alt. 881 m). À l'est, la **vue** porte sur les Baronnies et le plateau de Lannemezan, au sud sur la vallée de Campan et les sommets des Pyrénées centrales.

★★ **Lac Bleu** B3

Compter 4h à pied AR. Alt. 1 944 m. Quitter Bagnères par la D 935 au sud, puis, après Beaudéan, 1 km avant Campan, prendre à droite la D 29.
On parcourt, sur 10 km, la charmante **vallée de Lesponne**★, d'où les belles faces rocheuses du pic du Midi de Bigorre et du pic de Montaigu apparaissent,

altières, surtout sous les neiges de printemps et d'automne. Les auberges de Chiroulet sont le point de départ de l'excursion pédestre au lac Bleu, utilisé comme lac-réservoir. Une longue montée (dénivellation de 850 m) par un bon chemin, ombragé le matin, conduit à ce site grandiose.

Itinéraires conseillés Carte de la microrégion

★ LES BARONNIES

◐ *53 km – compter au moins une 1/2 journée.* Milieu rural authentique, au pied des Pyrénées, les Baronnies plongent le visiteur dans un cadre au relief accidenté, source d'un grand dépaysement. Ici, histoire et légende tendent à se confondre.
Quitter Bagnères-de-Bigorre au nord par la D 935 en direction de Tarbes.

Pouzac B2
L'église du 16e s., protégée par un mur d'enceinte percé d'un portail classique, renferme un imposant retable du 17e s. sculpté par Élie Corau de Bagnères et Jean Ferrère d'Asté. La voûte en bois (fin 17e s.) a été peinte par Jean Catau.
L'Art en Stalles – ☎ 05 62 91 14 05 - galerielartenstalles.monsite.wanadoo.fr - *merc.-dim. : 15h-19h30 - gratuit.* Cette galerie d'art contemporain, est aménagée dans les anciens haras Empire.
Poursuivre à l'ouest par la D 26.
Entre les vallées de l'Oussouet et de Castelloubon, les vues s'orientent au sud vers le pic de Montaigu et le pic du Midi de Bigorre, au nord-est vers la coulée de l'Adour et le bas pays, au sud-ouest vers le massif du Balaïtous (reconnaissable à son glacier).
Prendre la D 26 puis la D 938 en direction de Tournay.

Tournay C2
🛈 *8 pl. d'Estarac - ☎ 05 62 35 79 67 - www.ot-tournay.fr - juil.-août : lun. 14h-18h, mar.-sam. 10h-12h30, 15h-19h, dim. 10h-12h30 ; reste de l'année : lun. 14h-17h30, mar.-vend. 9h-12h, 14h-17h30.*
À prononcer « Tournaille » pour se faire comprendre des autochtones. C'est une bastide, au plan régulier en damier, fondée en 1307. À l'entrée du village se trouve l'abbaye Notre-Dame, construite en 1952 et appartenant à l'ordre de saint Benoît. On peut visiter l'église ainsi que le cloître. Les moines exposent et vendent leurs produits (en particulier de fameuses pâtes de fruits). Le poète d'inspiration religieuse **Francis Jammes**, auteur des *Géorgiques chrétiennes*, est né ici en 1868.
Arboretum – *Guide des espèces disponible sur simple demande -* ☎ *05 62 35 79 67 (office de tourisme) - gratuit.* Étendu sur 9 ha d'une ancienne lande à fougères, l'arboretum de Tournay abrite plus de 200 espèces d'ici et d'ailleurs : épicéa de Serbie, séquoia géant, palmier de Chine, cèdre de l'Atlas… Le sentier pédagogique est jalonné de neuf pauses thématiques (« les forestiers », « les résineux », « le coin des géants », etc.). Un guide présente l'origine et les caractéristiques de chaque espèce.
Prendre la D 817, puis la D 14 à droite, dans Ozon. À Gourgue, tourner à gauche dans la D 81, en direction de Capvern-les-Bains.

Capvern-les-Bains C2
🛈 *300 r. des Thermes - ☎ 05 62 39 00 46 - www.capvern-tourisme.com - lun.-sam. 9h-12h30, 15h-18h30.*

La ville possède deux établissements thermaux *(voir nos adresses)*. Le quartier résidentiel du Laca se développe sur un promontoire en vue des avant-monts des Pyrénées – Baronnies (collines du haut Arros), Arbizon, pic du Midi de Bigorre, Montaigu. De la table d'orientation, belle vue sur les Pyrénées et, au premier plan, sur le château de Mauvezin juché sur une butte.

Quitter Capvern au sud par la D 80. À Mauvezin, suivre la direction du château.

Château de Mauvezin C2

℘ 05 62 39 10 27 - www.chateaudemauvezin.com - d'avril à mi-oct. : 10h-19h ; reste de l'année : 13h30-17h30 - 6 € (enf. 4 €) - animations les dim. en été.

Le **donjon** carré, qui s'élève à 36 m de hauteur sur un promontoire des Baronnies, faisait partie des défenses du comté de Bigorre. Mais la grande période du château se situe à l'époque de Gaston Fébus, lorsque le vicomte de Béarn s'assura de cette position stratégique (1379), fermant les issues des vallées de Bigorre vers la plaine et surveillant la route de Toulouse à l'Océan (Toulouse-Bayonne).

Les six salles ont été aménagées en **Musée historique et folklorique** par les soins de l'Escòla Gaston-Fébus, société des félibres du Béarn et de la Bigorre fondée par le poète Miquèu de Camelat et l'écrivain Simin Palay. Dans la cour intérieure, des machines de guerre médiévales ont été reconstituées. Du chemin de ronde et de la terrasse supérieure du donjon, **panorama★** sur le pays des Baronnies et les sommets des contreforts des Pyrénées : Arbizon, pic du Midi de Bigorre et Montaigu.

En sortant du château de Mauvezin, admirez, au-dessus de la porte, une dalle de marbre, chef-d'œuvre de sculpture héraldique aux armes de Jean de Foix-Béarn (1412-1436), également nommé Jean de Grailly : elle porte les trois pals de Foix et de Bigorre ainsi que les deux vaches « clarinées » du Béarn. L'énigmatique devise « Jay belle dame » serait dédiée à Jeanne d'Arc…

Poursuivre sur la D 938.

Ancienne abbaye de l'Escaladieu C2

℘ 05 62 39 16 97 - possibilité de visite guidée (1h) - mai-sept. : 9h30-12h30, 13h30-18h30 ; reste de l'année : tlj sf mar. 9h30-12h30, 13h30-17h - fermé 1er janv., 1er Mai et 25 déc. - 3 € (– 12 ans, étudiants gratuit).

Signalée par son dôme du 18e s. coiffant un clocher octogonal, l'ancienne abbaye cistercienne de l'Escaladieu fut fondée au 12e s. par les moines de l'abbaye de Morimond (Haute-Marne), elle-même fille de Cîteaux. Très endommagée au cours des guerres de Religion, l'abbaye ne conserve plus que son église amputée de son chevet plat, ainsi qu'une partie des bâtiments conventuels : une belle salle capitulaire aux voûtes d'ogives en brique et pierre, reposant sur des colonnes en marbre rouge de Campan, l'armarium, le chauffoir et le parloir. Le dortoir des moines fut transformé au 17e s. en cellules individuelles. Animations estivales *(voir nos adresses)*.

Prendre la D 14.

★★ Gouffre d'Esparros C3

℘ 05 62 39 11 80 - www.gouffre-esparros.com - visite guidée (1h) juin-sept. : 10h-12h, 13h30-18h (vac. scol. 17h30) ; mai : lun.-vend. 13h30-17h, w.-end et j. fériés 10h-12h, 13h30-17h ; reste de l'année : w.-end et j. fériés 10h-12h, 13h30-17h, merc. 13h30-17h ; janv.. w.-end 14h-17h - fermé de la fin des vac. de Toussaint au déb. des vac. de Noël, lun., mar. d'oct. à mars (sf vac. scol.), 1er janv. et 25 déc. - 7 € (6-16 ans 5,50 €) ; 11 € (enf. 7,50 €) billet combiné avec les grottes de Labastide. Réservation conseillée.

PYRÉNÉISTES BAGNÉRAIS

Nombreux sont les pyrénéistes qui combinent la passion de la découverte et celle de l'écrit (leurs œuvres sont rassemblées à la bibliothèque municipale) grâce à la société Ramond, créée en 1865, doyenne des sociétés montagnardes de France. Il y a aussi des chanteurs, comme ceux du groupe des 40 « Chanteurs montagnards » qui, sous la direction d'Alfred Rolland, entonnèrent les mâles accents de *Montagnes Pyrénées* aux quatre coins du monde, entre 1837 et 1855. Hélas, la belle aventure s'acheva par des déconvenues financières qui obligèrent le groupe à abandonner un hôtel à la cloche de bois.

👥 Ce site est exceptionnel par ses salles immenses et par la profusion et la qualité de ses **concrétions d'aragonite** qui rappellent, par leur blancheur et leurs formes, des cristaux de neige. Dans la partie humide, la **salle du Lac** avec ses concrétions est superbe. Ouvert depuis 1997, ce gouffre est strictement protégé et le nombre d'accès quotidien est limité.

★★★ HAUTE VALLÉE DE L'ADOUR

▷ *38 km, de Bagnères-de-Bigorre à Arreau – compter environ 1h. Quitter Bagnères au sud par la D 935, le long de l'Adour.*

★★ Grotte de Médous B3

🕿 *05 62 91 78 46 - www.grottes-medous.com - visite obligatoirement guidée (1h) - juil.-août : 9h-12h, 14h-18h ; avr.-juin et de sept. à mi-oct. : 9h30-11h30, 14h-17h - fermé de mi-oct. à fin mars - 7,60 € (5-10 ans 3,80 €).*

En 1948, trois spéléologues explorant une galerie, proche d'une source vauclusienne alimentant les bassins du parc du château de Médous, découvrirent un « trou souffleur » qui leur révéla l'existence d'une caverne. Intrigués, les trois hommes creusèrent la paroi rocheuse, se faufilèrent dans la « chatière » et débouchèrent dans des galeries aux magnifiques concrétions.

👥 Sur un parcours de 1 km, la grotte présente maintes stalactites et stalagmites ainsi que de larges coulées de calcite (carbonate de chaux) aux formes capricieuses évoquant des cascades, des grandes orgues ou des draperies (salles du Cervin, des Grandes Orgues, Temple hindou, galerie des Merveilles). La visite comprend un parcours de 250 m en barque sur la rivière souterraine formée par des eaux de l'Adour perdues dans une « goule » sur la rive droite de la rivière à Campan et ressortant à l'air libre dans le parc du château de Médous.

Reprendre la D 935 sur 1 km, puis traverser l'Adour vers Asté (D 408).

Asté B3

Maison des Ferrère et du baroque pyrénéen – *Rte de l'Église - 🕿 05 62 91 76 49 - ⚓- de mi-juil. à mi-août : merc.-sam. et dim. apr.-midi ; du 1er juin. à mi-juil. et de mi-août au 30 sept. : merc., sam. et dim. apr.-midi.* Une exposition photographique présente le travail des frères Ferrère (Jean I, Marc, Jean II et Dominique), dynastie locale de menuisiers sculpteurs (1620-1795). Leurs œuvres, essentiellement des objets liturgiques (retables et tabernacles), sont conservées dans une soixantaine d'églises de la région (Asté, Beaudéan, Campan, Pouzac…). *Poursuivre vers le sud par D 935.*

Beaudéan B3

Maison natale de Dominique Larrey – *11 r. Dominique-Larrey - 🕿 05 62 91 68 96 - de mi-juil. à mi-août : tlj sf mar. 14h-18h ; reste de l'année : jeu., vend. et sam. 13h-18h - 4 € (– 12 ans gratuit).*

La visite débute au rez-de-chaussée par une immersion dans le quotidien rural de Larrey (1766-1842), de sa jeunesse pyrénéenne à ses débuts dans la chirurgie marine à Brest. Elle s'anime au 1er étage avec un diaporama présentant, de façon ludique et pédagogique, l'engagement du chirurgien (qui sera plus tard promu baron d'Empire) aux côtés de Napoléon. Sont tour à tour localisées sur une maquette les 25 campagnes et les 60 batailles auxquelles il a participé, soignant toujours les blessés des deux camps avec intelligence, rapidité et dextérité. Précurseur de la chirurgie d'urgence et des expertises médico-légales, inventeur des ambulances volantes (au milieu des combats), Larrey a également œuvré pour la médecine humanitaire. Photos, fac-similés, livres et autres objets ou documents d'époque viennent agrémenter le fonds de ce remarquable petit musée.

Le long de la D 935, les échappées sur le pic du Midi de Bigorre révèlent un sommet massif, reconnaissable à l'antenne de son émetteur de télévision.

Campan C3

🛈 *Haut Adour - ☎ 05 62 91 70 36 - www.campan-pyrenees.com - vac. scol. : 9h-12h15, 14h-18h15, dim. 9h-12h ; reste de l'année : tlj sf dim. 9h-12h, 14h-18h.*

Les halles (16e s.), la fontaine (18e s.) et l'église (16e s.) de ce village composent un tableau harmonieux. Pour accéder à l'**église**, franchissez la grille d'un porche qui donne accès à l'ancien cimetière (galeries aux colonnes de marbre). À gauche de ce porche, Christ du 14e s. provenant de l'ancienne abbaye de l'Escaladieu *(voir le circuit « Les Baronnies »)*. À l'intérieur, belles boiseries du 18e s.

Continuer sur la D 935. Au niveau de Sainte-Marie-de-Campan, prendre à gauche la D 918 en direction du col d'Aspin.

Au-delà de Sainte-Marie-de-Campan, le parcours de la vallée de l'Adour de Payolle rappelle la vallée de Campan avec une touche montagnarde un peu plus rude. En avant et à droite, les vues restent presque constantes sur l'Arbizon (alt. 2 831 m). Le pic du Midi réapparaît, en arrière et à droite, lors de la traversée du bassin de Payolle.

Espiadet C3

Hameau situé au pied de la célèbre carrière de Campan. Les colonnes du Grand Trianon à Versailles et, en partie, celles de l'Opéra de Paris ont été faites avec le marbre vert, veiné de rouge et de blanc, de cette carrière.

Après Espiadet, la D 918, en montée ininterrompue jusqu'au col d'Aspin, serpente parmi de splendides sapinières et offre des échappées sur le massif de l'Arbizon. Puis la forêt s'éclaircit et l'on passe dans la zone des pâturages.

★★★ Col d'Aspin C3

De décembre à avril, le col peut être fermé à la circulation pendant 12 à 48h (déneigement effectué de façon discontinue). Alt. 1 489 m. En dépit de son altitude plus faible que celle des trois autres grands cols (Aubisque, Tourmalet, Peyresourde) franchis par la route des Pyrénées, entre Eaux-Bonnes et Bagnères-de-Luchon, le col d'Aspin offre un **panorama** des plus étendus. La disposition des massifs, le contraste entre les cimes neigeuses et les forêts bleutées produisent une profonde émotion.

La descente commence aussitôt, très régulière mais rapide : en 12,5 km, la route passe d'une altitude de 1 489 m à 704 m.

La vue plonge, à droite, sur le vallon où se blottit le village d'Aspin. À droite aussi, le massif de l'Arbizon se dégage. Les nombreux lacets de la route permettent de voir le bassin d'Arreau.

Arreau *(voir p. 295)*

☺ NOS ADRESSES À BAGNÈRES-DE-BIGORRE

HÉBERGEMENT

PREMIER PRIX

Chambre d'hôte La Ferme du Burret – *67 Le Cap-de-la-Vielle - 65200 Montgaillard - ✆ 05 62 91 54 29 - www.maisonburret.com - fermé nov.-janv. et 10 j. en mai -* 🅿 *- ⛱ - 3 ch. 45/60 € ⛾ - rest. 20 €.* Cette belle ferme bigourdane de 1791 (classée Patrimoine rural) a conservé son caractère d'origine, des chambres au mobilier ancien à la salle à manger avec sa grande cheminée, en passant par l'escalier sculpté, le pigeonnier, les écuries… La maison héberge également un petit musée paysan. Accueil chaleureux et bon rapport qualité-prix.

BUDGET MOYEN

Chambre d'hôte Les Petites Vosges – *17 bd Carnot - ✆ 05 62 91 55 30 - www.lespetitesvosges.com - fermé 12-30 nov. - ⛱ - 4 ch. 75/90 € ⛾.* Le mélange d'ancien et de contemporain redonne à cette maison une vitalité empreinte d'originalité. Chambres douillettes et salon de thé raffiné. La propriétaire saura vous conseiller de belles randonnées dans les environs.

Hostellerie d'Asté – *3,5 km rte de Campan (D 935) - ✆ 05 62 91 74 27 - www.hotel-aste.com - fermé 11 Nov.-15 déc. -* 🅿 *- 21 ch. 53/61 € - ⛾ 7 € - rest. 16/36 €.* Imposante construction entre la route et l'Adour. Petites chambres simples ; sur l'arrière, elles sont bercées par le murmure de la rivière. Restaurant lumineux et terrasse dressée dans le jardin, au bord de l'eau. Cuisine traditionnelle orientée produits de la mer.

Hôtel Catala – *12 r. Larrey - 65710 Beaudéan - ✆ 05 62 91 75 20 - www.le-catala-hotel-pyrenees.com - fermé 1er-8 Mai, 1er-8 nov., vacances de Noël et dim. sauf vacances scolaires -* 🅿 *- 24 ch. 52/75 € - ⛾ 8 € - rest. 18 €.* La façade discrète de cet hôtel bigourdan dissimule un intérieur original : le décor des chambres s'accorde avec les fresques peintes sur les portes (sport, histoire, etc.).

RESTAURATION

POUR SE FAIRE PLAISIR

L'Auberge Gourmande – *1 bd Lyperon - ✆ 05 62 95 52 01 - lauberge.gourmande@orange.fr - Fermé 15-30 nov., mar. sauf juil.-août et lun. - formule déj. 13 € - 26/55 €.* Cette jolie maison de pays abrite une salle élégante où vous appréciez la cuisine du chef qui revisite, sans esbroufe mais avec maîtrise, les terroirs du Sud et du Sud-Ouest.

ACHATS

Les Halles – *R. des Thermes - ✆ 05 62 91 02 58 - mar.-vend. 7h-13h, 16h-19h, sam. 6h-19h, lun., dim. et j. fériés 7h30-13h ; juin-sept. : marché de producteurs et artisans merc. mat.* Marché couvert de style Baltard, ce lieu dédié aux saveurs du terroir, connu pour la qualité et la fraîcheur de ses produits, regoupe une vingtaine de commerçants. L'ambiance est fort sympathique.

ACTIVITÉS

Aquensis – *R. du Pont-d'Arras - ✆ 05 62 95 86 95 - www.aquensis-bagneres.com - vac. scol. : tlj 10h30-20h30 ; reste de l'année : lun., merc., vend., sam. 10h30-20h, mar. et dim. 13h-20h - fermé 1 sem. en mars, 3 sem. en nov. - 16 € pour 2h d'accès libre à l'espace détente - (enf. accepté à partir de 5 ans -*

forfaits famille pour enf. de moins de 15 ans).

Installée au cœur de la ville, cette nef de bois et de verre abrite 3 espaces dans lesquels l'eau thermale joue un rôle prépondérant. Un espace détente avec bassins animés, saunas et Jacuzzi, un espace forme proposant cours collectifs et séances de musculation, et un espace bien-être, pour prendre soin de soi.

Les Grands Thermes – *Pl. des Thermes -* ℘ *05 62 95 00 23 - www. thermes-bagneres.com - ouv. mars-nov .* Possibilités de soins en complément des cures (ateliers de relaxation, école du sommeil…).

Les Thermes de la Reine – *6 allée Fernand-Cardaillac -* ℘ *05 62 90 09 09 - www. thermesdelareine.com - ouv. mars-nov. .* Séjours de remise en forme à la carte (de 3 à 12 jours) avec chambre studio dans l'établissement.

Pêche Sportive Pyrénées – *65170 Campan -* ℘ *05 62 91 83 38.* Stages d'initiation à la pêche à la truite en rivière et lac de montagne, toutes techniques, dans les Pyrénées françaises et espagnoles.

Établissements thermaux – *65130 Capvern-les-Bains -* ℘ *05 62 39 00 02 - www. eurothermes.com.* Capvern-les-Bains dispose de deux établissements thermaux, Hount-Caoute et Bouridé, spécialisés dans le traitement des affections rénales, hépatiques et rhumatologiques, maladies métaboliques, forfait minceur.

Ski – Le domaine du Tourmalet Barèges La Mongie n'est qu'à une trentaine de km au sud. *Voir Barèges p. 367 ou renseignements auprès de l'Office du tourisme de La Mongie -* ℘ *05 62 91 94 15.*

Randonnée pédestre – Vous trouverez à l'Office du tourisme

de Bagnères-de-Bigorre un guide répertoriant 40 possibilités de randonnées dans la région.

Golf Country Club de la Bigorre – À 1 km de Bagnères-de-Bigorre - 18 trous, 5 920 m de parcours et vue panoramique - ℘ *05 62 91 06 20.*

Pêche Sportive Pyrénées – *65710 Campan -* ℘ *05 62 91 83 38 - http:// pechesportivpyrenees.site.voila. fr/.* Stages d'initiation à la pêche à la truite en rivière et lac de montagne, toutes techniques, dans les Pyrénées françaises et espagnoles, séjours et week-ends.

AGENDA

Abbaye de l'Escaladieu – Concerts, expositions, conférences, théâtre en été. ℘ *05 62 39 16 97.*

Un jour au château – Chaque dimanche de juillet et d'août, au château de Mauvezin, l'Escòla Gaston-Fébus organise des manifestations autour des traditions médiévales de Bigorre et d'autres lieux : chants et musiques traditionnels suivis d'un spectacle médiéval (1h). ℘ *05 62 39 10 27 - www. chateaudemauvezin.com.*

Fête des mariolles – À Campan, le 2e dim. de juil. Diverses animations, danses, groupes folkloriques et exposition de « mounaques », ces grandes poupées de chiffon habillées en costume traditionnel. Fête en l'honneur de Dominique Gaye Mariolle, soldat de Napoléon natif de la vallée. ℘ *05 62 91 70 36.*

Festival Piano Pic – Du 13 au 24 juil., concerts dans les sites de renom. *www.piano-pic.com.*

À voix haute – À Bagnères-de-Bigorre, du 12 au 15 août. La voix sous toutes ses formes. ℘ *05 62 95 50 71.*

Pic du Midi de Bigorre

★★★

Hautes-Pyrénées (65)

😊 **NOS ADRESSES PAGE 329**

🚩 **S'INFORMER**

Office du tourisme de Bagnères-La Mongie – *3 allée Tournefort - 65200 Bagnères-de-Bigorre -* ☎ *05 62 95 50 71 - www.bagneresdebigorre-lamongie. com - du 15 juil. au 15 août : 9h-19h ; déb. juil. et fin août : 9h-12h, 14h-19h (dim. 18h) ; juin et sept. : 9h-12h, 14h-18h sauf dim. après-midi ; oct.-mai, lun.- sam. : 9h-12h, 14h-18h.*

😊 *Voir aussi S'informer pour Luz-Saint-Sauveur et Barèges.*

▶ **SE REPÉRER**

Carte de la microrégion B3 *(p.308)* – *carte Michelin Départements 342 M5.* L'ancienne route à péage du Tourmalet aux Laquets est fermée aux piétons, cyclistes et automobilistes (risque de chute de pierres). L'accès au sommet du pic (2 877 m) se fait par téléphérique depuis la station de La Mongie *(voir Barèges)* ou à pied *(voir ci-dessous)*.

😊 **À NE PAS MANQUER**

La vue depuis les terrasses et l'espace muséographique.

🕐 **ORGANISER SON TEMPS**

Comptez une demi-journée de visite mais vérifiez la météo avant. Même par très beau temps, prévoyez un vêtement chaud, en plus des indispensables lunettes de soleil et de la crème solaire.

👫 **AVEC LES ENFANTS**

Le site est déconseillé aux enfants en bas âge. Il plaira beaucoup, en revanche, aux petits curieux à partir de 8 ans.

« Il y a là des matinées à donner aux saints la nostalgie de la terre ! », s'écria le comte Henry Russel, fameux pyrénéiste, au sommet du pic dont la silhouette familière se détache nettement de la chaîne montagneuse. Reposant sur le point le plus avancé du principal contrefort des Pyrénées centrales, son panorama exceptionnel, la pureté et la stabilité de son ciel et des installations scientifiques de pointe ont largement contribué à sa renommée. Surnommé « Le vaisseau des étoiles », le pic du Midi s'est vu décerner le titre de Réserve internationale de ciel étoilé le 11 juin 2009.

Découvrir

Le pic du Midi

☎ *0 825 002 877 (0,15 €/mn) - www.picdumidi.com -* ♿ *- juin-sept. : 9h-19h (dernier dép. en téléphérique de La Mongie 16h30) ; oct.-mai : 10h-17h30 (dernier dép. 15h30) - départ tous les 1/4 d'h, trajet 15mn, visite 2h - le tarif comprend les trajets en téléphérique et la visite découverte du sommet : 30 € haute sais. (– 12 ans 21 €) - location d'audioguide 5 €. Attention, le site est déconseillé aux femmes*

L'observatoire du pic du Midi de Bigorre.
J. Scalvini / fotolia.com

enceintes et aux personnes présentant des risques cardiaques. Les animaux sont interdits. Proposées de février à octobre à dates fixes, des « soirées étoilées » comprennent la visite d'une coupole, ainsi que les ateliers d'animation astronomique et d'observation. *80 € repas compris (– 12 ans 42 €).*

UNE RÉPUTATION INTERNATIONALE

L'aventure du pic du Midi débuta en réalité à 300 m en contrebas du sommet, avec une station météorologique installée en 1873 par le général en retraite Nansouty et l'ingénieur Vaussenat sur le col de Sencours (visible depuis la terrasse à gauche du lac d'Oncet). En 1878, les deux hommes posent en haut du pic la première pierre de l'observatoire qui ne sera achevé que quatre ans plus tard, les travaux ne pouvant se poursuivre entre novembre et juin à cause de la neige. Inauguré en 1882, l'observatoire est cédé à l'État par manque de moyens et c'est Vaussenat qui en devient le premier directeur. La vie quotidienne au sommet est alors très pénible : la montée nécessite plusieurs heures, dans des conditions parfois extrêmes, le chauffage est insuffisant, la nourriture, mal équilibrée. Ce n'est qu'en 1952 qu'est installé le premier téléphérique, qui révolutionne complètement la fréquentation du site et permet l'installation de nouveaux instruments.

Plusieurs fois menacé de fermeture, l'observatoire doit sa survie à la ténacité de ses différents directeurs, convaincus de l'intérêt du site. Un intérêt démontré par les faits, tout au long du 20e s. : en 1930, l'astronome Bernard Lyot invente sur le pic le coronographe, destiné à observer la couronne solaire ; en 1963, la Nasa demande à l'observatoire une série de photographies de la Lune pour préparer la mission *Apollo*. La remarquable transparence de l'atmosphère permet en effet une rare qualité d'observation. Mais un nouveau risque d'abandon se profile dans les années 1990. Son ouverture au public, en 2000, assure son sauvetage et en 2009 le pic du Midi devient « Réserve internationale de ciel étoilé ».

> **UN VÉRITABLE EXPLOIT !**
> L'installation du premier télescope par Benjamin Baillaud, directeur de l'observatoire de Toulouse, fut une véritable expédition qui ne dura pas moins de deux ans : acheminé de Paris à Bagnères-de-Bigorre en train, l'instrument parvint au col du Tourmalet par char à bœufs, puis les 22 caisses de 300 à 800 kg furent montées (en un mois) par un régiment d'artillerie de Tarbes jusqu'au col de Sencours où elles passèrent tout l'hiver. L'été suivant, en 1907, le télescope finit par atteindre le sommet, mais il fallut encore un an pour le mettre en état de marche.

La montée en téléphérique s'effectue en deux temps : un premier téléphérique vous conduit au **Taoulet** (2 341 m). Ce contrefort du pic du Midi de Bigorre offre des **vues**★★ rapprochées, au sud, sur le massif de Néouvielle et l'Arbizon. Au nord-est se creuse la vallée de Campan. L'ascension se poursuit immédiatement grâce à un deuxième téléphérique relié au pic du Midi. Les câbles ne sont ici soutenus que par un seul pylône.

La montée à pied

🚶 *4h30. De Sainte-Marie-de-Campan en montant vers le col du Tourmalet, le chemin démarre discrètement sur la droite, après avoir laissé sur la gauche la route menant à Artigues.* Si vous souhaitez monter à pied, comme le faisaient les porteurs jusque dans la première moitié du 20e s. (plaque commémorative à l'entrée du chemin), empruntez le chemin des muletiers. Attention, cette randonnée nécessite un équipement adapté, une bonne condition physique et n'est accessible qu'en été. Au sommet, la terrasse panoramique est gratuite mais le reste du site est payant *(voir nos adresses)*.

Le sommet

750 m² de terrasses vous permettent de contempler un superbe **panorama**★★★ sur la chaîne pyrénéenne. D'est en ouest, l'horizon s'ouvre sur plus de 300 km de montagnes. Des tables d'orientation permettent de repérer les principaux sommets : Crabère, Arbizon, pic d'Aneto, Néouvielle, mont Perdu, Vignemale, Balaïtous et pic du Midi d'Ossau…

★ L'espace muséographique

L'aventure céleste débute au niveau 6 par la maquette du site et la chronologie des étapes les plus marquantes de l'observatoire. La première partie de l'exposition est consacrée au Soleil : on y découvre des instruments d'observation comme le sidérostat ou encore le coronographe *(voir « Comprendre »)*, inventé en 1930 par Bernard Lyot, à qui l'on doit aussi le plus grand télescope de France (maquette à l'étage inférieur). La visite se poursuit par la présentation des recherches effectuées à l'observatoire sur les planètes. On y apprend qu'avant d'envoyer des hommes sur la Lune, c'est au pic du Midi que la Nasa demanda une cartographie de l'astre. Au niveau 5, retour sur Terre, telle que la voient les sondes spatiales, livrant les mystères de la météo, de la foudre, de la couche d'ozone ou encore des séismes. Entre autres petits films projetés, nourris d'images d'archives, d'entretiens et d'anecdotes, ne ratez pas celui relatant l'épopée humaine de la conquête du sommet et de la construction de l'observatoire, les temps forts et l'évolution des conditions de vie.

Massif de Néouvielle

★★★

Hautes-Pyrénées (65)

🗗 S'INFORMER

Office du tourisme d'Aragnouet Piau-Engaly – *Bât. Le Pôle - 65170 Aragnouet -* 📞 *05 62 39 69 89 - www.piau-engaly.com - pour les horaires, consulter l'office de tourisme.*

😊 Voir aussi S'informer pour Saint-Lary-Soulan.

◉ SE REPÉRER

Carte de la microrégion B3 *(p.308)* – *carte Michelin Départements 342 M5.* C'est la station de Saint-Lary-Soulan et la route du tunnel de Bielsa qui donnent accès à ce massif que l'on aborde avec toute la prudence (routes parfois hasardeuses) et l'équipement nécessaire.

😊 À NE PAS MANQUER

Le col d'Aubert ; le lac d'Orédon ; le lac d'Aumar.

🕐 ORGANISER SON TEMPS

Le circuit de Saint-Lary aux lacs est à suivre de préférence au début de l'été, dès que la route (généralement fermée d'octobre à juin) et le sentier du col d'Aubert sont déneigés.

« On trouve dans les monts des lacs de quelques toises, purs comme des cristaux, bleus comme des turquoises », s'exclamait Théophile Gautier. **Des paysages somptueux, une flore et une faune exceptionnelles et de nombreux lacs dans lesquels se reflète un ciel d'une rare pureté... Cette réserve naturelle créée en 1936 est un lieu enchanteur, paradis des promeneurs et des naturalistes. Le massif granitique de Néouvielle, qui culmine à 3 192 m au pic Long, permet d'observer de nombreux exemples de relief glaciaire.**

Randonnées

Le massif de la « vieille neige » *(nèu vielha)* avec ses 70 lacs, sa richesse bioclimatique et ses cinq refuges gardés, offre de nombreuses possibilités de randonnées. La zone comprise entre les lacs d'Aumar, d'Aubert et les Laquettes a été érigée en réserve naturelle en 1968. Il était en effet temps de protéger cet environnement où vivent isards, perdrix grises et desmans.

Lac d'Aubert
🚶 On peut le rejoindre à pied en 1h30 par le sentier balisé des Laquettes ou prendre la **navette** *(voir nos adresses)*.
De là, il est possible de poursuivre l'excursion vers le col d'Aubert ou de rattrapper le sentier balisé GR 10 longeant le lac d'Aumar.

★ Lac d'Aumar
Alt. 2 192 m. Paisible lac d'origine glaciaire alimentant le lac d'Aubert, il est cerné de gazon où poussent des pins à crochets. À l'extrémité nord du lac, on découvre le sommet principal du pic de Néouvielle avec son petit glacier.

★★ Col (ou hourquette) d'Aubert
🚶 *3h à pied depuis le lac d'Aubert.* Prendre le sentier balisé (sentier de la hourquette d'Aubert) contournant le lac au nord-est. Ce col (alt. 2 498 m) fait communiquer le bassin des lacs d'Aubert et d'Aumar avec la combe désolée d'Escoubous sur le versant de Barèges. **Vue★★** harmonieuse sur les lacs étagés d'Aumar, d'Aubert et le plan d'eau inférieur des Laquettes, au pied du pic de Néouvielle. Loin au sud-est, ensemble glaciaire de la Maladetta.

Itinéraire conseillé

DE SAINT-LARY AUX LACS

◗ *Pour visualiser ce circuit de 70 km, de St-Lary-Soulan au lac d'Orédon, reportez-vous à la carte (p.332) – compter environ 3h. Quitter St-Lary par la D 929 au sud-ouest.*
La vallée se resserre en gorge. Le village de Tramezaïgues, dont le château défendait la vallée contre les incursions aragonaises, est posté en surveillance, à gauche.
À Tramezaïgues, prendre la D 19 (attention : sections non revêtues et, au-delà de la clairière de Frédançon, croisement impossible sur les 4 derniers kilomètres).

★ Vallée du Rioumajou
Une vallée très boisée, animée de nombreuses cascades. L'ancien hospice de Rioumajou (alt. 1 560 m), transformé en auberge d'altitude, se dresse dans un beau cirque aux pentes gazonnées ou forestières très inclinées.
Revenir à Tramezaïgues et prendre à gauche. Dans l'enfilade de la vallée de la Neste d'Aure se détache le pic de Campbieil (alt. 3 173 m), l'un des points culminants du massif de Néouvielle, reconnaissable à son arête à deux pointes soulignée d'un névé.

Randonnée dans le massif de Néouvielle.
H. Le Gac / MICHELIN

Peu après Fabian, prendre la D 118 à gauche. La route qui remonte la Neste de la Géla traverse les hameaux d'**Aragnouet**.

Chapelle des Templiers – 𝄞 05 62 39 62 63 - *de mi-juil. à fin août : mar.-jeu. 15h-18h.* À droite en contrebas apparaît le clocher-mur (12e s.) de ce sanctuaire réaménagé qui abrite deux statues anciennes.

Laisser à gauche la route du tunnel de Bielsa.

Piau-Engaly

À 1 850 m d'altitude, la plus haute station des Pyrénées françaises, installée dans un **site★★ superbe**, côtoie une nature préservée, à deux pas du Parc national des Pyrénées *(voir p.360)* et du Parque Nacional de Ordesa y Monte Perdido (Espagne). Au pied des pistes, les façades inclinées des immeubles disposés en demi-cercle épousent le relief de la montagne.

Revenir à Fabian et prendre sur la gauche la D 929.

C'est l'ancienne route construite par EDF pour le chantier du barrage de Cap-de-Long. Elle remonte la vallée de la Neste de Couplan en escaladant un verrou glaciaire par les lacets « des Edelweiss ». *La poursuivre jusqu'au lac de Cap-de-Long.*

★ Barrage de Cap-de-Long

L'ouvrage, d'une hauteur maximale de 100 m, a créé une retenue de 67,5 millions de m³, pièce maîtresse de l'aménagement hydroélectrique de Pragnères. Le lac artificiel (alt. 2 160 m), aux rives inaccessibles, souvent pris par la glace jusqu'en mai, forme un fjord au pied des murailles du Néouvielle.

Faire demi-tour. À partir de l'embranchement d'Orédon s'amorce la route des Lacs.

★ Lac d'Orédon

Alt. 1 849 m. Ce lac de barrage occupe un bassin aux versants d'éboulis masqués par les sapinières. Il constitue une base de tourisme en montagne (chalet-hôtel). La coupure de la vallée est obturée en amont par le mur du barrage de Cap-de-Long.

Laisser la voiture au parking du lac d'Orédon (300 places - 30mn : gratuit ; moins de 3h : 2 € ; moins de 8h : 4 € ; plus de 8h : 5 €, sous réserve de modifications) avant de pénétrer à pied (ou en navette) au cœur de la réserve naturelle de Néouvielle, zone de protection de la faune et de la flore, dont la richesse n'a d'égale que la beauté des eaux bleues des lacs.

LES DESMANS
Abondants, ces petits mammifères semblables à des taupes, vivent près des cours d'eau et se nourrissent d'insectes. Ils ne sont présents que dans les Pyrénées et en Russie.

🙂 NOS ADRESSES DU MASSIF DE NÉOUVIELLE

VISITE

On accède au massif par la vallée d'Aure et le site d'Orédon ou, à pied, par la vallée d'Aygues-Cluses (côté Barèges). La route des Lacs est interdite à la circulation de 9h30 à 18h du 1er juin au 30 sept. Des navettes sont alors mises en place *(ttes les 30mn env.)* à partir du parking du lac d'Orédon vers les lacs d'Aumar et d'Aubert. 📞 05 62 39 62 63 - 4 € AR (2,50 € *trajet simple, – 10 ans gratuit)*. La route n'est déneigée qu'à partir de la fin du mois de mai et donc généralement fermée de novembre à mai.

ACTIVITÉS

Domaine skiable de Piau – *65170 Piau-Engaly - www.piau-engaly.com - fin nov.-fin avr.* Alt. 1 420-2 600 m, 17 remontées mécaniques. C'est l'un des plus beaux des Pyrénées. Il s'étire dans un impressionnant cirque glaciaire. Son enneigement et son ensoleillement exceptionnels, ses 38 pistes de ski alpin combinées au très bon rendement de ses remontées mécaniques font de Piau-Engaly un centre de qualité adapté aux skieurs de niveau moyen à confirmé.

Randonnées – Le massif de Néouvielle est un lieu idéal pour la randonnée, que l'on soit un montagnard averti ou en famille. De nombreux itinéraires sont balisés. Topo guides dans les commerces ou à la Maison du Parc à St-Lary (📞 05 62 39 40 91), ou informations auprès

du Bureau des guides de St-Lary
(*℘ 05 62 40 02 58 ou
05 62 39 41 97*).
**Parcours suspendu
du Moudang** – *Pont du
Moudang - ℘ 06 08 83 90 61 -*

*parcoursdumoudang.free.fr - juin-
août - 9h30-12h30, 13h30-19h
(18h30 en juin).* Parcours aménagé
avec tyrolienne, via ferrata, ponts
de singes, etc., encadré par des
professionnels.

Lourdes

★

15 265 Lourdais – Hautes-Pyrénées (65)

☺ NOS ADRESSES PAGE 341

🛈 S'INFORMER

Office du tourisme de Lourdes – *Pl. Peyramale - 65100 Lourdes - ℘ 05 62 42
77 40 - www.lourdes-infotourisme.com - juil.-août : 9h-19h, dim. et j. fériés
10h-18h ; avril-juin et sept. : 9h-12h30, 13h30-18h30, dim. 10h-12h30, j. fériés
10h-18h ; mars et oct. : tlj sf dim. et j. fériés 9h-12h, 14h-18h ; janv.-mars et
nov.-déc. : tlj sf dim. et j. fériés 9h-12h, 14h-17h30.*
Forum information – *1 av. Monseigneur-Théas - ℘ 05 62 42 78 78 - www.
lourdes-france.org - mars-oct. : 8h30-12h15, 13h45-18h30 ; reste de l'année :
9h-12h, 13h30-17h30.* Dans ce forum situé à l'intérieur des sanctuaires, vous
obtiendrez des renseignements sur les célébrations, les visites, la garderie,
les objets trouvés… Le Forum information projette une vidéo (30mn) sur
l'histoire des apparitions *(se renseigner pour les horaires - gratuit).*
Pour la visite des sanctuaires, une tenue décente est exigée. Il est interdit
d'y fumer, d'y entrer avec un animal ou à vélo. L'entrée dans les lieux de
culte est gratuite et ouverte à tous *(silence demandé).*
L'office de tourisme propose un circuit fléché, « Sur les pas de Bernadette »,
à travers la ville (départ du musée Ste-Bernadette) qui permet de découvrir les principaux lieux de vie de la sainte. On le parcourt seul, avec un
audioguide *(voir nos adresses)* ou en visite guidée.

◐ SE REPÉRER

Carte de la microrégion B2 *(p.308)* – *carte Michelin Départements 342 L4.*
Desservie par l'aéroport de Tarbes-Lourdes-Pyrénées (10 km), la ville se
trouve également sur le trajet du TGV Atlantique. Elle est accessible en
voiture par l'autoroute A 64 Toulouse-Bayonne (sortie n° 11 Soumoulou en
venant de Pau ou n° 12 Tarbes-ouest depuis Toulouse). Une rocade reliée
aux D 940 et D 937 (Pau-Lourdes) et à la N 21 (Tarbes-Argelès-Gazost)
désengorge le centre-ville.

🅿 SE GARER

Il est délicat de circuler en centre-ville : les voies menant aux sanctuaires (notamment la rue et le boulevard de la Grotte) sont soumises à un
sens de circulation modifié tous les 15 jours. Optez pour l'un ou l'autre
des parkings publics (payants) : parking municipal couvert, Peyramale
ou quai Saint-Jean…

☺ À NE PAS MANQUER
La grotte ; le château fort ; le musée de Cire de Lourdes.

🕐 ORGANISER SON TEMPS
Si vous vous rendez à Lourdes entre Pâques et la Toussaint et surtout autour du 15 août (Pèlerinage national), il vous sera difficile d'échapper à la foule. Notez toutefois que certains sites touristiques sont ouverts toute la journée en saison et désemplissent parfois légèrement à l'heure du déjeuner.

👫 AVEC LES ENFANTS
L'aquarium, le musée du Petit Lourdes.

Deuxième ville de pèlerinage catholique au monde après Rome, Lourdes accueille chaque année 6 millions de personnes venues de 170 pays. Un véritable phénomène, pour cette petite cité pyrénéenne qui comptait moins de 4 000 habitants au milieu du 19e s. La foule commença à s'y presser dès 1858, époque des apparitions de la Vierge à la jeune Bernadette Soubirous. La ville, dominée par son château fort, n'en jouit pas moins d'un emplacement géographique privilégié : au pied des Pyrénées, arrosée par le gave de Pau, Lourdes constitue un bon point de départ pour de superbes randonnées.

Découvrir

LE DOMAINE DE LA GROTTE

Séparé du reste de la cité par une boucle du Gave, à l'ouest de la ville, le domaine de la grotte, également dénommé « les sanctuaires » en raison du nombre important d'édifices de pèlerinage qu'il rassemble, est un domaine privé et clos de 52 hectares, ouvert tous les jours de l'année. Sept portes permettent d'y accéder : les deux principales, la **porte St-Michel**, qui s'ouvre sur l'esplanade du Rosaire et la **porte Saint-Joseph**, offrant un accès plus rapide aux basiliques et au Forum information *(voir S'informer)*, sont ouvertes de 5h du matin à minuit. En dehors de ces heures, emprunter la porte des Lacets (ouverte 24h/24), en face de la maison des Chapelains.

Grotte de Massabielle C1
Le long du gave, la grotte, lieu des apparitions, est une simple anfractuosité dans le rocher de Massabielle (vieille roche), dont la profondeur et la largeur ne dépassent pas 10 m. Une Vierge en marbre de Carrare, sculptée par Fabisch en 1864, marque l'emplacement exact des apparitions. La **source** que fit jaillir Bernadette le 25 février 1858 est toujours visible au fond de la grotte ; des canalisations souterraines conduisent l'eau aux **fontaines**, à gauche de la grotte (robinets à poussoir) et, en aval, aux **piscines** où sont plongés les pèlerins, aidés par des hospitaliers.

Sanctuaires et lieux de prière B1-C1
Premier sanctuaire de Lourdes, la **crypte**, creusée dans le rocher de Massabielle, fut consacrée le 19 mai 1866.
Svelte et blanche, de style néogothique, la **basilique de L'Immaculée Conception**, dite **basilique supérieure**, a été inaugurée en 1871. Au-dessus de la crypte, elle se trouve au sommet du rocher de Massabielle. Elle comprend une seule nef divisée en 5 travées et compte 21 autels. De nombreux ex-voto

la décorent, et les ogives des chapelles portent en inscription les paroles que la Vierge adressa à Bernadette.

La **basilique du Rosaire**, de style néobyzantin, bénie en 1889, occupe, entre les deux rampes de l'hémicycle, le niveau inférieur. D'une superficie de 2 000 m², elle peut recevoir environ 1 500 personnes. Ses 15 chapelles s'organisent par groupes de cinq, autour de l'abside et du transept. Elles sont ornées de mosaïques vénitiennes (19e s.) réalisées par G. D. Facchina (il a décoré entre autres l'Opéra Garnier) qui représentent les mystères du Rosaire. En 2006, des travaux de restauration leur ont donné un nouvel éclat.

La **basilique souterraine Saint-Pie-X**, consacrée le 25 mars 1958 à l'occasion du centenaire des apparitions, est aménagée sous l'esplanade en bordure de l'allée sud. Considérée comme l'un des plus vastes sanctuaires du monde, elle mesure, selon ses plus grandes dimensions, 201 m de long et 81 m de large. Cet immense vaisseau en amande de 12 000 m² peut accueillir 20 000 pèlerins. Seule la technique du béton précontraint a permis de lancer des voûtes aussi surbaissées sans appui intermédiaire.

Deux ponts permettent d'accéder à la prairie de la rive droite où s'élève, depuis 1988, l'**espace Sainte-Bernadette** (4 000 places), construit à l'endroit où Bernadette se tenait lors de la dernière apparition. Il comprend l'église éponyme et l'Hémicycle, où deux fois par an se tient l'assemblée plénière des évêques de France.

Le **chemin de croix** s'amorce à gauche de la crypte. Long de 1 500 m, bordé de 14 stations composées de groupes monumentaux en fonte, il aboutit aux croix du calvaire et aux grottes Sainte-Madeleine et N.-D.-des-Douleurs aménagées dans la caverne naturelle du mont des Espélugues.

Musées des Sanctuaires B1-C1

Musée Sainte-Bernadette – *Sortir des sanctuaires par la porte St-Michel puis tourner à droite avant le pont. Bd Rémy-Sempé - ℘ 05 62 42 78 78 - ᵫ - du 16 mars au 26 oct. : 9h-12h, 14h-19h ; nov.-mars : vac. scol. uniquement - gratuit (offrande à la convenance des visiteurs).* Il présente des souvenirs ainsi que des documents iconographiques sur la vie de Bernadette, les apparitions et l'histoire du pèlerinage. Remarquez les différentes effigies de la Vierge qui furent soumises à l'appréciation de Bernadette.

Musée du Trésor des sanctuaires – *Quitter les sanctuaires par la porte de la Crypte, comme pour gagner le chemin de croix - ℘ 05 62 42 78 78 - ᵫ - avril-oct. : 9h30-12h, 13h30-17h ; reste de l'année : se renseigner - 1 € (– 12 ans gratuit).* Ce musée retrace l'histoire des sanctuaires et des pèlerinages à travers des objets de culte, ornements, vêtements liturgiques et photos de célébrations.

Musée des Miraculés – *Accueil Jean-Paul-II, esplanade du Rosaire.* Quelques panneaux présentent brièvement la vie des 66 miraculés « officiels » de Lourdes.

LE SOUVENIR DE BERNADETTE

Une promenade en ville et dans les environs vous permettra de découvrir les lieux qui ont marqué l'enfance de Bernadette. Le circuit « Sur les pas de Bernadette », proposé par les sanctuaires, relie ces différents points d'intérêt *(voir S'informer)*.

Moulin de Boly (Maison natale de Bernadette) D1

12 r. Bernadette-Soubirous - ℘ 05 62 42 16 36 - ᵫ - du 16 mars au 26 oct. : 9h-12h, 14h-19h (10h-12h en vac. scol.) ; reste de l'année : tlj 15h-17h - gratuit (offrande à la convenance des visiteurs).

Naissance d'un lieu saint

LA FOI DE BERNADETTE SOUBIROUS

Née le 7 janvier 1844 dans une famille de meuniers, l'aînée des quatre enfants Soubirous passe ses premiers mois à Bartrès (3 km au nord), chez une nourrice. En janvier 1858, à 14 ans, elle vit avec ses parents dans le « cachot », suit le catéchisme paroissial et fréquente la classe des indigents des Sœurs de la Charité. Le jeudi 11 février, alors qu'elle ramasse du bois le long du gave, près du rocher de Massabielle, une « belle dame » lui apparaît pour la première fois. Celle-ci ne se présentera qu'à la seizième apparition, le jeudi 25 mars, sous le nom de « l'Immaculée Conception », une dénomination complètement inconnue à Bernadette, puisque le dogme proclamant la conception immaculée de la Vierge ne datait que de 1854. Si le rocher est d'un accès peu facile à cette époque, une foule chaque jour plus nombreuse, mêlant croyants et incrédules, se presse autour. C'est au cours de la neuvième apparition que Bernadette gratte le sol de ses doigts pour faire jaillir une source.

D'abord mises en doute par les autorités ecclésiastiques de l'époque, les apparitions sont officiellement reconnues par l'Église en 1862. L'évêque, Mgr Laurence, décide d'édifier un sanctuaire au-dessus de la grotte, répondant ainsi à l'une des demandes faites par la Vierge à Bernadette. La première procession se déroule en 1864, à l'occasion de la bénédiction de la statue de Notre-Dame de Lourdes. En 1866, la crypte est inaugurée en présence de Bernadette qui entre quelques mois plus tard comme novice au couvent Saint-Gildard, à Nevers, maison mère de la congrégation des Sœurs de la Charité, avant de prendre le voile en 1867 sous le nom de sœur Marie-Bernard. Morte le 16 avril 1879, elle fut béatifiée en 1925 et canonisée en 1933.

Aux premiers pèlerinages paroissiaux et diocésains s'ajoute le Pèlerinage national organisé de Paris par les pères assomptionnistes en 1873 et dont la deuxième édition, en 1874, comprend 14 malades. Dès lors, la place faite aux malades caractérise l'accueil de Lourdes. L'audace des initiatives est illustrée par l'organisation, en 1963, du premier pèlerinage de poliomyélitiques. Des guérisons inexpliquées ont commencé à se produire à Lourdes dès l'époque des apparitions. Parmi près de 7 000 déclarations de guérison déposées depuis, 66 ont été reconnues par l'Église, au terme d'une enquête médicale.

QUAND LA VIERGE APPARAÎT

Aux 19e et 20e s., la Vierge a été vue une centaine de fois, mais il semble que ce soit le Moyen Âge qui détienne le record des manifestations mariales avec plus de 4 000 apparitions entre l'an 1000 et 1515. Face à ce flot incontrôlé, le Ve concile de Latran fixe en 1516 les règles juridiques de l'examen des révélations par le Saint-Siège. Depuis le 19e s., seules 12 manifestations mariales ont été officiellement reconnues : 11 février-16 juillet 1858 à Lourdes ; 1871 à Pontmain (Mayenne) ; 1876 à Pellevoisin (Indre) ; 1877 à Gietzwald (Prusse-Orientale/Pologne) ; 1879 à Knock (Irlande) ; 13 mai-13 octobre 1917 à Fatima (Portugal) ; 1932-1933 à Beauraing (Belgique) ; 1933 à Banneux (Belgique) ; août-septembre 1953 à Syracuse (Italie) ; 1968 à Zeitoun (Égypte) ; 1973-1981 à Akita (Japon) ; 1976-1984 à Betania (Venezuela).

Le **moulin de Boly**, apporté en dot par la mère de Bernadette, vit naître et grandir la fillette jusqu'à sa dixième année. Ruinée, la famille fut contrainte de vendre puis de quitter le moulin en 1854. Une exposition présente les Soubirous.

Ne confondez pas le moulin de Boly avec le moulin paternel, non loin, où s'installa la famille dès 1860, l'année où Bernadette devint pensionnaire à l'hospice. C'est aujourd'hui un magasin-musée.

Cachot D1
19 r. des Petits-Fossés - ℘ 05 62 94 51 30 - ஞ - avril-oct. : 10h-12h, 15h-17h ; reste de l'année : 15h-17h - gratuit (offrande à la convenance des visiteurs).
C'est dans cette simple pièce sombre et froide, installée dans une ancienne prison désaffectée, que vivait la famille Soubirous au moment des apparitions, en 1858.

Église du Sacré-Cœur D1
Jugée trop petite, l'église paroissiale Saint-Pierre, dans laquelle Marie-Bernarde Soubirous avait été baptisée le 9 janvier 1844, fut détruite en 1904, un an après l'inauguration de l'église du Sacré-Coeur, dont la construction fut dictée en 1875 par l'abbé Peyramale, curé de Lourdes au temps des apparitions. Les fonts baptismaux échappèrent à la destruction *(première chapelle du transept gauche)*. Dans la crypte, tombeau de l'abbé Peyramale.

Hospice Sainte-Bernadette D1
Centre hospitalier - 2 av. Alexandre-Marqui - ஞ - ℘ 05 62 42 42 42 ou 05 62 94 40 11 - ஞ - mars-oct. : 9h30-12h, 14h-18h ; reste de l'année : se renseigner - gratuit (offrande à la convenance des visiteurs).
Dans cet ancien hospice, aujourd'hui centre hospitalier, Bernadette suivait l'école des Sœurs de la Charité, avant d'y être admise comme pensionnaire, de 1860 à 1866. Au parloir sont exposés des souvenirs personnels de la sainte et des photographies, tandis que dans la petite chapelle où elle a fait sa première communion, on peut voir sa pèlerine de communiante, son catéchisme, son histoire sainte et son prie-Dieu.

Bartrès
À 3 km au nord (accessible à pied par le chemin de Bernadette - 1h30 AR).
Maison Lagües – ℘ 05 62 42 78 78 - ஞ - *horaires se renseigner - gratuit.*
Bernadette y fut mise en nourrice chez Marie Aravant-Lagües. Elle revint ensuite occasionnellement dans le village pour raison de santé et y rendit quelques menus services. Son souvenir est conservé dans la maison Lagües (reconstruite après un incendie), belle maison à entrée charretière, située en contrebas de l'église à droite, où sont réunis, dans la cuisine, quelques meubles paysans de l'époque.
En revenant, laissez la voiture près d'un oratoire consacré à sainte Bernadette et montez jusqu'à la bergerie où la jeune fille rentrait son troupeau jusqu'en janvier 1858.

UNE ACTIVITÉ DÉBORDANTE
Parmi les 6 millions de pèlerins dénombrés annuellement, près de 40 % sont français et 80 000 atteints de maladies. Lourdes est aussi la 2e cité hôtelière en France après Paris (avec 350 hôtels et 40 000 lits). 700 trains spéciaux et 400 avions y arrivent chaque année. Les magasins d'objets pieux représentent 80 % des 600 commerces.

Se promener

★ Château fort D1

Accès r. du Fort par l'ascenseur, l'escalier des Sarrasins (131 marches) au niveau du pont-levis, ou par la rampe du Fort depuis la rue du Bourg, permettant de découvrir le petit cimetière situé à flanc de pente et ses stèles discoïdales - ℘ 05 62 42 37 37 - www.lourdes-visite.fr - ⚐ - possibilité de visite guidée (1h30) - de mi-juil. à mi-août : 9h-18h30 ; d'avr. à mi-juil. et de mi-août à fin sept. : 9h-12h, 13h30-18h30 ; oct.-mars : 9h-12h, 14h-18h (vend. 17h) - fermé 1ᵉʳ janv., 1ᵉʳ et 11 Nov., 25 déc. - 5 € (6-18 ans 3 €).

Érigé sur un piton rocheux dominant la ville et l'entrée des sept vallées du Lavedan, cette ancienne résidence des comtes de Bigorre aux 11ᵉ et 12ᵉ s., prison d'État aux 17ᵉ et 18ᵉ s., abrite depuis 1921 le **Musée pyrénéen**, qui présente les arts et traditions populaires des Pyrénées. Belles collections sur la cuisine béarnaise, les costumes, les instruments de musique, les surjougs et les céramiques (magnifique service en faïence de Samadet). Les salles de paléontologie et de préhistoire regroupent les découvertes effectuées dans différentes grottes pyrénéennes. Enfin, une salle d'honneur est consacrée au pyrénéisme. La **chapelle du château** *(côté est)* contient les boiseries, autel, statues en bois polychrome du 18ᵉ s. qui ornaient l'ancienne église paroissiale de Lourdes. Sur l'esplanade, plusieurs maquettes au 1/10 illustrent l'architecture pyrénéenne française et espagnole.

★ Musée de Cire de Lourdes D1

87 r. de la Grotte - ℘ 05 62 94 33 74 - www.museedecirelourdes.com - de mi-juil. à fin août : tlj 9h-18h30 ; d'avr. à mi-juil. et sept.-oct. : 9h-12h, 13h45-18h30 - fermé nov.-mars - 6,50 € (– 12 ans 3,20 €).

Aménagé sur cinq niveaux, il retrace les principaux épisodes de la vie de Bernadette Soubirous et de celle du Christ (voir *La Cène*, réalisée d'après l'œuvre de Léonard de Vinci). De la terrasse, belle vue sur le château, le gave de Pau et les sanctuaires.

Musée du Petit Lourdes En direction sud de C2

68 av. Peyramale - ☏ 05 62 94 24 36 - avr.-oct. : 9h-12h, 13h30-19h - du 15 juill. au 15 août : tlj 9h-18h30 - 5,50 € (6-12 ans 2,70 €).

👬 C'est une reconstitution en plein air de Lourdes et de ses environs à l'époque des apparitions (1858). Depuis la bergerie de Bartrès jusqu'au quartier des Cagots, le visiteur découvre les maisons, les monuments historiques, les moulins reproduits à l'échelle 1/20 d'après des documents du 19e s.

Musée du Gemmail D1

72 r. de la Grotte - ☏ 05 62 94 13 15 - www.gemmail.com - du 22 mars au 30 oct. : 9h-12h, 14h-18h30, dim. 14h-18h30 - gratuit.

Nombre d'artistes se sont passionnés pour cette technique juxtaposant des fragments de verres multicolores. Sont exposés Gauguin (*Qui sommes-nous, où sommes-nous, où allons-nous ?*), Picasso (*Nature morte à la tête de mort*), Toffoli (*Le Pèlerin de la paix*), Grotti (*Vierge à l'Enfant*) et Bajen (*Magnificat*). Le musée rassemble également des œuvres réalisées d'après des tableaux de Rembrandt, Manet, Van Gogh, Vuillard et Degas.

Musée de Lourdes En direction sud de D2

Parking de l'Égalité (à côté du vieux cimetière) - ☏ 05 62 94 28 00 - ♿ - possibilité de visite guidée (30mn) - avr.-oct. : 9h-12h, 13h30-19h - nov.-mars : tlj sf dim. 10h-12h, 14h-16h - 5,50 € (6-12 ans, 2,70 €).

Le bourg de 1858 est reconstitué à travers des scènes grandeur nature commentées (*via* des magnétophones portatifs), évoquant la vie quotidienne, les intérieurs ruraux bigourdans, les ateliers d'artisans (sabotier, ébéniste, vannier) et le décor pastoral (cabane de berger).

À proximité Carte de la microrégion

★ Pic du Jer B2

🚶‍♂️ *3h AR ou montée par un funiculaire - 59 av. Francis-Lagardère -* 📞 *05 62 94 00 41 -* ♿ *- de déb. juil. au 31 août : 9h-20h ; de mars au 8 juil. et sept.-nov. : 9h30-18h - du 9 juil. au 31 août : tlj 9h-20h - visite (40mn) des grottes - 3,50 € AR (enf. 2,50 €), funiculaire 9 € AR (6-14 ans 6,50 €). Alt. 948 m.* Depuis la station supérieure du **funiculaire**, 10mn de marche facile conduisent au sommet d'où l'on découvre un beau panorama sur les Pyrénées centrales. On peut prolonger agréablement la promenade (🚶‍♂️ ♿ *30mn AR*) en abandonnant le chemin goudronné de l'observatoire dans le 1er lacet à gauche *(sens de la descente)* pour suivre l'étroit sentier (« *promenade du panorama de Castelloubon* ») menant au piton sud de la montagne. Vue sur le confluent des vallées d'Argelès et de Castelloubon.

Au pied du funiculaire, possibilité de visiter les grottes *(apr.-midi seulement)*.

★ Le Béout B2

🚶‍♂️ Alt. 791 m. Montez à pied par un sentier partant de la cité Saint-Pierre. Beau **panorama** sur Lourdes, le pic du Jer, le pic de Montaigu, la vallée d'Argelès, les vallées de Batsurguère et de Castelloubon. Poursuivez la montée le long de la crête semée de blocs erratiques, témoignage de la puissance de l'ancien glacier du Lavedan (le Béout était alors submergé), et gagnez le point culminant. On découvre alors le pic du Midi de Bigorre, le lac de Lourdes, et, du côté de la haute chaîne, le pic Long (alt. 3 192 m, massif du Néouvielle), le « cylindre » du Marboré et le mont Perdu.

Saint-Pé-de-Bigorre A2

▶ *Quitter Lourdes par la D 937. Avant St-Pé, traverser le gave à gauche, puis s'orienter à droite sur la route de la forêt communale qui rejoint la D 937 à l'ouest, peu avant St-Pé.* 🏛 *Mairie - pl. des Arcades -* 📞 *05 62 41 88 10 - www.ot-saint-pe-de-bigorre.fr - juil.-août : tlj sf dim. et j. fériés 10h-12h, 15h-19h.*
Prisée comme base de plein air, la ville a pour origine une abbaye dédiée à saint Pierre (Pey en gascon, devenu Pé). L'**église**, dont l'abside ronde apparaît dans la perspective de la place centrale à arcades, ferme le quadrilatère des bâtiments de l'abbaye. Cette ancienne abbatiale romane, réalisée par les clunisiens sur la route de Compostelle, était le plus beau et le plus vaste monument religieux des Pyrénées jusqu'aux dégâts que lui causèrent les guerres de Religion et le tremblement de terre de 1661. Du sanctuaire ouest qui abritait un transept et une tour de croisée, il ne reste qu'une petite aile à décoration romane placée sous la tour *(voir le baptistère actuel, à gauche de l'entrée)*. Dans l'église, on peut observer une statue de N.-D.-des-Miracles, du 14e s. *Visite guidée merc. et w.-end 15h-18h.*

★ Grottes et sanctuaire de Bétharram B2

▶ *16 km à l'ouest par la D 937.* 📞 *05 62 41 80 04 - www.betharram.com - visite guidée (1h20) - juil.-août : 9h-16h ; du 25 mars au 25 oct. : tlj 9h-12h, 13h30-16h ; du 4 fév. au 24 mars : lun.-jeu. visites à 14h30 et 16h, vend. à 14h30 - 11,50 € (5-10 ans 7 €).* Découvertes en 1819, les **grottes** de Bétharram offrent 5 200 mètres de galerie, répartis sur cinq étages, où scintillent de véritables trésors d'Ali Baba

Les cierges de Lourdes.
M.-H. Carcanague / MICHELIN

naturellement taillés dans la roche : stalagmites, stalactites, pendeloques, draperies, colonnes… Le parcours s'effectue à pied, en barque et en petit train. Lieu de pèlerinage marial depuis le 15e s., le **sanctuaire** de Bétharram est surtout remarquable pour sa chapelle Notre-Dame au décor baroque (17e s.), ses vastes bâtiments conventuels et son chemin de croix aux bas-reliefs peints par Alexandre Renoir (1845).

☺ NOS ADRESSES À LOURDES

VISITES

La ville en petit train – ♿ - ℘ 06 11 40 25 16 - visite guidée (45mn) - de mi-mars à fin oct. : 9h-11h30, 13h30-18h10 - nocturne mai-sept. à partir de 20h - dép. ttes les 20mn au kiosque situé à droite de la porte Saint-Joseph ou devant chaque site Visa - 5,50 € (6-12 ans 2,70 €). Le passeport « Visa pour Lourdes » permet de visiter les principaux sites de la ville avec le petit train. 29,50 € (6-12 ans 15 €), 2e enf. gratuit pour deux adultes payant.
Audioguides – Deux circuits sont commentés, l'un à travers le domaine de la grotte et les musées des sanctuaires, l'autre incluant la grotte et le parcours

« Sur les pas de Bernadette » - de mars à oct. - 6 €.
Processions et célébrations – D'avril à octobre, de nombreuses messes sont célébrées chaque jour (de 7h à 23h) dans les différents sanctuaires. Messe internationale à 9h30 (basilique souterraine) les merc. et dim. Chaque jour, à 17h, procession eucharistique et bénédiction des malades (de la prairie à la basilique souterraine) ; à 21h, procession aux flambeaux, reliant la grotte à l'esplanade du Rosaire.
Cinéma Sainte-Bernadette – Av. Mgr-Schoepfer - ℘ 05 62 42 79 19. ♟♟ À quelques pas des sanctuaires, on peut y voir le film Bernadette de Jean Delannoy (1988 - 2h).

HÉBERGEMENT

PREMIER PRIX

Hôtel Cazaux – *2 chemin des Rochers - ℰ 05 62 94 22 65 - http:// hotelcazauxlourdes.site.voila.fr - de Pâques à mi-oct. - 20 ch. 41 € - ☑ 6 €.* Accueil convivial et prix doux sont les atouts de ce petit hôtel familial proche des halles. Chambres de bonne ampleur, fonctionnelles et impeccables.

BUDGET MOYEN

Chambre d'hôte M. et Mme Vives – *28 rte de Bartrès - 65100 Loubajac - ℰ 05 62 94 44 17 - www.anousta. com - fermé 11 Nov.-vac. de fév. - 🅿 - 5 ch. demi-pension seult 80/87 € - rest. 16 €.* Vous aimez la campagne, le calme et l'atmosphère d'une ferme ? Cette maison est pour vous. Moutons, poules et canards y sont élevés face aux Pyrénées et dégustés à la table d'hôte. Quatre chambres garnies de poutres et mansardées, une autre familiale avec terrasse. Beau jardin et jeux d'enfants.

Le Grand Cèdre – *6 r. du Barry - 65270 Saint-Pé-de-Bigorre - ℰ 05 62 41 82 04 - www. legrandcedre.fr - 🅿 - ☑ - 5 ch. 72/80 € ☑ - rest. 27 € bc.* Cette maison du 17e s., veillée par un cèdre tricentenaire, renferme des chambres personnalisées par de beaux meubles anciens. Parc et tonnelle de rosiers. Petits plats faits maison à déguster dans une salle à manger rustique (sur réservation).

POUR SE FAIRE PLAISIR

Hôtel Mercure Impérial – *3 av. Paradis - ℰ 05 62 94 06 30 - www. mercure.com - fermé 15 déc.-31 janv. - ☑ - 93 ch. 94/148 € - ☑ 12 €.* Établi au pied du château et dominant le gave, hôtel des années 1930 proposant des chambres revues dans un esprit rétro. Toit-terrasse panoramique. Un bel escalier dessert la jolie salle à manger classique et le salon.

Hôtel Solitude – *3 passage St-Louis - ℰ 05 62 42 71 71 - www. hotelsolitude.com - 12 avr.-4 nov. - ☑ - 293 ch. 90/110 € - ☑ 15 € - rest. formule déj. 12 € - 18 €.* Proche de l'entrée des sanctuaires, ce bâtiment longeant le gave de Pau abrite des chambres actuelles, dont un tiers récemment redécorées. Vue panoramique depuis la petite piscine aménagée sur le toit. Salle à manger en rotonde avec terrasse surplombant la rivière.

Hôtel Florida – *3 r. Carrières-Peyramale - ℰ 05 62 94 51 15 - www.ifrance.com/hotels-lourdes - 3 avr.-30 oct. - 🅿 - 115 ch. 67/72 € - ☑ 6 € - rest. 14 € bc.* Chambres confortables et bien insonorisées ; quelques-unes sont destinées aux familles. Aménagements bien conçus pour l'accueil des personnes handicapées. Sobre décor dans la salle à manger ; vue sur la ville et les Pyrénées du toit-terrasse.

RESTAURATION

PREMIER PRIX

Pizza Da Marco – *47 r. de la Grotte - ℰ 05 62 94 03 59 - http:// pagesperso-orange.fr/Pizzeria. Da.marco/m1.html - fermé sam. midi et lun. - formule déj. 11 € - 12/20 €.* Un endroit sympathique que ce restaurant aux murs jaune paille, décoré de photos et de gravures. Le pizzaïolo est installé dans la première salle (récemment rafraîchie), mais l'on préférera s'attabler dans la deuxième, beaucoup plus au calme. Formules intéressantes, pizzas croustillantes et service efficace.

BUDGET MOYEN

Brasserie de l'hôtel de la Grotte – *ℰ 05 62 42 39 34 - 12 fév.-*

25 oct. - 🅿 - formule déj. 18 € -
21/26 €. La brasserie arbore un
décor moderne ; grande terrasse
sous les marronniers.

Le Chalet de Biscaye – *26 rte du
Lac - ℘ 05 62 94 12 26 - fermé 5-
21 janv., lun. soir et mar. - 19/22 €.*
Dans un quartier résidentiel sur
la route du lac, restaurant familial
proposant une goûteuse cuisine
traditionnelle. Terrasse ombragée
et chaleureuses salles à manger.

Ferme-auberge La Couriole –
*3 imp. La Passade - 65380
Layrisse - ℘ 05 62 45 42 25 -*
♿ - 🅿 - 🍽 - *20/30 €.* La vue
qui embrasse les majestueux
pics du Midi de Bigorre, de
Montaigu et de Vignemale est
admirable. La maison est neuve,
avec encadrements de fenêtres
et portes du 19e s. Au menu :
garbure, magrets aux pêches et
pâtisseries maison, servis dès
les beaux jours sous la pergola
jouxtant l'auberge, au milieu d'un
parc arboré et fleuri.

ACTIVITÉS

Lac et golf de Lourdes – *Chemin
du Lac - ℘ 05 62 42 02 06 - été :
9h-18h ; hiver : 9h-17h. - fermé
1er janv. et 25 déc.* Quitter Lourdes à
l'ouest (direction Pau) par la D 940
et prendre à gauche le chemin
menant au bord du lac. Situé à
421 m d'altitude, profond de 11 m,
ce petit lac d'origine glaciaire offre
les attraits des sports nautiques
(baignade interdite), de la pêche
et du golf (golf de Lourdes
18 trous, au sud). De ses rives,
points de vue étendus sur les
premiers chaînons calcaires et
forestiers. Un sentier piétonnier
fait le tour du lac.

Voie verte des Gaves –
*Association Vélo - 5 av.
F.-Collignon - ℘ 05 34 30 94 18 -
www.af3v.org..* Les véloroutes et
voies vertes de France proposent
un parcours Cauterets (au sud
de Lourdes) sur 27 km, aménagé
sur une ancienne voie ferrée.
Le revêtement permet, outre la
pratique du vélo, de la course à
pied et de la marche, l'accès aux
fauteuils roulants.

Sarl La Truite des Pyrénées –
*34 r. Sailhet - 65400 Lau-
Balagnas - ℘ 05 62 97 02 05 - www.
latruitedespyrenees.com - fermé
dim. d'oct. à mi-mars - 1,60 €
visite guidée (exposition + visite
de l'élevage) 4 €.* Tout, tout, tout,
vous saurez tout sur la truite en
visitant ce lieu très complet qui
abrite un parcours de pêche à
la mouche (matériel fourni et
cours d'initiation possibles) et
une exposition sur la pisciculture.
En vente également, produits
artisanaux à base
de poisson.

**Hautes Pyrénées Sport
Nature** – *3 imp. La Pradette -
65270 Saint-Pé-de-Bigorre -
℘ 05 62 41 81 48 - www.
sport-nature.org.* Cette base
d'eaux vives permet de découvrir
toutes les activités d'eaux vives
et de montagne à travers des
animations de groupe, des
stages ou des séjours (avec ou
sans hébergement). Gîte, aire
de campement ou pension
complète.

AGENDA

Festival de musique sacrée –
Pâques. ℘ 05 62 42 77 40 - www.
lourdes-infotourisme.com.

Argelès-Gazost

3 254 Argelésiens – Hautes-Pyrénées (65)

😊 **NOS ADRESSES PAGE 349**

🚏 **S'INFORMER**

Office du tourisme de la vallée d'Argelès-Gazost – *15 pl. de la République - 65400 Argelès-Gazost -* 📞 *05 62 97 00 25 - www.argeles-gazost. com - tlj sf dim. 9h-12h, 14h-18h.*

▶ **SE REPÉRER**

Carte de la microrégion A3 *(p.308)* – *carte Michelin Départements 342 L4.* 13 km au sud de Lourdes. La ville est posée sur le gave d'Azun et se situe au carrefour des principales vallées du Lavedan.

😊 **À NE PAS MANQUER**

Le panorama depuis la ville haute ; le pic de Pibeste ; le lac d'Estaing ; l'abbatiale de Saint-Savin.

🕐 **ORGANISER SON TEMPS**

La petite ville se parcourt en 1h. Parmi les circuits de découverte, le plus court *(1h AR)* est celui de la route du Hautacam.

👫 **AVEC LES ENFANTS**

Le parc animalier des Pyrénées ; les lamas du val d'Azun à Estaing ; le Donjon des Aigles à Beaucens ; l'aquarium tropical du Haut-Lavedan à Pierrefitte-Nestalas.

Cette petite cité thermale et résidentielle s'est développée au 19e s. dans un bassin réputé pour la douceur de son climat. Elle se partage entre la ville haute, aux ruelles pentues, dominant la vallée du gave de Pau, et la ville basse où sont installés les commerces. Fleurs, fontaines, palmiers, vieilles demeures et escaliers pittoresques font d'Argelès un site agréable et un bon point de départ pour la découverte des vallées alentour.

Se promener

La ville haute

C'est le quartier le plus ancien et le plus animé d'Argelès. Il domine légèrement la vallée du gave de Pau et la cité thermale, face à un **panorama** rehaussé par les dentelures du Viscos, entre les vallées de Cauterets et de Luz, et les premières cimes du Néouvielle. De la table d'orientation située sur la terrasse des Étrangers, place de la République, très belle **vue** sur la vallée du gave d'Azun et les montagnes qui l'entourent.

Parc animalier des Pyrénées

À l'entrée de la ville, en venant de Lourdes par la D 821 - 📞 *05 62 97 91 07 - www. parc-animalier-pyrenees.com - avr.-fin sept. : 9h30-18h ; oct. : 13h30-18h - fermé nov.-mars - 12 € (– 13 ans 6 €, 3-12 ans 8 €).*

👫 Une promenade de 1h30 à la découverte de dix espèces pyrénéennes : isards, ours, marmottes, mouflons, chevreuils, écureuils, renards, loutres, lynx, loups. On peut aussi faire le tour du monde de la faune dans trois salles. Décors

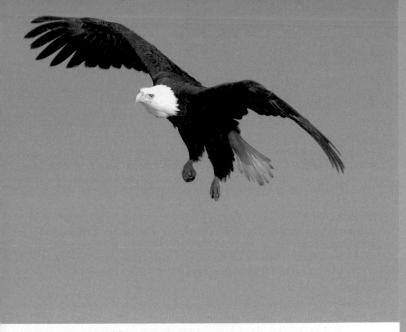

Au « Donjon des Aigles » à Beaucens.
Photo 13-fotolia.com

en staff, jeux de lumières et bruitages mettent en scène environ 150 animaux empaillés représentatifs du Grand Nord américain (ours, lynx, castors), d'Europe (sangliers, cerfs, faune des Pyrénées) et d'Afrique (antilopes, léopards, impalas).

Randonnée

★★★ Réserve naturelle régionale du massif du Pibeste

À 4,5 km au nord par la D 821, puis la D 102 sur la gauche jusqu'au village d'Ouzous. Laisser la voiture sur le parking à proximité de l'église. ☎ 05 62 97 14 55 - www.mr-pibeste-saintpe.com. Compter 4h30 de marche AR. Ne pas oublier de prendre de bonnes chaussures, des vêtements chauds… et du ravitaillement pour éviter la fringale !

À l'entrée de la vallée des Gaves, la réserve de 2 609 hectares présente une faune et une flore intéressantes : mouflons de Corse et isards côtoient des rapaces nicheurs sur de hautes falaises calcaires couvertes de landes et de prairies. Bien que d'altitude relativement modeste (1 349 m), le **pic de Pibeste** constitue l'un des meilleurs belvédères sur les Pyrénées centrales. Le sentier, balisé de traits jaunes, s'élève doucement jusqu'au balconnet à proximité duquel se trouve une plantation d'essai (pins d'essences variées). La section suivante en lacet, plus rude, mène au col des Portes (alt. 1 229 m). Le sentier se divise ensuite en deux branches *(celle de droite, juste après une légère descente, laisse sur la droite une cabane-abri)* qui se réunissent un peu plus loin pour aboutir, à travers buis et hêtres, à la gare supérieure de l'ancien téléphérique. Montez les escaliers et gagnez le sommet (relais de télévision). De là, magnifique **panorama** au sud sur le pic du Midi de Bigorre *(à gauche)*, la pointe aiguë du Viscos séparant les montagnes de Luz et de Cauterets *(au centre)* et, tout au fond, les sommets de plus de 3 000 m (mont Perdu, Vignemale, Balaïtous). Au nord, Lourdes apparaît au premier plan, Pau et Tarbes s'étalent plus loin dans la plaine.

À proximité Carte de la microrégion

★Beaucens B3

★Donjon des Aigles – ◉ *6,5 km au sud-est. Par la D 100 puis la D 13, gagner Beaucens ; traverser le village dans sa longueur et poursuivre jusqu'au château - ℘ 05 62 97 19 59 - www.donjon-des-aigles.com - ☐ - du 6 avr. au 30 sept. : visite 10h-12h, 14h30-18h30 ; démonstration de vol 15h30, 17h (août 15h, 16h30, 18h) - 10 € (enf. 6 €).*

👤👤 Les ruines du château de Beaucens se prêtent à la présentation d'oiseaux indigènes (vautours, aigles, faucons, milans, buses, chouettes, etc.) ou exotiques (condors des Andes, vautours d'Afrique, aigles d'Amérique, perroquets). Le clou de la visite ? La **démonstration en vol des rapaces★,** qui permet une approche originale de ces volatiles évoluant au milieu du public.

Estaing A3

Les lamas du Val d'Azun – ◉ *11 km au sud-ouest par la D 918 jusqu'à Arras-en-Lavedan, puis la D 103 jusqu'à la sortie d'Estaing en direction du lac - ℘ 05 62 97 44 48 ou 06 89 48 71 86 - www.lamas-pyrenees.com - ☐ - visite guidée uniquement - juil.-août : 16h30 ; reste de l'année sur RV - 5 € (3-10 ans 4 €).*

👤👤 Vous y apprendrez que les lamas, importés d'Amérique du Sud au 18ᵉ s., font partie des animaux les plus anciennement domestiqués, à l'instar des moutons ou des vaches. Appréciés pour leur toison oscillant entre poil et laine selon les races, ils sont de formidables débroussailleurs, bâteurs et gardiens de troupeaux. Outre une visite de la propriété, sont proposées des balades, des randonnées avec un accompagnateur en montagne, des séances de zoothérapie pour les personnes handicapées…

Itinéraires conseillés Carte de la microrégion

★ ROUTE DU HAUTACAM

◉ *20 km à l'est – compter 1h. Sortir d'Argelès par la D 100 qui franchit le gave d'Azun puis s'élève, après Ayros, sur le versant est du bassin d'Argelès.*

Artalens B3

À 800 m au-delà du village, faire une halte lors de la traversée d'un vallon. On peut voir de part et d'autre de la route, échelonnés le long du ruisseau, cinq anciens petits moulins familiaux comme il en existait plusieurs centaines en Bigorre, au siècle dernier. Descendez au dernier moulin en aval, qui a conservé sa turbine.

Après Artalens, la route dessert des pâturages d'été très fréquentés et prend un caractère panoramique. Les **vues★** portent loin : au sud-ouest, le Vignemale, par la vallée de Cauterets, et surtout le Balaïtous dominant les montagnes de la vallée d'Arrens. Laissant derrière elle le centre de ski du Hautacam *(voir nos adresses)*, la route atteint la crête : vue sur les contreforts du pic du Midi de Bigorre et le cirque pastoral qui ferme, en contrebas, la vallée de Gazost.

HAUTE VALLÉE D'ARRENS

◉ *24 km – compter 4h. Quitter Argelès à l'ouest par la D 918.* C'est l'une des vallées formant le val d'Azun avec les vallées d'Ouzom à l'ouest et d'Estaing à l'est.

Monument des Géodésiens

À la sortie d'Argelès, sur la gauche de la route, cette tourelle, fac-similé du signal des géodésiens, a été érigée en 1925 pour célébrer le centenaire de la « première » du Balaïtous *(voir l'encadré ci-dessous)*.

Arrens-Marsous A3

🔲 **Maison du val d'Azun et du Parc national des Pyrénées** – *Pl. du Val-d'Azun - ℘ 05 62 97 49 49 - www.valdazun.com - ৬ label Tourisme et Handicap - juin-sept. : 9h-12h30, 14h-19h, dim. 9h-12h, 15h-18h ; reste de l'année : tlj sf dim. 9h-12h, 14h-17h - gratuit.* Au 1er étage, une exposition permanente présente une documentation cartographique et photographique sur le Parc, sa faune et sa flore. Au rez-de-chaussée, expositions ponctuelles de peintures, photographies…

À la porte du Parc national des Pyrénées *(voir ce nom)*, Arrens, la station de la vallée d'Azun, est un lieu de vacances paisible, en montagne bocagère, et une base de courses en haute montagne dans le massif du Balaïtous.

Se diriger vers le barrage du Tech. 2 km après la sortie du village, tourner à droite.

Chapelle de Pouey-Laün A3

Le sanctuaire, édifié à même le rocher, contient un ensemble mobilier du 18e s. rehaussé par la pompe naïve de la voûte bleu étoilé qui lui vaut le surnom de « chapelle dorée ». L'édifice, doré à l'or fin, possède de vastes tribunes à balustres où les pèlerins se pressaient en nombre. Les boiseries latérales à motifs rocaille forment, avec les quatre confessionnaux, un ensemble décoratif.

Haute vallée d'Arrens A3

Dépassant le monticule de Pouey-Laün, la route s'enfonce dans la rude vallée du gave d'Arrens. Aux abords du barrage du Tech, la vue s'étend jusqu'au Balaïtous.

Porte d'Arrens A3

Aires de pique-nique. C'est le point de départ de sentiers balisés pénétrant le massif du Balaïtous. Beau panorama sur le col du Souloir.

🥾 De la porte d'Arrens, on peut atteindre à pied le lac de Suyen *(45mn)*.

Revenir à la chapelle de Pouey-Laün et prendre la première route à droite pour franchir le col des Bordères. À Estaing, tourner à droite dans la vallée glaciaire de Labat de Bun.

★ Lac d'Estaing A3

Parmi la quarantaine de lacs de haute montagne que compte le val d'Azun, celui d'Estaing (l'un des plus grands) demeure le plus facilement accessible. Retenu par une moraine dans l'évasement terminal de la vallée, à 1 161 m d'altitude, il est encadré de versants boisés qui se reflètent dans ses eaux. Le vent, fréquent, permet la pratique du cerf-volant et l'organisation du festival Eolo Tempo *(voir nos adresses)*.

🥾 *1h AR* pour faire le tour du lac, sur 10 m de dénivelé. Le chemin longe la rive gauche avant de s'élever au-dessus de la route, à travers la forêt, jusqu'au chemin d'Arriousec.

GORGE DE LUZ B3

▶ *18 km, d'Argelès-Gazost à Luz-St-Sauveur – compter 1h. Quitter Argelès au sud par la D 101.*

QUAND LA CARTOGRAPHIE ÉTAIT UNE AVENTURE

La crête du Balaïtous a été escaladée pour la première fois le 3 août 1825 par des officiers géodésiens chargés d'établir la triangulation des Pyrénées. L'ascension répondait alors à un travail préliminaire à « la carte d'état-major » au 1/80 000 (1833-1880) confié, pour la moitié ouest de la chaîne, aux lieutenants Peytier et Hossard. Les opérations débutent, étalées sur deux étés en raison du mauvais temps. Elles dureront 26 jours dont 14 en haute montagne (9 nuits de campement au sommet). Outre le transport d'un appareil de visée (17 kg), il a fallu la construction d'une tourelle-signal de pierre, le croquis coté de ce signal, le dessin du tour d'horizon, avec le seul concours des montagnards expérimentés de la région. Fiches et rapports ont été compilés dans les cartons des Archives de la guerre. Ils n'ont été exhumés qu'en 1898 par Henri Beraldi, grand historien des Pyrénées, qui communiqua son enthousiasme au cercle des pyrénéistes.

Sur cet itinéraire se greffent, à Pierrefitte-Nestalas, les superbes excursions dans les vallées de Cauterets : Pont d'Espagne, lac de Gaube, Marcadau *(voir Cauterets)*.

Saint-Savin B3

La **terrasse** qui borde la place principale offre une belle vue sur l'ample vallée d'Argelès, fermée en amont par le pic de Viscos (alt. 2 141 m). À l'arrière-plan, à gauche, se profile le pic Long (alt. 3 192 m).

Église – 🎧 05 62 97 02 23 - juil.-août : 10h30-12h30, 14h30-18h30 ; avr.-juin et sept.-oct. : 14h30-18h - fermé nov.-mars - trésor : 2 € (– 16 ans gratuit). L'église (11e-12e s.), abbatiale ayant appartenu jusqu'à la Révolution à un monastère bénédictin, détruite par les Arabes puis par les Normands, a été fortifiée au 14e s. ; un chemin de ronde intérieur, encore intact, abritait les défenseurs. Le clocher-lanterne recouvre une tour du 14e s. Un beau portail roman orne la façade ; sur le tympan, le Christ, entouré des Évangélistes, est revêtu d'ornements sacerdotaux, représentation extrêmement rare. À l'intérieur, on voit un petit bénitier roman à cariatides (12e s.) dit « des cagots ». Un buffet d'orgues (16e s.) porte des masques dont les yeux et la bouche s'animaient lorsque les orgues jouaient. À côté, beau Christ en bois, œuvre espagnole des 13e et 14e s.

Dans le **trésor** de l'église, chapiteaux provenant de l'ancien cloître, vierges romanes et une châsse en cuivre argenté du 14e s.

Dès la sortie de Saint-Savin apparaît, sur un piton, la chapelle de Piétat.

Chapelle de Piétat B3

Stationnement possible seulement avant la courbe de la route, autour de l'éperon. **Site★** poétique du sanctuaire perché. De la terrasse ombragée de tilleuls, au bord de l'escarpement bref mais raide plongeant vers le fond du bassin d'Argelès, vue sur l'abbatiale de Saint-Savin émergeant des châtaigniers et, en face, sur les ruines roussâtres de Beaucens. Le pic de Viscos domine la rencontre, à Pierrefitte-Nestalas, des vallées de Cauterets et de Barèges.

Pierrefitte-Nestalas B3

🛈 45 av. Jean-Moulin - 🎧 05 62 92 71 31 - www.pierrefitte-nestalas.com - vac. d'été. : lun.-sam. 9h-12h30, 14h30-19h, dim. 9h-12h30 ; vac. de printemps : tlj sf dim. 9h-12h, 15h-18h, sam. 9h-12h ; vac. Noël-fév. : lun.-sam. 9h-12h, 15h-18h ; hors vac. scol. : lun.-sam. 9h-12h.

Aquarium tropical du Haut-Lavedan – ☎ 05 62 92 79 56 - ﾖ - tlj sf lun. ; juin-août : 9h30-19h ; mai et sept. : 10h-12h, 14h-18h ; oct.-avr. : 10h-12h, 14h-17h - 8,80 € (– 12 ans 5,80 €).

👥 À l'entrée nord de la localité, l'aquarium conserve des spécimens de faune marine tropicale du monde entier, répartis sur 700 m² et 40 bassins. Remarquez la densité d'un récif corallien.

À la sortie de Pierrefitte-Nestalas, la route s'engage dans la sombre gorge de Luz. Jusqu'à la construction de la chaussée, au milieu du 18e s., il fallait emprunter le sentier muletier quelque peu escarpé des « **Échelles de Barèges** »… On comprend pourquoi les visiteurs de marque préféraient faire le détour par le Tourmalet !

Premier jalon du souvenir napoléonien, dans la vallée de Barèges, le **pont de la Reine** marque la fin du passage encaissé. Le pays toy (bassin de Luz) présente alors ses villages nichés dans la verdure. La vue se développe sur les premiers contreforts découpés de Néouvielle, à gauche du pic de Bergons.

😊 NOS ADRESSES À ARGELÈS-GAZOST

HÉBERGEMENT

PREMIER PRIX

Camping Les Trois Vallées – Av. des Pyrénées - sortie N - ☎ 05 62 90 35 47 - www.camping-les-3-vallees.fr - de déb. avr. à mi-nov. - ﾖ - réserv. conseillée - 438 empl. 27 €. Ce camping a bien des atouts : un complexe aquatique très ludique, un petit centre commercial et une décoration florale fournie. Un bel ensemble qui nous a conquis…

Hôtel Soleil Levant – 17 av. des Pyrénées - ☎ 05 62 97 08 68 - www.lesoleillevant.com - fermé 30 mars-6 avr. et 24 nov.-23 déc. - 🅿 - 32 ch. 43/52 € - � 8 € - rest. 13/44 €. Hôtel de la ville basse doté de chambres pratiques bien tenues ; certaines ont vue sur les sommets alentour. Bar, salon, terrasse et jardin bien entretenu. Plats de tradition à savourer dans les salles à manger communicantes, aux airs de pension de famille.

Chambre d'hôte Mme Vermeil – 3 r. du Château - 65400 Arcizans-Avant - ☎ 05 62 97 55 96 - 🌿 - 3 ch. 50 € �. Ravissante demeure bigourdane du 19e s. offrant une belle vue sur la montagne. Chambres simples, aménagées sous les toits (planchers, lambris, meubles en pin) et cuisine équipée gracieusement mise à la disposition des hôtes. Randonneurs, n'hésitez pas à demander conseil au propriétaire, accompagnateur en montagne. Petite cuisine à disposition des hôtes.

Chambre d'hôtes Eth Bérȳè Petit – 15 rte Vielle - 65400 Beaucens - ☎ 05 62 97 90 02 - www.beryepetit.com - 🅿 - 🌿 - 3 ch. 56/63 € � - rest. 20 € bc. Accueillante maison bigourdane (1790) dont l'enseigne signifie le petit verger. Les chambres calmes, au décor alliant ancien et moderne, offrent un splendide panorama sur la vallée. Dîner et petit-déjeuner dans un joli salon au coin du feu ou en terrasse.

BUDGET MOYEN

Hôtel Miramont – 44 av. des Pyrénées - ☎ 05 62 97 01 26 - www.bestwestern-lemiramont.com - fermé de mi-nov. à mi-déc. - ﾖ - 🅿 - 19 ch. 65/165 € - ⊘ 13 € - rest. formule déj. 15 € - 22/47 € bc. Cette villa blanche des années 1930, au look paquebot, profite d'un joli jardin et abrite des chambres de bon confort. Restaurant lumineux agrémenté d'une véranda pour déguster des plats actuels soignés.

Hôtel Picors – *Rte d'Aubisque - 65400 Aucun -* 📞 *05 62 97 40 90 - www.hotel-picors.com - fermé 4 janv.-7 fév., 8 mars-25 avr. et 4 oct.-26 déc. -* 🚫 *-* 🅿 *- 48 ch. 83/91 €, demi-pension seult - rest. 16,50 €.* Cette bâtisse à la façade immaculée possède de précieux atouts. Ses chambres fonctionnelles offrent une jolie vue sur les Pyrénées. Son salon, garni de moelleux canapés, est confortable. Bel équipement de loisirs : piscine couverte, sauna, tennis et minigolf.

Auberge Le Cabaliros – *16 r. de l'Église - 65400 Arcizans-Avant -* 📞 *05 62 97 04 31 - www. auberge-cabaliros.com - fermé de déb. nov. à déb. fév., mar. et merc. sf juil.-août -* 🅿 *- 8 ch. 61/68 € -* 🍽 *9 € - formule déj. 18 € - 21/33 €.* Auberge villageoise d'aspect traditionnel tournée vers les cimes pyrénéennes. La vue est splendide de la terrasse prolongeant la salle à manger rustique où un feu de bûches réconfortant crépite en hiver. Les chambres sont simples, propres et bien tenues.

POUR SE FAIRE PLAISIR

Hôtel Les Cimes – *Pl. Ourout -* 📞 *05 62 97 00 10 - www.hotel-lescimes.com - fermé 2 nov.-25 déc. et 2 janv.-5 fév. - 26 ch. 69/76 € -* 🍽 *10 € - rest. formule déj. 11 € - 20/45 €.* Grand édifice disposant de chambres diversement agencées et pour certaines dotées d'un balcon. Petit-déjeuner dans l'agréable patio fleuri ; piscine couverte. Carte traditionnelle au restaurant ouvert sur la verdure.

RESTAURATION

BUDGET MOYEN

Auberge de l'Arrioutou – *Rte du Hautacam - 65400 Beaucens -* 📞 *05 62 97 11 32 - ouv. vac. scol., w.-end et j. fériés -* 🅿 *- 15/22 €.* À 1 350 m d'altitude, cette ancienne étable d'estive reconvertie en restaurant a gardé ses box d'origine. L'été, sa terrasse se déploie avec ses tables en roues de charrette pour accueillir les randonneurs. Crêpes l'après-midi avec confitures maison.

Lac d'Estaing – *Au lac - 65400 Estaing Sud : 4 km -* 📞 *05 62 97 06 25 - ouv. 15 mai-15 oct. -* 🅿 *- 19/40 € - 7 ch. 50 € -* 🍽 *8 €.* Dans un site superbe, entre lac et montagnes, cette modeste auberge invite à s'attabler autour d'une sympathique cuisine traditionnelle. Vaste terrasse ombragée. Petites chambres bien rénovées.

POUR SE FAIRE PLAISIR

La Châtaigneraie – *Chemin Perey - 65400 Salles-Argelès -* 📞 *05 62 97 17 84 - fermé janv. et lun. ; hors sais. : ouv. jeu., vend., sam. soir et dim. midi -* 🅿 *- 29/50 € - 3 ch. 58 €* 🍽*.* Prenez le temps d'apprécier l'atmosphère chaleureuse de cette grange agréablement restaurée avec ses meubles anciens et ses chandeliers. L'hiver, les grillades sont préparées devant vous dans la cheminée centrale. L'été, vous préférerez l'ombre de la pergola. Réservation indispensable.

ACHATS

Nyffénegger Dominique – *8 r. Bousquet - 65400 Agos-Vidalos -* 📞 *05 62 90 37 72 - http:// souffleur-deverre.com/ - 10h-12h, 14h-18h - fermé de Noël à fin mars, lun. sf juil.-août et dim .* L'atelier de ce souffleur et sculpteur sur verre est une vraie récompense pour les yeux. Lampes et vases aux formes originales, art de la table, objets de décoration, etc. : les idées de cadeaux ne manquent pas. Admirez le travail de l'artiste et vous serez vite conquis…

ACTIVITÉS

Les Gaves Sauvages – *2 av. des Pyrénées -* 📞 *05 62 97 06 06 /0 61 37 90 95 8 - www.gaves-sauvages.fr - 9h-20h.* Maison spécialisée dans les sports d'eau vive proposant des descentes le long des gaves pyrénéens à bord d'un canoë, d'un mini raft ou d'un raft, le tout accompagné d'un guide de rivière diplômé d'État.

Domaine skiable de Hautacam-ski – *www.hautacam.com.* Alt. 1 550-1 860 m, 9 remontées mécaniques. 16 pistes de ski alpin, pour les débutants comme pour les skieurs confirmés, sont tracées dans un environnement préservé de forêts montagnardes. 15 km de pistes de ski de fond d'où l'on a un panorama unique sur la vallée d'Argelès et la chaîne pyrénéenne. Une indication pour les nouveaux Icares… la station est un fief du parapente.

Base de loisirs du Lac-Vert – *Village - 65400 Agos-Vidalos -* 📞 *05 62 97 99 99 - 10h-18h - 1ʳᵉ quinz. de juin : merc. et w.-end ; de mi-juin à fin août : tlj - 7 € - (– 5 ans : gratuit).* Cette ancienne gravière aménagée en parc aquatique arboré vous propose de nombreuses activités : pédalos, canoës, pêche, bassins de baignade équipés de grands toboggans, aires de pique-nique, bar et snack.

AGENDA

Eolo Tempo – 3 jours autour du 2ᵉ w.-end de juin. Ce festival international rassemble plusieurs milliers de cerfs-volants et des passionnés de tous les pays (Espagne, Indonésie, Afghanistan, Italie…). www.eolotempo.fr/

Championnat international de chiens des Pyrénées – 19 et 20 sept. Démonstration de sport canin, d'aptitude au travail avec les brebis, nombreuses animations. 📞 05 62 97 00 25 - www.argeles-gazost.com.

Fête du cheval de trait en val d'Azun – En oct. Maison du val d'Azun - 📞 05 62 97 49 49 - www. valdazun.com.

Cauterets

⭐

1 109 Cauterésiens – Hautes-Pyrénées (65)

😀 NOS ADRESSES PAGE 358

🗊 S'INFORMER

Office du tourisme de Cauterets – *1 pl. du Mar.-Foch - 65110 Cauterets - ✆ 05 62 92 50 50 - www.cauterets.com - vac. scol. : 9h-12h30, 14h-19h, dim. 9h-12h, 15h-18h ; mai : 9h-12h, 14h30-17h30, dim. 9h-12h ; reste de l'année : 9h-12h, 14h-18h, dim. (sf oct.-nov.) 9h-12h.*

Maison du Parc national des Pyrénées – *65110 Cauterets - ✆ 05 62 92 52 56 - www.parc-pyrenees.com - juin-sept. : 9h30-12h, 15h-19h ; reste de l'année : se renseigner.* Située à l'entrée de la ville, elle invite à une découverte du milieu naturel préservé au sein du Parc national des Pyrénées tout proche. Présentation des différents étages de la montagne, de la vie pastorale, de la faune et de la flore pyrénéennes. *Pour en savoir plus, voir Parc national des Pyrénées p. 360.*

▶ SE REPÉRER

Carte de la microrégion A3 *(p.308)* – *carte Michelin Départements 342 L5.* La ville se trouve à proximité des vallées de Cambasque, Jéret, Marcadau, Gaube et Lutour, au cœur du Parc national des Pyrénées.

🅿 SE GARER

Attention, il y a parfois beaucoup de monde ! Il est donc préférable de laisser la voiture dans les parkings aménagés, notamment avenue du Dr-Domer.

😀 À NE PAS MANQUER

L'ancienne gare ; le Pont d'Espagne (et les cascades, le long de la route) ; le cirque du Lys (accessible en télécabine).

🕐 ORGANISER SON TEMPS

Si vous souhaitez randonner jusqu'au lac de Gaube *(1h30 AR)* ou dans la vallée du Marcadau *(5h AR)*, depuis le Pont d'Espagne, partez plutôt le matin, avec un pique-nique. Réservez le parcours dans la station *(1h)* pour la fin de l'après-midi.

👫 AVEC LES ENFANTS

Le carroussel, sur l'esplanade des Œufs ; le Pavillon des Abeilles *(voir nos adresses)*.

Enserrée par de hautes montagnes boisées, au confluent de deux gaves, Cauterets est l'une des grandes stations thermales et climatiques pyrénéennes. D'ailleurs, on vous le dira : « A Cautarès, tout que garech. » Ce qui veut dire : « À Cauterets, on guérit de tout. » Cauterets est aussi une villégiature estivale très animée, un grand centre d'excursions dans le Parc national des Pyrénées, vers le Pont d'Espagne ainsi que d'ascensions autour du Vignemale. Et quand la neige arrive, elle devient une importante station de sports d'hiver.

La vallée du Marcadau.
B. Brillion / MICHELIN

Se promener

★ LA STATION

⊙ *Départ de la place du Maréchal-Foch. Lorsque l'on est face à l'office de tourisme, tourner à droite, en direction des thermes (prendre l'allée du Parc).*

Quartier thermal

Renseignements aux thermes de César – av. du Dr-Domer - 📞 05 62 92 51 60 - www.thermesdecauterets.com - tlj sf dim. 7h-12h30, 14h-17h.

Le quartier thermal proprement dit, aux rues étroites, concentre ses hautes maisons sur la rive droite du gave au pied des **thermes de César** construits sur le modèle antique (fronton triangulaire et colonnes de marbre). Deux autres établissements, les thermes du Rocher (pour les enfants) et les thermes des Griffons forment le complexe thermal spécialisé dans les cures ORL, les voies respiratoires et la rhumatologie.

Tourner à droite devant les thermes (rue du Maréchal-Joffre).

En face de l'église, belle façade d'immeuble avec balcon en ferronnerie et fenêtres encadrées de marbre gris.

On emprunte la rue du Général-Castelnau, devant l'église, puis on traverse le gave de Cauterets pour rejoindre l'esplanade des Œufs.

Avant le pont, remarquez les belles façades de la **rue de la Raillère**.

Esplanade des Œufs

Elle est agréablement ombragée et tire son nom de la source des Œufs, qui était exploitée dans l'ancien établissement thermal (actuel casino). Il ne s'agit pas ici d'œufs de poule, mais simplement de la déformation du mot gascon *eu* signifiant « lac de haute montagne ». On retrouve ce terme dans le nom du lac d'Ilhéou, proche de la station. Le long du gave, l'esplanade est bordée d'une galerie de boutiques aménagées dans une architecture métallique provenant de l'Exposition universelle de 1889. Là se trouve également la gare des Œufs : un service de navette en bus, qui a remplacé les petits trains d'autrefois, amène les curistes jusqu'aux thermes des Griffons.

Traverser l'esplanade et rejoindre l'avenue du Mamelon-Vert que l'on prend à gauche, jusqu'à l'endroit où l'avenue tourne à droite.

On aperçoit alors l'étonnante **villa russe**, construite en 1840 pour la princesse Galitzine. La coupole en bulbe que l'on aperçoit surmonte une chapelle orthodoxe.

On peut éventuellement prolonger le détour dans l'avenue du Mamelon-Vert par un passage au Pavillon des Abeilles, plus loin sur la droite (voir nos adresses). Faire demi-tour et prendre, à gauche, le boulevard Latapie-Flurin.

Boulevard Latapie-Flurin

Sur la rive gauche, bordé de palaces, il rappelle la grande époque de Cauterets. L'hôtel Continental et l'hôtel d'Angleterre, fondés par Alphonse Meillon (l'un de ces « hôteliers-gentilshommes » inséparables de l'époque du pyrénéisme), présentent des façades monumentales néoclassiques abondamment décorées de corniches, de pilastres, de cariatides et de balcons en fer forgé.

L'hôtel d'Angleterre abrite aujourd'hui le musée 1900 *(voir ci-dessous).*

Au bout du boulevard, prendre à droite la rue de la Feria, prolongée par la rue du Pont-Neuf. Tourner à gauche après la traversée du gave. On passe devant la Maison du Parc national des Pyrénées (voir S'informer).

Ancienne gare

C'est une étonnante construction en bois d'un style indéfinissable. On dit qu'elle aurait fait partie du pavillon norvégien lors de l'Exposition universelle de 1889. Elle a été reconvertie en gare routière après la fermeture de la ligne ferroviaire.

Retour à la place du Maréchal-Foch par la rue Richelieu, qui présente de belles façades.

Musée 1900

℘ 05 62 92 02 02 - vac. scol. : tlj sf dim. et j. fériés 15h-18h30 ; reste de l'année : se renseigner - 6 € (5-14 ans 3 €).

Installé dans une partie de l'hôtel d'Angleterre, il évoque les grandes heures de Cauterets de la fin du 19e s. et du début du 20e s. Dans l'ancienne salle de restaurant décorée de stucs et de grands miroirs, une belle collection de costumes rappelle le faste et l'élégance des curistes de la Belle Époque. Les autres salles sont consacrées à la vie montagnarde : costumes pyrénéens, outils (reconstitution d'un atelier de sabotier), skis et accessoires permettant la pratique des premiers sports d'hiver.

À proximité

★★ Cirque du Lys

▶ *Environ 2h – accès par la **télécabine du Lys** - juil.-août et de déb. déc. à fin avr. : 9h-12h15, 13h45-17h15 - fermé le reste de l'année - 8 € AR (6-15 ans 6,50 €) ; 10 € AR (6-15 ans 8 €) billet combiné avec le télésiège du Grand Barbat.*

*Puis, par le **télésiège du Grand Barbat** - juil.-août et de déb. déc. à fin avr. : 9h-17h - fermé le reste de l'année - 9,50 € AR (6-15 ans 6,50 €) billet combiné avec la télécabine du Lys.*

Cette excursion franchit le plateau de Cambasque et permet de découvrir, depuis les crêtes du Lys (2 303 m), un superbe **panorama** où se découpent

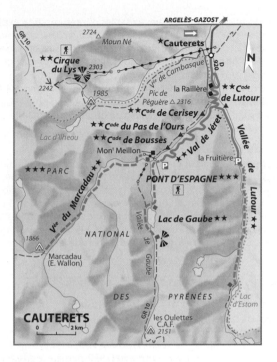

les plus beaux sommets pyrénéens : le pic du Midi de Bigorre, le Vignemale et le Balaïtous *(table d'orientation)*.

Il est possible d'emporter son VTT pour redescendre ensuite vers Cauterets, depuis la station du télésiège du Grand Barbat. La descente est très agréable.

En empruntant le sentier balisé, on atteint en 1h à pied le lac d'Ilhéou.

Randonnées

★ Chemin des Cascades

5h AR au départ de Cauterets ou 4h AR à partir de l'aire de stationnement du pont de la Raillère, près des thermes des Griffons (service de navettes entre le parking de la gare des Œufs, au centre-ville, et la Raillère). Cette belle promenade forestière, qui permet de découvrir les cascades de Cerisey, du Pas-de-l'Ours et de Boussès, ravira les botanistes au moment de la floraison.

★★ Sentier de la vallée du Luron et lac d'Epsom

5h AR au départ de la Fruitière. L'une des plus belles promenades et des plus faciles. Pendant une heure on parcourt la vallée le long du torrent puis on monte parmi les pins sur le verrou avant d'arriver au lac glaciaire d'Epsom.

★★ Lac de Gaube

1h30 AR par le GR 10 ; départ immédiatement en aval du Pont d'Espagne. Accès possible par le **télésiège de Gaube** *depuis le plateau de Clot, puis 15mn à pied -* ℘ *05 62 92 52 19 - (trajet 12mn) 10 mai-28 sept. - horaires : se renseigner sur place ou à l'office de tourisme* ℘ *05 62 92 50 50 - 7 € AR (6-15 ans 5 €) ; billet combiné avec la télécabine du Puntas 8 € AR (6-15 ans 6 €).*

À la station supérieure du télésiège, six tables d'interprétation expliquent la forêt montagnarde, l'habitat de l'isard, etc. Le lac, but d'une excursion rituelle depuis un siècle et demi de tourisme pyrénéen, occupe un site d'une harmonie sévère, d'où l'on peut voir les parois lointaines du massif du Vignemale où se maintiennent des glaciers suspendus.

Pour découvrir la Pique longue du Vignemale, point culminant (3 298 m) de la chaîne frontière entre Atlantique et Méditerranée, ou pour avoir un beau point de vue sur la vallée, suivez la rive gauche, après l'hôtellerie (sentier de la Haute Route des Pyrénées).

★★ Vallée du Marcadau

🐾 *5h AR depuis le parking du Pont d'Espagne.* Le parcours facile de cette vallée, jadis très fréquentée comme voie de transit vers l'Espagne, fait alterner les replats de prairies, où le gave limpide divague sur les cailloutis et les « verrous ». Au passage de ceux-ci, le chemin se fait plus raide à travers les rocs et les bouquets de vieux pins de montagne souvent mutilés. Le refuge Wallon (alt. 1 866 m), but de l'excursion, s'élève à l'entrée d'un cirque pastoral, dont les combes supérieures sont constellées de lacs *(promenades d'une journée)*.

Itinéraire conseillé

★★ VALLÉES DE CAUTERETS

◐ *Pour visualiser ce circuit de 12 km, reportez-vous à la carte (p.355) - compter environ 30mn. Sortir de Cauterets par la D 920, derrière le casino. Dépasser la Raillère et laisser la voiture sur les parkings aménagés après le pont de Benquès.*

★★ Cascade de Lutour

Gagnez la passerelle jetée au pied de la chute à quatre jets, derniers rebonds du gave de Lutour.

Reprendre la D 920. Au terme d'une série de lacets, aussitôt avant l'établissement de bains du Bois, prendre à gauche en arrière la route forestière de la Fruitière, étroite et en forte rampe.

★★ Vallée de Lutour

Après avoir laissé apercevoir, à travers les arbres, les chutes supérieures de Lutour, la route sort de la forêt et dévoile un paisible paysage pastoral, peuplé de troupeaux et drapé de nappes d'éboulis, mais conservant sa parure de pins jusqu'à environ 2 000 m d'altitude. Laisser la voiture à la Fruitière pour la randonnée *(voir ci-dessus)*.

Faire demi-tour pour revenir sur la D 920, que l'on prend à gauche.

La route remonte le **val de Jéret★★**, très encaissé et boisé, encombré d'énormes rochers, mais embelli par les chutes du gave.

★★ Cascades de Cerisey, du Pas-de-l'Ours et de Boussès

On admire successivement leurs effets variés. Au-delà de la cascade de Boussès, le torrent forme l'île Sarah-Bernhardt *(stationnement possible dans la clairière)*.

★★★ Pont d'Espagne

*Laisser sa voiture au **parking du Puntas** - 1h 3 €, 6h 4,50 €, 6-12h 5 €, + 12h 6 €, carte 5 passages (valable 1 an) 18,50 €, carte annuelle 37 € + caution 5 €.*

Les sources de Cauterets

LES DEUX CAUTERETS

On ne connaît pas de documents antérieurs au 10e s. au sujet de Cauterets, même si l'on a découvert à Pauze une piscine thermale datée du 4e s. Au 10e s., Raymond, comte de Bigorre, fait don de la vallée de Cauterets à l'abbaye de Saint-Savin, à condition d'y élever une église à saint Martin et de « conserver toujours en ce même lieu des habitations propres à la balnéation ». C'est au 11e s. que l'abbé de Saint-Savin prend possession de la vallée dans les conditions prescrites. Cauterets-Dessus se forge sur les pentes du pic des Bains, au niveau de Pauze. Au 14e s., la bourgade est à l'étroit ; les moines donnent l'autorisation de fonder Cauterets-Debat et de descendre église, maisons et bains sur le plateau qui domine le gave. C'est l'emplacement de la ville actuelle.

DES EAUX… ET DES BAS

Les sources restent encore aujourd'hui la propriété d'un syndicat de communes limitrophes, reliquat de la très ancienne organisation communautaire de la « vallée de Saint-Savin » *(voir Argelès Gazost)*. Le 17e s. enregistre une forte baisse de l'activité, en dépit de la découverte de la source de la Raillère. Mais en 1763, l'inauguration de la route Pierrefitte-Cauterets permet l'essor de la station, dont l'apogée se situe dans la seconde moitié du 19e s. Les frères Labbat, tous deux médecins, contribuèrent à la fortune de Cauterets. L'aîné, Joseph, à Paris, où il traitait au début du 19e s. une clientèle pour le moins mondaine… et plutôt sujette aux rhumatismes ! Le cadet, Clément, exerçait à Cauterets en été. Celui-ci s'enrichit suffisamment pour racheter l'abbaye de Saint-Savin, ancienne propriétaire des thermes. À partir de 1860 débutent la construction d'hôtels de prestige et l'urbanisation de la rive gauche. La mise en service en 1897-1898 de deux lignes de chemin de fer électrifiées, aujourd'hui supprimées, permet aux curistes de venir en plus grand nombre.

L'activité thermale a aujourd'hui quelque peu décliné et les grands hôtels du 19e s. ont été transformés en appartements. Mais les établissements de cure ont été rénovés (certains, comme les thermes de César, sont ouverts toute l'année) et proposent aux adeptes du ski des activités de détente. Les 10 sources, dont les eaux sulfurées sodiques jaillissent entre 36 et 53 °C, sont toujours réputées dans les traitements des maladies respiratoires et rhumatismales.

DES MALADES CÉLÈBRES…

Au 16e s., Marguerite de Navarre compose à Cauterets une partie de l'*Heptaméron* en soignant ses rhumatismes. En 1765, sur le site de la source de la Raillère, un petit bâtiment thermal est édifié pour accueillir le maréchal de Richelieu. À l'époque de l'Empire et de la Restauration, c'est un nouvel afflux de célébrités. Les plus vivants souvenirs restent attachés au séjour de la reine Hortense de Beauharnais, au passage de la pétulante duchesse de Berry… George Sand, Vigny, Chateaubriand et Victor Hugo trouvèrent là un cadre approprié à quelques épisodes romanesques de leur vie tourmentée.

Prendre la **télécabine du Puntas** *jusqu'au plateau du Clot (centre d'activités avec pistes de ski de fond et sentiers de randonnée) ou prendre son courage à deux mains et monter à pied jusqu'au Pont - (trajet 5mn) - juin-sept. : horaires : se renseigner sur place ou à l'office de tourisme* ℘ *05 62 92 50 50 - 2,60 € (6-15 ans 1,60 €).* Non, vous n'êtes pas sur la frontière espagnole ! Ce pont doit son nom au fait qu'il se trouvait, il y a quelques siècles, sur le passage d'un chemin muletier vers l'Espagne. C'est un site d'une très grande beauté, au confluent du gave de Gaube et du gave de Marcadau. Du haut des passerelles et des belvédères, aménagés en amont et en aval du pont, on voit les eaux tumultueuses des gaves se rejoindre en cascades écumantes. Les proches abords sont plantés de sapins et de pins sylvestres parmi lesquels serpente le petit sentier d'accès au Pont d'Espagne depuis le parking du Puntas. Plus loin s'étend la prairie avec ses fleurs montagnardes, fraîches et colorées. En hiver, ces étendues sont sillonnées par les amateurs de ski de fond.

Empruntez, à droite derrière l'hôtel du Pont d'Espagne, un chemin caillouteux (*🥾 1/4h à pied AR*) sur lequel s'embranche, encore à droite, le sentier du **monument Meillon** (poteau du Parc national des Pyrénées). Chemin faisant, on découvre une belle échappée à travers les sapins sur la chute principale du Pont d'Espagne et sur le Vignemale. Hiver comme été, c'est le point de départ de possibles randonnées *(voir ci-dessus, le lac de Gaube et la vallée du Marcadau).*

😊 NOS ADRESSES À CAUTERETS

HÉBERGEMENT

BUDGET MOYEN
Chambre d'hôte les Ruisseaux – *Rte de Pierrefitte -* ℘ *05 62 92 28 02 - www. lesruisseaux.com - fermé 25 déc. -* 🅿 *- 5 ch. 62/72 €* ☕. Un accueil chaleureux vous attend dans cette maison des années 1920-1930, un peu perdue dans la vallée. Les chambres, spacieuses, sont idéales pour les familles. Le grand jardin, entouré d'une nature verdoyante, est charmant.

POUR SE FAIRE PLAISIR
Hôtel du Lion d'Or – *12 r. Richelieu -* ℘ *05 62 92 52 87 - www. liondor.eu - fermé 26 avr.-16 mai et 11 oct.-18 déc. - 19 ch. 70/110 € -* ☕ *10 € - rest. 21/28 €.* Cet hôtel tenu par la même famille depuis 4 générations se repère à sa belle façade du 19e s. (portes-fenêtres et balconnets en fer

forgé). Chambres douillettes personnalisées par des objets chinés. Petit patio bien fleuri en saison.

RESTAURATION

PREMIER PRIX
L'Aragon – *R. de Belfort -* ℘ *05 62 92 54 94 - dim.-jeu. 7h30-2h ; vend.-sam. 7h30-3h -* ♿ *- formule déj. 10 € - 30 €.* Il règne une ambiance chaleureuse en ce sympathique snack agencé sur trois niveaux. Les salades, assiettes garnies, soupes et omelettes sont à prix tout doux. Idéal pour une petite pause ou un repas sur le pouce.

BUDGET MOYEN
Astérides-Sacca – *Bd Latapie-Flurin -* ℘ *05 62 92 50 02 - hotel.le.sacca@wanadoo. fr - fermé 15 oct.-15 déc. - 19/45 € - 56 ch. 45/75 € -* ☕ *8 €.* Salle à manger chaleureuse où l'on déguste des recettes

traditionnelles et soignées. Les chambres, dotées de balcons, sont aménagées dans un esprit actuel et fonctionnel. Hall habillé de bois blond.

L'Abri du Benquès – *La Raillère, rte du Pont-d'Espagne -* ℘ *05 62 92 50 15 - www.benques.com - fermé 15 nov.-20 déc., merc. (sauf vac. scol.), lun. soir et mar. soir -* 🅿 *- formule déj. 10 € - 20/29 €.* Dans un lieu magique sur la route du Pont d'Espagne, entre nature et torrents, ce restaurant chaleureux au décor montagnard vous fait découvrir une généreuse cuisine actuelle

ACHATS

Aux Délices – *Pl. Georges-Clemenceau -* ℘ *05 62 92 07 08 - www.berlingots.com - 9h-12h30, 14h30-19h30 - fermé nov..* Vous êtes invités à découvrir les ateliers de cette confiserie artisanale spécialisée dans la fabrication des berlingots. Les curistes, ravis d'oublier le goût amer des eaux thermales riches en soufre, connaissent l'adresse depuis bien longtemps. Boutique.

Pavillon des Abeilles – *23 bis av. du Mamelon-Vert -* ℘ *05 62 92 50 66 - www. ballot-flurin.com - 10h30-12h30, 14h30-19h00 - fermé dim.-lun. et j. fériés sf en été.* Aussi actif que leur ruches, ce couple apiculteur propose miels biologiques des Hautes-Pyrénées (rhododendron, tilleul, marjolaine, bruyère, châtaignier…), produits d'hygiène et de soins à base de miel, confiseries, stages de découverte de l'apiculture et un atelier « pain d'épice ».

ACTIVITÉS

Thermes de César – *Av. du Dr-Domer -* ℘ *05 62 92 14 20 - www. thermesdecauterets.com - tlj sf dim. 8h30-12h, 14h-18h.* Situés en plein centre-ville, ils proposent des séances de remise en forme à la carte ou au forfait : bains bouillonnants en cabine individuelle, douches au jet, applications de boue, massages sous l'eau, bains en piscine.

Le domaine skiable de Cauterets – Alt. 1 850 m-2 350 m. Il est réparti sur deux sites. Le **cirque du Lys**, le plus important, bénéficie d'un enneigement constant de décembre à mai et présente une grande variété de pistes, 23 au total, convenant aux débutants comme aux skieurs confirmés. Il est desservi par deux télécabines et 13 remontées mécaniques. Quand les conditions s'y prêtent, il est possible de descendre jusqu'au Cambasque (station intermédiaire du téléphérique).

👫 Cauterets est une Station Kid. Au **Pont d'Espagne**, 3 remontées mécaniques, dont le télésiège de Gaube, permettent de faire du ski alpin dans une atmosphère détendue loin des foules, au cœur du Parc national des Pyrénées. Les pistes de fond (36 km), de tous niveaux, sont balisées en 5 boucles dans la vallée du Marcadau.

Forfaits – Les forfaits de remontées mécaniques peuvent être achetés au départ des télécabines du Lys et du Courbet. De nombreux hôtels en délivrent également. Le monoski, le snowboard, le ski de bosses, etc., sont autorisés.

Parc national des Pyrénées

★★★

Pyrénées-Atlantiques (64) et Hautes-Pyrénées (65)

NOS ADRESSES PAGE 364

S'INFORMER

Parc national des Pyrénées – *2 r. du 4-Septembre - BP 736 - 65007 Tarbes - ℘ 05 62 54 16 40 - www.parc-pyrenees.com.*

Maisons du Parc – Les Maisons du Parc national, présentes dans chaque vallée, donnent des informations sur la flore et la faune du Parc, les randonnées en montagne. Certaines présentent diverses expositions permanentes ou temporaires, ainsi que des films ou documents multimédias. *Pour des renseignements plus précis sur chacune des Maisons, reportez-vous aux paragraphes S'informer des villes d'Argelès-Gazost, Cauterets, Gavarnie, Luz-Saint-Sauveur et Saint-Lary-Soulan.*

Maison du Parc (**vallée d'Aure**) - 65170 Saint-Lary-Soulan - ℘ 05 62 39 40 91. Maison du Parc et de la vallée (**vallée de Luz-Gavarnie**) - 65120 Luz-St-Sauveur - ℘ 05 62 92 38 38.

Maison du Parc (**vallée de Luz-Gavarnie**) - *65120 Gavarnie - ℘ 05 62 92 42 48.*

Maison du Parc et de la vallée (**vallée d'Azun**) - ♿ - *65400 Arrens-Marsous - ℘ 05 62 97 43 13.*

Maison du Parc (**vallée d'Ossau**) - *64440 Laruns - ℘ 05 59 05 41 59.*

Maison du Parc (**vallée d'Aspe**) - *64880 Etsaut - ℘ 05 59 34 88 30.*

▶ SE REPÉRER

Carte de la microrégion A3-A4 *(p.308)* – *carte Michelin Départements 342 K5.*
Le Parc national des Pyrénées dessine le long de la chaîne frontière, sur plus de 100 km, entre la vallée d'Aspe (Béarn) à l'ouest et la vallée d'Aure à l'est, une bande large de 1 à 15 km. Il a une frontière commune de 15 km avec le Parc national espagnol d'Ordesa et du mont Perdu (au sud de Gavarnie).

⊙ À NE PAS MANQUER

Une randonnée avec un garde-moniteur ou un accompagnateur en montagne pour mieux découvrir la faune et la flore du Parc.

⊙ ORGANISER SON TEMPS

La visite d'une Maison du Parc *(voir ci-dessus)* constitue une bonne introduction à toute excursion. Vous y trouverez des conseils, des plans et des indications sur les randonnées les plus adaptées à votre niveau et au temps dont vous disposez.

Magnifiques cascades, lacs aux eaux vert émeraude, gouffres bouillonnants, pics majestueux et altiers, panoramas à couper le souffle… il n'existe qu'une seule façon de découvrir tous ces trésors : la marche sur les sentiers de ce Parc.

Se promener

Le Parc national couvre six vallées dont quatre se situent dans les Hautes-Pyrénées : Arrens, Cauterets, Luz-Gavarnie et Aure. C'est à ces quatre vallées que nous nous limiterons ici.

🛈 Pour en savoir plus sur les randonnées possibles au départ des vallées d'**Aspe** ★★ et d'**Ossau** ★★, dans les Pyrénées-Atlantiques, reportez-vous au *Guide Vert Aquitaine*.

Plus de 350 km de sentiers tracés et balisés (dont par endroits le GR 10) permettent de rayonner dans les vallées du Parc. Plusieurs possibilités s'offrent à vous, de la randonnée itinérante de refuge en refuge à la balade d'une demi-journée depuis un lieu de séjour fixe, en passant par une sortie encadrée par un garde-moniteur *(programme estival disponible auprès des Maisons du Parc)*.

Vallée d'Arrens

La vallée d'Arrens ou val d'Azun, dominée par le **Balaïtous** (3 144 m), regroupe les hautes vallées d'Arrens-Marsous, d'Estaing et la vallée de l'Ouzom. Surnommée « l'Éden des Pyrénées » par le pyrénéiste Louis Ramond de Carbonnières, elle est restée en autarcie jusqu'au milieu du 19e s., sans relation avec les vallées voisines. Moins célèbre que les autres vallées des Hautes-Pyrénées, le val d'Azun, encore à l'abri des foules, a conservé toute son authenticité. Idéal pour les randonnées en famille. La Maison du Parc du val d'Azun a été tout particulièrement aménagée pour l'accueil de personnes handicapées.

🐾 Accessibles en voiture, la **porte d'Arrens** et le **lac d'Estaing**★ sont des points de départ pour de nombreuses randonnées *(voir Argelès-Gazost)*.

★★ Vallée de Cauterets

C'est le thermalisme qui fit le succès de cette vallée au 19e s. Fière de posséder le plus haut sommet des Pyrénées françaises, le **Vignemale** (3 298 m), la vallée de Cauterets est particulièrement remarquable pour ses fameuses **cascades** (**Val de Jéret**★★) et le site du **Pont d'Espagne**★★★, où les pins sylvestres ont un port particulièrement majestueux. Granitique, le paysage laisse apparaître des blocs arrondis et de très beaux polis glaciaires. Le pin à crochets est l'un des seuls à apprécier ce milieu.

🐾 De belles randonnées au départ du Pont d'Espagne : le **lac de Gaube**★★ (également accessible en télésiège) et la **vallée du Marcadau**★★. À explorer également, la **vallée de Lutour**★★ *(voir Cauterets)*.

★★ Vallée de Luz-Gavarnie

Réputée sombre et étroite, la vallée de Luz-Gavarnie a beaucoup cultivé ses relations avec le versant espagnol. Regroupant la vallée de Gavarnie et celle de Barèges, elle est surtout célèbre pour ses **cirques** (Gavarnie, Troumouse, Estaubé), dont les différentes couches de calcaire, superposées en gradin, sont parfois nettement visibles. De nombreux sommets y sont supérieurs à 3 000 m. Ici encore, le développement du thermalisme s'est accompagné d'un désenclavement au 19e s. avec la construction de routes carrossables. La vallée attira et inspira dès cette époque de nombreux pyrénéistes, naturalistes, artistes et écrivains.

Sauvegarder la nature pyrénéenne

MISSIONS ET OBJECTIFS

Créé en 1967 pour la protection de la nature, le Parc national des Pyrénées est l'un des sept parcs nationaux français. Doté d'une frontière commune de 15 km avec le Parc national espagnol d'Ordesa et du mont Perdu (au sud de Gavarnie), il s'étend sur 45 700 ha compris entre 1 000 m et 3 298 m d'altitude (sommet du Vignemale). Le Parc national proprement dit, ou cœur du Parc, est entouré d'une zone périphérique de 206 000 ha partagée entre 86 communes des départements des Hautes-Pyrénées et des Pyrénées-Atlantiques. Il se prolonge à l'est par la réserve naturelle du Néouvielle *(voir p.329)* dont il assure la gestion. Afin de protéger au mieux le territoire dont il a la charge, le Parc national inventorie et suit les évolutions des espèces végétales ou animales. La préservation renforcée mise en place dans la zone centrale n'exclut pas la poursuite des activités humaines comme le pastoralisme ou la sylviculture, car les objectifs du Parc concilient la protection de la nature avec ces activités économiques. Dans la zone périphérique, le Parc national poursuit une politique d'aide au développement local, compatible avec le souci de protection du milieu. Il a également pour mission d'éduquer et d'accueillir les milliers de touristes qui s'y rendent chaque année.

UN TERRITOIRE INHABITÉ OU PRESQUE

Nulle habitation ne trouve sa place au cœur du Parc, zone de haute montagne ; seuls les bergers et les gardiens de refuge viennent s'y installer en été. C'est ce qui explique la présence de nombreux animaux. Le Parc national donne asile à plus de 6 500 isards, surtout visibles dans les vallées d'Ossau et de Cauterets, ainsi qu'à plus de 200 colonies de marmottes. La découverte des derniers ours bruns est devenue quasiment impossible, alors qu'il n'est pas exceptionnel d'apercevoir en vol des vautours fauves, des aigles royaux ou des gypaètes barbus dans ces régions des Pyrénées encore fréquentées par le coq de bruyère, le lagopède (ou perdrix des neiges) et le desman dit « des Pyrénées » (petit mammifère aquatique très rare sur la Terre).

UNE FLORE ABONDANTE

Riche d'environ 60 espèces endémiques de fleurs, le Parc compte parmi ses protégés la ramonde des Pyrénées, le lys jaune, la valériane, l'asphodèle et le chardon bleu. À chaque étage sa végétation : l'étage montagnard (900 à 1 800 m), frais et humide, se partage entre une forêt de hêtres sur le versant nord et une autre de pins sylvestres au sud, tandis que l'étage subalpin (1 800 à 2 400 m) privilégie un paysage de forêt claire planté de pins à crochets, de landes de rhododendrons, de genévriers, bouleaux et sorbiers des oiseleurs… Plus haut, à l'étage alpin (2 400 à 2 900 m), la végétation se fait courte et rase, dominée par les saules nains, le silène sans tige et le pavot parfumé. Enfin, l'étage nival n'est traversé que de quelques lichens et algues.

🐾 Les randonnées vers les cirques sont les plus prisées : si vous souhaitez éviter les foules, sachez que le cirque de **Troumouse**★★ et plus encore celui d'**Estaubé** sont beaucoup moins fréquentés que leur homologue de **Gavarnie**★★★. L'excursion vers le **pic des Tentes**★★ donne un autre point de vue sur le cirque de Gavarnie *(voir Gavarnie et Luz-Saint-Sauveur)*.

★ Vallée d'Aure

Particulièrement ensoleillée, balayée par un vent chaud et sec qui dégage les cols, la vallée d'Aure est très prisée depuis le lancement des grandes stations de ski de **Saint-Lary-Soulan** et de **Piau**, et le développement récent d'un tourisme haut de gamme. La liaison vers l'Espagne, assurée par le tunnel de Bielsa, participe au succès de cette vallée dont les cours d'eau, appelés Nestes, rejoignent la Garonne. Principal point d'accès à la **réserve naturelle de Néouvielle**★★★, la vallée d'Aure est réputée pour ses nombreux lacs.

🐾 Le massif de Néouvielle s'explore surtout à partir du **lac d'Orédon**★, duquel on accède au **lac d'Aubert**, au **lac d'Aumar**★ et au **col d'Aubert**★★. Des randonnées sont également possibles au départ de Piau ou de la D 118, peu après Aragnouet. À parcourir également, la **vallée du Rioumajou**★ *(voir le massif de Néouvielle, Saint-Lary-Soulan et Arreau)*.

😊 NOS ADRESSES DANS LE PARC DES PYRÉNÉES

VISITES

Réglementation – Outre le camping sont interdits les chiens, les feux, la chasse, la cueillette, les prélèvements, le vélo tout-terrain. Pour plus d'informations, consulter la documentation disponible dans les Maisons du Parc.

HÉBERGEMENT

Refuges du Parc – Il faut distinguer les refuges gardés, au nombre de cinq, qui ne sont ouverts que de mi-juin à mi-sept., et les refuges non gardés (10 places en général). Tous sont destinés aux randonneurs de passage. Dans les refuges gardés, on mange ses propres provisions ou le repas préparé par le gardien. Leur capacité d'accueil étant limitée à 30 ou 40 places, ils sont pris d'assaut en été. Il est donc conseillé de réserver à l'avance :
Refuge de Barroude (2 377 m), dans la vallée d'Aure, 35 pl., ✆ 05 62 39 61 10.

Refuge des Espuguettes (2 027 m), dans la vallée de Luz, 60 pl., ✆ 05 62 92 40 63.
Refuge de Migouélou (2 280 m), dans le val d'Azun, 41 pl., ✆ 05 62 97 44 92.
Refuge d'Ayous (1 980 m), dans la vallée d'Ossau, 50 pl., ✆ 05 59 05 37 00.
Refuge d'Arlet (1 990 m), dans la vallée d'Aspe, 43 pl., ✆ 05 59 36 00 99.

Refuges gérés par le Club alpin – Les refuges n'appartenant pas au Parc national des Pyrénées sont pour la plupart gérés par la Fédération française des clubs alpins et de montagne. *Service du Patrimoine bâti - 24 av. de Laumière - 75019 Paris -* ✆ *01 53 72 87 00.*

Bivouac – Si le camping est interdit, le bivouac est toléré de 19h à 9h (ou en cas d'intempéries), à condition d'être à plus d'une heure de marche de tout accès motorisé. Les offices de tourisme et syndicats d'initiative distribuent la liste des campings à proximité du Parc.

Luz-Saint-Sauveur sous la neige.
OT Luz-Saint-Sauveur

Luz-Saint-Sauveur

1 070 Luziens – Hautes-Pyrénées (65)

☺ NOS ADRESSES PAGE 373

❚ S'INFORMER

Office du tourisme de Luz-Saint-Sauveur – *Pl. du 8-Mai - 65120 Luz-St-Sauveur -* ☎ *05 62 92 30 30 - www.luz.org - de mi-juil. à mi-août : 9h-19h, dim. et j. fériés 9h-12h, 16h-19h ; de Pâques à mi-juil. et de mi-août à fin nov. : 9h-12h, 14h-18h30, dim. et j. fériés 9h-12h ; de déb. déc. à Pâques : 8h30-19h, dim. et j. fériés 8h30-12h, 16h-19h.*
Maison du Parc et de la vallée – ☎ *05 62 92 38 38 - 9h-12h, 14h-19h, sam., dim. et j. fériés 16h-19h.* Outre une exposition permanente sur le Parc national des Pyrénées *(voir p. 360)* où l'on peut voir des animaux naturalisés, la Maison abrite temporairement peintures, photographies, etc. En juil.-août, tous les lun. à 21h : film et débat animé par un garde-moniteur.

◐ SE REPÉRER

Carte de la microrégion B3 *(p.308)* – *carte Michelin Départements 342 L5-M5.* À une trentaine de kilomètres au sud de Lourdes, Luz et Saint-Sauveur se font face de part et d'autre de la coupure du gave de Pau, dans un cadre pittoresque de montagnes.

⬡ À NE PAS MANQUER

L'église fortifiée Saint-André ; le cirque de Troumouse ; la vue depuis le pont Napoléon.

◔ ORGANISER SON TEMPS

Prévoyez au moins une demi-journée (et de bonnes chaussures) pour l'excursion qui conduit au cirque de Troumouse : la fin du parcours ne peut s'effectuer qu'à pied *(3/4h AR).*

👥 **AVEC LES ENFANTS**
La via ferrata et le circuit aventure près du pont Napoléon.

Luz-Saint-Sauveur doit sa fortune à l'impératrice Eugénie qui lança la vogue des stations thermales pyrénéennes. Les nombreux témoignages de cette période mondaine ne doivent cependant pas faire oublier les vestiges, plus anciens, du farouche pays de Toy, ni la station de Luz-Ardiden qui a su préserver son site.

Se promener

Château Sainte-Marie
🚶 *30mn AR. À Esquièze, juste avant d'entrer à Luz par la D 921, prendre à gauche la D 172 qui conduit à Vizos. L'étroit sentier s'engage sur la droite, le long du jardin de l'hôtel Montaigu (voir nos adresses).* Construit au 10e s. par les comtes de Bigorre, ce château fut tour à tour occupé par les hospitaliers de Saint-Jean, les chevaliers de Malte, puis par les Anglais à qui il fut repris en 1404. Depuis les ruines se dégage une belle vue sur la vallée.

Luz
Dans un canton montagnard longtemps isolé du bas pays par le mauvais passage des Échelles de Barèges, la petite capitale du **pays toy** *(terme désignant les habitants des hautes vallées)* surprend par son animation et par son équipement touristique. Les 18e et 19e s. y ont laissé un certain nombre de maisons de belle allure, blanches sous leur toit d'ardoise, avec corniches, linteaux sculptés et balcons de fer forgé.

★ **Église fortifiée Saint-André** – 📞 05 62 92 32 88 - juin-sept. : 15h-18h - 2 € *(enf. gratuit).* Elle fut bâtie à la fin du 12e s. et fortifiée au 14e s. par les hospitaliers de Saint-Jean-de-Jérusalem (ce qui explique sans doute la confusion qui la fait souvent dénommer, à tort, « église des Templiers ») avec un chemin de ronde, une enceinte crénelée enserrant un vieux cimetière et deux tours carrées.

📷 *Pour une description en image, reportez-vous à l'ABC d'architecture p. 70.*
Son portail présente un Christ en majesté entouré des Évangélistes ; à l'intérieur, belle voûte gothique lambrissée, boiseries du 18e s., retable du 17e s., **musée d'Art religieux** dans la chapelle N.-D.-de-la-Pitié, et petit **Musée ethnographique** local dans la tour de l'Arsenal.

Saint-Sauveur
L'unique rue, en corniche au-dessus du gave, est dédiée successivement à la duchesse de Berry, grande animatrice de la saison 1828, et à l'impératrice Eugénie dont les séjours, surtout celui de 1859, apportèrent à la station sa

---

LE « CIRCUIT » NAPOLÉON III...

D'un naturel farouche, les habitants de la vallée n'ont pourtant pas ménagé leur reconnaissance à Napoléon III et à l'impératrice Eugénie de Montijo pour leurs bienfaits. Le tour du bassin de Luz, du pont de la Reine (Hortense de Beauharnais, mère de l'empereur) au **pont Napoléon** en passant par la chapelle de Solférino, prend l'allure d'un véritable « circuit Napoléon III ».

BARÈGES, PREMIÈRE STATION DE SKI DES PYRÉNÉES

Le duc du Maine (1675-1681), fils légitimé de Louis XIV et de Madame de Montespan, effectua trois séjours à Barèges, assurant ainsi la fortune thermale de la station. C'est de là que Madame de Maintenon, gouvernante du jeune prince infirme, s'insinua dans les bonnes grâces du roi par la qualité de sa correspondance.

Au début du 19e s. encore, les Barégeois, redoutant les avalanches, ne construisaient qu'en bois aux endroits menacés. Les travaux de reboisement et la pose de « râteliers à neige » sur le versant nord ont permis le développement d'une activité touristique hivernale. Barèges a joué un rôle de pionnier en devenant, en 1922, la première station de sports d'hiver des Pyrénées! Elle s'est dotée d'un funiculaire dès 1939.

---

consécration. Les thermes, de style Napoléon III, sont spécialisés dans le traitement médical des insuffisances veineuses, des affections gynécologiques et des troubles ORL. Ils bénéficient d'eaux jaillissant à 34 °C, riches en soufre et en barégine.

À proximité Carte de la microrégion

Station thermale de Barèges B3

▷ *À 7 km de Luz-Saint-Sauveur par la D 918.* 🛈 *Pl. Urbain-Cazaux -* 🕿 *05 62 92 16 00 - www.bareges.com - juil.-août : 9h-12h30, 14h-18h30, dim. 9h-12h, 16h-18h - reste de l'année : lun.-sam. 9h-12h, 14h-18h.*

Autrefois fréquentée par Michelet, elle accueille traditionnellement les blessés ou accidentés. Les « eaux d'arquebusades » sont dispensées dans l'établissement thermal, d'où émanent les effluves sulfurés caractéristiques. On distingue deux établissements. D'une part les grands thermes de Barèges *(voir nos adresses)*, indiqués pour la reconstruction osseuse et les rhumatismes, et d'autre part les thermes de Barzun, spécialisés dans les affections des voies respiratoires.

Domaine skiable de Luz-Ardiden B3

▷ *À 15 km de Luz-Saint-Sauveur par la D 12. Alt. 1 700-2 550 m ; 15 remontées mécaniques, 60 km de pistes.* Le site de la station est demeuré presque intact, sans immeuble et presque pas de chalets. Les skieurs séjournent donc dans la vallée, avant de rejoindre les pistes par une petite route de montagne. Les secteurs d'Aulian et de Bédéret, reliés par des remontées mécaniques, totalisent 50 km répartis en 33 pistes de ski alpin, ouvertes aux skieurs de tous niveaux et plus particulièrement aux amateurs de ski sportif. On y pratique toutes les formes de glisse. La station est équipée d'une piste de ski de bosses, d'une piste de slalom et d'un *snowboard space*.

Domaine skiable du Tourmalet B3

Alt. 1 250-2 500 m. **Barèges** et **La Mongie** forment aujourd'hui un important complexe de sports d'hiver. Avec 43 remontées mécaniques et plus de 100 km de pistes, c'est le plus grand domaine skiable des Pyrénées françaises. La proximité du massif de Néouvielle favorise le ski de randonnée hors des pistes (liaison Saint-Lary-La Mongie, ascensions guidées, etc.).

À Barèges, le secteur du **Lienz-Ayré**, qui se perd dans une magnifique forêt, est désormais réservé au ski de fond et aux raquettes : pistes de tous niveaux, parmi les plus belles des Pyrénées, dans un cadre paisible de sous-bois enneigés.

L'aménagement du col du Tourmalet a entraîné la création d'une annexe d'altitude, **Super-Barèges**, dans le cirque terminal de la vallée du Bastan.

Domaine skiable de Gavarnie-Gèdre B4

32 km au sud-ouest de Barèges par D 918 (Luz), D 921 (Gavarnie) et D 923 - alt. 1 650-2 400 m - 11 remontées mécaniques - www.gavarnie.com. Les 33 pistes de ski alpin sont accessibles aux skieurs de tous niveaux, de la piste verte la plus longue des Pyrénées aux pistes noires pour skieurs avertis. Au pied du cirque de Gavarnie débutent 7,5 km de pistes de ski de fond. En janvier ou mars a lieu le Derby Gavarnie 3000, grande épreuve de ski de randonnée, entre le village de Gavarnie et la brèche de Roland.

Itinéraires conseillés

★★ VALLÉE DE GAVARNIE

Pour visualiser ce circuit de 50 km, reportez-vous à la carte (p.369) – compter 1h30. De Luz-Saint-Sauveur à Gavarnie.

George Sand écrivait : « De Luz à Gavarnie, c'est le chaos primitif, c'est l'enfer », tandis que Victor Hugo, traversant le chaos de Coumély, s'exclamait : « Noir et hideux sentier… ». Tout au long de cette vallée, les glaciers ont « surcreusé » les bassins de Pragnères, Gèdre et Gavarnie. Les eaux ont scié les « verrous » rocheux qui les séparent et créé des « étroits » dont le plus caractéristique est la gorge de Saint-Sauveur. Sur les replats sont juchées des habitations temporaires. Du haut des vallées affluentes, les torrents dévalent en cascades.
Quitter Luz-St-Sauveur au sud par la D 921.

Pont Napoléon

Évitez les files de cars d'excursion qui s'y forment en haute saison vers 15h. Par ce pont d'une seule arche, construit en 1860 sur les ordres de Napoléon III, la route venant de Saint-Sauveur franchit le gave profondément encaissé entre les parois abruptes de la gorge. À la sortie, côté rive droite, s'élève une colonne commémorative de marbre, surmontée d'un aigle. Vue plongeante sur la gorge broussailleuse.
Continuer sur la D 921. La route, taillée dans le roc, parcourt un défilé. Le hameau de la Sia apporte un intermède. Bientôt apparaissent les téléphériques montés le long des conduites forcées de Pragnères.

Centrale de Pragnères

Se visite sauf en cas de plan Vigipirate. La plus importante usine hydroélectrique des Hautes-Pyrénées « turbine » les eaux collectées dans le massif de Néouvielle, sous 1 250 m de hauteur de chute, et dans les vallées affluentes de la rive gauche du gave de Pau, sous 900 m de hauteur de chute. La centrale est utilisée à pleine puissance aux périodes de pointe d'hiver. Elle comprend 40 km de galeries, quatre barrages dont celui de Cap-Long (le plus grand des Pyrénées), une centrale de production et deux stations de pompage.

Peu avant Gèdre apparaît, à droite du Coumély rayé par une conduite forcée, le pic pointu de Pimené (alt. 2 801 m), précurseur du cirque de Gavarnie.

Gèdre

Aux confluents des gaves de Gavarnie et de Héas, dans un bassin de prairies coupées de rideaux de peupliers, voilà un exemple typique de commune rurale où l'activité pastorale rythme la vie quotidienne. De l'hôtel de la Brèche de Roland, on aperçoit la fameuse coupure du rocher et, plus à droite, la dépression neigeuse de la « Fausse Brèche » d'où pointe le rocher du « Doigt ». Le territoire Gavarnie-Gèdre, classé au Patrimoine mondial de l'Unesco, est présenté dans l'**espace Millaris**, porte des Cirques. *℘ 05 62 92 35 25 - millaris@gavarnie.com.*

Passé le village, prendre la D 922 sur la gauche vers le cirque de Troumouse (à 15 km), via Héas. Attention, cette route, bordant le gave d'Héas, reste généralement obstruée par la neige de décembre à avril. Route payante après Héas.

La route remonte la vallée pastorale d'Héas dont les pentes gazonnées sont interrompues par une coulée de blocs descendue de la montagne de Coumély, puis par un autre chaos dont le plus gros rocher sert de piédestal à la Vierge du Mail d'Arraillé.

Héas

Élevant son dôme dans le dernier bouquet d'arbres de la vallée, la **chapelle** de pèlerinage fut emportée par une avalanche en 1915 et reconstruite en 1925. Du mobilier de l'ancien sanctuaire, il reste la nef latérale de gauche, des statues, des tableaux, une croix de procession (18e s.), la cloche de 1643, le bénitier… La statue vénérée de Notre-Dame d'Héas, retrouvée intacte sous l'avalanche, a été replacée dans le chœur. Plusieurs pèlerinages sont organisés en l'honneur des grandes fêtes de la Vierge *(voir nos adresses). La chapelle est ouverte de début mai à début novembre.*

La route, attaquant le versant sud de la vallée, offre des vues intéressantes sur l'ancienne « auge » glaciaire d'Héas : remarquez l'épaulement continu du versant nord, interrompu au-dessus de la chapelle d'Héas par l'encoche d'un torrent descendu d'un bassin de réception en forme d'entonnoir régulier. Au sud, en contre-haut, se rapproche un cirque de sommets dont la structure plissée montre une extraordinaire houle de strates claires.

★★ Cirque de Troumouse

🐾 *Gagner la statue de la Vierge (3/4h à pied AR) érigée sur un piton formant belvédère.* Site grandiose, d'une capacité de trois millions de « spectateurs », le cirque présente un fond de prairies légèrement convexe. Il est fermé par des montagnes dressant un rempart, à peine découpé, de 10 km de développement. L'ensemble culmine au pic de la Munia (alt. 3 133 m), reconnaissable à son vestige de glacier suspendu. À gauche, en contrebas du glacier, on découvre les « Deux Sœurs », deux petites aiguilles jumelles.

De retour à Gèdre, reprendre sur la gauche la route de Gavarnie.

La vallée redevient sauvage. À droite, en contre-haut, on aperçoit la vallée suspendue du gave d'Aspé. Le torrent tombe dans la vallée principale en formant la cascade d'Arroudet. La route traverse un chaos de blocs écroulés, au pied de la **montagne de Coumély**. Puis commence la dernière montée vers les hauteurs de Gavarnie.

À gauche de la Fausse Brèche et de la crête des Sarradets située en avant-plan, se détache le gradin supérieur du cirque avec ses corniches neigeuses, les sommets du Casque, de la Tour et du pic du Marboré. À droite apparaît le hameau de Bareilles, puis, sur le Turon de Holle, au débouché de la vallée d'Ossoue, la monumentale statue de Notre-Dame-des-Neiges.

Gavarnie *(voir p. 375)*

★★ ROUTE DU TOURMALET

◗ *Circuit de 30 km sur la D 918, de Barèges à Ste-Marie-de-Campan – compter 1h.*

Sujets au vertige et âmes sensibles, songez que la route du Tourmalet peut paraître particulièrement impressionnante sur le versant de Barèges.

La route s'engage dans le vallon désolé d'Escoubous, où le ruisseau serpente à travers des pâturages pierreux. Après 4 km, on parvient au pont de la Gaubie.

Jardin botanique du Tourmalet

Rte du Tourmalet - pont de la Gaubie - 65120 Barèges - 𝄃 05 62 92 18 06 ou 05 62 42 09 85 - 🔓 - de mi-mai à mi-sept. : 10h-19h - 4 € (4-12 ans 3,10 €).

Niché au cœur de la montagne, cet agréable jardin de 2 hectares rafraîchi par l'Escoubous présente un panorama très complet de la flore pyrénéenne classée par milieux (rochers, forêts, tourbières…). Parmi les 2 500 espèces sauvages présentées, vous apprendrez, entre autres, à reconnaître la ramonde des Pyrénées, la gentiane occidentale ou l'arnica des montagnes. Et pour élargir la découverte, un petit espace est réservé aux plantes montagnardes du monde entier. Un livret de visite, agrémenté de devinettes et de légendes, répondra à toutes vos questions naturalistes.

👫 À l'entrée, quelques jeux introduisent la visite pour les enfants.

Après le pont de la Gaubie apparaît, en arrière, dans l'enfilade du vallon, le pic de Néouvielle dont la pyramide rocheuse est flanquée d'un glacier. Bientôt se profilent les crêtes aux formes hardies du pic du Midi de Bigorre, surmonté de son observatoire et de son relais de télévision.

★★ Col du Tourmalet

La route du Tourmalet est très sinueuse entre le pont de la Gaubie et La Mongie : comptez 2h pour parcourir le circuit proposé. Notez que le col du Tourmalet reste souvent obstrué par la neige de novembre à juin. Alt. 2 115 m. Du col, le **panorama** est remarquable par l'âpreté des sommets qu'il fait découvrir, surtout

Le col du Tourmalet.
M.-H. Carcanague / MICHELIN

sur le versant de Barèges : au-delà du chaînon de l'Ardiden se détache au dernier plan le Balaïtous, avec son glacier. Une stèle honore la mémoire de « Monsieur Paul », promoteur du tourisme pyrénéen et constructeur de la route du pic du Midi.

La route qui relie le col à l'observatoire des Laquets, au pied du pic du Midi de Bigorre, est aujourd'hui interdite à la circulation automobile mais aussi aux piétons, pour des raisons de sécurité.

La descente du col du Tourmalet s'effectue d'abord parmi les pelouses qui contrastent avec les sites ravinés de la montée. Dans une série de lacets, on aperçoit à gauche, au-dessus de la route, le tracé de l'ancien chemin que

LES FORÇATS DE LA ROUTE

Depuis 1910, tous les ans, les cyclistes du Tour de France affrontent la terrible épreuve des cols pyrénéens, qui ont fait la gloire de quelques-uns et le malheur de nombreux autres. Aubisque, Tourmalet, Aspin et Soulor évoquent les violents orages d'été, les pentes raides, les routes trop étroites sur lesquelles s'envolent les grimpeurs ailés, tandis que d'autres abandonnent leurs espoirs de victoire en connaissant de terribles défaillances dans l'étroit couloir laissé par une foule déchaînée. Ce lieu a vécu des gestes légendaires, comme celui de Christophe, dit « le Vieux Gaulois » qui, en 1913, franchit le Tourmalet avec 18 minutes d'avance sur le second. Hélas, dans la descente, la fourche de sa bicyclette casse et le règlement de l'époque interdit toute aide extérieure. Christophe doit parcourir 14 km à pied avant de trouver la forge de Campan, où il répare son vélo sous l'œil impassible des commissaires qui vont jusqu'à lui interdire d'emprunter une paire de tenailles au forgeron, sous peine d'être mis hors course… Bilan de l'opération : quatre heures perdues… plus une minute de pénalité ! « Le Vieux Gaulois » ne gagnera jamais le Tour de France dont il portera cependant, en 1919, le premier maillot jaune.

suivirent les chaises à porteurs du duc du Maine et de Mme de Maintenon pour gagner, depuis Bagnères-de-Bigorre, les eaux de Barèges. Les pyramides de l'ensemble résidentiel de La Mongie-Tourmalet annoncent la station de La Mongie, d'où part le téléphérique pour le pic du Midi.

★★★ Pic du Midi de Bigorre *(voir p.326)*

Après la traversée de La Mongie, la pente s'accentue au passage d'un gradin boisé. La route rattrape le vallon affluent du Garet, puis traverse successivement le ruisseau du Tourmalet et l'Arises coulant en cascade.

🐾 Le sentier qui se profile sur votre gauche permet de rejoindre le pic du Midi de Bigorre, après 4h30 de marche. Attention, cette randonnée nécessite un équipement adapté, une bonne condition physique et n'est accessible qu'en été *(voir pic du Midi de Bigorre)*.

Le plateau d'Artigues, joli cirque pastoral noyé en partie par un lac de retenue, s'ouvre à droite, en contrebas.

★ Cascade du Garet

🐾 *Laisser la voiture près de l'hôtel des Pyrénées, à Artigues. Traverser le hameau. Au-delà d'une maison familiale de vacances, franchir un petit pont sur le ruisseau du Tourmalet, en amont de la centrale hydroélectrique.* Le chemin continue à s'élever régulièrement en passant dans le vallon affluent du Garet. On entre dans un bois de sapins. Descendre quelques pas taillés dans le roc pour atteindre le belvédère d'où l'on découvre la cascade. Un parcours acrobatique et une via ferrata suivent la rive de la cascade. *Bureau des guides Route des cols - ☎ 06 32 71 07 96 - www.vertigedeladour.com.*

La route suit maintenant la fraîche **vallée de Campan★** aux prairies d'un vert intense. Plusieurs maisons ou granges, au toit de chaume et au pignon à redents, apparaissent encore çà et là jusqu'à Sainte-Marie-de-Campan.

🏵 NOS ADRESSES À LUZ-SAINT-SAUVEUR

HÉBERGEMENT

PREMIER PRIX

Chambre d'hôte La Munia – *65120 Saligos - ☎ 05 62 92 84 74 - fermé 1 sem. en juin -* 🅿 *-* 🚭 *- 3 ch. 40 € ☕ - rest. 13 €.* Voilà une adresse intéressante pour petits budgets. Les chambres, simples et agréables (certaines avec mezzanine idéale pour les familles), s'ouvrent sur la vallée. Si vous restez dîner, vous goûterez la viande des moutons que la patronne élève et prépare de multiples façons. Un gîte disponible.

Chambre d'hôte Le Palouma – *65120 Chèze - ☎ 05 62 92 90 90 - fermé 30 sept.-1er fév. -* 🚭 *- 3 ch.* 40 € ☕. Le propriétaire, ancien gendarme de haute montagne, saura vous conseiller pour vos itinéraires et balades. À votre retour, reposez-vous dans une des chambres simples et lambrissées aménagées sous le toit. Le jardin offre une belle vue sur les Pyrénées.

Chambre d'hôte Eslias – *Les Cabannes - 65120 Viella - ☎ 05 62 92 84 58 -* 🅿 *-* 🚭 *- 3 ch. 48/50 € ☕ - rest. 15 €.* Les chambres de cette petite maison jouissent d'une grande tranquillité et d'un bon confort. La terrasse panoramique ouvre sur les sommets environnants. Le soir une vraie table d'hôte où l'on sert les produits de la ferme toujours en activité.

Hôtel Terminus – *r. Marcadaou - 65120 Esquièze-Sère - ℰ 05 62 92 80 17 - fermé nov. - 16 ch. 42 € - ⊑ 6 €.* Cet hôtel qui occupe une grande maison de village dispose de chambres toutes rénovées et colorées. Si le temps le permet, vous prendrez votre petit-déjeuner dans le jardin.

Chambre d'hôte

Le Cueyla – *65120 Betpouey - ℰ 05 62 92 88 50 - www. gite-betpouey-lecueyla.com -* 🅿 *- ⊳ - 4 ch. 47 € ⊑.* Cette grange joliment restaurée domine toute la vallée. Ses confortables chambres, ouvertes sur la montagne, ont été aménagées avec soin sous les combles. Également, deux gîtes.

POUR SE FAIRE PLAISIR

Hôtel Le Montaigu – *Rte de Vizos - 65120 Esquièze-Sere - ℰ 05 62 92 81 71 - www.hotelmontaigu. com - fermé avr., oct. et nov. -* 🅿 *- 42 ch. 70/85 € - ⊑ 9 €.* Bâtiment récent situé au pied d'un château en ruine. Grandes chambres fonctionnelles, dont sept flambant neuves ; certaines possèdent un balcon avec vue sur les montagnes.

La Grange aux Marmottes – *Au village - 65120 Viscos - ℰ 05 62 92 88 88 - www. grangeauxmarmottes.com - fermé 11 Nov.-15 déc. - 14 ch. 70/105 € - ⊑ 10 €.* Ceux qui recherchent le calme absolu seront séduits par cette ancienne grange en pierre située aux portes du Parc national des Pyrénées. Chambres amples et douillettes.

RESTAURATION

BUDGET MOYEN

Auberge de Viella – *Pl. de la Mairie - 65120 Viella - ℰ 05 62 92 85 14 - www.chambres-hotes-tourmalet.com - fermé nov. - formule déj. 8 € - 15/22 € - 3 ch. 57/87 € - ⊑ 8 €.* Dressée sur la place de la Mairie, cette petite auberge est appréciée pour son cadre rustique, réchauffé l'hiver, par de belles flambées, son ambiance bon enfant, sa cuisine basée sur les produits de la ferme et bien sûr sa garbure, spécialité maison. Nouveau : 3 chambres d'hôte en demi-pension.

Auberge du Lienz

Chez Louisette – *65120 Barèges - ℰ 05 62 92 67 17 - www. louisettelienz.fr - fermé fin avr.- déb. mai et mi-oct.- fin nov. -* 🅿 *- formule déj. 24,50 € - 20/60 €.* Crèmerie à l'origine (1905), puis buvette, cette auberge située à 1 600 m d'altitude sert aujourd'hui une appétissante cuisine aux accents du terroir, mettant en valeur le mouton AOC de Barèges agrémenté du parfum des plantes d'altitude (serpolet, génépi, réglisse, menthe, angélique) sous la houlette d'un chef renommé. Intérieur montagnard, ambiance conviviale et vue exceptionnelle sur les sommets alentour.

ACTIVITÉS

Luzéa – *Les Thermes - ℰ 05 62 92 81 58 - www.luz.org - fermé nov. - 18 € forfait Espace Forme (piscine, Jacuzzi, sauna, hammam) ; tarif couple : 35 € - (− 16 ans 10 € : piscine, Jacuzzi).* Ce centre de remise en forme, installé dans les thermes de Luz, vous fera découvrir les bienfaits de la balnéothérapie. L'eau de la source, riche en gaz rares, minéraux et soufre, renforce les défenses naturelles du corps. Les plus gourmands apprécieront le massage au chocolat, aux vertus supposées relaxantes.

Bureau des guides -
Via ferrata – *1 pl. du 8-Mai -*
℘ 05 62 92 91 07 - www.guides-de-luz.fr - 10h-12h, 16h-20h - fermé 15 sept.-15 juin. Une via ferrata a été aménagée près du pont Napoléon (saut à l'élastique 90 m). Vous pouvez l'inclure dans un circuit aventure avec tyrolienne de 120 m et franchissement du gave par un pont népalais (3 câbles suspendus). *Renseignements : Bureau des guides de Luz, ℘ 05 62 92 87 28 ou 05 62 92 91 07.*

⌕≛Air Aventures Pyrénées – *Tournaboup - 65120 Barèges - ℘ 05 62 92 28 19 - www. ecole-parapente-pyrenees.com - 70 € vol de 800 m de dénivelé - (– 12 ans 50 € : vol de 500 m de dénivelé.* Vols biplaces, parapente et stages.

Thermes de Barèges-Barzun – *R. Ramond - 65120 Barèges - ℘ 05 62 92 68 02 - www.thermes-bareges.com - ouv. de déb. mai à fin oct.* Outre ses deux établissements thermaux, la station s'est dotée d'un espace de remise en forme ouvert à tous. Piscine, douche au jet, sauna, massage sous l'eau, enveloppement à l'argile… Les prestations sont multiples et variées, choisies à la carte, combinées dans un forfait journalier, un séjour ou une semaine.

AGENDA

Pèlerinages à la chapelle d'Héas – Les 15 août, 8 sept. et pour la Fête du rosaire, le 1er dim. d'octobre.

Festival Jazz à Luz – 10 au 13 juil. - nombreux concerts et animations. *℘ 05 62 92 38 38 - www.jazzaluz.com.*

Cirque de Gavarnie

★★★

Hautes-Pyrénées (65)

☺ NOS ADRESSES PAGE 379

🏛 S'INFORMER

Office du tourisme de Gavarnie – 65120 Gavarnie - ☏ 05 62 92 49 10 - www.gavarnie.com - vac. scol. : tlj 9h-12h, 13h30-19h ; reste de l'année : tlj sf dim. 9h-12h, 14h-18h.

Office du tourisme de Gèdre – 65120 Gèdre - ☏ 05 62 92 48 05 - www.gavarnie.com - vac. scol. : tlj 9h-19h ; reste de l'année : tlj sf dim. 9h-12h, 14h-18h.

Maison du Parc national des Pyrénées – 65120 Gavarnie - ☏ 05 62 92 49 10 - www.parc-pyrenees.com - juil.-août : 9h-12h, 13h30-18h30 - vac. scol. : tlj sf dim. et lun. 9h-12h, 13h30-17h30 ; hors vac. scol. : tlj sf w.-end 9h-12h, 13h30-17h30 - fermé 1er janv., 1er et 11 Nov., 25 déc. Exposition permanente sur les cirques de Gavarnie, d'Estaubé et de Troumouse et sur le Parc national d'Ordesa et du mont Perdu en Espagne, introduction au pyrénéisme. Films sur la faune et la flore pyrénéennes. *Pour en savoir plus, voir Parc national des Pyrénées p. 360.*

▶ SE REPÉRER

Carte de la microrégion B4 *(p.308)* – *carte Michelin Départements 342 L6-M6.* Tout au bout de la vallée qui débouche à Luz-Saint-Sauveur, le cirque de Gavarnie est accessible depuis le village du même nom.

🅿 SE GARER

Le cirque se découvre à pied. il faut garer son véhicule à l'entrée ou au bout du village de Gavarnie. Municipaux ou privés, les nombreux parkings aménagés pratiquent tous le même tarif : environ 4 € la journée.

☺ À NE PAS MANQUER

En vous rendant au cirque, poursuivez la marche au-delà de l'hôtel du Cirque, jusqu'au pied de la grande cascade.

🕐 ORGANISER SON TEMPS

Il faut compter 2h de marche aller-retour, du village au cirque (3h30 si l'on pousse jusqu'à la Grande Cascade). Pour éviter la foule estivale, choisissez de partir tôt le matin (avant 8h) ou en fin d'après-midi (après 18h).

👫 AVEC LES ENFANTS

On peut aussi gagner le cirque à cheval, tel que cela se pratiquait autrefois *(voir nos adresses).*

« C'est une montagne et une muraille tout à la fois, c'est l'édifice le plus mystérieux du plus mystérieux des architectes, c'est le colosseum de la nature, c'est Gavarnie », s'exclamait Victor Hugo. Inscrit au Patrimoine mondial de l'humanité par l'Unesco avec la vallée du même nom, le cirque de Gavarnie attire chaque année une foule nombreuse venue contempler ses paysages grandioses. Formidable vivier d'émotions, ce théâtre naturel ne compte pas moins de dix-sept sommets culminant à plus de 3 000 m et abrite la plus haute cascade d'Europe (422 m).

Se promener

Le nom de Gavarnie provient du mot *gava*, « torrent », d'où découlent les nombreux « gaves » des Pyrénées. Le petit village de Gavarnie est le point de départ obligé de la randonnée vers le cirque. Ses 164 habitants, les Gavarniens, sont surnommés les Templiers.

Gavarnie

Berceau du pyrénéisme, patrie des plus illustres guides pyrénéens (dont Henri et Célestin Passet), Gavarnie est situé à 1 375 m d'altitude. Terminus de la route carrossable depuis 1864, le village sert de relais à l'imposante et disparate cavalerie mobilisée pour l'excursion au cirque. S'il connaît, en été, un afflux massif de visiteurs, il redevient en hiver une station de montagne et d'escalade. Comme le prouve l'essentiel de ses infrastructures (parking, hébergement, restauration, boutiques de souvenirs), le petit village vit surtout du tourisme. L'**église** du 12ᵉ s., ancienne dépendance d'un prieuré des hospitaliers de Saint-Jean-de-Jérusalem, se situe sur le vieux chemin de pèlerinage du port de Boucharo (alt. 2 270 m). Remarquez, à l'entrée, trois statues en bois doré du 17ᵉ s. représentant saint Jean-Baptiste, la Vierge et saint Joseph. La chapelle du Bon-Port, à gauche du maître-autel, renferme une statue polychrome de saint Jacques de Compostelle et deux statuettes de pèlerins de Compostelle autour de Notre-Dame du Bon-Port (14ᵉ s.) : la Vierge tient une gourde de pèlerin. Les visiteurs la priaient pour que le passage de la montagne leur réussisse. Devant l'église, le **cimetière** abrite, dans son enclos supérieur, les tombes de quelques pyrénéistes. En vous promenant dans le village, vous apercevrez également une statue de Russell, un médaillon de Béraldi, une plaque en hommage aux pyrénéistes morts pour la France au bord de la route en redescendant vers Luz et, non loin de l'entrée du cirque, la tombe du géographe Schrader.

Randonnées

★★★ Cirque de Gavarnie

2h à pied AR. À l'extrémité du village, prendre le chemin de terre, puis suivre la rive gauche du gave. Après un vieux pont de pierre que l'on emprunte, le chemin monte dans les sous-bois, laissant la rivière à droite. En redescendant

Le cirque de Gavarnie.
J.-P./M.-H. Azam/Carcanague / MICHELIN

vers celle-ci, le paysage s'éclaircit et le cirque se rapproche dans un cadre de sapins. À gauche, on aperçoit quelques cascades. La dernière portion de trajet se fait en montée, à travers une végétation d'arbres et d'arbustes (églantiers en juin-juillet), pour atteindre les premiers plissements rocheux annonciateurs du cirque. Peu avant l'arrivée à l'hôtel du Cirque, la rivière s'engouffre dans d'étroites gorges.

Le cirque apparaît tout à coup. D'abord trois gradins superposés qui correspondent aux assises résistantes des plis couchés empilés ici, que séparent des taches lumineuses de neige qui tranchent sur la couleur ocrée des calcaires. Et puis, surtout, cette beauté grandiose qui, dépassant l'imagination, coupe littéralement le souffle ! Le cirque a 3,5 km de développement à sa base et 14 km suivant la ligne de faîte (de l'Astazou, à l'est, au pic des Sarradets, à l'ouest). Le niveau moyen du fond est de 1 676 m. L'altitude des sommets dépasse 3 000 m. Le cirque doit son origine à un « bout du monde » creusé, dès avant la glaciation, dans les assises calcaires de la couverture sédimentaire secondaire. Comme dans les « reculées » du Jura, une résurgence évacuait ici les eaux enfouies dans le massif du Mont-Perdu et faisait reculer la tête de la vallée, en sapant son couronnement de falaises. Le glacier de Gavarnie, dont il ne reste plus que des lambeaux sur les corniches supérieures, a achevé de dégager le cirque et assuré l'évacuation des débris.

De l'hôtel du Cirque, la vue est superbe, ouverte sur l'ensemble du cirque avec ses trois paliers de neige, ses majestueuses murailles à pic, et son flot de cascades argentées. La plus importante, la Grande Cascade, alimentée par

SULPICE GUILLAUME CHEVALIER

Ce jeune dessinateur parisien (1804-1866), affecté au cadastre de Tarbes, prit pour nom d'artiste **Gavarni** en hommage à la beauté des lieux. Il a signé de ce pseudonyme les illustrations mordantes de la vie quotidienne au temps de Louis-Philippe, parues dans *Le Charivari*, et qui connurent un grand succès, tant en France qu'en Angleterre.

une résurgence des eaux de l'étang Glacé du mont Perdu (alt. 2 592 m) sur le versant espagnol, fait un bond de 422 m dans le vide… Les mules ne montant pas plus haut que l'hôtel, il faut y aller à pied *(1h AR)*.

Brèche de Roland

4h à pied AR pour randonneurs entraînés et non sujets au vertige ; attention à la présence de névés de septembre à début juillet. Suivre le sentier balisé partant à l'est du port de Boucharo. Le sentier suit le tracé de la Haute Route des Pyrénées. Il traverse, au pied du glacier du Taillon, une cascade à gué *(bien suivre le fléchage rouge apposé sur les rochers ; des plaques de névés peuvent augmenter la difficulté de la traversée)*. Du col précédant le refuge des Sarradets, **vue** sur la Grande Cascade du cirque de Gavarnie. La montée à la brèche, après le refuge, est plus longue et difficile en raison de la neige et des névés. On atteint alors la brèche. La légende voudrait que ce soit Roland qui ait fendu en deux la montagne avec son épée Durandal. De la brèche, vue sur le versant espagnol, à l'aspect désertique, et sur le mont Perdu.

À proximité

★★ Pic des Tentes

11 km, par la route du port de Boucharo. À la sortie de Gavarnie, vers Luz, prendre à gauche, avant le pont, la route qui, contournant la statue de N.-D.-des-Neiges, quitte la vallée d'Ossoue pour s'engager dans la vallée des Espécières. Laissez la voiture au col des Tentes, et gravissez la croupe, au nord-est, jusqu'au sommet arrondi du pic (2 322 m). Le **panorama**★★ est impressionnant sur les sommets, tout proches, qui couronnent le cirque de Gavarnie (dont le fond est invisible). On admire surtout le pic du Marboré, avec la combe du glacier de la Grande Cascade. Plus à l'ouest, la crête des Sarradets, au premier plan, masque quelque peu le secteur de la brèche de Roland, avant la réapparition de la crête frontière au Taillon et aux pics des Gabiétous. Plus lointains se détachent, au nord-ouest, le Vignemale avec son glacier d'Ossoue, immaculé, et au nord-est, le massif de Néouvielle précédant le pic du Midi de Bigorre, dont on aperçoit l'antenne.

😊 NOS ADRESSES AU CIRQUE DE GAVARNIE

TRANSPORTS

Montures – La montée au cirque peut se faire, depuis le village de Gavarnie, à dos d'âne ou de cheval. Parking payant l'été à l'entrée du village (Gavarnie est piéton en juil.-août de 10h à 18h). Les loueurs sont rassemblés dans le village - *24 € AR (durée 2h).*

HÉBERGEMENT ET RESTAURATION

PREMIER PRIX

👤👤Tipis indiens – *65120 Saussa -* 📞 *06 15 41 33 29 - www.tipis-indiens.com -* 🅿️ *- 🍽️ - 330/490 €/sem. pour 4 pers.* Venez découvrir les joies d'un séjour indien, au pays de l'ours, dans l'un des 4 tipis de 5 places. Le site exceptionnel, au cœur des Pyrénées, offre une vue sur le cirque de Gavarnie et les montagnes des alentours. Les enfants adorent, et les plus grands ne résistent pas au charme d'une halte insolite.

POUR SE FAIRE PLAISIR

Le Marboré – 📞 *05 62 92 40 40 - www.lemarbore.com - fermé 15 nov.-20 déc. -* 🅿️ *- 24 ch. 100 € - rest. 26 €.* À l'entrée du cirque, bâtisse du 19e s. coiffée de combles à la Mansard. Bar british, ambiance cordiale et chambres nettes offrant parfois une vue montagnarde. Repas traditionnel dans une salle rustique au mobilier de bistrot, sous la véranda ou en terrasse.

ACTIVITÉS

Domaine skiable de Gavarnie-Gèdre – 📞 *05 62 92 49 10 - www. gavarnie.com. Alt. 1 350-2 400 m,* 11 remontées mécaniques. Les 29 pistes de ski alpin sont accessibles aux skieurs de tous niveaux, de la piste verte la plus longue des Pyrénées aux pistes noires pour skieurs avertis. Au pied du cirque de Gavarnie débutent 7,5 km de pistes de ski de fond.

AGENDA

Gavarnie, Terre de festival – En juillet. Représentation théâtrale tous les soirs à 21h, à 1 450 m d'altitude, sur la prairie de la Courade (à mi-distance entre le village et le cirque). Compter 30mn de marche pour atteindre le site. Retour aux flambeaux vers 23h. 📞 *05 62 56 71 20 (de mars à juil.) - tarifs : se renseigner.*

La région du Gers 6

Carte Michelin Départements 336 – Gers (32)

Auch

★

21 545 Auscitains – Gers (32)

NOS ADRESSES PAGE 390

S'INFORMER

Office du tourisme d'Auch – *1 r. Dessoles - 32000 Auch - ℘ 05 62 05 22 89 - www.auch-tourisme.com - juil.-août : 9h30-18h30, dim. 10h-12h15, 15h-18h ; mai-juin et sept. 9h15-12h, 14h-18h30, dim. 10h-12h15 ; oct.-avr. : 9h15-12h, 14h-18h.*

Il existe deux circuits guidés – « Cœur de ville » (centre historique) et « Sur les pas d'Étigny » – au départ de l'office de tourisme *(45mn)*, du mardi au samedi. *Renseignements à l'office de tourisme.* Un dépliant « Découverte familiale » de la ville est également disponible à l'office de tourisme.

SE REPÉRER

Carte de la microrégion C2 *(p. 380)* – *carte Michelin Départements 336 F8.* On accède à Auch par la N 124 depuis Toulouse ou Mont-de-Marsan et par la N 21 depuis Agen ou Tarbes.

SE GARER

Pour explorer Auch à pied, on laissera la voiture de préférence en bordure du Gers (parking aménagé sur la N 21) avant de partir à l'assaut du grand escalier. Parking souterrain gratuit dans le centre *(fermé la nuit).*

À NE PAS MANQUER

Les stalles et les vitraux de la cathédrale Sainte-Marie.

ORGANISER SON TEMPS

Si vous disposez d'un week-end, consacrez la première journée à la ville. Le lendemain, sillonnez les villages alentour.

AVEC LES ENFANTS

Le jardin carnivore à Peyrusse-Massas.

NAISSANCE D'UN HÉROS

Le véritable d'Artagnan n'a sans doute pas eu une vie aussi romanesque que celle que lui prêta Alexandre Dumas. Né vers 1615 au château de Castelmore, Charles de Batz, **comte d'Artagnan** (titre repris de la lignée maternelle des Montesquiou), en bon militaire, trompait l'ennui entre deux campagnes en courant les tripots de la capitale. Distingué par Mazarin, il fut investi de la confiance de Louis XIV qui le chargea de quelques missions délicates, comme les arrestations de Lauzun et de Fouquet, dont il s'acquitta avec discrétion. Devenu capitaine-lieutenant de la première compagnie des mousquetaires du roi, il trouva la mort lors du siège de Maastricht (1673). Ancêtre de la presse *people*, les *Mémoires de Monsieur d'Artagnan*, œuvre apocryphe publiée en 1700, répondaient aux goûts d'un public avide de ragots mais elles avaient sombré dans l'oubli lorsque l'ouvrage tomba entre les mains d'Alexandre Dumas.

La cité ancienne apparaît sur une butte dominée par sa cathédrale qu'entoure un réseau de rues médiévales. Ville carrefour dès l'époque romaine sur la voie qui menait de Toulouse à l'Atlantique, la capitale administrative de la Gascogne connut une grande période d'essor au 18e s. grâce à l'intendant d'Étigny. Elle fut ensuite embellie sous le Second Empire. Elle s'anime tout particulièrement le jeudi matin avec le marché qui se tient le long du Gers dont les rives ont été aménagées en promenade pour piétons et cyclistes. Un marché plus touristique a lieu sous la halle face à la cathédrale le samedi.

Se promener

LE VIEIL AUCH

Escalier monumental et tour d'Armagnac

Les 234 marches de l'escalier relient les quais à la place Salinis qui forme une terrasse au-dessus de la vallée du Gers. En montant, on trouve la statue de d'Artagnan (1931) puis on découvre une jolie vue sur la **tour d'Armagnac** (14e s.), haute de 40 m, ancienne tour des prisons de l'Officialité.

Sur la place Salinis s'élève le côté sud de la cathédrale dont on remarque l'ordonnance des contreforts et des arcs-boutants à double volée.

On rejoint la place de la République par une petite rue que les Auscitains surnomment la « Rue des belles mères ».

★★ Cathédrale Sainte-Marie

Pl. de la République - fermé à l'heure du déjeuner (sf de mi-juil. à fin août) - ♿.
Sa construction, commencée en 1489 par le chevet, n'a été achevée que deux siècles plus tard. La **façade** (16e et 17e s.) présente un aspect tassé avec

ses étages en retrait ; le jeu des colonnes, pilastres, corniches, balustrades et niches est très réussi. Les portails ouvrent sur un vaste porche offrant à l'intérieur une belle perspective transversale avec des arcs de séparation traités en arcs de triomphe à l'antique *(pour une description en image, reportez-vous à l'ABC d'architecture p. 73)*.

Passé le porche, remarquez le grand orgue du 17e s., de style baroque, œuvre de Jean de Joyeuse. Les voûtes, construites sur croisées d'ogives en plein 17e s., confèrent au bâtiment une certaine unité intérieure. L'ensemble marque l'emprise du gothique « français » : collatéraux moins hauts que la nef, triforium entre les grandes arcades et les fenêtres hautes. La chapelle axiale est flanquée à droite par la chapelle du Saint-Sépulcre qui abrite une monumentale **Mise au tombeau** du début du 16e s., œuvre d'Arnaud de Moles, l'artiste qui réalisa les vitraux et, à gauche, par la chapelle Sainte-Catherine ornée d'un retable en pierre du 16e s.

Le chœur, aussi vaste que la nef, conserve deux ensembles artistiques de premier ordre, les vitraux et les stalles. *Commencer le tour du déambulatoire par la gauche.*

★★ **Vitraux** – Les chapelles du déambulatoire ont été dotées de 18 verrières dues au verrier gascon Arnaud de Moles (1460-1520). Remarquez les figures d'hommes, presque caricaturales, et les scènes familières représentées à la base des vitraux. Les grandes figures très expressives, la palette de couleurs, les lames de verre de grande dimension, la décoration combinant les médaillons et accolades à l'antique avec les dais du gothique flamboyant font des vitraux de Sainte-Marie un chef-d'œuvre de l'art du vitrail du début du 16e s. La répartition des sujets tient compte, suivant les thèses des théologiens de l'époque, de la concordance entre l'Ancien Testament, le Nouveau Testament et le monde païen, comme en témoigne la représentation des sibylles.

★★★ **Stalles** – ☎ 06 30 41 19 38 - *de mi-juil. à fin août : 8h30-18h30 ; de déb. avr. à mi-juil. et sept.-oct. : 8h30-12h, 14h-18h ; nov.-mars : 9h30-12h, 14h-17h – 2 € (– 13 ans gratuit).*

Ce gigantesque chef-d'œuvre demanda cinquante années de travail (vers 1500-1552). Les 113 stalles de chêne, dont 69 stalles hautes abritées par un baldaquin flamboyant, sont peuplées de plus de 1 500 personnages ! Le thème d'ensemble manifeste le même souci de parallélisme que les vitraux. La Bible, l'histoire profane, la mythologie et la légende y mêlent leurs motifs.

Les statues qui décoraient le jubé démoli au 19e s., en particulier la scène représentant les quatre Évangélistes à table, ont trouvé place au couronnement du retable (1609) clôturant le chœur, du côté de l'abside.

Préfecture (Ancien palais archiépiscopal)

Sur le flanc nord de la cathédrale se trouve la place occupée par la halle aux herbes où se tient le marché du samedi. Au fond la préfecture est installée dans l'**ancien palais archiépiscopal** (1742-1775), dont la façade classique est rythmée par de hauts pilastres cannelés.

Place de la Libération

Elle est le carrefour d'animation de la ville haute. La place est fermée au nord-ouest par l'hôtel de ville et par le terre-plein des allées d'Étigny, deux réalisations de l'intendant d'Étigny, entre 1751 et 1767. La statue du bienfaisant administrateur, à qui Auch doit une grande partie de son embellissement, se dresse au sommet des escaliers. Intendant avisé de Gascogne, Antoine Mégret, baron d'Étigny, s'est rendu célèbre en lançant la station thermale de Bagnères-de-Luchon.

Le vieux Auch se reflétant dans le Gers.
B. Brillion / MICHELIN

À l'angle de la rue Dessoles, qui fut l'artère principale de la ville haute avant l'ouverture, par d'Étigny, de rampes de contournement, la maison à colombages du 15ᵉ s abrite l'**office de tourisme**.

Vers les Pousterles

Passer à nouveau devant la cathédrale et traverser la place de la République pour prendre, en face, la rue d'Espagne. Dans le bas de la rue, deux vieilles maisons (nᵒˢ 20 et 22) forment un ensemble pittoresque.

Prendre à gauche la rue de la Convention.

Bordée de vieilles demeures, la rue de la Convention permet de découvrir les **Pousterles**, étroites ruelles en escalier. Au Moyen Âge, ce nom désignait les poternes de l'enceinte fortifiée de la ville haute.

Au bout de la rue, tournez à gauche, montez les marches et franchissez la **porte d'Arton** à gauche, ancienne porte de la ville. La rue Fabre-d'Églantine, après avoir longé les vieux bâtiments du lycée (ancien collège de jésuites fondé en 1545), ramène à la place Salinis et à l'escalier monumental.

Musée des Jacobins

℘ 05 62 05 74 79 - avr.-oct. : 10h-12h, 14h-18h ; fév.-mars et nov.-déc. : 14h-17h, w.-end 10h-12h, 14h-17h - fermé janv., 1ᵉʳ et 11 Nov., 25 déc. - 4 € (– 18 ans gratuit).

Installé dans l'ancien couvent des Jacobins, ses collections sont exposées sur trois niveaux. Au rez-de-chaussée, on découvre une très riche collection de poteries précolombiennes et une soixantaine de sculptures polychromes, vêtues d'habits brodés qui illustrent l'art sacré péruvien, chilien et mexicain. Remarquez le tableau représentant la *Messe de saint Grégoire* (1539) réalisé en mosaïque de plumes. Peintures et objets d'art parent les salles du 18ᵉ s. Au sous-sol, on voit parmi les collections gallo-romaines un exceptionnel ensemble de fresques datant du début de l'ère chrétienne, trouvées dans une villa à 9 km d'Auch. L'art médiéval est représenté par le gisant du cardinal Jean d'Armagnac ainsi que par des chapiteaux et colonnes provenant de l'ancien couvent des Cordeliers d'Auch. Au 1ᵉʳ étage, après les sculptures d'Antonin Carlès (artiste local), vous aurez un aperçu des arts et traditions populaires (mobilier, faïences, statuettes d'art religieux, costumes gascons).

À proximité Carte de la microrégion

Pavie C2

◐ *5 km au sud par la N 21.* Cette bastide fut créée en 1281 sur le site d'une villa gallo-romaine. Il reste quelques vestiges de son enceinte irrégulière dont une tour de guet du 14e s. englobée dans une maison. Les rues à angle droit formant des carrés sont parfois bordées de belles maisons anciennes à colombages *(rues d'Étigny et de la Guérite)*. L'église du 13e s., restaurée au 19e s., a gardé son clocher carré du 14e s. Un vieux pont gothique à trois arches enjambe mélancoliquement le Gers.

Montaut-les-Créneaux C2

◐ *10 km au nord-est par la N 21 et la D 272.* Bâti autour de son château, ce castelnau possède de belles maisons à encorbellements et à colombages. À voir : l'église bénédictine du 12e s. dédiée à saint Michel et la tour-porte que l'on emprunte par un passage voûté doté d'une herse.

Itinéraires conseillés Carte de la microrégion

ROUTE DES BASTIDES ET DES CASTELNAUX

◐ *Vous pourrez la suivre sur une centaine de kilomètres – compter 2 à 3h. Pour la rejoindre, quitter Auch à l'ouest par la N 124 en direction de Mont-de-Marsan ; à 5 km, prendre à gauche la D 943, puis suivre la signalisation « Route des bastides et des castelnaux ».*

AU CŒUR DE LA GASCOGNE

◐ *75 km – compter environ 1h30. Quitter Auch au nord par la N 21 en direction d'Agen ; à 8,5 km, à la sortie de Preignan, prendre sur la gauche la D 272. Au-delà de Roquelaure, qu'on laisse sur la gauche, poursuivre par les crêtes le long de la D 148. Tourner à gauche vers Peyrusse-Massas.*

Le jardin carnivore à Peyrusse-Massas C2

✆ 05 62 65 52 48 - www.natureetpaysages.fr - juil.-août : tlj sf sam. 14h-19h ; mai-juin : tlj sf vend. et sam. 14h-18h ; fermé sept.-mai - visites guidées à 15h, 16h, 17h - 4,50 € (-12 ans 3,50 €) visite jardin, tarif visite jardin et pépinière se renseigner.

▲▲ Avec 550 espèces de plantes carnivores, cette collection compte parmi les plus grandes du monde. Après un film documentaire *(10mn)*, une balade audioguidée dans le jardin botanique, autour des marécages aux noms évocateurs, vous mènera à la rencontre des hôtes de ces lieux dont la dionée ou « gobe-mouche de Vénus » aux longs cils, friande de l'insecte qu'elle englue de ses poils visqueux. Poursuivez la visite dans la pépinière (lieu de vente) et terminez par la collection nationale où vous pourrez observer ce que deviennent les plantes carnivores en vieillissant.

Revenir sur la D 148 et, à la sortie de Mérens, prendre à gauche la D 518 puis la D 103.

La route parcourant un doux paysage vallonné offre une belle vue sur Lavardens dominé par son château.

Lavardens C1

Ce pittoresque bourg médiéval est massé au pied de l'éperon du château, imposante bâtisse découronnée que semble coiffer le clocher de l'église.

Une flânerie dans les étroits « carrelots » (ruelles) permettra de découvrir les vestiges des remparts et les tours quadrangulaires de l'enceinte. C'est l'ancienne résidence des comtes d'Armagnac, rasée sur l'ordre de Charles VII, qui a servi de base au **château** élevé par les Roquelaure au 17ᵉ s. Maintes fois interrompue, la reconstruction ne fut jamais achevée. Cet ensemble imposant, percé de fenêtres à double croisée de pierre, fut hardiment lancé vers l'ouest, où la façade est cantonnée de tourelles carrées établies sur des trompes d'angle, en surplomb au-dessus du sentier d'accès. Un escalier taillé dans le roc mène aux grandes salles voûtées qui servent de cadre à des expositions temporaires. La plupart présentent un beau **pavement** de brique rose et de pierre aux motifs géométriques variés. De l'étage supérieur, **vue** imprenable sur les collines avoisinantes. ℘ 05 62 58 10 61 - www.chateaula-vardens.com - juil.-août : 10h-19h ; avr.-juin et sept.-oct. : 10h30-12h30, 14h-18h ; fév.-mars et nov.-déc. : 10h30-12h30, 14h-17h - fermé mi-janv.-mi-fév. - 5 € (enf. 4 €, – 7 ans gratuit).

Le village est chaque année en septembre le théâtre d'une rencontre internationale d'épouvantails à moineaux.

Poursuivre sur la D 103 à l'ouest et couper la D 930.

Jegun B1

Ce village, étiré sur une arête rocheuse, est un ancien bourg ecclésial intégré dans une bastide dont il a gardé le plan en îlots parallèles. La rue principale est bordée par l'ancienne halle et de vieilles demeures, dont une belle maison à colombages. À l'est, l'ancienne collégiale Sainte-Candide, étayée par de puissants contreforts, a été élevée à la fin du 13ᵉ s. sur une terrasse dominant la vallée de la Loustère.

Poursuivre encore à l'ouest sur la D 103.

Vic-Fezensac B1

🖪 22 pl. Julie-Saint-Avit - ℘ 05 62 06 34 90 - www.vic-fezensac.com - 9h-12h, 14h-18h, sam. 10h-12h, 15h-17h, dim. en juil.-août 10h-12h.

Cette localité du bas Armagnac connaît une animation intense lors des marchés, des ferias et de son festival Tempo Latino *(voir nos adresses)*. Devant les arènes, une statue a été érigée en hommage au matador de Cadix, Francisco Ruiz Miguel. L'église Saint-Pierre, au clocher octogonal surmonté d'un lanternon, conserve de l'époque romane une abside en cul-de-four et l'absidiole sud décorée de fresques du 15ᵉ s. (vestiges). À gauche de l'entrée, remarquez les fonts baptismaux en marbre blanc, gracieuse sculpture du 18ᵉ s. représentant trois enfants soutenant une vasque.

Quitter Vic-Fezensac au sud-est par la N 124, route d'Auch. À St-Jean-Poutge, prendre la direction de L'Isle-de-Noé par la D 939. Avant de bifurquer à gauche dans la D 374, l'attention est attirée par un curieux édicule creusé d'une niche : il s'agit d'une **pile gallo-romaine**, *qui a gardé, à ce jour, tout son mystère.*

Biran B2

Dans cet ancien castelnau établi sur un éperon, l'unique rue relie la porte fortifiée aux vestiges du donjon.

Église Notre-Dame-de-Pitié – *Visite sur demande au* ℘ 05 62 64 64 04 *(Annick Vaisse) 10h-12h, 14h-18h (guide Charlotte Vaisse* ℘ 05 62 64 68 96). Elle abrite un retable monumental en pierre sculptée sur les thèmes de la Pietà, de la Descente de Croix et de la Mise au tombeau.

Poursuivre sur la D 374 qui rejoint la N 124. Peu après, emprunter la deuxième route à droite vers Ordan-Larroque.

Ordan-Larroque B2

Ce petit village fleuri perché sur une éminence rocheuse s'enorgueillit de posséder, derrière l'église, un érable vieux de deux siècles. De la place de la mairie, beau point de vue sur la vallée. Des témoignages des époques passées sont présentés au **Conservatoire municipal d'archéologie et d'histoire** - *Visite guidée juil.-août : merc.-dim. 9h-13h, 15h-19h ; reste de l'année : sur demande - gratuit.*
Regagner Auch par la N 124.

ENTRE ARÇON ET GIMONE

▷ *65 km – compter environ 1h30. Quitter Auch au nord-est par la N 124, route de Toulouse.*

On passe devant le **château de Saint-Cricq** (1574). À 7,5 km apparaît sur la gauche, précédée d'une prairie, la longue façade sud du **château de Marsan** (18e-19e s.), propriété de la famille de Montesquiou.
Au premier rond-point en entrant dans Gimont, tourner à droite sur la D 12 en direction de Saramon. Vous entrez dans le Gimontois, formé de petites routes qui ondulent à travers les champs, dans un paysage digne de la Toscane. *La chapelle est immédiatement à droite.*

Chapelle Notre-Dame-de-Cahuzac C2

Cette chapelle a été élevée au 16e s. en brique et pierre, en l'honneur d'une apparition de la Vierge à un jeune berger. Bien que de dimension plus modeste, elle suit le plan de l'église de Gimont. Remarquez le portail gothique et ses portes sculptées avec les douze apôtres, ainsi que les 400 plaques de marbre, médaillons et ex-voto.

Gimont C2

Cette bastide fondée en 1266 présente un plan caractéristique, étroitement adapté au relief d'une colline fuselée. La rue principale, qui en marque l'arête, passe en droite ligne sous la vieille halle municipale.
Église – Exemple de gothique méridional à nef unique, elle est surmontée d'une tour de brique de style toulousain. À l'intérieur, dans la première chapelle de gauche, un triptyque Renaissance représente la Crucifixion. De chaque côté du maître-autel, remarquez deux sacraires, tours Renaissance à lanternon, destinés à recevoir les saintes espèces et les reliques.
Musée cantonal – *Visite sur RV au ☎ 05 62 67 77 87 - gratuit.* Les collections gimontoises se répartissent dans deux pièces. La première, à dominante gallo-romaine, abrite aussi quelques objets médiévaux. Dans la seconde, consacrée à la paléontologie et à Édouard Lartet (avocat gersois fondateur de la science de la préhistoire), sont exposés des fossiles et des restes de mastodontes.
Petit musée de l'Oie et du Canard – *Dans le même bâtiment que le restaurant et la boutique des Ducs de Gascogne - rond-point de Cahuzac - ☎ 05 62 67 84 75 - www.ot-gimont.com - 10h-19h, dim. : 10h-18h - fermé lun. - gratuit.* Les deux palmipèdes sont mis à l'honneur à travers des textes, dessins et photos évoquant l'histoire de leur élevage, les variétés, la production et la consommation de foie gras.

Conservatoire de la vie agricole et rurale d'autrefois – *R. Pierre-Marcassus - Quartier St-Éloi - ☎ 05 62 67 82 79 - visite guidée (45mn) uniquement sur RV - 4 € (-12 ans 1,50 €, 12-18 ans 2,50 €).* 900 objets et outils sont rassemblés dans une maison du 19e s. Cinq pièces se visitent au rez-de-chaussée : deux grandes salles, dont une avec cheminée, un atelier d'ébéniste, une serre et une cave.

Prendre la D 12 vers Saramon. L'abbaye se trouve sur la gauche.

Abbaye de Planselve C2

☏ 05 62 67 77 87 - *quelques visites guidées sont organisées en été par le syndicat d'initiative de Gimont.*

Cette abbaye cistercienne du 12ᵉ s., occupée jusqu'en 1789, date à laquelle elle fut pratiquement détruite, a récemment fait l'objet d'une restauration partielle. Elle est entourée d'un important mur d'enceinte en brique longeant la route. La porterie est une œuvre gothique à deux travées couvertes de voûtes d'ogives. De l'ensemble du site, il ne reste que le bâtiment des convers, avec ses dix travées romanes du 12ᵉ s., ainsi que deux pigeonniers, l'un conservant une glacière en sa partie inférieure, l'autre (celui du nord) décoré d'une clef de voûte représentant un abbé avec sa crosse.

Toujours sur la D 12, 2,5 km avant Saramon, prendre à droite vers Boulaur.

Abbaye Sainte-Marie de Boulaur C2

☏ 05 62 65 40 07 - www.boulaur.org - *visite guidée (par une moniale) : tlj sf mar., Jeu. saint, Vend. saint, Sam. saint, Pâques, 15 août, 25 déc. : 11h30, 16h, 17h, 18h30 - gratuit.*

Dans le petit village de Boulaur, perché au-dessus de la vallée de la Gimone, l'abbaye a été fondée au 12ᵉ s. par l'ordre de Fontevrault. Elle est actuellement habitée par des moniales d'obédience cistercienne. Remarquez le haut chevet en brique et pierre de l'église abbatiale, les peintures murales du 15ᵉ s. ainsi que la série d'arcatures en plein cintre qui court sous le toit du mur sud. Si vous appréciez le chant grégorien, n'hésitez pas à pousser la porte de l'église pour assister à un office. Production et vente en boutique de confitures, pâtés et fromage de vache « Saint-Germier ».

Reprendre la D 12 sur la gauche (direction Gimont) et tourner encore à gauche dans la D 626, route sinueuse où l'on voit se profiler le village de Castelnau-Barbarens.

Castelnau-Barbarens C2

Cet ancien bourg castral, créé au 12ᵉ s., enroule ses maisons en arcs concentriques autour de la colline portant l'église. Du château des comtes d'Astarac ne subsiste plus que la tour qui sert de clocher. La terrasse offre une **vue** panoramique sur la vallée de l'Arrats et les collines avoisinantes.

Reprendre la D 626 en direction d'Auch. Sur 2 km, en atteignant le plateau, la D 626 offre le plus beau **panorama★** du circuit en direction des Pyrénées. La route traverse **Pessan**, ancienne sauveté établie autour d'une abbaye fondée au 9ᵉ s.

😊 NOS ADRESSES À AUCH

HÉBERGEMENT

PREMIER PRIX

Chambre d'hôte Le Castagné – *Rte de Toulouse -* 📞 *05 62 63 32 56 - www.domainelecastagne. com -* 🅿 *- 4 ch. 55 €* ☕. Une véritable entreprise de loisirs que cette maison du 19ᵉ s. restaurée. Piscine, minigolf, pêche et pédalos sur le lac, les activités ne manquent pas. Les chambres, nanties de meubles de famille, ouvrent sur la campagne gersoise. Accueil exemplaire.

Chambre d'hôte Mme Mengelle – *Au village - 32360 Jegun -* 📞 *05 62 64 55 03 - www.rolande-mengelle. com - fermé nov.-mars -* 🚭 *- 5 ch. 55 €* ☕ *- rest. 25 €*. Meubles anciens, tapisseries et tissus muraux de couleurs sourdes, et çà et là quelques notes africaines signent l'ambiance de cette ancienne maison de maître restaurée. L'une des chambres possède un lit à baldaquin. Accueil d'une grande discrétion.

Chambre d'hôte Le Houresté – *32360 Jegun -* 📞 *05 62 64 51 96 -* 🅿 *-* 🚭 *- 4 ch. 55 €* ☕. Sur une exploitation agricole, accueillante maison du 19ᵉ s. agrémentée d'une belle glycine et de rosiers. Chambres d'hôte pas très grandes mais bien aménagées ; l'une d'elles occupe un minichalet tandis que l'ancien pigeonnier abrite un gîte. Jardin fleuri, verger et basse-cour participent au charme de cette adresse où les propriétaires panachent avec bonheur convivialité et simplicité.

Camping Les Chalets des Mousquetaires – *32390 Mirepoix - 2 km au SE du bourg -* 📞 *05 62 64 33 66 - www. chalets-mousquetaires.com -* ♿ *-* 🚭 *- réserv. indispensable -* 11 chalets 349/698 €/sem. pour 4/6 pers. Reconvertie en location exclusive de chalets, cette structure propose des formules d'hébergement tout confort avec service petit-déjeuner, très intéressantes pour les familles. En juillet et août, animations découverte pour les enfants et randonnées pour les plus grands. Location à la nuitée hors saison.

BUDGET MOYEN

Hôtel Le Robinson – *Rte de Tarbes -* 📞 *05 62 05 02 83 - www. hotelrobinson.net - fermé vac. de Noël -* 🅿 *- 23 ch. 51/55 € -* ☕ *6,50 €*. Dans un parc en retrait de la route, cet hôtel des années 1960 a l'allure d'un grand chalet. Les chambres sont fonctionnelles et s'ouvrent sur les arbres. Choisissez celles avec balcon.

RESTAURATION

BUDGET MOYEN

Le Café Gascon – *5 r. Lamartine -* 📞 *05 62 61 88 08 - fermé janv.-mars et merc. - 20/45 €*. Les deux salles à manger de ce petit restaurant sont séparées par un vieil escalier en bois. Soyez patient car la cuisine du terroir est, ici, réalisée à la minute. À la fin du repas, découvrez le fameux café gascon préparé sous vos yeux.

La Table d'Oste – *7 r. Lamartine -* 📞 *05 62 05 55 62 - www.table-oste-restaurant. com - fermé 14-21 juin, 20 sept.- 11 oct., sam. soir en été, lun. midi et dim. - 16/39 € bc*. Recettes du terroir à savourer dans la jolie petite salle à manger rustique (poutres apparentes, bibelots anciens…) ou sur la terrasse d'été dressée côté rue.

Le Papillon – *N 21 - 32810 Montaut-les-Creneaux -* 📞 *05 62 65 51 29 - www.restaurant- lepapillon.com - fermé 30 juin-*

14 Juil., 1ᵉʳ-8 sept., 22 fév.-8 mars, dim. soir et lun. - 🅿 *- 17/42 €.* Pavillon récent en retrait de la nationale. La salle de restaurant, lumineuse et agrémentée de tableaux, ouvre sur une jolie terrasse ombragée. Registre culinaire classique.

ACHATS

A.P.P.G. Maison de Gascogne – *Pl. Gambetta - 📞 05 62 05 12 08 o u 06 28 07 21 45 - 10h-13h, 14h30, 19h30 - 10 juil.-fin aout.* Chaque été, une association d'artisans se réunit à cet endroit pour exposer et vendre les produits de la région : foie gras, armagnac, croustade, artisanat d'art et ébénisterie. Tout cela autour d'expositions et d'animations thématiques et ludiques.

Boutique Claude-Laffitte SARL – *34 r. Dessoles - 📞 05 62 05 04 80 - tlj sf lun. 9h30-12h30, 13h30-19h, dim. et j. fériés 9h30-12h30.* Dans cette boutique de produits régionaux, vous pourrez acheter vins de pays, armagnac, foie gras, confit, rillons et autres bonnes choses du pays d'Auch…

Groupement agricole de la Gouardère – *Chemin d'Esparebent - 32810 Roquelaure - 📞 05 62 65 56 51 - www.ferme-lagouardere.com - 10h-19h .* Ici, le canard est roi. Élevé à la ferme, vous pouvez le déguster sur place pendant l'été (jolie salle à manger campagnarde) ou, toute l'année, faire provision de foies gras, magrets, rillettes, pâtés et confits en passant à la boutique. Visite des ateliers de gavage et de la conserverie.

ACTIVITÉS

Aéro-club gascon – *Aérodrome d'Auch-Lamothe - 📞 05 62 63 37 23 - www.aéro-club gascon.com - sur RV - fermé j. fériés.* Cet aéro-club organise des vols d'initiation en avion. D'autres associations installées sur le même aérodrome proposent des vols en montgolfière et en planeur.

AGENDA

Éclats de voix – Trois w.-ends en juin. Festival de chants, tous styles musicaux - 📞 05 62 05 20 82 - www.eclatsdevoix.com.

Concerts d'orgue – Claviers d'été, juil.-août le dimanche à 18h, concerts d'orgue en la cathédrale Sainte-Marie. *Gratuit.*

Festival Tempo Latino – Fin juil. à Vic-Fezensac, 4 jours de rencontres musicales. 📞 05 62 06 56 66 - www.tempo-latino.com.

Manifestations taurines – À Vic-Fezensac, la tradition taurine est restée très vivante. Trois manifestations rythment l'année : Feria del toro, à la Pentecôte, Semana Grande, en août, et Fiesta Campera, en septembre.

Foire aux plantes rares – À Ordan-Larroque le 2ᵉ dim. d'oct. 10h-18h. *Gratuit.*

Circa – Vacances de Toussaint - Festival du cirque actuel. 📞 05 62 61 65 00 - www.circuits-circa.com.

Marciac

★

1 221 Marciacais – Gers (32)

NOS ADRESSES PAGE 397

S'INFORMER

Office du tourisme des bastides et vallons du Gers – *Pl. du Chevalier-d'Antras - 32230 Marciac - ☎ 05 62 08 26 60 - www.marciactourisme.com - juil.-août : tlj 9h30-12h30, 14h30-18h30 ; avr.-juin : tlj sf dim. 9h30-12h30, 14h-18h ; oct.-mars : tlj sf sam. et dim. 9h30-12h30, 14h-18h - fermé 24 et 31 déc.* Au rez-de-chaussée de l'abbaye où sont installés les Territoires du jazz.

SE REPÉRER

Carte de la microrégion B2 *(p.380)* – *carte Michelin Départements 336 C8-D8.* La ville, toute proche du département des Hautes-Pyrénées, est située à mi-distance entre Tarbes (40 km) et Auch (45 km).

À NE PAS MANQUER

Le festival Jazz in Marciac la première quinzaine d'août ; les Territoires du jazz en été.

AVEC LES ENFANTS

Une randonnée avec un âne *(voir nos adresses)*. Marciac a obtenu le label Famille Plus *(voir p.21)*.

La cité gersoise s'est forgé une réputation internationale grâce à son festival de jazz, attirant les plus grands musiciens et drainant une foule considérable. Mais les charmes de cette bastide se passent largement de cadre musical. Fière de son marché coloré et gourmand, installé sur la place centrale à couverts, Marciac s'honore de posséder la plus haute flèche du Gers et quelques petites rues médiévales aux tonalités ocre. Il est agréable d'y séjourner, d'autant qu'une base nautique et des chemins de randonnée complètent le tableau.

Se promener

Place de l'Hôtel-de-Ville

La bastide de Marciac fut fondée à la fin du 13e s. Son plan en quadrillage permet de s'y promener facilement. Jusqu'au 19e s., une importante halle en bois occupait le milieu de cette place. Marchands de légumes et de volailles s'installaient à l'intérieur, tandis que l'extérieur était réservé aux marchands de gros bestiaux. Entourée de galeries ouvertes et de façades colorées, la place centrale de Marciac est l'une des plus grandes recensées parmi les bastides (elle mesure 75 m sur 130 m).
En été pendant le festival de jazz, une grande scène est installée sur la place. On peut assister à d'excellents spectacles gratuits. Tout autour de la place des échoppes et stands proposent toutes sortes de produits : fines herbes, vêtements, vins locaux, poteries, artisanat etc. Il y règne une animation sympathique.

Le festival « Jazz in Marciac ».
F. Vernhet / Jazz in Marciac

Église Notre-Dame
Cette église du début du 14e s. est surmontée d'une haute flèche de pierre (90 m) qui couronne un clocher carré.

Les Territoires du jazz
Pl. du Chevalier-d'Antras - 𝄞 05 62 08 26 60 (office de tourisme) - www.marciac-tourisme.com - & - juin-juil. : mar.-sam. 14h30-18h30 ; déb. août-mi-août 11h-19h ; reste de l'année se renseigner - 5 € (– 18 ans 3 €).
Aménagé dans une ancienne abbaye, cet espace muséographique original propose un parcours initiatique dans l'histoire du jazz, depuis ses origines africaines jusqu'à ses manifestations les plus contemporaines. Muni d'un casque récepteur, le visiteur plonge dans l'univers du swing en traversant des lieux mythiques comme New Orleans et le *Cotton Club*, au rythme d'airs de blues, de dixieland ou de ragtime ravivant la mémoire de Duke Ellington, Charlie Parker ou Miles Davis.

LA LÉGENDE DE LA VACHE QUI LÈCHE
Selon la tradition, **Fris**, neveu de Charles Martel, aurait été mortellement transpercé par une flèche lors du combat contre les troupes d'Abd al-Rahman qui refluaient vers le sud après leur défaite à Poitiers (732). Au 10e s., un paysan, qui faisait paître son troupeau sur les lieux de la bataille, fut très étonné de voir l'une de ses vaches lécher avec ferveur une pierre. Curieux, il souleva la pierre, gratta le sol et découvrit, dans un sarcophage, le corps intact du guerrier Fris en tenue de combat. On décidât alors d'élever une église et d'y inhumer Fris en grande pompe. Incendié pendant les guerres de Religion, saccagé lors de la Révolution, l'édifice fut à nouveau consacré à la fin du 19e s. et fait toujours l'objet d'un pèlerinage local.

Itinéraires conseillés Carte de la microrégion

★ ENTRE BASTIDES ET CASTELNAUX

◗ *77 km. Compter une demi-journée.*
Ce circuit permet de découvrir les bastides et les castelnaux typiques de l'Astarac et du Pardiac, anciens comtés relevant du duché de Gascogne.
Quitter Marciac par la D3 jusqu'à Tillac. Vous verrez sur votre gauche le château de Pallanne transformé en hôtel et son golf.

★ Tillac B2

Ce minuscule castelnau de plaine aligne de pittoresques maisons à cornières et colombages, de part et d'autre de la rue principale reliant la tour fortifiée à l'**église** du 14e s. Un vrai décor de théâtre.
Gagner Mirande par la D 16, puis la N 21.

Mirande B2

🛈 *R. de l'Évêché - ℘ 05 62 66 68 10 - www.ot-mirande.com - 9h-12h, 14h-18h, sam. 10h-12h, 15h-18h, dim. 10h-12h (en juil.-août).*
Comme nombre de bastides, « Mirande la Jolie » s'est mise sous la protection d'une cité prestigieuse dont elle aurait adopté le nom. Il s'agirait de la ville castillane de Miranda de Ebro… Depuis sa fondation en 1281 par l'abbé de Berdoues, Bernard VII, comte d'Astarac, et Eustache de Beaumarchés, Mirande a conservé son plan régulier de bastide, avec ses îlots d'habitation d'environ 50 m de côté et sa **place d'Astarac** à couverts marquant le centre du damier. La **rue de l'Évêché** présente encore quelques belles maisons à pans de bois ainsi que la rue du Président-Wilson (intéressante maison à colombages au *n° 20*).
L'**église Sainte-Marie** date du début du 15e s. Le pittoresque clocher à tourelles pouvait servir de réduit de défense. Sa spécificité tient en son avant-porche voûté d'ogives qui enjambe la rue de l'Évêché, l'ensemble étant contrebuté par deux énormes arcs. Le clocher est ajouré de baies gothiques dont le fenestrage s'enrichit d'étage en étage. À l'intérieur, le vaisseau gothique languedocien a été surélevé au 19e s.
Musée des Beaux-Arts – *13 r. de l'Évêché - ℘ 05 62 66 68 10 - www.gers-gasgogne.com - ♿ - tlj sf dim. et j. fériés 10h-12h, 14h-18h - 2 € (1,20 €).* **Joseph Delort**, né à Mirande en 1789, se voulait peintre. Il étudia avec David avant de se consacrer au portrait. Mais son principal titre de gloire est d'avoir fondé un musée des Beaux-Arts dans sa ville natale. Les œuvres exposées ont été léguées par des amateurs d'art locaux et comprennent céramiques anciennes, faïences et porcelaines (du 17e au 19e s.) qui proviennent de fabriques renommées, comme Moustiers, Samadet, Dax ou Nevers. La collection de peintures du 15e au 19e s. est rassemblée dans la grande salle. On y remarque les petits tableaux flamands peints sur cuivre, dont une Adoration des Mages (du 17e s.) d'un éclat particulier et une truculente *Mascarade italienne* de Michelangelo Cerquozzi. La peinture française du 16e s. se distingue par une œuvre de Claude Vignon (1593-1670), *Le Prophète Zacharie*. Dans une petite salle sont regroupés des portraits signés de grands noms : Hyacinthe Rigaud, Philippe de Champaigne et Nicolas de Largilière.
Par la N 21 vers Auch puis par la D 936 à gauche, rejoindre L'Isle-de-Noé.
La route traverse **L'Isle-de-Noé** qui, au confluent de la Grande et de la Petite Baïse, possède un château du 18e s.
On y emprunte, sur la droite, la D 943 jusqu'à Barran.

Barran B2

Cette bastide établie sur le site d'une ancienne sauveté possède une particularité : la flèche hélicoïdale du clocher de son **église**. Le bourg conserve une halle et une porte fortifiée à l'est.

Faire demi-tour et poursuivre la D 943 vers l'ouest.

Montesquiou B2

Ce castelnau de hauteur s'étirant sur un coteau étroit surplombe le vallon de l'Osse. Il a donné son nom à la branche cadette des comtes de Fézensac, d'où sont issus les seigneurs de d'Artagnan et de Monluc.

Au bout de la rue principale subsiste une porte, vestige de l'enceinte fortifiée du 13e s. (bel alignement de maisons à colombages à proximité).

Continuer sur la D 943.

★ Bassoues B2

🏠 *24 Grande-Rue - ℰ 05 62 70 97 34 - www.bassoues.net - juil.-août : 10h-19h ; mai-juin : 10h-12h, 14h-18h ; sept. : 10h30-12h, 14h-18h ; mars-avril et oct. : 13h30-18h.*

★ Donjon – *ℰ 05 62 70 97 34 - dernière entrée 30mn av. fermeture - juil.-août : 10h-19h ; sept. : 10h30-12h, 14h-18h mars-avr. et oct. : 13h-18h - fermé 15 déc.-15 fév. - 4 € (8-16 ans 2 €).* La petite bastide de Bassoues est annoncée au loin par son donjon du 14e s. (43 m), magnifique exemple d'architecture militaire. Les raffinements de la construction et des aménagements intérieurs, dus à Arnaud Aubert, archevêque d'Auch et neveu du pape Innocent VI, contrastent avec le logis fortifié, très remanié, que flanque l'ouvrage au sud-est. Le rez-de-chaussée servait de resserre et chaque étage était équipé de latrines situées dans les contreforts sud-est et nord-est. Par l'escalier à vis, montez à la salle du 1er étage, voûtée d'ogives, portant à la clef les armes d'Arnaud Aubert. La salle du 2e étage (ici, c'est l'effigie de l'évêque qui est à la clef de voûte) allie l'élégance décorative au confort : cheminée frappée d'écussons, évier aménagé dans le mur sous une arcature, niches pouvant servir d'armoires. Il ne subsiste que les poutres du plancher qui séparait les 3e et 4e étages. De la plate-forme supérieure, où des échauguettes rondes sont disposées entre la terrasse et le sommet des contreforts, **vue★** au nord-est sur la basilique Saint-Fris et son cimetière, au sud sur les Pyrénées.

La rue principale qui traverse le village passe sous la vieille **halle en bois** bordée de maisons pittoresques.

L'**église** se compose d'une nef unique prolongée d'un chœur voûté d'ogives. La belle chaire en pierre date du 15e s.

La **basilique Saint-Fris** est située dans le cimetière à l'extérieur du village. La clé peut être obtenue au donjon. Édifiée au 15e s. pour recevoir le corps du neveu de Charles Martel, la basilique Saint-Fris fut en grande partie reconstruite au 19e s. Elle possède deux jolis portails Renaissance.

Si vous avez le temps, vous pourrez aller à 10 km au nord de Bassoues voir l'**église de Peyrusse-Grande**, du 11e s., qui constitue l'un des plus anciens témoins de l'époque romane.

Juste après Bassoues, la D 943 bifurque vers Marciac en offrant de magnifiques vues sur la chaîne des Pyrénées quand le temps le permet. Après 6 km, tourner à gauche vers Saint-Christaud (D 159).

Saint-Christaud B2

L'**église** (13e s.), tout en brique, de style de transition, occupe un site dominant face aux Pyrénées. Remarquez, entre les contreforts, la forme des ouvertures carrées disposées sur la pointe.

La D 159 et la D 943 ramènent à Marciac.

LA RIVIÈRE BASSE

▷ *45 km – compter environ 2h. Quitter Marciac au nord-ouest par la D 3.*

Beaumarchés B2

Un chapiteau dans l'**église** orné d'un écusson aux armes de France illustre le contrat de paréage passé entre le sénéchal de Beaumarchés et le comte de Pardiac, qui présida à la fondation de cette bastide en 1288. Dans le Midi, le sénéchal était un officier chargé de rendre la justice au nom du roi. Eustache de Beaumarchés, sénéchal de Toulouse fut aussi, entre 1272 et 1294, l'un des grands fondateurs de bastides.

L'édifice gothique à nef unique frappe par son aspect extérieur massif et surtout par son porche élevé au 15e s. qui devait servir de clocher, mais ne fut jamais achevé. Détaillez la **frise** de têtes d'hommes et de femmes qui court autour de la galerie supérieure.

En suivant toujours la D 3, puis la D 946 à gauche, gagner Plaisance. Traverser Préchac-sur-Adour et, à l'intersection avec la D 935, tourner à gauche, puis encore à gauche sur la D 65.

Mazères A2

L'**église** romane fortifiée présente en façade un clocher-pignon flanqué d'échauguettes sur contreforts. À l'intérieur, l'arcature décorative ornant le chœur a conservé des chapiteaux romans. À l'opposé, dans la salle sous clocher, la châsse en marbre de sainte Libérate (1342) est dressée sur un piédestal formant « confession » : le pèlerin, en rampant sous le monument, se mettait sous la protection des reliques.

Reprendre la D 935 et tourner à droite dans la D 58 vers Madiran.

Madiran A2

Situé au cœur du vignoble auquel il a donné son nom, le beau village de Madiran s'est construit autour d'un monastère de bénédictins. Il s'anime tout particulièrement les 14 et 15 août pour la Fête du vin qui donne l'occasion de déguster les grands crus du vignoble de Madiran.

Église – Élevée aux 11e et 12e s., l'église conserve un chœur roman construit au-dessus d'une crypte. On y admirera les chapiteaux.

Dans le prieuré en face de l'église, la Maison des vins vous fournira toutes les adresses souhaitables *(voir nos adresses)*.

Rejoindre la D 935 et la prendre vers Maubourguet.

Maubourguet A2

Cette bourgade animée est traversée par l'Adour et le GR 653, chemin de Saint-Jacques-de-Compostelle (venant d'Arles). Outre une grande et belle halle métallique, elle s'enorgueillit d'une **église romane** avec ses trois absides du 11e s. et son portail du 12e s.

De Maubourguet revenir à Marciac par la D 943.

😊 NOS ADRESSES À MARCIAC

HÉBERGEMENT

PREMIER PRIX

Chambre d'hôte au Château – *32230 Juillac - ℰ 05 62 09 37 93 - www.auchateaujuillac. com* - 🅿 - 🍴 - *4 ch. 55/65 € ☕ - rest. 20 €*. Au cœur d'une exploitation agricole toujours en activité, belle chartreuse du 18e s. abritant de vastes chambres décorées avec goût. La table d'hôte est basée sur les produits de la ferme. Côté activités : prêt de vélos et balades dans le parc.

RESTAURATION

😊 **Bon à savoir** – Si, lors de votre passage à Mirande, votre faim de saveurs locales se fait sentir, vous trouverez satisfaction dans le restaurant-galerie Alain Fournier. Cuisine gersoise « au goût du jour » à déguster tout en contemplant les œuvres exposées en salle. Quelques auberges plus simples méritent aussi le détour.

BUDGET MOYEN

Le Prieuré – *4 rue de l'Église - Madiran - ℰ 05 62 31 44 52 - restaurantleprieure@cegetel. net - fermé 5-11 janv., 8-15 fév., dim., lun. et mar. - 13/30 €*. Installé dans un ancien monastère qui abrite aussi la Maison des vins, ce restaurant au décor élégant propose une cuisine moderne et un beau choix de crus locaux.

Le Relais de la Tour – *Place de l'Horloge - Tillac - ℰ 05 62 61 85 84 - fermé lun., mar. et en janvier*. Dans le cadre enchanteur de la petite bastide de Tillac, de la bonne cuisine traditionnellle régionale.

PETITE PAUSE

Ferme de Bordeneuve – *32320 Montesquiou - ℰ 05 62 70 94 20 - www.fermedebordeneuve.com -*

15h-19h. Une halte très nature que la découverte de cette charmante ferme et du chemin de randonnée balisé, long de 3 km, qui l'entoure. Après la visite *(gratuite)*, une dégustation de produits du terroir vous sera offerte sous un sympathique préau.

ACHATS

Madiran

Cave de Crouseilles – *64350 Crouseilles - ℰ 05 59 68 57 14 - mai-sept. : 9h-13h, 14h-19h ; oct.-avr. : 9h30-12h30, 14h-18h ; juil.-août : visite de la cave le dim. - fermé 1er janv. et 25 déc..* En moins de cinquante ans la cave de Crouseilles a acquis une renommée incontestable dans le monde du vin. Dans sa salle de dégustation, découvrez le madiran rouge et le pacherenc du Vic-Bilh sec ou moelleux, appellations phares du domaine. Expos, concerts et Fête des vendanges animent la période estivale.

👫**Maison des vins de Madiran et Pacherenc du Vic-Bilh** – *4 r. de l'Église - 65700 Madiran - ℰ 05 62 31 90 67 - www.civso. com - fermé sem. de Noël, dim. et lun. de sept. à juin*. Ne quittez pas la région sans un détour par la Maison des vins du Pacherenc et de Madiran qui pourra vous communiquer une liste des propriétaires ou des producteurs afin de réserver vos visites.

Château d'Aydie-Vignobles Laplace – *64330 Aydie - ℰ 05 59 04 08 00 - www. lafamillelaplace.com - 9h-12h30, 14h-19h*. En 1961, la famille Laplace fut la pionnière de la mise en bouteilles à la propriété. Les quatre enfants de Pierre Laplace se consacrent aujourd'hui exclusivement au travail de

Itinéraire conseillé

AU PAYS DES MOUSQUETAIRES

▷ *55 km – compter 1h. Quitter Nogaro au sud par la D 25, puis prendre à gauche la D 111. Par une petite route en forte montée, gagner Sabazan.*

Sabazan A2
Ce village perché mérite un détour pour son église romane remarquablement élancée. Admirez les hourds (charpente disposée en encorbellement au sommet d'une tour ou de murailles, permettant aux assiégés de répandre toutes sortes de projectiles sur les agresseurs parvenus au pied de la muraille) qui couronnent le clocher.

Aignan A2
🛈 *Pl. du Colonnel-Parisot - ℘ 05 62 09 22 57 - juil.-août : 10h-12h30, 14h30-18h30, w.-end. 10h-12h ; reste de l'année : tlj sf w.-end 10h-12h, 15h-17h, merc. 10h-12h - fermé j. fériés.*
À l'orée d'une vaste forêt, Aignan, ancien castelnau réputé pour sa production d'armagnac, conserve quelques vestiges de son passé médiéval : une place à couverts que supportent des piliers de bois, des maisons à colombages et une église romane qui s'ouvre par un beau portail sculpté.
Prendre la D 20, puis à droite la D 174 vers Lupiac.

Lupiac B2
Musée d'Artagnan – ℘ 05 62 09 24 09 - www.lemondededartagnan.fr - juil.-août : 10h30-19h (dernière entrée 18h) ; reste de l'année : tlj sf lun. 14h-18h (dernière entrée 17h) - fermé de déb. janv. à mi-fév., 25 déc. - 5 € (6-11 ans 2,50 €, 12-18 ans 3,50 €). Le musée est installé dans une ancienne chapelle du 14e s. Un parcours audioguidé évoque, au rez-de-chaussée, l'histoire des mousquetaires et la légende de d'Artagnan. Ce personnage central du roman de Dumas (dont plusieurs éditions françaises et étrangères sont exposées) a donné lieu à de nombreuses adaptations cinématographiques (voir la belle collection d'affiches). Le premier étage met en scène le vrai d'Artagnan, né Charles de Batz Castelmore à Lupiac en 1611, et retrace sa vie et le contexte historique de l'époque.
Devant le musée, vue magnifique sur la chaîne des Pyrénées.
Revenir à Aignan et, par la D 48, gagner Termes-d'Armagnac.

Termes-d'Armagnac A2
Dressée au-dessus du confluent de l'Adour et de l'Arros, la forteresse de Thibaut de Termes (1405-1467), compagnon de Jeanne d'Arc, ne possède plus aujourd'hui que son donjon ainsi qu'une partie du corps de logis.
Tour de Termes – ℘ 05 62 69 25 12 - www.tourdetermes.com - juin-sept. : 10h-19h, mar. 14h-19h ; reste de l'année : tlj sf mar. 14h-18h - fermé 1er janv. et 25 déc. - 5 € (7-18 ans 4 €). Sur la terrasse sud, après avoir gravi un escalier à vis aussi raide qu'obscur, on pourra découvrir les figures de cire de la tour de thermes : mousquetaires gascons (d'Artagnan en tête), Henri IV et le départ de Thibaut en sont les points forts, avec la plus paisible *espelonquere* ou « veillée d'automne ».
De la plate-forme du donjon haut de 39 m, beau **panorama★** sur la vallée de l'Adour : la trouée du fleuve, au sud, dévoile un large pan des Pyrénées centrales (pic du Midi de Bigorre). *Retour à Nogaro par les D 108 et D 25.*

😊 NOS ADRESSES À NOGARO

HÉBERGEMENT

BUDGET MOYEN

Hôtel Solenca – *Rte d'Auch -* 📞 *05 62 09 09 08 - www.solenca. com -* 🅿 *- 48 ch. 65/90 € - 🍽 8 € - rest. 13/37 €.* Une étape conviviale au cœur du pays gersois. Les chambres, toutes identiques, sont bien tenues et pratiques. Agréable piscine entourée d'un jardin arboré. Restaurant champêtre et terrasse face à la verdure proposant une cuisine orlentée terroir.

RESTAURATION

BUDGET MOYEN

La Bonne Auberge – *Pl. du Pesquerot - 32370 Manciet -* 📞 *05 62 08 50 04 - fermé 23 déc.-3 janv., dim. soir et lun. - 25/50 € - 14 ch. 52 € - 🍽 8 €.* Maison centenaire abritant deux chaleureuses salles à manger : l'une, en véranda, ouverte sur la terrasse ; l'autre avec cheminée, boiseries et une belle collection d'armagnacs.

POUR SE FAIRE PLAISIR

La Chaumière de Bidouze – *Rte de St-Mont - 32400 Riscle -* 📞 *05 62 69 86 56 - www. chaumieredebidouze.com - fermé 24 déc.-1ᵉʳ janv. - ♿ - 🅿 - formule déj. 13 € - 28 € - 14 ch. 45/55 € - 🍽 6 €.* Ambiance chaleureuse, calme et bons produits du terroir assurent l'image de marque de cette chaumière, située au cœur de la campagne gersoise. Divine cuisine gasconne. Plusieurs formules d'hébergement et piscine réservée aux clients de l'hôtel.

ACTIVITÉS

😊 **Bon à savoir** – Pour vous rafraîchir, la base de loisirs de **Lupiac** vous propose son lac de 13 ha (plage de sable, voile, canoë…).

AGENDA

Concours de la Corne d'or – Elles ne sont pas toujours commodes, les vaches landaises qu'affrontent les écarteurs et sauteurs dans les arènes de Nogaro pour ce concours célébré chaque année le 14 Juillet. La meilleure vache remporte le prix et ses supporters font des kilomètres pour assister à ses prestations. Bref, une affaire d'honneur, ce qui, en terre gasconne, n'est pas un vain mot !

Courses automobiles – Le circuit Paul-Armagnac s'anime trois jours à Pâques, du samedi au lundi, pour les Courses de Pâques. L'autre grand rassemblement de voitures a lieu fin septembre, autour du Grand Prix auto.

Eauze

3 923 Élusates – Gers (32)

😊 NOS ADRESSES PAGE 404

🚾 **S'INFORMER**

Office du tourisme d'Eauze – *2 r. Félix-Soules - 32800 Eauze -* 📞 *05 62 09 85 62 - www.mairie-eauze.fr - lun.-sam. 9h-12h, 14h-18h.*

◐ **SE REPÉRER**

Carte de la microrégion B1 *(p.380) – carte Michelin Départements 336 C6.* En plein cœur de l'Armagnac, entre Condom et Aire-sur-Adour, Eauze se blottit derrière une ronde de boulevards.

😊 **À NE PAS MANQUER**

La place d'Armagnac ; le trésor d'Eauze au Musée archéologique.

🕐 **ORGANISER SON TEMPS**

Une ou deux heures suffisent pour apprécier la ville.

👥 **AVEC LES ENFANTS**

L'extraordinaire collection de pièces romaines du trésor d'Eauze.

Cette petite cité gersoise, antique Elusa romaine au 3ᵉ s., fit la Une de la presse en 1985 quand on y découvrit un remarquable trésor exposé aujourd'hui dans le Musée archéologique. Massée autour de sa cathédrale, elle est le centre commercial et administratif de « l'Armagnac » et elle s'anime tout particulièrement à l'Ascension pour la Foire aux eaux-de-vie, en juillet pour les Fêtes d'Eauze ou entre novembre et mars, période de la distillation.

Se promener

Place d'Armagnac

Pittoresque avec ses maisons à arcades, elle est le point névralgique de la ville. On y remarque en particulier la belle **maison dite** « **de Jeanne d'Albret** », sur piliers de bois. Henri IV et la reine Margot en furent les hôtes le 19 juin 1579. Aujourd'hui, le café-restaurant qui y est installé accueille les pélerins du chemin de Saint-Jacques qui logent dans le gîte tout proche.

Cathédrale Saint-Luperc

Son plan, un long vaisseau unique flanqué de chapelles aménagées entre les contreforts et soulignées par des colonnes en pierre semi-encastrées, fait de cet édifice de la fin du 15e s. un exemple type du gothique méridional. Remarquez le bel appareil de briques et moellons romains récupérés des ruines d'*Elusa*. Quatre fenêtres hautes ont conservé leurs vitraux du 17e s.

★ Musée archéologique

Pl. de la République - ✆ *05 62 09 71 38 - &. - juin-sept. : 10h-12h, 14h-18h ; fév.-mai et oct.-déc. : 14h-17h - fermé mar., j. fériés, 25 déc., janv. - 4,50 € (– 18 ans gratuit), gratuit 1er dim. du mois (nov.-mars).*

Le musée dresse un panorama de l'occupation humaine de la proche région et vous fera pénétrer dans l'intimité de la vie sociale et économique de ses habitants. Le **trésor d'Eauze ★★** est l'incontestable point fort de la visite. En 261, la famille Libo, notables gallo-romains sans doute d'origine étrusque, inquiète de l'insécurité régnant alors dans la région, enfouit (dans des sacs de cuir) un véritable trésor composé de bijoux et de monnaies d'argent, de bronze et d'or. Exhumé en 1985, il est aujourd'hui le fleuron du Musée archéologique de la ville. Il est présenté tel qu'il a été découvert, dans une fosse circulaire creusée dans le sous-sol : des présentoirs en jaillissent, permettant d'admirer l'ensemble des bijoux. On remarque, en particulier, les colliers en or rehaussés de pierres précieuses (émeraudes, grenats et saphirs) et de perles de nacre, des bracelets et des bagues superbes, ainsi qu'un admirable couteau dont le manche d'ivoire sculpté représente Bacchus. Tout autour, sur les murs, les pièces de monnaie sont alignées verticalement, rendant compte de leur diversité et de leur incroyable quantité : songez que le trésor en comptait 120 kg…

La visite se complète par des collections préhistoriques *(rez-de-chaussée)* et quelques objets provenant de fouilles archéologiques réalisées sur le site d'*Elusa*, dont la vie quotidienne nous est présentée dans la grande salle, à travers des fresques colorées.

LA TÉNARÈZE

Ce nom, connu par l'appellation d'une région délimitée des eaux-de-vie d'Armagnac, s'applique à une antique voie de passage suivant la ligne de partage des eaux entre l'Adour et la Garonne. Si l'on en croit l'adage gascon, cet itinéraire aurait permis d'aller « des Pyrénées jusqu'à Bordeaux, sans passer de pont ni prendre bateaux… » Il est possible de cheminer entre Eauze, au nord, et Miélan, au sud, sans quitter la ligne de faîte des coteaux offrant de beaux panoramas sur la chaîne des Pyrénées.

À proximité Carte de la microrégion

Barbotan-les-Thermes A1

▶ *23 km au nord-ouest d'Eauze par la D 626.* 🏛 *Place Armagnac -* ☎ *05 62 69 52 13 - www.barbotan-cazaubon.com - mars-nov. : 9h-12h, 14h-18h, dim. 10h-12h ; déc.-fév. : tlj sf w.-end 9h-12h, 13h30-17h30 (vend. 16h30).* Cette station thermale est dotée du label Famille Plus *(voir p. 21)*. Un climat particulièrement doux et la présence de sources chaudes souterraines ont favorisé, dans le **parc thermal**, la croissance d'espèces exotiques. On y trouve des palmiers, des magnolias et surtout des lotus, qui font l'orgueil de la station. On prend plaisir à s'y promener avant de découvrir l'**église**, du 12e s., dont le clocher-porche était à l'origine une porte fortifiée des remparts. Ce clocher est percé d'une voûte qui livre passage à l'avenue des Thermes.

Situé au sud de la ville, dans un cadre verdoyant, le **lac d'Uby** a été constitué par la retenue de l'Uby que barre une digue longue de 440 m, large de 8 m et haute de 7 m. Ses rives sont aménagées en centre de loisirs : base nautique, école de voile, plage de sable fin, terrain de camping, etc. Idéal pour ceux qui souhaitent faire trempette sans ordonnance !

😊 NOS ADRESSES À EAUZE

HÉBERGEMENT

PREMIER PRIX

Auberge de Guinlet – *Au golf -* ☎ *05 62 09 79 53 - www.guinlet. fr - fermé déc.-fév. merc. et jeu. soir -* 🅿 *- 43/64 € -* ⬜ *6 € - rest. 13/28 €.* Implanté sur un golf 18 trous, ce complexe touristique avec piscine, Jacuzzi, tennis et plan d'eau poissonneux plaira aux sportifs. Les chambres, tout juste rénovées, sont réparties dans deux petits pavillons.

Camping Les Lacs de Courtès – *Courtès - 32240 Estang - au sud du bourg par D 152, près de l'église et au bord d'un lac -* ☎ *05 62 09 61 98 - www.lacsdecourtes.com - de mi-avr. à fin sept. -* ♿ *- réserv. conseillée - 136 empl. 26 €.* De spacieux emplacements pour votre tente ou votre caravane, des chalets et pavillons confortables à louer : cette résidence de loisirs laisse augurer d'un agréable séjour. Diverses activités et animations pour petits et grands y sont proposées : équitation, tir à l'arc, canoë et espace pêche sur le lac de la propriété.

Hôtel Beauséjour – *6 av. des Thermes - 32150 Barbotan-les-Thermes -* ☎ *05 62 08 30 30 - www. hotelgers.com - ouv. mars à nov. - 25 ch. 36/75 € -* ⬜ *10 € - rest. 20/45 €.* Grande maison de style régional renfermant des chambres coquettement rénovées et un petit salon d'esprit british. Joli jardin arboré. Restaurant aux tons ensoleillés et terrasse tournée vers la campagne gersoise ; repas diététiques à la demande.

BUDGET MOYEN

Chambre d'hôte Hourcazet – *Hourcazet -* ☎ *05 62 09 99 53 - site. voila.fr/hourcazet -* 🅿 *-* 🚭 *- 4 ch. 65 € ⬜.* Au milieu des vignes d'Armagnac, deux maisons de pays entourées d'un parc de 1 ha. Les plus grandes chambres sont aménagées sous les poutres du grenier, les autres se trouvent en rez-de-jardin ; toutes sont coquettes. Petits-déjeuners servis dans une salle au cadre régional ou sur la terrasse.

RESTAURATION

PREMIER PRIX

Restaurant Henri IV – *1 pl. St-Taurin - ℘ 05 62 08 45 40 - périodes de fermeture : se renseigner. - 13/29 € - 13 ch. 47/56 € - ☕ 7 €.* Petit restaurant sympathique, au pied de l'église, qui bénéficie d'une bonne tenue et d'un service efficace. Vous pourrez déguster le fameux potage aux légumes en hiver. Une cuisine locale, très simple, préparée à partir de produits frais, et qui reste à la portée de toutes les bourses.

ACHATS

Domaine de Ouardère – *Cacarens Ouardère - 32190 Lannepax - ℘ 05 62 06 41 42 - 8h-12h, 14h-18h, w.-end sur RV.* Depuis plus de vingt ans, ce couple d'exploitants, désormais accompagné de leur fille, mène ce domaine de 100 ha dont 60 de vignes qui produisent vins blancs, rosés et rouges, armagnacs vieillis en fûts de chêne et l'apéritif local, le floc de Gascogne, à base d'armagnac et de jus de raisin. Visite gratuite des chais et dégustation.

AGENDA

Foire des eaux-de-vie – Tout savoir sur le produit qui symbolise la région ? Ne manquez pas la Foire aux eaux-de-vie, organisée chaque année, depuis plus de cinquante ans, pendant la semaine de l'Ascension. *℘ 05 62 08 11 00.*

La Flamme de l'armagnac – La distillation de l'armagnac débute chaque année en novembre et se poursuit jusqu'en mars ; à cette occasion ont lieu diverses animations et festivités dans la région. *℘ 05 62 08 11 00 - www.armagnac.fr.* Programme disponible à l'office de tourisme.

Fêtes d'Eauze – Rien de tel, après avoir dégusté un bon armagnac à l'issue d'un repas qui ne peut être que copieux, que de prendre le chemin des arènes, en traversant la ville qu'animent les cuivres des bandas pour assister à une corrida, point d'orgue des Fêtes d'Eauze, le premier w.-end de juillet.

Condom

★

7 158 Condomois – Gers (32)

😊 **NOS ADRESSES PAGE 415**

🛈 **S'INFORMER**

Office du tourisme de la Ténarèze – *Pl. Bossuet - 32100 Condom -*
℘ 05 62 28 00 80 - www.tourisme-tenareze.com - de mi-juil. à mi-août : 9h-
19h, dim. et j. fériés 10h30-12h30 ; nov.-mars : tlj sf dim. 9h-12h, 14h-17h30 ;
avr. et oct. : tlj sf dim. 9h-12h, 14h-18h ; mai - juin et sept. : 9h-12h, 14h-18h30.
Au rez-de-chaussée de la tour d'Auger d'Andiran (13ᵉ s.).

🧭 **SE REPÉRER**

Carte de la microrégion B1 *(p.380)* – carte Michelin Départements 336 E6.
La ville est située à 45 km au nord d'Auch. Elle borde la limite nord du
département du Gers.

🅿 **SE GARER**

L'idéal est de pouvoir garer la voiture au parking de la place Saint-
Pierre, devant la cathédrale mais, à défaut, on la laissera sur l'avenue du
Général-de-Gaulle.

😊 **À NE PAS MANQUER**

La cathédrale Saint-Pierre ; Fourcès ; Larressingle ; la dégustation ou l'achat
d'un foie gras *(voir nos adresses)*.

🕐 **ORGANISER SON TEMPS**

Si vous disposez d'une journée, visitez la ville le matin et parcourez la
campagne, jalonnée de châteaux, l'après-midi.

👫 **AVEC LES ENFANTS**

La Halte du pèlerin et la Cité des machines du Moyen Âge à Larressingle.

**Au sein d'une contrée parsemée de gentilhommières et d'églises rura-
les, la capitale de l'Armagnac est entourée de bastides souvent très pittoresques. Condom, avec sa magnifique cathédrale, ses vieux hôtels et
son port sur la Baïse, est une cité on ne peut plus gasconne, et qui fleure
bon l'odeur des chais…**

Se promener

◑ *Compter 1h30. Partir de la place St-Pierre, dominée par la cathédrale.*
Le nom de Condom viendrait du mot gallo-romain « Condatomagos », qui
évoque un marché *(magos)* établi au confluent *(condate)* de la Gèle et de la
Baïse.

★ Cathédrale Saint-Pierre

Dominée par la majestueuse tour quadrangulaire de son clocher, la cathédrale
de Condom, rebâtie entre 1507 et 1531, est l'un des derniers grands édifices
du Gers construits suivant les traditions gothiques du Sud-Ouest.
Au portail sud, de style gothique flamboyant, les niches des voussures abritent encore 24 statuettes, dont l'agneau de saint Jean-Baptiste, blason de Jean

La collégiale de La Romieu.
M.-H. Carcanague / MICHELIN

Marre, le grand évêque bâtisseur de Condom (1496-1521) que l'on reconnaît sur le socle de la niche vide du trumeau. L'ample vaisseau est illuminé par des verrières à remplage flamboyant dues à un atelier condomois (1858) pour le chœur, et à l'Atelier du vitrail de Limoges (1969) pour les fenêtres de la nef. Les nervures des voûtes s'articulent autour de clefs historiées. La clôture néogothique du chœur est peuplée de grandes statues d'anges et de saints exécutées en terre cuite moulée en 1844. En faisant le tour du chœur par la gauche, on voit, au-dessus de la porte de la sacristie, une très belle plaque de marbre commémorant la consécration de la cathédrale en 1531. La chapelle axiale, gothique, dédiée à la Vierge, appartenait à l'ancienne cathédrale.

Le système des voûtes apparente étroitement le **cloître**★, en grande partie refait au 19ᵉ s., à la cathédrale. Sur la galerie est se greffe la chapelle Sainte-Catherine, transformée en passage public, ornée de jolies clefs de voûte polychromes.

Chapelle des Évêques (Palais de justice)

Occupée aujourd'hui par le palais de justice, elle présente une architecture encore gothique bien qu'elle soit postérieure à la cathédrale. Aux heures d'ouverture de la sous-préfecture (ancien évêché du 18ᵉ s.), on peut observer, depuis le jardin, le portail Renaissance de la chapelle des Évêques, surmonté d'une fenêtre décorée de baldaquins et de médaillons.

Par la place Lannelongue, gagner la rue Jules-Ferry.

À droite, remarquez les bâtiments mansardés des écuries de l'Évêque, ancienne gendarmerie abritant aujourd'hui le musée de l'Armagnac.

Musée de l'Armagnac

2 r. Jules-Ferry - ☎ 05 62 28 47 17 - www.condom.org - possibilité de visite guidée - avr.-oct. : tlj sf mar. 10h-12h, 15h-18h ; nov.-mars : tlj sf lun. et mar. 14h-17h - 2,20 € (enf. 1,10 €).

Il présente une rare collection d'outillages utilisés jadis par les vignerons de la région (pressoir pesant 18 t, rouleau à fouler le raisin), un échantillonnage complet d'instruments de tonnellerie et de bouteilles produites par les

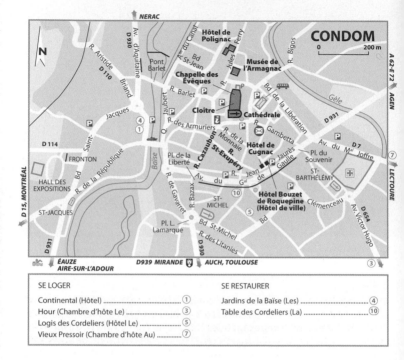

gentilshommes-verriers gascons, divers alambics dont l'un exécuté comme chef-d'œuvre par un compagnon chaudronnier. Remarquez la carte des anciennes routes d'exportation de l'armagnac par l'Adour ou par la Garonne.

Après la visite du musée de l'Armagnac, on peut visiter en été la salle des Illustres pour découvrir une **collection de peintures** françaises du 19e s. *Visite libre.*

Poursuivre dans la rue Jules-Ferry.

Hôtel de Polignac

Cet édifice du 18e s. abrite une école. Côté rue, la façade classique, rythmée par des colonnes, de hautes fenêtres et des balustres, est précédée par une colonnade et de belles grilles en fer forgé. À l'ouest, l'imposant bâtiment, souligné par un balcon de pierre, domine la vallée de la Baïse.

Faire demi-tour et prendre la rue Gaichies. Sur la place du Lion-d'Or, emprunter la rue Honoré-Cazaubon.

Rue Honoré-Cazaubon

On y verra quelques beaux hôtels particuliers : Empire, au n° 11, d'époque Louis XV comme l'hôtel de Galard, au n° 10.

Rue Saint-Exupéry

Au bout de la rue à droite, n'hésitez pas à pénétrer dans la cour du **collège Salvandy**, ancien collège d'oratoriens (1724), pour apercevoir la tour d'escalier gothique et les portes donnant sur les anciennes classes surmontées des inscriptions : rhétorique, philosophie, etc.

À l'extrémité de la rue Saint-Exupéry, tourner à droite pour gagner le « Cours » (avenue du Gén.-de-Gaulle que prolonge la rue Jean-Jaurès).

Le Cours (Avenue du Général-de-Gaulle et rue Jean-Jaurès)

Sur ce large cours, après le noble **hôtel de Cugnac** s'élève l'**hôtel Bouzet de Roquepine**, également du 18ᵉ s., qui abrite aujourd'hui l'hôtel de ville de Condom. Il possède un curieux petit balcon en étrave.

Maison Ryst-Dupeyron (Hôtel de Cugnac)

Dans l'hôtel de Cugnac - ℘ 05 62 28 08 08 - ⚹ - visite guidée (1h) - 10h-12h, 14h-17h (juil.-août 18h) - fermé 1ᵉʳ janv., 25 déc. - gratuit.

Elle propose la découverte de ses chais datant du 18ᵉ s. Le parcours dans la distillerie et le chai de mise en bouteilles est étayé par des projections audiovisuelles.

Pour revenir à la cathédrale

Poursuivre jusqu'à la place Voltaire et prendre à gauche la rue Léon-Gambetta. En débouchant sur la place St-Pierre où se dresse la cathédrale, belle vue sur le chevet et le cloître attenant. Avancez-vous jusqu'à l'entrée de la rue Charron, côté ouest de la place, pour observer la façade de l'**hôtel de Bourran** (17ᵉ s.), parée d'un balcon sur trompe.

À proximité Carte de la microrégion

★ La Romieu C1

▶ *11 km au nord-est de Condom. Prendre la D 931 en direction d'Agen pendant 3 km puis suivre à droite la D 41 jusqu'à La Romieu.* 🛈 *R. du Dr-Lucante - ℘ 05 62 28 86 33 - www.la-romieu.com - juil.-août : 9h30-19h, dim. 14h-19h ; mai-juin et sept. : 9h30-18h30, dim. 14h-18h30 ; oct.-mars : tlj sf dim. mat. 10h-12h, 14h-18h ; avril : 10h-12h30, 13h30-18h - fermé 1ᵉʳ janv., 1ᵉʳ nov. et 25 déc.*

La Romieu se trouve sur le chemin de Saint-Jacques qui, venant du Puy, passe à Moissac puis à Flaran *(GR 65)*. Cette étape – *un romieu* désignait autrefois un pèlerin sur le chemin de Compostelle –, fut aussi une cité ecclésiastique, entourée de fossés et de murailles. Ces deux hautes tours dominent la campagne gasconne.

★ **Collégiale** – *℘ 05 62 28 86 33 - www.la-romieu.com - dernière entrée 45mn av. fermeture - juil.-août : 9h30-19h, dim.14h-19h ; mai-juin et sept. : 9h30-18h30, dim.14h-18h30 ; oct.-avr. : tlj sf dim. mat. 10h-12h, 14h-18h - fermé 1ᵉʳ janv., 1ᵉʳ nov. et 25 déc. - 4,80 € (– 12 ans gratuit).* Elle fut édifiée par le cardinal Arnaud d'Aux, né à La Romieu vers 1270, camérier des papes d'Avignon Clément V (son cousin) et Jean XII. Bien que ses motifs décoratifs aient été dégradés, le **cloître** conserve un ensemble intéressant. Par un portail ouvert sous un arc à mâchicoulis, on descend à l'**église**, dont le chœur abrite les tombeaux du cardinal d'Aux et de ses neveux. En prenant l'escalier de la **tour octogonale**, on peut voir, décorant la voûte en étoile, des peintures du 14ᵉ s. représentant des **anges musiciens**. Par l'escalier à vis *(153 marches)* on parvient aux salles gothiques et à la plateforme : vue sur la tour-clocher de l'ouest, la tour du Cardinal, le cloître et la place à couverts. La **tour du Cardinal**, au sud du cloître, est le seul vestige du palais du cardinal d'Aux.

Jardins de Coursiana – *℘ 05 62 68 22 80 - www.jardinsdecoursiana.com - ⚹ - de Pâques à la Toussaint : 10h-20h - fermé dim. - 6,50 € (7-12 ans 4 €) 9,30 € billet combiné avec collégiale de La Romieu (valable tte la sais.).* Ils furent créés en 1974 par un botaniste passionné au milieu des vergers de pruniers. Repris par la famille Delannoy, ils abritent un arboretum de 700 espèces d'arbres et arbustes, ainsi qu'une collection nationale de tilleuls, des massifs fleuris et un jardin de plantes médicinales et aromatiques. Belle vue sur la collégiale.

👥 Un jeu-découverte donne une dimension ludique à la visite.

LA CITÉ DES CHATS

De nombreuses effigies de ces félins, statuettes de Maurice Serreau, viennent rappeler la légende d'Angéline, une jeune fille qui abrita clandestinement quelques chats lors d'une famine qui contraignit les habitants du village à dévorer leurs matous en 1342.

Itinéraires conseillés Carte de la microrégion

VALLÉES DE L'OSSE ET DE L'AUZOUE

◗ *40 km – compter environ 1h. Quitter Condom à l'ouest par la D 15, en direction de Montréal, puis tourner à gauche sur la D 507.*

★ Larressingle B1

🛈 ℘ 05 62 68 22 49 *- juil.-août : mar.-dim. 10h30-12h30, 14h30-18h30 ; mai et sept. : mar.-sam. 15h-18h ; juin : mar.-sam. 10h30-12h30, 14h30-18h30.*

C'est un tout petit village du 13e s., ceint de remparts, lieu de résidence des évêques de Condom jusqu'au 16e s. En ruine, Larressingle fut sauvé en 1920 par le maréchal Mortier, duc de Trévise. Celui-ci fit appel à des Américains qui rachetèrent toutes les maisons et les restaurèrent. De l'époque subsistent un donjon, une église et quelques maisons (restaurées). Sa taille lui vaut le titre de « plus petite cité fortifiée de France ».

Un pont enjambant les douves et une porte fortifiée permettent d'accéder au centre et à la seule rue du village bordée de quelques boutiques. Un escalier à vis conduit aux trois étages du donjon en ruine. L'église romane fortifiée, dédiée au roi des Burgondes, Sigismond, se réduit à deux chœurs emboîtés.

Le musée « La Halte du pèlerin » – ℘ 05 62 28 08 08 *- de déb. juin à fin août : 10h30-12h30, 14h-19h - 4 € (– 18 ans 3,50 €), 12 € forfait famille (2 adultes + 2 enf).*

👥 Ce musée propose une promenade commentée *(magnétophone)* à la rencontre de cinquante personnages en costumes d'époque, illustrant dix scènes de la vie quotidienne à Larresingle, pendant la guerre de Cent Ans : l'organisation de la maison, les différents métiers, les activités…

Cité des machines du Moyen Âge – ℘ 05 62 68 33 88 *- http://larressingle.free. fr -* ♿ *- visite guidée (1h30) - juil.-août : 10h-19h ; mars-juin et de sept. au 11 Nov. : 14h-18h ; mars : 14h-17h - 8 € (-12 ans 5 €, 13-17 ans 6,80 €).* Une idée de promenade ? Faites le tour des fortifications en empruntant le chemin à l'extérieur de l'enceinte. Cette petite balade vous permettra de découvrir la cité des machines, véritable camp de siège du 13e s. reconstitué au pied des fortifications. On y voit fonctionner des engins d'attaque et de défense comme le trébuchet qui, avec son mât de 12 m, envoyait des boulets de 100 à 120 kg à près de 220 m de distance (il est ici présenté au tiers de sa grandeur réelle).

Au pied de la colline on peut voir le **pont roman d'Artigues** qu'emprunte le chemin de Saint-Jacques. Il est classé au Patrimoine de l'humanité.

Reprendre la D 15 vers la gauche.

Montréal-du-Gers B1

🛈 *Pl. de l'Hôtel-de-Ville -* ℘ 05 62 29 42 85 *- www.montrealdugerstourisme.com - tlj sf dim. et lun. 10h-12h30, 14h-19h (mars-juin et sept.-nov. 18h, déc.-fév. 17h30) - fermé j. fériés.*

Cette bastide, établie en 1256, est l'une des plus anciennes de Gascogne. Elle occupe un site pittoresque au-dessus de la vallée de l'Auzoue. Sévèrement endommagée pendant les guerres de Religion, elle a toutefois conservé une église gothique fortifiée et une place carrée bordée de maisons à couverts.

Musée archéologique – ℘ 05 62 29 42 85 - ₰ -juil.-août : tlj sf dim. 10h-12h30, 14h-19h ; mars-juin et sept.-nov. : 10h-12h30, 14h-18h ; déc.-fév. : 10h-12h30, 14h-17h30 - fermé dim., lun., j. fériés sf 14 Juil. et 15 août - gratuit. Situé dans l'une des maisons à couverts, ce petit musée (accès par le syndicat d'initiative) expose quelques pièces (poteries, objets en fer, boucles mérovingiennes) découvertes sur le site de Séviac, comme la « mosaïque aux arbres », composition végétale mêlant harmonieusement des motifs d'arbres fruitiers et de lys.

À 2,5 km au sud, serties dans un bois de chênes, s'élèvent les ruines de l'**église Saint-Pierre-de-Genens**, dont le portail roman est surmonté d'un chrisme en marbre blanc des 7e et 8e s.

Gagner le site de Séviac en suivant la signalisation, à l'ouest de Montréal.

★ **Villa gallo-romaine de Séviac** B1

℘ 05 62 29 48 57 - www.seviac-villa.fr.st - ₰ - possibilité de visite guidée (1h) - juil.-août : 10h-19h ; mars-juin et sept.-nov. : 10h-12h, 14h-18h - fermé déc.-fév. - 4 € (– 12 ans gratuit).

Les fouilles menées sur le site depuis un siècle ont mis au jour les fondations d'une luxueuse villa gallo-romaine du 4e s., imbriquée avec un ensemble paléochrétien et des vestiges mérovingiens, témoins d'une occupation permanente du 2e au 7e s.

Établi sur un plateau calcaire peu élevé, le logis résidentiel s'ordonne autour d'une cour carrée, entourée de galeries aux sols couverts de mosaïques et ouvrant sur la cour par une colonnade de marbre.

Au sud-ouest, une cour sépare la demeure du maître d'un vaste ensemble thermal, le plus grand que l'on connaisse au sein d'une habitation privée. Il comporte des salles chauffées par hypocauste (système de circulation d'air chaud sous le sol, l'ancêtre de notre chauffage central), une piscine et des bassins plaqués de marbre et décorés de mosaïques, exceptionnelles par leur nombre, leur richesse et leur état de conservation.

La D 29, à la sortie nord de Montréal, remonte le cours de l'Auzoue.

★ **Fourcès** B1

Par un petit pont franchissant l'Auzoue qui borde un château des 15e et 16e s., on arrive au cœur de cette adorable bastide anglaise fondée au 13e s. Elle doit son plan circulaire, fort original, au plan de l'ancien château dont elle occupe l'emplacement. Les maisons à colombages, sur arches de pierre et de bois, qui abritent des ateliers d'artisans et des galeries d'art entourent la vaste place ronde ombragée. De l'enceinte subsistent quelques vestiges ainsi que la tour de l'Horloge. La petite cité est particulièrement animée et colorée le dernier week-end d'avril, lors du marché aux fleurs de printemps !

Le retour à Condom s'effectue par la D 114.

LE VIGNOBLE AUTOUR DE VALENCE-SUR-BAÏSE

◗ 48 km – compter environ 1h15.

Ce circuit, recommandé en automne lorsque la vigne se pare de teintes mordorées, donne un aperçu du vignoble d'Armagnac et de quelques châteaux qui proposent aux touristes de passage dégustation et vente.

Quitter Condom au sud-ouest par la D 931.

Mouchan B1

Église – *De fin juin à mi-sept. : tlj sf lun. et mar. 10h-12h, 15h-19h ; reste de l'année sur demande à la mairie au ℘ 05 62 28 40 33.* Ce village possède une jolie petite église romane, dont la partie la plus ancienne remonte au 10e s. (base du clocher actuel). Remarquez quelques éléments d'architecture : à l'extérieur, le chevet avec ses trois baies encadrées de colonnettes, elles-mêmes surmontées d'une corniche à modillons sculptés, le portail nord, muré, avec sa voussure supérieure à damier ; à l'intérieur, l'archaïque voûte d'ogives à la croisée du transept, le cordon de billettes et la corniche à boules, qui courent en partie autour de l'édifice. Dans le chœur en cul-de-four, on peut observer la série d'arcatures avec ses chapiteaux à feuilles lisses, ou plus rarement historiés.
Par la D 208, gagner le château de Cassaigne.

Château de Cassaigne B1

℘ 05 62 28 04 02 - www.chateaudecassaigne.com - visite guidée (1h) - juil.-août : tlj 9h -12h, 14h-18h ; 15 juin-15 sept. : w.-end 9h-12h, 14h-18h ; reste de l'année : tlj sf dim. mat. et lun. 9h-12h, 14h-18h - fermé 25 déc., 1er janv. - gratuit.
L'ancienne résidence de campagne des évêques de Condom (16e-18e s.), dont l'origine remonte au 13e s., a subi au cours des siècles de nombreuses transformations. La façade actuelle se pare de lignes classiques harmonieuses (18e s.). La visite permet, après avoir parcouru le chai, d'assister à un diaporama sur l'histoire du château, le travail de la vigne et la genèse de l'armagnac. Remarquez la cuisine du 16e s., couverte d'une coupole aplatie en brique à la façon d'un four de boulanger, son mobilier massif et sa vaisselle d'étain, de cuivre et de faïence. Ne manquez pas de déguster la production du lieu après avoir admiré le vignoble, depuis le perron nord… Un grand moment pour le palais !
Prendre la D 229 en direction de Lagardère ; après 4,5 km, tourner à droite.

Château du Busca-Maniban B1

℘ 05 62 28 40 38 - www.buscamaniban.com - visite guidée (45mn) - avr.-oct. : tlj sf dim. et j. fériés 14h-18h 6 € (enf. 2 €).
Il se compose d'un corps principal de deux étages, précédé d'une vaste cour d'honneur. Le vestibule (remarquez deux armoires en chêne de l'école de Morlaàs) surprend par sa majesté : un escalier monumental s'élève vers une galerie soutenue par des colonnes – mi-pierre, mi-bois peint – à chapiteaux doriques. Au 1er étage, la salle dite « italienne » conserve quelques belles pièces de mobilier. Au rez-de-chaussée, on découvre deux anciennes cuisines avec leurs ustensiles et leur mobilier ainsi qu'une chapelle du 15e s. décorée de peintures italiennes du 17e s.
Revenir à Cassaigne. Dans la descente, la route ménage de belles vues sur les coteaux couverts de vigne que surplombent les ruines du château de Mansencôme.

L'ARMAGNAC

On distingue trois grandes classes d'âge : les « 3 Étoiles » ou « 3 Couronnes » ont passé au moins dix-huit mois en fût ; les « VO » (Very Old) et « VSOP » (Very Superior Old Pale) y sont restés au moins quatre ans et demi ; quant aux « XO », « Hors d'âge », « Napoléon », « Extra », ils ont au moins cinq ans et demi d'âge. Bien entendu, plus longtemps l'armagnac reste en fût, meilleur il est… L'armagnac est servi comme digestif, à température ambiante, dans des verres à fond large et à bords rétrécis. Chauffer le verre entre ses mains permet d'en faire « monter » les arômes.

Prendre, au sud-est, la D 142 sur la droite.

★ **Abbaye de Flaran** B1

8 km au sud de Condom. Suivre la D 930 en direction de Valence-sur-Baïse. À la sortie nord de Valence, prendre à droite la D 142 en direction de Cassaigne. L'abbaye se trouve sur la droite, immédiatement après le carrefour. ₢ 05 62 28 50 19 - www.cg32.fr – juil.-août : 9h30-19h ; reste de l'année : 9h30-12h30, 14h-18h - fermé 1ᵉʳ janv., 2 sem. en janv., 1ᵉʳ Mai et 25 déc. - 4 € (– 18 ans gratuit), gratuit 1ᵉʳ dim. du mois (nov.-mars). Comptez 1h pour la visite de l'abbaye avec l'exposition Simonow.

Après sa fondation en 1151 par les moines de L'Escaladieu (Hautes-Pyrénées), l'abbaye connut une prospérité rapide grâce aux libéralités des seigneurs de la région. Après être passée sous domination anglaise, puis française, elle eut à souffrir des guerres de Religion, et plus tard de l'anticléricalisme de l'époque révolutionnaire. Un incendie en 1970 fut presque fatal à l'édifice. Fort heureusement rachetée par le conseil général du Gers qui décida d'y établir un centre culturel, l'abbaye a pu être restaurée et retrouver vie. On appréciera la simplicité et l'austérité d'une décoration qui, incitant au recueillement ou à la méditation, ne manque pas de grandeur.

On pénètre dans l'abbaye par la **cour d'honneur**, bordée à l'ouest par l'écurie et ses dépendances, à l'est par la façade de l'église abbatiale. Celle-ci est percée dans sa partie supérieure d'une rose cernée d'un cordon en damier. Au-dessous, curieusement, le portail en plein cintre est dépourvu de tympan. Au fond de la cour, le **quartier d'hôtes**, élevé au 18ᵉ s. à l'usage du prieur et de ses hôtes, a des allures de petit manoir gascon. Les pièces réservées à l'accueil des touristes, ainsi que le salon de compagnie, sont décorées de gypseries.

Construite entre 1180 et 1210, l'**église** comporte une nef flanquée de collatéraux simples et couverte d'une voûte en berceau brisé. Conformément à la tradition cistercienne, toute d'austérité, la décoration des chapiteaux doubles est d'une extrême simplicité : feuilles lisses ou entrelacs et volutes très stylisés. Sur le transept, plus long que la nef, s'ouvrent à l'est le chœur qui se termine en cul-de-four et quatre absidioles. Le chevet en hémicycle de l'église et le feston d'arcatures cernant les absidioles sont un pur exemple du premier art roman méridional.

On accède au **cloître**, depuis l'église, par une porte surmontée d'un beau chrisme. Ce symbole, très présent en Gascogne à l'époque romane, est le monogramme du Christ composé des lettres grecques X et P. L'empereur Constantin l'avait fait placer sur l'étendard romain, accompagné de la mention : *In hoc signo vinces* (« Par ce signe tu vaincras »). Seule la galerie située à l'ouest, couverte d'une charpente suivant l'usage toulousain, est d'origine (fin 14ᵉ s.). Les arcades brisées reposent sur des colonnes jumelées à chapiteaux ornés de feuillages, de masques humains et d'animaux.

Les bâtiments conventuels prolongent le croisillon nord du transept. On trouve l'*armarium*, ou bibliothèque, puis la **salle capitulaire**, donnant sur le cloître par trois baies à voussures s'appuyant sur des colonnettes : à l'intérieur, les voûtes sur croisées d'ogives reposent sur de belles colonnes en marbre des Pyrénées de différentes couleurs. Au-delà du couloir d'accès au jardin, l'ancienne **salle des moines** et le **cellier** abritent une exposition sur le chemin de Saint-Jacques-de-Compostelle en Gascogne : cartes, sculptures, croix tombales de pèlerins ornées de la coquille emblématique, etc. Au nord, le **réfectoire**, flanqué de la cuisine et du chauffoir, présente un élégant décor de stuc, notamment au-dessus de la cheminée, avec le motif du Phénix renaissant de ses cendres.

On accède à l'étage par l'annexe de la cuisine (chauffoir) ou la **sacristie**, située dans le croisillon nord de l'église. Sa caractéristique ? Ses voûtes ogivales reposant sur une colonne centrale. Un escalier en pierre mène au dortoir des moines, divisé en chambres au 17e s. L'appartement du prieur se trouve à l'angle nord-ouest de la galerie supérieure du cloître, d'où l'on découvre une belle vue d'ensemble sur l'abbaye.

Le **jardin** comprend deux parties : l'une aménagée à la française et, vers l'ancien moulin, le jardin des plantes aromatiques et médicinales qui offre une vue très intéressante sur l'aile orientale du bâtiment des moines et sur le chevet de l'église.

Exposition Simonow « Maîtres de l'art européen, 14e-20e s. » – Elle rassemble, dans le corps du logis abbatial, une quarantaine d'œuvres d'importances diverses dont certaines signées par Suzanne Valadon, Chaïm Soutine, Pierre Bonnard et Cézanne… Autant d'œuvres prêtées jusqu'en 2011 par Michaël Simonow, philanthrope anglais, collectionneur installé en Afrique du Sud et séduit par l'abbaye.

Ferme de la Magdeleine – En se dirigeant vers les bâtiments de la ferme (logement, étable, grange) qui s'appuient de part et d'autre de la tour carrée, vestige des fortifications du 14e s., on aperçoit une mosaïque romaine du 5e s., dégagée d'une villa située sur les terres du Mian.

Centre patrimonial départemental – Expositions, colloques et manifestations (5 €, enf. gratuit) animent toute l'année l'abbaye de Flaran, devenue aujourd'hui le siège de la Conservation départementale du patrimoine.

Valence-sur-Baïse B1

🅘 R. Jules-Ferry - ℰ 05 62 28 59 19 - avril-oct. et déc. : 9h30-12h15, 14h15-18h30. Bastide issue d'un contrat de paréage conclu en 1274 entre l'abbé de Flaran et le comte Géraud V d'Armagnac, Valence est située au confluent de la Baïse et de l'Auzoue. Elle adopte un plan orthogonal. La place à couverts est bordée d'une église du 14e s. remaniée au 19e s.

Quitter Valence au nord par la D 930, tourner à droite dans la D 232 pour gagner, par une petite route à gauche, les ruines du château de Tauzia.

Château de Tauzia B1

Cet édifice en ruine dans une prairie était, aux environs de 1300, une petite forteresse munie de deux tours d'angle. Les fenêtres à meneaux ont été percées au 16e s.

Par Maignaut-Tauzia, regagner la D 142. Tourner à gauche dans la D 42 pour rejoindre Saint-Puy.

Château Monluc B1

ℰ 05 62 28 94 00 - www.monluc.fr - visite guidée (1h) - juin-sept. : tlj sf lun. 10h-12h, 15h-19h, dim. et j. fériés 15h-19h ; reste de l'année : tlj sf dim., j. fériés et lun. 10h-12h, 15h-19h - fermé janv., 1er Mai, 25 déc. - gratuit. Ancienne forteresse médiévale, longtemps disputée entre les rois de France et d'Angleterre, le château de Saint-Puy eut comme illustre seigneur Blaise de Monluc, maréchal de France et homme de lettres. Né au château en 1499, celui-ci commença sa carrière en Italie, aux ordres du chevalier Bayard. Mais c'est lors des guerres de Religion qu'il s'illustra par un fanatisme qui n'avait d'égal que sa cruauté, revendiquée comme seul moyen de venir à bout de l'ennemi. Ce spadassin a laissé toutefois des *Commentaires*, remarquables documents d'histoire.

Rien de plus naturel, donc, si le populaire apéritif élaboré dans les caves du château a pris le nom de **pousse-rapière** (la rapière désignant une épée). Les caves voûtées servent de cadre à l'explication de la fabrication du précieux breuvage. On remarque une grande pièce meublée, ancienne salle à manger chauffée par le sol selon le principe de l'hypocauste romain, un pressoir ancien, de vieilles machines de chai (doseuse, boucheuse) et une exposition sur Blaise de Monluc et le domaine.

Prendre la D 654 en direction de Condom, puis à droite vers St-Orens par la D 232.

Saint-Orens-Pouy-Petit B1

Village fortifié en hauteur. Par la porte percée dans le rempart, on accède à l'extrémité du promontoire où se dresse le château aux fenêtres à meneaux.

Rejoindre la D 654, direction Condom, et faire halte à Béraut.

Béraut B1

Musée d'Art naïf – 𝄢 05 62 68 49 87 - www.museeartnaif.com - ♿ - *mai-oct. : tlj sf lun. et mar. 10h-13h, 14h-19h ; nov.-avr. : 10h-13h, 14h-17h - 5 € (7-15 ans 2 €).* Dans le château d'Ensoulès est exposée une vaste collection de tableaux d'art naïf puisés dans les œuvres d'artistes français, polonais, brésiliens, cubains, canadiens, italiens, allemands, espagnols…

😊 NOS ADRESSES À CONDOM

HÉBERGEMENT

PREMIER PRIX

Hôtel Continental – *20 r. Mar.-Foch* - 𝄢 *05 62 68 37 00* - *www.lecontinental.net* - *fermé 20-27 déc.* - *25 ch. 43/68 €* - 🍽 *8 €* - *rest. 14/33 €.* La Baïse coule au pied de cet hôtel où les chambres entièrement rénovées, confortables et ornées de gravures anciennes, donnent pour la plupart sur un jardinet. Plats traditionnels et régionaux dans une salle actuelle claire et lumineuse. Terrasse d'été côté cour.

Chambre d'hôte Au Vieux Pressoir – *32100 Caussens* - 𝄢 *05 62 68 21 32* - *http://perso.wanadoo.fr/vieuxpressoir* - *fermé vac. de fév.* - 🅿 - *4 ch. 53 €* 🍽 - *rest. 17/26 €.* Cette grande demeure du 17ᵉ s. jouit d'une vue exceptionnelle sur la campagne et les vignes. Les chambres, meublées d'ancien, sont confortables et bien tenues. La table honore les produits fermiers ; vous pourrez notamment déguster les canards élevés sur place par les fermiers.

Chambre d'hôte Le Hour – *32100 Béraut* - 𝄢 *05 62 68 48 33 ou 06 85 63 96 03* - *www.le-hour.com* - 🅿 - 🛇 - *5 ch. 53 €* 🍽 - *rest. 19 €.* Cette ancienne ferme compte 5 chambres décorées suivant un astucieux assemblage de « vieilleries ». Un ensemble plutôt réussi et, de surcroît, très confortable. Table d'hôte sur réservation et repas à thème en saison. Agréables randonnées en compagnie des ânes de la propriété. Piscine et jeux pour enfants.

BUDGET MOYEN

Hôtel Le Logis des Cordeliers – *R. de la Paix* - 𝄢 *05 62 28 03 68* - *www.logisdescordeliers.com* - *fermé 2 janv.-3 fév.* - 🅿 - *21 ch. 48/70 €* - 🍽 *8 €.* Bâtiment récent situé dans un quartier tranquille. Chambres fonctionnelles ; optez pour celles donnant sur la piscine, agrémentées de petits balcons fleuris. Accueil aimable.

Hôtel de la Ferme de Flaran –
Rte de Condom - 32310 Valence-sur-Baïse - ℰ 05 62 28 58 22 - www.fermedeflaran.com - fermé 21 déc.-15 janv. - 🅿 *- 15 ch. 55/65 € -* ☕ *8 € - rest. formule déj. 16 € - 20/38 €.* Ancienne dépendance de l'abbaye cistercienne, cette ferme garde une agréable rusticité. Les chambres, champêtres et confortables, sont plus tranquilles côté piscine. Authentique salle à manger agreste, jolie terrasse et cuisine soignée à l'accent du Gers.

L'Étape d'Angeline – *6 pl. Bouet - 32480 La Romieu - ℰ 05 62 28 10 29 -* 🅿 *-* 🚭 *- 65/76 €* ☕. Au centre du village, et au pied de la collégiale, cette vieille bâtisse du 15e s. compte 4 chambres pleines de caractère. Pierres apparentes ou coloris assortis, chacune offre un confort et une simplicité faisant la joie des pèlerins. Un prix un peu élevé mais encore raisonnable pour une halte dans la région.

RESTAURATION

BUDGET MOYEN

La Table des Cordeliers – *1 r. des Cordeliers - ℰ 05 62 68 43 82 - www.latabledescordeliers.fr - fermé 3-19 janv., 7-23 fév., dim. soir, merc. soir hors saison, mar. midi et merc. midi en saison et lun. -* ♿ *- 25/95 € bc.* Cuisine actuelle valorisant avec brio les produits du terroir dans ce restaurant contemporain qui occupe le cloître et la chapelle (13e s.) d'un ancien couvent.

Les Jardins de la Baïse – *20 r. du Mar.-Foch - ℰ 05 62 68 37 00 - fermé sam. midi, dim. soir et lun. - 13/37 €.* Le restaurant de l'hôtel Continental, propose dans sa grande salle donnant sur la Baïse ou dans sa cour-jardin un bel assortiment de spécialités gasconnes.

Ferme-auberge Chèvre Feuille – *D 41 - 32100 Castelnau-l'Auvignon - ℰ 05 62 28 25 24 - http:/www.ferme-chevrefeuille.eu - ouv. en été : tlj sf vend., sam. midi et dim. soir. -* 🅿 *-* 🚭 *- formule déj. 20 € - 20/23 €.* Jolie ferme du 18e s. entourée par un jardin fleuri et boisé. La cuisine « maison » est réalisée avec les produits de l'exploitation agricole (cochon, coq, etc.) et servie dans une petite salle à manger rustique réchauffée par une grande cheminée en pierre.

Le Cardinal – *Pl. Bouet - 32480 La Romieu - ℰ 05 62 68 42 75 - fermé de mi-nov. à mi-mars, dim. soir et lun. (juil.-sept. : ouv. tlj) - 17 €.* Connu et apprécié dans la région, ce restaurant limite volontairement son service à une cinquantaine de couverts, par souci de qualité. Mieux vaut donc penser à réserver si l'on veut apprécier le cadre rustique et la cuisine savoureuse, à base de produits locaux. Un accueil très agréable.

ACTIVITÉS

⚓Gascogne Navigation – *Quai de la Bouquerie - ℰ 05 62 28 46 46 - www.gascogne-navigation.com - avr.-oct. : 9h-12h, 15h-19h ; reste de l'année : se renseigner - fermé janv. et déc. - 8 € croisière promenade - (– 15 ans 6 €).* Croisières découvertes ou gastronomiques sur la Baïse à bord du *d'Artagnan* pour découvrir le moulin de Barlet, puis les rives verdoyantes du quartier de la Bouquerie et l'écluse de Teste. La rivière est navigable jusqu'à Valence-sur-Baïse, par le passage de trois écluses en amont et jusqu'à Buzet, en aval.

Thermes de Castéra-Verduzan – *2 r. des Fontaines - 32410 Castéra-Verduzan - ℰ 0 825 320 320 - www.thermes-gers.com - 9h-12h, 14h-*

18h30, dim. 15h-17h - ouv. de fin janv. à fin déc. Partagés entre thermalisme et thermoludisme, soins médicalisés et espace aquadétente, les thermes utilisent une eau minérale sulfatée calcique et magnésienne. Elle agit aussi bien sur les affections digestives que sur les muqueuses bucco-lingales et les maladies métaboliques.

ACHATS

Comment choisir son foie gras ? Le meilleur est le foie gras d'oie entier. S'il se conserve plus longtemps en bocal de verre, on peut également l'acheter « à la coupe » chez le traiteur. Dans ce cas, il faut le consommer rapidement…
On peut bien sûr acheter son foie gras frais et le préparer soi-même. Il faut alors le choisir sans trace de sang ni de fiel, d'une belle couleur uniforme. La manière la plus simple de l'apprécier est de le manger froid (ne le sortir du réfrigérateur qu'au dernier moment) accompagné de toasts et d'un vin blanc moelleux, type sauternes, jurançon ou encore pacherenc (ou, pourquoi pas, d'armagnac !)
On peut également le poêler : il perd de sa douceur, mais gagne en arôme…
Considéré comme un fleuron de la gastronomie française, le Gers doit son renom au savoir-faire de ses producteurs. On trouve ces spécialités sur le marché de Condom, mais aussi directement sur les lieux de production. Parmi

ces derniers, on trouve la Ferme de Martin Neuf (℘ 05 62 28 27 26, à 6 km de Condom), le Domaine de Cachelardit, à Cassaigne (℘ 05 62 28 04 04, à 9 km de Condom) ou la Ferme de la Terre Blanche, à St-Puy (℘ 05 62 28 92 54, à 12 km de Condom).
Plus de renseignements sur www. gers-ferme.com.

AGENDA

Festival européen de bandas y penas – Dans les rues de Condom, grand rassemblement de cuivres et de percussions, déb. mai (du vend. 19h au dim.). 10 €/j, forfait 3 jours 24 € (– 12 ans gratuit). ℘ 05 62 68 31 38 - www.festival-de-bandas.com.
Marché aux fleurs – À Fourcès, fin avril, les fleurs envahissent la grand'place de la « bastide ronde ».
Concerts à l'abbaye de Flaran – Toute l'année, et plus particulièrement en été dans le cadre des Nuits musicales en Armagnac, des concerts sont organisés dans le cloître ou dans l'église abbatiale : musique et architecture se mêlent alors pour servir de support à la rêverie. Indispensable !
Renseignements à l'Office du tourisme de la Ténarèze à Condom.
La Nuit des bandas – Le 13 juillet, dans les rues de La Romieu.
La Fête des chats – À la mi-août à La Romieu (!). Exposition féline internationale (près de 300 chats de race). Artisans et artistes autour du chat.

Lectoure

★

3 797 Lectourois – Gers (32)

🛈 **S'INFORMER**

Office du tourisme de Lectoure – *Pl. de la Cathédrale - 32700 Lectoure - ℘ 05 62 68 76 98 - www.lectoure.fr - de mi-juin à fin août : 9h-13h, 14h-19h ; de janv. à mi-juin et de déb. sept. au 11 oct. : lun. 14h30-18h, mar.-sam. 10h-12h30, 14h30-18h, dim. 10h-12h30 ; du 12 oct. au 31 déc. : mar.-jeu. 14h30-17h30, vend.-sam. 10h-12h, 14h30-17h30. Se renseigner pour les visites guidées.*

▶ **SE REPÉRER**

Carte de la microrégion C1 *(p.380)* – *carte Michelin Départements 336 F6.* À 24 km au nord d'Auch.

😊 **À NE PAS MANQUER**

La vue depuis la promenade du Bastion ; les autels tauroboliques du Musée lapidaire.

🕐 **ORGANISER SON TEMPS**

La région regorge de châteaux, d'églises et de villages à visiter.

👫 **AVEC LES ENFANTS**

La Ferme des étoiles à Fleurance. Lectoure a obtenu le label Famille Plus (voir p.21).

Ancien oppidum des Lectorates, capitale des comtes d'Armagnac puis de la Lomagne, Lectoure occupe un site★ remarquable dominant la vallée du Gers et les coteaux lomagnois. Ce bourg perché sur un promontoire calcaire recèle, au gré de ses ruelles, de belles maisons de pierre, des terrasses, des jardins avec fontaines et palmiers. On y cultive à nouveau le pastel, dont le bleu a fait la renommée et la richesse du pays de cocagne. Voici un agréable port d'attache pour explorer la terre gasconne !

Se promener

La capitale de la Lomagne s'étire sur un promontoire gardant la vallée du Gers, entre la tour de la cathédrale et les vestiges de l'ancien château des comtes d'Armagnac (englobés dans un hôpital), à l'extrémité de l'éperon.

Promenade du Bastion

Accès par la rue Nationale ; la promenade se situe entre l'avenue André-Magne et le chemin de Saint-Clair. Sous ses ombrages se dresse la statue en marbre blanc du maréchal Lannes, né à Lectoure en 1769. De la terrasse, la **vue★** se dégage sur la vallée du Gers en direction d'Auch et, par temps clair, sur les Pyrénées.

Cathédrale Saint-Gervais-Saint-Protais

Édifiée au 13ᵉ s., elle fut mutilée lors du siège de la ville par Louis XI en 1473, puis pendant les guerres de Religion. De style composite, elle garde dans son aspect actuel les traces de plusieurs remaniements. Pour l'anecdote, sa flèche élevée en 1500 à 90 m de haut, fut démolie en 1782 par un évêque lassé de la charge de son entretien. À l'intérieur, les maîtres d'œuvre qui se succédèrent jusqu'au 18e s. ont respecté, dans l'ensemble, la structure et le décor gothiques. La nef unique, séparée du chœur par un arc triomphal et flanquée d'étroites chapelles, reste dans la tradition du gothique du Sud-Ouest, malgré l'ajout au 17e s. de tribunes à balustres. Elle contraste avec le chœur, dont le déambulatoire rappelle les cathédrales du Nord ; les trois chapelles du chevet, éclairées de baies jumelées à remplages flamboyants, en sont les parties les plus anciennes (16e s.).

Ancien palais épiscopal

Mêmes conditions de visite que le Musée lapidaire situé dans les caves (voir ci-dessous). La résidence des évêques de Lectoure date du 17e s. Devenue propriété du maréchal Lannes, elle fut cédée à la ville après sa mort en 1809. Un temps siège de la sous-préfecture, c'est aujourd'hui l'hôtel de ville. À voir au rez-de-chaussée : la reconstitution d'une **pharmacie** du 19e s., les **salles Lannes et Boué de Lapeyrère** (belle cheminée Renaissance), consacrées respectivement au souvenir du maréchal d'Empire et de l'amiral castourois, commandant de la flotte anglo-française en Méditerranée en 1914. Un escalier de pierre pourvu d'une jolie rampe en fer forgé du 18e s. mène à la salle des Illustres où sont suspendus les portraits de Lectourois célèbres, dont celui de Lannes.

En quittant le bâtiment par l'ancien jardin de l'évêché, on découvre, de la terrasse, dominant un bastion occupé par une piscine magnifiquement située, une belle vue sur la vallée et les Pyrénées.

Fontaine Diane

La vieille rue Fontélie, bordée de maisons dans les tons ocre, descend jusqu'à la fontaine Diane du 13e s., fermée par une grille en fer forgé du 15e s.

★ Musée lapidaire

Pl. du Gén.-de-Gaulle - ☎ 05 62 68 70 22 - www.gers-gascogne.com - tlj sf mar. 10h-12h, 14h-18h - fermé j. fériés - 3 € (- 18 ans gratuit), gratuit 1er dim. du mois (nov.-mars).

Installé dans les caves de l'ancien palais épiscopal, le musée abrite des collections de préhistoire et d'archéologie parmi lesquelles l'unique ensemble de 20 **autels tauroboliques** (sur les 40 identifiés en France). Témoins des cultes voués à Jupiter et à Cybèle, ces tauroboles portent sur la face principale une inscription commémorative et, sur les côtés, une tête de taureau ou de bélier ainsi que divers objets cultuels. On suivra au cours de la visite l'évolution des traditions funéraires : puits à incinération gaulois du 1er s. ; sarcophages chrétiens de brique, puis, à partir du 5e s., de pierre ou de marbre, tel celui en marbre des Pyrénées à décor de pampres de vigne et de chevrons, caractéristique de l'école de sculpture d'Aquitaine ; nécropoles mérovingiennes contenant un mobilier funéraire, dont de belles plaques-boucles de ceinturon en bronze

---

UN CULTE PAÏEN

Il n'est pas rare qu'un coup de pioche ou de bulldozer fasse surgir quelque tesson ou monnaie, héritage de la cité romaine de la vallée ou de l'oppidum gaulois du promontoire. Se refusant à la christianisation, Lectoure resta jusqu'au 6e s. un haut lieu du paganisme où se pratiquait le culte de Cybèle, la « Grande Mère ». En témoignent les fameux autels tauroboliques *(voir le Musée lapidaire)*. Le néophyte y était aspergé du sang d'un taureau ou d'un bélier, immolé au-dessus de lui. Les vestiges de ce culte païen furent découverts sous le chœur de la cathédrale.

argenté ou émaillé. Dans la salle des mosaïques sont exposés des fragments polychromes à décor géométrique ou floral, dont un, provenant de Montréal, représente le dieu Oceanus. Enfin, la vie quotidienne à l'époque romaine est évoquée par un four de potier, des céramiques, des vases carénés, des verres, des bronzes et des monnaies.

À proximité Carte de la microrégion

Fleurance C1

▶ *10 km au sud par la N 21.* 🏛 *112 bis r. de la République - ☏ 05 62 64 00 00 - 9h-12h30, 14h-17h30, dim. 9h-12h30 (uniquement juil. et août) - fermé j. fériés.* Bastide du 13ᵉ s. qui doit son prestige et son nom à Florence, la cité toscane. Elle a conservé son plan géométrique (en triangle) ainsi que le quadrillage régulier de ses rues, signes de sa vocation au commerce. Au centre, la halle voûtée (abritant les services municipaux) fait corps avec une majestueuse construction en pierre. L'**église Saint-Laurent**, édifiée en pierre de taille et en brique, est un bel exemple de gothique méridional avec son imposante façade dominée par un clocher octogonal sur trois niveaux (apparenté au style toulousain), et percée par un portail à voussures flanqué d'enfeus à gâbles et crochets. Une série d'arcades brisées en pierre et en brique fait le tour de l'édifice (sauf à l'ouest). À l'intérieur, de plan basilical et dépourvu de transept, on remarque les trois vitraux Renaissance de l'abside, œuvre d'Arnaud de Moles, l'auteur des vitraux de la cathédrale d'Auch. Le chœur au chevet polygonal date de 1300. Dans la chapelle Saint-Jean *(collatéral gauche)*, remarquez la Vierge de Fleurance, Vierge à l'Enfant en pierre du 15ᵉ s.

Ferme des étoiles – *Soirées, week-ends et séjours de découverte du ciel - ☏ 05 62 06 09 76 - www.fermedesetoiles.com.*
👥 Depuis plusieurs années, Fleurance s'affirme comme un grand pôle d'astronomie de loisirs grâce à la ferme des étoiles, son jardin astronomique et son dôme d'observation.

Château de Latour C1

▶ *Depuis Fleurance, emprunter la D 654 vers l'est et tourner rapidement à droite dans la D 105. Laisser Céran sur la gauche et continuer tout droit sur la D 241 jusqu'à Miramont-Latour - ☏ 05 62 62 27 99 - visite guidée (1h30) juil.-août : jeu.-dim. 15h-18h30 ; juin et sept. : dim. 15h-18h30 - 4 € (– 12 ans gratuit).*
Dans cette seigneurie du 13ᵉ s., berceau de mousquetaires, le propriétaire vous mène à la rencontre de la vie rurale, à travers les dépendances où sont regroupés divers objets. Admirez aussi le pigeonnier et, dans le village, le retable en pierre du 17ᵉ s.

Terraube C1

▶ *8 km au sud-ouest de Lectoure par la D 7, puis la D 42.* Un charmant petit village de pierre blonde, perché avec son église et son château du 13ᵉ s., jadis propriété d'Hector de Galard *(voir p. 58)*. Les deux monuments ne se visitent pas, mais une belle balade est possible autour des remparts.

Itinéraire conseillé Carte de la microrégion

CHÂTEAUX ET VILLAGES DE LOMAGNE

▶ *121 km – compter environ 3h30. Quitter Lectoure au nord par la N 21 puis prendre à gauche la D 219.*

Castéra-Lectourois C1

L'unique rue du village s'étire sur un promontoire au-dessus de la vallée du Gers. Elle mène à une terrasse panoramique où s'élève, à droite, une église du 15ᵉ s. au beau portail surmonté d'un arc à fleurons.

Prendre le chemin en sens inverse pour regagner la N 21, que l'on prend à gauche. Tourner dans la première route à gauche.

Château de la Cassagne C1

℘ 05 62 68 83 24 - *visite guidée (45mn) sur demande 1 j. av. 15h-18h - fermé dim. de Pâques, 1ᵉʳ nov. et de mi-nov. à fin mars - 4 €.*

Bâti dans un parc à l'anglaise, ce château conserve, au 1ᵉʳ étage du corps de logis du 17ᵉ s., la grande salle des chevaliers de Malte dont le décor peint par Matteo d'Aleccio, grand admirateur de Michel-Ange, est la réplique de celui de la salle du Grand Conseil des chevaliers de Saint-Jean-de-Jérusalem à La Valette. Les tableaux relatent le Grand Siège de 1565, lorsque les chevaliers de l'Ordre réussirent à contrer la flotte ottomane de Soliman le Magnifique.

Prendre de nouveau la N 21 vers la gauche.

Sainte-Mère C1

Résidence des évêques de Lectoure jusqu'à la Révolution, le château gascon du 13ᵉ s. faisait partie de la défense de la ville, ainsi que la tour (actuel clocher de l'église), vestige de l'ancienne enceinte.

Poursuivre au nord la N 21, et prendre à droite une petite route vers Gimbrède.

Gimbrède C1

Une belle rangée de maisons à colombages et encorbellement borde la place de l'église de ce petit village créé au 13ᵉ s.

Redescendre sur la D 19 que l'on prend à gauche.

Miradoux C1

À la fois castelnau et bastide, la ville s'est développée au 13ᵉ s. sur la crête de la colline (d'où le nom de la cité, *mirador*, « le lieu d'où l'on voit »). Une flânerie dans le village sera l'occasion de découvrir de belles maisons en calcaire, la halle du 16ᵉ s., adossée à l'hôtel de ville et recouverte d'une jolie charpente en bois, l'**église** Saint-Orens, aux proportions massives, construite à la fin du 15ᵉ s. à l'emplacement du château.

À l'entrée de Miradoux, la D 953, sur la gauche, rejoint Flamarens.

Flamarens C1

Château – ℘ 05 62 28 68 25 - *visite guidée (45mn) juil.-août : tlj sf mar. 10h-12h, 15h-19h - 5 € (– 13 ans gratuit).* Ce petit village, dont le nom témoigne de l'implantation wisigothique dans la région toulousaine, possède un château gascon longtemps laissé à l'abandon avant d'être restauré. Le donjon flanquant le corps de logis, les mâchicoulis et le chemin de ronde qui cerne les parties hautes confèrent à l'ensemble un aspect martial.

En face, l'église du 15ᵉ s. dresse son clocher-mur que flanque une tourelle.

Poursuivre sur la D 953, puis prendre la D 88 à droite. Elle rejoint la D 11 que l'on emprunte à gauche.

LA LOMAGNE

La Lomagne, partagée entre les départements du Gers et du Tarn-et-Garonne, domine au nord la vallée de la Garonne. Elle est traversée par le Gers, l'Arrats et la Gimone. En creusant leurs vallées, ces rivières ont laissé à nu des coteaux calcaires sur lesquels se sont établis des castelnaux, et plus tard, le long des axes de communication, des bastides.

★ Auvillar C1

🛈 *Pl. de la Halle -* 𝒫 *05 63 39 89 82 - www.auvillar.com - de mi-juin à mi-oct. : 10h-12h30, 14h-19h ; de déb. avr. à mi-juin : 10h-12h30, 14h-17h30 ; de mi-oct. à fin mars : tlj sf lun. 14h-17h30.*

Cette ville close au charme intemporel fut jadis animée par trois industries : la batellerie, la fabrication de plumes d'oie (ancêtres de nos stylos) et la faïence : à voir donc le **musée de la Faïence**. 𝒫 *05 63 39 89 82 (office de tourisme) - www. auvillar.fr - de mi-avr. à mi-oct. : tlj sf mar. 14h30-18h30 ; reste de l'année : w.-end 14h30-17h30 - 2,50 € billet (– 12 ans gratuit).*

La tour de l'Horloge donne accès à la vieille ville et à son adorable **place de la Halle★**, triangulaire et bordée de maisons de brique. Au centre se dresse la halle en rotonde reposant sur des colonnes toscanes. L'esplanade dégagée à l'emplacement de l'ancien château offre une vue sur les villages, églises et châteaux de la vallée de la Garonne, entre les coteaux d'Agen et de Montech *(table d'orientation)*, mais aussi sur la centrale nucléaire de Golfech. Ancien prieuré bénédictin dépendant de l'abbaye de Moissac, l'**église Saint-Pierre** restaurée au 19e s. laisse paraître une partie de l'édifice roman d'origine.

Redescendre vers le sud par la D 11.

Lachapelle C1

Église Saint-Pierre – 𝒫 *05 63 94 03 87 (Marcel Gasquet) - juil.-août : 10h-12h30, 14h-18h30 ; du 15 avr. au 30 juin et de déb. sept. au 15 oct. : 14h-18h ; reste de l'année : dim. et j. fériés 14h-17h (sf 25 déc. et 1er janv.) ; horaires spéciaux mi-déc.-mi-janv. : se renseigner.* Posé au sommet d'une colline dominant la vallée de l'Arrats, Lachapelle concentre ses habitations autour du château du 11e s., dans lequel s'insère l'église. L'intérieur de celle-ci offre une surprenante décoration baroque, aux allures de théâtre italien, dont l'élément le plus marquant est une triple rangée de tribunes. Due à Maraignon Champaigne, menuisier ébéniste de Lectoure (18e s.), cette décoration comprend notamment des boiseries sculptées et peintes, des moulures, des pilastres… Remarquez, dans le mobilier, la statue de sainte Quiterie (16e s.) ainsi qu'une Vierge à l'Enfant du 18e s.

Continuer sur la D 11, passer Marsac et bifurquer à gauche vers Saint-Martin-de-las-Oumettes (on rejoint la D 13). Traverser Saint-Martin et emprunter la D 170 vers Castéron, puis la D 251.

Gaudonville C1

Village d'origine gallo-romaine qui n'a conservé de ses fortifications que la porte surmontée d'une tour construite au 13e s. Presque en face, l'église Saint-Michel, reconstruite au 15e s., présente un clocher-mur de cinq arcades dont seulement deux sont garnies de cloches. À la sortie de Gaudonville, le chemin sur la droite en direction de Saint-Clar conduit à Notre-Dame-de-Tudet, le plus ancien lieu de pèlerinage gascon, célèbre depuis le 12e s.

Gagner Tournecoupe par la D 251, puis la D 7.

Tournecoupe C1

Louis XI, en visite chez le seigneur de Pressac, aurait retourné sa coupe (d'où le nom du site), vexé par la réponse arrogante du maître des lieux à ses compliments sur le vin : « Sire, j'en ai de meilleurs, mais je les réserve à mes vrais amis. » Juché sur un promontoire rocheux dominant la vallée de l'Arrats, le village s'est construit au 13e s. autour d'un château dont il ne reste que les remparts et la chapelle. Celle-ci fut transformée en église paroissiale au 19e s. Elle possède un clocher octogonal à base carrée, une nef unique sans transept, un chœur pentagonal et des stalles du 17e s.

Traverser la D 7 pour rejoindre la petite route qui relie Tournecoupe à Avezan.

La halle ronde d'Auvillar
B. Brillion / MICHELIN

Château d'Avezan C1

📞 05 62 66 47 11 - *visite guidée (30mn) avr.-oct. : sam. et dim. 14h-18h - 3 € (enf. 1,50 €).*

Édifiée en hauteur au 13ᵉ s., cette forteresse gasconne a conservé son donjon, le corps de logis ajouté au 14ᵉ s. et les constructions du 17ᵉ s. Du chemin de ronde, admirez la vue sur la vallée de l'Arrats et le village de Saint-Clar.
Gagner la D 7 vers Saint-Clar.

Saint-Clar C1

🛈 *Pl. de la Mairie -* 📞 *05 62 66 34 45 - www.tourisme-saint-clar-gers.com - juil.-août : 9h-12h30, 15h-18h30, dim. 10h-12h30 ; reste de l'année : tlj sf lun. et dim. 9h-12h30, 14h-17h30.* C'est l'apôtre saint Clair, martyrisé à Lectoure, qui est à l'origine du nom de cette bastide, créée en 1274 par acte de paréage entre le roi d'Angleterre et l'évêque de Lectoure. Sa particularité est de posséder deux places à couverts : la place de la République, où se dresse l'église néogothique, et la place de la Mairie, ornée en son centre d'une belle halle à piliers de bois, surmontée d'un clocheton. Capitale de l'ail gersois *(voir nos adresses)*, Saint-Clar tient également une place importante dans l'économie du département (melons, fraises, tournesols et volailles).

Musée de l'École publique – 📞 *05 62 66 32 78 - www.musee-de-lecole-publique.com - juin-sept. : 14h-18h (dernière entrée à 17h30) ; oct.-mai : 14h-18h - fermé lun. et mar. - 4 € (6-16 ans 2,50 €).* Si l'école, fermée en 1950, est aujourd'hui devenue un musée, elle conserve son charme d'antan avec ses pupitres, ses cahiers, ses encriers, ses tabliers, ses dessins… Vaste collection d'objets rassemblant le nécessaire du petit écolier.
Quitter St-Clar au nord-est par la D 13, puis tourner à gauche dans la D 553 tout de suite après le pont sur l'Arrats. Une route s'engage à droite vers Saint-Créac.

Saint-Créac C1

Village d'une centaine d'habitants (un millier au Moyen Âge) fondé au 6ᵉ s. par Saint-Créatus, évêque de Lectoure et martyr. L'église, du 12ᵉ s., dotée d'un clocher-mur, fut construite sur une église du 6ᵉ s. dont on a conservé l'abside.

Remarquez les peintures de style gréco-byzantin (15ᵉ s.) apposées au plafond du chœur et la pierre tombale de Roger de Verduzan, seigneur de Mauroux et de Saint-Créac, chevalier de l'ordre de Saint-Jean-de-Jérusalem.
Prendre à l'ouest la direction de Gramont.

Château de Gramont C1

🕿 05 63 94 05 26 - http://gramont.monuments-nationaux.fr - visite guidée (1h) mai-sept. : 10h-12h30, 14h-18h ; fév.-avr. et oct.-nov. : 14h-18h - fermé lun. (sf juil.-août), déc.-janv., 1ᵉʳ Mai, 1ᵉʳ et 11 Nov. - 5 € (– 18 ans gratuit).
Ce château d'époque Renaissance s'ouvre au sud par une porte d'honneur géminée donnant sur la cour. La façade nord *(côté jardin)* est animée par l'alternance de baies étroites et de fenêtres à croisée, ainsi que par le jeu des pilastres et des fines colonnettes cannelées. Du même côté, les deux fenêtres du pavillon en avancée marquent plus de fantaisie, surtout dans le motif de la fenêtre du 2ᵉ étage surmontée d'un buste d'homme barbu. À l'intérieur, l'oratoire conserve une Vierge romane auvergnate.
Quittant Gramont, prendre la D 178 puis la D 40 à droite. Après 1 km, tourner à gauche.

Plieux C1

Château – *🕿 05 62 28 60 86 - www.chateaudeplieux.org - visite guidée (30mn) de fin juin à fin sept. : tlj sf mar. 14h-20h ; reste de l'année sur RV - 5 € (– 13 ans 3 €).* Le petit hameau, aux maisons en vieilles pierres, conserve un château gascon du 14ᵉ s., caractéristique avec son plan rectangulaire et ses deux tours carrées (celle du sud-est étant en partie détruite). Il présente un système de défense avec consoles de mâchicoulis sur tout le pourtour du couronnement. L'intérieur du château accueille des expositions d'artistes contemporains et des colloques.
Le retour à Lectoure s'effectue par la D 269, la D 23 et la N 21.

😊 NOS ADRESSES À LECTOURE

HÉBERGEMENT ET RESTAURATION

PREMIER PRIX

Camping Yelloh ! Village Le Lac des 3 Vallées – *SE : 2,4 km par N 21, rte d'Auch, puis 2,3 km par rte à gauche, au parc de loisirs, bord du lac - 🕿 05 62 68 82 33 - www.lacdes3vallees.fr - de déb. juin à déb. sept. - ᵹ - réserv. conseillée - 500 empl. 43 €.* Cette très belle structure, en évolution constante, s'étend maintenant sur 11 ha, totalisant 438 emplacements et 77 mobil-homes. Un superbe espace aquatique et ludique, fleuri et remarquablement agencé. Animations et spectacles à gogo en été, avec un tout nouveau podium. Parc de loisirs pour enfants et adolescents.

Chambres d'hôte Le Sabathé – *Le Sabathé - 32700 St-Mézard - 🕿 05 62 28 84 26 - www.lesabathe. com - fermé 15 déc.-15 janv. - ᵹ - 🅿 - 🍴 - 4 ch. 47 € 🖵 - rest. 11/16 €.* Cette ancienne ferme, élevée aux portes du bourg, abrite des chambres disséminées dans les dépendances. Selon le temps, les repas se prennent sur la petite terrasse ceinturée d'un mur de pierre, devant la grande salle d'animation surplombant la chapelle Notre-Dame-d'Esclaux ou près de la cheminée dans la salle à manger.

BUDGET MOYEN

Hôtel de Bastard – *R. Lagrange - ℘ 05 62 68 82 44 - www. hotel-de-bastard.com - fermé 21 déc.-1er fév. - 28 ch. 50/80 € - ⌷ 11 € - rest. 17/50 €.* En plein centre de la cité gersoise, bel hôtel particulier du 18e s. abritant des chambres coquettement rénovées ; celles du 2e étage sont mansardées. Bar très cosy. Trois salons cossus (meubles de style Louis XVI), agréable terrasse d'été et goûteuse cuisine du terroir.

Chambre d'hôte La Garlande – *12 pl. de la Mairie - 32380 St-Clar - ℘ 05 62 66 47 31 - www. lagarlande.com - fermé 15 nov.-15 mars et 1er w.-end de juin - ⌷ - 3 ch. 61/69 € ⌷.* Cette belle et immense demeure aux tons ocre se dresse au cœur du village, face à la halle du 13e s. Ses chambres, nanties de tapisseries et meubles anciens, ont gardé leur sol d'origine. Le salon de lecture et le jardin de curé sont très calmes.

UNE FOLIE

Chambre d'hôte Château de Séguenville – *31480 Cabanac-Séguenville - ℘ 05 62 13 42 67 - www.chateau-de-seguenville. com - fermé 15 déc.-15 janv. - P - ⌷ - 5 ch. 120/140 € ⌷ - rest. 25/50 €.* Ce château gascon du 19e s. et sa jolie cour en brique s'élèvent au milieu d'un parc aux arbres centenaires offrant une vue sur les Pyrénées. Ses chambres, spacieuses et raffinées, sont desservies par un bel escalier. Agréable salon avec cheminée en bois.

ACHATS

Marché – Il se tient tous les jeudis matin à Saint-Clar autour de la halle. Un autre marché, celui de l'ail, est organisé le jeudi dès 10h, de juil. à sept., sur la place de l'Ail.

Sarl Bleus de Pastel – *Pont de Pile - ℘ 05 62 68 78 30 - www. bleu-de-lectoure.com - tlj : 9h30-12h30, 14h-18h30, sf dim.14h-18h - fermé 25 déc. et 1er janv.* Atelier, magasin et galerie d'art, les anciens ateliers d'une tannerie du 18e s. font revivre le bleu de Lectoure. Découvrez l'histoire du pastel, crucifère dont les feuilles produisent un bleu exceptionnel, considéré comme le meilleur d'Europe à la Renaissance et utilisé en cosmétique, peinture et teinture. Visite des cuves et démonstration de peinture au pastel.

ACTIVITÉS

Baignade – *www.lectoure.fr - mai-sept.* Grâce au lac des Trois-Vallées (3 km au sud-est), situé dans un agréable cadre de verdure et aménagé pour les loisirs, Lectoure est, sinon une station balnéaire, du moins un centre de villégiature de choix.

Centre Thermal de Lectoure – *℘ 05 62 68 56 00 - www.thermes-gers.com - 9h-12h, 14h-18h30, dim. 15h-17h - ouv. de fin janv. au 31 déc..* Rhumatologie et troubles ostéo-articulaires sont les deux spécialités de ces thermes installés dans un hôtel particulier du 18e s. Outre la partie réservée aux curistes, ils comprennent un espace aquadétente avec spa, hammam et piscine thermale.

Club de voile Thoux-St-Cricq - École française de voile – *32430 Thoux - ℘ 05 62 65 75 45 - http://club. de.voile.thoux.st.cricq.over-blog. fr/ - juil.-août : tlj ; reste de l'année : merc. pdt l'année scol., w.-ends et j. fériés 120 € stage de catamaran sur 5 séances de 2 heures minimum - (- 12 ans 90 € : stage*

d'Optimist sur 5 séances de 2 heures minimum).
Stages de voile, dériveur, catamaran, planche à voile sur le lac de Thoux-St-Cricq ; location de matériel.

AGENDA

Été photographique – De juillet à septembre, expositions de photos dans différents lieux emblématiques de la ville.
℘ 05 62 68 83 72.
Fête du melon – Mi-août. Concours, dégustations, groupes musicaux, bandas, repas de rue, bal.

Autour de l'ail à Saint-Clar – Le 1er jeudi d'août, place de la Mairie, se tient la Fête de l'ail et, le 3e jeudi, le concours de l'ail - www.mairie-st-clar.com.
Festival de Gramont – En juillet-août, festival de musique classique au château de Gramont.
℘ 05 63 94 05 26.
Festival d'astronomie de Fleurance – Une semaine au mois d'août (1re quinz.). Entre autres animations : conférences, ateliers, cycles de formation, soirées d'observation et festival enfants. ℘ 05 62 06 62 76 - www. fermedesetoiles.com.

Beaumont-de-Lomagne

3 691 Beaumontois – Tarn-et-Garonne (82)

☺ NOS ADRESSES PAGE 431

S'INFORMER
Office du tourisme de Beaumont-de-Lomagne – *Dans l'hôtel Pierre-de-Fermat, 3 r. Pierre-de-Fermat - 82500 Beaumont-de-Lomagne - ℘ 05 63 02 42 32 - www.tourisme-en-lomagne.com - juil.-août : 9h-12h, 14h-18h, sam. 9h-12h, 14h-17h, dim. et j. fériés 10h-12h ; de mi-mai à fin juin et sept. : tlj sf dim. 9h-12h, 14h-17h ; d'oct. à mi-mai : tlj sf dim. 14h-17h, sam. 9h-12h - fermé du 25 déc. au 1er janv.*

SE REPÉRER
Carte de la microrégion D1 *(p.380)* – *carte Michelin Départements 337 B8.* On accède à Beaumont par la D 928 depuis Auch ou Montauban, mais c'est par la D 3, en descendant des hauteurs de Lavit, que l'on appréciera le mieux l'ampleur lumineuse de la vallée de la Gimone.

À NE PAS MANQUER
La vue sur l'église depuis la tour de l'hôtel Pierre-de-Fermat ; le trésor de Bouillac ; la bastide de Cologne.

AVEC LES ENFANTS
La petite exposition dans l'hôtel Pierre-de-Fermat ; le moulin à vent de Brignemont.

À l'instar des autres bastides, Beaumont présente un plan géométrique centrée sur une grande place où se dresse une immense halle couverte. Avec son imposante église de brique, ses maisons à pans de bois, ses hôtels particuliers et ses ruelles, la ville ne manque pas de cachet. Issue de l'ancienne Gascogne, capitale de l'ail blanc, elle conserve dans son nom son appartenance à la Lomagne, pays de saveurs et d'histoire.

Se promener

Cette bastide royale, de plan carré, a été fondée au 13e s. à la suite d'un acte de paréage entre l'abbaye cistercienne de Grandselve et le sénéchal Eustache de Beaumarchés, représentant le roi de France Philippe III le Hardi.

Halle
Place Gambetta. Élément central de la bastide, construite au 14e s. pour accueillir foires et marchés *(le samedi matin)*, elle est supportée par 38 piliers de bois et couverte d'une toiture en tuiles creuses au-dessus de laquelle se dresse un clocheton. Au nord de la place, l'**hôtel Toureilh** (ou Toureil), du 17e s., abrite la mairie depuis 1850. En face, une statue rend hommage au mathématicien Pierre de Fermat.

Église Notre-Dame-de-l'Assomption
Cette impressionnante église fortifiée de brique rouge fut édifiée aux 13e et 15e s. dans le style gothique méridional. Remarquez les arcs de décharge formant mâchicoulis au sud, les baies en plein cintre du chemin de ronde, les échauguettes d'angle, le portail de pierre triangulaire et la galerie sur consoles de la façade, le clocher toulousain aux arcs en mitre et en tiers-point, et la galerie ajourée. L'intérieur est garni d'un intéressant mobilier (retables, stalles) et d'un orgue datant du 19e s.
Derrière l'église, la maison à colombages du 16e s. abrite le presbytère.

Hôtel Pierre-de-Fermat
Rue Pierre-de-Fermat. Dans cet hôtel particulier doté d'une tour carrée du 15e s., Pierre de Fermat naquit en 1601. Du haut de la tour, dont l'un des étages abrite une petite exposition sur le mathématicien (biographie, contexte historique et, pour les enfants, jeux de logique), très belle vue sur la ville, l'église et la vallée de la Gimone. *Pour y accéder, demander la clé à l'office de tourisme.*

À proximité Carte de la microrégion

Bouillac D1
▶ *16 km au sud-est par la D 3, puis la D 55.* L'église du village a recueilli le **trésor★** de l'abbaye de Grandselve, à 3 km au nord-est, détruite sous la Révolution (seule la porterie est encore visible). Magnifique travail d'orfèvrerie, les châsses, du 13e s., sont en forme d'églises surmontées à la croisée d'un clocher octogonal à l'instar des clochers gothiques toulousains. Des gemmes et des filigranes décorent les arcatures abritant les personnages. Le reliquaire de la sainte Épine prend la forme d'une tour à trois étages, abritée sous un dais, dont les fenêtres de cristal protègent des miniatures sur parchemin. Il aurait été offert à l'abbaye par Alphonse de Poitiers.

Larrazet D1

◗ *10 km au nord-est par la D 928.* Première bastide fondée par l'abbaye cistercienne de Belleperche en 1253-1254, c'est un village planté de maisons à colombages et à couverts (signe de l'influence de la Gascogne toute proche), le long de ruelles étroites. L'**église Sainte-Madeleine** du 16ᵉ s. arbore une œuvre remaquable : un retable baroque en chêne massif de 60 m², réalisé sans moulages, décoré de scènes à personnages expressifs. Le panneau central représente Marie-Madeleine oignant Jésus de parfum pendant son repas chez Simon le Pharisien.

Château de Larrazet – *℘ 05 63 20 76 50 - visite guidée (1h) : 14h, 15h, 16h, 17h, 18h - juil.-août : lun., vend. et w.-end ; sept. : w.-end - 5 € (– 8 ans gratuit, 8-18 ans 3,50 €).* À l'ouest du village, le château est l'ancien palais abbatial de Belleperche *(8 km au nord-est, près de Cordes-Tolosannes).* Il fut construit en 1500 par Jean III de Cardaillac, à l'emplacement d'un château du 12ᵉ s. rasé durant la guerre de Cent Ans. La façade de style gothique flamboyant possède un porche carré à voussures torsadées, au-dessus duquel s'ouvre une grande fenêtre à meneaux. Il donne sur un remarquable escalier à rampe droite, premier exemple en France de ce type de construction importé d'Italie : la main courante est taillée dans le mur, et le plafond est voûté d'ogives. Les pièces contiennent des cheminées monumentales de style Renaissance.

Itinéraire conseillé

BASTIDES DE LOMAGNE

◗ *74 km – compter environ 1h30. Quitter Beaumont au sud par la D 928. Rouler une dizaine de kilomètres et, avant Solomiac, tourner à gauche sur la D 113.*

Maubec D1

Cette ancienne cité fortifiée, sillonnée de ruelles escarpées et de maisons à pans de bois, est perchée sur un éperon rocheux au-dessus de la Gimone. Elle possède deux sites classés monuments historiques : les remparts médiévaux (belle vue depuis la place Clément-Laborde qui jouxte l'église) et l'église Saint-Orens (15ᵉ s.) s'ouvrant par un portail de style Renaissance que précède un porche monumental, dont il ne subsiste que la base. De massifs contreforts soutiennent le chevet pentagonal.
Poursuivre sur la D 113 vers le sud, puis tourner à gauche dans la D 165.

Sarrant D1

Cet ancien village fortifié, auquel on accède par une porte du 14ᵉ s., a gardé une partie de son enceinte polygonale.

PIERRE DE FERMAT (1601-1665)

Né Pierre Fermat, il fut un précurseur du calcul différentiel et de la géométrie analytique. Annotant un texte du mathématicien grec Diophante, Fermat démontre que pour $a > 2$, il n'existe pas d'entiers x, y, z non nuls tels que : $x^a + y^a = z^a$. Pendant plus de quatre siècles, des mathématiciens ont cherché à démontrer ce théorème. Jusqu'au succès de l'Anglais Andrew Wiles en 1994. Outre ses compétences en mathématiques, Fermat, fin lettré, jouissait d'une solide formation de juriste. Propriétaire d'un office de conseiller du roi au parlement de Toulouse, il lui a été permis d'ajouter la particule de noblesse à son patronyme.

Beaumont-de-Lomagne.
M.-H. Carcanague / MICHELIN

Quitter Sarrant à l'est pour emprunter la D 526. On rejoint la D 89 qui mène à Brignemont.

Moulin à vent de Brignemont D1

📞 05 62 65 02 75 - *www.moulindebrignemont.com - visite guidée (1h) de mi-juil. à fin août : 15h-19h ; de juin à mi-juil. et sept. : dim. 15h-19h - fermé oct.-mai - 3 € (− 5 ans gratuit, 5-12 ans 1 €, 12-18 ans 2 €).*

👥 Le meunier, agriculteur tombé amoureux de son moulin (18e s.), fait revivre ce géant très bien restauré. Le vent qui fait craquer le bois, l'odeur de la farine, le mouvement des ailes, tout y est ! Belle vue dégagée.

Depuis la D 89, bifurquer sur la D 89^ à gauche, puis à droite sur la D 1.

Cox D1

Maison du potier – 📞 05 62 13 70 31 - *www.museecox.com -* ♿ *- possibilité de visite guidée (1h) - juil.-août : 10h-12h, 14h-19h ; mai-juin et sept.-oct. : w.-end et j. fériés 14h30-18h30 - 2 € (− 12 ans gratuit).* Un petit détour par les premiers coteaux gascons permet de découvrir ce village, centre de production de terres vernissées depuis le 15e s. Installée dans une ancienne poterie, la maison du potier retrace les quatre siècles d'histoire de cette fabrication locale. Son four, parfaitement conservé, est impressionnant.

Emprunter la D 41 vers le sud. Elle se prolonge par la D 21 menant à Cologne.

Château de Laréole D1

📞 05 61 06 33 58 - *mai-juin : ouv. merc., sam., dim. et j. fériés 10h-18h ; juil.-août : tlj 10h-19h ; sept. : sam.-dim. : 10h-18h - entrée gratuite, visites guidées gratuites - spectacles en été, se renseigner.*

De la route, vous ne pouvez manquer de l'apercevoir. Avec ses bandes alternées de pierre et de brique qui lui confèrent sa belle polychromie et un caractère italianisant rare dans la région, ce château Renaissance attire tous les regards. En 1579, Pierre de Cheverry, fils d'un grand marchand de pastel toulousain et homme d'affaires lui-même, décide de se faire construire un lieu d'apparat : grâce aux importants moyens financiers mis en œuvre, le chantier, confié à l'architecte Dominique Bachelier, le fils de Nicolas Bachelier, à qui l'on doit l'hôtel d'Assézat, ne durera que trois ans. Le château, dédié aux fêtes et aux réceptions, frappe par son aspect défensif. Édifié pendant les guerres de Religion, il est protégé par quatre tours en forme de bastion et par de larges fossés maçonnés.

Intérieur – La cour intérieure reprend la polychromie de la façade. Remarquez, au revers de la porte d'entrée, la coursière portée par cinq arcs en anse de panier. Elle permettait de surveiller les accès du château. Dans les deux étages nobles, plusieurs salles se visitent (nombre variable selon les restaurations en cours). Y sont notamment conservées deux cheminées monumentales. L'été, des expositions d'art contemporain y sont organisées.

Parc – Au 18e s., le château est racheté par un riche banquier toulousain, Jean-Pierre Colomès, qui réaménage les jardins à la française et s'inspire des principes de Le Nôtre. Le parc actuel a gardé cet esprit et ajoute au charme de la visite.

★ Cologne D2

Coquette petite bastide du 13e s. située à la limite de la Lomagne (pays de pierre) et de la Gascogne toulousaine (pays de brique). Elle est bordée de maisons à couverts ou à colombages alternant avec les deux matériaux. Sa place centrale et sa halle à piliers de bois surmontée d'un clocheton ont belle allure. Remarquez à l'un des angles de rares mesures à grain du 15e s.
Suivre la D 654 vers l'ouest.

Mauvezin C1-C2

Important fief protestant à l'époque de la Réforme, Mauvezin est un ancien castelnau construit au 12e s. sur un site dominant la vallée de l'Arrats et portant la forteresse des vicomtes de Fézensaguet. Curieusement, les faubourgs qui se sont ensuite formés à mi-pente et dans la ville basse suivent le plan régulier d'une bastide.

La très spacieuse **place de la Libération** est entourée de maisons à arcades et couverts, tel le bureau de poste installé dans la maison dite « Henri IV ». Au nord-est se dresse une imposante **halle** du 14e s. dont les piliers de pierre ronds supportent une forte charpente protégée par des tuiles. L'**église** est surtout intéressante pour son clocher de plan octogonal caractéristique du style toulousain. À l'emplacement du château vicomtal démantelé au 17e s. en même temps que l'enceinte médiévale, une terrasse ombragée offre une vue dégagée sur le clocher de l'église et le plan d'eau en contrebas.
Continuer sur la D 654 qui remonte vers le nord.

Monfort C1

Les maisons de cette bastide, fondée par le comte d'Armagnac, épousent la ligne de crête d'un promontoire surplombant la vallée de la Gimone. Un clocher de style toulousain coiffe l'église et rappelle son passé de ville-étape sur la route de Saint-Jacques. Remarquez, dans la Grande-Rue, la maison natale du poète Salluste du Bartas (1544-1590) dotée de fenêtres à meneaux aux croisillons joliment ouvragés.
La D 151, à l'est, permet d'atteindre Solomiac via Homps.

Solomiac C1

Bastide bâtie sur un plan octogonal, elle a subi d'importantes destructions pendant les guerres de Religion. Au centre, la place à couverts et la halle du 14e s. posée sur des piliers en pierre forment un bel ensemble.
Regagner Beaumont-de-Lomagne par la D 928.

NOS ADRESSES À BEAUMONT-DE-LOMAGNE

HÉBERGEMENT

PREMIER PRIX

Chambre d'hôte L'Arbre d'Or – *16 r. Despeyrous - ☎ 05 63 65 32 34 - www.larbredor-hotel. com -* ♿ *- 5 ch. 59/69 €* ⊔ *- rest. 24 €.* Cette demeure bourgeoise du 17e s. située en plein cœur du bourg s'ouvre sur un joli jardin arboré. Un très bel escalier conduit aux chambres, plutôt spacieuses et souvent agrémentées de meubles anciens. Dès que le temps le permet, les petits-déjeuners et les repas sont servis à l'extérieur.
Hôtel du Commerce – *58 r. Mar.-Foch - ☎ 05 63 02 31 02 - www.hotellecommerce.com - fermé 20 déc.-11 janv. et dim. soir - 12 ch. 45/51 € -* ⊔ *7 €.* Maison de pays bordant la traversée du village. Les chambres, rajeunies et soigneusement entretenues, offrent tout le confort désiré.

ACTIVITÉS

Village de loisirs « Le Lomagnol » – *☎ 05 63 26 12 00 - www.villagelelomagnol.com.* Au nord-est de la ville, près de l'hippodrome, un plan d'eau permet de pratiquer différents sports nautiques (voile, canotage) et la pêche à la ligne.

Lombez

1 714 Lombéziens – Gers (32)

NOS ADRESSES PAGE 433

S'INFORMER

Syndicat d'initiative de Lombez – *Hôtel de ville - 32220 Lombez - ☎ 05 62 62 37 58 - www.lombez-tourisme.com - mai-sept. : lun.-jeu. 10h-12h, 16h30-18h, vend.-sam. 15h-18h, dim. 10h-12h, 15h-18h ; reste de l'année : lun.-jeu. 10h-12h, vend.-sam. 15h-17h, dim. 10h-12h, 15h-17h.*

SE REPÉRER

Carte de la microrégion C2 *(p.380)* – *carte Michelin Départements 336 H9.* En bordure de la Save, pas très loin de Samatan, la capitale du foie gras ! Lombez, qui se trouve sur la route (D 632/D 634) reliant L'Isle-Jourdain à Lannemezan, s'aperçoit de loin grâce à la haute tour de brique de sa cathédrale.

À NE PAS MANQUER

Le clocher de la cathédrale depuis la chapelle St-Majan.

De vieilles maisons où la brique, la chaux et les pans de bois s'allient pour composer un ensemble chaleureux et charmant. Le tout dominé par le clocher d'une cathédrale fortifiée. Bref, une jolie petite cité calme et reposante, parfaite pour conjurer le stress !

Se promener

Les rues sinueuses du vieux Lombez, avec ses maisons de brique à pans de bois qui dégagent un charme intemporel, nous conduisent à une placette occupée par une halle. Celle-ci, flanquée par l'ancien évêché, fait face à la haute tour de la cathédrale.

Cathédrale

Le clocher en est la partie la plus ancienne. Il s'agit d'une tour octogonale de brique, caractéristique du gothique toulousain avec ses cinq étages en retrait les uns des autres et percés de baies géminées en mitre. Côté nord, une imposante disposition de contreforts, reliés par des arcs supportant le chemin de ronde, rappelle les églises fortifiées du Sud-Ouest. À l'intérieur, le trésor est installé dans la chambre inférieure de la tour, au centre de laquelle trône une cuve baptismale en plomb, décorée de deux bandeaux. Au bas de la nef latérale, magnifique Christ gisant du 15e s., fragment du Saint Sépulcre.

À droite du portail, une plaque commémore le passage du poète italien Pétrarque venu d'Avignon, durant l'été 1330. Il accompagnait son ami le prélat romain Jacques Colonna (italien par son père et gascon par sa mère), nommé évêque de Lombez.

Vue sur la cathédrale

Dans le village, prenez une petite rue en direction de l'hôpital et du cimetière où vous vous garerez. Un chemin assez raide monte en 10mn à la chapelle Saint-Majan d'où l'on a une vue dégagée sur Lombez et sa cathédrale.

À proximité Carte de la microrégion

Samatan C2

◗ 2 km au nord-est par la D 39. 🚩 3 r. Chanoine-Dieuzaide - 𝒫 05 62 62 55 40 - www.samatan-porte-du-gers.com - juil.-août : 10h-12h, 16h-18h, dim. 10h-12h ; reste de l'année : tlj sf mar. et dim. 10h-12h, 15h-17h.

N'hésitez pas, courez à Samatan, en particulier un lundi matin d'hiver : vous ne saurez où donner de la tête parmi les milliers de foies gras qui sont proposés sur les étals. Filez ensuite au musée du Foie gras qui achèvera de vous faire venir l'eau à la bouche.

Musée du Foie gras et des Traditions populaires – *Dans l'office de tourisme - 𝒫 05 62 62 55 40 - www.samatan-porte-du-gers.com - ♿ - juil.-août : 10h-12h, 15h-18h, dim. 10h-12h ; reste de l'année : tlj sf dim. et mar. 10h-12h, 15h-17h - possibilité de visite guidée (30mn) - fermé j. fériés sf lun. de Pâques et lun. de Pentecôte - gratuit.*

Simorre C2

◗ 18 km au sud-ouest par la D 632 en direction de Lannemezan, puis à droite par la D 234. 🚩 Pl. de la Mairie - 𝒫 05 62 65 36 34 - www.simorre.com - juil.-août : ts les après-midi ; reste de l'année : lun., merc. et vend. les après-midi - contacter le syndicat d'initiative pour les horaires.

Ce bourg du haut Astarac peut s'enorgueillir de posséder une église de brique plus féodale que nature : il faut dire que Viollet-le-Duc est passé par là ! Le village ne manque pas de charme avec ses rues paisibles bordées de vieilles maisons à pans de bois. On remarque quelques « mirandes », ces larges ouvertures ou galeries sous comble, typiques de l'architecture du Toulousain, d'où il est possible d'observer tranquillement le passage.

L'**église**★ est d'une belle unité. Bâtie au début du 14ᵉ s., elle fut remaniée au 16ᵉ s. par Jean Marre, évêque de Condom. Une tour octogonale percée de baies en mitre est construite à l'intérieur d'une couronne de clochetons, que relient des murs crénelés. Viollet-le-Duc a-t-il rendu au monument sa pureté en abaissant les toitures, en arasant le couronnement du clocher et de la tour-lanterne, en crénelant les murs disponibles, ou a-t-il au contraire cédé au « style troubadour » en vogue à l'époque ? Les avis sont fortement partagés ! À l'intérieur, admirez les verrières des 14ᵉ *(baies supérieures)* et 15ᵉ s. *(baies inférieures)* qui illuminent le chœur. Certaines sont dues à l'école du verrier toulousain **Arnaud de Moles**. Au passage, vous pourrez reconnaître l'évangélisateur de la région, **saint Cérats**, qui est représenté en verre dans le croisillon droit du transept, et en pierre à l'entrée du croisillon gauche. Détaillez les intéressantes stalles du chœur, en particulier les accoudoirs où les sculpteurs ont laissé libre cours à leur imagination (caricatures grimaçantes, têtes d'animaux). Dans la **sacristie**, peintures murales du 14ᵉ s., une Pietà en bois polychrome du début du 15ᵉ s. et l'olifant de saint Cérats, cor d'ivoire de 50 cm datant du 11ᶜ s.

😊 NOS ADRESSES À LOMBEZ

HÉBERGEMENT

BUDGET MOYEN
Chambre d'hôte
La Ferme de Marie Barrailh – *Le Peydousset - 32420 Simorre -* ✆ *05 62 65 36 48 - www. lafermedemariebarrailh.fr* - 🅿 - *4 ch. 70 € ☕ - rest. 22 €.* Cette ancienne ferme, aux murs de terre crue, séduit par ses grands espaces et ses vastes chambres. On appréciera aussi l'accueil chaleureux des propriétaires. Une générosité que l'on retrouve jusque dans la table d'hôte, véritable florilège de la gastronomie gersoise. Stages d'arts plastiques et de cuisine gersoise.

Chambre d'hôte Le Parc de Petrarque – *11 r. Notre-Dame - 32220 Lombez -* ✆ *05 62 62 32 70 - www.leparcdepetrarque. com - mai-sept. et vac. scol. : tlj ; reste de l'année : fermé mar.-ven. -* 🅿 *- 🖙 - 4 ch. 64 € ☕.* Laissez-vous séduire par l'ambiance intime et feutrée qui règne dans cette maison de maître gasconne du 18ᵉ s. Authentiques meubles d'origine familiale et livres rares garnissent les 5 chambres et le vaste salon, aux murs ornés de portraits d'ancêtres, de cartes de voyages anciennes et d'affiches des années 1900. Pour le repos et la détente, jardin d'été sous les tilleuls, tonnelle près du canal du moulin et magnifique parc arboré.

La région de Montauban 7

Carte Michelin Départements 337 – Tarn-et-Garonne (82)

Montauban

★

53 941 Montalbanais – Tarn-et-Garonne (82)

☺ **NOS ADRESSES PAGE 443**

▣ **S'INFORMER**

Office du tourisme de Montauban – *Esplanade des Fontaines - 82000 Montauban -* ℘ *05 63 63 60 60 - www.montauban-tourisme.com - juil.-août : 9h30-18h30, dim. 10h-12h ; reste de l'année : tlj sf dim. 9h30-12h30, 14h-18h30.*
Montauban, qui porte le label Ville d'art et d'histoire, propose des visites-découverte *(1h30)* animées par des guides-conférenciers agréés par le ministère de la Culture et de la Communication. *Juil.-août : les lun., merc., vend., sam. et dim. à 11h. 5 €.*

◖ **SE REPÉRER**

Carte de la microrégion B2 *(p. 434)* – carte Michelin Départements 337 E7. Préfecture du Tarn-et-Garonne, Montauban est desservie par l'A 20.

▣ **SE GARER**

Arrivant à Montauban depuis le sud (Auch, Toulouse) ou l'ouest (Agen), on longe le Tarn avant de prendre la rue de la Mandoune qui mène à l'esplanade des Fontaines où des parkings sont aménagés.

☺ **À NE PAS MANQUER**

Le musée Ingres ; la place Nationale dans le vieux Montauban ; la pente d'eau de Montech.

◷ **ORGANISER SON TEMPS**

Partagez votre journée entre promenade dans le vieux Montauban et visite des musées (attention, en dehors des mois de juillet et d'août, le musée Ingres est fermé le dimanche matin et le lundi). Si vous disposez d'une journée supplémentaire, profitez-en pour visiter les alentours.

À la limite des collines du bas Quercy et des riches plaines alluviales de la Garonne et du Tarn, Montauban est une ville animée toute l'année. Une bastide qui mérite une halte, ne serait-ce que pour visiter ses vieux quartiers de brique rouge, son musée exceptionnel consacré à Ingres et

La place Nationale et ses célèbres couverts.
M.-H. Carcanague / MICHELIN

son Pont-Vieux du 14ᵉ s. qui ne demande qu'à être franchi. Une bonne base de départ pour déguster quelques produits du vignoble frontonnais, un peu plus au sud.

Se promener

★ LE VIEUX MONTAUBAN

★ Place Nationale

Cette place, âme et centre névralgique de Montauban, était autrefois bordée de maisons reposant sur des couverts en bois. Après deux incendies successifs, les arcades furent, au cours du 17ᵉ s., reconstruites en brique, par les Toulousains Levesville et Campmartin. Voûtées en arcs brisés ou surbaissés, elles offrent une double galerie de circulation : l'intérieure était une simple voie de circulation tandis que l'extérieure était réservée aux marchands. Il en résulte une place qui frappe par une homogénéité non dépourvue d'une fantaisie bienvenue, d'autant que les tons chauds de la brique atténuent la rigueur de la composition.

Les maisons qui entourent cette belle place se raccordent à chacun des angles par un portique en pan coupé. Les maîtres drapiers ont fait graver sur le 1ᵉʳ pilier, à l'angle de la rue Malcousinat, leur mètre-étalon qui, pour n'être pas de platine, n'en fit pas moins longtemps autorité ! Le marché qui s'y tient chaque matin ajoute à l'ensemble une touche de couleur, aussi bien visuelle qu'auditive !

Quitter la place à l'ouest vers la rue Cambon.

L'**hôtel Lefranc de Pompignan** possède un beau **portail★** d'entrée en brique. Dans la cour du nº 12 *(s'avancer jusqu'à la grille)*, l'élégante galerie en bois reposant sur une colonnade en pierre appartient à l'ancienne université de théologie protestante, fondée par Henri de Navarre en 1598.

Au bout de la rue, prendre à gauche, puis à nouveau à gauche.

Place Léon-Bourjade

De la terrasse de la brasserie, vue intéressante sur le Pont-Vieux et le Tarn.

On pousse alors jusqu'au Tarn.

Pont-Vieux

Édifié en brique au début du 14ᵉ s. par les architectes Étienne de Ferrières et Mathieu de Verdun, il mesure 205 m de longueur et franchit le Tarn en sept arches qui reposent sur des piles protégées par des becs. Au-dessus des

DU PROTESTANTISME AU CATHOLICISME

Dans l'actuel faubourg du Moustier, les habitants de Montauriol cohabitaient difficilement avec l'abbé du couvent local de bénédictins. Lassés de ses abus, ils demandèrent aide et protection au comte de Toulouse, Alphonse Jourdain qui, en 1144, fonda une bastide sur un plateau dominant la rive droite du Tarn et la dota de nombreux avantages. Dès lors, les habitants de Montauriol accoururent, contribuant à l'essor de la nouvelle localité, Montauban qui adhéra très tôt à la foi protestante. La réaction catholique ne parvient pas à endiguer ce mouvement et, lors de la paix de Saint-Germain en 1570, la ville est reconnue comme place de sûreté protestante. Henri de Navarre renforce ses fortifications et, à trois reprises, s'y tiennent les assises de toutes les églises réformées du royaume. Avec Louis XIII, l'heure de la « reconquête catholique » a sonné : en 1621, la ville est assiégée par une armée de 20 000 hommes, commandée par le roi et son favori, le duc de Luynes. Mais Montauban repousse les assauts et, après trois mois de siège, le roi doit se résoudre à abandonner la place. Ce succès est cependant éphémère, et, dès la prise de La Rochelle en 1628, Montauban, dernier bastion du protestantisme, affronte à nouveau l'armée de Louis XIII. En 1629, la ville se rend sans combattre, acclame le roi et Richelieu. Les fortifications sont détruites. Les huguenots bénéficient de la clémence royale.

piles, les hautes arcades permettent aux eaux du Tarn en crue de s'écouler facilement. Contemporain du pont Valentré à Cahors, le Pont-Vieux était lui aussi fortifié.

★ Musée Ingres

19 r. de l'Hôtel-de-Ville - ☎ 05 63 22 12 91 - juil.-sept. : 10h-18h ; reste de l'année : tlj sf lun. (et dim. mat. de oct. à mars) 10h-12h, 14h-18h - fermé 1ᵉʳ janv., 1ᵉʳ Mai, 14 Juil., 1ᵉʳ nov. et 25 déc. - 7 € avec exposition, 4 € hors exposition (enf. et étudiants gratuit), gratuit 1ᵉʳ dim. du mois - programme des visites guidées à l'office de tourisme.

Il est installé dans l'ancien palais épiscopal, construit en 1664 sur l'emplacement de deux châteaux. Le « château-bas », bâti au 12ᵉ s. par le comte de Toulouse et démantelé en 1229, fut remplacé un siècle plus tard par une autre forteresse dont subsistent quelques salles, élevée sur l'ordre du Prince Noir. Le palais fut racheté par la ville lors de la suppression du diocèse, à la Révolution, et aménagé en musée à partir de 1820. C'est un sobre et imposant édifice de brique rose dont le corps de bâtiment principal est flanqué de deux pavillons.

Le **1ᵉʳ étage** est le pôle d'attraction du musée puisqu'il est en grande partie consacré à l'**œuvre d'Ingres**. Les plafonds à la française et les planchers en marqueterie en font un écrin de choix. Après une salle consacrée à la tradition classique chez Ingres, d'où ressort son admirable composition de *Jésus parmi les docteurs*, achevée à l'âge de 82 ans, l'ancienne salle d'audience renferme les œuvres influencées par la Renaissance italienne : de nombreuses esquisses, des études d'académie et des **portraits**. On peut également y voir le *Songe d'Ossian*, vaste toile exécutée en 1812 pour la chambre à coucher de Napoléon à Rome, ainsi que *Roger délivrant Angélique*, réplique ovale de l'original du Louvre. Des œuvres de David, Chassériau, Géricault et Delacroix complètent cette présentation, tandis qu'une vitrine expose des objets personnels de l'irascible Montalbanais (n'y manquent ni la boîte à peinture ni le proverbial violon !). On peut aussi admirer un choix de ses 4 000 **dessins** exposés par roulement et qui constituent la plus grande richesse du musée.

On a rassemblé au **2ᵉ étage** d'excellents **primitifs** et des **peintures du 14ᵉ au 18ᵉ s.**, léguées pour la plupart par Ingres. Remarquez des œuvres italiennes du 15ᵉ s., de belles toiles des écoles flamande (Jordaens, Van Dyck), hollandaise et espagnole (José de Ribera) du 17ᵉ s. exposées parmi du mobilier Louis XV et Louis XVI. Mais la contemplation des tableaux ne doit pas dispenser de regarder par les fenêtres d'où l'on a une vue plongeante sur le Tarn et le Pont-Vieux.

Au **rez-de-chaussée**, une vaste salle consacrée à **Bourdelle** permet de suivre l'évolution de l'artiste. On y découvre son *Héraclès archer* en plâtre patiné, des bustes de Beethoven, Rodin, Léon Cladel et, bien sûr, Ingres, ainsi que d'autres bronzes comme *La Nuit* et *Rembrandt vieux* ainsi que les bas-reliefs du Théâtre des Champs-Élysées. Une salle rassemble les œuvres du peintre montalbanais Armand Cambon (1819-1885) qui, élève d'Ingres, a su retenir les leçons de son maître.

Dans la partie en **sous-sol** qui subsiste du château du 14ᵉ s., et sur deux niveaux, sept salles remarquablement voûtées sont consacrées à l'**archéologie régionale**, à l'**histoire locale**, aux **arts appliqués** et à des expositions temporaires. L'ancienne **salle des gardes**, dite salle du Prince-Noir, renferme des collections lapidaires médiévales et deux belles cheminées (importées) du 15ᵉ s. aux armes de Cahors. La salle Jean-Chandos abrite des bronzes, des terres cuites antiques et une **mosaïque** gallo-romaine trouvée à Labastide-du-Temple, au nord-ouest de Montauban.

Une salle rassemble les principales œuvres de **François Desnoyer** (1894-1972) né à Montauban et qui vécut à Sète : remarquez *La Fête à Carmaux*, d'inspiration fauve, et *Le Port de Moguiriec*, qui tend vers le cubisme. Une belle collection de **faïences régionales** (Montauban, Auvillar) complète la visite.

Face au musée Ingres, en bordure du square du Général-Picquart, remarquez l'admirable bronze du **Dernier centaure mourant★**, une œuvre puissante et

Des artistes à Montauban

INGRES OU LA PASSION DES ARTS

Un extraordinaire dessinateur

Né à Montauban en 1780, d'un père artisan décorateur qui lui donne de solides bases en musique et en peinture, **Jean Auguste Dominique Ingres** étudie à l'académie de Toulouse et fréquente l'atelier du peintre Roques, puis devient à Paris l'élève de David. Il voyage beaucoup en Italie, où il pose les bases stylistiques de son œuvre : réalisme dans l'observation et le rendu du détail, et recomposition du dessin sous un trait lisse et uniforme. Grand prix de Rome à 21 ans, il se fixe près de vingt ans en Italie. Il est surtout reconnu comme un extraordinaire dessinateur, touchant à la perfection grâce à la pureté et à la précision de son trait, et a laissé d'innombrables portraits, nus et études, exécutés en général à la mine de plomb. Après le triomphe que reçoit *Stratonice* en 1840, il revient à Paris, ouvre un atelier et fonde une école. Il finit ses jours couvert d'honneurs. Il meurt à 87 ans, léguant à sa ville natale un ensemble de plusieurs milliers d'œuvres, aujourd'hui déposées au musée qui porte son nom.

Un violoniste aguerri

Épris d'harmonies rares et de teintes franches, Ingres aimait aussi se délasser en faisant de la musique. Il avait conservé de son éducation musicale une passion pour le violon, au point d'être, dans sa jeunesse, membre de l'Orchestre du Capitole de Toulouse. Cette passion ne se démentit jamais, même si son activité principale l'obligea à ne s'y adonner qu'à ses moments perdus. D'où l'expression « **violon d'Ingres** » pour désigner un hobby.

La richesse d'une collection

Les œuvres d'Ingres occupent l'ancien palais épiscopal. Des toiles y sont accrochées depuis 1843 ; le peintre a lui-même légué 56 toiles en 1851, puis 4 000 dessins, une vingtaine de tableaux et des objets personnels à sa mort, en 1867. Un étage entier lui est réservé, qui se prolonge par un parcours dans l'histoire de l'art : toiles de David, Géricault, Delacroix, peintures des 17e-18e s. et sculptures d'Antoine Bourdelle.

QUELQUES CÉLÉBRITÉS...

Né lui aussi à Montauban, **Antoine Bourdelle** (1861-1929) doit beaucoup à son maître, Rodin. Il a su, dans ses compositions (bustes ou groupes sculptés), allier la virilité des attitudes, la simplicité des lignes et la noblesse des sentiments. Son *Héraclès archer*, au musée Bourdelle de Paris, constitue l'un des sommets de son art. Ce musée expose aussi de nombreuses études et fragments du *Monument aux Combattants et Défenseurs du Tarn-et-Garonne de 1870-1871* qui avait été commandé par la ville de Montauban en 1895.

Autre Montalbanais célèbre, le journaliste de télévision, réalisateur et écrivain **Philippe Labro**, qui évoque son enfance montalbanaise sous l'Occupation dans *Le Petit Garçon*. Sans doute connu d'un public plus restreint que ses illustres devanciers, **Robert Lapoujade** mérite aussi d'être cité. Peintre et réalisateur de cinéma, il est également l'auteur d'une œuvre exigeante et de quelques « films cultes » (*Le Socrate*, 1971, *Le Sourire vertical*, 1973).

ramassée (1914) de Bourdelle, et près du Pont-Vieux, sur le quai de Montmurat, le **monument aux Combattants de 1870**, où se manifeste l'esprit architectural de l'artiste.

Ancienne cour des aides (B)

Ce bel immeuble construit au 17ᵉ s. abrite le musée d'Histoire naturelle.

Musée d'Histoire naturelle – *Au 2ᵉ étage de l'ancienne cour des aides - 2 pl. Antoine-Bourdelle - ℘ 05 63 22 13 85 - tlj sf lun. 10h-11h30, 14h-17h30, dim. 14h-17h30 - fermé j. fériés - 2,50 € (– 18 ans gratuit), gratuit 1ᵉʳ dim. du mois.*

Plusieurs salles exposent une collection de zoologie avec, en particulier, un important fonds d'ornithologie : 4 000 pièces dont des oiseaux exotiques comme le perroquet, l'oiseau-mouche, l'oiseau de paradis… Réalisation récente, des dioramas présentent quatre milieux naturels : le jardin, la prairie, la zone humide et la forêt.

Église Saint-Jacques

Dominant la ville, cette église fortifiée porte sur la façade de la tour la trace des boulets du siège de 1621. Après la reconquête catholique, Louis XIII y fut reçu solennellement, et l'église, élevée au rang de cathédrale en 1629, le resta jusqu'en 1739. Reposant sur une tour carrée à mâchicoulis, le **clocher** date de la fin du 13ᵉ s. *Poursuivre dans la rue de la République en longeant l'église St-Jacques jusqu'à la rue des Carmes que l'on prend à droite.*

Rue des Carmes

Au nᵒ 24, l'**hôtel Mila de Cabarieu** offre une intéressante composition architecturale avec son portique en brique rose à arcades surbaissées.

Prendre à droite la rue de l'Hôtel-de-Ville.

Rue de l'Hôtel-de-Ville

Elle est bordée, entre autres, par l'hôtel Sermet-Deymie (18ᵉ s.), caractéristique avec les quatre colonnes ioniques de son portail d'entrée.

Revenir sur ses pas et prendre la rue du Dr-Lacaze.

Cathédrale N.-D.-de-l'Assomption

Construit au 18ᵉ s., cet édifice classique de vastes proportions symbolise la toute-puissance du culte catholique et la fin du protestantisme à Montauban. La façade s'ouvre par un imposant péristyle qui supporte les statues colossales des quatre Évangélistes, copies de celles qui se trouvent à l'intérieur. Dans le bras gauche du transept se trouve un tableau d'Ingres, *Le Vœu de Louis XIII*. Le roi se tourne vers la Vierge tenant l'Enfant Jésus dans ses bras et lui offre le sceptre et la couronne, symboles de son royaume.

Place Franklin-Roosevelt

À côté de l'immeuble à cariatides *(pour une description en image, reportez-vous à l'ABC d'architecture p. 74)*, le passage partiellement voûté du Vieux-Palais relie deux cours d'hôtels de style Renaissance et permet de ressortir au nᵒ 25 de la **rue de la République**. *Passage ouv. 10h-12h30, 14h-19h - fermé dim. et lun. matin.*

Revenir à la place Nationale par la rue de la Résistance et à gauche la rue Michelet et se rendre rue du Collège.

Centre du Patrimoine

Ancien collège - 2, rue du Collège - ℘ 05 63 22 19 82 ou 05 63 63 03 50 - www. ciap-montauban.com - lun.-sam. 10h-13h, 14h-18h, dim. 14h-18h.

Installé dans l'ancien collège des Jésuites, ce centre présente de nombreux objets d'art et de tradition populaire issus des collections des musées de

> **LE FRONTONNAIS**
> Calé entre la Garonne et le Tarn, autour de la petite cité de Fronton, marqué par un dégradé de vignobles coupés de vergers au gré des vallons et des pentes douces, le Frontonnais produit un vin rouge et quelques rosés. De Reyniès à Villemur-sur-Tarn en passant par Fronton, cités aux tonalités ocre, la composition du sol se partage entre un gravier rouge rehaussé de fer et des boulbènes limoneuses constituées d'argile. Un terroir propice à produire un vin fruité, composé d'au moins 50 % de négrette, au faible tanin, mélangé au cabernet-sauvignon, au cabernet franc voire au Fer Servadou.

la ville (dont l'ancien musée du Terroir) qui dévoilent Montauban, son architecture, son patrimoine et son histoire. Outre son exposition permanente, le centre propose des visites sur site, des visites aux musées, ainsi que des visites en ville.

À proximité Carte de la microrégion

Montech B2

▶ *14 km au sud-ouest par la D 928.* 🏠 *Pl. Jean-Jaurès -* 🖉 *05 63 64 16 32 - www. cc-garonne-canal.fr/tourismeCulture - mar. 9h-13h, merc.-vend. 14h-18h, sam. 8h30-12h30.*

Outre quelques maisons à colombages, on verra à Montech l'**église Notre-Dame-de-la-Visitation**. Édifiée au 15e s., elle est surtout remarquable par son clocher toulousain d'une hauteur de 46 m.

Pente d'eau★ – Ce procédé dû à Jean Aubert, appliqué pour la première fois dans le monde en 1974 sur le canal latéral à la Garonne, permet d'éviter les éclusages le long de biefs en escalier. L'innovation réside dans le déplacement du bateau dans un bief mobile, suivant la pente régulière (3 % sur 443 m de longueur) d'une rigole. L'impulsion est donnée par deux automotrices sur pneus enjambant la fosse de cette rigole et y refoulant une tranche d'eau navigable, sous la poussée d'un « masque » étanche. À l'entrée, le bateau passe sous le masque, en position relevée, et s'engage jusqu'à l'extrémité de la cuvette navigable, à l'amorce de la rigole. Le masque s'abaisse alors et le bateau est isolé dans un « coin d'eau ». L'engin peut démarrer et pousser le masque, le bateau flottant dans un bief qui s'élève le long de la rigole. Le coin d'eau se rapproche de la porte, maintenant le niveau du bief en amont. Lorsque les niveaux coïncident, la porte se rabat d'elle-même et le bateau reprend sa navigation. Durée de l'opération : 20mn environ, soit un gain de temps de 45mn par rapport au passage des 5 écluses. Quant à la descente, elle s'effectue en inversant les différentes manœuvres. Une véritable providence pour les mariniers pressés. Mais la pente n'est ouverte qu'aux bateaux de 30 à 40 m : les autres doivent emprunter les 5 écluses…

Abbaye de Belleperche à Cordes-Tolosannes A2

▶ *De Montech, traverser la Garonne, puis prendre la D 26 à droite.* 🖉 *05 63 95 62 75 - www.cg82.fr - juil.-sept. : tlj sf lun. 10h-12h, 14h-18h, dim. 14h-18h ; mai-juin : tlj sf lun. 10h-12h, 14h-18h - fermé oct.-avr. - gratuit.*

Bâtie au 12e s. sur les bords de la Garonne, elle comptait un siècle plus tard parmi les trois plus puissantes abbayes cisterciennes du Sud de la France. Si l'église a été rasée, subsistent encore le grenier à grains, la salle à manger, le réfectoire des moines, les galeries et le grand cloître. L'enceinte accueille des expositions temporaires dont certaines, tournées vers l'alimentaire, témoignent du passé hôtelier des lieux. Belleperche (littéralement « beau domaine ») abrite une exposition sur les arts du goût et de la table.

Château de Reyniès B2

◗ *Quitter Montauban au sud par la D 21 en direction de Villemur-sur-Tarn. Visite extérieure uniquement. Visite guidée (20mn) juil.-sept. : tlj sf merc. 10h-18h - 2 € (-18 ans gratuit).*

Il s'agit d'un bâtiment en brique flanqué de trois tours rondes d'angle, ce qui lui donne une forme triangulaire. Un château fort, érigé en 1289, fut détruit au cours du siège de 1622, la famille Latour de Reyniès s'étant convertie au protestantisme. Le château actuel fut construit en 1650 et rehaussé d'un étage en 1786 (on voit la trace des créneaux au niveau du 1er étage). La façade nord-est est la plus curieuse : les deux tours rondes encadrent deux corps de bâtiment à angles saillants, flanquant eux-mêmes l'entrée (fronton triangulaire au-dessus de la porte). La façade sud, qui surplombe le Tarn, offre une belle ordonnance. Une salle ouverte dans la tour est abrite des expositions de peinture. Enfin, sur la façade ouest, un beau porche en anse de panier ouvre sur les caves voûtées datant du 13e s.

Villemur-sur-Tarn B2

◗ *23 km au sud-est. Après Villebrumier, ancienne bastide, la D 87 s'élève à flanc de coteau avant d'atteindre Villemur.* 🏛 *1 r. de la République - 🕾 05 34 27 97 40 - www.ot-villemur.fr - juil.-août : 9h30-13h, 15h30-18h30, dim. 10h-13h ; avril-mai et sept.oct. 10h-12h, 14h-17h (dim. uniquement du 15 juin à fin sept.) - fév.-mars et nov.-déc. : tlj sf dim. 14h-17h ; fermé janv.*

Le bourg, situé au cœur du vignoble de Fronton, est une ancienne place forte dominée par la tour sarrasine du Vieux-Moulin, seul vestige des fortifications. Le village historique bâti en brique conserve des églises des 14e et 19e s. ainsi que les Greniers du Roy du 17e s. Les sentiers de randonnées dans le canton de Villemur sont jalonnés de pigeonniers et de lavoirs en briques.

Une **voie verte** de 8 km au départ de Villemur a été aménagée sur le tronçon d'une ancienne voie ferrée.

NOS ADRESSES À MONTAUBAN

HÉBERGEMENT

BUDGET MOYEN

Hôtel du Commerce – *9 pl. Roosevelt -* 🕾 *05 63 66 31 32 - www.hotel-commerce-montauban.com - fermé 22 déc.-3 janv. - 27 ch. 57/79 € - 🍽 9 €.* Vaste bâtisse du 18e s. à deux pas de la cathédrale. Hall et salon garnis de beaux meubles anciens, chambres sobres, bien entretenues, et salles de bain colorées.

POUR SE FAIRE PLAISIR

Chambre d'hôte Maison des Chevaliers – *Pl. de la Mairie - 82700 Escatalens -* 🕾 *05 63 68 71 23 - www.maisondeschevaliers.com -* 🅿 *-* 🍴 *- 5 ch. 90 €* 🍽 *- rest. 22 €.* Difficile de résister au charme de cette maison de maître du 18e s. restaurée avec goût et parfois audace. Les chambres, repeintes aux couleurs du Sud, sont dotées de beaux meubles d'époque et de superbes baignoires anciennes.

Délicieuse cour et agréable piscine aménagée au milieu d'une prairie.

RESTAURATION

BUDGET MOYEN

La Cuisine d'Alain – *29 r. Roger-Salengro - ☎ 05 63 66 06 66 - www.hotel-restaurant-orsay.com - Fermé 1er-9 mai, 1er-20 août, 20 déc.-5 janv., lun. midi, sam. midi et dim. - 24/65 €.* Natures mortes, faïences et compositions florales ornent la salle à manger et le salon. Belle terrasse fleurie. Cuisine traditionnelle et grand choix de desserts.

POUR SE FAIRE PLAISIR

Au Fil de l'Eau – *14 quai Dr-Lafforgue - ☎ 05 63 66 11 85 - www.aufildeleau82.com - fermé 16-23 fév., merc. soir sauf juil.-août, dim. sauf le midi de sept. à juin et lun. - formule déj. 18 € - 35/55 €.* Cette maison ancienne située dans une rue tranquille abrite une spacieuse salle à manger, contemporaine et chaleureuse. Préparations traditionnelles, bon choix de vins régionaux.

PETITE PAUSE

Crumble Tea – *25 r. de la République, passage du Vieux-Palais - ☎ 05 63 20 39 43 - tlj sf dim. 10h-19h - fermé sem. du 15 août et du 28 déc. au 3 janv.* Pas facile de dénicher ce plaisant salon de thé, situé dans un passage discret. Décor simple : murs en brique, baies vitrées, donnant sur une petite cour entourée de maisons rosées et jolis cadres suspendus ici et là. Au menu, tartes salées et sucrées maison.

ACHATS

♣♟La Tome du Ramier – *2250 rte de St-Étienne - ☎ 05 63 03 14 49 - www.latomeduramier.com - tlj sf dim. 8h30-18h30 ; visite de la ferme : merc. et sam. 16h..* Cette ferme familiale se visite toute l'année : découverte du troupeau de vaches laitières, démonstration du robot de traite, visite de la fromagerie et de la cave d'affinage où mûrissent 4 000 tomes et raclettes. Dégustation et vente des fromages.

AGENDA

Alors… Chante ! – En mai. Des artistes de toutes les générations, de Moustaki à Bénabar, célèbrent la chanson française. ☎ 05 63 63 66 77 - www.alorschante.com.

Les 400 Coups – Défilé de char qui a lieu soit fin août soit début sept. selon les années. ☎ 05 63 63 06 08 (mairie).

Jazz à Montauban – En juil. Festival en plein air dans le jardin des Plantes, avec des musiciens du monde entier. ☎ 05 63 63 56 56 - www.jazzmontauban.com.

Saveurs et Senteurs du Frontonnais – *En août, à Fronton (31) 25 km au sud de Montauban - ☎ 05 61 82 60 60.* Trois jours de fête du vin avec plus de 80 viticulteurs et artisans, un marché nocturne.

Le cloître de Moissac et l'ombre de son célèbre cèdre.
CDT82

Moissac

★★

12 354 Moissagais – Tarn-et-Garonne (82)

 NOS ADRESSES PAGE 450

S'INFORMER

Office du tourisme de Moissac – *6 pl. Durand-de-Bredon - 82200 Moissac - ℘ 05 63 04 01 85 - www.tourisme-moissac.fr - juil.-août : 9h-19h ; avr.-juin et oct. : 9h-12h, 14h-18h ; w.-end 10h-12h, 14h-18h ; sept. : 9h-18h ; nov.-mars : 10h-12h, 14h-17h, w.-end et j. fériés 14h-17h - fermé 25 déc. et 1er janv.*

SE REPÉRER

Carte de la microrégion A1 *(p.434)* – *carte Michelin Départements 337 C7.* Pour atteindre l'abbaye lorsqu'on arrive à Moissac en voiture, une seule solution : suivre les panneaux et surtout les grosses flèches orange.

À NE PAS MANQUER

Le portail méridional et le cloître de l'abbaye ; une dégustation de moissac *(voir nos adresses).*

ORGANISER SON TEMPS

Comptez une heure pour la visite de l'abbaye.

Dans un cadre d'eau et de verdure, entouré de coteaux couverts de vergers et de vignobles, Moissac s'élève autour de son ancienne abbaye, sur la rive droite du Tarn et de part et d'autre du canal latéral à la Garonne. L'été, pour couronner le tout, ses soirées musicales et son Festival de la voix réveillent les vieilles pierres…

Se promener

★★ L'ABBAYE

★ Église Saint-Pierre

C'est l'ancienne abbatiale, dont il ne subsiste de l'édifice d'origine que le clocher-porche qui fut fortifié vers 1180. La fortification comporte un chemin de ronde, un parapet crénelé, des archères et une galerie à mâchicoulis *(ne se visite pas)*.

De l'extérieur, on voit apparaître nettement les deux périodes de construction de la nef avec une partie romane (en pierre) et une autre gothique (en brique). On retrouve la partie romane dans le soubassement des murs de la nef et dans les fenêtres en plein cintre des parties basses. Le reste fut exécuté au 15e s. dans le style gothique méridional.

★★★ Portail méridional – Le tympan de ce portail, exécuté vers 1130, compte parmi les chefs-d'œuvre de la sculpture romane. La majesté de sa composition, l'ampleur des scènes traitées, l'harmonie des proportions sont d'une puissance et d'une beauté auxquelles la maladresse de certains gestes et la rigidité de quelques attitudes ne font qu'ajouter un charme supplémentaire, empreint d'émotion.

Le thème traité est celui de la vision de l'Apocalypse d'après saint Jean l'Évangéliste. Trônant au centre de la composition, le Christ, couronné et nimbé, serrant dans la main gauche le Livre de la vie, lève la main droite dans un geste de bénédiction. Ses traits fortement marqués, ses yeux brillants, sa barbe et ses cheveux divisés en mèches symétriques ajoutent à l'impression de puissance et de majesté qui se dégage de sa personne.

Il est entouré des quatre Évangélistes, représentés par leurs symboles : un jeune homme ailé (saint Matthieu), un lion (saint Marc), un taureau (saint Luc) et un aigle (saint Jean). Tout simplement magnifique. Le reste du tympan est

---

SAUVÉE DE JUSTESSE !

Si le moine bénédictin venu de Saint-Wandrille qui fonda probablement l'abbaye au 7e s. est resté anonyme, celui qui permit à l'abbaye et à la ville de connaître leur âge d'or, en revanche, est bien connu. Il s'agit de saint Odilon, le prestigieux abbé de Cluny : de passage en 1047, il unit à l'abbaye de Cluny celle de Moissac qui vivotait difficilement après les pillages successifs des Arabes, des Normands et des Hongrois. Grâce à ce prestigieux parrainage, une ère de prospérité commence alors : l'abbaye de Moissac établit partout des prieurés et étend son influence jusqu'en Catalogne !

Déjà victime de la guerre de Cent Ans et des guerres de Religion, gravement endommagée pendant la Révolution lorsque ses archives furent dispersées, ses trésors pillés et ses statues mutilées, l'abbaye de Moissac faillit recevoir le coup de grâce au milieu du 19e s. En effet, les savants calculs des ingénieurs chargés de tracer la ligne de chemin de fer de Bordeaux à Sète aboutirent à un résultat d'une imparable logique : le cloître, qui se trouvait au beau milieu du tracé, devait être abattu pour que les convois puissent circuler ! Insensibles à ces arguments, les Monuments historiques entamèrent alors un farouche combat et réussirent à obtenir de ces adeptes de la ligne droite un tracé curviligne du plus bel effet, qui permit de sauver l'édifice.

occupé par les vingt-quatre vieillards de l'Apocalypse qui, étagés sur trois registres superposés, tournent leurs visages étonnés vers le Christ (dans des positions parfois inconfortables !). L'ensemble, avec sa composition axée sur le personnage principal vers qui convergent tous les regards, atteint une rare intensité. On ne se lasse pas de détailler la beauté et l'élégance des formes, la perfection du modelé et des draperies, la précision des détails, l'expression des visages de cet admirable tableau.

Cet ensemble repose sur un remarquable linteau, décoré de huit rosaces encadrées par un câble sortant de la gueule de deux monstres placés à chaque extrémité. Le trumeau, vigoureux, est un magnifique bloc monolithe orné de trois couples de lions dressés, dont les corps, croisés en X, se superposent. Les deux figures longilignes de saint Paul, à gauche, et, surtout, de Jérémie, à droite, sont sculptées sur les faces latérales du trumeau. Le prophète Jérémie s'est rendu célèbre par ses « jérémiades » en prophétisant, entre autres catastrophes, la ruine de Jérusalem. Qui le croirait en découvrant ce visage empreint de sérénité ? Sur les piédroits apparaissent saint Pierre, patron de l'abbaye, et le prophète Isaïe. De chaque côté des piédroits sont sculptées des scènes historiées dans des éléments de sarcophages en marbre des Pyrénées.

🔎 *Pour une description en image, reportez-vous à l'ABC d'architecture p. 69.*

Intérieur – On pénètre dans le narthex dont la voûte repose sur huit puissantes colonnes engagées à grands chapiteaux très stylisés (11ᵉ et 12ᵉ s.) soutenant la retombée de quatre nervures en croisée d'ogives. La nef a conservé une partie de son mobilier. Remarquez une Vierge de Pitié de 1476 **(a)**, une charmante Fuite en Égypte de la fin du 15ᵉ s. **(b)** ainsi qu'un admirable **Christ★** roman du 12ᵉ s. **(c)** et enfin une Mise au tombeau **(d)** de 1485.

Le chœur est entouré d'une clôture en pierre sculptée, du 16ᵉ s., derrière laquelle on a dégagé une abside carolingienne. Stalles du 17ᵉ s. **(e)**. Dans une niche placée sous l'orgue, sarcophage mérovingien **(f)** en marbre blanc des Pyrénées.

★★★ Cloître

Accès par l'office de tourisme - 𝄞 05 63 04 01 85 - juil.-août : 9h-19h ; avr.-juin et oct. : 9h-12h, 14h-18h, w.-end 10h-12h, 14h-18h ; sept. : 9h-18h ; nov.-mars : 10h-12h, 14h-17h, w.-end et j. fériés 14h-17h - fermé 25 déc. et 1ᵉʳ janv. - possibilité de visites guidées et de visites à thèmes, se renseigner auprès de l'office de tourisme - 5 € (– 11 ans gratuit) billet jumelé avec le musée Marguerite-Vidal.

Remarquable par la légèreté de ses arcades et de ses colonnes, alternativement simples ou géminées, l'harmonie des tons de ses marbres – blanc, rosé, vert, gris – et la richesse de sa décoration sculptée, ce cloître de la fin du 11ᵉ s., qu'ombrage un grand cèdre, dégage un charme incomparable.

On détaillera à loisir les quatre galeries voûtées en appentis avec charpente apparente qui reposent sur 76 arcades renforcées de piliers aux angles et au milieu des côtés. Ces piliers, revêtus de blocs de marbre provenant d'anciens sarcophages, sont décorés de bas-reliefs : on y trouve neuf effigies d'apôtres et, sur le pilier placé au milieu de la galerie située du côté opposé à l'entrée, l'effigie de l'abbé Durant de Bredon **(g)**, évêque de Toulouse, mort en 1071 : un véritable portrait exécuté avec réalisme. Les chapiteaux présentent une grande variété : animaux, feuillages, motifs géométriques, scènes historiées sont traités avec art, empruntant leurs sujets à l'Ancien et au Nouveau Testament : épisodes de la vie du Christ, scènes de l'Apocalypse et de la vie des saints honorés dans l'abbaye. À l'angle sud-ouest, un escalier **(h)** conduit à la salle haute.

Parmi les bâtiments conventuels, on remarque le **chauffoir** (les scribes et les enlumineurs l'appréciaient beaucoup l'hiver !), la **chapelle St Feréol** aménagée en salle d'interprétation des sculptures du portail de l'abbatiale et, à côté, une pièce **(n)** qui abrite une collection d'orfèvrerie religieuse.

Musée Marguerite-Vidal

𝄞 05 63 04 03 08 - ♿ - www.moissac.fr - juil.-août : 10h-13h, 15h-19h ; avr.-juin sept.-oct. : 10h-12h, 14h-18h ; nov.-mars : 14h-17h - fermé lun., 1ᵉʳ janv. et 25 déc. - 5 € (– 11 ans gratuit) billet jumelé avec le cloître.

Il est installé dans l'ancien logis des abbés, imposante construction flanquée d'une tour crénelée. Deux cartes permettent d'apprécier le rayonnement de l'abbaye au Moyen Âge. Dans la vaste cage d'escalier, objets liés à l'histoire de l'abbaye. Les amateurs d'art régional pousseront leur ascension jusqu'à l'étage afin de découvrir céramiques (surtout d'Auvillar), mobilier, coiffes moissagaises ou encore la reconstitution d'une cuisine du bas Quercy au 19ᵉ s.

Centre d'art roman Marcel-Durliat

Bd Léon-Cladel - 𝄞 05 63 05 08 04 - www.moissac.fr.
Autrefois lieu d'exposition, il est aujourd'hui un centre de documentation sur l'art médiéval. On peut consulter ses archives sur rendez-vous.

Pont-canal du Cacor

🐾 À 30mn env. à pied du centre de Moissac, en dir. de la piscine ou de l'uvarium.
Le pont qui permet au canal de Garonne d'enjamber le Tarn constitue un très joli but de promenade. Construit au milieu du 19ᵉ s., ce pont-canal, l'un des plus longs de France (356 m), comporte quinze arches, qui allient majestueusement la pierre du Quercy et la brique toulousaine.

À proximité Carte de la microrégion

Boudou A2

◐ *7 km à l'ouest. Quitter Moissac par la D 813 en direction d'Agen, puis prendre à droite, après le pont suspendu de St-Nicolas, une petite route menant au village.*

Du promontoire, au sud de l'église *(table d'orientation)*, **panorama★** étendu sur la vallée de la Garonne, dont la rive droite passe au pied de collines en partie couvertes de vignes, tandis que la rive gauche, très plate, est tapissée de cultures coupées de peupleraies. À gauche apparaissent le confluent de la Garonne et du Tarn et le lac de barrage de Saint-Nicolas-de-la-Grave.

Castelsarrasin A2

◐ *7 km au sud par la D 813.* Cette ville très ancienne, aujourd'hui sous-préfecture du Tarn-et-Garonne, est située au cœur du vignoble de Lavilledieu. Elle connut au fil des âges des épisodes mouvementés : mentionnons, entre autres tribulations, la croisade des albigeois au 13e s. et les guerres de Religion qui virent s'opposer, à partir de 1560, Castelsarrasin la catholique à Montauban la protestante.

Illustration du style gothique méridional, l'**église Saint-Sauveur**, reconstruite en 1254, abrite un intéressant mobilier baroque des 17e et 18e s. (les boiseries proviennent de l'abbaye cistercienne voisine de Belleperche). Autre attrait de la ville, les rives ombragées du **canal** invitent, les belles journées d'été, à la promenade et à la détente.

Bamboo Parc A2

◐ *À env. 7 km au sud-est, au lieu-dit Château Lériet - du centre de Moissac, prendre la direction Castelsarrasin, puis la D 72 direction Gandalou - ℘ 06 70 64 55 28 - www.bamboo-parc.com - ouvert du w.-end de Pâques au 11 Nov.; juil.-août 14h-18h; mars-mai : merc.-sam., dim. et j. fériés : 14h-18h, ouvert tlj pdt les vac. scol.; juin : merc., vend., sam. 14h-18h, dim. 10h-18h; sept.-nov. : merc., sam., dim. 14h-18h; ouvert tlj pdt les vac. scol. - 6 € (– 12 ans 3 €).*

👪 Ce parc verdoyant de 8 ha constitue une halte reposante : on se promène à travers une bambouseraie contenant 80 espèces d'arbres, un jardin de bonsaïs, un espace « Land Art », un bois aux animaux (ânes, cochons, chèvres), etc., le tout entourant un château en ruine *(qui ne se visite pas)*. Cabanes de jeux pour les enfants et boutique servant thés et gâteaux.

😊 NOS ADRESSES A MOISSAC

HÉBERGEMENT

PREMIER PRIX

Chambre d'hôte « Les Dantous Sud » – *82100 Castelsarrasin -* ℘ *05 63 32 26 95 - www.gite-lesdantous.com -* 🅿 *- ⊟ - 5 ch. 42/45 € ⊑.* À deux pas de Castelsarrasin, cette ancienne ferme et son séchoir à tabac constitueront un joli point de chute pour votre visite des environs. Les 5 chambres, toutes à l'étage, offrent un agréable confort. Grande salle de jeux et aire de loisirs de plein air. Également un gîte pour 4 personnes.

Chambre d'hôte Ferme de la Marquise – *Brassac - 82190 Bourg-de-Visa -* ℘ *05 63 94 25 16 - www. fermelamarquise.com -* 🅿 *- ⊟ - 4 ch. 46 € ⊑ - rest. 20 €.* Cette vénérable ferme quercynoise, toujours en activité, a gardé toute son authenticité. Les chambres possèdent de belles poutres apparentes et des meubles de famille. La cuisine, préparée à base de produits fermiers, honore le Sud-Ouest.

BUDGET MOYEN

Les Hortensias – *Au bourg, face à l'école - 82700 St-Porquier -* ℘ *05 63 68 73 62 - ⅙ - 🅿 - ⊟ - 3 ch. 60 € ⊑.* Les chambres de cette maison en briques roses s'égayent de jolies couleurs. Vous apprécierez l'ancien chai où est servi le petit-déjeuner, l'agréable jardin fleuri, le parc arboré et sa piscine au pied du pigeonnier restauré.

POUR SE FAIRE PLAISIR

Hôtel Le Moulin de Moissac – *Esplanade du Moulin -* ℘ *05 63 32 88 88 - www. lemoulindemoissac.com - ⅙ - 36 ch. 75/150 € - ⊑ 12 €.* Souvent remanié, ce moulin fondé au 15e s. dispose désormais d'un bel aménagement intérieur, de jolies chambres à thème (mer, campagne et montagne) et d'un spa complet.

RESTAURATION

PREMIER PRIX

L'Auberge du Cloître – *5 pl. Durand-de-Bredon -* ℘ *05 63 04 37 50 - fermé 1 sem. en fév., 1 sem. de Noël au Jour de l'an, merc. soir en hiver, dim. soir et lun. - 12,60/24,50 €.* Après la visite de l'abbaye et de son cloître vous serez content de vous poser ici le temps d'un repas. Ce bistrot est juste en face avec une agréable terrasse. Les menus inspirés du terroir sont affichés sur une ardoise.

POUR SE FAIRE PLAISIR

Le Pont Napoléon-La Table de Nos Fils – *2 allées Montebello -* ℘ *05 63 04 01 55 - www.le-pont-napoleon.com - fermé 2-12 nov., 15-28 fév., lun. midi d'oct. à avr., merc. midi et mar. - formule déj. 28 € - 34/42 € - 12 ch. 50/54 € - ⊑ 8 €.* Restaurant face au pont Napoléon, en bordure du Tarn. Décoration agréablement tendance, mettant en valeur tableaux, objets et meubles anciens. Plats dans l'air du temps.

ACHATS

😊 **Bon à savoir** – Les coteaux du bas Quercy produisent chaque année plus de 6 500 t d'un chasselas AOC de tout premier choix. Le moissac véritable se reconnaît à ses belles grappes longues, à grains ronds, bien détachés, d'une couleur nacrée légèrement dorée ; très sucré et parfumé, il est réputé pour son goût particulièrement fin.

Une dégustation ? À l'extrémité de la promenade du Moulin, en bordure du Tarn, un uvarium édifié dans les années 1930, à remarquer particulièrement pour ses fresques colorées à la gloire du chasselas, propose des rafraîchissements en période estivale (se renseigner à l'office de tourisme pour les périodes d'ouverture et demander leurs carnets de découvertes). *www. chasselas-de-moissac.com.*

Le Grain Doré – *6 r. du Marché - ☎ 05 63 04 03 05 - tlj sf lun. 8h-12h30, 14h30-19h30, sam. 8h-19h30, dim. 8h-13h - fermé 2 sem. fin janv.- déb. fév.* Les gâteaux et autres douceurs de cet artisan pâtissier-chocolatier-glacier jouissent d'une très bonne réputation locale. La spécialité « maison » est le Grain Doré de Moissac, succulent chocolat contenant un grain de chasselas et une liqueur à l'armagnac. Également, confitures aux fruits de la région et tartelettes aux noix.

« La Rue des Arts » – *9 r. Jean-Moura - ☎ 05 63 32 34 72.* Sitôt franchi le porche, vous serez séduit par ce lieu dédié à l'artisanat d'art. Restauration de cadres anciens et de tableaux, de céramiques et de faïences, souffleur de verre et dentelles au fuseau, chacun de ces artisans vous fera découvrir son métier avec passion.

ACTIVITÉS

France Fluviale – *Quai Charles-de-Gaulle - ☎ 05 63 04 09 89 - www. cepnoblemarine.com - mars-oct. : 9h-12h, 14h-19h ; reste de l'année : tlj sf w.-end 9h-12h30, 14h-17h30.* Cette lente navigation à bord d'une péniche sur le canal des Deux-Mers et le Tarn permet d'emprunter la célèbre pente d'eau de Montech et d'admirer, entre autres, le pont-canal de Moissac.

AGENDA

Les Vibrations de Moissac – En juil., festival, polyphonies, Jardins secrets de la voix, animations de rue, soirées grand public. *☎ 05 63 04 63 85 - www.vibrations-festival-moissac.fr.*

Soirées musicales – Juil.-août. Série de concerts classiques.

Marchés de l'art – Tous les dim. en été.

Fête des fruits – Un w.-end en sept. Le chasselas est mis à l'honneur, avec les fruits du verger et les produits du terroir.

Bruniquel

★

587 Bruniquelais – Tarn-et-Garonne (82)

NOS ADRESSES PAGE 454

S'INFORMER

Office du tourisme de Bruniquel – *Prom. du Ravelin - 82800 Bruniquel -*
📞 *05 63 67 29 84 - www.bruniquel.fr - juil.-août : 10h-19h ; reste de l'année :*
10h-13h, 14h-18h - fermé 24, 25, 31 déc. et 1ᵉʳ janv.

SE REPÉRER

Carte de la région C2 *(p.434) – carte Michelin Départements 337 F7.* Au carrefour des vallées de l'Aveyron et de la Vère, Bruniquel est à 28 km à l'est
de Montauban, par la D 115.

À NE PAS MANQUER

Le vieux bourg et le château.

**Bruniquel est un village couronné d'un château perché sur une falaise,
dans un site magique, au débouché des gorges de l'Aveyron. Ses ruelles
pentues et paisibles sont bordées de vieilles demeures coiffées de tuiles
rondes. Aux environs, de jolies balades en perspective.**

Se promener

★ Vieux bourg

Dédale de ruelles en pente, vieilles demeures de pierres sèches, vestiges de
fortifications, tout ici invite à la flânerie et à la rêverie. Pour prolonger l'illusion,
il faut parcourir les rues Mazel, Droite-du-Trauc (« celle qui conduit directement au trou » !) et Droite-de-la Peyre.

Château

📞 *05 63 67 27 67 - http://bruniquel.org - possibilité de visite guidée (1h) - juil.-août :*
10h-19h ; mars-juin et de déb. sept. au 11 Nov. : 10h-18h - 3,50 € (enf. 1,50 €).
Le site comprend en réalité deux châteaux. Bâti en belle pierre jaune sur des
assises qui pourraient remonter au 6ᵉ s., le vieux château comporte diverses
parties allant du 12ᵉ au 18ᵉ s. Sur l'esplanade précédant les principaux corps
de bâtiment s'élève la barbacane qui défendait les approches de l'édifice côté
village. La grosse tour carrée du 12ᵉ s. porte le nom de la reine Brunehaut. À
l'intérieur, une salle dédiée à la préhistoire locale présente quelques objets
intéressants. La salle des Chevaliers, des 12ᵉ et 13ᵉ s., est décorée de fenêtres
géminées, de colonnettes et de chapiteaux. Au 1ᵉʳ étage, salle des gardes
ornée d'une belle cheminée au décor baroque. Le second château, dit seigneurial, possède une belle galerie Renaissance qui surplombe la falaise creusée
d'abris-sous-roche et offre une vue★ étendue sur un méandre de l'Aveyron.
Dans une chambre, des photos évoquent le tournage du film *Le Vieux Fusil*
avec Philippe Noiret et Romy Schneider.

Maison Payrol

📞 *05 63 67 26 42 - http://bruniquel.org - avr.-sept. : 10h-18h (juil.-août 19h) ; mars*
et oct. : w.-end 10h-17h - fermé nov.-mars - 3 € (14-18 ans 2 €).

Le château de Bruniquel.
M. H. Carcanague / MIK, HH IN

Ancien hôtel de marchands du 13ᵉ s. remanié à la Renaissance, cette demeure restaurée fut la propriété de riches familles anoblies. Des **peintures murales★** du 13ᵉ s. témoignent de l'univers décoratif médiéval. Le beau plafond blasonné au 1ᵉʳ étage est d'époque Renaissance. Les faïences, poteries, objets insolites, chapiteaux romans et gothiques exposés sont d'origine locale. Pour finir, des œuvres d'**Ossip Zadkine** et de Valentine Prax ainsi que des photos qui évoquent leur mariage à Bruniquel, le 14 août 1920.

À proximité Carte de la microrégion

★ **Puycelci** C2

▶ *À 13 km au sud-est de Bruniquel, à l'ouest de la forêt de Grésigne*. Une plateforme rocheuse, qui domine la verdoyante vallée de la Vère, porte le vieux village fortifié de Puycelci (du latin *podium celsum* signifiant « tertre plat élevé »). Cette ancienne place forte a conservé une partie de ses remparts munis de sept tours, dont deux des 14ᵉ et 15ᵉ s., et deux portes. Un chemin de ronde permet d'embrasser un vaste panorama qui s'étend des hauteurs de Montouliou en Grésigne aux cimes des Pyrénées.

Au hasard des rues, on découvre nombre de demeures et d'édifices intéressants : le château du Petit Saint-Roch, flanqué de deux tours, était la résidence des capitaines-gouverneurs, en charge de la gestion de la forêt. La maison Féral, dont la façade remonte aux 15ᵉ et 16ᵉ s., est percée de portes en ogive. L'église paroissiale Sainte-Corneille possède une nef gothique et un clocher-porche du 18ᵉ s.

Forêt de Grésigne C2

▶ *À l'est de Bruniquel. Rejoindre la D115 qui longe l'Aveyron puis la D 87. Sinueuse, elle traverse ce massif forestier et ses agréables sous-bois, planté de chênes rouvres et de charmes*. Sur la rive gauche de l'Aveyron, la forêt de Grésigne s'étend dans un site vallonné de 4 000 ha. Elle est bordée côtés sud et est par la vallée de la Vère. Aux 17ᵉ et 18ᵉ s., elle était propriété des rois de France, qui puisèrent

REINES RIVALES

Selon Grégoire de Tours, la construction du château, au 6e s., est due à la reine mérovingienne **Brunehaut** qui donna son nom au village, dont la forme occitane est Borniquel. Fille du roi des Wisigoths, épouse du roi d'Austrasie Sigebert, sa rivalité avec la cruelle Frédégonde ensanglanta l'Austrasie et la Neustrie, c'est-à-dire les trois quarts de la France d'aujourd'hui ! Frédégonde, était, dit la chronique, d'une grande beauté… et d'une grande cruauté. Servante à la cour du roi des Francs Chilpéric Ier, elle fit successivement assassiner deux reines avant de pouvoir épouser le roi. Puis elle se débarrassa de son époux afin de gouverner au nom de son fils, Clotaire II. La rivalité qui opposait les deux reines ne pouvait que mal finir : vaincue en 613, Brunehaut fut attachée par les cheveux, un bras et une jambe à la queue d'un cheval indompté qui la mit en pièces.

dans ses hautes futaies le bois nécessaire à la construction et à l'équipement des navires : d'où les routes que Colbert ordonna d'ouvrir dans cette forêt protégée. Elle était aussi une source d'approvisionnement pour les maîtres verriers protestants qui y trouvaient le bois, l'eau, les minéraux et les végétaux dont ils avaient besoin pour façonner et colorer le verre. Leurs activités cessèrent après la révocation de l'édit de Nantes, en 1685.

☺ NOS ADRESSES À BRUNIQUEL

HÉBERGEMENT

PREMIER PRIX

Terrassier – 82800 Vaissac - ✆ 05 63 30 94 60 - www. chezterrassier.net - fermé 19-25 nov., 1er-15 janv., vend. soir et dim. soir - 🅿 - 18 ch. 45/85 € - ☕ 8 €.

BUDGET MOYEN

Chambre d'hôte Les Brunis – 4965 rte de Montricoux - 82800 Nègrepelisse - ✆ 05 63 67 24 08 - www.chambres-aveyron.com - 🅿 - 🚭 - 5 ch. 63/69 € ☕ - rest. 22 €. Cette petite ferme du 19e s. parfaitement restaurée abrite des chambres avec accès indépendant et une roulotte-gîte pour les séjours romantiques. Prendre le petit-déjeuner au bord de la piscine, à l'ombre du paulownia, avant ou après un bain matinal, est un délice. Table d'hôte où le canard est roi.

Saint-Antonin-Noble-Val

★

1 797 Saint-Antoninois – Tarn-et-Garonne (82)

😊 NOS ADRESSES PAGE 459

🗓 S'INFORMER

Office du tourisme de Saint-Antonin-Noble-Val – *Place de la Mairie - 82140 St-Antonin-Noble-Val - ℘ 05 63 30 63 47 - www.saint-antonin-noble-val.com - juil.-août : 9h-13h, 14h-19h ; avr.-juin et sept. : 9h30-12h30, 14h-18h ; oct.-mars : tlj sf lun. mat. 10h-12h30, 14h-17h30 ; janv.-fév. et nov.-déc. : lun. et sam. 14h-17h, mar.-vend. 10h-12h30, 14h-17h.*
Quatre circuits de découverte des hameaux sont disponibles à l'office de tourisme *(2 €).*

◗ SE REPÉRER

Carte de la microrégion C1 *(p.434)* – *carte Michelin Départements 337 G7.* On y accède par la D 115, qui longe la berge gauche de l'Aveyron, et la D 958, qui longe la rive droite.

🅿 SE GARER

D'où que l'on vienne, le vieux bourg est ceint de parkings, plus ou moins ombragés : sur la route de Caussade, en direction de Caylus, place des Tilleuls, ou encore en direction du Bosc, vers la salle polyvalente.

🛑 À NE PAS MANQUER

Le marché le dimanche matin. L'ancien hôtel de ville ; la cité médiévale ; le château de Penne ; le musée Marcel-Lenoir à Montricoux.

🕐 ORGANISER SON TEMPS

Après une promenade dans la cité, prenez la route des gorges de l'Aveyron, cadre idéal pour les pique-niques.

Avec les falaises des gorges de l'Aveyron pour toile de fond, Saint-Antonin-Noble-Val, charmante cité médiévale aux toits de tuiles rondes, s'organise autour d'un rare hôtel de ville du 12ᵉ s. Située à la limite du Quercy, de l'Albigeois et du Rouergue, elle est un avant-poste idéal pour parcourir les gorges de l'Aveyron où se pratiquent canoë-kayak, escalade, randonnée, etc.

Se promener

Au Moyen Âge, la présence d'un point de passage assurait à la bourgade d'importantes sources de revenus (octroi) ainsi qu'une grande circulation commerciale ! Saint-Antonin était fréquenté par de riches marchands de draps, de fourrures et de cuirs qui s'installèrent dans de belles demeures des 13ᵉ, 14ᵉ et 15ᵉ s., dont certaines subsistent.

★ Ancien hôtel de ville

Bâti en 1125 pour un riche bourgeois anobli, Pons de Granolhet, ce bâtiment est l'un des plus anciens spécimens d'architecture civile en France. Au 14ᵉ s., il fut utilisé comme maison des Consuls. Viollet-le-Duc le restaura au 19ᵉ s. et

UNE NOBLE CITÉ

Son site agréable a valu à la station gallo-romaine, ancêtre de la ville actuelle, le nom de Noble-Val (*Nobilis Vallis*). La première partie du nom a été donnée en souvenir d'Antonin, le saint qui, selon la tradition, serait venu évangéliser les confins du Rouergue. Martyrisé à Pamiers, ses reliques auraient été placées par les anges dans une barque qui, guidée par des aigles blancs, aurait descendu l'Ariège et la Garonne.

Né vers 1150 le vicomte de Saint-Antonin, Ramon Jordan, comptait parmi les plus brillants troubadours de son temps.

lui accola un beffroi carré, couronné d'une loggia à mâchicoulis dans le style italien toscan, selon le projet qu'il présenta en 1845. Cette construction, un peu inattendue, a alimenté bien des polémiques... La façade se compose de deux étages. La galerie de colonnettes du 1er étage de l'ancien hôtel de ville est ornée de deux piliers portant les statues de l'empereur Justinien, d'Adam et Ève. Au rez-de-chaussée, des arcades en arc brisé s'ouvrent sur un musée.

Musée

☎ 05 63 68 23 52 ou 05 63 30 63 47 (office de tourisme) - juil.-août : tlj sf mar. 15h-18h ; reste de l'année : sur demande 2 ou 3 j. à l'avance - 1 €.

Il abrite des collections de préhistoire, parmi lesquelles la période magdalénienne est particulièrement bien représentée. Une salle est réservée au folklore.

Rue Guilhem-Peyre

Débutant sous le beffroi de l'ancien hôtel de ville, c'était la voie noble qu'empruntaient tous les cortèges. À droite s'élève l'ancienne caserne royale dite « caserne des Anglais » et, dans le coude de la rue, une splendide demeure du 12e s.

Descendre la rue vers la place de Payrols, puis s'engager à droite à la hauteur de la perception.

Rue des Grandes-Boucheries

À l'angle de la rue de l'Église, la « maison du Roy » présente au rez-de-chaussée cinq arcades ogivales, et, au 1er étage, autant de baies géminées, aux chapiteaux ornés de têtes juvéniles.

Remonter la rue de l'Église vers la nouvelle mairie.

Ancien couvent des Génovéfains

Construit en 1751, il accueille la mairie et l'office de tourisme. Un panneau placé à l'entrée de la galerie sud permet d'en connaître l'historique.

Gagner la place de la Halle par la rue Saint-Angel et la place du Buoc.

Croix de la Halle

Devant la halle aux robustes piliers se dresse une curieuse croix du 15e s. « à raquette », sculptée sur ses deux faces. Cet ouvrage original et rare, offert par la confrérie des orfèvres, aurait figuré primitivement à l'entrée ou au centre de l'ancien cimetière. Sur ce dernier, alors situé aux abords de l'Aveyron, a été aménagée l'actuelle promenade des Moines.

Rue de la Pélisserie

Elle est bordée des riches maisons des maîtres tanneurs et fourreurs (13e et 14e s.).

Tourner à gauche dans la rue des Banhs.

La curieuse croix de la Halle devant l'ancien hôtel de ville.
J.-L. Gallo / MICHÉLIN

Rue Rive-Valat

Longée par un petit canal enjambé par des ponts, c'est une des nombreuses dérivations de la rivière Bonnette creusées au Moyen Âge pour servir de tout-à-l'égout et alimenter les tanneries ; celles-ci possèdent un dernier étage à claire-voie, à usage d'entrepôt et de séchoir, semblable à un *soleilho*.
La rue Rive-Valat débouche sur la rue Droite qui regagne, sur la droite, la place de la Halle.

Rue Droite

Dans cette rue, deux habitations se distinguent par la qualité de leurs clefs de voûte figurées, la **malson de l'Amour** (fin du 15ᵉ s.) et la maison du Repentir, où, à l'inverse, deux visages se détournent l'un de l'autre. Vers le milieu de la rue, très belle façade à double encorbellement, avec colombage garni de tuf calcaire et croisillons de bois.
Par la gauche, on débouche sur la place des Capucins d'où part la rue du Pont-des-Vierges.

Rue du Pont-des-Vierges

Au niveau de la place du Bessarel, anciens moulin et pressoir à huile de noix, aujourd'hui encore en état de fonctionnement. ☏ 05 63 30 63 47 - *visite guidée (20mn) sur demande à l'office de tourisme juil. août : merc.-vend. 10h - 3 € (enf. 1,50 €) - visite incluse dans la visite guidée de la ville.*

LES ALÉAS DE LA POSTÉRITÉ

Né à Montauban, Jules Oury, alias Marcel Lenoir (1872-1931), fut après 1918 l'une des grandes figures de Montparnasse, admiré par Modigliani, Braque et Matisse. Cependant, cultivant la marginalité, brouillé avec l'ensemble de la critique, refusant de se figer dans un style et adoptant une démarche profondément personnelle (des fresques de grande dimension sur des thèmes souvent religieux), il n'accéda pas à la célébrité de ses contemporains. Il termina ses jours dans l'oubli à Montricoux.

Itinéraire conseillé

★ GORGES DE L'AVEYRON

⏵ *Pour visualiser ce circuit de 49 km, reportez-vous à la carte ci-dessus – compter environ 3h. Quitter St-Antonin au sud par la D 115 qui longe l'Aveyron.*

Penne

🏠 *le Bourg -* 🕿 *05 63 56 36 68 - avr.-sept. : 9h30-12h, 14h30-17h ; oct.-mars : 9h30-12h - fermé dim. (sf juil.-août).*

Dominé par son château, Penne occupe un **site★** remarquable. Son nom évoque le piton rocheux, surplombant l'Aveyron, auquel s'accroche le village. On en a une jolie vue depuis la D 33, au nord du village, ainsi que depuis la D 133 au sud. Au-dessus des maisons se découpe la silhouette tourmentée de la puissante forteresse médiévale, dont certains pans de murs déchiquetés, posés à l'extrême pointe du rocher, semblent défier les lois de l'équilibre.

Laissez la voiture sur la D 9, à l'entrée du village, pour partir à l'assaut de celui-ci. Une rue étroite mène à l'église dont le clocher-beffroi, percé d'une porte ogivale, sert d'entrée au village fortifié.

Une rue pittoresque, bordée de maisons anciennes, monte en direction du château, puis redescend vers la porte Peyrière, à l'autre extrémité du bourg. La croix de la peste (17ᵉ s.), commémorant le fléau qui s'abattit à plusieurs reprises sur le village, marque le départ du sentier qui grimpe, à flanc de rocher, vers les tours en ruine du **château** *(travaux de sécurisation en cours, possible ouverture en 2010-2011).* Ce dernier, par sa situation, a joué un rôle important dans l'histoire locale. Lors de la croisade contre les albigeois, il fut l'enjeu d'escarmouches sanglantes entre le seigneur local, rallié à l'hérésie, et l'inévitable Simon de Montfort. Plus tard, pendant la guerre de Cent Ans, il fut convoité par les Anglais et routiers qui s'en rendirent maîtres tour à tour, avant de tomber en ruine au 19ᵉ s. De l'extrémité du promontoire, belle **vue★** sur les tours et les murailles de la forteresse, le village et la vallée de l'Aveyron. *Quitter Penne au sud par la D 9 qui offre des **vues★** magnifiques sur le village.*

La route escalade le rebord du plateau sur lequel elle court ensuite au milieu d'une maigre végétation d'arbustes rabougris mêlés de quelques vignes. Elle redescend ensuite vers la vallée, dans un paysage de hautes collines boisées, laissant apparaître, de temps à autre, la roche à nu.
Par la D 1ᴱ que l'on prendra sur la gauche, on atteint Bruniquel.

★ Bruniquel *(voir p.452)*
Quitter Bruniquel à l'ouest en franchissant l'Aveyron.

Montricoux
Bâti en terrasse sur la rive droite de l'Aveyron, Montricoux a conservé ses anciennes murailles. La place Marcel-Lenoir et certaines ruelles bordées de pittoresques maisons datant des 13ᵉ, 14ᵉ et 15ᵉ s., à encorbellement et colombages, offrent une agréable flânerie.

★ **Musée Marcel-Lenoir** – ℘ 05 63 67 26 48 - www.marcel-lenoir.com - &. - de déb. mai à fin sept. : tlj sf mar. : 10h-18h - possibilité de visite guidée (45mn) sur réserv. - 4 € (– 16 ans gratuit, étudiants 3 €). Le château de Montricoux abrite le musée où vous pourrez découvrir l'œuvre puissante et originale d'un peintre injustement oublié.
La D 958 traverse la forêt de la Garrigue et offre des échappées sur les gorges de l'Aveyron en contrebas. Puis la route en corniche longe la rivière avant de rejoindre St-Antonin.

😊 NOS ADRESSES À SAINT-ANTONIN-NOBLE-VAL

HÉBERGEMENT

PREMIER PRIX

Chambre d'hôte La Ferme Bès de Quercy – *Le Bès de Quercy -* ℘ 05 63 31 97 61 - fermé 3 sem. en sept. - 🅿 - 🍴 - 4 ch. 45 € ☕ - rest. 17 €. Rien de tel qu'un séjour à la ferme pour retrouver les plaisirs de la campagne. Implantée sur un domaine de 230 ha, cette exploitation agricole en activité abrite 4 chambres pleines de simplicité et de confort. Accueil fort sympathique et, en table d'hôte, de bons petits plats mijotés « comme chez mémé ».

BUDGET MOYEN

Chambre d'hôte La Résidence – *37 r. Droite -* ℘ 05 63 67 37 56 - www.laresidence-france. com - fermé 2 sem. en fév. et 2 sem. en nov. - 🍴 - 5 ch. 75/90 € ☕. Charme « british » et couleurs du Sud se conjuguent avec bonheur dans cette maison de maître du 18ᵉ s. tenue par un couple germano-hollandais. La plupart de ses chambres ouvrent sur le jardin et celle qui a une terrasse a un succès fou.

RESTAURATION

BUDGET MOYEN

La Corniche – *Brousses -* ℘ 05 63 68 26 95 - fermé 15 déc.- 1ᵉʳ mars - &. - 🅿 - 🍴 - 20/30 €. Sur la route des gorges de l'Aveyron, cette coquette maison de village, à l'ambiance chaleureuse, sert une cuisine authentique. En saison, dégustez cailles et agneaux du terroir. Agréable terrasse surplombant la vallée.

ACHATS

Marché – ℘ 05 63 30 63 47 - www. saint-antonin-noble-val.com - dim. 8h-13h ; août : marché de nuit le jeu.
Les Conserves d'Autrefois – *Las Couchos - 82160 Caylus -* ℘ 05 63 67 06 14 - www. lesconservesdautrefois.fr - tlj

sf dim. : 9h-12h30, 14h-19h. Conserverie familiale située dans un joli village médiéval. Depuis quatre générations, les Ramond se transmettent de père en fils leur savoir-faire et leurs recettes : pavé caylusien (médaillon de foie de canard), magret de canard fourré, bûche de dinde au foie gras, plats cuisinés, etc.

La découverte de l'atelier est instructive et la boutique décorée avec goût *(visite et dégustation gratuites)*.

AGENDA

Fête des moissons – Début juillet.
Fête des battages – Début août.

Caylus

1 531 Caylusiens – Tarn-et-Garonne (82)

😊 **NOS ADRESSES PAGE 463**

🔖 **S'INFORMER**

Office de tourisme – *R. Droite - 82160 Caylus - ☎ 05 63 67 00 28 - juil.-août : 9h30-12h30, 14h30-18h30, dim. et j. fériés 10h-12h30, 15h-17h30 ; avr.-juin et sept. : tlj sf dim. et lun. 9h30-12h30, 14h30-18h ; janv.-mars et oct.-déc. : tlj sf dim. et lun. 9h30-12h30, 14h30-17h30, jeu. 9h30-12h30.*

🧭 **SE REPÉRER**

Carte de la microrégion C1 *(p.434)* – *carte Michelin Départements 337 G6.* Situé à 60 km au sud-est de Cahors et à 62 km au sud-ouest de Figeac, Caylus est accessible depuis Limogne-en-Quercy *via* de belles départementales (D 19, D 52 et D 33).

😊 **À NE PAS MANQUER**

Le Christ de Zadkine dans l'église ; l'imposante halle ; la vie animale préhistorique vue au travers des phosphatières du Cloup-d'Aural.

🕐 **ORGANISER SON TEMPS**

Comptez 2h pour la ville, une demi-journée pour l'itinéraire conseillé.

👫 **AVEC LES ENFANTS**

Rendez-vous aux Escaliers du temps pour découvrir une phosphatière.

Des maisons à colombages, un clocher en position dominante, un château fort en ruine, surtout un extraordinaire Christ sculpté par Zadkine, le tout accroché aux pentes de la vallée de la Bonnette, entre Tarn et Rouergue : voici Caylus. Aux alentours, les paysages arides du causse de Limogne, parsemés de dolmens, de champs de lavande ou d'une rare phosphatière, se prêtent à la randonnée.

Se promener

Aussi loin que remonte la mémoire du bourg, Caylus est associé au mot latin *castrum*, le château, qui donna en occitan *cailar*; la terminaison en « us » est une forme diminutive, péjorative pour certains. Caylus fut appelé aussi Caylus de Bonnette, du nom de la rivière qui coule à ses pieds.

Halle

Elle siège au milieu de la place de la Mairie, témoignant, à l'image de ses imposantes dimensions, du rôle commercial qu'avait Caylus sous l'Ancien Régime. Elle a conservé ses vieilles mesures à grains taillées dans la pierre.

Rue Droite

Partant de la place de la Mairie, la rue Droite est bordée de belles maisons médiévales, en particulier la fameuse « maison des Loups » (13e s.) dont la façade est ornée de quatre gargouilles en forme de loups prêts à bondir sur le passant.

Au bout de la rue Droite, église St-Jean-Baptiste.

Église

Autrefois fortifiée, elle est épaulée de lourds contreforts surmontés de mâchicoulis. Au-delà de la nef unique du 14e s., près du chœur se dresse un gigantesque **Christ★** en bois d'ormeau exécuté en 1954 par **Ossip Zadkine**, une œuvre à la fois saisissante, pathétique et émouvante où l'absence de croix exacerbe la perception de la souffrance. L'artiste aurait offert ce Christ à la commune en témoignage de sa reconnaissance après son séjour caylusien. L'artiste s'était réfugié au village pour échapper aux nazis avant de gagner les États-Unis où il demeura jusqu'en 1945. Les vitraux du chœur, qui datent du 15e s., ont été patiemment restaurés.

Itinéraire conseillé Carte de la microrégion

LE CAUSSE DE LIMOGNE

◉ *Circuit de 55 km – comptez une demi-journée. Quittez Caylus par la D 19 au nord.*

Ce paysage doucement vallonné est assez sauvage. Sur un sol calcaire dur à cultiver, quelques champs, mais surtout de l'herbe rase et des genévriers, des bois de chênes et des prairies où paissent les moutons. Des murets de pierres séparent les parcelles et des « **gariottes** » (abris de berger) ou « **caselles** » (abris pour les animaux ou remise à outils) surgissent ici ou là.

N.-D.-des-Grâces C1

Lieu de pèlerinage, cette chapelle de style gothique flamboyant, coiffée d'un toit de lauzes, s'ouvre par un beau portail sculpté et ciselé. Bâtie à l'extrémité d'un promontoire, la chapelle N.-D.-des-Grâces embrasse une vue étendue sur la vallée de la Bonnette et les collines boisées entrecoupées de prairies.

Poursuivez sur la D 19.

Lacapelle-Livron C1

Ce village aux maisons couvertes de lauzes a conservé les vestiges d'une **commanderie de Templiers** qui, après 1307, passa à l'ordre de Saint-Jean-de-Jérusalem (l'ordre de Malte) jusqu'à la Révolution. C'est actuellement un manoir fortifié dominant la Bonnette, avec une cour centrale conservant le

plan original de la commanderie. Au sud, sa petite **église-forteresse** romane est veillée par un puissant clocher-donjon dont subsistent les consoles du chemin de ronde. Elle fait face au réfectoire devenu salle des gardes.
Poursuivez sur la D 19.

Château de St-Projet C1

℘ 05 63 65 74 85 ou 06 83 97 19 63 - www.saint-projet.com - visite guidée (45mn) - juil.-sept. : 14h-19h ; oct. : sam. et dim. ; sur demande préalable le mat. - 5 € (enf. 4 €).

Construit sur un tumulus gallo-romain à la fin du 13e s., il hébergea en 1595 la **reine Margot** et son amant recherchés par les armées d'Henri IV. Après leur départ, la chambre fut murée telle quelle. Elle ne fut découverte que par hasard, en 1990. En 1622, Louis XIII y fit également étape.
À Beauregard, prenez à droite la D 55.

Prieuré de Laramière C1

℘ 06 80 88 13 13 - www.laramiere.new.fr - visite guidée (1h30) de déb. juil. à mi-sept. : 10h30, 14h30 et 16h - fermé mar. - 6 € (– 18 ans gratuit).

Il fut fondé en 1148 par le moine itinérant Bertrand de Grifeuille, de l'ordre des Augustins, également fondateur, quelques années plus tard, du prieuré d'Espagnac- Ste-Eulalie. Les bâtiments élevés aux 12e et 13e s. formaient un quadrilatère, mais une partie d'entre eux furent démolis pendant les guerres de Religion. Au milieu du 17e s., les jésuites s'y installèrent et élevèrent la maison du régisseur. La visite des bâtiments restaurés permet de voir les voûtes de la chapelle, la salle romane qui accueillait les pèlerins de St-Jacques-de-Compostelle et surtout la **salle capitulaire** voûtée et peinte de décors géométriques, ainsi que des chapiteaux à l'effigie de Saint Louis et de Blanche de Castille. Sur le mur sud de l'église, des enfeus abritaient les tombeaux des donateurs Hugues de La Roche et sa femme. La rivière Rausel est absorbée par le causse, sous le prieuré. Elle ressort par le gouffre de Lantouy, près de Cajarc.
Revenez vers Beauregard, à 2,5 km.

Dolmen de la Peyre Levade C1

Bien dégagé, c'est l'un des plus beaux dolmens du Quercy (qui en compte près de 800) et sans doute l'un des plus lourds : on estime son poids à 25 tonnes ! Une cupule, sorte de bassin de 40 cm de diamètre, est creusée dans la table.

Beauregard C1

Cette bastide, édifiée sur un ancien bourg, a conservé le tracé d'origine de ses rues à angle droit. Sur la place centrale s'élève une **halle** du 14e s. dont les piliers trapus supportent une solide charpente et sa belle couverture de lauzes ; creusées dans la pierre, des **mesures à grains** témoignent de l'activité économique exercée jadis dans cette cité gouvernée par des consuls. Sur le parvis de l'église se dresse un beau **calvaire** qui daterait du 15e s.
Poursuivez sur la D 55, puis prenez à gauche la D 19 en direction de Varaire. Tournez à gauche avant Bach.

★ Les Escaliers du temps – Phosphatières du Cloup d'Aural C1

℘ 06 03 93 45 91 - www.phosphatieres.com - visite guidée (50mn) accompagnée d'une visite libre (30mn) juil.-août : 11h-18h ; vac. Pâques et Toussaint : 15h et 16h30 ; mai-juin et sept.-oct. : merc., w.-end et j. fériés 15h et 16h30 (18h en juin) ; nov.-mars : sur demande - 6,50 € (6-14 ans 4 €).

Dans une cavité évidée, cet ancien site d'exploitation des phosphates présente un double intérêt. S'il conte en effet l'histoire de la découverte et de l'extraction industrielle du **phosphate** (résultat de la transformation du phosphore des cadavres d'animaux, utilisé comme engrais), il est aussi et surtout un véritable livre ouvert sur la « mégafaune » de l'ère tertiaire (hyènes et félins géants, rhinocéros, chevaux primitifs…). Sur le plateau calcaire à la végétation clairsemée, très fissuré et perméable à l'eau, des infiltrations avaient creusé des cavités où se sont accumulés des cadavres d'animaux. Fossilisés, ce sont des instantanés des différentes époques de cette ère. Les silhouettes reconstituées de ces animaux ponctuent le site.

À Bach, tournez à gauche dans la D 22, poursuivez la D 85 jusqu'à Caylus.

😊 NOS ADRESSES À CAYLUS

RESTAURATION

BUDGET MOYEN

Au Rince Cochon – *14 r. de Cénevières - 46260 Limogne-en-Quercy - ℰ 05 65 23 87 20 - www.rince-cochon.com - fermé lun., mar. en hiver et merc. - 18/23 €.* On pourra se laisser tenter soit par la pergola l'été soit par le charme simple de la salle à manger, dans le plus pur style bistrot. Côté cuisine, le chef signe une carte proche du gastronomique avec des plats mijotés.

Ferme-auberge des 4 Gîtes – *Château de Couanac - 46260 Varaire - ℰ 05 65 31 52 32 - www.lotvalleyrentals.com - 🅿 - 🖃 - 21/32 € bc.* Une longue allée de buis mène jusqu'à ce château du 12e s. qui abrite une belle salle à manger d'époque. Au menu, agneau « bio » avec pommes de terre sarladaises. Produits du terroir et cabécou de la ferme. Sur réservation uniquement. Également 4 gîtes dans les anciennes écuries.

ACHATS

Poterie et Savonnerie du Pont d'Auvergne – *Rte de Villefranche - ℰ 05 63 24 01 90 - http://membres.lycos.fr/jppuydebois/poteriejpp/ - Tlj sf lun. et mar. 10h-19h - fermé 30 sept.-15 mars.* Au lait d'ânesse, au vin de Cahors, à l'huile de noix de coco : cette savonnerie artisanale propose mille et un parfums à découvrir parmi une gamme très colorée. De nombreuses faïences tournées et décorées à la main complètent l'offre de cette boutique.

Marchés – Le causse de Limogne compte deux gros bourgs réputés pour leurs marchés : **Lalbenque** : marché aux truffes mardi à partir de 14h de décembre à mars ; **Limogne-en-Quercy** : marché traditionnel le dimanche matin. Marché aux truffes vendredi à 10h30 de décembre à mars. Marché aux truffes d'été dimanche à 10h30 de juin à août.

ACTIVITÉS

Centre équestre – *Mas de Bassoul - 46260 Limogne-en-Quercy - ℰ 05 65 31 67 91 - randonnées et promenades sur réserv.* Ce centre équestre un peu différent des autres a choisi de pratiquer le dressage éthologique, une technique tout en douceur, rare en France. Ici, donc, pas de cravache ni de manière forte. Initiation de cette approche particulière, promenades aux alentours et découverte du causse sur réservation.

Caussade

6 463 Caussadais – Tarn-et-Garonne (82)

S'INFORMER

Office de tourisme – *46 bd Didier-Rey - 82300 Caussade -* ⌂ *05 63 26 04 04 - mai-août : 9h30-12h30, 14h-18h, dim. 9h30-13h ; oct.-mars : tlj sf. w.-end 9h30-12h30, 13h30-17h30 ; avril et sept. : tlj sf dim. 9h30-12h30, 13h30-17h30.*

SE REPÉRER

Carte de la microrégion B1 *(p.434)* – *carte Michelin Départements 337 F7.* Caussade est à 50 km au sud de Cahors, à proximité de l'A 20, près de Caylus et de Montauban. Bien que la ville soit contournée par la nationale et l'autoroute, la circulation peut y être intense.

À NE PAS MANQUER

Les Estivales du chapeau à la mi-juillet.

ORGANISER SON TEMPS

Comptez 1h pour la ville et ses alentours.

Les parapluies sont de Cherbourg, la dentelle de Calais et les chapeaux de paille de… Caussade qui produit près des deux tiers de ceux fabriqués en France. Tout, dans la ville, fait référence à cette activité dont l'initiative revient à Pétronille Cantecor (1796). Au carrefour des coteaux du Quercy, de la vallée de la Garonne et des gorges de l'Aveyron, cette ancienne place forte protestante combine une relative prospérité à une architecture sinistrée par les guerres anciennes.

Se promener

L'**église**, reconstruite à la fin du 19e s. par l'architecte toulousain Gabriel Bréfeil dans le style gothique, a conservé un clocher octogonal de style toulousain (16e s.), en briques roses, haut de 54 m dont les trois étages sont surmontés d'une flèche à crochets. En face se trouve la **tour d'Arles** du 13e s. À l'intérieur, un décor historié témoigne de l'art de vivre en Quercy au Moyen Âge. Près de l'église, le **quartier ancien** abrite quelques vieilles demeures des 13e, 17e et 18e s.

À proximité Carte de la microrégion

N.-D.-des-Misères B1

13 km au sud-ouest par la D 820, puis la D 40, commune de Mirabel.

LE CANOTIER DE MAURICE CHEVALIER

Place forte protestante lors des guerres de Religion, Caussade est reconquise par les catholiques qui y fondent un couvent de récollets en 1683. Les remparts sont rasés au 18e s. Au 19e s., et encore au milieu du 20e s., la ville devient un centre important de l'industrie du chapeau de paille. Les fluctuations de la mode ont recadré son activité des canotiers d'antan, tel celui de Maurice Chevalier, aux casquettes de plage.

Dominant la vallée de l'Aveyron, la chapelle, fondée en 1150, est coiffée d'un séduisant clocher octogonal à deux étages ajouré de baies géminées d'allure romane (16ᵉ s.).

Puylaroque B1

▶ *14 km au nord-est par la D 17.*

Bastide du bas Quercy, Puylaroque groupe ses maisons aux toits très plats au sommet d'une colline dominant les vallées de la Candé et de la Lère. Près de l'église, dont le massif clocher carré est accolé au portail principal, les rues étroites du bourg ont conservé des maisons (13ᵉ-14ᵉ s.) à encorbellements et à pans de bois.

Des esplanades, notamment celle proche de l'église, on découvre des **vues** étendues sur les doux vallonnements de la campagne quercynoise, les plaines de Caussade et de Montauban.

Montpezat-de-Quercy

★

1 413 Montpezatais – Tarn-et-Garonne (82)

☺ NOS ADRESSES PAGE 467

🗊 **S'INFORMER**

Office de tourisme – *Bd des Fossés - 82270 Montpezat-de-Quercy - ☎ 05 63 02 05 55 - juil.-août : tlj sf. lun. 10h-12h30, 14h-18h ; reste de l'année : consulter l'office de tourisme.*

▶ **SE REPÉRER**

Carte de la microrégion B1 *(p.434)* – carte Michelin Départements 337 E6. Montpezat est au bord de la D 820, à 26 km au sud de Cahors, et 15 km au nord de Caussade.

🅿 **SE GARER**

Sur les places Reduch et de la Résistance, ou boulevard des Fossés.

☺ **À NE PAS MANQUER**

La collégiale St-Martin et ses tapisseries.

🕑 **ORGANISER SON TEMPS**

Comptez 2h pour la vieille ville et la collégiale.

Castrum puis bastide, Montpezat-de-Quercy a conservé de son riche passé médiéval un plan en quadrilatère, une dénomination des rues rappelant les corporations anciennes et un grand nombre de maisons à pans de bois. Mais c'est surtout la collégiale St-Martin et ses innombrables trésors dont les remarquables tapisseries des Flandres, qui font le renom de ce bourg du Quercy blanc.

Se promener

La bastide

L'entrée dans la ville se fait par l'ancienne porte fortifiée du 14e s. ; la bastide s'étageant au-dessus des remparts. La place de la Résistance, centrale, s'entoure de couverts et de maisons à colombages. La mairie (19e s.) a été construite à l'emplacement de l'ancien hôtel de ville. Au nord, le cloître de l'ancien couvent des Ursulines du 12e s. a été remanié au 20e s. pour abriter l'école. Derrière la collégiale se trouvent les habitations des chanoines du 15e s. : une galerie au premier étage reliait ces maisons à pans de bois.

À gauche en sortant de la collégiale, le **chemin des remparts** offre une vue d'un côté sur le village et de l'autre sur les coteaux.

Collégiale St-Martin

🎧 05 63 02 05 55 - possibilité de visite guidée - tlj 9h-19h (hors sais. 9h-17h).
Dédiée à saint Martin de Tours, elle est construite en 1337 par un architecte de la cour papale d'Avignon. Elle seule fut épargnée lors du saccage de la ville en représailles aux actes de la Résistance, pendant de la Seconde Guerre mondiale.

Elle présente les caractéristiques des édifices du Languedoc : une nef unique et des chapelles latérales séparées par les contreforts intérieurs de la nef. Voûté d'ogives dont les clefs de voûte sont peintes aux armes de la famille Des Prés, le **vaisseau** frappe par son unité, sa simplicité et l'harmonie de ses proportions. Les pièces qu'il renferme ne sont qu'une partie de l'extraordinaire trésor accumulé en ces lieux : dans la première chapelle à droite, belle Vierge de piété en grès polychrome du 15e s., dans la chapelle opposée, une Vierge aux colombes du 14e s. en albâtre. Dans la 2e chapelle à droite, trois éléments de retable en albâtre provenant de Nottingham ont pour thème la Nativité, la Résurrection et l'Ascension ; enfin, dans la 4e chapelle à gauche, coffrets en bois du 15e s. avec application de pâtes dorées.

Tapisseries des Flandres★★★ – Cinq panneaux de trois tableaux, spécialement adaptés au plan du sanctuaire, longs de près de 25 m et hauts de 2 m environ, retracent en seize scènes les principaux épisodes historiques et légendaires de la vie de saint Martin : figurent, entre autres, le partage du manteau, diverses guérisons obtenues par le saint et sa lutte victorieuse contre le diable. Chaque scène est commentée par un quatrain en ancien français, placé sur la partie supérieure des panneaux. L'excellent état de conservation de ces tapisseries du 16e s., l'éclat et la richesse de leurs coloris, l'existence d'une telle série placée dans le cadre même pour lequel elle a été conçue leur confèrent un intérêt exceptionnel.

Gisants★ – Si le corps du cardinal Pierre Des Prés repose sous le pavement en avant du chœur, le mausolée en marbre de Carrare qui le représente fut placé en 1778 à l'entrée du chœur, à droite. À gauche, le gisant en pierre de son neveu Jean Des Prés est un chef-d'œuvre de la statuaire funéraire.

À proximité Carte de la microrégion

Église de Saux B1

◗ À 5 km au nord. Quittez Montpezat-de-Quercy par la D 20 en direction de Cahors, tournez à gauche après avoir parcouru 2 km.

Cet édifice dédié à saint André est situé à l'extrémité d'une route étroite qui serpente à travers bois et débouche dans un cadre bucolique. Composé de trois travées à coupoles, il est décoré de belles **fresques** des 14e et 15e s. Les mieux conservées se trouvent dans le chœur : Christ en majesté entouré des attributs des quatre Évangélistes, Crucifixion et scènes de l'enfance de Jésus. Dans la chapelle de droite, fresques de la légende de sainte Catherine ; dans celle de gauche, saint Georges.

Molières B1

À 13 km à l'ouest de Montpezat-de-Quercy par la D 20.

Le village, qui se développa au 13e s. quand Alphonse de Poitiers lui donna le statut de bastide, n'a plus sa halle, mais conserve son plan urbanistique et quelques pans des remparts détruits pendant la Révolution. De la promenade, point de vue sur l'**étang de Malivert**. Vous verrez deux passerelles en fer forgé du 19e s. qui relient les remparts à des habitations, attestant de la prospérité passée. Outre deux maisons à colombages après la mairie, au nord se trouvait la tour de l'horloge dont témoigne la cloche accrochée à un arc en brique. Au sud, le clocher du 13e s., remanié au 17e s.

😊 NOS ADRESSES À MONTPEZAT-DE-QUERCY

HÉBERGEMENT

BUDGET MOYEN

Chambre d'hôte Domaine de Lafon – *Pech de Lafon 4 km au sud par rte de Mirabel, D 20 et D 69 -* ☏ *05 63 02 05 09 - www. domainedelafon.com - fermé 15 fév.-15 mars et 15-30 nov. -* 🅿 - ✉ *- 3 ch. 73/81 €* ◻ *- rest. 25 € bc.* Cette maison du 19e s. jouit d'une perspective à 360° sur la campagne vallonnée. Ses chambres, agrémentées d'œuvres du propriétaire et de tissus choisis, promettent un sommeil paisible. Belle bibliothèque aménagée dans le pigeonnier. Cuisine traditionnelle.

POUR SE FAIRE PLAISIR

Les Trois Terrasses – *R. de la Libération -* ☏ *05 63 02 66 21 -* *www.trois-terrasses.com -* ✉ *- 5 ch. 110/150 €* ◻. La Chapelle, la Collégiale, l'Anglaise, l'Alcôve, la Galerie… cinq confortables chambres alliant avec bonheur style contemporain et charme du passé. Les trois terrasses offrent une magnifique vue sur la collégiale et, par beau temps, la chaîne des Pyrénées. Table d'hôte sur réservation (mini 4 pers.).

ACHATS

Les Vignerons de Quercy – *82270 Montpezat-de-Quercy -* ☏ *05 63 02 03 50 - tlj sf dim. 9h-12h, 14h-19h (18h le sam. et lun. apr.-midi seult.).* Vente et dégustation.

Lauzerte

★

1 501 Lauzertins –Tarn-et-Garonne (82)

😊 **NOS ADRESSES PAGE 471**

S'INFORMER
Office du tourisme de Lauzerte – *Pl. des Cornières - 82110 Lauzerte - ✆ 05 63 94 61 94 - www.lauzerte-tourisme.fr - juil.-août : 9h-19h ; sept.-juin : tlj sf dim. 9h-12h, 14h-18h.*

SE REPÉRER
Carte de la microrégion A1 *(p.434)* – *carte Michelin Départements 337 C/E 6/7.* Le Quercy blanc englobe le sud du Lot et le nord du Tarn-et-Garonne.

À NE PAS MANQUER
La place de Lauzerte ; les innombrables églises et chapelles romanes ; la grande diversité de l'architecture des maisons.

ORGANISER SON TEMPS
Comptez un jour. En saison, faites quelques pauses rafraîchissantes.

Situé entre les vallées du Lot et du Tarn, le Quercy blanc doit son nom à la tribu gauloise des Cadourques, et sa couleur à celle de son sol crayeux, formé de calcaires lacustres. D'innombrables ruisseaux entaillent les bas plateaux, les maisons sont bâties en moellons de calcaire, les toitures plates sont couvertes de tuiles romaines rose pâle. Lauzerte, et ses belles maisons bourgeoises, domine les terres fertiles de cette belle contrée.

Se promener

Surnommée la « Tolède du Quercy », Lauzerte est une bastide fondée en 1241 par le comte de Toulouse. Perchée sur son promontoire, la **ville haute** presse ses maisons d'un gris clair, couvertes de toits presque plats autour de l'église St-Barthélemy et de la place des Cornières.

L'église St-Barthélemy
Édifiée au 13ᵉ s., agrandie par la suite., elle se compose d'une nef à trois travées, de six chapelles et d'un chevet à cinq pans. Sa façade néogothique donne sur la rue, son portail gothique sur la place. Le retable baroque en bois doré et marbre rouge est consacré à la Vierge. Remarquez la croix bleue et dorée de la confrérie des Pénitents bleus (18ᵉ s.) avec son Christ en cuir peint. Dans la chapelle St-Antoine figure un ensemble de quarante petits tableaux peints sur bois en camaïeu bleu représentant divers paysages et monuments en ruine. Ils encadrent un tableau d'autel figurant saint Roch et saint Sébastien. Peint au 18ᵉ s. par Jean Marie Joseph Ingres (père du célèbre peintre), ils décoraient sans doute les murs d'un salon d'une riche demeure.

La promenade de l'Éveillé
C'était autrefois le quartier des riches bourgeois et des officiers de justice. S'y élèvent encore de belles demeures parfois à pans de bois, certaines de style

La bastide de Lauzerte.
L. Michel / MICHELIN

gothique, d'autres d'époque Renaissance. Bordant les rues de la Garrigue et de la Gendarmerie, les rez-de-chaussée de quelques maisons des 13ᵉ et 14ᵉ s. s'ouvraient sur des boutiques animées.

Le jardin du Pèlerin

Sous la barbacane s'étage ce jardin et son jeu de l'oie grandeur nature ponctué de photographies et de textes en rapport avec le pèlerinage à St-Jacques *(demander les dés à l'office de tourisme)*. La *via Podiensis*, au départ du Puy-en-Velay, passe par Lauzerte qui constitue donc une halte sur le chemin de St-Jacques-de-Compostelle.

À l'est, au delà des anciens remparts, se dresse l'église des Carmes, remaniée aux 17ᵉ et 19ᵉ s.

Itinéraire conseillé Carte de la microrégion

LE PAYS DE SERRES

◯ *Circuit de 70 km – compter environ 1 journée. Quittez Lauzerte par le sud en empruntant la D 2, tournez à gauche dans le D 953, puis à droite dans la D 81. Après 2 km, tournez à droite en direction de Ste-Amans-de-Pellagal.*
Les vallées entre les plateaux calcaires, parsemées de fermes isolées ou de hameaux de quelques maisons, sont particulièrement colorées : bois de chênes pubescents, champs de lavande et de tournesols, vergers de cerisiers et de pruniers. Les bordures ondulées des plateaux forment de longues lanières ou « serres ».

Chartron A1

Beau **pigeonnier** quadrangulaire sur piliers surmonté d'une « capel », sorte de chapeau, qui empêchait les rongeurs ou les rapaces de rentrer. La volière à colombages est munie d'un toit de tuiles plates et d'un lanternon.
Poursuivez durant 1 km, prenez à gauche puis tout de suite à droite. Passé Ste-Amans, suivez la direction Miramont.

Miramont-de-Quercy A1

Joli **point de vue** sur la vallée depuis le chemin de ronde de ce village.
À la sortie de Miramont, prenez à gauche dans la D 41 puis à droite dans la D 953.
Après 8 km, tournez à droite dans la D 7 puis tourner à gauche dans la D 28.

Castelsagrat A1

Une jolie petite bastide de plus ! Place à cornières avec, au milieu, un vieux
puits, maisons coiffées de tuiles rondes, bref, un ensemble plein de charme.
La façade de l'église, du 14e s., très sobre, dissimule une nef gothique dont
le chœur est orné d'un retable en bois sculpté et doré aussi gigantesque
qu'inattendu...
Revenir à la D 7 et prendre à gauche.

Château de Brassac A1

☎ 05 63 94 59 67 - visite guidée à 15h30 (1h) - juil.-août : 10h-18h ; mai-juin et
sept. : 14h-18h (dernière entrée 1h av. fermeture) - fermé lun. - visite guidée 5 €,
visite libre 4 €. Dominant la vallée de la Séoune, cette forteresse quadrangulaire
du 12e s. fut modifiée jusqu'au 16e s. Ses quatre tours rondes et ses courtines
ont été arasées au niveau de la cour. Propriété des comtes de Toulouse, elle
passa alternativement aux mains des Anglais et des Français pendant la guerre
de Cent Ans pour appartenir définitivement aux Galard de Béarn (Hector
Galard de Béarn, chambellan du roi Louis XI, n'est autre que le personnage
représenté par le valet de carreau dans nos jeux de carte !). Assiégée par les
protestants lors des guerres de Religion, incendiée durant la Révolution, elle
fut abandonnée au 19e s. puis restaurée à partir de 1891.
Après avoir contourné l'ancienne motte féodale, on pénètre dans la cour
d'honneur par un pont de pierre qui remplace le pont-levis. À votre gauche,
le logis du 14e s. et la tour polygonale renfermant un escalier à vis du 15e s.
(ne se visite pas). Sous la cour se trouvent les salles des gardes.
Poursuivez sur la D 7 en direction de Bourg-de-Visa.

Bourg-de-Visa A1

Sur la place de la Mairie se trouve une halle en fer, de style Baltard, entourée
de maisons à arcades. De l'ancien château, ne restent que quelques vestiges.
Près de l'église, remarquez le pigeonnier-tour.
Poursuivez sur la D 7 ; après 10 km, tournez à gauche.

Roquecor A1

Perché sur un piton rocheux, le village surplombe la Petite Séoune. Face à la
mairie, prenez à droite la rue des Coutelets, bordée de maisons anciennes,
puis la rue du Barry. Sur la gauche, vous descendrez au **lavoir**, passant devant
les vestiges des remparts de la vieille ville, et arriverez au **roc de Nobis**, site
troglodytique.
Quittez Roquecor par le nord et tournez à droite dans la D 7.

Montaigu-de-Quercy A1

Le bourg entoure un promontoire où se trouvait autrefois un château *(pro-*
priété privée). Remontez la rue des Frères-Quéméré, ancienne rue commerçante, pour rejoindre la place de la Mairie bordée du **lavoir** et de l'église. De
style néogothique, elle a été reconstruite au 19e s. mais le **clocher** de 1855 a
été conservé : remarquez qu'il n'est ni dans l'axe ni à la dimension de l'église.
Longez ensuite les **remparts** *(rue des Colombiers)* et revenez à la mairie par
la rue des Anciens-Fours. À droite, la rue de la Fontaine mène à une place où
se trouve... la **fontaine**.
Quittez Montaigu par le nord-est (D 24), après 2 km, tournez à gauche.

Pervillac A1

L'église romane de ce hameau, remaniée au 19e s., renferme des **peintures murales** du 15e s. en bon état, longtemps cachées par un badigeon posé au 18e s. Scènes de l'enfer, purgatoire, Vertus… toute cette iconographie à la gamme chromatique limitée et au dessin grossier avait une vocation didactique.

Revenez sur vos pas, tournez à droite en direction de Montaigu, puis prenez la première à gauche (D 41) en direction de Touffailles.

Touffailles A1

L'**église St-Georges** (fin 15e s.) domine le village *(sur la droite après la mairie).* La voûte de la nef est ornée de douze scènes représentant les deux cycles de l'enfance et de la passion du Christ.

Depuis la D 41, prenez à gauche la D 60, et à droite la D 73 qui mène à Lauzerte.

NOS ADRESSES À LAUZERTE

RESTAURATION

PREMIER PRIX

Le Quercy – *Fg d'Auriac - 82110 Lauzerte -* ℰ *05 63 94 66 36 - hotel.du.quercy@wanadoo. fr - fermé dim. soir et lun. sf juil.- août - 11/36 € - 10 ch. 42/50 € - ☕ 7 €.* Venez donc ici plutôt pour déjeuner ou dîner dans ce restaurant bien connu dans les environs. La salle à manger est claire avec son parquet et ses murs orange. Une table de produits régionaux frais avec un menu surprise. Quelques chambres.

BUDGET MOYEN

Chez Bernadette – *Au bourg - 82190 Miramont-de-Quercy - 7 km au sud de Lauzerte par D 953 -* ℰ *05 63 94 65 57 - stblanchet@ wanadoo.fr - fermé 10 j. de fin fév. à déb. mars, 2 sem. en nov., dim. soir et lun. soir hors sais., mar. soir, sam. midi et merc. - réserv. conseillée - formule déj. 12 € - 16/25 € - 5 ch. 35/40 € - ☕ 5 €.* Véritable auberge de campagne, voilà une adresse idéale pour faire bombance sur sa terrasse fleurie à l'ombre des catalpas.

Vous pourrez goûter à une savoureuse cuisine du terroir. Quelques chambres rénovées pour vous dépanner.

ACHATS

Bon à savoir – Vous trouverez des produits locaux savoureux : vin de Cahors, des coteaux du Quercy, miel, foie gras, cabécous…

Marchés – Marché gourmand nocturne de mi-juil. à mi-août à Lauzerte.

ACTIVITÉS

Plan d'eau du Chêne – *Montaigu-de-Quercy -* ℰ *05 63 94 48 50.* Base de loisirs.

AGENDA

Nuits de Lauzerte – Déb. août, la ville se pare des lumières des bougies, spectacle et rues animées par des comédiens. *Rens. à l'office de tourisme - 10 € (6-12 ans 5 €).*

Festival du Quercy blanc – De fin juil. à mi-août, concerts de musique classique à Lauzerte. *Rens. dans les offices de tourisme.*

L'Aveyron et la vallée du Lot 8

Carte Michelin Départements 338 – Aveyron (12)

Belcastel.
J. Malburet / MICHELIN

L'AVEYRON ET LA VALLÉE DU LOT

L'AVEYRON ET LA VALLÉE DU LOT

Najac

★

751 Najacois – Aveyron (12)

😊 **NOS ADRESSES PAGE 479**

🅱 **S'INFORMER**
Office du tourisme de Najac – *Pl. du Faubourg - 12270 Najac -* 📞 *05 65 29 72 05 - horaires variables, consulter l'office de tourisme.*

◖ **SE REPÉRER**
Carte de la microrégion A3 *(p. 474)* – *carte Michelin Départements 338 D5.* Deux accès permettent de gagner le bourg : le plus pittoresque se fait par la vallée, l'autre par le plateau, à l'ouest, qui, depuis la D 239, propose une très belle vue sur le **site**★★ de Najac.

🅿 **SE GARER**
En haute saison, les voies du Barriou et du Bourguet, situées au cœur du village, sont interdites à la circulation. Privilégier les trois parkings à l'entrée du bourg, côté ouest et côté nord.

😊 **À NE PAS MANQUER**
La forteresse.

Campé en longueur sur son promontoire, le vieux bourg s'assoupit sous ses toits d'ardoises que dominent encore les tours du château fort. Devenu « Site remarquable du goût » autour des Fêtes de la fouace (sorte de brioche) et de la Saint-Barthélemy, Najac est avant tout un bourg vivant dynamisé par deux villages de vacances.

Se promener

Bourg
Installé sur son piton rocheux, il s'étale dès le 12ᵉ s. en contrebas de la forteresse. La place du Faubourg est déjà très développée au 14ᵉ s., époque où se dissocient le côté sud, appelé l'adret, et le côté nord, l'hiversenc. La rue du Bourguet, voie unique du village, est bordée de maisons à encorbellement des 13ᵉ-16ᵉ s., bâties sur des piliers de grès rose. À deux pas de la mairie, une fontaine à vasque monolithe porte la date de 1344 et les armes de Blanche de Castille, mère de Saint Louis (13ᵉ s.).
Non loin, prendre à droite dans la même rue du Bourguet et laisser la rue des Comtes-de-Toulouse sur la gauche.

ICI NAJAC !
Le réalisateur **Jean-Henri Meunier**, établi à Najac depuis 1995, y a tourné deux films : *La Vie comme elle va* (2004) et *Ici Najac, à vous la Terre* (2006). Ces documentaires sont le fruit d'une amitié entre le réalisateur et les habitants du village, attachés à leur terroir, pleins de bon sens, riches d'un bonheur simple à contre-courant du mouvement de mondialisation.

Najac et sa forteresse.
CDT Najac

Bordant la rue Médiévale à hauteur d'une ancienne porte fortifiée, le **château des Gouverneurs** fut la résidence de quelques seigneurs, tout comme la **maison du Sénéchal** (13ᵉ-15ᵉ s.), située sur la gauche, un peu plus haut en direction de la forteresse.

★ Forteresse

☏ 05 65 29 71 65 - www.seigneurs-du-rouergue.com - visite guidée (1h) - du 1ᵉʳ au 12 juil. : 10h30-13h30, 15h-19h ; du 13 juil. au 23 août : 10h30-19h ; avr.-mai et sept.-oct. : 10h30-13h, 15h-17h30 ; juin : 10h30-13h, 15h-18h30 - fermé nov.-mars - 4 € (enf. 2,80 €).

Chef-d'œuvre de l'art militaire du 13ᵉ s., cette forteresse, qui surveille la vallée de l'Aveyron, était dotée d'une importante garnison et le village comptait alors plus de 2 000 habitants. Les parties ruinées que vous découvrez sont essentiellement dues à la transformation de l'édifice en carrière au 19ᵉ s.

Des trois enceintes primitives subsiste un important système fortifié flanqué de grosses tours rondes. En forme de trapèze, le château proprement dit, bâti en partie en grès clair, est défendu par d'épaisses murailles. La plus puissante des tours, au sud-est, constituait le donjon.

Après avoir franchi, par des poternes, les enceintes successives, on atteint la plate-forme du donjon. De là, magnifique **vue★** sur la forteresse, le village en enfilade, la pittoresque vallée de l'Aveyron et l'église, dressée entre le château et la rivière, au cœur de la bourgade primitive. Une maquette permet d'apprécier l'ampleur de la forteresse et ses enceintes à ses débuts.

Descendre du château vers la rue de l'Église.

La **porte de la Pique** (13ᵉ s.), munie d'un assommoir, est le dernier vestige des dix portes qui protégeaient autrefois le bourg.

Église Saint-Jean

Elle fut financée au 13ᵉ s. par les habitants de Najac, anciens cathares convertis au catholicisme. Malgré des ajouts, c'est un intéressant édifice de style gothique. La façade ouest est surmontée d'une rosace, et la nef unique terminée par un chevet plat. À l'intérieur, une cage en fer forgé *(nef à gauche)* était destinée à recevoir la « chandelle Notre-Dame » ou cierge pascal. À voir dans le chœur, un autel primitif (14ᵉ s.) constitué par une vaste dalle de grès fin, un Christ de l'école espagnole et deux statues (la Vierge et saint Jean) du 15ᵉ s., ainsi qu'une statue de saint Pierre en bois polychrome (16ᵉ s.).

Regagner le faubourg par la rue des Comtes-de-Toulouse, bordée de maisons médiévales.

À proximité Carte de la microrégion

★ Abbaye de Beaulieu-en-Rouergue A3

◗ *À l'ouest de Najac. 20 km par la D 39, la D 75, puis la D 33. Parking en amont des bâtiments sur la D 33.* ✆ *05 63 24 50 10 - http://beaulieu-en-rouergue. monuments-nationaux.fr - possibilité de visite guidée - juil.-août : 10h-12h, 14h-18h ; avr.-juin et sept.-oct. : tlj sf mar. 10h-12h, 14h-18h - fermé 1ᵉʳ Mai, nov.-mars - 5 € (– 25 ans gratuit) abbaye et expositions d'art contemporain.*

Alliance parfaite de l'histoire et de la modernité, cette abbaye cistercienne du 13ᵉ s. a été transformée, en 1970, en centre d'art contemporain.

Les débuts de cette fille de l'abbaye de Clairvaux sont assez obscurs. Sa fondation date vraisemblablement de 1144, moment où Adhémar III, évêque de Rodez, réussit à constituer une communauté suffisante. L'abbaye traverse sans trop d'encombre le tumulte des guerres de toutes sortes, les préjudices se « limitant » alors à la destruction du cloître et à la perte de ses archives. Après la Révolution, elle est transformée en exploitation agricole. Ce n'est qu'en 1959 que de nouveaux propriétaires entreprennent sa restauration poursuivie, à partir de 1973, par le Centre des Monuments nationaux qui reçoit le monument et la collection d'art contemporain en donation.

Bel exemple de l'architecture cistercienne, l'**église**★ du 13ᵉ s. est représentative du style gothique le plus pur. Sa nef unique est voûtée d'ogives et éclairée par des lancettes et des roses taillées en arabesques. L'abside à sept pans est précédée par la croisée du transept que surmonte une **coupole** octogonale sur trompes. Chaque croisillon du transept s'ouvre sur une chapelle carrée.

L'église abrite la collection permanente de l'abbaye, des œuvres de Simon Hantaï, Michaux Serpan, Dubuffet, Roger Bissière ou encore Arpad Szenes et Maria Vieira da Silva.

La **salle capitulaire**, partie la plus ancienne, s'ouvrait par trois arcs d'ogives sur le cloître, aujourd'hui disparu. Elle se compose de deux travées couvertes chacune de trois voûtes d'ogives retombant sur deux colonnes plutôt imposantes. Le **cellier**, au rez-de-chaussée du bâtiment des frères convers, comprend dix voûtes sur croisée d'ogives reposant sur quatre colonnes dont les **chapiteaux** sont décorés de feuilles plates. La beauté de cette salle et le raffinement dont témoignent les sobres clefs de voûte montrent le soin que les moines cisterciens apportaient à l'édification de chaque bâtiment, même annexe. Au-dessus, à l'étage, était installé le dortoir, aujourd'hui reconverti en salle d'exposition temporaire, dont le thème varie chaque année. Le bâtiment des moines fut entièrement remanié au 17ᵉ s. et flanqué de deux tourelles un siècle plus tard.

😊 NOS ADRESSES À NAJAC

HÉBERGEMENT

PREMIER PRIX

Chambre d'hôte Cambayrac – *Castanet - 82160 Cambayrac - ℘ 05 63 24 02 03 - fermé 15 nov. -1er avr. - 🅿 -🍴- 4 ch. 40 € ☕.* Accueil chaleureux dans cette maison bien tenue. Les chambres au mobilier rustique et confortable ont été aménagées sous les combles de l'ancienne grange. Bon rapport qualité-prix. Piscine.

BUDGET MOYEN

Hôtel Belle Rive – *Au Roc du Pont - 12270 Najac 3 km au nord-ouest par D 39 - ℘ 05 65 29 73 90 - www.lebellerive.com - ouvert avr.-oct. et fermé dim. soir en oct. - 🅿 - 20 ch. 59 € - ☕ 10 € - rest. formule déj. 11 € - 20/50 €.* La même famille dirige depuis cinq générations cet hôtel agréablement situé au bord de l'Aveyron. Les chambres sont régulièrement mises au goût du jour. Cuisine à l'accent régional servie au restaurant ou, aux beaux jours, sur la grande terrasse ombragée.

RESTAURATION

BUDGET MOYEN

L'Oustal del Barry – *Pl. du Bourg - 12270 Najac - ℘ 05 65 29 74 32 -* www.oustaldelbarry.com - ouvert avr.-oct. - formule déj. 16 € - 19/50 € bc - 17 ch. 54/76 € - ☕ 10 €. Accueillante auberge dans un beau village perché. Confortable salle à manger au cadre rustico-bourgeois. Savoureuse cuisine au goût du jour. Jolies chambres rénovées.

ACHATS

Jacky Carles « Ferme Carles » – *Au bourg - ℘ 05 65 29 62 39 - à partir de 9h sur RV.* Depuis vingt ans, cet ambassadeur du terroir aveyronnais élève et gave ses canards à l'ancienne, les cuit au feu de bois dans des chaudrons en cuivre et les met en conserve selon les recettes traditionnelles. Visite du laboratoire et repas à la table paysanne.

AGENDA

Fête de la fouace – Le w.-end suivant le 15 août. Des fouaces de 80 kg sont promenées dans les rues du village le dim. apr.-midi.

En été, l'abbaye de Beaulieu-en-Rouergue abrite des **expositions** et des **animations musicales**. N'oubliez pas de vous renseigner à l'avance sur le programme.

Villefranche-de-Rouergue

★

12 040 Villefranchois – Aveyron (12)

NOS ADRESSES PAGE 488

S'INFORMER

Office du tourisme de Villefranche-de-Rouergue – *Prom. du Guiraudet - BP 239 - 12200 Villefranche-de-Rouergue -* 𝄢 *05 65 45 13 18 - www. villefranche.com - mai-sept. : 9h-12h, 14h-19h (sam. 18h), dim. 10h-12h30 (en juil.-août) ; reste de l'année : tlj sf sam. apr.-midi et dim. 9h-12h, 14h-18h - fermé 1er janv., lun. de Pâques, 1er Mai, 1er et 11 Nov., 25 déc.*

L'office de tourisme organise un circuit commenté de la bastide (1h) - *juil.-août : tlj sf w.-end à 15h - 4 €.* Par ailleurs, une visite avec audioguide permet de découvrir 22 points d'intérêt du centre ancien (2h) - *4 € (+ 1 € les 30mn supplémentaires).* Enfin, un circuit patrimonial composé de 20 plaques décrit l'histoire de la bastide et de ses monuments. Dépliant disponible à l'office de tourisme.

SE REPÉRER

Carte de la microrégion A3 *(p.474)* – *carte Michelin Départements 338 E4.* La cité est posée sur la rive droite de l'Aveyron, au débouché des gorges, à 40 km à l'ouest de Rodez.

SE GARER

Selon que l'on arrive par la D 922, au sud, ou par le nord, on laisse sa voiture au parking de la promenade Saint-Jean, en bordure de la rivière, ou aux parkings situés place de la Liberté et promenade du Languedoc, avant de partir explorer à pied les ruelles de la bastide.

À NE PAS MANQUER

La place et la collégiale Notre-Dame ; l'abbaye de Loc-Dieu.

Blottie aux confins du Rouergue et du Quercy, l'ancienne bastide de Villefranche construite en 1252 par Alphonse de Poitiers, comte de Toulouse, est une étape pittoresque au confluent de l'Aveyron et de l'Alzou, dans un cadre de collines verdoyantes. Une ville dont les toits se pressent au pied de la puissante tour de l'église Notre-Dame et dont les étroites ruelles se prêtent admirablement à la promenade…

Se promener

Vila Franca, la « ville franche », doit son nom au fait qu'elle a pu développer son économie et son commerce en accordant autrefois des franchises, exonérations et privilèges divers aux nouveaux habitants.

> **ROBERT FABRE**
> Né à Villefranche en 1925, ce pharmacien, maire de la ville entre 1953 et 1983, fut président du Parti des radicaux de gauche (1972-1978), député de l'Aveyron (1962-1980), médiateur de la République (1980-1986) et pour finir membre du Conseil constitutionnel (1986-1995).

★ LA BASTIDE

Si Villefranche a perdu aujourd'hui une partie de son aspect médiéval avec la destruction de ses fossés, de ses remparts et de ses portes fortifiées, elle conserve cependant le visage d'une bastide avec sa place centrale et son plan en damier, ses maisons en pierre et en torchis.

★ Place Notre-Dame

Située au cœur de la ville, cette belle place, qui s'anime les jours de marché (*jeudi*), est encadrée de maisons à couverts de style gothique flamboyant ou Renaissance dont certaines ont conservé leurs fenêtres à meneaux et leurs clochetons de pierre. Sur l'un des côtés de la place se dresse la haute et massive silhouette de l'ancienne collégiale.

Faites le tour des couverts (*en prenant garde aux voitures*) afin d'observer les arcades et les anciennes portes sculptées. Un grand Christ en ferronnerie se dresse en avant de la terrasse qui domine la place au nord. L'ensemble offre une physionomie quelque peu espagnole qui permit à André Malraux d'y tourner certaines scènes de son film *L'Espoir/Sierra de Teruel*.

À l'angle de la rue Marcellin-Fabre et de la place donnant sur la rue, très belle maison à colombages, du 15e s., dont le corps central de sept étages abrite l'escalier qui, éclairé par des fenêtres à meneaux, s'ouvre par une belle **porte en pierre**. Remarquez les rinceaux et feuillages sculptés sur la partie inférieure de l'auvent.

Rue du Sergent-Bories, au sud de la place, la 1re **maison** à droite (maison Combettes) présente une autre belle **tour d'escalier (L)**, de la fin du 15e s., avec pilastres et tympan sculpté.

Maison du président Raynal (K)

Rue de la République. Belle façade du 15e s. dont les fenêtres contiguës, disposées sur trois étages, sont de tradition romane.

UN CARREFOUR PROSPÈRE

Fondée en 1099 par Raimond IV de Saint-Gilles, comte de Toulouse, sur la rive gauche de l'Aveyron, Villefranche connaît un nouvel essor lorsqu'en 1252 Alphonse de Poitiers, frère de Saint Louis, décide de créer une ville nouvelle sur la rive droite de la rivière. Bâtie selon un plan de bastide, elle est terminée en 1256. Malgré le désaccord survenu entre le fondateur et l'évêque de Rodez, qui va jusqu'à excommunier les nouveaux arrivants, le peuplement est rapide. Sa situation au contact du causse et du Ségala, à la croisée de voies de communication empruntées depuis l'Antiquité, fait de Villefranche, au Moyen Âge, un important centre commercial. C'est aussi une étape sur le chemin de Saint-Jacques-de-Compostelle. Au 15e s., la ville obtient de Charles V le privilège de battre monnaie, et l'exploitation des mines d'argent et de cuivre ne fait qu'ajouter à la prospérité du siège de la sénéchaussée du Rouergue et capitale de la Haute-Guyenne. La prospérité de Villefranche ne devait cependant pas durer et de rudes coups devaient l'atteindre au cours de l'histoire. Son adhésion à la Réforme pendant les guerres de Religion porta un coup d'arrêt à son expansion. Plus tard, en 1628, le fléau de la peste décima la population. Vingt ans après, la ville fut dévastée lors de la révolte des Croquants! C'est aujourd'hui un centre d'industries agroalimentaires et métallurgiques (boulons).

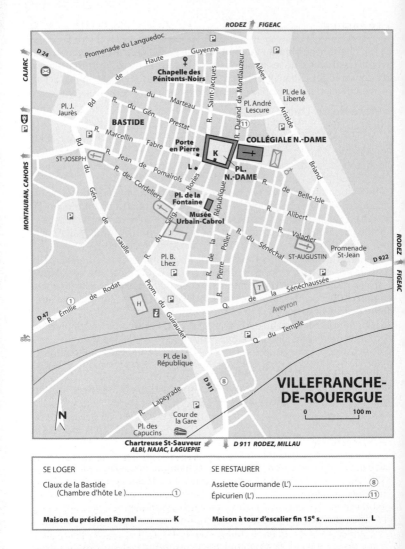

Maison Dardennes-Bernays

Au bas de la place Notre-Dame, à l'angle de l'ancienne rue Droite et des arcades du Consulat. Cette demeure appartenait à Jean Imbert Dardennes, bourgeois du 16e s. enrichi dans le négoce du cuivre, qui fit également construire le château de Graves, établi sur une des collines dominant la bastide. Au fond d'une cour, une tour d'escalier Renaissance présente deux galeries ornées de portraits sculptés selon la mode du temps.

★ Collégiale Notre-Dame

Commencée en 1260 par l'abside, la construction de cet édifice se prolongea durant trois siècles, avec des fortunes diverses. Administrée par un chapitre de 26 chanoines, elle prend le titre de collégiale en 1448. Avec ses puissants contreforts d'angle décorés de pinacles, le **clocher-porche**, sous lequel passe une rue, a une allure de forteresse. Au 2ᵉ étage, une galerie à balustrade règne sur ses quatre faces en retrait ou en encorbellement et se glisse au travers des contreforts. Haut de 59 m, ce clocher illustrerait la rivalité de Villefranche-de-Rouergue et de Rodez *(voir p.495)*, chacune des deux villes voulant exprimer sa supériorité par la hauteur de la tour de sa cathédrale. À en juger par la puissance des assises de la sienne, Villefranche nourrissait d'immenses ambitions : les guerres et la pénurie de subsides devaient l'empêcher de poursuivre ses efforts et le clocher fut, en 1585, recouvert par la toiture actuelle.

Un portail surmonté d'un gâble ajouré donne accès à l'ample nef unique bordée de chapelles logées entre les contreforts intérieurs, suivant l'usage du gothique méridional.

Dans le croisillon gauche, l'autel porte un médaillon de marbre, attribué à l'école de Pierre Puget, représentant la Visitation. Le chœur, éclairé de fenêtres hautes et étroites (deux des vitraux furent offerts par Charles VII), abrite un ensemble de 36 stalles de chêne sortant de l'atelier d'André Sulpice (1473-1487), hélas mutilées pendant les guerres de Religion ; observez les sculptures des panneaux (la Vierge, les prophètes) et celles des miséricordes (animaux fabuleux, personnages…).

À gauche de l'entrée, les fonts baptismaux sont entourés par une grille de ferronnerie qui mérite l'attention.

★ Ancienne chapelle des Pénitents-Noirs

Bd de Haute-Guyenne - ℰ 05 65 45 13 18 (office de tourisme) - de juil. à mi-sept. : tlj 10h-12h, 14h-18h ; de Pâques à juin et de mi-sept. à oct. : mar.-sam. 14h-18h - fermé d'oct. à Pâques - 4 € (+ 10 ans 2,50 €).

Coiffée d'un curieux clocheton double ajouré, cette chapelle fut construite au cours du 17ᵉ s. pour servir d'oratoire à la confrérie des Pénitents noirs. Ces derniers doivent leur nom à l'habit de toile noire (le sac) dont ils se revêtaient les jours de procession. La fondation de leur confrérie, en 1609, traduisait le renouveau de ferveur qui suivit les guerres de Religion. Elle compta jusqu'à 200 membres (laïcs et ecclésiastiques) dont la mission, souvent ingrate, consistait à fournir de l'aide aux pauvres et aux malades et à enterrer les morts. Très florissante jusqu'à la Révolution, elle ne cessa d'exister qu'en 1905.

La chapelle, en forme de croix grecque, est coiffée d'un remarquable **plafond peint★** dû à l'atelier de Guy, artiste villefranchois du début du 18ᵉ s. Construit avec le bois du plancher de l'abbaye de Loc-Dieu, il est entièrement décoré de scènes religieuses. Au centre, la croix des Pénitents-Noirs qui apparut à l'empereur Constantin représenté agenouillé. Plus loin, on reconnaît sa mère, la reine Hélène, et les apôtres. La chapelle abrite un somptueux **retable★** en bois polychrome du 18ᵉ s. ; de facture baroque, il est doré à la feuille et représente les scènes de la Passion. Les murs sont ornés de tableaux dûs au peintre toulousain Dujon.

La sacristie où sont conservés divers objets liés au culte ne se visite plus.

Musée Urbain-Cabrol

℟ 05 65 45 44 37 - juil.-août : tlj sf dim. et lun. 10h-12h, 14h30-18h30 ; mai-juin et sept. : tlj sf dim. et lun. 14h-18h - fermé oct.-avr. et j. fériés - gratuit.

Dans un élégant hôtel Louis XV ont été rassemblées les collections d'Urbain Cabrol concernant l'archéologie, l'histoire et les traditions populaires de Villefranche et de sa région. Deux importantes collections occupent le niveau 3 : celle de la chapelle des Pénitents-Noirs et celle du Dʳ Alibert, fondateur de la dermatologie, né à Villefranche en 1768. Le musée accueille plusieurs expositions par saison (photo, peinture, sculpture). Devant le musée, une belle fontaine du 14ᵉ s. a donné son nom à la place.

★ Chartreuse Saint-Sauveur

Accès par la D 922 en direction de Najac et Laguépie, av. Caylet - ℘ 05 65 45 13 18 - de juil. à mi-sept. : tlj 10h-12h, 14h-18h ; de Pâques à juin et de mi-sept. à oct. : mar.-sam. 14h-18h - fermé d'oct. à Pâques - 4 € (+ 10 ans 2,50 €).

Fondée en 1451 par un riche marchand de la ville, Vézian-Valette, cette chartreuse fut bâtie, en huit ans, d'un seul jet dans un style gothique flamboyant très pur. Déclarée bien national à la Révolution, elle devait être démolie lorsque la municipalité de Villefranche l'acheta en 1791 pour y installer un hôpital, la sauvant ainsi de la destruction.

Chapelle des Étrangers – À l'origine en dehors de la clôture de la chartreuse, elle recevait les pèlerins se rendant à Saint-Jacques-de-Compostelle et aussi, pour les offices, les fidèles du quartier. Belles voûtes en étoile.

Grand cloître – Ce cloître, l'un des plus vastes de France (66 m x 44 m), frappe par l'harmonie de ses perspectives. Sur ses côtés s'ouvraient les 13 maisons des chartreux : chacune d'elles était entourée d'un jardinet et comprenait quatre pièces, deux au rez-de-chaussée (la réserve de bois et l'atelier) et deux à l'étage (l'oratoire, appelé « Ave Maria », et la chambre).

Petit cloître – C'est le seul cloître « authentique » au sens monastique du terme (galerie sur laquelle s'ouvrent les locaux de la vie communautaire). Voûté sur croisées d'ogives, c'est un chef-d'œuvre du style flamboyant, avec ses clefs de voûte très ouvragées, ses baies décorées de remplages d'une grande élégance, ses culs-de-lampe ornant la retombée des arcs. À l'entrée du réfectoire, une fontaine représentant le Lavement des pieds témoigne de l'influence de l'école bourguignonne.

Réfectoire – Suivant la règle, cette vaste salle rectangulaire de trois travées voûtées sur croisées d'ogives n'était utilisée par les chartreux que les dimanches et à l'occasion de certaines fêtes. Dans l'épaisseur du mur est aménagée la **chaire du lecteur★**, en pierre, avec sa balustrade à décoration flamboyante.

Salle capitulaire – Elle est éclairée par des verrières du 16e s. représentant, au centre, l'annonce de la Nativité aux bergers et, de chaque côté, les fondateurs.

Chapelle – Précédée d'un vaste porche, elle se compose d'une nef de trois travées et d'un chœur à abside polygonale. Une porte dont les vantaux représentent deux chartreux portant les armes des fondateurs, des stalles exécutées dans la seconde moitié du 15e s. par le maître menuisier André Sulpice, un autel en bois doré d'époque Louis XV, ainsi qu'un enfeu de style flamboyant au pied duquel sont conservés les tombeaux du fondateur et de sa femme, la décorent.

À proximité Carte de la microrégion

★ Abbaye de Loc-Dieu A3

▶ *10 km à l'ouest, à l'écart de la D 926, sur le bord de la D 115 - ℘ 05 65 29 51 17 - www.cister.net - ₲ - visite guidée (1h15) de déb. juil. à mi-sept. : tlj sf mar. et dim. mat. 10h-12h30, 14h-18h30 - fermé de mi-sept. à fin juin - 5 € (parc 2 €).*

L'abbaye de Loc-Dieu fut construite au 12e s. par treize moines cisterciens, en grès de nuances diverses où dominent l'ocre et le jaune. Dans ce coin du Rouergue infesté de malfrats et de brigands, c'était un lieu de paix et de recueillement, donnant naissance au *Locus Dei*, le « lieu de Dieu ». Restaurés et transformés au 19e s., les bâtiments monastiques sont devenus un château d'allure mi-féodale, mi-Renaissance.

★ **Église** – Bâti de 1159 à 1189, date de sa consécration, ce magnifique exemple de plan cistercien marie pureté, sobriété et harmonie des proportions. Haute de plus de 20 m, la nef est flanquée d'étroits collatéraux. Exception dans l'architecture cistercienne qui privilégie le chevet plat, le chœur se termine ici par une abside à cinq pans.

Sur le transept s'ouvrent quatre absidioles. Dans la première à droite, ne manquez pas le **triptyque**★ du 15e s., en bois sculpté et peint, qui encadre une Vierge à l'Enfant. Subissant les premières influences du style gothique, l'église est voûtée sur croisées quadripartites, mais son élévation demeure romane.

Cloître et salle capitulaire – Détruits pendant la guerre de Cent Ans, ils furent reconstruits au 15e s. Le cloître, encadrant désormais un jardin d'agrément, n'a conservé que trois galeries, restaurées au 19e s. La salle capitulaire, de la même époque, est soutenue par deux colonnes centrales à fines moulures.

Les Allemands avançant sur Paris, certains conservateurs de musées parisiens s'occupèrent, en 1940, de mettre à l'abri les trésors de la capitale. C'est ainsi que de nombreux chefs-d'œuvre du Louvre, dont la Joconde, trouvèrent asile à Loc-Dieu, le temps d'un été…

Villeneuve A3

▶ *12 km au nord par la D 922 en direction de Figeac.* 🏠 *Bd. Cardalhac -* ☎ *05 65 81 79 61 - www.villeneuve-aveyron.com - juil.-août : tlj sf dim. apr.-midi 9h45-12h15, 14h-19h (sam. 18h30) ; avr.-juin : tlj sf dim. et lun. 9h45-12h15, 14h-18h30 (merc. 16h30) ; sept.-oct. : mar.-sam. 9h30-12h15, 14h-18h ; janv.-mars et nov.-déc. : mar.-vend. 14h-17h30.*

Aux confins du Rouergue et du Quercy, sur un causse que limitent les vallées du Lot et de l'Aveyron, cette ancienne bastide rouergate, qui fut jadis une étape sur le chemin de Saint-Jacques-de-Compostelle, est aujourd'hui une halte gastronomique. Vila Nova signifie « ville neuve ». Dans la région, la cité était connue comme Vilanova la Cremada, c'est-à-dire « la brûlée », car elle fut incendiée par des huguenots en 1562.

Sur les principaux monuments, des petits panneaux orangés numérotés, au titre évocateur de « balade en bastide », vous aident à découvrir Villeneuve.

La **place à arcades** est bordée sur un côté de vieilles maisons aux façades percées de fenêtres à meneaux. Depuis la place, on aperçoit la silhouette massive de la porte Haute, grosse tour carrée, qui servit de prison.

C'est au milieu du 11e s. que Pierre Béranger, évêque de Rodez, fonda le monastère de Villeneuve en l'honneur du Saint-Sépulcre. L'**église** primitive fut bâtie au début du 12e s. en forme de trèfle autour d'un carré central limité par quatre piliers. Mais, au 14e s., le chœur fut détruit et prolongé par une nef gothique, terminée par une abside à cinq pans dont la voûte repose sur six branches d'ogives, tandis que le clocher roman, élevé sur la croisée du transept, était surhaussé. Dans l'absidiole nord, la voûte est ornée d'une peinture (13e s.) figurant un Christ en majesté entouré des symboles des Évangélistes. Voir aussi les peintures murales représentant des pèlerins de Saint-Jacques.

Près du chevet de l'église se dresse la **tour Savignac**, porte fortifiée du 14e s., qui appartenait à la ligne de défense de la ville, tout comme la **tour Cardailhac**.

Musée Mistral – *Place des Conques -* ☎ *05 65 65 68 15 - www.museemistral.com - mai-sept. : tlj sf lun., dim. et j. fériés 10h-12h30, 14h30-18h30 - 5 € (10-16 ans 2 €).* Installé dans une bâtisse médiévale, il regroupe des milliers d'objets d'arts et de traditions populaires issus de toutes les régions de France, collectionnés depuis plus de trente ans par Aline et Michel Brisebois.

★ Grottes de Foissac A2

▶ 22 km au nord par la D 922 en direction de Figeac, à l'écart au sud du village de Foissac - ☎ 05 65 64 60 52 - www.grotte-de-foissac.com - visite guidée (1h) juil.-août : 10h-18h (dernière entrée 1h av. fermeture) ; juin et sept. : 10h-11h30, 14h-17h ; avr.-mai et oct. : tlj sf sam. 14h-17h ; nov.-mars : sur demande 48h av. - se renseigner pour les tarifs.

👥 Si le site de Foissac fut mis au jour en 1959, ce n'est qu'en 1965 que le club spéléologique de Capdenac réussit à accéder à la grande salle où sommeillaient les vestiges d'une occupation humaine vieille de quatre millions d'années. Entre autres merveilles minérales, la salle de l'Obélisque et la salle Michel-Roques recèlent des fistuleuses étincelantes de blancheur, ainsi que quelques tours d'ivoire. Dans la salle de l'Éboulement, vous verrez un curieux plafond à champignons. Ces derniers témoignent de l'existence de stalagmites antérieures aux séismes qui bouleversèrent la physionomie de la grotte. Enfin, d'originales stalactites bulbeuses ont été surnommées les « Oignons ». Ces grottes conservent aussi des signes de l'occupation humaine à l'âge du cuivre (2700-1900 av. J.-C.) ; elles auraient été utilisées comme carrières, caves et, cas plus rare, comme cimetière. On a découvert des foyers de charbon de bois, des ustensiles de cuivre, des poteries galbées de grandes dimensions et, surtout, des squelettes humains, certains accompagnés d'offrandes attestant une inhumation. Trace émouvante : une empreinte de pied d'enfant fixée dans l'argile depuis quarante siècles.

★ Peyrusse-le-Roc A2

▶ 28 km au nord-ouest par la D 1 en direction de Decazeville, puis la D 634 en direction de Drulhe et la D 539. 🅘 Le Rempart - pl. des Treize-Vents - ☎ 05 65 80 49 33 - mar.-sam. 10h-12h, 14h-19h, dim. et j. fériés 10h-13h, 15h-19h, lun. 10h-12h. Site : ☎ 05 65 80 49 33 - juin-sept. : 10h-12h, 14h-18h ; reste de l'année : tlj sf dim. 10h-12h - gratuit. Possibilité de visite guidée juil.-août : mar. 10h-12h.

Le nom latin *Petrucia* a donné en occitan *Peirosa* qui signifie « terre pierreuse ». Conquise en 767 par Pépin le Bref, Peyrusse fut rattachée en 781 par Charlemagne au royaume d'Aquitaine (ce qui lui valut d'être quelque temps anglaise lorsque Aliénor d'Aquitaine divorça du roi de France pour épouser celui d'Angleterre). Chef-lieu de bailliage jusqu'au début du 18e s., elle dut sa richesse à des mines argentifères qui furent abandonnées au cours du 18e s., lorsque la concurrence du métal américain devint trop rude. Dès lors, à l'instar des villages fantômes de l'Ouest américain à l'époque de la ruée vers l'or, la ville basse, fortifiée, fut désertée par ses habitants, et le village actuel, sur la hauteur, servit de refuge aux derniers Pétruciens.

Après avoir traversé la **place Saint-Georges**, qui possède une belle croix de pierre du 15e s. avec une Vierge à l'Enfant sous un dais (13e s.), on franchit la **porte du Château**, vestige de l'enceinte médiévale, pour accéder à la **place des Treize-Vents**, tracée à l'emplacement du château médiéval des seigneurs de Peyrusse. Il ne reste aujourd'hui de celui-ci qu'une salle qui servait de prison et une tour (le clocher de l'église) qui abrite un petit **Musée archéologique** (actuellement fermé. Se renseigner, ☎ 05 65 80 49 33).

Édifiée au 18e s., l'**église** se signale par sa grande nef unique de cinq travées et ses voûtes à pénétration portées par des piliers carrés. À l'intérieur, on découvre une Pietà polychrome du 15e s., ainsi que des sculptures et des fresques de l'artiste de Bozouls, Henri Vernhes.

Sur la gauche de l'église, après avoir franchi la porte Neuve et les fortifications, prendre à gauche le sentier qui descend vers le site médiéval et, après le cimetière, tourner à droite (escalier).

Des escaliers métalliques *(passages délicats)* mènent au **roc de Thaluc**. C'est au sommet de ce roc, hérissé des deux tours carrées du château inférieur et dominant de 150 m la vallée de l'Audierne, que l'on comprend l'importance stratégique de Peyrusse durant les périodes troublées du Moyen Âge.
Suivre le sentier vers le fond de la vallée.

Abrité sous un édicule, le **tombeau du Roi** est un mausolée richement sculpté, datant probablement du 14e s. Sur la droite se dressent les ruines de l'ancienne église paroissiale **Notre-Dame-de-Laval** dont subsistent, à l'aplomb des deux tours du roc del Thaluc, les imposants arcs en ogives de la nef effondrée, les vestiges des cinq chapelles latérales droites et du chœur à trois pans adossé au rocher et, à gauche, les restes d'un tombeau.

On arrive à la **synagogue** où des juifs auraient trouvé refuge au 13e s. ; il pourrait s'agir de la base d'une tour du château inférieur.

En revenant sur ses pas, puis en prenant à droite, on remarque la belle cheminée extérieure ronde de l'**hôpital des Anglais** (13e s.) avant de gagner, au bord de la rivière, la chapelle **Notre-Dame-de-Pitié**, élevée en 1874 à l'emplacement d'un oratoire. Ancien clocher de Notre-Dame-de-Laval, la haute tour carrée du **beffroi** défendait la ville au nord-ouest avec la **porte de la Barbacane** (bel arc ogival de décharge). Enfin, en regagnant le village, ne manquez pas à gauche le **marché couvert**, ensemble de caves voûtées.

☺ NOS ADRESSES À VILLEFRANCHE-DE-ROUERGUE

HÉBERGEMENT

PREMIER PRIX

Chambre d'hôte Mme Camille Auffret – *Nissols - 12300 Bouillac -* ☏ *05 65 80 41 03 - http://perso.orange.fr/camille. auffret - fermé nov.-fév. -* 🅿 *- 🍽 - 3 ch. 54 € ☕ - rest. 18 €.* Offrant une vue exceptionnelle sur la vallée du Lot, cette ferme datant de 1834 a été entièrement restaurée. Chacune des chambres, aménagées dans la grange, bénéficie d'une décoration personnalisée, tandis que l'ancienne étable abrite maintenant une pièce à vivre spacieuse. Table d'hôte originale et inventive.

BUDGET MOYEN

Chambre d'hôte Le Claux de la Bastide – *8 r. Ste-Émilie-de-Rodat - 12200 Villefranche-de-Rouergue -* ☏ *05 65 45 54 79 - www. leclauxdelabastide.fr - fermé l'hiver sf sur réserv. -* 🍽 *- 4 ch. 70/80 € ☕.* En plein centre-ville, cette maison bourgeoise est un havre de paix grâce à son magnifique jardin ombragé de charmilles, tilleuls et magnolias, idéal pour les petits-déjeuners. Au premier étage, les chambres, parfois très vastes, sont décorées de meubles anciens, de poutres et de murs en pierre.

Chambre d'hôte La Melessens – *Le Bruel - 12700 Sonnac -* ☏ *06 85 40 93 42 - www. la-melessens.fr - fermé 20 déc.-1er fév. -* 🅿 *-* 🍽 *- 4 ch. 70/80 € ☕ - rest. 17 €.* Rien ne saurait troubler la tranquillité de ce corps de ferme magnifiquement restauré. Les 3 grandes chambres (avec mezzanine) et la suite dite « du pigeonnier » allient caractère et excellente tenue. Une bibliothèque de 6 000 ouvrages pour élever l'esprit ou des cours de yoga pour la détente. Table d'hôte végétarienne, savoureuse et copieuse.

RESTAURATION

PREMIER PRIX

Restaurant Savignac – *Au bourg - 12220 Peyrusse-le-Roc -* ☏ *05 65 80 43 91 - fermé soir hors sais. sf réserv. - 11,50/21 €.* C'est le tabac-restaurant du village tenu par la même famille depuis quatre générations. La patronne mitonne des plats du terroir dont une insolite omelette aux pommes flambées à la vieille prune… Ambiance simple et campagnarde. Exposition de peintres régionaux.

BUDGET MOYEN

L'Épicurien – *8 bis av. R.-St-Gilles - 12200 Villefranche-de-Rouergue -* ☏ *05 65 45 01 12 -fermé 27 avr.-6 mai, 16 nov.-2 déc., dim. soir et mar. du 15 sept.au 15 juin et lun. -15/43 €.* Vous apprécierez l'atmosphère chaleureuse de cette ex-droguerie, à moins que la fraîcheur du soir ne vous attire vers sa terrasse. Goûteuse cuisine axée sur le poisson et la région.

L'Assiette Gourmande – *Pl. A.-Lescure - 12200 Villefranche-de-Rouergue -* ☏ *05 65 45 25 95 - fermé 11-25 mars, 10-17 juin, 9-16 sept., 11-25 nov., dim. soir sauf de sept. à juin, mar. soir et merc. sauf juil.-août - formule déj. 12 € - 15/35 €.* Emplacement privilégié au cœur de la vieille ville pour cette maison du 13e s. rénovée dans un esprit mi-rustique, mi-moderne. Grillades au feu de bois et recettes régionales.

PETITE PAUSE

👥**La Bastide Gourmande** – *Montbressous -* ☏ *05 65 29 91 59 - tlj à partir de 9h.* Le terroir rouergat est à l'honneur dans cette ferme spécialisée dans l'élevage traditionnel de porcs et de canards, dont les viandes sont ensuite transformées en confits, foies gras, charcuterie… Possibilité de visiter la conserverie et d'acheter directement les produits.

ACHATS

Marché – Produits du terroir. Le jeudi matin sur la place Notre-Dame à Villefranche.

Pavillon du Causse – *Allée Aristide-Briand - 12200 Villefranche-de-Rouergue - ℰ 05 65 81 25 11 - tlj sf dim. 8h30-12h30, 14h30-19h30.* Une belle adresse pour faire provision de produits locaux dont les fameux jambons du Causse, qui pendent au-dessus de l'entrée. Très beaux rayons boucherie, charcuterie, crémerie, fromagerie et conserverie (cèpes, fritons de canard…) et vins de pays.

ACTIVITÉS

Ferme du Soulié-Bas – *12260 Villeneuve - ℰ 05 65 64 62 98 - 9h-23h - mai-oct..* Mme Lucienne Raynal met à votre disposition des ânes de bât et d'attelage qui vous permettront de visiter la région d'une façon originale. Et si, séduits par le cadre champêtre, vous souhaitez séjourner sur place, le camping à la ferme situé sur la propriété sera la solution idéale.

AGENDA

Peyrusse-le-Roc – Un pèlerinage à N.-D.-de-Pitié a lieu le 8 septembre. On y menait autrefois les enfants pour les guérir des maladies des yeux ou de la teigne.

Sauveterre-de-Rouergue

803 Sauveterrats – Aveyron (12)

😊 NOS ADRESSES PAGE 492

🗐 S'INFORMER

Office du tourisme de Sauveterre-de-Rouergue – *Pl. des Arcades - 12800 Sauveterre-de-Rouergue - ℘ 05 65 72 02 52 - www.aveyron-segala-tourisme. com - tlj sf lun. 10h-12h, 14h-18h, w.-end 14h-17h.*
Visites guidées en juil.-août, les mar. et jeu., de 15h à 16h. 2 €.
Maison du patrimoine – Une maquette scénographiée conte la vie de la bastide au 16ᵉ s. *(25mn). Juil.-août : tous les après-midi ; reste de l'année : sur demande auprès de l'office de tourisme.*

◖ SE REPÉRER

Carte de la microrégion B3 *(p.474)* – *carte Michelin Départements 338 F5.* La petite cité est idéalement située en plein cœur du Ségala, à mi-chemin entre Rodez, Albi et Villefranche-de-Rouergue.

😊 À NE PAS MANQUER

La place centrale à couverts.

🕐 ORGANISER SON TEMPS

Visitez la ville le matin et la vallée du Viaur l'après-midi.

👫 AVEC LES ENFANTS

Le parc animalier de Pradinas.

Le nom de Salvaterra, « terre du salut », est tout à fait approprié pour cette bastide fondée en 1281 par le sénéchal du Rouergue, Guillaume de Mâcon, afin d'accompagner, sous l'autorité du roi, un développement des activités commerciales. Aujourd'hui, la petite ville est devenue un lieu calme, empreint de sérénité, parfait pour une petite pause !

Se promener

Bâtie selon un plan rectangulaire, Sauveterre a gardé sa vaste **place centrale★** bordée de couverts (appelés ici les *chitats*), dont les 47 voûtes ogivales remontent pour la plupart aux 14ᵉ et 15ᵉ s. Sur cette place s'ouvre le bel escalier en pierre de la mairie.
La **collégiale gothique Saint-Christophe** du 14ᵉ s., la **maison Unal** avec ses encorbellements, ses colombages et ses pierres de taille ainsi que les vieilles maisons de la rue Saint-Vital retiennent aussi l'attention.
Sur la promenade, qui a remplacé l'enceinte fortifiée dont il subsiste quelques vestiges, s'élève un calvaire du 16ᵉ s., la croix de la Merette.

À proximité Carte de la microrégion

Parc animalier de Pradinas B3

◖ *12 km. Sortir de Sauveterre à l'ouest par la D 71. À Pradinas, prendre au nord la D 85. ℘ 05 65 69 96 41 - www.parc-animalier-pradinas-12.com - ैّ - juil.-août : 10h-20h, vend. et dim. 10h-22h ; avr.-juin et de déb. sept. à mi-nov. : 14h-19h, w.-end et j. fériés 11h-19h ; de mi-nov. à fin mars : dim., j. fériés et vac. scol. 14h-18h - possibilité de visite en petit train tlj en juil.-août, reste de l'année dim. apr.-midi - 10,80 € (4-10 ans 4,60 €, 11-15 ans 7,40 €) en sais., 8,60 € (4-10 ans 3,80 €, 11-15 ans 6 €) hors sais.*

👥 Consacré pour l'essentiel aux cervidés (élan du Cap, mouflon de Corse, grand koudou) et aux bovidés (bison), ce parc vallonné présente, entre autres raretés, le cerf blanc, originaire du Danemark, le lynx, ainsi que quelques aurochs. Pour ressusciter ces animaux préhistoriques, on effectua des croisements entre certains spécimens de bovins contemporains (taureaux d'Écosse, taureaux de combat espagnols…) ayant conservé quelques-unes des caractéristiques de leur grand ancêtre. Aire de jeux pour les enfants ; expositions temporaires de photos animalières ; animaux naturalisés.

Chapelle de Rieupeyroux B3

▶ *23 km. Quitter Sauveterre au nord par la D 997, prendre à gauche la D 911.*
Perchée sur une butte, cette chapelle fut bâtie par un seigneur de la région pour remercier Dieu de l'avoir sauvé des mains de brigands qui l'avaient attaqué à cet endroit. De la **table d'orientation**, panorama sur les monts d'Aubrac et du Cantal au nord-est et, du sud-est au sud, sur les Cévennes, les monts de Lacaune et la Montagne Noire.

Itinéraire conseillé Carte de la microrégion

VALLÉE DU VIAUR

▶ *60 km – compter environ 3h. Quitter Sauveterre au sud par la D 997. À Naucelle-Gare, prendre la D 10 puis la 1re route à gauche.*

Église de Camjac B3

L'église campagnarde de Camjac a de quoi étonner. Son architecture banale du 19e s. dissimule en effet des peintures murales exécutées dans les années 1960 par des artistes de l'école des beaux-arts de Clermont-Ferrand. *Revenir sur la D 10, que l'on prend à gauche. Suivre les panneaux indiquant le château du Bosc.*

Château du Bosc B3

📞 *05 65 69 20 83 - www.toulouselautreclebosc.com - visite guidée (1h) 9h-19h - fermé 25 déc. - 6 € (7-12 ans 3,50 €).*
Toulouse-Lautrec séjourna à plusieurs reprises lors de son enfance dans ce château, propriété de sa famille. À l'intérieur, on visite la salle des Gardes, parée d'une cheminée Renaissance, les salons décorés de belles tapisseries d'Aubusson, la salle à manger qui a conservé le charme des grandes maisons de famille et la chambre du jeune Henri où sont exposés des jeux d'enfants, tandis qu'un musée du souvenir familial rassemble de nombreux dessins. Sur un mur, on voit que chaque membre de la famille a inscrit sa taille au crayon. Pauvre Henri, son trait est visiblement plus bas que celui de ses cousins ! *Revenir sur la D 10 jusqu'à Castelpers. De là, prendre à droite la D 532.*
La route longe le Viaur et passe sous le **viaduc du Viaur**★ *(voir p.208)* dont les jambes métalliques qui s'élancent à 116 m de hauteur sont assez impressionnantes.

NOS ADRESSES À SAUVETERRE-DE-ROUERGUE

HÉBERGEMENT

PREMIER PRIX

Chambre d'hôte Lou Cambrou – *Jouels - 12800 Sauveterre-de-Rouergue - ℘ 05 65 72 13 40 - www.loucambrou.fr - 🍴 - 4 ch. 54/64 € ☕ - rest. 18 €.* Ce bâtiment abritait jadis un couvent ; aujourd'hui, l'austérité monacale a laissé sa place à une atmosphère chaleureuse. Les 4 belles chambres, dont une suite idéale pour les familles, équipées tout confort, ont été décorées avec beaucoup de caractère. Table d'hôte aux saveurs du terroir, révélant la passion et le savoir-faire de la propriétaire.

UNE FOLIE

Le Sénéchal – *12800 Sauveterre-de-Rouergue - ℘ 05 65 71 29 00 -* *www.hotel-senechal.fr - fermé 1er janv.-15 mars, mar. midi et jeu. midi sauf juil.-août et lun. - ♿ - 8 ch. 130/140 € - ☕ 17 € - rest. 27/130 €.* Une bastide royale du 13e s. sert de cadre à cette auberge reconstruite dans le style du pays. Intérieur mariant le moderne à l'ancien. Cuisine actuelle et décor original : poisson rouge en bocal à chaque table, œuvre d'art contemporain en fer, salon design.

AGENDA

Fête de la lumière – 2e sam. d'août. La place des Arcades illuminée ; carnaval.
Fête de la châtaigne et du cidre doux – Dernier w.-end d'oct.

Belcastel

★

234 Belcastelois – Aveyron (12)

S'INFORMER

Office du tourisme de Belcastel – *12390 Belcastel - ℘ 05 65 64 46 11 - www.mairie-belcastel.fr - juil.-août : 10h30-12h30, 14h30-18h30 ; juin et sept.-oct. : 11h-12h, 14h30-17h30 ; nov.-mai : 14h30-17h. Visite guidée du village tte l'année sur réservation.*

SE REPÉRER

Carte de la microrégion B3 *(p.474)* – *carte Michelin Départements 338 G4.* 8 km au sud-est de Rignac, à mi-chemin entre Rodez et Villefranche. Jolie vue sur le village depuis la D 285 en direction de Mayran.

SE GARER

Attention, le stationnement est interdit dans le village. Pour découvrir Belcastel à pied, on laisse la voiture au grand parking, à l'entrée est lorsqu'on vient de Rignac.

Ce village paisible grimpe en étages sur la rive droite de l'Aveyron. Niché dans la verdure, il est dominé par son château fort. Les touristes aiment à emprunter les rues couvertes de pavés ou de galets, les calades escarpées qui se concentrent au pied de l'édifice.

Se promener

Château
📞 05 65 64 42 16 - www.chateaubelcastel.com - juin-août : 10h-18h ; avr.-mai et d'oct. à mi-nov. : tlj 10h-12h, 14h-18h - fermé de mi-nov. au 30 mars - 7,50 € (3-12 ans 3 €).

Construit vers 1040 sur un éperon rocheux, achevé par Alzias de Saunhac au 15e s., il fut restauré par Fernand Pouillon (1912-1986), qui le premier entreprit la réhabilitation du village. Le château se présente sous la forme d'une enceinte polygonale flanquée de cinq tours rondes. Un donjon carré se dresse à l'intérieur de l'enceinte. Remarquez les deux chapelles préromanes superposées.

👥 Exposition d'illustrations du monde de la bande dessinée (Snoopy, Dr Seuss).

Vieux pont
Fort étroit et en dos d'âne, ce petit pont du 15e s. enjambe la rivière de ses cinq arches en arc brisé.

Église
Elle renferme le gisant d'Alzias de Saunhac (vers 1373-1448) en armure. Les bizarreries du destin firent de ce baron de Belcastel le chambellan du roi de Hongrie !

À proximité Carte de la microrégion

Château de Bournazel B2
▶ 15 km. Quitter Belcastel par la D 285, puis prendre à droite la D 997 jusqu'à Rignac et poursuivre par la D 53. Possibilité de visite de la cour d'honneur, des dépendances et du village (s'adresser au syndicat d'initiative 📞 05 65 64 16 60) - www.chateau-bournazel.com - de Juil. à mi août : tlj sf mar. 14h-19h - 4 € (– 12 ans gratuit).

Construit à l'emplacement d'un édifice médiéval dont subsistent quelques tours, ce château inachevé présente deux ailes d'époque Renaissance. L'aile nord, de 1545, est coiffée d'un beau toit d'ardoise ; remarquez la finesse des décorations de la frise qui sépare les deux étages. L'aile orientale n'offre plus au visiteur que sa façade de 1554, d'aspect plus classique et ajourée de grandes baies, où courent deux frises ornées de riches motifs.

Commanderie des Hospitaliers de Lugan B2
Depuis Bournazel, emprunter la D 53 vers le nord. Tourner à gauche après la Vaysse, à droite dans la D 525 puis à gauche vers Lugan. 📞 05 65 80 46 59 - visite guidée (1h) juil.-août : tlj sf mar. 15h-19h ; reste de l'année sur RV - 3 € (– 12 ans gratuit).

Cette commanderie du 12e s. est constituée d'un corps de logis carré, initialement flanqué de quatre tours rondes dont une seule est encore entière. Les bâtiments abritent aujourd'hui une résidence pour personnes âgées. Seules se visitent la cuisine, dite « salle des ancêtres », l'église insérée dans les bâtiments et une salle d'exposition consacrée à l'histoire de Lugan, aux hospitaliers et aux croisades. Film sur les activités actuelles des chevaliers de l'ordre de Malte.

Rodez

★

24 028 Ruthénois – Aveyron (12)

NOS ADRESSES PAGE 503

S'INFORMER

Office du tourisme de Rodez – *Pl. Mar.-Foch - BP 511 -12005 Rodez Cedex - ℘ 05 65 75 76 77 - info@ot-rodez.fr - juin-sept. : lun.-sam. 9h-12h30, 13h30-18h30, dim. (juil.-août uniquement) 10h-12h ; oct.-mai : lun. 14h30-18h, mar.-vend. 9h-12h30, 13h30-18h, sam. 9h30-12h30, 14h30-18h.*
L'office de tourisme propose une découverte du clocher de la cathédrale *(du lun. au vend.)* et une visite des haras *(2 j. par sem.). Hors sais. sur demande - inscription obligatoire - 4,50 € par visite.*

SE REPÉRER

Carte de la microrégion B3 *(p.474)* – *carte Michelin Départements 338 H4.* Après avoir traversé des faubourgs, on atteint le « tour de ville », ceinture de boulevards entourant la vieille ville.

SE GARER

On pourra laisser la voiture au parking du boulevard de la République, à moins de s'engager dans la ville *(en face du square François-Fabié)* pour tenter sa chance dans celui du boulevard Galy qui conduit à la place Foch.

À NE PAS MANQUER

Le clocher de la cathédrale ; le musée Fenaille.

ORGANISER SON TEMPS

Sur un week-end, commencez par visiter la cathédrale, puis enchaînez avec un tour dans le vieux Rodez. L'après-midi sera consacré aux musées. Le lendemain, passez la journée, avec un pique-nique, dans le parc du château du Colombier.

AVEC LES ENFANTS

Le haras ; le château du Colombier à Mondalazac.

Rodez est une jolie ville plantée aux confins de deux régions très différentes : les plateaux secs des causses et les collines humides du Ségala. Elle est perchée sur une butte et les plus beaux paysages de la région s'étalent à ses pieds. La ville ancienne, qui domine de 120 m le lit de l'Aveyron, est un régal pour les yeux !

Se promener

LE VIEUX RODEZ

Circuit tracé en vert sur le plan de la ville (p.498) – compter 3h.
Segodunum, la « hauteur fortifiée », fut, dès le 1er s. av. J.-C., la capitale d'une peuplade gauloise, les Rutènes : d'où le nom de *Civitas Rutenensis* qui évolua au cours des siècles, d'une part en « Rodez », d'autre part en « Rouergue ».

★★ Cathédrale Notre-Dame

La cathédrale, construite en grès rose, fut mise en œuvre en 1277 à la suite de l'effondrement, un an plus tôt, du chœur et du clocher de l'édifice précédent. Un demi-siècle plus tard, l'abside et deux travées du chœur étaient achevées. Au 14ᵉ s., un transept et deux travées de la nef l'étaient à leur tour, puis, au 15ᵉ s., l'ensemble de l'édifice était terminé.

Extérieur – La façade ouest donnant sur la place d'Armes frappe par son allure de forteresse avec son mur nu jusqu'à mi-hauteur, sans porche, percé de rares meurtrières, ses contreforts massifs, ses tourelles aux ouvertures ébrasées et ses deux tours dépourvues d'ornements. Cette façade austère, édifiée en dehors du mur d'enceinte de la ville, jouait en quelque sorte le rôle de bastion avancé pour la défense de la cité. Seule la partie haute, achevée au 17ᵉ s., entre les deux tours présente une décoration Renaissance que surmonte un fronton classique.

Faire le tour de l'église par la gauche. Le portail nord, dit portail de l'Évêché (fin 15ᵉ s.), s'ouvre sous trois rangées d'archivoltes et un gâble aigu. Sur le linteau, les sculptures mutilées représentent la Nativité, l'Adoration des bergers et des Mages, la présentation au Temple et, sur le tympan, le couronnement de la Vierge.

★★★ **Clocher** – ℘ 05 65 75 76 77 - *visite sur demande à l'office du tourisme juil.-août : tlj sf dim. 15h - 4,50 € (6-18 ans 3 €).* Remarquable par sa position détachée de la cathédrale, le magnifique clocher, édifié sur une tour massive du 14ᵉ s. et haut de 87 m, compte six étages. Il dépasse de 28 m le clocher de Villefranche-de-Rouergue *(voir p.483)*, pourtant conçu pour rivaliser en hauteur avec celui de Rodez. Mais l'argent vint à manquer et Villefranche dut interrompre son méritoire effort. Ici, le 3ᵉ étage, élevé au 16ᵉ s., offre de grandes ouvertures fortement moulurées. Au 4ᵉ étage, de plan octogonal, des statues des apôtres garnissent les niches qui cantonnent les baies, et au 5ᵉ, des tourelles, des arcatures flamboyantes et des pinacles enrichissent encore la décoration. La partie supérieure avec sa terrasse à balustrade, son dôme et son lanternon porte une statue de la Vierge.

Le chevet mérite l'attention pour ses chapelles et son déambulatoire couverts en terrasses, sur lesquelles des arcs-boutants à double volée reçoivent, au niveau des retombées des voûtes, les poussées exercées par les parties hautes du chœur.

MEURTRE À RODEZ

Bonapartiste convaincu, **Fualdès**, procureur de Rodez sous l'Empire, avait été par la suite révoqué par Louis XVIII. Un matin de mars 1817, son cadavre fut découvert flottant sur l'Aveyron. Dépêchés sur les lieux, les fins limiers de la région établirent que l'ancien magistrat avait été assassiné dans un bouge de la ville par deux de ses amis, royalistes notoires, auxquels ils mirent la main au collet. Le procès, à Rodez, puis à Albi, fut fertile en incidents et en coups de théâtre. Le lieu suspect où le meurtre avait été commis, les circonstances grand-guignolesques qui l'avaient entouré, la présence insolite d'une « dame de bien » dans la maison du crime et, surtout, les divergences politiques entre la victime et les accusés, tous les ingrédients étaient réunis pour passionner les foules et défrayer la chronique. Crime passionnel ou crapuleux ? Affaire politique ? Des empoignades homériques mirent aux prises partisans de l'une ou l'autre thèse, et l'affaire, jamais élucidée de manière totalement satisfaisante, donna lieu à la création de la *Complainte de Fualdès*, restée longtemps populaire.

Sur le portail sud, œuvre de Jacques Maurel (fin 15ᵉ s.), observez le fenestrage élégant qui garnit le tympan.

Pour une description en image, reportez-vous à l'ABC d'architecture p. 72.

Intérieur – *Visite : 1h.* L'élégance du gothique apparaît dans la verticalité du chœur aux fines lancettes, dans la légèreté des piliers de la nef à peine moulurés à l'emplacement des chapiteaux, dans l'élévation des grandes arcades surmontées d'un triforium dont l'ordonnance reprend celle des fenêtres hautes.

La beauté de la grande nef et de ses vastes bas-côtés, flanqués de chapelles latérales très éclairées, apparaît au mieux lorsqu'on se place derrière l'autel paroissial, à l'extrémité ouest de la nef.

Le chœur est meublé de **stalles★** dues à André Sulpice (15ᵉ s.) sur le modèle du chœur de Saint-Aphrodise de Béziers. Des 62 stalles hautes sous dais gothiques en chêne, la plus remarquable, la stalle de l'évêque, est surmontée d'un pyramidion et d'un ange (refait au 19ᵉ s.) présentant les armoiries de Bertrand de Chalençon, évêque de Rodez. Observez la délicatesse et les scènes amusantes qui décorent les miséricordes des stalles.

La 3ᵉ chapelle latérale du bas-côté droit est fermée par une belle **clôture de pierre★** du 16ᵉ s., dont les sculptures ont été malheureusement très mutilées. Sur les piliers figuraient douze statues de sibylles, prophétesses de l'Antiquité qui, selon la tradition chrétienne, prédirent la venue du Messie. Quatre seulement de ces statues subsistent, ainsi qu'un Ecce homo, sur la face intérieure de la clôture. Cette chapelle contient, en outre, un autel Renaissance (1523) surmonté d'un grand retable comprenant une Mise au tombeau, trois petites scènes de la Résurrection et un Christ sortant du tombeau. Malheureusement, les figures ont été grossièrement repeintes à la fin du 19ᵉ s.

Dans la chapelle suivante, on peut admirer un beau retable du 15ᵉ s., le Christ au jardin des Oliviers. Dans le bras droit du transept a été transporté le grand **jubé★** qui rompait la perspective de la nef : c'est une œuvre très riche de 1470. Il était orné à l'origine de 38 statues dont l'a privé la Révolution. Dans le bras gauche, le **buffet d'orgue★** est une superbe boiserie sculptée du 17ᵉ s., haute de 20,5 m.

Sur le maître-autel, remarquez une belle statue de la Vierge à l'Enfant de la fin du 14ᵉ s. Le chœur (stalles du 15ᵉ s.) est entouré d'un déambulatoire sur lequel s'ouvrent les chapelles. Deux beaux sarcophages en marbre furent disposés dans la première travée des collatéraux du chœur, ainsi qu'une Mise au tombeau du 15ᵉ s. Dans les chapelles se trouvent les tombeaux de plusieurs évêques de Rodez : parmi ceux-ci, remarquez celui de l'évêque Gilbert de Cantobre (mort en 1349) dans la chapelle située dans l'axe de la nef principale. Il est surmonté d'une table d'autel romane en marbre à pourtour de lobes. Voir aussi la chapelle Renaissance à l'entrée de la sacristie.

Autour de la célèbre cathédrale ruthénoise s'étend le quartier ancien de la cité, autrefois domaine des évêques. Quelques maisons et hôtels particuliers subsistent. Un circuit piétonnier à travers le vieux Rodez est disponible à l'office de tourisme.

Du portail nord de la cathédrale, traverser la rue Frayssinous et entrer dans la cour du palais épiscopal.

Palais épiscopal

Il date de la fin du 17ᵉ s. et fut partiellement reconstruit au 19ᵉ s. De sa cour, on profite de la plus belle **vue** sur le clocher de Notre-Dame. Remarquez l'escalier à double révolution qui n'est pas sans rappeler celui de Fontainebleau.

Tour Corbières et tour Raynalde

Toutes deux du 15ᵉ s., elles sont les témoins des murailles et des trente tours qui fortifiaient la ville.

Face au portail de l'église du Sacré-Cœur, emprunter l'escalier qui mène à l'impasse Cambon.

Hôtel Delauro

Jadis résidence d'un chanoine, cet hôtel bâti aux 16ᵉ et 17ᵉ s. est aujourd'hui la Maison des compagnons du Devoir, qui l'ont restauré.

Rejoindre la rue Frayssinous, puis gagner la place de la Cité.

Place de la Cité

À l'extrémité est se dresse la statue de bronze d'un glorieux enfant du pays, Mᵍʳ Affre, archevêque de Paris, tué le 25 juin 1848 sur la barricade du faubourg Saint-Antoine, alors qu'il s'efforçait de faire cesser le combat.

Prendre les rues de Bonald puis de l'Embergue, bordées de maisons anciennes, de magasins d'antiquités et d'échoppes d'artisans. Entre ces deux rues a été aménagé, vers 1970, l'**espace public des Embergues**, sorte de place à l'italienne où, en été, cafés et restaurants installent leurs terrasses.

Traverser en diagonale la place de la Cité et prendre la rue du Touat, jusqu'à son croisement avec la rue Bosc.

Maison de Guitard dite « tour des Anglais »

Cette maison du 14ᵉ s. présente une massive tour fortifiée et de belles fenêtres géminées. Les Guitard étaient de riches banquiers du 14ᵉ s. Leur blason apparaît sur la façade.

Maison de Benoît

Pl. d'Estaing. Une galerie gothique occupe deux des côtés de la cour *(privée)* de cette demeure Renaissance.

Maison Molinier

2 r. Penavayre. Cette ancienne maison canoniale, construite au 15ᵉ s., est précédée d'un mur de clôture surmonté d'une galerie et de deux loggias gothiques (15ᵉ s.).

Continuer la rue Penavayre et tourner à droite.

Chapelle des Jésuites

℘ 05 65 73 80 68 - de déb. juil. à mi-sept. : 9h-13h, 14h-19h.

Cet édifice de style baroque (17ᵉ s.) est aujourd'hui un lieu de conférences et d'expositions. Elle appartenait à l'un des tout premiers collèges de jésuites de France (1562). Appelée par la suite « chapelle Foch » (le lycée attenant a eu pour élève le futur maréchal), elle possède un retable monumental et surtout de très belles **tribunes en bois**★ décorées de fresques dont le naturalisme a de quoi étonner.

Remonter la rue Louis-Blanc, puis contourner les bâtiments de la préfecture et de l'hôtel du département pour admirer l'hôtel 18ᵉ s. où ceux-ci sont établis.

Place du Bourg

Centre de l'ancien quartier du Bourg, domaine des comtes et des marchands, cette place, qui a gardé sa vocation marchande, est entourée de rues piétonnes où abondent les magasins. Autour de la place s'élèvent quelques maisons anciennes.

RODEZ

0   100 m

SE LOGER	
Biney (Hôtel)	①
Deltour (Hôtel)	④
Ibis (Hôtel)	⑦
Midi (Hôtel du)	⑩

SE RESTAURER	
Ady (Auberge de l')	⑧
Jardins de l'Acropolis (Les)	⑫
Petit Moka (Le)	⑮
Taverne (La)	⑱

Maison de l'Annonciation
Un bas-relief de l'Annonciation, situé sur l'élégante tourelle d'angle, a donné son nom à cette maison du 16e s.

Maison dite « d'Armagnac »
4 pl. de l'Olmet. La façade de ce bel édifice du 16e s. est ornée de charmants médaillons à l'effigie des comtes et comtesses de Rodez. De la place de l'Olmet, on aperçoit dans la rue d'Armagnac la maison Trouillet, jolie demeure bâtie au 15e s. et aujourd'hui occupée par un commerce.

Église Saint-Amans
Bâtie au 12e s. (extérieur entièrement refait au 18e s. dans le style baroque), elle conserve à l'intérieur de beaux chapiteaux romans. Dans le chœur et le déambulatoire ont été placées des tapisseries du 16e s. La chapelle des fonts baptismaux abrite une curieuse statue de la Trinité en pierre polychrome.

LE TOUR DE VILLE

Construite sur une butte, Rodez offre de nombreux points de vue sur la région. On peut entreprendre le tour de la ville en voiture (en dehors des heures d'affluence) en suivant les boulevards établis sur l'emplacement des anciens remparts.
Partir de la place d'Armes et prendre le boulevard d'Estourmel. À droite, vestiges des remparts (16e s.) et terrasses de l'évêché se terminant à la tour Corbières (14e s.).

Square Monteil
Vue sur le causse du Comtal, les monts d'Aubrac et du Cantal.

Square des Embergues
Vues vers le nord et l'est. *Table d'orientation.*

Musée Denys-Puech
Pl. Georges-Clemenceau - ℘ 05 65 77 89 60 - www.mairie-rodez.fr - ♿ - mar.-vend. 10h-12h, 14h-18h, w.-end et j. fériés 14h-18h - possibilité de visite guidée (1h) - fermé 1er janv., 1er Mai, 25 déc. - 2,50 € (– 18 ans gratuit), 4 € billet combiné avec le musée Fenaille, gratuit 1er dim. du mois.
Fondé en 1910 par le sculpteur académique aveyronnais Denys Puech (1854-1942), artiste officiel de la IIIe République, ce musée propose, d'une part au rez-de-chaussée, des collections permanentes des 19e et 20e s. (Denys Puech, Maurice Bompard, peintre orientaliste, et Eugène Viala, graveur proche des symbolistes) et d'autre part, au 1er étage, des expositions temporaires qui font la part belle à l'art contemporain. Depuis sa rénovation en 1989, le bâtiment présente sur le pignon des façades nord et sud deux adjonctions de François Morellet baptisées *Intégration*, véritables jeux avec le parement en pierre blanche, qui sonnent tel un dialogue avec les aînés, comme autant de commentaires et d'échos à l'académisme de Puech.

★★ Musée Fenaille
14 pl. Raynaldy - ℘ 05 65 73 84 30 - www.musee-fenaille.com - ♿ - tlj sf dim. mat. et lun. 10h-12h, 14h-18h, merc. et sam. 13h-19h, dim. 14h-18h - fermé 1er janv., 1er Mai, 1er nov. et 25 déc. - 3 € (enf. gratuit), gratuit 1er dim. du mois.
À l'hôtel particulier le plus ancien de Rodez (hôtel de Jouéry), dont la façade du 13e s. a évolué jusqu'au 18e s., et qui contenait autrefois les collections de la ville, a été accolé un bâtiment moderne, donnant un ensemble parfaitement cohérent. Vous y trouverez un remarquable **musée d'Archéologie et**

SOULAGES À RODEZ

Le futur musée dédié à Soulages ouvrira ses portes en 2012 à Rodez, à proximité de la cathédrale. Sur 4 600 m² seront exposées les œuvres de cet artiste unique de l'art contemporain qui a fait don de près de 500 réalisations et documents à Rodez. *Renseignements à l'office de tourisme.*

---

d'Histoire du Rouergue. Une échelle du temps, présente à chaque début de section, permet de se repérer dans les différentes époques évoquées. Deux intéressantes vidéo illustrent la préhistoire et l'époque gallo-romaine dans l'Aveyron.

👥 Pour suivre la progression chronologique, commencez par le 3ᵉ étage, dans le bâtiment moderne consacré à la **préhistoire**. Ici est rassemblé un bel ensemble de mystérieuses **statues-menhirs★** bien conservées, provenant du sud de l'Aveyron (3300-2200 av. J.-C.), dont la plus célèbre est « la dame de Saint-Sernin ».

Le 2ᵉ étage est consacré à l'**époque gallo-romaine**. Attardez-vous devant la vitrine sur l'écriture cursive en gaulois (très rares traces en France). On retrouve, comme au musée de Millau, une collection de poteries de la Graufesenque, provenant du fameux centre de poteries de *Condatomagus*. Une maquette montre l'implantation gallo-romaine sur le piton de Rodez, une autre, le forum de la ville.

On pénètre ensuite dans l'**ancien hôtel★★**, dont l'intérieur est bien mis en valeur. Les galeries, aux étages, et la cour, au rez-de-chaussée, sont désormais couvertes (toit de verre), donnant au bâtiment un charme intime particulier. Le **Moyen Âge** est évoqué à travers la vie quotidienne (tissus, céramiques, armes…), la vie religieuse (Pietà) et la cathédrale (Christ roman en marbre blanc).

Le 1ᵉʳ étage, consacré à la **Renaissance**, regroupe de belles statues (Christ de Bonnecombe en bois polychrome, croix d'oratoire) et des éléments d'architecture (clôture du chœur de la cathédrale au 16ᵉ s.).

Square François-Fabié

Vue sur le Ségala *(voir p. 44)*. Monument à la mémoire du poète rouergat François Fabié (1846-1926).

Haras

R. Eugène-Loup, par l'av. Victor-Hugo - ☎ 05 65 75 76 77 - www.haras-nationaux. fr - ♿ - visite guidée sur demande (1h15) de déb. juil. à fin août : mar. et jeu. 10h, visite supplémentaire le merc. à 10h du 22 juil. au 19 août - fermé le reste de l'année - 4,50 € (6-18 ans 3 €).

👥 Primitivement installé dans la vieille ville, le haras de Rodez fut transféré en 1806 dans une ancienne chartreuse des 16ᵉ et 17ᵉ s. Il se consacre aujourd'hui à l'élevage des étalons, plus particulièrement des anglo-arabes. On y trouve également des chevaux de trait comme le postier breton.

À proximité Carte de la microrégion

Salles-la-Source B2

▸ *12 km au nord-ouest de Rodez par la D 901.*

S'élevant au flanc du causse du Comtal, Salles-la-Source se compose de trois hameaux superposés aux belles maisons de pierre. La source à laquelle son nom fait allusion est la résurgence d'une rivière souterraine qui sort du

Une statue-menhir du musée Fenaille.
Musée Fenaille à Rodez

causse sous forme de cascades aujourd'hui canalisées par EDF. La présence de cette eau et de son énergie avait attiré ici de nombreux moulins et quelques usines.

★ **Musée des Arts et Métiers (musée du Rouergue)** – ℘ 05 65 73 80 68 - www. aveyron-culture.com - juil.-août : tlj sf mar. 10h-12h30, 14h-19h ; mai-juin et sept. : tlj sf mar. 14h-18h ; avr. : merc., jeu. et dim. (à partir du dim. de Pâques) 14h-18h - possibilité de visite guidée (1h30) - fermé nov.-mars - 4 € (enf. 2,50 €). Le musée est installé dans une ancienne filature. La grande salle du rez-de-chaussée, dont le plafond est soutenu par de solides colonnes de pierre, abrite des machines anciennes évoquant la longue quête de l'homme cherchant à maîtriser l'énergie de l'eau et du vent : pressoirs, moulin à huile, à farine, martinet, scierie… Le 1er étage illustre les rapports de l'homme avec le monde minéral, le 2e étage, ses rapports avec le milieu végétal : agriculture, arboriculture, métiers du bois (sabotier, tonnelier, charron, menuisier, tourneur, etc.).

Le musée de Salles-la-Source est associé à une dizaine d'autres musées de la région sous l'appellation commune « **musée du Rouergue** ». Pour compléter votre découverte de la vie du Rouergue, visitez donc aussi : le musée du Rouergue à Espalion *(voir Espalion)* ; le Musée archéologique à Montrozier *(voir Bozouls)* ; le musée du Charroi à Salmiech *(à 24 km au sud de Rodez)* ; le musée de la Mine à Aubin *(voir Decazeville)*.

Château du Colombier à Mondalazac B2

◐ *20 km au nord. Sortir de Rodez par la D 988 ; à Sébazac-Concourès, prendre la D 904, et, aux Espeyroux, prendre à gauche la D 227 ; suivre ensuite les panneaux.* ℘ 05 65 74 99 79 - www.colombier.thoiry.net - 去 - juil.-août : 10h30-18h30 ; de Pâques à fin juin : se renseigner ; sept.-oct. : dim. 14h-17h - dernière entrée 1h avant fermeture - possibilité de visite guidée (30mn jardin, 1h30 parc animalier) - fermé de nov. à Pâques - 11,50 € (enf. 7,80 €).

♣♣ Le grand parc abrite un château des 13e-14e s. dont on visite plusieurs salles au mobilier rudimentaire : coffres en bois transformés en placards, chaises ou tabourets, table montée sur tréteaux… Et un lit que le seigneur partageait souvent avec sa famille, parfois avec ses hôtes. Au pied du château ont été reconstitués des jardins médiévaux gardant jalousement à l'abri de leurs palissades fleurs d'ici et d'ailleurs, plantes médicinales et fruitiers : galegas, colchiques, cognassiers, absinthe, mélisse, etc. Longeant le château et le labyrinthe, une tonnelle de glycines mène à la roseraie plantée d'environ 150 variétés d'origines française, chinoise, écossaise ou anglaise. Plus loin, vers les terrasses de jeux (échiquier géant, grenouille et palet breton), la pivoineraie voit s'épanouir, dans la rocaille, des espèces rares venues de Chine. Le reste du domaine est consacré aux animaux (singes, rapaces, lions, daims, ours et loups) enfermés, rassurez-vous, dans de vastes enclos.

Des visites guidées permettent de tout savoir sur le château et les jardins médiévaux ou d'assister au nourrissage des animaux.

Sainte-Radegonde B3

▶ *6 km au sud-est. Sortir de Rodez par la route de la Gare, puis suivre la signalisation vers le monastère. Après avoir traversé la banlieue de Rodez, prendre la D 12 vers Ste-Radegonde.*

Église – ✆ *05 65 42 46 00 - demander les clés à la mairie de Sainte-Radegonde - possibilité de visite guidée juil.-août vend. 10h, se renseigner à l'office de tourisme de Rodez -* ✆ *05 65 75 76 77.* Ce village, aux grosses maisons de pierres grises, est dominé par le puissant donjon-clocher et les tours de défense de l'église. Construite au 13e s., elle fut fortifiée à la fin du 14e s. pour abriter la population du village lors des conflits. Les soixante pièces qui y sont aménagées étaient « louées » aux villageois qui venaient s'y installer avec troupeaux, fourrages et provisions !

Inières B3

▶ *À partir de Ste-Radegonde, prendre au sud la D 12, puis la D 112 vers Inières.*

Église – *Mêmes conditions de visite que pour l'église de Sainte-Radegonde.* Sous l'énorme donjon carré en pierre ocre, dominé par un chemin de ronde, on découvre une petite église fortifiée abritant une ravissante **Annonciation**★ en pierre polychrome du 15e s. Au-dessus, comme à Ste-Radegonde, des chambres étaient aménagées pour accueillir la population.

★ Lacs du Lévézou C3

▶ *24 km au sud-est de Rodez par les N 88 et D 911 jusqu'à Pont-de-Salars.* 🛈 *Pour tout renseignement, s'adresser à l'Office du tourisme de Pareloup-Lévézou – pl. de la Mairie - 12290 Pont-de-Salars -* ✆ *05 65 46 89 90 - www.levezou-viaur.com - tlj sf w.-end 9h-12h, 13h30-18h (vend. 17h) - fermé j. fériés.*

Le Lévézou est une région vallonnée, aux confins du Massif central, qui offre aux amoureux de nature et de grand air ses paysages verdoyants même au cœur de l'été. Avec ses grands espaces, ses multiples rivières et ses lacs, elle apporte le soir une agréable fraîcheur.

👥 À 805 m d'altitude, le **lac de Pareloup**★, retenue artificielle aux multiples presqu'îles, s'étend sur plus de 1 000 ha et offre 120 km de berges aux touristes, pêcheurs et amateurs de sports nautiques. C'est le plus grand de la zone. Deux plages à Arvieu et Salles-Curan. Nombreuses activités nautiques dont des découvertes du lac en bateau au départ de Salles-Curan *(voir nos adresses).*

Deux autres lacs, moins étendus, permettent aussi la baignade : ceux de **Villefranche-de-Panat** et de **Pont-de-Salars**.

😊 NOS ADRESSES À RODEZ

HÉBERGEMENT

BUDGET MOYEN

Deltour Hôtel – *Av. de la Gineste -* 📞 *05 65 71 22 11 - www. deltourhotel.com -* 🅿 *- 27 ch. 52 € -* 🍴 *6,50 €.* Un peu à l'écart du centre-ville, mais facile d'accès et bien indiqué, cet établissement « de chaîne familiale » propose 26 chambres de confort actuel équipées de wifi. Mobilier standard de bonne qualité, salle de bain et WC séparés, prix très corrects, particulièrement bas en week-end. Une aubaine pour visiter les environs. Un second établissement vient d'ouvrir de gamme supérieure.

Hôtel Ibis – *46 r. St-Cyrice -* 📞 *05 65 76 10 30 - www.ibis.com - 45 ch. 64/74 € -* 🍴 *7,50 €.* Au cœur d'un quartier totalement restauré, hôtel de chaîne disposant de petites chambres fonctionnelles, parfois dotées d'un balcon. Salle de réunion et salon-bar.

Hôtel du Midi – *1 r. Béteille -* 📞 *05 65 68 02 07 - www.hotelmidi. com - fermé vacances de Noël -* 🅿 *- 34 ch. 60 € -* 🍴 *7 € - rest. 12/28 €.* À deux pas de la cathédrale, adresse bien située pour découvrir la ville à pied. Chambres simples et pratiques, calmes côté cour et pourvues d'un bon double vitrage côté rue. Au restaurant, plats traditionnels, salades, grillades et l'incontournable aligot.

POUR SE FAIRE PLAISIR

Hôtel Biney – *R. Victoire-Massol -* 📞 *05 65 68 01 24 - www. hotel-biney.com - 26 ch. 82/141 € -* 🍴 *13 €.* Meubles en bois peint, jolis tissus colorés, literie confortable… ; les chambres, certes parfois un peu petites, sont personnalisées et plutôt coquettes. Hammam et sauna.

RESTAURATION

PREMIER PRIX

La Taverne – *23 r. de l'Embergue -* 📞 *05 65 42 14 51 - www. tavernerodez.com - fermé 1 sem. en janv., 1 sem. en avr.-mai, 2 sem. en sept.-oct., dim. et lun. sf juil.-août - 11,50/25 €.* Le patron qualifie son restaurant de « ferme-auberge à la ville ». La cuisine se veut résolument aveyronnaise : choux farcis, picaùcel, farçous et bien sûr l'aligot. Grande salle voûtée au sous-sol. On lui préférera, l'été, la terrasse donnant sur une petite place piétonne.

Le Petit Moka – *Pl. des Maçons -* 📞 *05 65 75 63 34 - tlj sf dim. et lun. 8h-19h - 7/9 €.* Cette sympathique adresse occupe une situation idéale dans le vieux Rodez. Agencée sur deux étages, elle propose salades, croques et tartines variés au déjeuner, crêpes, gaufres et pâtisseries « maison » l'après-midi. La carte propose aussi un grand choix de cafés, thés, glaces à prendre aux beaux jours sur l'agréable terrasse.

BUDGET MOYEN

Les Jardins de l'Acropolis – *R. Athènes à Bourran 1,5 km -* 📞 *05 65 68 40 07 - fermé 1er-15 août, lun. soir et dim. - formule déj. 18 € - 19/59 €.* Dans un quartier d'affaires animé, cette adresse doit son succès à sa goûteuse cuisine actuelle et au cachet de ses élégantes salles contemporaines revêtues de boiseries.

POUR SE FAIRE PLAISIR

Auberge de l'Ady – *1 av. du Pont-de-Malakoff - 12330 Valady -* 📞 *05 65 72 70 24 - www. auberge-ady.com - fermé 22 juin-5 juil., 5-25 janv., merc. soir d'oct. à avr., dim. soir, mar. soir et lun. - formule déj. 16 € -*

28/60 € bc. Sympathique auberge transformée en table contemporaine au cœur d'un petit village rural de l'Aveyron. Le patron, de retour au pays, mitonne une cuisine au goût du jour.

ACHATS

C'est la foire – *Pl. du Bourg : merc. 8h-12h30 ; pl. du Sacré-Cœur : vend. 13h30-18h30 ; pl. de la Cité et pl. du Bourg : sam. 7h-12h30.* Commerçants et producteurs se donnent rendez-vous pour offrir le meilleur des produits locaux et régionaux.

Domaine du Vieux Porche - Jean-Luc Matha – *Lieu-dit Bruéjouls - 12330 Marcillac-Vallon -* ☎ *05 65 72 63 29 - www.matha-vigneron.fr - tlj sf dim. et j. fériés 10h-12h30, 14h-19h.* Boutique de produits locaux installée dans une cave voûtée. Vous y trouverez les vins de Marcillac, rouge et rosé, ainsi que trois apéritifs « maison » : Lo Grabel, Lo Rascalou et Lo Ratafia, respectivement à base de vins et pissenlits, noix vertes et moût de raisin.

Decazeville

6 294 Decazevillois – Aveyron (12)

😊 **NOS ADRESSES PAGE 507**

🛈 **S'INFORMER**

Office du tourisme de Decazeville – *Sq. Jean-Ségalat - 12300 Decazeville -* ☎ *05 65 43 18 36 - www.decazeville-tourisme.com - juil.-août : tlj sf dim. 9h30-12h30, 14h-18h ; reste de l'année : tlj sf dim. 10h-12h30, 14h-18h - fermé j. fériés.*

🧭 **SE REPÉRER**

Carte de la microrégion B2 *(p.474)* – *carte Michelin Départements 338 F3.* Le bassin houiller de Decazeville s'étend entre la ville et Aubin, à 4 km au sud.

😊 **À NE PAS MANQUER**

Le *Chemin de croix* de Gustave Moreau dans l'église Notre-Dame.

Pour qui s'intéresse aux sciences de la Terre et à leur mise en valeur, Decazeville est une halte obligée... La ville, fondée au 19ᵉ s. par le duc Decazes, dispose d'affleurements géologiques de houille. Depuis 1965, l'exploitation se fait uniquement en « découverte », c'est-à-dire à ciel ouvert. Decazeville est également l'une des étapes du chemin de Saint- Jacques-de-Compostelle.

Se promener

Église Notre-Dame

Consacrée en 1861, elle recèle un trésor inestimable : le **Chemin de croix★**, par Gustave Moreau. Il répond à une commande d'Élie Cabrol (fils de François Cabrol, directeur des Houillères et chargé de la construction de l'église), qui rencontra Moreau dans l'atelier de Fromentin. L'artiste accepta la proposition, en exigeant de conserver l'anonymat, et s'exécuta en vingt jours. Fixé en mars 1863, et tombé dans l'oubli (parce qu'accroché à 3 m du sol, et non signé), le Chemin de croix a été redécouvert en 1964, et classé Monument historique en 1965. Il s'agit de l'unique œuvre symboliste consacrée au sujet. Les 14 tableaux se répartissent de part et d'autre de la nef. Autant de stations, de scènes baignées d'une lumière crépusculaire, aux teintes pourprées, feu orangé et bleuté qui ne sont pas sans rappeler l'influence coloriste de Delacroix ou du maniérisme vénitien sur Gustave Moreau.

Découvrir

LE BASSIN HOUILLER B2

Musée régional de Géologie Pierre-Vetter

Av. Paul-Ramadier - ℘ 05 65 43 30 08 - ⚿ - possibilité de visite guidée (45mn) - tlj sf dim., lun. et j. fériés 10h-12h, 14h-18h - 3 € (7-14 ans 1 €).
Présentées avec clarté dans un bâtiment moderne, les collections montrent la richesse géologique qui fit naguère celle de cette région, surtout en ce qui concerne les gisements de la période carbonifère (nombreuses variétés de houilles et de fossiles). Voyez l'énorme souche d'arbre de l'époque permienne, dans laquelle le grès s'est lentement substitué à la texture ligneuse du bois.

La « découverte » de Lassalle B2

1 km à gauche à la sortie de Decazeville par la route d'Aubin (D 221) - ℘ 05 65 43 18 36 - www.decazeville-tourisme.com - visite guidée (2h30) juil.-août : jeu. mat.10h - réservation à l'office de tourisme - 5 € (6-14 ans 3 €).
Un belvédère permet d'avoir une vue d'ensemble de cette ancienne mine de charbon à ciel ouvert aux dimensions exceptionnelles (3,7 km de long, 2,5 km de large, 250 m de profondeur). L'exploitation en découverte consistait à araser les couches stériles, puis à les abattre en descendant de gradin en gradin pour dégager le gisement de charbon et en permettre l'extraction à l'air libre, comme on le fait pour les pierres d'une carrière. L'exploitation, commencée en 1892, s'est perpétuée jusqu'en 2001. Ce procédé était plus rentable et moins dangereux que l'exploitation par puits et galeries. À proximité, le chevalement de mine est le témoin de l'importante activité minière du bassin de Decazeville, qui possédait aussi des galeries de charbon souterraines.

HISTORIQUE

La cité est née de l'essor du bassin houiller de l'Aveyron. En 1828, le duc Decazes (1780-1860) fonde les premières forges dans la vallée du Riou Mort. L'industrie métallurgique et l'exploitation de la houille et du fer se développant rapidement, une ville est bientôt créée au lieu-dit Lassalle (nom rappelant l'existence d'un château fort). Le duc Decazes tiendra à lui donner son nom, en toute simplicité !

Aubin B2

🅸 *Pl. Jean-Jaurès - ℰ 05 65 63 19 16 - www.aubin12.com - lun. 14h-18h, mar.-vend. 9h-12h, 14h-18h, sam. 9h-12h - fermé j. fériés.*

Situé à 4 km au sud de Decazeville (par la D 221), ce village est dominé par un **fort** bâti à la fin du 2ᵉ s. par le général romain Claudius Albinus. De style gothique pour l'essentiel, l'église Notre-Dame laisse paraître quelques traces de l'édifice roman primitif. Elle abrite une cuve baptismale en plomb du 13ᵉ s. ainsi qu'un Christ en bois polychrome, intéressante sculpture romane du 12ᵉ s.

Musée de la Mine Lucien-Mazars – *ℰ 05 65 43 58 00 - www.museedelamine-lucienmazars.com - ♿ - juil.-août : tlj sf lun. 10h-12h, 14h-18h ; juin et sept. : tlj sf dim. 14h-18h ; avr.-mai et oct.-nov. : mar., jeu. et sam. 14h-17h30 - fermé déc.-mars, 1ᵉʳ Mai - gratuit.*

Cette antenne du musée du Rouergue est installée en plein cœur du bassin houiller d'Aubin-Decazeville, dont les dernières mines souterraines fermèrent en 1965. Dans une grande salle sont exposés des archives, des photographies, des maquettes, des vêtements, des outils évoquant le travail des mineurs (hommes, femmes – pour le tirage du charbon – et même enfants jusqu'en 1874). On y découvre également leurs fêtes, défilés (très riche collection de bannières et de drapeaux), rassemblements, bals, etc. On visite également une galerie à soutènements de bois, reconstituée par d'anciens mineurs. Pour frémir, allez assister à la simulation réaliste d'un coup de grisou ! La visite se termine dans la salle audiovisuelle, où des films au choix présentent l'histoire du « Pays noir » *(15mn).*

Cransac-les-Thermes B2

7 km de Decazeville. Depuis Aubin, prendre la D 11. 🅸 *1 pl. Jean-Jaurès - ℰ 05 65 63 06 80 - www.cransac.fr - tlj sf dim. 10h-12h, 15h-18h, sam. 10h-12h, 14h-16h.*

Musée « La Mémoire de Cransac » – *Sur la place de l'office de tourisme - ℰ 05 65 63 95 02 - possibilité de visite guidée (1h) - avr.-oct., se renseigner pour les horaires - 3 €.* De nombreux documents (cartes postales, avis officiels, coupures de journaux) et objets ont été patiemment rassemblés par les anciens mineurs de Cransac pour que la mine (fermée en 1962), qui fut l'activité principale de la ville pendant cent vingt ans, ne soit pas oubliée. Il n'en reste aujourd'hui plus aucune trace ; heureusement, trois maquettes permettent de reconstituer l'évolution de l'exploitation minière au cours des années (1850, 1900 et 1950).

Combes : église N.-D.-des-Mines B2

4 km au sud de Decazeville par la D 221, puis la D 513 à gauche. Depuis 1879, les mineurs de la région se recueillaient dans une chapelle provisoire installée dans un baraquement des houillères. Ce n'est qu'en 1949 que fut construite, à Combes, Notre-Dame-des-Mines. D'extérieur, elle présente une façade tout à fait banale. Mais l'intérieur est surprenant. Cette église renferme en effet d'étonnantes fresques qui s'inspirent à la fois de la Bible et du travail

UNE TRADITION CULINAIRE ÉTONNANTE

Par un de ces paradoxes dont la gastronomie a le secret, Decazeville, cité terrienne, est le haut lieu de l'**estofinado**, spécialité culinaire à base de morue séchée (stockfisch) et de pommes de terre. Au début du 19ᵉ s., les bateaux transportant le minerai de fer jusqu'à Decazeville transitaient par Bordeaux, où l'on faisait commerce de la morue : c'est du moins l'une des hypothèses qui pourraient expliquer ce mystère culinaire…

des mineurs. La nef abrite un chemin de croix en 15 tableaux, les chapelles latérales la Cène et la Sainte Famille. Le chœur présente une remarquable crucifixion entourée de scènes de mineurs au travail. Le peintre, **Gabriel Genieis**, élève de J.-P. Laurens, a un style bien à lui : gamme colorée limitée au noir et blanc rehaussé de jaune (les vêtements de certains personnages), excepté pour les chapelles où les bleus et les rouges apportent une certaine lumière ; personnages aux corps longilignes stylisés ; perspective réduite… De ces fresques dédiées à la vie laborieuse des mineurs se dégage une émotion réelle ! Cette petite église mérite le détour.

☺ NOS ADRESSES À DECAZEVILLE

HÉBERGEMENT

BUDGET MOYEN

Hôtel Moderne et Malpel – *16 av. A.-Bos* - ✆ *05 65 43 04 33 - 24 ch. 57 € -* ☕ *7 € - rest. 16/29 €.* Face à la poste, une adresse toute simple, pratique pour l'étape sur la route de Compostelle. Ambiance familiale et chambres sobrement aménagées. Lumineuse salle à manger mi-moderne, mi-rustique ; solide cuisine régionale.

RESTAURATION

BUDGET MOYEN

Le Millefeuille – *15 av. Cabrol -* ✆ *05 65 43 57 25 - fermé janv., 2 sem. en mai, sam. midi, dim. soir et lun. - 20/28 €.* Ouvrez bien les yeux car vous pourriez passer à côté de ce restaurant sans vous en rendre compte. Et pourtant, derrière cette façade discrète se cache un établissement réputé malgré son jeune âge. Une cuisine de qualité, fleurant bon les produits frais, et la possibilité de déjeuner en terrasse aux beaux jours.

ACTIVITÉS

Chaîne thermale du soleil – *Les Combes - 12110 Cransac -* ✆ *05 65 63 09 83 - www. compagniedesspas.fr - tlj sf dim. 7h-17h, sam. 7h-12h. - fermé 16 nov.-7 mars.* La « montagne qui brûle » exhale des gaz naturels chauds, appropriés au traitement des rhumatismes, arthrose, maladies ostéo-articulaires, séquelles de traumatismes. Diverses techniques de soins sont proposées : étuve de gaz naturels chauds, sudation en cabine individuelle, application locale de douches de gaz, étuve locale mains ou pieds… Possibilité de forfaits court séjour avec ou sans hébergement.

Conques

★★★

286 Conquois – Aveyron (12)

😊 **NOS ADRESSES PAGE 513**

🛈 **S'INFORMER**

Office du tourisme de Conques – *R. du Chanoine-Benazech - 12320 Conques - ✆ 05 65 72 85 00 - www.conques.fr - avr.-sept. : 9h30-12h30, 14h-18h30 ; oct.-mars : 10h-12h, 14h-18h.*

▶ **SE REPÉRER**

Carte de la microrégion B2 *(p.474)* – *carte Michelin Départements 338 G3.* Deux points de vue sur Conques : le **site du Bancarel★**, à 3 km (quittez Conques par la D 901 vers Rodez) ; et un autre le long de la D 232, en direction de Noailhac et de la chapelle Saint-Roch, que l'on rejoint depuis Conques après avoir traversé le pont romain dit « des pèlerins ».

🅿 **SE GARER**

Les voitures sont interdites dans le village : il existe de grands parkings (payants) au-dessus du village *(suivre les panneaux).*

😊 **À NE PAS MANQUER**

Le tympan du portail occidental et le trésor de l'abbatiale Sainte-Foy.

Dans ce site d'une beauté rare, où la nature sauvage a gardé toute sa pureté, une petite bourgade s'accroche aux pentes escarpées des gorges de l'Ouche. Les ruelles sinueuses et les belles maisons anciennes servent d'écrin à une magnifique église romane et à ses prodigieux trésors, vestige d'une abbaye qui hébergea longtemps l'interminable file des pèlerins se rendant à Saint-Jacques-de-Compostelle. La majesté du lieu, si paisible, et la sérénité qui s'en dégage laissent aux visiteurs un souvenir inoubliable.

Découvrir

★★ ABBATIALE SAINTE-FOY

Compter une demi-journée. Ce magnifique édifice roman fut commencé au milieu du 11e s., mais la majeure partie date du 12e s. Il est surmonté de deux tours de façade refaites au 19e s. et, sur la croisée du transept, d'un clocher-lanterne octogonal.

★★★ Tympan du portail occidental

Dans un état de conservation remarquable, ce tympan *(à voir, de préférence, au soleil couchant)* est un chef-d'œuvre de la sculpture romane du 12e s. Remarquez son originalité et ses dimensions : arrivé sur le parvis de l'église, tout pèlerin ne pouvait manquer d'être impressionné par cette représentation du Jugement dernier regroupant 124 personnages pour témoigner du drame qui scelle la paix ou le tourment des âmes, évoqué dans l'évangile

Détail du tympan du portail occidental de l'abbatiale Sainte-Foy.
M.-H. Carcanague / MICHELIN

de saint Matthieu. Sculpté dans le calcaire jaune, cet ensemble ordonné autour de la figure du Christ était jadis rehaussé de couleurs vives dont il reste quelques traces.

Des bandeaux réservés aux inscriptions définissent trois registres superposés, divisés en compartiments. À la gauche du Christ, l'Enfer, à sa droite, le Paradis ; une répartition clairement indiquée par sa main gauche abaissée vers les réprouvés, tandis que sa main droite est levée vers les élus. Le Christ trône dans une mandorle environnée de cinq rangées de nuées. Au registre supérieur, deux anges sculptés dans les écoinçons sonnent du cor pour annoncer le Jugement tandis que deux autres portent la Croix de la Passion. Au registre médian, le cortège des élus est en marche vers le Seigneur ; de droite à gauche, on reconnaît la Vierge suivie de saint Pierre et de personnages ayant marqué l'histoire de Conques, dont Charlemagne, bienfaiteur légendaire de l'abbaye. De l'autre côté, deux anges chevaliers contiennent à grand peine la foule des damnés soucieuse d'échapper aux supplices infernaux ; on distingue, entre autres, des moines capturés dans un filet et un ivrogne pendu par les pieds. Les parties centrale et supérieure du registre inférieur sont consacrées à la pesée des âmes : l'archange saint Michel a fort à faire avec un démon qui tente d'influencer la balance. À gauche, des anges ouvrent des sarcophages dont les occupants ressuscitent, et, plus à gauche, de petites arcades évoquent l'église de Conques près de laquelle sainte Foy se prosterne pour la bénédiction. Sous elle s'étend le Paradis où Abraham, encadré de Vierges sages, de martyrs et de prophètes, accueille à bras ouverts les saints Innocents. L'entrée de cette Jérusalem céleste est indiquée par un ange qui tend ses mains aux élus alors que, dans l'antichambre de l'Enfer, un démon pousse sans ménagement les damnés dans la gueule du Léviathan. Enfin, Satan préside le chaos de l'Enfer où sont châtiés les principaux péchés : l'Orgueil désarçonné d'un cheval, l'Avarice pendue haut et court, ou encore la Médisance dont un démon arrache la langue.

On imagine l'effet qu'une telle scène pouvait produire sur le pèlerin en route vers Saint-Jacques. Au calme du Paradis (alors peint en bleu), renforcé par un alignement qui veut en traduire l'ordre et la sérénité, répondent la violence

Sur la route des pèlerinages

La fin justifie les moyens

Un moine de Conques tenait en particulière vénération les reliques de sainte Foy, jeune chrétienne qui, vers 303, avait été martyrisée à Agen à l'âge de 13 ans. Depuis lors, les saintes reliques en question étaient jalousement gardées à Agen au grand dam de notre moine qui décida de passer à l'action, en mettant en œuvre un plan machiavélique. Se faisant passer pour un pèlerin, il se rend à Agen, s'introduit dans la communauté de Sainte-Foy ; sa piété et son dévouement inspirent tant de confiance qu'au bout de dix ans les naïfs Agenais le chargent de la garde des précieuses reliques. Bien entendu, le moine disparaît aussitôt, le précieux coffret sous le bras, et l'emporte à Conques. Pas vraiment rancunière, la sainte, inspirée par l'air du Rouergue ou simplement facétieuse, multiplie alors les miracles au point que l'on a parlé des « jeux et badinages de sainte Foy ». La renommée de l'abbaye était faite !

Une étape recommandée

C'est au 11ᵉ s. que l'on commence à élever l'église actuelle, qui s'apparente par l'architecture à d'illustres sanctuaires contemporains : Saint-Jacques-de-Compostelle, Saint-Sernin de Toulouse, Saint-Martin de Tours ou Saint-Martial de Limoges (ces deux derniers ont été détruits). Entre Le Puy et Moissac, Conques était l'étape conseillée par le guide rédigé à l'usage des pèlerins de Saint-Jacques. Du 11ᵉ au 13ᵉ s., c'est la grande époque de Conques, où les pèlerins affluent. Après les guerres de Religion, puis un incendie, l'abbatiale, oubliée et abandonnée, menaçait de s'effondrer dans l'indifférence générale.

Sauver un chef-d'œuvre

C'est alors que Prosper Mérimée, en tournée d'inspection pour les Monuments historiques, la découvrit et rédigea un rapport si émouvant qu'il fut décidé de la sauver.

C'est en visitant l'abbatiale qu'un jeune Ruthénois, **Pierre Soulages**, éprouva un choc décisif. Les lignes dépouillées de la nef, la matière brute des pierres, les jeux de l'ombre et de la lumière allaient faire naître une vocation : l'art devint alors pour lui « la seule chose qui vaille la peine qu'on y consacre sa vie ». Il a créé les vitraux de l'abbatiale.

On a du mal aujourd'hui à imaginer la vogue des pèlerinages, pénibles et dangereux, version médiévale du tourisme. À l'époque, on part à Saint-Jacques pour se laver, parfois à titre préventif, de quelque péché, ou par dévotion pure. Jongleurs et bateleurs hantent les routes suivies par les pèlerins. Le soir, dans l'hôtellerie d'un couvent, ils distraient les marcheurs harassés. De petits trafics naissent : c'est ainsi que, contre une rémunération raisonnable, certains monastères délivrent des attestations dispensant d'aller jusqu'au terme de la route ! Parvenu, non sans périls, au terme de son voyage, le pèlerin se charge de ces coquilles qu'on trouve en abondance sur les côtes de Galice et qui ont gardé le nom de Saint-Jacques. Il revient absous et riche d'expériences de toutes sortes.

et la confusion d'un Enfer (alors peint en rouge) traité très différemment. Les sculpteurs ont ici fait preuve d'une maîtrise exceptionnelle qui témoigne du génie roman.

Longez à droite la façade sud de l'église contre laquelle sont placés des enfeus (12e s.), dont l'un conserve l'épitaphe de l'abbé Bégon (1087-1107), et entrez dans l'église par la porte ménagée dans le bras droit du transept.

Intérieur

Très élevé (22 m sous la nef), sobre et austère, il produit un grand effet. Le chœur, de vastes proportions, est entouré, comme dans toutes les églises de pèlerinage, d'un déambulatoire qui permettait aux fidèles de défiler autour des reliques de sainte Foy. Sur les murs de la sacristie, des restes de fresques (15e s.) retracent le martyre de sainte Foy. Les superbes grilles du 12e s. formant clôture remplacent celles qui auraient été forgées avec les fers des prisonniers délivrés par la sainte. Au-dessous du passage qui met en communication les tribunes, dans la travée centrale du croisillon nord, un bel ensemble sculpté représente l'Annonciation.

Soyez attentif aux **vitraux contemporains de Pierre Soulages** si respectueux de la sobriété romane du site. Réalisés avec un type de verre tout à fait nouveau, ils permettent une diffusion de la lumière d'une rare qualité.

😊 *Pour une description en image de la coupole, voir l'ABC d'architecture p.69.*

Cloître

Depuis 1975, son plan est restitué au sol par un chemin dallé. Il n'en subsiste plus qu'une série d'arcades ouvrant sur l'ancien réfectoire et surtout un très beau bassin de serpentine, ancienne fontaine du monastère.

Six baies géminées ouvrent sur l'ancien réfectoire des moines où sont exposés quelques beaux chapiteaux provenant des arcades disparues.

★★★ Trésor de Conques

Entrée sous les arcades du cloître - ☏ 05 65 72 85 00 - ♿ - avr.-sept. : 9h30-12h30, 14h-18h30 ; reste de l'année : 10h-12h, 14h-18h - 6,20 € (– 7 ans gratuit, 7-16 ans 2 €).

Le trésor de Conques renferme d'extraordinaires pièces d'orfèvrerie présentées selon un ordre chronologique et thématique. Il s'agit de la plus complète expression de l'histoire de l'orfèvrerie religieuse en France, du 9e au 16e s. Le trésor comprend, en particulier, une série de reliquaires, œuvres d'un atelier local du 11e s.

Un interrupteur placé sous certaines des pièces permet de les faire pivoter.

Du 9e s., on remarque le reliquaire de Pépin, fait de plaques d'or repoussé sur âme de bois. Considérée comme un don de Pépin, cette pièce est sertie de nombreuses pierres précieuses, dont une intaille antique représentant le dieu Apollon.

★★★ Statue-reliquaire de sainte Foy
– Du 9e s., faite de plaques d'or et d'argent doré sur âme de bois, elle est la pièce maîtresse du trésor. Au cours des âges, cette statue a reçu de nombreux bijoux, mais aussi, au 14e s., la monstrance permettant d'apercevoir la relique (le sommet du crâne de la sainte). Cette pièce unique comporte également des camées et des intailles antiques ; quant aux petits tubes que la sainte tient entre les doigts, ils sont destinés à recevoir des fleurs !

Du 11e s., on admire un autel portatif en albâtre, dit « de sainte Foy », argent repoussé et émaux ; le reliquaire « du pape Pascal II », argent sur âme de bois ; ou encore le « A de Charlemagne », argent doré sur âme de bois. La tradition veut que l'empereur, désirant doter toutes les abbayes de la Gaule d'une lettre de l'alphabet, par ordre d'importance, aurait attribué à Conques la lettre « A » en signe d'excellence.

Un coffre-reliquaire en cuir, orné de 31 médaillons en émail renfermant les restes de sainte Foy, date du 12ᵉ s. Du même siècle, l'autel portatif de Bégon, composé d'une plaque de porphyre rouge et enchâssé dans une monture d'argent gravé et niellé ; le reliquaire dit « lanterne de Bégon III » ou « de saint Vincent », argent sur âme de bois ; les reliquaires à cinq et six pans, argent, vermeil et émaux montés au 12ᵉ s. avec d'anciens fragments.

Pour le 13ᵉ s., bras-reliquaire « de saint Georges », argent sur âme de bois avec la main bénissante, triptyque en argent repoussé et doré et Vierge à l'Enfant, argent sur âme de bois, type de statues-reliquaires fort à la mode au temps de Saint Louis.

Les chefs-reliquaires de sainte Liberate et sainte Marse, argent et toile peinte, et une petite châsse de sainte Foy en argent représentent le 14ᵉ s.

Enfin, le 16ᵉ s. est illustré par une reliure d'évangéliaire en vermeil, une croix de procession, lames d'argent repoussé sur âme de bois, où, sous le Christ, a été placée une relique de la Vraie Croix.

Trésor II (musée Joseph-Fau)

Près de l'abbatiale. Mêmes horaires que le trésor. Cette maison ancienne, située face à la fontaine des Pèlerins, abrite du mobilier, des statues et des tapisseries de Felletin du 17ᵉ s. provenant de l'abbaye *(rez-de-chaussée et 1ᵉʳ étage)*. Dans le sous-sol, un musée lapidaire propose une belle réunion de chapiteaux et de tailloirs romans, vestiges de l'ancien cloître.

Se promener

★ Le village

Ses ruelles escarpées sont bordées de maisons anciennes dont les pierres rousses et les enduits rosés s'allient harmonieusement aux couvertures de lauzes. Au-dessous de l'abbatiale, le village s'étire à flanc de coteau le long de la rue Charlemagne, chemin que gravissaient les pèlerins pour se rendre à l'abbaye. De cette rue, un chemin rocailleux permet d'atteindre une butte où s'élèvent la chapelle Saint-Roch et un calvaire. Une très belle vue s'offre alors sur Conques, groupée autour de son église. Au-dessus de Sainte-Foy, d'autres rues mènent aux vestiges d'anciennes fortifications.

Au monument aux morts, tourner à gauche pour atteindre la place du Château. On peut y admirer le château d'Humières (15ᵉ et 16ᵉ s.) avec ses consoles sculptées et sa haute tour d'escalier. Remarquez la fenêtre à meneaux curieusement située à l'angle du mur. Plus loin se dresse la porte de La Vinzelle, bâtie au 12ᵉ s. Les pèlerins l'empruntaient en quittant Conques pour rejoindre le village de La Vinzelle, dans la vallée du Lot.

Du cimetière, dont un angle est occupé par la chapelle funéraire des abbés de Conques, jolie vue sur la vallée de l'Ouche.

À proximité Carte de la microrégion

Château de la Servayrie à Mouret B2

▷ *3 km au sud de Pruines par la D 228, puis la D 548.* ☎ *05 65 72 82 97 - www. chateau-servayrie.fr - visite guidée (1h30) - juil.-août : lun.-vend. 10h30-18h, dim. 14h30-18h, fermé sam. ; avril-juin et sept. : mar.- jeu. 14h30-16h30, dim. 14h30-*

17h, fermé merc. et sam.; oct.: lun.-mar. et jeu.-vend. 14h30-16h30 - fermé de la Toussaint à Pâques - 6,50 € (10-16 ans 5,50 €).

Édifié au 12ᵉ s., remodelé jusqu'au 17ᵉ s., ce château est un bon exemple des évolutions architecturales au fil des siècles. Prélude à la visite, la cour d'honneur conduit au verger, aux jardins des simples puis au potager médiéval, où sont cultivés fruits et légumes oubliés servant à la préparation des goûters historiques *(voir ci-dessous)*. Le donjon, doté d'une porte romane, renferme la salle de Justice (avec ses 3 m d'épaisseur), au-dessus des cachots. Des escaliers (de plus en plus étroits) mènent aux salles du Seigneur et des Gardes, avant de parvenir au chemin de ronde, offrant un somptueux panorama sur le paysage alentour. Le corps de logis se partage entre différentes pièces (16ᵉ-17ᵉ s.) pourvues d'un mobilier d'époque, dont une armoire en noyer sculptée par Hugues Sambin, architecte et ornementaliste, et un lit à baldaquin ouvragé.

En été, un **goûter historique** (Moyen Âge, Renaissance ou Grand Siècle), peut clore la visite. *3 € en plus du billet d'entrée.*

NOS ADRESSES À CONQUES

HÉBERGEMENT

PREMIER PRIX

Chambre d'hôte Chez Alice et Charles – *R. du Chanoine-André-Bénazech -* ☎ *05 65 72 82 10 - fermé de mi-nov. à fin mars -* ✉ *- 4 ch. 57/70 € ⌐.* Au cœur d'un charmant village classé, cette petite maison au toit de lauze offre, de ses 4 chambres indépendantes, une vue imprenable sur la magnifique église abbatiale Ste-Foy. Mobilier d'ébéniste et confort simple agrémenteront votre séjour. Petits-déjeuners servis dans l'adorable salle voûtée tout en pierre.

Camping Village Vacances Grand-Vabre Aventures et Nature – *Les Passes - 12320 Grand-Vabre - SE : 1 km par D 901, rte de Conques, bord de Dourdou -* ☎ *05 65 72 85 67 - www.grand-vabre.com -* ✉. Dans un cadre verdoyant et arboré, ce petit village de bungalows tout équipés propose un hébergement fort convenable de 4 à 6 personnes. Sur place, une piscine, une aire de jeux et une salle d'animation. En saison, randonnées aquatiques en canoë ou kayak, aquagym, VTT et courses d'orientation. Soirées à thèmes.

Hôtel À la Route d'Argent – *Rte d'Espalion - 12340 Bozouls -* ☎ *05 65 44 92 27 - www.laroutedargent.com - fermé 2 janv.-15 fév. -* 🅿 *- 21 ch. 45/60 € - ⌐ 8 € - rest. 20/45 €.* Bâtisse hôtelière (fin 20ᵉ s.) vous logeant côté route ou piscine et parking, près desquels une villa abrite 6 chambres neuves (même confort). Repas traditionnel selon le marché, dans un cadre actuel : panneaux en verre sablé, lumière tamisée, toiles modernes.

UNE FOLIE

Ste-Foy – *R. Principale -* ☎ *05 65 69 84 03 - www.hotelsaintefoy.com - ouvert 1ᵉʳ Mai-25 oct. - formule déj. 18 € - 25/53 € - 17 ch. 130/170 € - ⌐ 14 €.*

RESTAURATION

BUDGET MOYEN

Ferme-auberge Domaine des Costes Rouges – *Combret - 12330 Nuuviale -* ☎ *05 65 72 83 85 - www.domaine-des-costes-rouges.fr - ouv. juil.-août -* 🅿 *-* ✉ *- 21 €.*

Ferme-auberge rustique tenue par un couple aimable qui vous mitonnera une cuisine de grand-mère. Saucisse à l'huile, pascadous, canards à la broche flambés au capucin, pâtisseries maison… le tout arrosé des vins du domaine (AOC Marcillac). Gîtes d'étape et de séjour avec piscine, aménagés dans deux maisons du village.

Le Belvédère – *11 rte du Maquis-Jean-Pierre - 12340 Bozouls - ℰ 05 65 44 92 66 - www. belvedere-bozouls.com - fermé 1er-19 mars, 27 sept.-22 oct. ; rest. fermé dim. soir et lun. (ouv. lun. soir de mi-juil. à fin août) - ᵴ - ᴾ - formule* déj. 12 € - 18/40 € - 12 ch. 51/62 € - ☕ 6 €. Surplombant le Trou de Bozouls, cet hôtel tout en pierre et en ardoise ajoute à sa situation privilégiée le confort de récents travaux de rénovation. Côté cuisine, la fraîcheur est à l'honneur grâce aux produits du marché et des producteurs voisins. Jolie terrasse dans la cour intérieure.

AGENDA

Conques, lumière du roman – Mi-juillet, mi-août. Festival de musique. Stages, expositions, concerts. ℰ 05 65 71 24 00 - www. festival-conques.com.

Vallée du Lot

Aveyron (12)

NOS ADRESSES PAGE 521

S'INFORMER

Office du tourisme de Bozouls – *Pl. de l'Hôtel-de-Ville - 12340 Bozouls - ℰ 05 65 48 50 52 - www.bozouls.com - tlj 10h-12h, 14h-18h - du 15 sept. au 15 juin : fermé dim. et lun.*

SE REPÉRER

Carte de la microrégion A2-B2-B3-C2 *(p.474) – carte Michelin Départements 338 I3-I4, J4.* Espalion, étape centrale de la vallée n'est qu'à 30 km de Rodez.

À NE PAS MANQUER

Le Trou de Bozouls, les ruelles de Ste-Eulalie, les gorges du Lot.

Au cœur d'une nature préservée, les eaux tumultueuses du Lot s'écoulent, bordées çà et là par de beaux villages aux architectures typiques, particulièrement bien conservées. Les gorges, d'une beauté sauvage, sont magnifiques à parcourir et pour une halte paisible et gourmande, Ste Eulalie-d'Olt, Espalion ou Estaing ne vous décevront pas !

Itinéraire conseillé Carte de la microrégion

★★ LA VALLÉE DU LOT DE RODEZ À DECAZEVILLE

▶ *95 km – compter au moins une journée. Quitter Rodez par la N 88 en direction de l'autoroute A 75 puis prendre la D 988 direction Espalion. À 11 km environ, bifurquer à droite sur la D 27.*

Montrozier B3
En bordure de l'Aveyron, qu'un vieux pont gothique couronné d'un calvaire enjambe, Montrozier est un vieux village qui a su préserver un cachet pittoresque. Très bien conservé, le château fut élevé aux 15e et 16e s. *(ne se visite pas).* Remarquez ses bâtiments rectangulaires couronnés de beaux mâchicoulis et sa forte tour cylindrique à cinq étages.

Musée archéologique du Rouergue – ℰ *05 65 70 75 00 - www.aspaa.fr -* ♿ - *possibilité de visite guidée (1h) - juil.-août : tlj sf lun. 10h-12h30, 14h-18h; juin et sept. : tlj sf lun. 10h-12h30, 14h-18h; mai : tlj sf lun. et sam. 14h-18h; oct.-avril : mar.-vend.14h-18h - 3 € (enf. 2 €).* Des expositions temporaires et thématiques, souvent remarquables, présentent le patrimoine archéologique du département. Renouvelées tous les deux à trois ans, elles sont accompagnées de conférences et de documents audiovisuels.

Revenir sur la D 988 direction Bozouls.

★ Bozouls C2
Le nom de Bozouls vient sûrement de l'occitan *bosola* qui signifie « monticule de terre » et, par extension, « borne » ou « limite ». C'est de la place de la Mairie que la vue sur l'ensemble du site est la plus saisissante. De la terrasse, tout près du monument aux morts, œuvre de Denys Puech, on a une vue imprenable sur le **Trou de Bozouls★**, ce canyon de 400 m de diamètre creusé par le Dourdou dans le causse du Comtal. Profond de plus de 100 m, ce cirque naturel en forme de fer à cheval sur lequel s'est établi le bourg constitue un site grandiose offrant des vues à couper le souffle. Des grottes trouent la paroi verticale. Sur le promontoire encerclé par la rivière s'élèvent, au bord même du précipice, une église romane et les bâtiments du couvent Sainte-Catherine.

L'ancienne **église Sainte-Fauste**, située sur le promontoire *(accès par la rue de l'Hospitalet),* est dépourvue de transept. Son intérieur surprend par l'étroitesse des bas-côtés. Sa nef du 12e s., élevée et voûtée en berceau plein cintre, était couverte, à l'origine, par des plaques de calcaire (lauzes), qu'alourdissait encore un épais lit de terre. Cette couverture fut, au début du 17e s., remplacée par une charpente en bois. L'église bâtie en grès rose possède quelques chapiteaux à la décoration étrange (ainsi, sur le chapiteau du clocher-porche, cette femme dont la poitrine est mordue par des crapauds et qui illustre probablement le péché de luxure). La partie haute du clocher date du 14e s.

De la terrasse ombragée, à gauche de l'église, jolie vue sur le canyon.

RAOUL CABROL (1895-1956)
Ce grand caricaturiste de presse, né à Bozouls, collabora, entre autres, au *Canard enchaîné*, à *L'Humanité* et au *New York Times*, et eut maille à partir avec la Gestapo pour avoir ridiculisé Hitler.

Terra Memoria – *12 all. Paul-Causse -* 𝄞 *05 65 44 69 27 - www.terramemoria. fr - &. - de mi-juin à mi-sept. : 10h-18h30, dim. 14h-18h30 ; reste de l'année : tlj sf dim. et lun. 10h-12h, 14h-18h ; fermé 15 nov. -15 fév. - 5,90 € (5-10 ans 1 €, 10-17 ans 3 €).* ♟♟ Un parcours ludique et pédagogique rend compte des évolutions géologiques depuis l'émergence de la planète jusqu'à nos jours au moyen d'une vaste frise murale, de films, d'un jeu de maquettes et de manivelles, d'expositions de minerais et de fossiles à observer à la loupe ou au microscope, de panneaux explicatifs et interactifs : la formation de la Terre, les forces telluriques, les grands types de roche, l'éruption des volcans, la formation des grottes et des continents… La visite s'oriente progressivement vers le paysage de l'Aveyron actuel, avec ses vallées, ses lacs, ses habitations traditionnelles, et débouche spectaculairement sur un belvédère plongeant sur le canyon de Bozouls.

Sortir de Bozouls et suivre la D 988 direction St-Geniez-d'Olt.

Vous apercevez depuis la route le donjon carré du **chateau de Thôlet** *(ne se visite pas)*. Ravissant, il conserve encore une partie de son enceinte agrémentée de tours rondes.

La route offre de jolies vues sur la campagne vallonnée, jalonnée de belles demeures.

Une fois passé Cruejouls, prendre à droite la D 64 pour Galinières.

Château de Galinières C3

𝄞 *05 65 70 75 11 - groupes sur réservation - 3 €.* En fait de château, il s'agit d'une imposante grange cistercienne, remaniée par la suite, dépendante de l'abbaye de Bonneval (en Aubrac) et dont la fondation remonte au début du 12ᵉ s. Les abbayes cisterciennes, qui possédaient des domaines agricoles très étendus, avaient créé des granges. Elles en confiaient la gestion et l'exploitation à une équipe de convers. Un maître de grange était nommé par l'abbé pour diriger les convers et les *mercenari* (ouvriers salariés).

Le donjon, de plan carré, s'il n'a jamais eu d'utilité agricole, joua un rôle défensif pendant la guerre de Cent Ans, symbolisant de tout temps le pouvoir. Au 15ᵉ s., Galinières devient une résidence abbatiale, d'où son élégant corps de logis. On visite le donjon, avec ses salles superposées, que les propriétaires des lieux restaurent avec passion année après année.

Poursuivre en direction de St Geniez-d'Olt sur la D 45 puis la D 95.

Saint-Geniez-d'Olt C2

🏠 *4 r. du Cours -* 𝄞 *05 65 70 43 42 - juil.-août : 9h-12h, 15h-19h, dim. et j. fériés 10h-12h, 15h-18h ; janv.-juin : tlj sf dim. et j. fériés 9h-12h, 14h-17h ; de mi- sept. à fin déc. : tlj sf dim. et j. fériés 9h-12h.*

Situé dans la plaine alluviale du Lot, Saint-Geniez-d'Olt est, depuis le Moyen Âge, un point de passage entre les Causses et l'Aubrac. La ville est construite sur les deux rives du Lot. Celle de droite a gardé son caractère médiéval tandis que celle de gauche témoigne de la richesse de la ville aux 17ᵉ et 18ᵉ s., lorsque l'industrie drapière lui fit connaître son âge d'or et que la bourgeoisie commanda à un élève de Mansart des hôtels classiques dignes de sa nouvelle prospérité.

Rive droite – C'est sur le site du château rasé en 1620 que se dresse le **monument Talabot** : un riche mausolée, orné de bas-reliefs de Denys Puech *(voir Rodez)*, est élevé à la mémoire de Marie Salvy, épouse Talabot, sur une terrasse d'où la vue sur Saint-Geniez et le Lot est pittoresque. Marie Salvy, native de Saint-Geniez, devint par son mariage avec un ingénieur des chemins de fer une dame de la haute bourgeoisie parisienne. Snobée par la bourgeoisie

Estaing.
J. Malburet / MICHELIN

locale, elle jura de les « dominer après sa mort ». C'est pourquoi elle fit élever ce mausolée sur les hauteurs du village.

On accède à l'**église** par un escalier monumental à double révolution, du 18e s. Cet édifice du 12e s. a été complètement remanié au 17e s. Le chœur abrite un beau retable en bois doré du 17e s. à la gloire de saint Geniez. Dans une chapelle, à droite de l'entrée, le mausolée de Mgr Frayssinous fut élevé au 19e s. par Gayrard, sculpteur aveyronnais, et offert par le duc de Bordeaux, comte de Chambord, en témoignage de reconnaissance à celui qui fut son précepteur.

Rive gauche – La **chapelle des Pénitents**, du 14e s., est un vestige de l'ancien couvent des Augustins. Elle est flanquée d'un cloître et de bâtiments abbatiaux (17e s.), qui abritent des services administratifs.

Une promenade a été aménagée sur les quais du Lot.

★ Sainte-Eulalie-d'Olt C2

🛈 « *Eulalie d'Art* », *Espace Louis-Marcilhac* - ℘ *05 65 47 82 68* - *www.mairie-ste-eulalie-olt.fr* - *juil.-août : tlj sf dim. matin 9h-12h, 15h-19h ; mai, juin et sept. : tlj sf dim. et lun. 9h-12h, 14h-18h ; oct.-avril : lun.-mar. et jeu.-vend. 9h-12h, 14h-17h. Visite guidée de Sainte-Eulalie-d'Olt (1h30) en juil.-août : lun.-vend. 11h et 17h ; reste de l'année : sur réservation - départ devant le Point accueil tourisme - 1,70 €.*

Prenez le temps de flâner dans ce village médiéval fleuri et restauré avec goût, de la haute vallée du Lot. Il est classé parmi les « Plus Beaux Villages de France ».

LES MARMOTS

C'est l'appellation officielle des habitants de Saint-Geniez-d'Olt. Selon la légende, deux enfants auraient suivi un jour une marmotte pendant qu'un orage emportait leur maison et leurs parents. Les gamins sauvés des eaux furent nommés les « marmots », nom qui passa aux habitants de leur quartier avant de s'étendre à ceux de la ville tout entière. Une statue sur le pont Vieux rappelle cette légende.

Après avoir laissé la voiture sur le parking à l'entrée, suivez au hasard les ruelles étroites et tortueuses où se dressent quelques belles demeures (15e-18e s.) aux murs de galets du Lot, avec ou sans colombages. Remarquez notamment le musée-école, où figurent les œuvres d'un artiste local et diverses expositions temporaires. Au milieu de la façade, entre les fenêtres, se dresse une tour élancée et pointue. Autres bâtisses dotées d'une tour : l'hôtel particulier Renaissance, massif, dont la façade est percée de fenêtres à meneaux et chanfreinées, ainsi que le château de Curières de Castelnau (15e s.), traversé par un porche voûté. Sur la place se dresse l'église, de style roman et gothique et un peu plus loin, l'ancien moulin avec sa roue. Jouxtant le parking, un édifice restauré, nommé La Grange, abrite le Point accueil tourisme ainsi que six ateliers de création (tapissier, luthier, céramiste, tourneur sur bois, aquarelliste et girouettier) ouverts à la visite et aux démonstrations. D'autres artistes (souffleur de verre, tonnelier, céramiste…) se répartissent dans le village.

Suivre la D 988 direction Bozouls puis à droite la D 6 pour Saint-Côme-d'Olt. Au niveau de Lassouts, belle vue sur les monts alentour.

★ Saint-Côme-d'Olt C2

Saint-Côme est une petite ville fortifiée moyennageuse où l'on pénètre par l'une des trois portes de l'enceinte, aujourd'hui intégrée aux habitations. Les ruelles sont bordées de maisons des 15e et 16e s. Surmontée d'un curieux clocher en vrille de style flamboyant (16e s.), l'**église** possède aussi un intéressant portail aux vantaux sculptés Renaissance. À l'intérieur, un beau christ en bois de noyer du 16e s.

De Côme, prendre une petite route en direction de Roquelaure.

Château de Roquelaure C2

Ne se visite pas. Longtemps en ruine, il a été presque entièrement reconstruit. De la terrasse, dans un paysage coloré, belle **vue★** sur la vallée du Lot au nord, tandis qu'au sud s'étend le causse de Gabriac avec, en lointaine toile de fond, les sommets du plateau de Lévézou. La chapelle romane, au pied du château, abrite une Mise au tombeau du 15e s.

En redescendant sur St-Côme-d'Olt, s'arrêter aux **clapas★**. Il s'agit d'une curieuse coulée de lave qui s'est transformée au fil du temps en éboulis. Le mont de Roquelaure est en effet un piton de basalte dominant la vallée.

★ Espalion C2

🛈 *23 pl. du Plô - ℘ 05 65 44 10 63 - www.ot-espalion.fr - juil.-août : lun.-vend. 9h30-12h30, 14h-19h, sam. 9h30-13h, 14h-18h, dim. et j. fériés 10h-12h30 ; reste de l'année : lun.-sam. 10h-12h, 14h-18h (lun., vend. et sam. 17h), fermé dim. et j. fériés - circuit découverte de la vieille ville d'Espalion (1h30) en juil.-août, merc. 17h.*

Aux portes du plateau de l'Aubrac, Espalion occupe un site agréable dans un bassin fertile arrosé par le Lot et dominé par les ruines féodales de Calmont-d'Olt. Vu du foirail (ancien champ de foire aux bestiaux), le **pont Vieux** en grès rose du 11e s. forme un ensemble pittoresque avec le Vieux Palais et les anciennes tanneries à balcons de bois qui bordent la rivière. Le pont Vieux, lieu de passage des troupeaux transhumant vers l'Aubrac (fin mai), possédait jadis trois tours, des boutiques et un pont levis. Construit au 16e s., le **Vieux Palais** avec ses fenêtres à meneaux et sa tour en poivrière fut la demeure des gouverneurs d'Espalion. C'est aujourd'hui un lieu d'accueil pour artistes comprenant appartements et salles d'exposition.

L'**église de Perse★**, bel édifice roman (11e s.) en grès rose, évoque l'abbatiale de Conques dont il dépendait. Il est dédié à saint Hilarian, le confesseur de Charlemagne. Selon une pieuse légende, le saint, s'étant retiré à Espalion, y fut décapité par les Sarrasins. Au sud s'ouvre un **portail★** dont le tympan représente la Pentecôte ; au linteau, l'Apocalypse et le Jugement dernier ; au-dessus à gauche, trois personnages naïfs représentent l'Adoration des Rois mages. À l'intérieur, on remarquera les chapiteaux historiés, entre autres la chasse au lion et le Christ en majesté, de part et d'autre de l'abside. Restes de fresques sur les voûtes des bras du transept. Le chevet et son clocher-peigne remarquables sont à voir depuis le pont en contrebas.

Musée Joseph-Vaylet des Arts et Traditions populaires – *38 r. Droite -* ℘ *05 65 44 10 63 - juil.-août : tlj sf lun. 10h-12h, 14h-18h - fermé le reste de l'année - 4 €.* Installé dans l'ancienne église Saint-Jean-Baptiste et les bâtiments annexes, il possède de nombreuses collections d'arts et traditions populaires : armes, meubles, verrerie, objets religieux, poteries, ainsi que 450 bénitiers de chevet, accessoire indispensable pour se signer avant de se lever. Le **musée du Scaphandre** occupe le même édifice. Il est consacré à la plongée sous-marine et s'ordonne autour des inventions de Rouquayrol et Denayrouze, deux Espalionnais à qui l'on doit l'invention en 1864 du scaphandre autonome et du détendeur (régulateur à gaz).

Musée du Rouergue – *Pl. Frontin -* ℘ *05 65 73 80 68 - www.aveyron-culture. com - possibilité de visite guidée (45mn) - juil.-août : tlj sf lun. 10h-12h, 14h-18h - 4 € (enf. 2,50 €).* Des collections sur les mœurs et coutumes espalionnaises, dont une importante collection de vêtements d'époque, sont présentées dans les cellules de l'ancienne maison d'arrêt construite en 1838.

Sortir d'Espalion au sud par la D 920 et suivre les panneaux jusqu'au parking.

Château de Calmont-d'Olt C2

℘ *05 65 44 15 89 - www.chateaucalmont.org - juil.-août : 10h-19h ; autres vac. scol. (sf de Noël) : 14h-18h ; sept. : 14h-18h - 7,80 € (5-12 ans 5,50 €).*

👥 Juchée sur un piton basaltique qui offre une belle **vue★** sur la vallée du Lot, l'Aubrac et le causse du Comtal, cette forteresse médiévale est désaffectée depuis le 17e s. Elle se visite en suivant un circuit historique étayé par une animation audiovisuelle. On y apprend tout sur le château, son intérêt stratégique et les machines de siège en usage au 15e s.

Des ateliers pédagogiques permettent de fabriquer une cotte de mailles, d'actionner les machines de guerre et de voir les chevaliers manier l'arbalète ou l'épée.

★ Saint-Pierre de Bessuéjouls C2

Cette modeste église en grès rose qui surgit en pleine nature, dans un site verdoyant, recèle sous son clocher-porte une **chapelle romane★** exceptionnelle *(on y accède par un escalier aux marches usées qui s'ouvre dans le mur gauche de la nef)*. Datée du 11e s., cette minuscule chapelle de 6 m de côté est décorée de motifs archaïques (entrelacs, palmettes, croix de Malte) et de chapiteaux historiés inspirés de ceux de Conques. L'autel est orné sur le côté gauche d'un saint Michel combattant le démon, et sur le côté droit d'un saint Gabriel portant un phylactère.

★ Estaing B2

🛈 *24 r. François-d'Estaing -* ℘ *05 65 44 03 22 - juil.-août : lun.-sam. 9h30-12h30, 14h-19h (sam. 18h), dim. 10h-12h30 ; juin et sept. : lun. 14h-18h, mar.-sam. 10h-12h30, 14h-18h ; oct.-mai : mar.-sam. 10h-12h, 14h-17h (mai 18h) - fermé j. fériés.*

Château – ℘ *05 65 44 72 24 - visite guidée (2h) sur RV ; mai-juin : mar.-sam. 9h-12h, 14h-18h ; Ier juil. au 20 sept. : tlj sf lun. 10h-12h30, 14h30-19h ; 22 sept. au 17 oct. : mar.-sam. 9h-12h, 14h-18h ; dernière entrée 30mn av. fermeture - château et visite guidée 7 € (enf. 5 €).* Bâti à différentes époques (15e-16e s.) avec des matériaux variés, le château a été racheté en 2005 à la commune par l'ancien président de la République Valéry Giscard d'Estaing. Bien que n'étant pas estagnole, la famille **Giscard** obtint en 1922 l'autorisation de « relever » le nom de l'illustre famille locale. Olivier Giscard d'Estaing, frère du président Valéry, fut d'ailleurs maire de la ville entre 1965 et 1977. Le château forme un curieux assemblage dominé par son donjon. De sa terrasse ouest, belle vue sur la vieille ville et le Lot.

En face du château, l'**église** du 15e s. abrite les reliques de saint Fleuret et des retables des 18e-19e s. Devant l'église, belles croix gothiques à double face du 16e s. Le **pont gothique** porte une statue de François d'Estaing, évêque et comte de Rodez (1460-1529), qui fit construire le superbe clocher de la cathédrale de cette ville. Située dans la vieille ville, la **maison Cayron** conserve des fenêtres Renaissance. Elle abrite aujourd'hui la mairie et l'office de tourisme.

En quittant Estaing, la route offre une jolie vue sur le Lot, le vieux pont et le château.

★★ Gorges du Lot B2

Après s'être élargie sur quelques kilomètres, la vallée, d'abord noyée par la retenue du barrage de Golinhac, se resserre en gorges sauvages très pittoresques, dont la profondeur est d'environ 300 m et dont la largeur au sommet des versants ne dépasse guère 1 500 m. Des crêtes ou des pointes rocheuses, aux silhouettes déchiquetées ou massives, se dressent au milieu des bois qui couvrent les pentes. À quelques kilomètres d'Estaing apparaît le **barrage de Golinhac** qui alimente l'usine hydroélectrique, à l'architecture de métal et de verre, située un peu plus loin sur la rive gauche.

★ Entraygues-sur-Truyère *(voir p.523)* B2

Suivre la D 107. La route offre une vue d'ensemble sur Entraygues et son château, au confluent de la Truyère et du Lot.

La vallée du Lot perd dès lors son caractère âpre et sauvage. Elle est d'abord assez large et riante. Sur les coteaux bien exposés s'étagent des vignes en terrasses qui produisent un très bon vin (vins VDQS entraygues-le-fel). Des maisons de viticulteurs sont disséminées çà et là. Plus loin, les vignes deviennent plus rares, des buis s'intercalent entre les rochers plus rapprochés, des bois s'étendent sur les versants… Mais la vallée s'élargit plusieurs fois en de petits bassins cultivés où de pittoresques villages viennent se nicher parmi les arbres fruitiers.

Vieillevie B2

Beau petit château Renaissance qui peut se visiter en été. *Se renseigner.*

Continuer sur la D 42 en direction de Decazeville. À droite, une petite route à forte montée mène à **La Vinzelle**, petit village suspendu au flanc de la montagne et offrant une vue particulièrement dégagée sur la vallée du Lot.

DEUX GRANDS HOMMES

La région célèbre, entre autres, deux personnages qui n'avaient rien pour s'entendre. L'un est M\ :sup:`gr` **Frayssinous** (1765-1841), prélat qui passa à la clandestinité sous la Terreur avant de connaître tous les honneurs à la Restauration. Précepteur du comte de Chambord (fils de Charles X), grand maître de l'Université, académicien et pair de France, il partit en exil à Rome lors de la révolution de 1830. L'autre, **François Chabot** (1756-1794), moine capucin, siégea à l'extrême gauche de la Convention. Il fut en 1793 un des plus populaires de la sans-culotterie et œuvra beaucoup pour la déchristianisation. Il fut guillotiné en 1794.

Faire demi-tour pour rejoindre la D 42, toujours en direction de Decazeville.

Saint-Parthem B2

Maison de la rivière Olt – ✆ 05 65 64 13 22 - http://maison.riviere.olt.free.fr - ♿ - juil.-août : tlj sf vend. 11h-13h, 14h-18h ; mai-juin et sept. : tlj sf vend., sam. 14h-18h ; vac. de printemps et Toussaint : merc., dim. et j. fériés 14h-18h ; oct. : merc. 14h-18h - fermé le reste de l'année - 5,50 € (7-15 ans 3 €). Ce musée très didactique (spectacle audiovisuel, maquette, reconstitutions) raconte la vie du Lot qui, né en Lozère, parcourt plus de 480 km avant de se jeter dans la Garonne.

Continuer sur la D 42, puis sur la D 963 jusqu'à Decazeville.

☺ NOS ADRESSES DE LA VALLÉE DU LOT

HÉBERGEMENT

PREMIER PRIX

Chambre d'hôte Cervel – *Rte de Vinnac - 12190 Estaing -* ✆ 05 65 44 09 89 - http://albums. gho.fr/12/ch69.html - *fermé 15 nov.-30 mars -* 🅿 - ⌷ - *4 ch.* 54 € ⌷ - *rest.* 18 €. Cette ferme à flanc de colline appartient à un couple accueillant, amoureux de sa région. Les chambres affichent tout confort et la table propose une cuisine du terroir imaginative. Ne manquez pas les chevreaux et le très parfumé thé d'Aubrac.

Chambre d'hôte La Bastide d'Olt – *12140 Golinhac -* ✆ 05 65 44 58 44 - www.hameau-saint-jacques.com - *fermé janv. -* 39/61 € ⌷ - *rest.* 17 €. Une auberge sympathique sur la route de St-Jacques-de-Compostelle. Cet ancien presbytère abrite des chambres récentes, simples et de bon confort ; elles sont toutes agrandies d'une mezzanine, pratique pour les séjours en famille. Cuisine à l'accent du terroir servie en terrasse aux beaux jours.

Hôtel Moderne et restaurant l'Eau Vive – *27 bd Guizard - 12500 Espalion -* ✆ 05 65 44 05 11 - www. hotelmoderne12.com - *fermé 4 nov.-10 déc. et 4-17 janv. -* 28 ch. 45/60 € - ⌷ 7 € - *rest. formule déj.* 12 € - 24/46 €. Maison à pans de bois où la tradition d'accueil des pèlerins demeure forte. Deux générations de chambres, dont les plus anciennes ont l'avantage d'ouvrir côté cour. Chef-pêcheur proposant des spécialités de poissons d'eau douce dans un cadre lumineux.

Camping Les Clédelles du Colombier – *R. Rivié - 12130 St-Geniez-d'Olt - 1 km au NE par D 988, rte de St-Laurent-d'Olt et rte de Pomayrols à gauche, près du Lot -* ✆ 05 65 47 45 72 - www. lescledelles.com - ⌷. Associant la fraîcheur des rives du Lot à la proximité du village et de ses commerces, ces petites villas très bien équipées vous feront passer un agréable séjour. Un bon point de départ pour visiter la région, disposant en outre d'une piscine et de terrains de jeux. Club enfants et sorties familiales en saison.

BUDGET MOYEN

Hôtel Auberge St-Fleuret – *19 r. Francois-d'Estaing - 12190 Estaing face à la mairie -* ✆ 05 65 44 01 44 - www.auberge-st-fleuret.com - *ouvert mi-mars à mi-nov. et fermé dim. soir et lun. hors saison, lun. midi en juil.-août -* 14 ch. 46/56 € - ⌷ 8 € - *rest.* 18/32 €. Ex-relais de poste (19e s.) doté de chambres actuelles côté jardin ou vieux village, dominé par le château. Deux salles à manger, rustique ou claire et fraîche. Spécialités régionales, dont le fameux aligot (à la carte). Terrasse surplombant la piscine.

Hôtel de France – *36 bd J.-Poulenc - 12500 Espalion - ℰ 05 65 44 06 13 - ⛓ - 🅿 - 9 ch. 46 € - ☐ 7 €.* Central et voisin des musées, petit hôtel disposant de chambres crépies, fraîches et dotées de meubles en bois clair. Insonorisation efficace, tenue rigoureuse et prix doux.

Au Moulin d'Alexandre – *Ste-Eulalie-d'Olt - ℰ 05 65 47 45 85 - www.moulin.alexandre@ wanadoo.fr - 9 ch. 55 € - ☐ 8 € - rest.13/40 €.* Ce moulin du 16e s. est situé au cœur du village, servant à la fois de café, d'hôtel et de restaurant ; cuisine traditionnelle de qualité, chambres modestes.

Hostellerie de la Poste – *3 pl. Gén.-de-Gaulle - 12130 Saint-Geniez-d'Olt - ℰ 05 65 47 43 30 - www.hoteldelaposte12. com - ouv. de Pâques à la Toussaint - 🅿 - 50 ch. 60/65 € - ☐ 8 €.* Diverses générations de chambres, d'ampleur et de confort disparates, dans cet hôtel central réparti entre plusieurs bâtiments. Cadre de verdure ; clientèle de groupes.

RESTAURATION

BUDGET MOYEN

Le Méjane – *R. Méjane - 12500 Espalion - ℰ 05 65 48 22 37 - fermé 2-25 mars, 24-30 juin, lun. sauf le soir de sept. à juin, merc. sauf juil.-août et dim. soir - formule déj. 18 € - 25/58 €.* La présence de miroirs repousse les limites de la petite salle à manger. La décoration contemporaine est aussi soignée que la cuisine au goût du jour.

Le Rive Gauche – *12130 Saint-Geniez-d'Olt - ℰ 05 65 47 43 30 - hotel@hoteldelaposte12. com - ouvert de Pâques à la Toussaint - 🅿 - formule déj. 12 € - 25/42 €.* Au Rive Gauche, carte régionale présentée en salles ou sur la terrasse côtoyant la piscine.

ACHATS

Association Téranga - Pascal Leroy – *Le Bourg - 12560 Saint-Laurent-d'Olt - ℰ 05 65 47 42 63 - www.teranga-asso-potiers.com - tlj sf dim. 9h-12h, 14h-18h - fermé janv..* Stages de poterie et de céramique.

ACTIVITÉS

Sivu SNCF – *ℰ 05 65 51 28 00.* Circuit de 22 km sur l'ancienne voie ferrée Bertholène-Espalion, avec tunnels et viaducs. À pied, à cheval ou en vélo.

AGENDA

Son et lumière à Flagnac – *12300 Flagnac - ℰ 05 65 64 09 92 - www. hierunvillage.com - 16 € - (– 13 ans 5 € ; – 7 ans gratuit).* Le village de Flagnac, entre Conques et Decazeville, sur la D 963, présente une grande fresque vivante sur le pays rouergat. Le spectacle a lieu fin juillet-début août et débute à 22h15 (durée 1h45). Il est conseillé de réserver.

Procession de la Saint-Fleuret – À Estaing le 1er dim. de juil. Des personnages costumés accompagnent le buste reliquaire du saint à travers les rues de la ville. *ℰ 05 65 44 03 22.*

Entraygues-sur-Truyère

★

1 195 Entrayols ou Entrigots – Aveyron (12)

NOS ADRESSES PAGE 528

S'INFORMER
Office du tourisme d'Entraygues-sur-Truyère – *Pl. de la République - 12140 Entraygues-sur-Truyère - ℘ 05 65 44 56 10 - www.tourisme-entraygues. com - juil.-août : 9h30-12h30, 15h-19h, dim. et j. fériés 10h-12h30 ; avril-juin et sept. : tlj sf dim. 10h-12h15, 14h-18h, j.fériés 10h-12h ; oct.-mars : lun. 14h-18h, mar.-sam. 10h-12h15, 14h-18h (sam. 17h).*

SE REPÉRER
Carte de la microrégion B2 *(p.474)* – *carte Michelin Départements 338 H3*. Depuis le belvédère de Condat, sur la route d'Aurillac, au nord-ouest de la ville, belle vue sur le site du village et sur la vallée de la Truyère.

À NE PAS MANQUER
La vieille ville avec son pont gothique, ses passages couverts, ses maisons à encorbellements ; les gorges de la Truyère.

ORGANISER SON TEMPS
Si la ville se laisse rapidement découvrir, l'exploration des gorges peut s'étaler sur une journée. Prévoyez un pique-nique.

AVEC LES ENFANTS
Une visite contée au château de Valon.

Une petite ville fondée au 13ᵉ s. par le comte de Rodez, située au confluent du Lot et de la Truyère. Autour, des coteaux couverts de prairies, des vergers odorants et des vignes qui produisent un excellent vin… Une petite cité de caractère, fort appréciée, qui est aussi un centre d'activités sportives et de loisirs !

Se promener

Le latin *inter aquas*, « entre deux eaux » (la ville se situe au confluent du Lot et de la Truyère), a donné l'occitan Entre Aigas, bientôt contracté en Entraigas. Prononcez « Entrailles » !

★ Pont gothique
Sens unique en été. Il date de la fin du 13ᵉ s. et permet de traverser la Truyère.

Vieux quartier
Pour le visiter et voir ses **passages couverts** appelés *cantous*, ainsi que ses maisons pittoresques avec leurs étages en encorbellement et leurs fenêtres fleuries, partez de la petite place Albert-Castanié, dite « place de la Croix ». À l'angle de la vieille maison Sabathier, des marques indiquent le niveau atteint par les principales crues du Lot et de la Truyère. Prenez à pied la rue Droite. Remarquez à droite un beau portail du 16ᵉ s., dont le heurtoir est situé au-dessus de la porte (ainsi, les cavaliers n'avaient pas à mettre pied à terre), et

poursuivez sur la gauche, par la rue du Collège qui débouche sur la place de l'Église. Continuez par la **rue Basse★** qui est la mieux conservée d'Entraygues. Suivez le quai des Gabares, sous le château, jusqu'au confluent du Lot et de la Truyère : belle vue sur le château (17ᵉ s.) dont seules les deux tours remontent au 13ᵉ s. *(ne se visite pas).*

À proximité Carte de la microrégion

★ Puy de Montabès B2

11 km à l'est par la D 34, puis à droite la D 652. 🔭 *15mn à pied AR.* Très beau **panorama★** sur les monts du Cantal, l'Aubrac, le Rouergue (la cathédrale de Rodez est visible par temps clair !), la vallée du Lot, que la vue prend en enfilade en aval d'Entraygues, et le plateau de la Châtaigneraie. Une table d'orientation permet de se repérer.

Itinéraires conseillés

★★ VALLÉE DU LOT *(voir p.515)*

★★ GORGES DE LA TRUYÈRE

Pour visualiser ce circuit de 80 km, reportez-vous à la carte (p.525) – compter environ 3h. Quitter Entraygues au nord par la D 34.

Mutine et obstinée, la Truyère a creusé, dans les plateaux granitiques de la haute Auvergne, des gorges étroites, profondes, sinueuses, souvent boisées et sauvages. Bien que peu connues, elles méritent d'être classées parmi les plus belles curiosités naturelles de la France centrale. Les barrages créés pour l'industrie de la houille blanche ont transformé les gorges en lac, sur une grande longueur. Si cette intervention a modifié leur aspect, elle a aussi ajouté à ce paysage une touche nouvelle qui ne manque pas de charme… Sauf, peut-être, en période de basses eaux ! Aucune route ne permet de suivre longtemps la vallée, mais beaucoup la coupent et offrent, sur ses sites, de très beaux points de vue.

Barrage de Cambeyrac

Haut de 14,5 m, il constitue le dernier ouvrage de l'ensemble hydroélectrique de la vallée de la Truyère, avant sa jonction avec la vallée du Lot. Un peu en amont, après un coude de la rivière, on aperçoit sur l'autre rive l'usine hydro-électrique de Lardit.

Dans le hameau de Banhars, continuer à gauche sur la D 34. Après le pont sur la Selves, suivre la route à droite. La route serpente dans la pittoresque vallée de la Selves pour atteindre ensuite le petit plateau de Volonzac. *À Volonzac, prendre à droite une petite route menant à Bez-Bedène.*

Bez-Bedène

Dans un site sauvage et solitaire, ce village typiquement rouergat aligne ses quelques maisons sur une arête rocheuse que contourne un méandre de la Selves. On remarque une petite église du 12ᵉ s. au clocher à peigne et un pont du 14ᵉ s. à une seule arche.

Poursuivre la route jusqu'à sa jonction avec la D 34 que l'on prend à droite vers St-Amans-des-Cots. La D 97 mène au barrage de Maury.

Barrage de Maury

Il a été construit en 1948 au confluent de la Selves et du Selvet. Sa retenue de 166 ha s'inscrit dans un paysage très coloré.

Remonter vers St-Amans-des-Cots par la D 97.

Réservoir de Montézic

Situé sur le plateau granitique de la Viadène, il est formé par deux barrages sur le ruisseau de la Plane. Cette retenue de 245 ha fait office de réservoir supérieur par rapport à la retenue de Couesque *(accès interdit).*

Revenir sur la D 97 et franchir la retenue de Couesque sur le pont suspendu de Phalip.

Château de Vallon

℘ 05 65 66 22 36 - www.carladez.org - fév.-nov.; horaires se renseigner à l'office de tourisme - 2 € (5-12 ans 1 €).

On visite la chapelle et le donjon de ce château perché sur un éperon rocheux. Le mobilier, comme au 12ᵉ s., est rudimentaire : table sur tréteaux, bancs et chaise dans la salle d'apparat, coffre et lit dans la chambre du seigneur. Dans les recoins sont aussi dispersées des figurines, héros de contes pour enfants *(voir ci-dessous).* De la terrasse, superbe vue sur les gorges de la Truyère et les toits du village.

👥 Diverses activités sont proposées aux enfants : après-midi jeu et ripaille *(mar. et jeu. dès 16h)*, visites contées *(mar., merc. et vend. 10h30-12h). 3 €.*

Le hameau de **Vallon** a conservé ses maisons aux toits de lauzes, construites avec les pierres du château. On y accède exclusivement à pied, en garant sa voiture au parking à l'entrée.

Un belvédère aménagé en contrebas du village offre de beaux points de vue sur la Truyère et le lac de Couesque.

Poursuivre sur la D 97. Au centre du village de **Lacroix-Barrez**, un monument a été élevé à la mémoire du cardinal Verdier, illustre enfant du pays. Surnommé le « cardinal des chantiers », Jean Verdier, archevêque de Paris, fit construire autour de la capitale, de 1930 à 1940, plus de cent églises ou chapelles.

Prendre au sud la D 904. On atteint le hameau de **Rouens**, à gauche de la route. En contrebas de l'église, vue pittoresque sur le lac de Couesque et le pont de Phalip.

La route plonge alors dans le fond de la vallée, offrant de belles vues sur les gorges très profondes de la Truyère, le barrage de Couesque et son lac de retenue.

Avant le pont de Couesque, sur le Goul, prendre à gauche une route qui conduit à l'usine et au barrage de Couesque.

★ Barrage de Couesque

Ce barrage du type voûte mince, en surplomb vers l'aval, est haut de 60 m. Sa retenue s'étend jusqu'au confluent de la Bromme et de la Truyère, où débouche le canal de fuite de l'usine souterraine de Brommat *(voir Mur-de-Barrez).*

En descendant vers le sud, la vallée se couvre peu à peu de prés, de vignes et d'arbres fruitiers.

Usine hydroélectrique de Lardit

Cet ouvrage utilise les eaux de la Selves et de son affluent, le Selvet, retenues par le barrage de Maury sur la Selves, au sud de St-Amans-des-Cots. Les eaux sont amenées à l'usine par un tunnel de 6 km auquel fait suite depuis 1985 une conduite forcée.

MUR-DE-BARREZ ET LE CARLADEZ

◐ *Pour visualiser ce circuit de 35 km à partir de Mur-de-Barrez, reportez-vous à la carte (p.527) – compter environ 2h. Mur-de-Barrez se trouve à 30 km au nord d'Entraygues mais on peut rejoindre cet itinéraire à partir de Lacroix-Barrez à 4 km de Mur-de-Barrez.*

Mur-de-Barrez

🛈 *12 Grand-Rue - ℘ 05 65 66 10 16 - www.carladez.fr - juil.-août : 9h-19h, vend. et sam. 10h-12h30, 15h-18h30, dim. et j. fériés 10h-12h30 ; mai-juin et sept. : tlj sf dim. 9h-12h, 14h-17h, j. fériés 10h-12h ; reste de l'année : tlj sf dim. 9h-12h, 14h-17h, sam. et j. fériés 10h-12h.*

On pénètre dans la **vieille ville** par la porte de Monaco, pour flâner le long d'agréables ruelles, bordées (en particulier la Grand-Rue) de façades Renaissance parfois armoriées, comme la maison Consulaire (l'actuelle mairie). Du **château,** démoli en 1620 sur ordre de Louis XVIII, il ne reste que quelques ruines… d'où l'on découvre une vue très étendue sur toute la région environnante : monts du Cantal, vallée de la Bromme, Planèze, monts d'Aubrac, Barrez, Carladez. À l'est, en contrebas, bâtiments du **couvent Sainte-Claire** *(on peut y loger),* entourés de maisons typiques du pays, dont les toits de lauzes en forte pente possèdent quatre pans.

Église – De style gothique (13ᵉ s.), elle fut démolie jusqu'au transept au cours des guerres de Religion. À l'intérieur, remarquez quelques curieux chapiteaux, des clefs de voûte, dont l'une, au-dessus de la tribune, présente l'aspect d'un gisant, et un retable du 17ᵉ s. représentant l'assassinat de Thomas Becket. On peut se demander pourquoi les Barréziens vouent un culte aussi fervent à l'évêque de Canterbury, au point de lui avoir dédié leur église… C'est en fait un vestige de l'occupation anglaise de la place durant la guerre de Cent Ans. De 1643 à la Révolution, les Barréziens furent les sujets des princes de Monaco, qui laissèrent leur nom à la porte donnant accès à la cité.

Gorges de la Bromme

Cet affluent de la Truyère a creusé dans le basalte des gorges profondes et sauvages dont la route offre un bon aperçu.

Plus loin, on rejoint le cours de la Truyère dont les eaux sont, à cet endroit, dérivées par le **barrage de la Barthe** par une conduite souterraine forcée longue de 10,5 km. Cet ouvrage fait partie de l'ensemble Sarrans-Brommat, une des réalisations hydroélectriques les plus importantes de France. Au barrage de la Barthe, trois conduites forcées établies dans des puits verticaux de 250 m de hauteur amènent les eaux de la Truyère à l'usine souterraine de Brommat, construite en plein granit. Après un passage dans le poste d'interconnexion de Rueyres, le courant est évacué en 220 000 et en 380 000 volts sur le réseau français de répartition.

Après plusieurs virages en lacet, prendre la D 537 à gauche vers le barrage de Sarrans, puis la D 98.

Un belvédère aménagé *(à 1,5 km du barrage)* permet d'avoir une vue d'ensemble des installations de Sarrans.

★ Barrage de Sarrans

Le barrage de Sarrans, l'un des principaux ouvrages hydroélectriques du Massif central, transforme en lac une partie des gorges de la Truyère. Long de 220 m, haut de 105 m et épais de 75 m à la base, il est de type « barrage-poids », c'est-à-dire qu'il résiste par sa masse à la poussée des eaux, tandis qu'une légère courbure à l'amont fait effet de voûte.

Après avoir passé la crête du barrage, la D 98 longe le lac de retenue jusqu'aux abords du village de Laussac que l'on atteint par la D 537.

Laussac

Le village est bâti sur un promontoire que l'immersion de la vallée a transformé en presqu'île. Vue particulière sur la Truyère s'enroulant autour du village.

Revenir sur la D 98 que l'on emprunte à droite.

À 1,5 km de l'embranchement, belle vue sur le lac.

Poursuivre sur la D 98 jusqu'à un croisement où l'on prend la D 139 à droite.

Belvédère de Jou

Après le hameau de Jou, on découvre un panorama sur la presqu'île de Laussac, l'hospice de la Devèze et la retenue de Sarrans.

Revenir vers Laussac en suivant à gauche la D 98, puis la D 166 vers Albinhac et Brommat.
La route offre des vues étendues sur le pays du Barrez, les monts du Cantal et l'Aubrac. Remarquez les jolis toits à quatre pans, avec leurs lauzes en forme d'écailles.
Après Brommat, la D 900 mène à Mur-de-Barrez.

☺ NOS ADRESSES À ENTRAYGUES-SUR-TRUYÈRE

HÉBERGEMENT

PREMIER PRIX
Hôtel Les Deux Vallées – *Av. du Pont-de-Truyère -* ✆ 05 65 44 52 15 - hotel.2vallees@wanadoo.fr - *fermé fév., en nov., vacances de Noël, dim. soir, vend. soir et sam. d'oct. à avril -* 20 ch. 45 € - ☐ 7 € - *rest. formule déj.* 12 € - 16/23 €. À Entraygues confluent les vallées du Lot et de la Truyère. Rénovées, les chambres misent plus sur l'aspect pratique que sur l'apparat. Toutes sont efficacement insonorisées. Atmosphère campagnarde au restaurant ouvert sur une petite cour-terrasse.
Camping Village Center Les Tours – *12460 St-Amans-des-Cots - SE : 6 km par D 97 et D 599 à gauche, bord du lac de la Selves -* ✆ 05 65 44 88 10 - www.les-tours.com - *de mi-mai à mi-sept. -* ♿ - *réserv. conseillée -* 275 empl. 38 €. Les amateurs de sports nautiques et de nature apprécieront la situation de ce terrain de camping au bord du lac de la Selves : pour en profiter, des planches à voile, des canoës ou des pédalos sont en location. Une piscine et un club enfants.

BUDGET MOYEN
Hôtel auberge du Fel – *Le Fel - 12140 Le Fel -* ✆ 05 65 44 52 30 - www.auberge-du-fel.com - *ouvert 5 avril-4 nov. -* ♿ - ☐ - 10 ch. 55/66 € - ☐ 8,50 € - *rest.* 18/35 €. Maison coiffée de lauzes et couverte de vigne dans un

pittoresque hameau surplombant le Lot. Chambres personnalisées version contemporaine, simples et à la tenue irréprochable.
Hôtel auberge du Barrez – *Av. du Carladez - 12600 Mur-de-Barrez -* ✆ 05 65 66 00 76 - www.aubergedubarrez.com - *fermé 4 janv.-12 fév. -* ☐ - 18 ch. 58/78 € - ☐ 8,50 € - *rest.* 15/41 €. Dans un jardin fleuri, cette grande maison abrite des chambres diverses en taille, mais toutes contemporaines et fonctionnelles. Agréable salle à manger actuelle ; certaines tables ont vue sur la campagne. Cuisine traditionnelle, copieuse et bien faite.

RESTAURATION

POUR SE FAIRE PLAISIR
Ferme-auberge de Mejanassère – ✆ 05 65 44 54 76 - www.domaine-de-mejanassere.fr - *fermé oct.-mars et lun. en juil.-août -* ☐ - ⊠ - 29 € - 4 ch. 60 € ☐. L'origine de cette ferme remonterait à l'époque gallo-romaine. De nos jours, sa bonne cuisine du pays, son pain cuit au feu de bois, sa terrasse qui surplombe les vignes face à la vallée et ses belles chambres d'hôte en font une adresse pleine de charme. Réservation conseillée.

ACHATS

Le Don du Fel – *12140 Le Fel -* ✆ 05 65 54 15 15 - www.poteriedudon.com - *avr.-sept.* 10h-18h30, *w.-end* 10h-12h, 14h-18h30, *oct.-mars* 10h-18h, *w.-end* 14h-18h.

Pôle européen de la céramique contemporaine et de la poterie du Don.

ACTIVITÉS

👥 **Les sentiers de l'Imaginaire en Carladez** – Six sentiers à thème (l'eau, la géologie, l'histoire, le feu, la forêt et la prairie), d'accès facile, parcourent le Carladez depuis Brommat, Lacroix-Barrez, Mur-de-Barrez, Murols, Taussac et Thérondels. Jalonnés de sculptures en bois

ou en fer forgé, d'enluminures, de passerelles, de cabanes, nés de l'imagination d'artistes locaux, ces itinéraires sont tout particulièrement destinés aux enfants. *Brochure disponible à l'office de tourisme - 𝄞 05 65 66 10 16 - www.carladez.fr.*

AGENDA

Son et lumière – Fin juil.-déb. août, à partir de 20h30. Spectacle organisé dans l'enceinte du château de Valon.

Aubrac

★

546 Aubracois – Aveyron (12)

NOS ADRESSES PAGE 533

🅸 **S'INFORMER**

Office du tourisme de Condom et Saint-Chély-d'Aubrac – *Rte d'Espalion - 12470 Saint-Chély d'Aubrac - 𝄞 05 65 44 21 15 - www.stchelydaubrac. com - avril-oct. : lun.-vend. 15h-19h, le sam. du 6 juil. au 23 août ; janv.-mars et nov.-déc. : lun.-vend. 14h30-18h30.* Expositions sur l'élevage traditionnel de la race Aubrac et les pèlerinages à Saint-Jacques-de-Compostelle à travers les siècles. Reconstitution d'un buron miniature avec divers personnages sculptés dans le bois.

▶ **SE REPÉRER**

Carte de la microrégion C2 *(p.474)* – *carte Michelin Départements 338 J3.* Aubrac se trouve au carrefour de trois grandes voies menant à Nasbinals et Espalion (D 987) ou à Laguiole (D 15). Bien que situé en Aveyron, le bourg est très proche de la Lozère et du Cantal.

🕐 **ORGANISER SON TEMPS**

Comptez une journée pour le circuit, surtout si vous visitez les villes traversées.

Des hameaux esseulés, des villages retirés, des paysages propices aux impressions de bout du monde… À 1 300 m d'altitude, sur le vaste plateau basaltique qui porte son nom, Aubrac est une petite station estivale ensoleillée et aérée. Plantée au cœur d'une région de pâturages, elle est envahie, l'été, de troupeaux de bovins, essentiellement des vaches de la race Aubrac à la belle robe fauve. En hiver, les skieurs de fond se régalent des pentes douces !

Se promener

Aubrac, ou Albrac, tire son nom de la racine *alb-* désignant une hauteur ou une montagne… et l'a donné au plateau occupant la partie la plus méridionale des massifs volcaniques d'Auvergne.

Une grosse tour carrée, une église romane et un bâtiment du 16e s. transformé en maison forestière, c'est tout ce qui reste de l'ancienne « dômerie » des frères hospitaliers d'Aubrac, ces moines-chevaliers qui, du 12e au 17e s., protégeaient les pèlerins qui se rendaient à Rocamadour ou à Saint-Jacques-de-Compostelle. Sur la place du village, le personnage en bois sculpté de Lou Cantalès représente les anciens maîtres de buron, petite maison de pierre où ils fabriquaient le fromage. En guise de mise en bouche avant la découverte de la région, faites halte à la Maison de l'Aubrac *(voir nos adresses)*.

Jardin botanique d'Aubrac

℘ 06 71 02 62 90 - mai-sept. : 24h/24 - 2 € (prévoir une pièce) ; visite commentée (1h) de mi-juil. à mi-août : merc. 16h - 5 €.
Zone de tourbières où s'épanouissent la linaigrette, la grassette et la drosère, ce jardin abrite plus de 500 espèces représentatives de la flore locale. À côté des plantes carnivores fleurissent d'autres essences rares, aromatiques, toxiques, alimentaires ou symboliques : cistre, thé d'Aubrac, ail des ours, achillée, absinthe…

Itinéraire conseillé

★ L'AUBRAC ROUERGAT

▶ *Pour visualiser ce circuit de 127 km, reportez-vous à la carte (p.531) – compter une demi-journée. Quitter Aubrac au sud par la D 533 qui descend dans la riante vallée de la Boralde de Saint-Chély.*
À l'entrée de Saint-Chély *(expositions permanentes à l'office de tourisme - voir S'informer)*, prendre à gauche la D 19 vers **Bonnefon**, hameau que domine une tour carrée du 15e s., dite tour-grenier, construite par les moines d'Aubrac.
3,5 km après Bonnefon, prendre à gauche la D 211.
La route pénètre dans la forêt domaniale d'Aubrac, haute futaie de hêtres agrémentée de sapins.

Brameloup

Brameloup doit son nom à l'occitan *loba*, « montagne ». Cette petite station de sports d'hiver, à caractère familial, possède des pistes largement ouvertes dans la forêt. Ski de fond, ski alpin, luge et raquettes sont autant d'activités proposées.
Faire demi-tour et prendre à gauche la D 19.

Prades-d'Aubrac

L'église du 16e s. est surmontée d'un puissant clocher octogonal. De l'extrémité du village, belle échappée sur la vallée du Lot.
Outre des vues très étendues sur les causses et les ségalas du Rouergue, la descente vers le Lot offre l'attrait d'une transformation rapide du paysage. Aux immenses pâturages qui couvrent les plateaux, où ne croissent çà et là que des hêtres rabougris, succèdent d'abord des landes, puis quelques

prairies et de maigres cultures. À droite, la vallée de la Boralde commence à se creuser. Les champs se font alors plus nombreux ; on traverse des bois de châtaigniers et des vergers.

★ Saint-Côme-d'Olt *(voir p.518)*

★ Espalion *(voir p.518)*
Quitter Espalion par la D 921 au nord.
La route s'élève en direction de Laguiole, révélant de très jolies vues à droite sur les monts d'Aubrac, à gauche sur le plateau de la Viadène.
Après le hameau de La Vitarelle, prendre à gauche la D 70 sur 8 km puis tourner à droite vers le château du Bousquet.

Château du Bousquet
℘ 05 65 48 41 13 - visite guidée (1h30) en sais. : tlj sf mar. 14h30-18h30 - 5 € (7-16 ans 3 €).
Situé sur le chemin de Saint-Jacques reliant Le Puy-en-Velay à Conques, ce château du 14ᵉ s. a été édifié avec une pierre de basalte provenant d'une coulée de lave adjacente. Cette construction austère mais de fière allure, au plan très régulier (quadrilatère flanqué de six tours), a probablement été édifiée par un ordre hospitalier (peut-être les templiers, qui étaient présents à Laguiole). L'intérieur abrite un mobilier intéressant. Remarquez la chambre du parquet, la grande salle et la cuisine gothique (classée).
Continuer la D 42 jusqu'à Soulages-Bonneval.

Le grenier de Capou à Soulages-Bonneval
5 km à l'ouest par la D 541 ; tourner à droite avant de sortir du village - ℘ 05 65 44 31 63 - mar., jeu. et w.-end : 14h30-18h ; reste de l'année sur RV- 4,50 € (6-12 ans 2,50 €).
👥 Ce parcours insolite vous entraîne à la rencontre des objets qui ont fait le tissu rural de l'Aubrac et évoque la mémoire des anciens : roues, pressoirs, charrettes, jougs, batteuses, intérieur d'une maison ou d'un buron, travail du

sol et du grain, nids d'oiseaux… Patinés par le temps et l'usage, ces objets en bois (entre 4 000 et 5 000) sont amoureusement conservés dans le grenier de la famille Capoulade. Certains, tel le chariot du Père Noël, sortent à la saison ou, pour les voitures, à l'occasion de mariages. D'autres, comme la presse à écraser la maîtresse, donnent lieu à une démonstration. Visite guidée en costume traditionnel d'Auvergnat, à la fois pédagogique et ludique, interactive, pétrie d'humour et d'anecdotes. Un régal pour petits et grands.
De Soulages-Bonneval, prendre la D 541 jusqu'à Laguiole.

Laguiole

🔲 *Pl. de la Mairie - ✆ 05 65 44 35 94 - www.laguiole-online.com - juil.-août : 9h-12h30, 14h-19h, dim. 10h-12h30, 14h-17h ; sept.-juin : tlj sf dim. 9h30-12h30, 14h-18h - fermé 1ᵉʳ janv., 1ᵉʳ Mai, 1ᵉʳ nov., 25 déc. Visite guidée du village (2h) en juil.-août.*

Les toits d'ardoise de la petite cité recouvrent une colline de l'Aubrac, dans un paysage particulièrement verdoyant… et reposant. C'est l'occitan *glèisa*, « église », qui a donné La Gleizolle (la petite église) puis, par altérations successives, La Glaiole, et enfin Laguiole… Important : pour montrer que l'on sait ce qu'est un laguiole, prononcer « layole ». C'est tout de suite mieux !

Musée du Couteau Laguiole, de l'Objet forgé et de l'Outil tranchant – ✆ 05 65 51 23 47 - www.musee-laguiole.com - tlj sf dim. 9h-12h, 14h-18h. Créé en 1829 par l'artisan Pierre Calmels, le couteau de Laguiole était à l'origine un *capuchadou*, c'est-à-dire un outil à tout faire, qui fut progressivement doté d'un poinçon puis d'un tire-bouchon. Après une période de lent déclin, sa production a été relancée au début des années 1980 pour devenir aujourd'hui la première industrie du bourg. Ces dernières années ont vu se multiplier les couteliers locaux, dont les ateliers bordent aujourd'hui la presque totalité de la rue principale. Afin de clarifier une situation devenue confuse, un label « Laguiole Origine garantie » a vu le jour.

Le fromage – Bénéficiant d'une appellation d'origine protégée (AOP), le fromage de Laguiole, à pâte pressée non cuite et à base de lait de vache cru et entier, est reconnaissable à la marque du taureau sur la croûte. Il obéit à des procédés de fabrication très précis : la phase d'affinage, en particulier, doit durer au minimum quatre mois. Ce descendant de la fourme des burons et proche parent du cantal est aujourd'hui produit par la coopérative fromagère Jeune Montagne.

Musée du Haut Rouergue – *Se renseigner à l'office de tourisme pour les horaires et tarifs* - ✆ 05 65 44 35 94. Aménagé sur trois niveaux, il présente des outils d'artisans utilisés autrefois dans l'Aubrac ainsi qu'un **buron** reconstitué. Bâti en basalte et en granit au milieu des pâturages, le buron est le plus souvent implanté sur un terrain en pente à proximité de sources. Il est utilisé comme habitation temporaire par le *cantalès* lorsque les vaches sont à l'estive, de mai à octobre. Sous le toit de lauzes, une salle fait office à la fois de pièce à vivre et de fromagerie, attenante à une cave d'affinage. Quelques burons sont encore utilisés aujourd'hui, en particulier dans les environs de Laguiole.
De Laguiole prendre la D 15 jusqu'à Aubrac.

À l'est de Laguiole, la route, une des plus élevées de l'Aubrac, traverse de vastes pâturages et quelques bois de hêtres.

😊 NOS ADRESSES À AUBRAC

HÉBERGEMENT

PREMIER PRIX

Chambre d'hôte Les Mazes – *Col de Verlac - 12130 Aurelle-Verlac -* 📞 *05 65 47 57 85 - www.hebergaubrac.com - fermé janv.-mars et déc. sf vac. de Noël. -* 🅿 *-* 🚭 *- 4 ch. 50 €* 🍽. Perchée à 1 063 m d'altitude, cette charmante maison vous accueille au cœur d'un petit lieu-dit. Aménagées dans l'ancienne grange attenante, les 4 chambres au style très original semblent dédiées à la gloire du bois. Sauna à disposition. Joli patio fleuri. Randonnées balisées autour du col de Verlac.

Chambre d'hôte Chez Ginette – *Puech-des-Fonds, Anglars - 12500 Le Cayrol -* 📞 *05 65 44 12 04 - www.septfonds.gites-de-france-aveyron.com -* 🅿 *-* 🚭 *- 55 €* 🍽 *- rest. 20 €.* Aménagées au rez-de-chaussée d'une villa de style moderne entourée de verdure, ces 3 belles chambres allient bonne tenue et confort douillet. Un joli mobilier réalisé par un artisan ébéniste orne chacune des pièces. Table d'hôte riche en spécialités locales (aligot et truffade).

Hôtel des Voyageurs – *Av. Aubrac - 12470 Saint-Chély-d'Aubrac -* 📞 *05 65 44 27 05 - www.hotel-conserverie-aubrac.com - ouvert 11 avril-26 juin, 6 juil.-14 oct. et fermé merc. sauf juil.-août - 7 ch. 45/50 €* 🍽 *7 € - rest. 17/24 €.* Les villages perdus dans la campagne réservent de belles surprises ! Il en est ainsi de ce petit hôtel familial et de ses chambres impeccables, simples et coquettes.. À table, cuisine familiale à l'accent aveyronnais (tripoux, aligot…). Conserverie artisanale.

Hôtel-restaurant L'Aubrac – *17 allée de l'Amicale - 12210 Laguiole -* 📞 *05 65 44 32 13 -* www.hotel-aubrac.fr - fermé 3 premières sem. de janv., 1 sem. fin juin et 1 sem. en automne - ♿ - 🅿 *- 31 ch. 44/55 €* 🍽 *8 € - rest. 12/30 €.* Maison familiale dotée de chambres confortables et bien équipées. terrasse couverte et parc ombragé. La carte du restaurant célèbre les produits du cru : pièce de bœuf « fleur d'Aubrac » issue de la ferme familiale, aligot, etc.

Hôtel Régis – *3 pl. de la Patte-d'Oie - 12210 Laguiole -* 📞 *05 65 44 30 05 - www.hotel-regis-laguiole.com - ouvert 10 fév.-5 nov. - 20 ch. 40/98 €* 🍽 *10 €.* Relais de diligences du 19e s. au cœur de la cité aveyronnaise. Les chambres du 2e étage offrent plus d'espace et de confort. Agréable piscine.

Auberge du Moulin – *12210 à Soulages-Bonneval -* 📞 *05 65 44 32 36 - fermé dern. sem. de juin ; rest. fermé vend. soir sf juil.-août - 12 ch. 29/35 €* 🍽 *4,50 € - rest. 12/24 €.* Champêtre et d'un confort modeste, l'adresse occupe un vieux moulin haut perché. Petites chambres sobres ; certaines donnent sur une cascade. Baignade aménagée à proximité. Une simplicité de bon aloi anime le restaurant où l'on propose les plats du pays.

POUR SE FAIRE PLAISIR

Hôtel La Dômerie – *12470 Aubrac -* 📞 *05 65 44 28 42 - www.hoteldomerie.com - ouvert 7 fév.-12 nov. -* 🅿 *- 24 ch. 67/93 €* 🍽 *12 € - rest. 24/43 €.* Belle demeure ancienne en basalte et granit située au centre du village. Deux générations de chambres confortables : rustiques ou plus cosy. Accueillante salle à manger campagnarde où vous goûterez une cuisine familiale mettant en valeur la viande d'Aubrac.

RESTAURATION

UNE FOLIE

Bras – *12210 Laguiole -
☎ 05 65 51 18 20 - www.michel-
bras.fr - ouv. de déb. avr. à fin oct.
et fermé lun. sauf juil.-août -* &. -
🅿 - *113/180 €.* Cuisine du terroir
hautement inspirée servie dans
une salle design et panoramique.

POUR SE FAIRE PLAISIR

Chez Germaine – *Place des Fêtes -
12470 Aubrac - ☎ 05 65 44 28 47 -
fermé le soir, mar. et 11 Nov.-24 déc.
(en hiver, pendant la période
d'enneigement, sur réservation) -
formule déj. 26 € - 37 €.* Une
véritable institution dans la
région. Naguère, certains
venaient de Paris pour déguster
les spécialités de Germaine
Aujourd'hui, sa fille a repris le
flambeau, mais la saveur des plats
demeure intacte. Viendrez-vous
à bout de la formule, avec son
confit de canard, son aligot et sa
tarte ?

ACHATS

La Maison de l'Aubrac – *12470
Aubrac - ☎ 05 65 44 67 90 - www.
stchelydaubrac.com - fermé de mi-
nov. à Pâques - 4 € accès à l'Espace
audiovisuel - (– 18 ans 3 € : accès
à l'Espace audiovisuel).* En plein
cœur du village, cette structure
propose une présentation de
la région, de son artisanat et
de sa gastronomie, à partir
d'expositions et de documents
audiovisuels. Vente de produits
de qualité de la région. Visites
patrimoine et randonnées
accompagnées.

**Coopérative fromagère Jeune
Montagne** – *12210 Laguiole -
☎ 05 65 44 35 54 - juil.-août :
8h-19h, dim. et j. fériés 9h-13h,
14h-18h ; sept.-juin : 8h-12h, 14h-
18h, dim. et j. fériés 9h-12h.* Une
adresse incontournable que cette

coopérative fromagère, où l'on
produit le fromage de Laguiole
AOC, l'aligot et la tome fraîche
de l'Aubrac. Visites gratuites :
projection vidéo. Dégustation et
vente sur place.

Forge de Laguiole – *Rte de
l'Aubrac - 12210 Laguiole -
☎ 05 65 48 43 34 - www.forge-de-
laguiole.com - juil.-août : 9h-19h ;
reste de l'année : tlj sf dim. : 9h-12h,
13h30-18h (nov.-mars : sam. 9h-
12h).* Cette société, créée en 1987
et récompensée par de nombreux
prix, associe tradition et
modernité dans la fabrication des
fameux couteaux. L'atelier, dessiné
par Philippe Starck, propose des
visites gratuites commentées
toute l'année.

ACTIVITÉS

Henri Mouret - guide de pêche –
*Le Quié - 12210 La Terrisse -
☎ 05 65 48 40 43.* Stages et cours
(diverses techniques de pêche).

Ski de fond – *12210 Laguiole -
☎ 0 825 801 406 - informations
(tarifs, forfaits ski alpin ou ski de
fond) : service des pistes 9h-17h.*
Créé en 1985 et orienté vers la
pratique du **ski de fond**, l'Espace
nordique des monts Aubrac
se compose de sept stations :
Aubrac, Brameloup, Lacalm,
Laguiole (Aveyron, située à plus
de 1 000 m d'altitude), Nasbinals,
Bonnecombe (Lozère) et St-Urcize
(Cantal). Située à plus de 1 000 m
d'altitude, **Laguiole**, la « capitale
de la montagne », est aussi une
station de sports d'hiver.

**Fête de la transhumance et de
la vache Aubrac** – *W.-end le plus
proche du 25 mai.* Montée des
troupeaux dans les pâturages
depuis Aubrac. À cette occasion,
les vaches sont décorées de
fleurs et de cloches. Déjeuner
montagnard avec les produits du
terroir. *☎ 05 65 44 21 15 -
www.traditionsenaubrac.com.*

Millau

★

22 133 Millavois – Aveyron (12)

😊 **NOS ADRESSES PAGE 540**

🛈 **S'INFORMER**

Office du tourisme de Millau – *Hôtel de Galy - 1 pl. du Beffroi - 12100 -
📞 05 65 60 02 42 - www.ot-millau.fr - juil.-août : tlj 9h-19h ; reste de l'année :
lun.-vend. : 9h-12h30, 14h-18h30, sam. 9h-18h30, dim. : 9h30-16h - fermé
1er janv, 25 déc.*

Halle Viaduc – *Pl. de la Capelle - 📞 05 65 60 95 05 - avr.-oct. : 10h-19h (20h
juil.-août) ; reste de l'année merc.-dim. (tlj vac. scol.) 10h-12h30, 14h-18h. 4 €.*
Point de départ pour les visites du Viaduc et espace d'information sur la
ville et la région.

Bus Cabriolet – Des bus cabriolets proposent des excursions pour le
viaduc, Roquefort et le Larzac ainsi que pour les gorges du Tarn. *Départ
de la Halle Viaduc, pl. de la Capelle - renseignements et inscriptions au 05 65
61 41 52.*

▶ **SE REPÉRER**

Carte de la microrégion C4 *(p.474)* – *carte Michelin Départements 338 K6.*
À 116 km au nord de Montpellier par l'A 75 ; la sortie 47 à la hauteur de
la Cavalerie permet de rejoindre la D 809 qui s'élève sur le causse du
Larzac. Là, un belvédère offre une belle vue sur le **site★** de Millau et son
vieux moulin.

🅿 **SE GARER**

Le parking couvert de la place Emma-Calvé se situe en plein centre.

😊 **À NE PAS MANQUER**

Le viaduc ; les fouilles du village de potiers de la Graufesenque ; la section
paléontologie du musée de Millau ; le musée de la Peau et du Gant.

🕐 **ORGANISER SON TEMPS**

Prévoyez une bonne demi-journée pour visiter Millau et consacrez une
heure à la découverte de la Graufesenque.

👥 **AVEC LES ENFANTS**

La découverte du viaduc et les nombreuses activités proposées par la
ville labellisée « Station Kid » *(voir Organiser son voyage).*

**Millau a désormais acquis une réputation internationale grâce à son
élégant viaduc qui détient le record mondial de la plus haute pile !
Formidable atout pour la circulation et la communication, ce magnifique ouvrage d'art ne doit pas cacher la ville qui s'est développée au cours
des siècles autour de la poterie, puis de la mégisserie et de la ganterie.
Au croisement des routes d'Albi, de Clermont-Ferrand et de Montpellier,
la ville mérite une halte car elle combine avec bonheur patrimoine culturel et activités de plein air avec la proximité des gorges du Tarn et des
Causses.**

Découvrir

★★★ LE VIADUC

Spectaculaire, le viaduc multi haubané conçu par l'architecte anglais **Lord Norman Foster** prend son envol au-dessus du Tarn. Sur 7 piles de béton, le fin tablier métallique et les pylônes d'acier donnent à l'ensemble une réelle élégance. Avec ses 245 m de hauteur, la pile P2 est la plus haute du monde. D'une longueur totale de 2 460 m, culminant à 343 m au-dessus du Tarn, le viaduc détient le record mondial de hauteur. Il a été mis en service en décembre 2004. En décembre 2007, le viaduc a obtenu le prix international d'architecture de l'*Outstanding structure award*.

De nombreuses possibilités de visites sont organisées par l'office de tourisme ou des prestataires ; bateaux, canoës, ULM, parapentes, quad… *(voir nos adresses p.541)*. Si vous souhaitez l'emprunter en voiture, il vous en coûtera 7,70 € en été, 6 € le reste de l'année. Pour le régal des yeux, de nombreux belvédères ont été aménagés autour de la ville.

⊞ **Aire de vision du viaduc de Millau** – *Sur l'A 75, av. le péage, sortie 45 - depuis Millau, prendre la D 911 - www.tourisme-aveyron.com - ouv. tte l'année - accès gratuit.* L'ancienne ferme caussenarde de Brocuéjouls, aujourd'hui restaurée, s'ouvre sur quatre espaces : le Viaduc Expo, l'Espace Découverte de l'Aveyron et l'Espace Grands Suites de la région Midi-Pyrénées.

Dans l'Espace Gourmand, venez savourer un « capucin » (petit pain en forme de cône empli de spécialités du terroir), concocté par Michel Bras, grand chef étoilé.

> **Le viaduc en chiffres**
> - 7 piles en béton.
> - 343 m de hauteur.
> - 2 460 m de long.
> - 245 m pour la plus haute pile (P2).
> - 342 m entre les piles.
> - 36 000 t d'acier.
> - 205 000 t de béton.
> - 3 ans de travaux.
> - 3 000 personnes ont travaillé à la construction du viaduc.
> - 400 millions d'euros : le coût.

Depuis le belvédère, point de vue saisissant sur cet ouvrage d'art exceptionnel !

Visite en bus cabriolet – *RV à la Halle Viaduc, pl. de la Capelle - réserv. au 05 65 61 41 52 - durée 1h45 - 9h, 10h45, 14h, 15h45, 17h30 - 10 € (6-12 ans : 6 €).* Ce bus amène au belvédère de l'Aire de vision du viaduc *(voir ci-dessus)*, puis descend par les anciennes pistes du chantier pour arriver sous le viaduc. Enfin, il traverse le Tarn et rejoint l'aire des Cazalous *(voir ci-dessous)*. Durant le trajet, informations sur l'ouvrage d'art, la ville et la région (DVD). Retour à Millau.

Viaduc Espace Info – *Aire des Cazalous. Situé sous le viaduc, à proximité de Creissels sur la D 992 reliant Millau à St-Affrique. ☎ 05 65 58 80 65 - mars-oct. : 10h-19h ; nov.-fév. : 10h-17h - fermeture du site 20mn av.*

👥 Une maquette de l'ouvrage est exposée et un film *(10mn)* retrace les différentes étapes des travaux de construction. Le **Jardin des Explorateurs** est une exposition en plein air où se trouve une reconstitution de la base de la pile P2. Le translateur, ayant permis de pousser le tablier, fonctionne sous vos yeux - *visite guidée, s'inscrire 15mn av. le début de la visite - durée 1h à : 11h, 14h, 16h et 17h (en été) - 5,50 € (enf. 6-17 ans : 3 € ; famile : 13 €).*

Aire de vision du Cap de Coste – *À 5 km de Millau, en direction de St-Affrique, au départ de Creissels. Une petite route sinueuse monte (départ de parapente)* *et domine le viaduc.* Sur les hauteurs du village de Peyre, en direction de Comprégnac, **belle vue** sur le viaduc.

Se promener

▷ *Circuit tracé en vert sur le plan de la ville ci-dessus – compter 3h.* Départ de la place de la Capelle où vous pouvez visiter la **Halle Millau Viaduc** *(voir ci-dessus). Prenez la rue de la Capelle.*

Place du Maréchal-Foch

C'est la partie la plus pittoresque du vieux Millau, avec ses « couverts » aux arcades (12e-16e s.) soutenues par des colonnes cylindriques. On y voit encore une pierre rectangulaire, reste de l'ancien pilori *(entre la 2e et la 3e colonne en venant du nord).* La 3e colonne porte l'inscription (assez peu distincte) : *Gara qué faras,* « Attention à ce que tu vas faire ». Si cet avertissement vous fait hésiter, nous vous conseillons de visiter l'**église** et le **musée de Millau★**.

Église N.-D.-de-l'Espinasse

Elle possédait autrefois une épine de la sainte Couronne, d'où son nom. Lieu de pèlerinage important au Moyen Âge, l'édifice, roman à l'origine, fut reconstruit au 17e s. Les fresques du chœur (1939) sont dues à Jean Bernard et les vitraux de la nef (1984) à Claude Baillon.

★ Musée de Millau
Pl. du Mar.-Foch - ✆ 05 65 59 01 08 - juil.-août : 10h-18h ; reste de l'année : 10h-12h, 14h-18h - fermé dim. et j. fériés d'oct. à mai - 5 € (-18 ans gratuit), gratuit 1er sam. du mois.

Il est installé dans l'hôtel de Pégayrolles (18e s.), au sud-est de la place. Au rez-de-chaussée, la **section de paléontologie** abrite, au milieu de nombreux fossiles de faune et de flore du secondaire, le squelette, presque complet, d'un plésiosaure de Tournemire, reptile marin de 4 m de long datant de 180 millions d'années…

Les caves voûtées du musée abritent une remarquable collection de **poteries★** gallo-romaines, trouvées sur le site de la Graufesenque : vases ornés et lisses de toutes les périodes de construction, moules, poinçons et comptes de potiers, atelier et four reconstitués. Remarquez les piles de vases collés à la cuisson et complètement déformés. Ce sont des « ratés »!

Au 1er étage, le **musée de la Peau et du Gant★** présente les deux industries traditionnelles de Millau : la mégisserie, qui permet de transformer une peau périssable et brute en un produit imputrescible de haute qualité *(montage audiovisuel de 12mn)*, et la ganterie. Nombreux outils, échantillonnage de peaux, présentation des différentes étapes de fabrication d'un gant de la coupe à la finition (reconstitution d'un atelier du 19e s.). L'histoire du gant, avec ses raffinements (magnifiques paires de gants de soirée) et ses différentes utilisations, est très bien présentée.

👣 Pour prolonger la visite vous pouvez visiter la **ganterie Causse** *(5 bd des Gantières)* ou la **mégisserie Richard** *(parc d'activités de Millau Levézou, ✆ 06 84 84 34 94, visite les jeu. à 10h hors congés juil.-août et vac. Noël).*

À gauche de la place prenez la rue des Coloristes.

La Maison du Peuple
Aujourd'hui théâtre de la ville, elle abritait, au début du 20e s., bals, spectacles, conférences mais surtout elle était un lieu de rassemblement populaire. En 1935, elle fut le siège de la grande grève des gantiers.

Revenez sur la place du Maréchal-Foch pour prendre, à gauche, la rue des Jacobins.

On passe sous le **passage du Pozous**, ancienne porte fortifiée du 13e s. La rue du Voultre, avec ses passages voûtés très bas, débouche sur la place F.-Bompaire.

Par le quai de la Tannerie *(sur votre gauche)*, vous pouvez rejoindre le pont d'où vous avez une belle **vue** sur la ville et les kayakistes.

Revenez en arrière et suivez le boulevard de l'Ayrolle.

Boulevard de l'Ayrolle
Vous y verrez successivement le curieux **lavoir de l'Ayrolle** (18e s.), de plan hémisphérique, surmonté d'un joli toit, et l'**hôtel de Sambucy** datant du 17e s. *(visite des jardins du château - juil.-août : mar. 16h45 et jeu. 10h45 sf 14 Juil. - réserv. à l'office de tourisme).*

Continuez sur le boulevard jusqu'à la rue Droite que vous prendre sur votre droite.

Beffroi
✆ 05 65 59 50 00 - juil.-août : 10h-12h, 14h30-18h ; de mi-juin à fin juin et 1re quinz. de sept. : 14h30-18h - possibilité de visite guidée - 2,50 € visite libre, 3,50 € visite

guidée. Dans la rue Droite, une des plus commerçantes de la ville, cette tour gothique est un reste de l'ancien hôtel de ville. La tour carrée (12ᵉ s.) est due aux rois d'Aragon, la tour octogonale a été édifiée par les consuls de la ville au 17ᵉ s.

Un peu plus loin à droite se trouve une place d'architecture résolument contemporaine, honorant la cantatrice **Emma Calvé**. De là, jolie vue sur le beffroi.

De retour dans la rue Droite, prenez presque en face vers les halles. De la fin du 19ᵉ s. les **halles**, de style Baltard, accueillent le marché couvert.

L'ancien **hôtel de Galy** abrite aujourd'hui l'office de tourisme. Le portail roman rappelle sa construction médiévale. L'escalier en pierre à balustre montre qu'il a été remanié au 18ᵉ s.

Prenez la rue Sarret, à droite puis la rue de la Capelle.

Espace Métiers d'art

10 r. de la Capelle - ℘ *05 65 62 39 73 - www.espacemetiersdartmillau.com - juin-sept. : lun. 15h-19h30 ; mar.-vend. 10h-13h, 15h-19h30 ; sam. 10h-13h. ; sept-déc. et mars-mai : ouv. seult apr.-midi.* L'association Millau'Art et Savoir-Faire regroupe une trentaine d'artisans d'art. Cette jolie galerie voûtée présente une quinzaine de métiers différents allant du tourneur sur bois à la costumière, en passant par le potier (terre mêlée), le gantier ou le relieur sur cuir… La plupart de ces exposants ont des ateliers ouverts au public avec visite commentée ou démonstration de savoir-faire. Certains proposent également des stages découverte *(demandez le dépliant à l'entrée).* Tous les deux mois, l'espace accueille un artisan pendant deux semaines et organise un événement à cette occasion. Les pièces exposées montrent toute la richesse de Millau et ses alentours.

Rejoignez la place de la Capelle, puis le boulevard Gambetta où se trouve la manufacture du **gantier Causse**, le seul qui reste à Millau. Installé au n° 5, il bénéficie de superbes locaux de bois et de cuivre aménagés par J.-M. Wilmotte. Visite de l'atelier sur demande, boutique. ℘ *05 65 60 03 05 - www.causse-gantier.fr.*

À proximité Plan de microrégion

Fouilles de la Graufesenque C4

1 km au sud de Millau. Sortez en direction de Montpellier et Albi, puis tourner à gauche au rond-point suivant immédiatement le pont sur le Tarn. ℘ *05 65 60 11 37 -* ♿ *- juil.-août : 10h-12h30, 14h30-19h ; mai, juin et sept. : 10h-12h, 14h-18h ; oct.-avr. : 10h-12h, 14h-17h - fermé lun. et j. fériés - 4 € (– 18 ans gratuit), 6 € billet jumelé avec le musée de Millau, gratuit 1ᵉʳ dim. du mois sf juin-sept.*

Après une vidéo, projetée dans la maison d'accueil, vous découvrirez les fouilles qui ont permis de dégager les fondations d'un village gallo-romain de potiers avec sa rue centrale, son canal, les ateliers, les maisons des esclaves et l'un des énormes fours où l'on pouvait cuire jusqu'à 40 000 vases dans la même fournée. L'atelier de la Graufesenque fut l'un des plus grands ateliers gallo-romains, fort de 600 potiers, et produisait une vaisselle de luxe dite sigillée parce qu'en terre cuite rouge et décorée de sceaux et de poinçons. Certaines de ces poteries ont été exportées à travers toute l'Europe, le Moyen-Orient et jusqu'en Inde.

😊 NOS ADRESSES À MILLAU

HÉBERGEMENT

PREMIER PRIX

Hôtel de la Capelle – *7 pl. de la Capelle* - ℰ *05 65 60 14 72* - *www.hotel-millau-capelle.com* - *45 ch. 32/48 €* - ⊡ *6,50 €.* Cet hôtel a deux avantages : des prix raisonnables et une certaine tranquillité. À ce tarif il ne faut pas s'attendre au grand luxe, les chambres sont plutôt simples et ont gardé un cadre années 1960.

Hôtel Emma Calvé – *28 av. Jean-Jaurès* - ℰ *05 65 60 13 49* - *www.millau-hotel-emmacalve.com* - ⊡ - *13 ch. 52/75 €* - ⊡ *6 €.* Honorant la cantatrice millavoise qui vécut ses dernières années dans les lieux, cet hôtel très simple et au charme vieillot propose des chambres d'une propreté irréprochable. Celles donnant sur le boulevard sont moins chères (bien que l'animation nocturne y soit toute relative…).

Ferme-auberge de Quiers – *Hameau de Quiers - 12520 Compeyre* - ℰ *05 65 59 85 10* - *www.quiers.net* - *fermé de déb. nov. à déb. avr.* - ⊡ - 🍴 - *5 ch. 56 €* ⊡ - *rest. 20/23 €.* Dans un hameau agrippé aux contreforts des Causses, cette vieille grange restaurée abrite des chambres confortables et fonctionnelles et une coquette salle à manger rustique. Superbe vue sur la vallée et les plateaux ; calme absolu…

BUDGET MOYEN

Hôtel Le Cévenol – *115 r. du Rajol* - ℰ *05 65 60 74 44* - *www.cevenol-hotel.fr* - ♿ - *fermé du 21 déc. au 4 janv.* - ⊡ - *42 ch. 54/80 €* - ⊡ *7,50 €* - *rest. 18/30 €.* Situé à 300 m du centre-ville, cet hôtel confortable possède une très belle vue sur les Causses. Vous pourrez vous rafraîchir au bar ou dans la piscine découverte ! Le restaurant Le Pot d'Etain complète l'offre.

Château de Creissels – ℰ *05 65 60 16 59* - *www.chateau-de-creissels.com* - *fermé janv., fév. et dim. soir de nov. à mars* - ⊡ - *30 ch. 63/97 €* - ⊡ *9 €* - *rest. 24/50 €.* Château du 12e s. et son extension bâtie en 1971 : selon le cas, les chambres offrent le charme de l'ancien ou plus de sobriété. Salon stylé et billard. Repas traditionnel à composantes régionales, sous de belles voûtes de pierre ou en terrasse, panoramique.

Chambre d'hôte

La Saisonneraie – *Hameau de Luzençon - 12100 St-Georges-de-Luzençon* - ℰ *05 65 62 58 86* - *www.lasaisonneraie.com* - ⊡ - 🍴 - *5 ch. 69/85 €* ⊡. Dans un village perché sur la colline, cette bâtisse du 11e s. compte 4 belles chambres offrant toutes une vue superbe sur le vaste paysage alentour.

RESTAURATION

Bon à savoir – Plusieurs brasseries autour de la place Mandarous à l'orée de la vieille ville. La rue Capelle est bordée de petits restaurants pour la plupart exotiques.

PREMIER PRIX

Brasserie L'Estaminet – *Pl. des Halles* - *situé dans les Halles* - *merc.-jeu. 7h-14h, vend. 7h-19h, sam. 8h-14h, dim. 8h-14h (juil.-août)* - *plat 8/10 €.* Les Millavois se retrouvent au comptoir. Ambiance très agréable. Goûtez les viandes et poissons, du marché, à la plancha.

Les Arcades – *2-3 pl. Maréchal-Foch* - ℰ *05 65 60 87 88* - *15/22 €.* Salades et grillades au cœur de la vieille ville. Pour la couleur locale, aligot aux trois viandes. Pour l'exotisme, bourguignon de kangourou.

BUDGET MOYEN

La Marmite du Pêcheur – *14-16 bd de la Capelle - ℰ 05 65 61 20 44 - fermé lun. (sais.) ; mar.-merc. (hors-sais.) - 20/36 €.*

Au Jeu de Paume – *2 r. St-Antoine - ℰ 05 65 60 25 12 - fermé sam. midi et dim., janv. - 18/36 €* - Dans la salle voûtée se trouve une grande cheminée où le chef fait griller poissons et viandes. Bar et tables installés dans une agréable cour (ancien jeu de paume). Piano-bar le vend. soir d'oct. à avr. (jazz et blues).

Capion – *3 r. J.-F.-Alméras - ℰ 05 65 60 00 91 - www.restaurant-capion.com - fermé 1er-7 janv., jeu. en juil.-août, mar. soir et merc. - ♿ - 15/38 €.* Cet établissement du centre-ville affiche souvent complet. Vous y dégusterez une copieuse cuisine traditionnelle valorisant le terroir ainsi qu'un menu des îles, plus exotique.

La Braconne – *7 pl. Mar.-Foch - ℰ 05 65 60 30 93 - fermé dim. soir et lun. - 20/41 €.* Le restaurant est situé sous le « couvert » à colonnes de cette place pittoresque du vieux Millau, dans une jolie salle voûtée du 13e s. Cuisine familiale.

POUR SE FAIRE PLAISIR

La Mangeoire – *10 bd de la Capelle - ℰ 05 65 60 13 16 - www.restaurantlamangeoire.com - fermé dim. soir (nov.-avr.), lun. (mai-oct.). - 20/46 €.* Charmante salle voûtée (anciens remparts) et agréable terrasse sur rue. Vous pouvez commencer par un gaspacho de melon parfumé au muscat, menthe fraîche et jambon de pays, puis goûter la saucisse grillée au feu de bois et son aligot, enfin terminer par la flaune (dessert local à base de petit lait de brebis et fleur d'oranger).

ACHATS

J. Bonami – *4 r. Peyssière - ℰ 05 65 60 07 40 - fermé 2 sem. en fév. ; 3 sem. apr. le 15 août et j. fériés.* Découvrez dans cette pâtisserie le véritable gâteau à la broche cuit au feu de bois et les échaudés, élaborés selon une recette ancienne.

Cave des Vignerons des gorges du Tarn – *Av. des Causses - 12520 Aguessac - ℰ 05 65 59 84 11 - été : 8h-12h, 14h-19h ; reste de l'année : 8h-12h, 14h-18h - fermé j. fériés.* La cave des Vignerons des gorges du Tarn regroupe les appellations d'origine « Vin délimité de qualité supérieure » (VDQS) côtes de Millau donnant des vins rouges et rosés.

ACTIVITÉS

Club ULM de Millau – *La Cavalerie - ℰ 05 65 59 40 53 - www.millau-ulm.com.* Survol du viaduc en ULM.

HELI 12 – *Bruno Rault - ℰ 06 09 30 52 51 - www.heli12.com.* Survol des Grands Causses et du viaduc (15mn).

Incentive Parc – *Parc de loisirs des Bouscaillous - ℰ 05 65 60 33 78 - www.parc-bouscaillous.com.* Randonnée en quad ou en buggy avec visite guidée du viaduc.

AGENDA

Millau en jazz – *Autour du 14 Juil.* Rues et places se remplissent de concerts et animations musicales.

La principauté d'Andorre

Sant Joan de Caselles à Canillo.
Cyrillus / fotolia.com

Principauté d'Andorre

★

751 Andorrans

⊙ NOS ADRESSES PAGE 552

▪ S'INFORMER

Office du tourisme de la mairie d'Andorre – *Pl. de la Rotonda - AD 500 Andorra la Vella -* ☎ *(00-376) 82 71 17 - www.andorralavella.ad - de mi-déc. à mi-janv. et en août : 9h-21h ; reste de l'année : tlj 9h-13h, 15h-19h.*
Office du tourisme de la principauté d'Andorre – *26 av. de l'Opéra - 75001 Paris -* ☎ *01 42 61 50 55 - www.andorre.fr - tlj sf w.-end 9h-17h30 - fermé j. fériés.*

◐ SE REPÉRER

Carte Michelin Départements 343 G9.
Depuis la France, il n'y a qu'une route, la N 22 qui passe par le poste-frontière du Pas de la Casa. La principauté s'étend sur 468 km².

☺ À NE PAS MANQUER

Le panorama depuis le port d'Envalira, les églises romanes (particulièrement Sant Miquel d'Engolasters), les trois Casas (maisons) qui illustrent la société andorrane et, pour les amateurs, le musée national de l'Automobile. Détente assurée au centre Caldea *(voir nos adresses).*

LES ARMES DE LA VALLÉE

Apposées sur la Casa de la Vall d'Andorre, elles illustrent le régime de coprincipauté : à gauche, la mitre et la crosse d'Urgel et les quatre « pals » (bandes) de gueules de la Catalogne ; à droite, les trois « pals » du comté de Foix et les deux « vaches passantes » du Béarn. Les armes ornent aujourd'hui les plaques d'immatriculation.
Les Andorrans se répartissent dans sept « paroisses » ou communes : Canillo, Encamp, Ordino, La Massana, Andorra la Vella, Sant Julià de Lòria et Escaldes-Engordany.

Paysage de l'Andorre.
Département du Tourisme du gouvernement d'Andorre

⏱ **ORGANISER SON TEMPS**
Quel que soit votre programme, il vous faudra compter avec les embouteillages, particulièrement inextricables pendant l'été. Si vous le pouvez, pour ne pas repartir trop déçu, prévoyez une petite randonnée en montagne.

👥 **AVEC LES ENFANTS**
Le musée de la Microminiature.

Longtemps calée sur le paisible rythme agropastoral, la vie andorrane se voit aujourd'hui bouleversée par une circulation trépidante, un nombre toujours croissant de skieurs et de consommateurs de produits détaxés et une expansion immobilière anarchique aux abords des routes. Néanmoins, la majeure partie de son territoire a conservé de magnifiques paysages qu'il est toujours agréable d'explorer.

Itinéraires conseillés

VALLÉE DU VALIRA D'ORIENT 1

▶ *Pour visualiser ce circuit de 30 km, du Pas de la Casa à Andorre-la-Vieille, reportez-vous à la carte (p. 542) – compter une demi-journée à une journée.*

Pas de la Casa
Alt. 2 085 m. Simple poste-frontière, ce village, le plus élevé de la principauté, est devenu un centre important de ski. L'agglomération est principalement composée de grands complexes hôteliers et de boutiques hors taxes : il y règne tout au long de l'année une intense animation, accompagnée, en particulier l'été, d'embouteillages impressionnants.
Onduleuse et sinueuse, la route serpente à travers les montagnes avant d'atteindre le port d'Envalira. La montée offre de très belles vues sur l'étang et le **cirque de Font-Nègre**.
Le port d'Envalira peut être obstrué par la neige, mais sa réouverture est assurée dans les 24h. Un tunnel permet d'éviter ce col.

Port d'Envalira
Alt. 2 408 m. C'est le plus haut col pyrénéen franchi par une bonne route. Plusieurs stations-service s'y disputent la vente d'essence, à des prix défiant toute concurrence. Le port d'Envalira marque la ligne de partage des eaux entre la Méditerranée (Valira) et l'Océan (Ariège) et offre un **panorama★★** sur les montagnes de l'Andorre, atteignant 2 942 m, dans le lointain à l'ouest, à la Comapedrosa.

LE GOÛT DE LA LIBERTÉ

« Le grand Charlemagne, mon père, des Arabes me délivra. » C'est par ces mots que débute l'hymne andorran qui, fièrement, poursuit : « Seule, je reste l'unique fille de l'empereur Charlemagne. Croyante et libre, onze siècles, croyante et libre je veux être entre mes deux vaillants tuteurs et mes deux princes protecteurs. »

La coprincipauté d'Andorre a vécu jusqu'en 1993 sous le régime du paréage hérité du monde féodal. Dans un tel contrat, deux seigneurs voisins délimitaient leurs pouvoirs et leurs droits sur un territoire qu'ils tenaient en fief en commun. L'acte de paréage, signé en 1278 par l'évêque d'Urgel et Roger-Bernard III, comte de Foix, instituait ceux-ci comme coprinces. Les évêques d'Urgel restent toujours coprinces, mais la suzeraineté des comtes de Foix, par l'intermédiaire d'Henri IV, a été transmise au chef de l'État français.

En 1993, les Andorrans se sont dotés, par référendum, d'une nouvelle Constitution conférant à la principauté sa pleine souveraineté. La langue officielle est le catalan, mais le français et l'espagnol sont également utilisés. La principauté est devenue pays membre de l'ONU. Les Andorrans sont avant tout « avides, fiers, jaloux » de leur liberté et de leur indépendance. Le Conseil général tient ses sessions à la Casa de la Vall. Il assure la représentation mixte et paritaire de la population nationale et des sept paroisses. Les Andorrans ne sont soumis ni aux impôts directs ni au service militaire ; ils bénéficient de la franchise postale en régime intérieur.

La vie, toute patriarcale, était naguère consacrée en grande partie à l'élevage et à la culture. Entre les hauts pâturages d'été et les hameaux, on trouve encore les *cortals* formés de granges ou bordes. Sur les soulanes subsistent des cultures en terrasses. Les plantations de tabac constituent la culture dominante dans la vallée de Sant Julià de Lòria, à 1 600 m d'altitude. Les premières voies carrossables ouvrant l'Andorre au monde extérieur ne furent créées qu'en 1913 côté espagnol et en 1931, côté français.

Au cours de la descente, on découvre, s'épanouissant au sud, le cirque des Pessons.

Sant Joan de Caselles

Cette église romane domine de sa haute tour les environs. Isolée, elle est l'un des types les plus accomplis du style roman en Andorre, avec son clocher à trois étages de baies.

À l'intérieur, derrière la pittoresque grille de fer forgé et découpé du chœur, apparaît un retable peint, œuvre du maître de Canillo (1525), *Vie et visions apocalyptiques de saint Jean*. Lors de la dernière restauration (1963), on a pu rétablir une **Crucifixion★** romane : les morceaux épars d'un Christ en stuc ont été recollés sur le mur, à leur emplacement d'origine, après dégagement de la fresque complétant la scène du Calvaire.

Canillo

L'église collée au rocher est surmontée du plus haut clocher d'Andorre. À côté se détache, en blanc, l'ossuaire (dont les cellules abritent les caveaux funéraires), construction fréquente dans les pays de civilisation ibérique.

Musée des Deux-Roues (M2R) – *Av. générale de Canillo* - ☏ *(00-376) 853 444* - *www.m2r.ad* - *mar.-sam. 15h-19h, dim. 10h-13h - gratuit*. En 1885, Gottlieb Daimier eut l'idée de transformer un simple vélo en motocyclette. Depuis, cet engin n'a cessé de se perfectionner et son style de s'adapter au goût du jour. Présent dans la vie quotidienne, il a désormais son musée qui témoigne, à travers de nombreux spécimen, de son évolution.

Notre-Dame-de-Meritxell – *Meritxell - ℘ (00-376) 839 760 - ♿ - lun.-sam. 9h-13h, 15h-18h, dim. 9h-13h - visite guidée en été - gratuit.* L'ancien sanctuaire incendié fut restauré en 1994 : il abrite une exposition permanente qui raconte la dévotion du peuple d'Andorre. Une nouvelle église, construite en 1976 par l'architecte Ricardo Bofill dans un style moderne assez éclectique sert désormais de sanctuaire national.

Avant Encamp, par un raidillon, on surmonte le verrou des **Bons, site★** d'un hameau groupé sous les ruines du château qui défendait le passage et la chapelle Sant Roma.

Encamp

Ce village possède deux églises intéressantes : **Santa Eulalia**, remaniée par la suite, possède le clocher roman le plus haut d'Andorre (23 m), un porche du 14ᵉ s. et des retables baroques. **Sant Roma** abrite des reproductions de peintures romanes et gothiques.

★ **Casa Cristo** – *Carrer dels Cavaliers 2 - ℘ (00-376) 833 551 - visite guidée - juil.-août : lun.-sam. 9h30-13h30, 15h-19h30, dim. 10h-14h ; reste de l'année : mar.-vend. 9h30-13h30, 15h-18h30, sam. 10h-14h, 16h-20h - 3 € (– 12 ans gratuit).* Cette demeure, qui a conservé son mobilier d'origine, est aujourd'hui devenue musée. Ses deux étages habitables, son rez-de-chaussée réservé aux bêtes et aux outils, son garde-manger et son grenier témoignent de façon touchante de ce que fut la vie d'une modeste famille andorrane au 19ᵉ s. et au début du 20ᵉ s. : des conditions de vie difficile pour cette famille dont le père journalier complétait ses maigres revenus par un peu d'agriculture et d'élevage.

★ **Musée national de l'Automobile (Museu Nacional de l'Automòbil)** – *Av. Coprincep-Episcopal 64 - ℘ (00-376) 839 760 - ♿ - 9h30-13h30, 15h-18h30, dim. 10h-14h - fermé lun. - 3 €.* Répartie sur les cinq étages d'un ancien garage, la collection offre un voyage sur plus d'un siècle d'histoire de l'automobile, avec 88 voitures, 105 vélos et 68 motos. Au rez-de-chaussée, la *Pinette*, machine à vapeur, est la plus ancienne pièce du musée (1885). Elle est entourée de modèles pimpants aux carrosseries brillantes, aux cuirs patinés, aux bois dorés ou vernis : Tipus de 1898 (premier modèle des frères Lumière), Mercedes Simplex (1904), De Dion-Bouton (1906), Delahaye quatre cylindres (1909) ou encore Hispano-Suiza (1927). Aux 1ᵉʳ et 2ᵉ étages sont stationnées des voitures de course (Soriano-Pedroso, 1922 ; Bugatti, 1923 ; Selex, 1971), d'autres automobiles de ville, des vélos (fin 19ᵉ s.) de une à quatre roues et des motocyclettes anciennes. Au sous-sol, voyez la Rolls-Royce (Phantom II, 1926), la Hotchkiss (1951), la Cadillac (1933) et, plus récentes, la Triumph TR 6 (1968), la Chevrolet (1976), la Ferrari 328 GTS (1986) ou l'étonnante Jaguar décapotable E.E (1962), fabriquée en quatre exemplaires.

Après Encamp, on peut apercevoir le bâtiment des machines de l'ancienne Radio Andorre, flanqué d'un clocher néoroman inattendu. À partir d'Escaldes, la route s'enfonce dans l'agglomération d'Andorre-la-Vieille, qui regroupe sur quelques kilomètres carrés la majorité de la population andorrane.

Escaldes-Engordany

Musée des Maquettes (Museu de Maquetas) – *Av. Carlemany 30 - ℘ (00-376) 802 255 - www.e-e.ad - ♿ - 9h30-13h30, 15h-19h, sam. 9h30-13h30 - fermé dim., 1ᵉʳ janv., 8 sept., 25-26 déc. - gratuit.* Au 3ᵉ étage du Centre d'art d'Escaldes-Engordany, dans un bâtiment des années 1930, une grande salle abrite une trentaine de maquettes réalisées par Josep Colomé, représentatives de l'architecture romane en Andorre : pont de la Tosca et place Sainte-Anne à Escaldes, Casa de la Vall à Andorra la Vella, église Sant Andrea del Prat à La Massana, Casa d'Areny-Plandolit à Ordino.

Musée du parfum – *Centre Julia, av. Carlemany 115 - ☎ (00-376) 801 931 - visite guidée sur réservation ou libre avec audioguide - mar.-vend. 10h-13h, 16h-20h, sam. 10h-14h, 16h-20h, dim. 10h-13h - 5 €.* Essences et arômes ont de tout temps passionné l'être humain qui n'a cessé d'en explorer les multiples facettes. De ces recherches sont nés des parfums qui ont révélé des hommes de talent – Coty, Guerlain, Dior et tant d'autres. Pour ces parfums, des artistes, dont René Lalique ont créé de magnifiques flacons, coffrets et boîtes dont le musée conserve de nombreux exemplaires. Et pour clore la visite, vous pourrez tester votre nez en essayant de reconnaître certaines fragrances.

Andorre-la-Vieille (Andorra la Vella)

Capitale des vallées d'Andorre, la ville est une métropole du négoce, bruyante et touchée par une circulation dense. À l'écart des voies fréquentées par les visiteurs venus faire leurs emplettes, le noyau d'Andorre-la-Vieille garde ses ruelles et quelques maisons anciennes.

Casa de la Vall (Maison de la Vallée) – *Carrer de la Vall - ☎ (00-376) 829 129 - visite guidée obligatoire (30mn) sur demande 3 mois à l'avance, fermée durant les séances du Conseil général - mai-oct. : mar.-sam. 9h30-13h30, 15h-18h30, lun. 15h-18h30. ; nov.-avr. : lun.-vend. 9h30-13h30, 15h-18h30, sam. 9h30-13h30 - fermé dim., 1er et 6 janv., 14 mars, lun. de Pâques, lun. de Carnaval, 1er Mai, 15 août, 8 sept., 1er nov., 8, 21, 25-26 déc. - gratuit.* Siège du parlement d'Andorre où se discutent les intérêts du pays, la Maison de la Vallée est l'une des plus anciennes de la principauté. C'est à la fois le Parlement et le palais de justice des Vallées. Construite en 1580, elle devint dès 1702 la propriété du Conseil général qui y tient ses séances. Cette construction massive doit son allure d'ensemble à des aménagements du 16e s. Restaurée en 1963, son appareil défensif a été complété par une deuxième échauguette d'angle, au sud. Son plan quadrangulaire avec trois galeries et son portail qui s'ouvre sous de longs et lourds claveaux sont typiques des constructions nobles aragonaises. L'intérieur doit sa noblesse à ses plafonds et à ses lambris. Au 1er étage, la salle de réception, jadis réfectoire, est ornée de peintures murales du 16e s. La salle du Conseil conserve la fameuse « armoire aux sept clés » munie de sept serrures différentes (chacune des paroisses détient une clé), qui abrite les précieuses archives.

★ VALLÉES DE GRAN VALIRA ET VALIRA DEL NORD ②

▶ *Pour visualiser ce circuit de 9 km, de Sant Julia de Loria à La Cortinada, reportez-vous à la carte (p.542) – compter une demi-journée à une journée.*

★ **Musée du Tabac** – *Carrer Doctor Palau 17 - ☎ (00-376) 741 545 - visite commentée, il est conseillé de réserver - ♿ - mar.-sam. 10h-20h, dim. 10h-14h30 - fermé lun. - 5 € (– 8 ans gratuit).*
Il occupe l'ancienne manufacture de tabac de la famille Reig. Sur quatre étages, vous découvrirez les ateliers dans lesquels ouvriers et ouvrières travaillaient les feuilles de tabac. De la récolte de la plante à son séchage, de sa fermentation à son hachage, de la fabrication des cigares et des cigarettes au conditionnement, vous vivrez l'épopée du tabac, sa commercialisation, la contrebande qui en résulta et l'importance de cette activité pour les

L'art roman en Andorre

COMMENT LE DÉCOUVRIR ?

Andorre conserve sur son territoire de belles églises romanes (11e-12e s.) dont certaines possèdent encore une partie de leurs fresques mais elles ne sont ouvertes qu'en juillet et août. *(Se renseigner auprès du Patrimoine culturel d'Andorre - ☎ (00-376) 844 141 - www.patrimonicultural.ad.)*

L'idéal est de commencer par le **Centre d'interprétation Andorra Romanica** à La Massana *(☎ (00-376) 839 760 - juin-août : 9h30-13h30, 15h-18h30, dim. 10h-14h - fermé lun. - gratuit)*. Ce centre présente l'art roman d'Andorre à travers des objets, des photographies et des vidéos.

Une visite en bus permet de découvrir deux ou trois églises durant l'été mais également à d'autres périodes de l'année *(se renseigner auprès de l'Office du tourisme d'Andorre)*.

LES ÉGLISES ROMANES

L'**église San Joan de Caselles**, à Canillo, est l'une des plus intéressantes avec les œuvres du maître de Canillo *(p. 546)*.

À Encamp, on peut visiter l'église de **Santa Eulalia** qui possède le clocher roman le plus haut d'Andorre (23 m) et celle de **Sant Roma** *(p. 547)*.

À Escaldes-Engordany, **Sant Miquel d'Engolasters** se distingue par sa forme rectangulaire, son haut clocher-tour et ses têtes sculptées romanes au centre des arcs des fenêtres (rare). De ce site, belle vue panoramique sur la capitale.

À Andorre, **Santa Colonna** est la seule église romane à posséder un clocher circulaire de style lombard. De ces peintures, il ne reste sur place que l'Agnus Dei. Elle abrite également une sculpture en bois du 12e s. de Notre-Dame du Bon Remède et un retable baroque. **Sant Esteve** n'a plus que son abside romane, deux retables baroques et quelques peintures du 17e s.

Proche de Sant Julia de Loria, **Sant Cerni de Nagol** possède encore de belles peintures romanes d'un style original, influencé par l'art des miniatures. Son clocher plat et son architecture sont caractéristiques de l'art roman andorran. De cette église s'offre une magnifique vue sur la vallée.

À La Massana, l'église **Sant Cristofol d'Anyos** occupe un emplacement stratégique au-dessus de la vallée. Ses peintures romanes furent pillées au début du 20e s. Elle conserve néanmoins des peintures et un retable du 16e s.

À Pal, l'église **Sant Climent** est au centre de ce beau village ancien. Son clocher lombard, fait unique à Andorre, conserve des fenêtres géminées. Remarquez sa cuve baptismale en granit, sa sculpture romane de Notre-Dame du Bon Remède, ses deux croix processionnelles et son retable du 18e s.

À Ordino, l'église **St. Corneli et St. Cebria** renferme l'une des plus petites vierges romanes en bois d'Andorre (44 cm) et des retables baroques. Ses grilles en fer forgé proviennent des forges d'Ordino. Sur la place de l'église se dresse un petit porche, le **comunidor**, qui servait pour les cérémonies contre les tempêtes.

À Cortinada, l'église **Sant Marti** abrite des peintures murales du Maître de la Cortinada (fin 12e s.) ainsi que de belles grilles en fer forgé, des retables et un autel du 17e s.

Andorrans aux siècles précédents. Des vidéos commentées par d'anciens ouvriers vous accompagnent tout au long de votre parcours, illustrant en particulier le fonctionnement des machines et la fabrication traditionnelle des cigares et des cigarettes.

Gorges de Sant Antoni (Gargantas de Sant Antoni)

Depuis le pont sur le Valira del Nord, on aperçoit à droite le vieux pont en dos d'âne de Sant Antoni qu'utilisait l'ancien chemin muletier qui rejoignait La Massana. D'époque médiévale, il fut restauré au 19e s.

Avant La Massana, tourner à gauche vers Sispony.

La Massana

★ **Casa Rull de Sispony** – *Carrer Major à Sispony, La Massana - ℘ (00-376) 839 760 - www.museus.ad - visite guidée ou avec audioguide (1h) - 9h30-13h30, 15h-18h30, dim. et j. fériés 10h-14h - fermé lun. - 3 € (+ 10 ans 1,50 €).* Distribuée sur quatre étages et seize pièces sobrement aménagées dont sept chambres, la Casa Rull figurait parmi les maisons les plus riches de la paroisse de La Massana. Bâtie au 17e s., elle subit quelques modifications en fonction des besoins de la famille. Dans le cellier ou la cuisine, le salon ou le grenier, on découvre avec plaisir outils des champs, garde-manger, tonneau à vin, bât, pétrin, lessiveuse. Deux films-diaporamas qui évoquent la vie difficile des habitants d'Andorre, des éleveurs et des agriculteurs, complètent la visite.

La forge Rossell (Farga Rossell) – *À la sortie de La Massana en direction de Ordino - ℘ (00-376) 839 760 - www.fargarossell.ad - ⅏ - visite guidée sur réservation - lun.-vend. 9h30-13h30, 15h-18h, dim. 10h-14h - 3 € (4 € avec démonstrations).* Après un spectacle son et lumière dans la charbonnière, retraçant l'histoire du fer et l'évolution des techniques, la visite se poursuit au cœur de la forge. Construite sur les bords du Valira del Nord, la forge a utilisé sa force motrice à partir de 1846 et fut l'une des dernières à fermer ses portes en 1876. Sa visite, très instructive, explique le fonctionnement de la forge mue par la force de l'eau. Ne ratez pas pour finir la démonstration du martinet, marteau employé pour les finitions particulières.

Par la vallée d'Arinsal, belle vue sur les sommets de la Coma Pedrosa.

Par La Massana, gagner Ordino.

Ordino

Laisser la voiture dans le village haut, sur la place près de l'église. Bourg pittoresque dont on parcourra les ruelles en contrebas de l'église. Cette dernière a gardé de belles grilles en fer forgé et découpé, que l'on découvre encore dans plusieurs sanctuaires proches des anciennes « forges catalanes », et un étonnant retable. Centre culturel de la principauté, la ville compte plusieurs musées.

★ **Casa Areny-Plandolit** – *℘ (00-376) 839 760 - visite guidée (45mn, réservation conseillée) - 9h30-13h30, 15h-18h30, dim. 10h-14h, fermé lun. - 3 €.* Typiquement catalane (1676) avec son balcon en fer forgé long de 18 m, elle fut la demeure de la famille Areny i Plandolit dont faisait partie le baron Guillem, riche maître de forges catalanes. Au rez-de-chaussée, on trouve les celliers, au 1er étage, la salle principale (« salle d'armes »), la cuisine (beaux carreaux de céramique bleue et jaune au-dessus de l'évier), la chambre à coucher en alcôve attenante à une petite chapelle privée, la bibliothèque et la salle à manger au décor de style Art nouveau.

Musée postal d'Andorre (Museu Postal d'Andorra) – *Carrer Major, fermette del Raser - ℘ (00-376) 839 760 - ⅏ - 9h30-13h30, 15h-18h30, dim. 10h-14h - fermé lun. - 3 € (+ 10 ans 1,50 €).* Un diaporama trace de façon chronologique l'histoire postale en Andorre : l'acheminement du courrier à dos de mulet, à cheval, à pied, le déploiement des chemins carrossables et le développement des transports. Au même étage, l'exposition de lettres, de cartes, de sacoches de facteurs et de sacs postaux s'articule autour d'un guichet reconstitué. Au sous-sol, collection de timbres andorrans (1928-2004) et outils divers pour la fabrication de timbres.

Musée de la Microminiature (Museu de la Microminiatura) – *Edifici Maragda -* ℘ *(00-376) 838 338 -* 🦽 *- 9h30-19h, dim. et j. fériés 9h30-13h30 - 4 € (6-12 ans 3,50 €) billet combiné avec le Musée iconographique et du Christianisme.* 🧑‍🦯 Dans un petit espace, au diapason de son sujet, le musée abrite des miniatures de Nikolai Siadristy (artiste originaire d'Ukraine) à contempler au microscope : la caravane (dans le chas d'une aiguille), la paix dans l'univers (composition en or, dans un pépin de raisin), la fleur… Une vidéo présente la démarche de l'artiste, inscrit contre les grands travaux architecturaux.

Musée iconographique et du Christianisme (Museu Iconogràfic i del Christianisme) – *Possibilité de visite guidée (1h). Même adresse et mêmes conditions de visite que le musée de la Microminiature.* Il renferme quelque 80 icônes religieuses orthodoxes (17e -19e s.) provenant essentiellement de Russie, d'Ukraine, de Bulgarie et de Grèce : Vierge à l'Enfant, scènes évangéliques, saint Georges terrassant le dragon, sainte Élisabeth, saint Nicolas. Sculptures de Christ en bois polychromé (14e -19e s.).

La Cortinada

Site agréable. En contrebas de l'église et du cimetière à ossuaires, remarquez une ancienne maison de notable à galeries extérieures et à pigeonnier.

Centre de nature de La Cortinada – *Casa Masover -* ℘ *(00-376) 849 849 -* 🦽 *- mar.-vend. 10h-13h, 15h-17h, sam. 10h-13h, 15h-18h - fermé dim. et lun. - gratuit.* À travers de nombreuses photographies, des textes détaillés et diverses animations, ce centre vous explique la faune et la flore d'Andorre, ses paysages et son évolution.

Meule et scierie de Cal Pal – ℘ *(00-376) 878 173 -* 🦽 *- visite libre ou guidée - juil.-août : mar.-sam. 9h30-13h30, 15h-18h30, dim. et j. fériés. 10h-14h - fermé lun. - 3 € (6-12 ans 2 €).* La visite guidée de cet ensemble, qui date de la fin du 16e s., étayée de démonstrations et complétée par une vidéo, vous fera découvrir le principe de la scie hydraulique et de la meule.

Musée du Pin's – ℘ *(00-376) 749 000 - mar.-dim. 10h-13h, 16h-19h - fermé lun. et en mai - gratuit.* Pour les passionnés de pin's, ce musée installé dans l'hôtel Sant Miquel, vous ravira avec sa collection de plus de 106 000 exemplaires.

LAC D'ENGOLASTERS (ESTANY D'ENGOLASTERS) ③

▶ *Pour visualiser ce circuit de 9 km puis 30mn à pied AR, au départ d'Escaldes, reportez-vous à la carte (p.542) – compter 2h. Sortir d'Escaldes, à l'est d'Andorre, par la route de France ; à la sortie de l'agglomération, prendre à droite en arrière la route de montagne d'Engolasters.*

Sur le plateau de pâturages d'Engolasters, annexe sportive d'Andorre-la-Vieille, se dresse la fine tour romane de l'**église Sant Miquel**.

🥾 Du terminus de la route, franchir la crête, sous les pins, pour redescendre aussitôt *(à pied)* au barrage. L'ouvrage a élevé de 10 m le niveau du lac (alt. 1 616 m), où se reflète la forêt sombre. À l'extrémité opposée se dressent les antennes de Radio Andorre, dont les émissions ont cessé depuis 1981.

😊 NOS ADRESSES À ANDORRE

INFORMATIONS UTILES

Les formalités d'entrée sont les mêmes que pour entrer en France : la douane contrôle la quantité et la valeur des produits achetés en Andorre non soumis aux droits et taxes : par exemple, par personne, 1,5 l d'alcool titrant plus de 22° ou 3 l d'alcool titrant moins de 22°, 300 cigarettes, 75 g de parfum, 375 ml d'eau de toilette, etc.

Horaires – Ils sont assez différents de ceux pratiqués en France. À titre indicatif : déjeuner 13h30-15h30, dîner 21h-23h.

Jours fériés – 1er janv., 14 mars (jour de la Constitution andorrane), 24 juin (pour la paroisse d'Andorra la Vella), 8 sept. (fête nationale), 25-26 déc.

Courrier – Les bureaux de poste sont généralement ouverts de 9h à 14h, sauf dans les grandes villes. La poste française et la poste espagnole coexistent. Pour la poste française, Il existe un bureau de plein exercice à Andorra la Vella et 6 agences postales (Canillo, Encamp, Pas de la Casa, Ordino, La Massana et Sant Julià de Lòria). Pour les relations postales avec la France, utiliser les boîtes aux lettres jaunes de type français. Attention, les timbres français ne sont pas valables : utiliser les timbres-poste andorrans.

Argent – En Andorre, certaines opérations financières (carte bleue Visa, carte 24h/24) sont possibles à la Caisse d'Épargne de la poste d'Andorra la Vella. N'ayant jamais eu de monnaie propre, la principauté d'Andorre a adopté l'euro en 2002 comme ses voisins français et espagnols. Elle n'appartient cependant pas à l'Union européenne.

Indicatif téléphonique d'Andorre – 00 376.

VISITES

Plusieurs sites d'Andorre ne sont accessibles qu'en visite guidée. Il est donc recommandé de téléphoner pour réserver car ces visites peuvent être en français ou en espagnol. Contacter la centrale de réservation au ☎ (00-376) 839 760 ou sur le site reserves.museus@andorra.ad.

Andorre propose différents itinéraires à thème comme la Route du fer, l'itinéraire de l'Habitat rural, les itinéraires de chacune des sept communes. Se renseigner auprès des offices de tourisme.

HÉBERGEMENT

La principauté regorge d'hôtels de toutes catégories. Il n'est donc pas nécessaire de réserver en basse saison. Au contraire en haute saison, c'est-à-dire en hiver et en été, il vaut mieux réserver. L'office de tourisme délivre des brochures détaillées pour les hôtels.

HÉBERGEMENT

PREMIER PRIX

Hôtel Florida – R. Llacuna 15 - Andorre-la-Vieille - ☎ (00 376) 820 105 - www.hotelflorida.ad - fermé mi juin et mi-nov. - ☐ - 27 ch. 54/92 € ☐. Fonctionnement familial dans cet hôtel à la façade actuelle. Parties communes un peu réduites, chambres fonctionnelles et parquetées, petit gymnase et sauna.

Hôtel Coray – Caballers 38 - Encamp - ☎ 00 376 831 513 - Fermé nov. - 85 ch. 50/64 € ☐ - rest. 10,50 €. Hôtel bien situé sur les hauteurs de la localité. Parties communes actuelles et chambres fonctionnelles donnant, pour la plupart, sur les champs environnants. Vaste et lumineuse salle à manger où l'on propose principalement les repas sous forme de buffet.

Hôtel Coma Bella – *Bosque de La Rabassa - Sant Julià de Lòria - alt. 1 300 - ℰ 00 376 742 030 - www.hotelcoma-bella. com - fermé 19 au 29 avril et 1er au 25 nov. -* 🅿 *- 30 ch. 53/93 € ⊑ - rest. 12 €.* Belle situation dans la forêt de la Rabassa pour cet hôtel très reposant. Chambres fonctionnelles et vastes parties communes. Le restaurant offre une jolie vue sur les sommets environnants.

BUDGET MOYEN

Hôtel Guillem – *C/ dels Arinsols 10 - Encamp - ℰ (00 376) 733 900 - www.hotelguillem.net - 42 ch. 55/86 € ⊑ - rest. 14 €.* Cet hôtel calme et bien situé dans un cadre agréable offre tout le confort possible : piscine, salle de gymnastique, tennis, massages, etc.

Hôtel Coma – *Ctra. Gral. d'Ordino - Ordino - ℰ (00 376) 736 100 - 48 ch. 45/91 € ⊑ - rest. 12 €.* Bien placé, cet établissement accueillant propose des chambres confortables, avec petites terrasses privées ainsi que de nombreuses prestations.

Hôtel Univers – *R. René-Baulard - Encamp - ℰ (00 37 6) 731 105 - www.hoteluniversandorra. com - (rest. fermé nov.) -* ♿ *-* 🅿 *- 31 ch. 72/83 € ⊑ - rest. 14 €.* Situé sur les berges du Valira d'Orient et tout près du futuriste hôtel de ville, sympathique établissement aux chambres de bon confort. Dans la petite salle à manger, correctement dressée, vous dégusterez une cuisine traditionnelle bien mitonnée.

Espel – *Pl. Creu Blanca 1 - Escaldes-Engordany -* ℰ *00 376 820 855 - www.hotelespel. com - fermé mai -* ♿ *- 84 ch. 64/106 € ⊑ - rest. 16 €.* Après des travaux importants, l'hôtel offre des installations confortables. Chambres avec parquet et mobilier fonctionnel. Restauration simple proposant seulement un menu.

RESTAURATION

POUR SE FAIRE PLAISIR

La Borda Pairal 1630 – *R. Dr-Vilanova 7 - Andorre-la-Vieille - ℰ (00 376) 869 999 - fermé dim. soir et lun. - 33/48 €.* Vieille ferme andorrane en pierre de pays, ayant conservé son décor rustique. Bar d'accueil et restaurant avec cave à vins ouverte. Salle de banquets au premier étage.

Can Benet – *Antic carrer Major 9 - Andorre-la-Vieille - ℰ (00 376) 828 922 - www. restaurant-canbenet.com - fermé 15 juin-30 juin et lun. -* ♿ *-* 🚭 *- 30/50 €.* Petit espace doté d'un bar d'accueil au rez-de-chaussée. À l'étage, la salle principale, de style andorran avec ses murs en pierre et son plafond en bois.

Taberna Angel Belmonte – *R. Ciutat-de-Consuegra 3 - Andorre-la-Vieille - ℰ (00 376) 822 460 - www. tabernaangelbelmonte.com - 35/55 €.* Un lieu agréable que ce restaurant aux airs de taverne. Beau décor où domine le bois et mise en place impeccable. À la carte, produits du terroir, poissons et fruits de mer.

El Rusc – *La Massana - La Massena - ℰ (00 376) 838 200 - fermé 15 juin-15 juil., dim. soir et lun. -* 🅿 *- 40/62 €.* Jolie maison locale abritant une belle salle à manger rustique. Plats traditionnels, spécialités basques et cave assez complète.

Borda Estevet – *Rte de La Comella 2 - Andorre-la-Vieille -* 🕿 *(00 376) 864 026 - www. bordaestevet.com -* 🅿 *- 33 €*. Dans les beaux murs de pierre d'une ancienne grange, plusieurs salles à manger au décor rustique, avec mobilier andorran et cheminée. Cuisine du marché et catalane.

ACTIVITÉS

Andorre possède deux ensembles de ski alpin avec 177 pistes sur 285 km, 110 remontées mécaniques, 1 385 canons à neige. Possibilité en outre de faire de la motoneige, des raquettes, du mushing, du skibikes, du speedriding, du vol panoramique…

Domaine skiable de Vallnord (Ordino/Arcalis et Pal/Arinsal Mountain Park) – alt. 1 550-2 625 m. Les pistes, de tous niveaux, serpentent au milieu de paysages magnifiques. Arcalis a la réputation d'être la plus belle station d'Andorre.

Domaine skiable Grandvalira (Pas de la Case/Grau Roig et Soldeu/El Tarter) – alt. 1 710-2 640 m. Ces deux stations accueillent, sur près de 1 800 ha, plus de la moitié des skieurs d'Andorre quel que soit leur niveau.

À Andorre, il existe de nombreux sentiers de randonnée avec refuges, des murs d'escalades et des vias ferratas. Plusieurs itinéraires sont possibles dans la **vallée glaciaire du Madriu** (Encamp, Andorre-la-Vieille, Escaldes-Engordany et Sant Julià

de Lória). Classée Patrimoine mondial de l'Unesco, elle a une superficie de 4 247 ha et des sommets à 2 500 m d'altitude (*itinéraires* 🕿 *(00-376) 841 352*. Il en est de même pour le **Parc naturel de Sorteny** de la vallée d'Ordino (*itinéraires* 🕿 *(00-376) 737 080* et le **Parc naturel des vallées du Comapedrosa** (*itinéraires* 🕿 *(00-376) 736 900*).

Caldea – *Août et vac. scol. Pâques : 9h-0h ; reste de l'année : 9h30-23h (sam. 0h) - 33 € (3h), 84 € (3 j), 127 € (5 j)*. 🧍🧍 À 1 000 m d'altitude, puisant l'eau thermale d'Escaldes-Engordany à 68 °C, Caldea est un grand centre aquatique conçu pour le bien-être et le plaisir. L'ensemble architectural, du Français Jean-Michel Ruols, se présente sous la forme d'une gigantesque cathédrale de verre à l'allure futuriste. L'éventail des possibilités est très large : bains indo-romains, hammam, Jacuzzi, lits à bulles, marbres chauds, fontaines de brumisation, etc. Restaurant gastronomique, galerie commerciale, bar panoramique à 80 m.

AGENDA

La fête nationale – C'est le 8 sept., jour où l'on fête la Vierge de Meritxell. Ce jour témoigne de l'enracinement de la foi dans le cœur des Andorrans. La messe se déroule en présence du clergé du pays et des autorités. Comme tout *aplec* (pèlerinage) catalan, elle est suivie de repas champêtres sur les prairies des alentours.

INDEX GÉNÉRAL

CARTE GÉNÉRALE

Premier Rabat de couverture

CARTES DES MICRORÉGIONS

PLANS DE VILLES

PLANS DE MONUMENTS

CARTES THÉMATIQUES

CARTES DES ITINÉRAIRES

CHANGEMENT DE NUMÉROTATION ROUTIÈRE !

Sur de nombreux tronçons, les routes nationales passent sous la direction des départements. Leur numérotation est en cours de modification. La mise en place sur le terrain a commencé en 2006 mais devrait se poursuivre sur plusieurs années. De plus, certaines routes n'ont pas encore définitivement trouvé leur statut au moment où nous bouclons la rédaction de ce guide.

LÉGENDE DES CARTES ET PLANS

Curiosités et repères

- Itinéraire décrit, départ de la visite
- Église
- Mosquée
- Synagogue
- Monastère - Phare
- Fontaine
- Point de vue
- Château - Ruine ou site archéologique
- Barrage - Grotte
- Monument mégalithique
- Tour génoise - Moulin
- Temple - Vestiges gréco - romains
- Temple : bouddhique - hindou
- Autre lieu d'intérêt, sommet
- Distillerie
- Palais, villa, habitation
- Cimetière : chrétien - musulman - israélite
- Oliveraie - Orangeraie
- Mangrove
- Auberge de jeunesse
- Gravure rupestre
- Pierre runique
- Église en bois
- Église en bois debout
- Parc ou réserve national
- Bastide

Sports et loisirs

- Piscine : de plein air - couverte
- Plage - Stade
- Port de plaisance - Voile
- Plongée - Surf
- Refuge - Promenade à pied
- Randonnée équestre
- Golf - Base de loisirs
- Parc d'attractions
- Parc animalier, zoo
- Parc floral, arboretum
- Parc ornithologique, réserve d'oiseaux
- Planche à voile, kitesurf
- Pêche en mer ou sportive
- Canyoning, rafting
- Aire de camping - Auberge
- Arènes
- Base de loisirs, base nautique ou canoë-kayak
- Canoë-kayak
- Promenade en bateau

Informations pratiques

- Information touristique
- Parking - Parking - relais
- Gare : ferroviaire - routière
- Voie ferrée
- Ligne de tramway
- Départ de fiacre
- Métro - RER
- Station de métro (Calgary, ...) (Montréal)
- Téléphérique, télécabine
- Funiculaire, voie à crémaillère
- Chemin de fer touristique
- Transport de voitures et passagers
- Transport de passagers
- File d'attente
- Observatoire
- Station service - Magasin
- Poste - Téléphone
- Internet
- Hôtel de ville - Banque, bureau de change
- Palais de justice - Police
- Gendarmerie
- Théâtre - Université - Musée
- Musée de plein air
- Hôpital
- Marché couvert
- Aéroport
- Parador, Pousada (Établissement hôtelier géré par l'État)
- A Chambre d'agriculture
- D Conseil provincial
- G Gouvernement du district, Délégation du Gouvernement Police cantonale
- L Gouvernement provincial (Landhaus)
- P Chef lieu de province
- Station thermale
- Source thermale

Axes routiers, voirie

- Autoroute ou assimilée
- Échangeur : complet - partiel
- Route
- Rue piétonne
- Escalier - Sentier, piste

Topographie, limites

- Volcan actif - Récif corallien
- Marais - Désert
- Frontière - Parc naturel

Comprendre les symboles utilisés dans le guide

LES ÉTOILES

★★★ **Vaut le voyage**   ★★ **Mérite un détour**   ★ **Intéressant**

HÔTELS ET RESTAURANTS

9 ch.	Nombre de chambres	♀	Établissement servant de l'alcool
☕ 7,5 €	Prix du petit-déjeuner en sus	⌿	Piscine
50 € ☕	Prix de la chambre double, petit-déjeuner compris	**CC**	Paiement par cartes de crédit
bc	Menu boisson comprise	⌿	Carte de crédit non acceptée
▤	Air conditionné dans les chambres	**P**	Parking réservé à la clientèle
✗	Restaurant dans l'hôtel		

SYMBOLES DANS LE TEXTE

♟♟	A faire en famille	♕	Randonnée à vélo
◔	Pour aller au-delà	♿	Facilité d'accès pour les handicapés
☁	Promenade à pied	**A2 B**	Repère sur le plan

Manufacture française des pneumatiques Michelin
Société en commandite par actions au capital de 304 000 000 EUR
Place des Carmes-Déchaux - 63000 Clermont-Ferrand (France)
R.C.S. Clermont-Fd B 855 200 507

collection Le GROSEMONT

ur l'étranger

- Angleterre Pays de Galles
- Autriche
- Barcelone et la Catalogne
- Belgique Luxembourg
- Bulgarie
- Canada
- Chine [N]
- Chypre [N]
- Croatie
- Écosse
- Égypte
- Espagne Atlantique
- Espagne du Centre Madrid Castille
- Espagne Méditerranéenne Baléares
- Grèce
- Irlande
- Italie du Nord
- Italie du Sud Rome Sardaigne

- Japon
- Londres
- Maroc
- Mexique [N]
- Moscou St-Pétersbourg
- Nouvelle Angleterre [N]
- Pays Baltes
- Pays Bas
- Pologne
- Portugal
- Québec
- Rome
- Roumanie
- Sardaigne [N]
- Scandinavie
- Sicile
- Sud-Ouest américain [N]
- Suisse
- Thaïlande [N]
- Toscane Ombrie Marches

Nos guides week-end en France et à l'étranger

- Week-end Amsterdam
- Week-end Barcelone [N]
- Week-end Berlin
- Week-end Bordeaux [N]
- Week-end Bruxelles
- Week-end Budapest
- Week-end Cracovie
- Week-end Edimbourg [N]
- Week-end Florence
- Week-end Istanbul
- Week-end Lisbonne
- Week-end Londres

- Week-end Lyon [N]
- Week-end Marrakech Essaouira [N]
- Week-end Marseille [N]
- Week-end Montpellier [N]
- Week-end Nantes [N]
- Week-end New York
- Week-end Prague
- Week-end Rome [N]
- Week-end Stockholm [N]
- Week-end Tunis [N]
- Week-end Venise
- Week-end Vienne [N]

Nos guides sur la France

- Alpes du Nord
- Alpes du Sud
- Alsace Lorraine
- Aquitaine
- Auvergne
- Bourgogne
- Bretagne
- Champagne Ardenne
- Charente-Maritime
- Châteaux de la Loire
- Corse
- Côte d'Azur
- Essonne
- France
- France Sauvage
- Franche-Comté Jura
- Haut-Rhin
- Idées de promenades à Paris
- Idées de week-ends aux environs de Paris
- Idées de week-ends en Provence
- Île-de-France

- Limousin Berry
- Loire
- Loiret
- Lyon Drôme Ardèche
- Meuse
- Midi Toulousain
- Moselle
- Nord Pas-de-Calais Picardie
- Normandie Cotentin
- Normandie Vallée de la Seine
- Paris
- Paris enfants
- Pays Basque France Espagne et Navarre
- Périgord Quercy
- Poitou Charentes Vendée
- Provence
- Puy-de-Dôme
- Tarn [N]
- Touraine côté Sud
- A75 La Méridienne
- 31 sites français au patrimoine de l'Unesco [N]